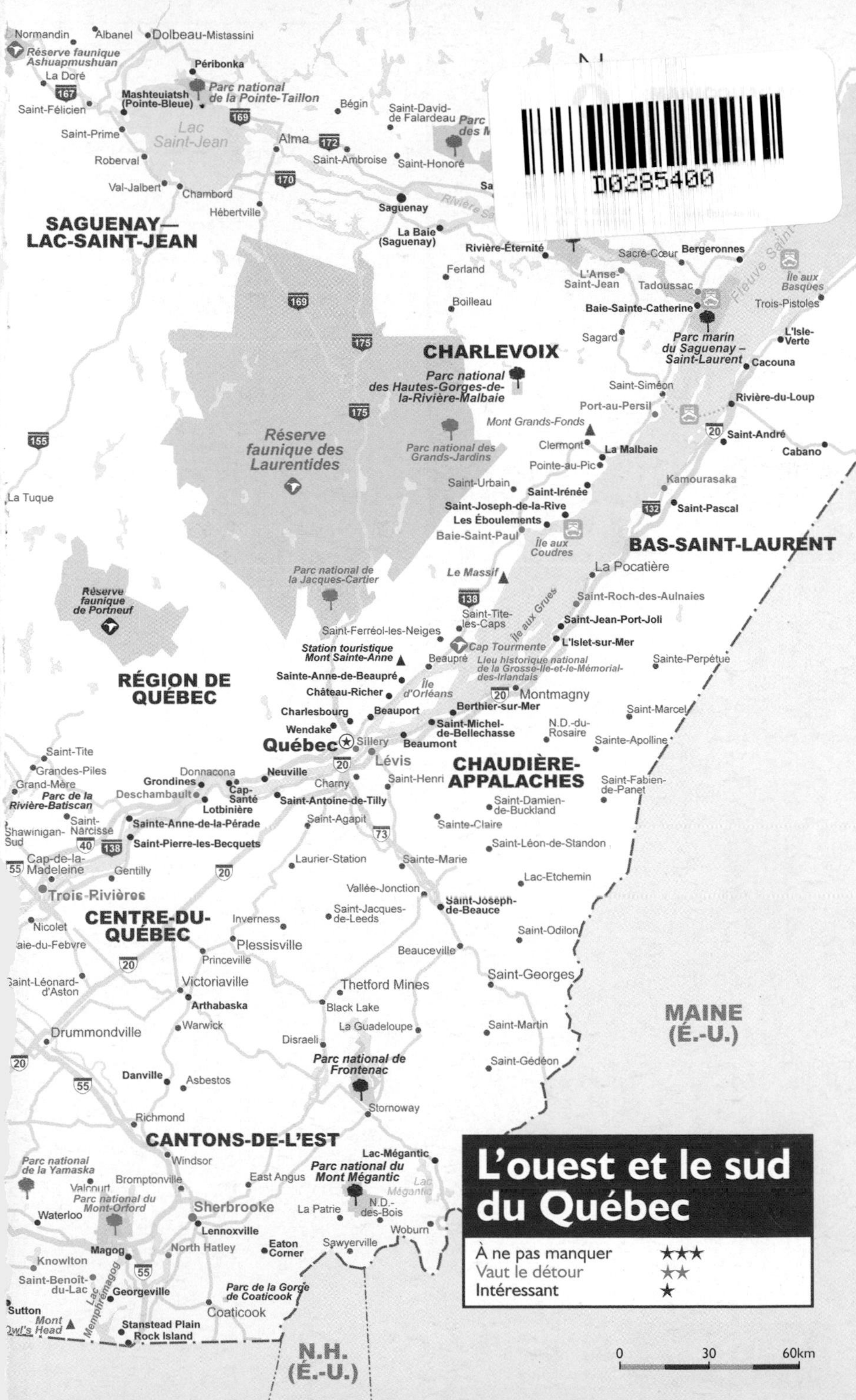

L'ouest et le sud du Québec
À ne pas manquer ★★★
Vaut le détour ★★
Intéressant ★
0 30 60km
SAGUENAY—LAC-SAINT-JEAN
CHARLEVOIX
BAS-SAINT-LAURENT
RÉGION DE QUÉBEC
CHAUDIÈRE-APPALACHES
CENTRE-DU-QUÉBEC
CANTONS-DE-L'EST
MAINE (É.-U.)
N.H. (É.-U.)
Normandin
Albanel
Dolbeau-Mistassini
Réserve faunique Ashuapmushuan
La Doré
Péribonka
Parc national de la Pointe-Taillon
Mashteuiatsh (Pointe-Bleue)
Saint-Félicien
Saint-Prime
Lac Saint-Jean
Roberval
Val-Jalbert
Chambord
Hébertville
Alma
Bégin
Saint-David-de Falardeau
Saint-Ambroise
Saint-Honoré
Saguenay
La Baie (Saguenay)
Rivière-Éternité
Ferland
Boilleau
Sacré-Cœur
Bergeronnes
L'Anse-Saint-Jean
Tadoussac
Baie-Sainte-Catherine
Fleuve Saint
Île aux Basques
Trois-Pistoles
Sagard
Parc marin du Saguenay – Saint-Laurent
L'Isle-Verte
Cacouna
Parc national des Hautes-Gorges-de-la-Rivière-Malbaie
Saint-Siméon
Port-au-Persil
Rivière-du-Loup
Mont Grands-Fonds
Saint-André
Cabano
Réserve faunique des Laurentides
Parc national des Grands-Jardins
Clermont
La Malbaie
Pointe-au-Pic
Saint-Urbain
Saint-Irénée
Kamourasaka
Saint-Joseph-de-la-Rive
Saint-Pascal
Les Éboulements
Baie-Saint-Paul
Île aux Coudres
La Tuque
Parc national de la Jacques-Cartier
Le Massif
La Pocatière
Réserve faunique de Portneuf
Saint-Roch-des-Aulnaies
Saint-Tite-les-Caps
Saint-Jean-Port-Joli
Île aux Grues
Saint-Ferréol-les-Neiges
L'Islet-sur-Mer
Station touristique Mont Sainte-Anne
Cap Tourmente
Beaupré
Lieu historique national de la Grosse-Île-et-le-Mémorial-des-Irlandais
Sainte-Perpétue
Sainte-Anne-de-Beaupré
Château-Richer
Île d'Orléans
Montmagny
Charlesbourg
Beauport
Berthier-sur-Mer
Saint-Marcel
Wendake
Saint-Michel-de-Bellechasse
N.D.-du-Rosaire
Québec
Sillery
Beaumont
Sainte-Apolline
Saint-Tite
Lévis
Grandes-Piles
Donnacona
Neuville
Saint-Henri
Saint-Fabien-de-Panet
Grand-Mère
Grondines
Cap-Santé
Charny
Parc de la Rivière-Batiscan
Deschambault
Lotbinière
Saint-Antoine-de-Tilly
Saint-Damien-de-Buckland
Saint-Narcisse
Shawinigan-Sud
Sainte-Anne-de-la-Pérade
Saint-Agapit
Sainte-Claire
Saint-Pierre-les-Becquets
Saint-Léon-de-Standon
Cap-de-la-Madeleine
Laurier-Station
Sainte-Marie
Gentilly
Lac-Etchemin
Trois-Rivières
Vallée-Jonction
Saint-Joseph-de-Beauce
Nicolet
Inverness
Saint-Jacques-de-Leeds
Plessisville
Saint-Odilon
Princeville
Beauceville
Saint-Léonard-d'Aston
Victoriaville
Saint-Georges
Thetford Mines
Arthabaska
Black Lake
Warwick
La Guadeloupe
Saint-Martin
Drummondville
Disraeli
Parc national de Frontenac
Saint-Gédéon
Danville
Asbestos
Stornoway
Richmond
Lac-Mégantic
Parc national de la Yamaska
Windsor
Parc national du Mont Mégantic
Bromptonville
East Angus
Parc national du Mont-Orford
Waterloo
Sherbrooke
La Patrie
N.D.-des-Bois
Lennoxville
Woburn
North Hatley
Eaton Corner
Sawyerville
Magog
Knowlton
Saint-Benoît-du-Lac
Georgeville
Lac Memphrémagog
Parc de la Gorge de Coaticook
Sutton
Coaticook
Mont Owl's Head
Stanstead Plain
Rock Island

ONTARIO
À ne pas manquer ★★★
Vaut le détour ★★
Intéressant ★
QUÉBEC
NEW YORK (États-Unis)
MICHIGAN (États-Unis)
PENNSYLVANIE (États-Unis)
Lac Huron
Lac Ontario
Lac Érié
Lac Simcoe
Baie Georgienne
Île Manitoulin
Gore Bay
Little Current
Evansville
Excelsior
South Baymouth
Tobermory
Killarney Prov. Park
Algonquin Provincial Park
Bon Echo Prov. Park
Petroglyphs Prov. Park
Frontenac Prov. Park
Presqu'île Prov. Park
Rondeau Prov. Park
Parc national de la Pointe-Pelée
Parc national des Îles-du-Saint-Laurent
Upper Canada Village
Pinery P.P.
Long Point
Ottawa
Gatineau
Toronto
Mississauga
Kingston
Cornwall
Brockville
Gananoque
Peterborough
Barrie
Oshawa
Brampton
Guelph
Kitchener
Waterloo
Cambridge
Hamilton
Burlington
Oakville
Brantford
London
Sarnia
Windsor
Detroit
Buffalo
Niagara Falls
Niagara-on-the-Lake
St. Catharines
Parry Sound
Huntsville
Gravenhurst
Bracebridge
Orillia
Midland
Owen Sound
Collingwood
Goderich
Stratford
St. Marys
Port Dover
Port Stanley
Chatham
Watertown
Erie
LE NORD DE L'ONTARIO
Kenora
Dryden
Fort Frances
Thunder Bay
Nipigon
Marathon
Wawa
Sault Ste. Marie
Sudbury
North Bay
Timmins
Kapuskasing
Hearst
Moosonee
Moose Factory
Chapleau Crown Game Preserve
Lake Superior Provincial Park
Sleeping Giant Provincial Park
Quetico Provincial Park
Lac Supérieur
MINNESOTA (États-Unis)
WISCONSIN (États-Unis)
MICHIGAN (États-Unis)
©ULYSSE

Québec et Ontario

3e édition

Dans un pays tranquille nous avons reçu la passion du monde,
épée nue sur nos deux mains posée

Anne Hébert, *Mystère de la parole*

ULYSSE

Le plaisir de mieux voyager

Le Québec

▲ Le parc du Mont-Royal, avec les gratte-ciel du centre-ville de Montréal en arrière-plan. (page 96)
© Stephan Poulin

◄ La région de Charlevoix, là où le fleuve rencontre les montagnes. (page 280)
© Tourisme Charlevoix

◄ Le rocher Percé, paysage symbolique de la Gaspésie. (page 263)
© Thierry Ducharme

► À Québec, vue en plongée sur le quartier du Petit-Champlain. (page 215)
© Denis Vincelette

CACHE

L'Ontario

- ▲ Le Château Laurier et les édifices du Parlement, attraits incontournables d'Ottawa. (pages 314 et 317)
  © Ontario Tourism
- ▶ Le canal Rideau se transforme en patinoire l'hiver venu. (page 320)
  © Dreamstime.com/Bruce Hempell

Page suivante

- ▶ Le spectacle époustouflant des chutes du Niagara. (page 401)
  © Ontario Tourism
- ▶ À Toronto, le Michael Lee-Chin Crystal du Royal Ontario Museum (ROM). (page 376)
  Royal Ontario Museum © Sam Javanrouh, 2008

Plein air et nature

▲ Randonnée sur le mont Albert, dans le parc national de la Gaspésie. (page 262)
© Mathieu Dupuis, Sépaq

▲ Le vaste Algonquin Provincial Park, source d'inspiration pour plusieurs peintres canadiens. (page 348)
© iStockphoto.com/Pavel Cheiko

◀ Le Québec et l'Ontario regorgent de plans d'eau propices à la pratique du kayak.
© Thierry Ducharme

Localisation des circuits

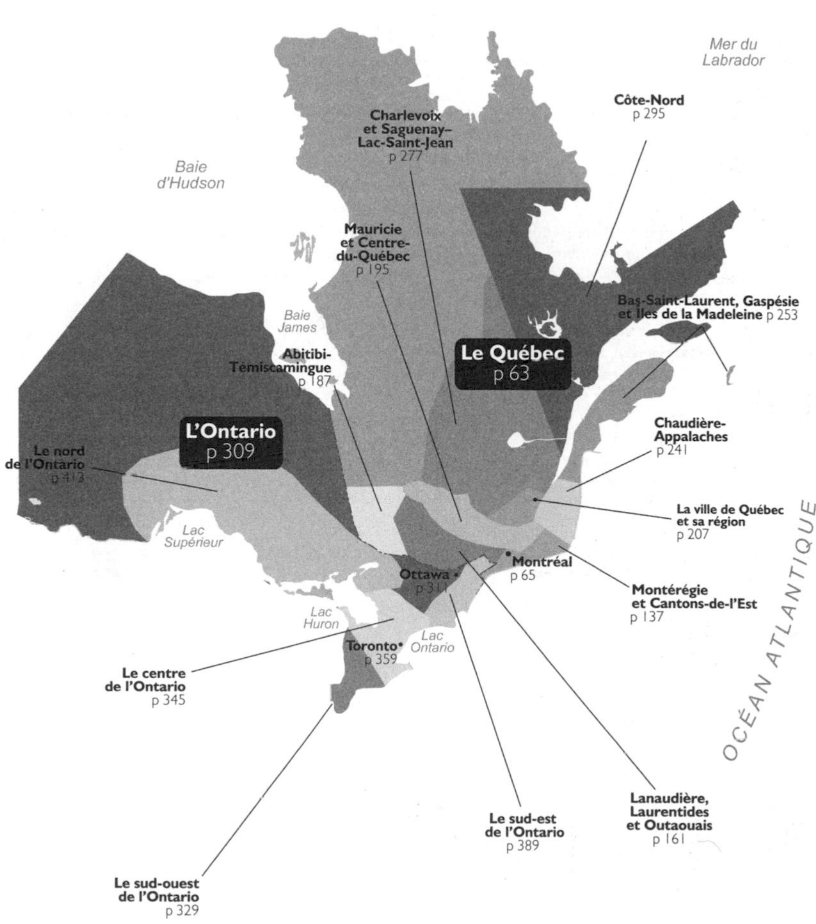

Mer du Labrador
Côte-Nord p 295
Charlevoix et Saguenay–Lac-Saint-Jean p 277
Baie d'Hudson
Mauricie et Centre-du-Québec p 195
Bas-Saint-Laurent, Gaspésie et Îles de la Madeleine p 253
Baie James
Abitibi-Témiscamingue p 187
Le Québec p 63
L'Ontario p 309
Le nord de l'Ontario p 413
Chaudière-Appalaches p 241
La ville de Québec et sa région p 207
Lac Supérieur
Montréal p 65
Ottawa p 311
Montérégie et Cantons-de-l'Est p 137
Lac Huron
Lac Ontario
Toronto p 359
Le centre de l'Ontario p 345
OCÉAN ATLANTIQUE
Le sud-est de l'Ontario p 389
Lanaudière, Laurentides et Outaouais p 161
Le sud-ouest de l'Ontario p 329

Mise à jour de la 3e édition: le Québec: Thierry Ducharme, Marie-Josée Guy, Aurélie Hubert; l'Ontario: Pascale Couture, Benoît Legault

Éditeur: Pierre Ledoux

Adjointe à l'édition: Annie Gilbert

Correcteurs: Pierre Daveluy, Marie-Josée Guy

Infographistes: Marie-France Denis, Philippe Thomas

Cartographe: Kirill Berdnikov

Recherche iconographique: Nadège Picard

Recherche, rédaction et collaboration aux éditions antérieures: Gabriel Audet, Caroline Béliveau, Alexandre Chouinard, Alexandra Gilbert, Jacqueline Grekin, François Henault, Judith Lefebvre, Stéphane G Marceau, Jennifer McMorran, Yves Ouellet, Joël Pomerleau, Benoît Prieur, François Rémillard, Sylvie Rivard, Yves Séguin, Marcel Verreault

Photographies: Page couverture, Les chutes du Niagara: © Masterfile.com; Page de garde, Le Vieux-Québec: © Rachid Lamzah; La tour du CN à Toronto: © Dreamstime.com /Elena Elisseeva

Cet ouvrage a été réalisé sous la direction d'Olivier Gougeon.

Remerciements

Guides de voyage Ulysse reconnaît l'aide financière du gouvernement du Canada par l'entremise du Programme d'aide au développement de l'industrie de l'édition (PADIÉ) pour ses activités d'édition.

Guides de voyage Ulysse tient également à remercier le gouvernement du Québec – Programme de crédit d'impôt pour l'édition de livres – Gestion SODEC.

Guides de voyage Ulysse est membre de l'Association nationale des éditeurs de livres.

Écrivez-nous

Tous les moyens possibles ont été pris pour que les renseignements contenus dans ce guide soient exacts au moment de mettre sous presse. Toutefois, des erreurs peuvent toujours se glisser, des omissions sont toujours possibles, des adresses peuvent disparaître, etc.; la responsabilité de l'éditeur ou des auteurs ne pourrait s'engager en cas de perte ou de dommage qui serait causé par une erreur ou une omission.

Nous apprécions au plus haut point vos commentaires, précisions et suggestions, qui permettent l'amélioration constante de nos publications. Il nous fera plaisir d'offrir un de nos guides aux auteurs des meilleures contributions. Écrivez-nous à l'une des adresses suivantes, et indiquez le titre qu'il vous plairait de recevoir.

Guides de voyage Ulysse
4176, rue Saint-Denis, Montréal (Québec), Canada H2W 2M5, www.guidesulysse.com
texte@ulysse.ca

Les Guides de voyage Ulysse, sarl
127, rue Amelot, 75011 Paris, France
voyage@ulysse.ca

Catalogage avant publication de Bibliothèque et Archives nationales du Québec et Bibliothèque et Archives Canada

Vedette principale au titre :

Québec et Ontario
3e éd.
(Guides de voyage Ulysse)
Comprend un index.
ISBN 978-2-89464-731-8
1. Québec (Province) - Guides. 2. Ontario - Guides. 3. Canada (Est) - Guides. I. Collection: Guide de voyage Ulysse.

FC2907.Q35 2009 917.1404'5 C2008-942318-6

Bibliothèque et Archives nationales du Québec
Dépôt légal – Troisième trimestre 2009
ISBN 978-2-89464-731-8
Imprimé au Canada

À moi...
le Québec et l'Ontario!

Porte-parole singulier de la culture francophone en Amérique du Nord pour les uns, contrée de vastes étendues naturelles pour les autres, le Québec vous offre le meilleur des deux mondes. Quant à l'Ontario, peu importe le type de voyage que vous envisagez ou la durée de votre séjour dans cette province canadienne, l'Ontario urbain et multiculturel, ou celui des grands espaces sauvages ou des villages bucoliques a de quoi combler vos attentes. Cette sélection d'attraits a pour but de vous aider à personnaliser votre voyage. Bonnes découvertes!

En temps et lieux

• Une longue fin de semaine à Montréal et à Québec

Montréal, la métropole, et la **ville de Québec**, la capitale, demeurent des incontournables pour tout visiteur au Québec. Une longue fin de semaine à Montréal vous permettra de découvrir l'architecture saisissante du **Stade olympique**, l'aménagement splendide du **parc du Mont-Royal**, les rues pittoresques du **Vieux-Montréal** et le vibrant **Plateau Mont-Royal**, avec ses restos, ses boutiques et ses bars allumés. Une courte excursion à Québec vous dévoilera les charmes du **Vieux-Québec** et du **Château Frontenac**, de la **rue Saint-Jean** et de la **place D'Youville**.

• Une longue fin de semaine à Toronto

Une longue fin de semaine vous donnera un bon aperçu de la ville de Toronto. Après avoir visité la **CN Tower** et exploré le **quartier des affaires et du spectacle**, faites un saut dans le quartier adjacent, **Old Town Toronto**, et profitez de l'atmosphère qui règne autour du **St. Lawrence Hall**. Vous pourrez poursuivre vers le **Distillery District** et vous attarder dans les nombreuses boutiques-ateliers des artisans. Les amateurs de musées auront également l'occasion de combiner la visite du **Royal Ontario Museum** avec celle de l'**Art Gallery of Ontario**. Faites ensuite un saut dans le **West Queen West** pour flâner quelques heures dans les boutiques des designers locaux, les friperies et les galeries d'art du quartier. Et pourquoi pas y rester pour l'apéro?

• Une semaine au Québec

Un voyage d'une semaine au Québec vous permettra de visiter la **Montérégie** et le **Lieu historique national du Fort Chambly**. Si vous en avez le temps, poussez votre aventure vers les **Cantons-de-l'Est** afin d'explorer les vallons et montagnes de cette belle région. La **région de Québec** vous révèlera encore des attraits considérables, tels l'**île d'Orléans**, la **côte de Beaupré** et le **chemin du Roy**. En hiver, le célèbre **Hôtel de Glace Québec-Canada**, et la **station touristique Mont-Sainte-Anne** offrent de grandes possibilités d'activités de plein air près de Québec. Il vous faudra aussi visiter la **Mauricie**, où vous pourrez faire un arrêt dans la ville de **Trois-Rivières**, agréable et animée, puis la région de **Lanaudière**. Si le temps le permet, faites un petit détour par la région des **Laurentides**. Vous y découvrirez une contrée de villégiature particulièrement propice à la pratique de divers sports et à de superbes balades.

• Une semaine en Ontario

En plus d'une visite à Toronto que nous vous proposons ci-dessus, un voyage en Ontario se doit d'inclure, nécessairement, une visite des **chutes du Niagara**, le site naturel le plus spectaculaire de la province. Les chutes se trouvent dans une belle région viticole qui mérite qu'on s'y attarde un peu. Il faut aussi s'arrêter à **Ottawa**, la capitale du Canada, où l'on retrouve quelques-uns des plus beaux musées du pays, entre autres le **Musée des beaux-arts du Canada**. Admirez au passage le **Parlement** et le **Château Laurier** qui témoignent de l'ampleur du patrimoine architectural d'Ottawa. Avant de quitter la ville, ne manquez pas d'aller faire un saut au **Marché By** afin d'y faire des emplettes. Si vous visitez Ottawa en hiver, le **canal Rideau** qui se transforme en patinoire, permet de voir la ville sous un autre angle.

• Deux semaines au Québec

Si vous disposez de deux semaines, vous aurez sans doute le temps de vous rendre un peu plus loin que les régions en périphérie de Montréal et Québec, mais il faudra choisir! Vous pourrez explorer la magnifique région de **Charlevoix** et le **parc national des Hautes-Gorges-de-la-Rivière-Malbaie**, sans oublier **Baie-Saint-Paul** et l'observation des baleines à **Saint-Siméon**. Au **Saguenay–Lac-Saint-Jean**, vous croiserez de charmants petits villages tel **L'Anse-Saint-Jean** et **Sainte-Rose-du-Nord**. Du côté sud du fleuve, dans le **Bas-Saint-Laurent**, les amateurs de plein air voudront se rendre jusqu'au **parc national du Bic**. En poussant votre excursion un peu passé **Rimouski**, vous irez humer les fleurs des splendides **Jardins de Métis**, aux portes de la Gaspésie.

• Deux semaines en Ontario

Pour qui s'aventure en terres ontariennes pour deux semaines, on ajoutera au circuit d'une semaine une visite du très joli **parc national des Îles-du-Saint-Laurent** ainsi que de **Kingston**, une ancienne garnison militaire devenue une belle ville balnéaire au bord du lac Ontario. On peut aussi faire un agréable séjour dans la région agricole de **Kitchener-Waterloo** et de **Stratford**, mignonne petite ville réputée pour son charme et son festival consacré à Shakespeare. Enfin, pour des vacances à la plage et pour de beaux panoramas sur l'un des Grands Lacs, la région du lac Huron, de la baie Georgienne et du village de **Collingwood** est toute désignée.

• Trois semaines ou plus au Québec

En poursuivant votre itinéraire de deux semaines par le littoral nord du Saint-Laurent, vous allongerez d'une semaine ou deux votre séjour. Sur la **Côte-Nord**, **Tadoussac** et la **réserve de parc national de l'Archipel-de-Mingan** devront faire partie de votre itinéraire. Revenez ensuite sur vos pas jusqu'à **Baie-Comeau**, pour prendre le traversier en direction de **Matane**, en **Gaspésie**. Ne manquez pas le **parc national de la Gaspésie,** le **parc national Forillon**, le célèbre **rocher Percé** et la **baie des Chaleurs**. Si vous disposez d'encore plus de temps, certaines régions plus difficiles d'accès ou excentrées valent le détour, comme l'**Abitibi-Témiscamingue**, les **Îles de la Madeleine** et le **Nord-du-Québec** pour des aventures inoubliables.

• Trois semaines ou plus en Ontario

En poursuivant le circuit de deux semaines vers le sud-ouest de la province, on peut faire un arrêt à **London**, ville prospère et agréable, avant de se rendre au **parc national de la Pointe-Pelée**. Pour qui voudrait vraiment s'évader et découvrir la nature sauvage du Bouclier canadien, une escapade à l'**Algonquin Provincial Park** est indiquée. Sillonné d'une multitude de lacs et de rivières, ce parc est sans conteste le paradis des amateurs de grand air. Enfin, le nord de la province réserve également quelques belles régions, notamment la ville de **Sault Ste. Marie**.

Sommaire

Liste des cartes

Liste des encadrés

Légende des cartes

★	Attraits
▲	Hébergement
●	Restaurants
	Mer, lac, rivière
	Forêt ou parc
	Place
	Capitale de pays
	Capitale provinciale ou territoriale
	Frontière internationale
	Frontière provinciale ou territoriale
	Chemin de fer
	Tunnel

Aéroport international
Casino
Cimetière
Église
Escalier
Funiculaire
Gare ferroviaire
Gare routière
Hôpital

Information touristique
Librairie Ulysse
Marché
Bloor-Yonge Métro (Toronto)
Montagne
Musée
Parc
Piste cyclable
Plage

Point de vue
Point d'intérêt / Bâtiment
Porte (Ville de Québec)
Réserve faunique ou ornithologique
Stationnement
Station de métro (Montréal)
Traversier (ferry)
Traversier (navette)

Symboles utilisés dans ce guide

@	Accès Internet
	Accessibilité aux personnes à mobilité réduite
≡	Air conditionné
	Animaux domestiques admis
	Baignoire à remous
	Centre de conditionnement physique
	Cuisinette
½p	Demi-pension (nuitée, dîner et petit déjeuner)
	Foyer
	Label Ulysse pour les qualités particulières d'un établissement
pc	Pension complète
	Petit déjeuner inclus dans le prix de la chambre
	Piscine
	Réfrigérateur
	Restaurant
bc	Salle de bain commune
bc/bp	Salle de bain privée ou commune
	Sauna
	Spa
	Télécopieur
	Téléphone
tlj	Tous les jours

Classification des attraits touristiques

★★★	À ne pas manquer
★★	Vaut le détour
★	Intéressant

Classification de l'hébergement

L'échelle utilisée donne des indications de prix pour une chambre standard pour deux personnes, avant taxe, en vigueur durant la haute saison.

$	moins de 60$
$$	de 60$ à 100$
$$$	de 101$ à 150$
$$$$	de 151 à 225$
$$$$$	plus de 225$

Classification des restaurants

L'échelle utilisée dans ce guide donne des indications de prix pour un repas complet pour une personne, avant les boissons, les taxes et le pourboire.

$	moins de 15$
$$	de 15$ à 25$
$$$	de 26$ à 50$
$$$$	plus de 50$

Tous les prix mentionnés dans ce guide sont en dollars canadiens.

Les sections pratiques aux bordures grises répertorient toutes les adresses utiles.
Repérez ces pictogrammes pour mieux vous orienter:

Hébergement

Restaurants

Sorties

Achats

Situation géographique dans le monde

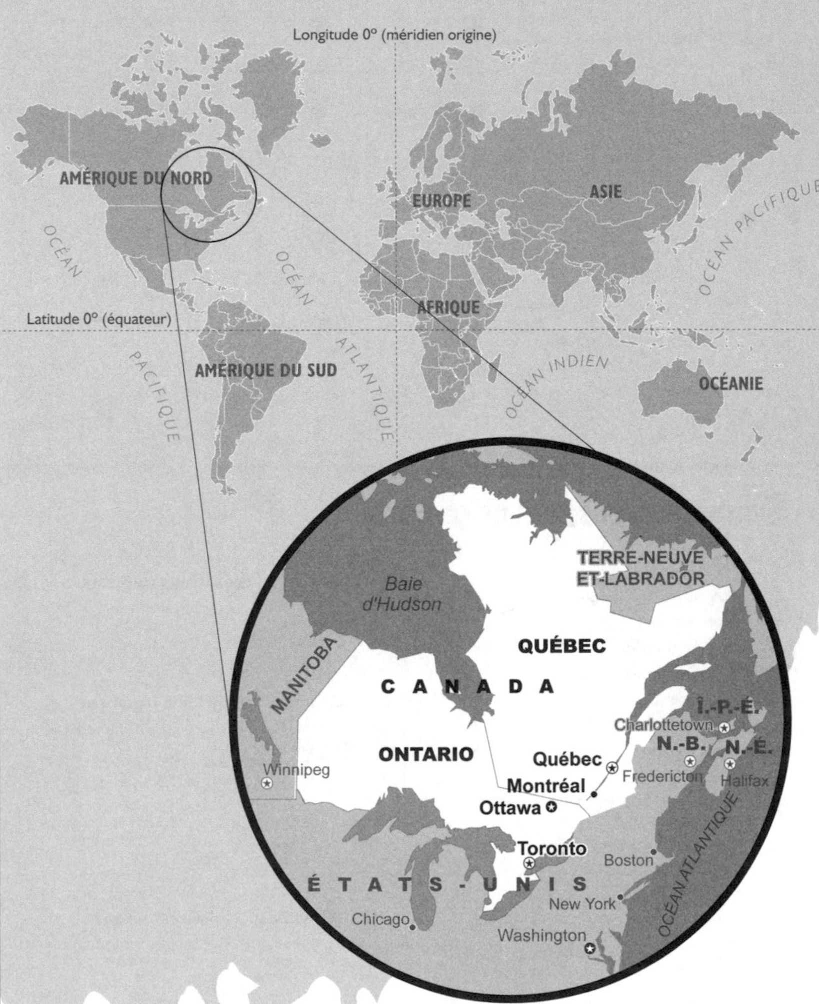

Québec et Ontario

Ontario
Superficie: 1 076 395 km^2
Population: 12 000 000 d'habitants
Capitale: Toronto
Langue officielle: anglais
Point le plus haut: crête Ishpatina (693 m)

Québec
Superficie: 1 667 441 km^2
Population: 7 700 000 habitants
Capitale: Québec
Langue officielle: français
Point le plus haut: mont d'Iberville (1 646 m)

Portrait

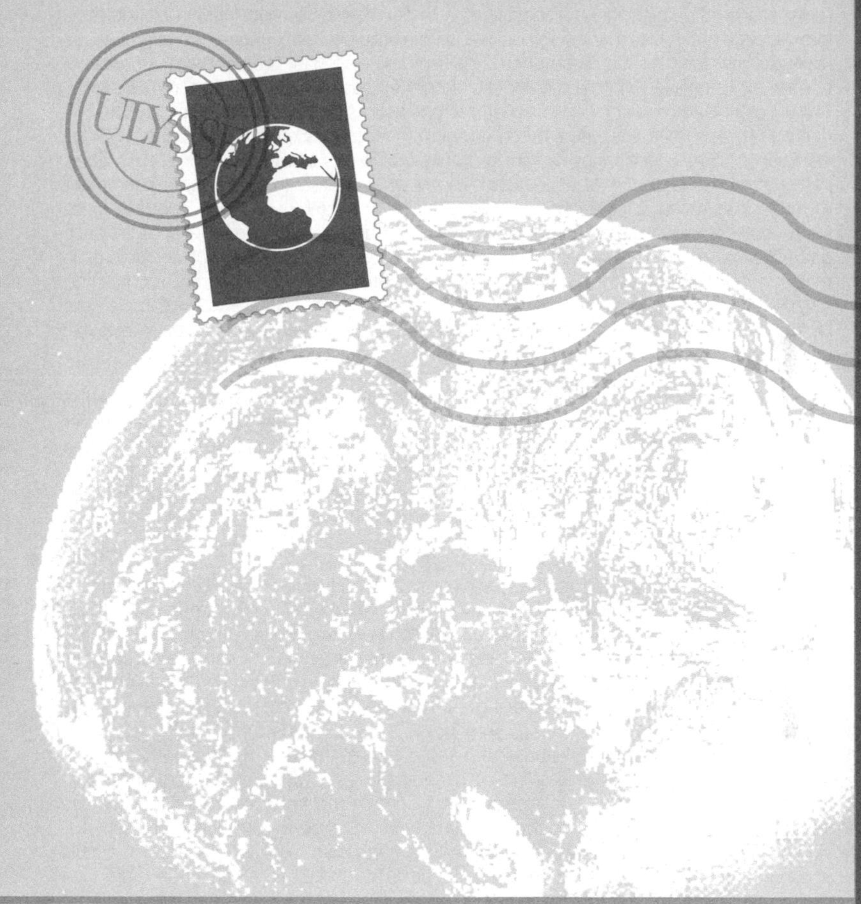

Le Québec et l'Ontario, qui à eux deux comptent pas moins de 2 743 836 km², forment un immense territoire à peine peuplé, sauf dans les régions les plus méridionales. Ce territoire comprend de formidables étendues sauvages, riches en lacs, en rivières et en forêts. C'est également dans cette région du Canada qu'on retrouve les métropoles que sont Montréal et Toronto, ainsi que les capitales que sont Québec et Ottawa.

La superficie du Québec équivaut à trois fois celle de la France. Sa population n'est toutefois que de 7 700 000 habitants. Il s'agit en grande majorité de francophones, ce qui distingue le peuple québécois non seulement des Canadiens, mais aussi de tous les Nord-Américains. L'usage du français y fait l'objet d'une protection législative destinée à contrer l'assimilation qui a presque conduit à l'extinction les communautés francophones ailleurs au Canada. Cette protection oriente également les nouveaux arrivants vers leur inclusion dans le groupe francophone. Des anglophones se sont toutefois établis depuis bien longtemps au Québec, particulièrement dans le Sud-Ouest et dans l'ouest de l'île de Montréal. Ils voient évidemment d'un très mauvais œil la législation linguistique locale. On note toutefois que leur développement démographique stagne depuis qu'on remet sérieusement en question l'appartenance du Québec à l'ensemble canadien. Montréal et sa région immédiate concentrent près de la moitié de toute la population québécoise, et presque tous les nouveaux arrivants qui choisissent de s'établir au Québec. C'est pour eux un choix normal puisque l'activité industrielle et les entreprises de services s'y retrouvent. C'est toutefois la ville de Québec qui joue le rôle de capitale.

Le sous-sol québécois est riche en minéraux. La vallée du Saint-Laurent se prête par ailleurs très bien à l'activité agricole, alors que la forêt plus au nord a déjà fait du Québec le premier producteur mondial de papier. L'est du Québec, plus directement tributaire des ressources naturelles, ne jouit pas de la même vigueur économique que les régions plus industrialisées. Le Nord québécois, faiblement peuplé, a connu un essor particulier depuis que l'on a décidé d'exploiter le potentiel hydroélectrique des nombreuses rivières qui coulent soit vers la baie James, soit vers l'estuaire et le golfe du Saint-Laurent.

L'Ontario est la seconde province du Canada par sa superficie, mais la première par sa population de plus de 12 000 000 habitants. C'est aussi la province la plus riche, puisque 40% du produit national brut du Canada est imputable à son activité. Il y a en Ontario énormément de ressources minières et forestières. L'industrie lourde, notamment l'industrie automobile, a préféré cette province à toute autre. Enfin, Toronto, capitale ontarienne et métropole du Canada, regroupe la majeure partie des grands sièges sociaux présents au Canada. C'est une grande ville cosmopolite comme l'Amérique se plaît à les susciter. Pour ne rien gâter, la partie la plus méridionale de la province est à proximité immédiate des grands marchés américains. La ville canadienne de Windsor, par exemple, est située juste au nord de Detroit. Le climat généreux qui prévaut dans ce secteur a permis l'implantation de cultures fruitières impossibles ailleurs au Canada, sauf dans le sud de la Colombie-Britannique. Pour mémoire, signalons que les vins blancs du sud de la province, particulièrement les *ice wines*, ont acquis une réputation internationale. Sur une bonne partie de son tracé, la frontière entre la province de l'Ontario et le Québec suit la rivière des Outaouais. C'est sur les berges de cette rivière, du côté ontarien, qu'Ottawa, la capitale du Canada, est située. La capitale fédérale et sa région immédiate jouissent d'un traitement privilégié visant à en faire une vitrine culturelle, politique et touristique digne d'une capitale occidentale. La fonction publique et les industries de haute technologie y sont prédominantes.

Géographie

Un peu plus grand que les États-Unis, le Canada pourrait contenir 13 fois les territoires de la France et du Royaume-Uni. Il occupe toute la partie septentrionale de l'Amérique du Nord, exception faite de l'Alaska, et s'étend sur cinq fuseaux horaires et demi. Au nord, le Canada a pour seule frontière l'océan Arctique. Au nord-est se trouve le Groenland. À l'est, l'Atlantique met le Canada à bonne distance de tout voisin, si ce n'est des minuscules îles françaises de Saint-Pierre-et-Miquelon, situées entre la province de Terre-Neuve-et-Labrador et la

Nouvelle-Écosse. Les eaux de l'océan Pacifique baignent le littoral ouest. Enfin, toutes les frontières terrestres du Canada le séparent des États-Unis d'Amérique. Fait à noter, il s'agit de la plus longue frontière ouverte du monde.

La majeure partie de l'Ontario et du Québec appartient à la même formation géologique, le Bouclier canadien. Cette grande région présente un relief plus vallonné, dernier vestige de ce qui fut, au précambrien, un imposant massif montagneux. On y trouve des gisements très importants de métaux. Toundra et forêt boréale y dominent également. Le relief de la péninsule québécoise s'accentue à l'approche de l'Atlantique et du golfe du Saint-Laurent. La côte est une succession de fjords et de falaises, parfois très impressionnants. Le sud de l'Ontario borde les Grands Lacs. C'est la zone la plus peuplée de tout le Canada, particulièrement dans le secteur de Toronto.

Les Grands Lacs donnent naissance au fleuve Saint- Laurent, qui entre bientôt en terre québécoise, fait de Montréal une île et passe sous les murs de Québec, avant de devenir estuaire puis golfe. Le Saint-Laurent est une des portes d'entrée principales du continent nord-américain et demeure l'axe principal de l'histoire, du peuplement et de l'économie du Québec. À la fin des années 1950, de grands travaux d'aménagement ont ajouté au fleuve les chenaux et les écluses qui ont ouvert les Grands Lacs au trafic océanique, à des milliers de kilomètres de la mer. Le Sud ontarien et la vallée du Saint-Laurent offrent des terres riches et un climat un peu plus clément qui ont favorisé les activités agricoles. Longeant la côte Atlantique depuis le sud des États-Unis, la chaîne des Appalaches marque le paysage du Québec, des Cantons-de-l'Est jusqu'en Gaspésie, et les Laurentides font de même, de l'Outaouais jusqu'à la Côte-Nord.

Flore

Vu la différence de climat, la végétation varie sensiblement du nord au sud, tant au Québec qu'en Ontario; alors que, dans le nord du territoire, elle est rabougrie ou inexistante, dans le sud, elle peut être luxuriante. En général, on divise le type de végétation selon quatre strates, allant du nord au sud: la toundra, la forêt subarctique, la forêt boréale et la forêt mixte.

La toundra est la forme la plus nordique de végétation. On la retrouve là où le gel limite la saison végétative à quelques semaines chaque année. Seule la couche superficielle du sol se libère alors de l'emprise du froid, et il n'y pousse rien d'autre que des arbres miniatures, des mousses et des lichens.

La forêt subarctique, ou forêt de transition, fait suite à la toundra. Il s'agit d'une zone à la végétation très clairsemée où les arbres connaissent une croissance extrêmement lente et réduite. On y trouve plus particulièrement de l'épinette et du mélèze.

La forêt boréale suit vers le sud. C'est une région forestière très homogène où l'on ne retrouve que des résineux, dont les principales essences sont l'épinette blanche, l'épinette noire, le sapin baumier, le pin gris et le mélèze. On l'exploite pour la pâte à papier et le bois de construction.

La forêt mixte est la plus australe des forêts canadiennes. On la trouve notamment dans la vallée du Saint-Laurent, et elle s'étend jusqu'à la frontière avec les États-Unis. Elle est constituée de conifères et de feuillus, et riche de nombreuses essences telles que le pin blanc, le pin rouge, la pruche, l'épinette, le merisier, l'érable, le bouleau et le tremble. L'automne y ramène chaque année des paysages très colorés, notamment en raison des feuilles de l'érable à sucre qui peuvent alors tourner au rouge vif.

Faune

Les provinces du Québec et de l'Ontario, à la géographie diverse et aux climats variés, s'enorgueillissent d'une faune d'une grande richesse. En effet, une multitude d'animaux peuplent leurs vastes forêts, plaines et régions septentrionales, alors que leurs lacs et rivières regorgent de poissons et d'animaux aquatiques. Voici quelques-uns des principaux mammifères que l'on y retrouve.

Le **caribou**. Ce cervidé de grande taille, au museau velu, au pelage pâle et aux bois aplatis, habite la toundra arctique (un petit troupeau vit aussi dans le parc national de la Gaspésie, au Québec). Il peut peser, à maturité, jusqu'à 250 kg. Le climat lui dicte des migrations annuelles au cours desquelles des centaines de milliers de bêtes peuvent franchir des distances considérables.

Le **castor**. Travailleur infatigable, il est l'emblème du Canada. La traite de sa fourrure fut d'ailleurs à l'origine de la colonisation européenne du pays. On le reconnaît à son corps massif, à ses pattes arrière courtes et palmées, ainsi qu'à sa large queue plate et écailleuse lui servant de gouvernail lorsqu'il nage. Ses incisives poussent en permanence et lui permettent d'abattre les arbres dont il se sert pour construire sa hutte sur un cours d'eau.

Le **chevreuil** (cerf de Virginie). Plus petit cervidé du nord-est de l'Amérique, le chevreuil atteint un poids maximal d'environ 150 kg. On l'identifie à sa robe rousse et à sa queue au dessous blanc. Vivant souvent à la lisière des bois, ce magnifique animal est un des principaux gibiers du Québec. Le grand andouiller dont est pourvu le mâle tombe chaque hiver et repousse le printemps venu.

Le **loup**. Prédateur vivant en meute, il ressemble fort à un chien gris de type berger allemand, mesure entre 67 cm et 95 cm, et pèse au plus une cinquantaine de kilos. Il attaque ses proies (souvent des chevreuils) à plusieurs, ce qui fait de lui un animal peu apprécié des cœurs tendres.

La **mouffette rayée**. Pourvu d'un pelage noir traversé par une bande blanche allant du museau jusqu'au bout de la queue, ce petit mammifère est surtout connu pour sa technique de défense assez particulière. En cas d'attaque, la mouffette rayée possède deux glandes remplies d'un liquide malodorant dont elle peut asperger ses adversaires. Les premiers Européens arrivés au pays l'ont d'ailleurs surnommée «bête puante». On la retrouve même parfois au cœur des villes.

L'**orignal** (élan d'Amérique). C'est le plus grand cerf du monde. Il se distingue par ses bois aplatis en éventail, par sa tête allongée au nez arrondi et par sa bosse au garrot. L'orignal est un des plus puissants représentants de la faune canadienne. Il peut mesurer plus de 2 m et peser jusqu'à 600 kg.

L'**ours noir**. C'est l'ours le plus répandu dans l'est du Canada. Cet animal impressionnant peut atteindre jusqu'à 150 kg à l'âge adulte, quoiqu'il demeure le plus petit ours canadien. L'ours noir est un animal imprévisible et dangereux qui fera tout pour s'emparer de sa nourriture.

L'**ours polaire**. Très grand ours qui vit loin sur les côtes du nord du Québec, il est un puissant nageur et un grand chasseur de phoques. L'ours polaire est dangereux.

Le **lynx**. Ce gros chat dont les oreilles se terminent par une touffe de poils noirs est un grand chasseur de lièvres.

Le **raton laveur**. Ce petit mammifère d'une dizaine de kilos est reconnaissable à son masque noir, aux six anneaux de sa queue et à son magnifique pelage. Nocturne et aussi rusé qu'un renard, le raton laveur doit son nom à l'habitude qu'il a de pétrir sur place la nourriture aquatique avant de la manger.

Le **renard roux**. Fort mignon, ce petit animal possède une magnifique fourrure d'un roux flamboyant. On le retrouve un peu partout dans les forêts. Très rusé, il évite le plus souvent possible les humains; on l'aperçoit donc très rarement. Il chasse les petits mammifères et se nourrit en plus de petits fruits et de noix. Attention, le renard roux qui se laisse approcher est souvent atteint de la rage.

Le **porc-épic**. Petit mammifère rongeur que l'on retrouve en grand nombre dans les forêts de conifères et de feuillus, le porc-épic est célèbre pour sa façon très singulière de se défendre. En cas d'attaque, il se replie sur lui-même, hérisse ses piquants et devient une sorte de pelote d'épingles inattaquable et très douloureuse pour le museau de ses prédateurs.

Le **béluga**. Ce mammifère cétacé blanc d'environ 5 m de long habite les eaux polaires et l'estuaire du Saint-Laurent à l'embouchure du Saguenay. C'est la plus petite espèce de baleine à fréquenter les eaux du Saint-Laurent, qui reçoit aussi la visite des plus grandes espèces existantes.

Le **bœuf musqué**. Plus petit qu'un bœuf, il vit en troupeau dans la toundra. Il est facilement reconnaissable à son poil long et laineux, ainsi qu'à ses grosses cornes trapues. En cas d'attaque, les bœufs musqués ont le réflexe de se former en cercle de façon à se protéger mutuellement.

Les eaux, le territoire et le ciel du Québec et de l'Ontario sont également peuplés d'une multitude d'autres bêtes, entre autres l'écureuil, la marmotte, le renard arctique, plusieurs espèces de chauve-souris, le tamia rayé (suisse), la belette, la musaraigne, la loutre, la baleine, le cachalot, le phoque, le morse et de nombreuses espèces de poissons et d'oiseaux.

Histoire

Lorsque les Européens découvrent le Nouveau Monde, une mosaïque de peuples indigènes occupent déjà ce vaste continent depuis plusieurs millénaires. Les ancêtres de ces populations autochtones, des nomades originaires de l'Asie septentrionale, avaient franchi le détroit de Béring vers la fin de la période glaciaire, il y a 12 000 ans, pour lentement s'approprier l'ensemble du continent.

C'est au cours des millénaires suivants, et ce, à la faveur du recul des glaciers, que certains d'entre eux commencent à émigrer vers les terres les plus septentrionales, notamment celles de la péninsule québécoise. Ainsi, au moment où les Européens lancent leurs premières explorations intensives de l'Amérique du Nord, plusieurs nations regroupées au sein de trois familles linguistiques (algonquienne, iroquoienne et inuktitut) se partagent le territoire qui deviendra par la suite le Québec et l'Ontario.

Vivant en groupes, les Autochtones de ce vaste pays ont élaboré des sociétés aux modes de fonctionnement très distincts les uns des autres. Par exemple, les peuples de la vallée du Saint-Laurent se nourrissent principalement des produits de leurs potagers, y ajoutant du poisson et du gibier, alors que les communautés plus au nord dépendent essentiellement des fruits de la chasse pour survivre.

Au fil des siècles s'est tissé sur l'ensemble du continent un intense réseau de communication impliquant l'ensemble des Amérindiens; tous utilisent abondamment le canot pour circuler sur les «chemins qui marchent» et entretiennent des relations commerciales très étroites avec les nations voisines. Ces sociétés amérindiennes, bien adaptées aux rigueurs et aux particularités du territoire, seront rapidement marginalisées à partir du XVIe siècle avec le début de la conquête européenne.

■ La rencontre de deux civilisations

Déjà vers l'an 1000, des Vikings avaient profité d'un réchauffement général du climat pour parcourir les côtes orientales de ce qui est aujourd'hui le Canada, y faisant la pêche et érigeant des établissements permanents. Il faudra cependant attendre quelques siècles de plus, avec le voyage de Christophe Colomb en 1492, pour que commencent véritablement une exploration et une colonisation intensive du continent américain par l'Europe. Au Canada, les premières explorations européennes du territoire qui auront des suites sont celles menées par John Cabot puis par Jacques Cartier.

John Cabot (né Giovanni Caboto), après avoir trouvé un soutien financier et politique en Angleterre, quitte le port de Bristol vers l'ouest en 1497. Cabot est alors à la recherche d'une route qui le mènera aux richesses tant convoitées de l'Orient; ses explorations prendront fin à Terre-Neuve. L'expédition de Cabot ne sera pas pour autant sans conséquence; de retour en Angleterre, il révèle l'existence d'une tout autre richesse qu'il a découverte: les inépuisables bancs de morues au large des côtes septentrionales du Nouveau Monde. Dès lors, des pêcheurs anglais, français, basques et espagnols quittent en nombre toujours plus grand les ports d'Europe en quête de cette richesse des fonds marins au large de Terre-Neuve. En 1534, c'est au tour du navigateur breton Jacques Cartier à lancer la première de ses trois expéditions en Amérique du Nord.

■ La Nouvelle-France

Lors de sa première exploration des côtes de Terre-Neuve et de l'embouchure du fleuve Saint-Laurent, Jacques Cartier y croise des navires de pêche provenant de diverses régions d'Europe. En fait, ces eaux sont déjà, à l'époque des voyages de Cartier, régulièrement visitées par de nombreux baleiniers et pêcheurs de morues provenant de différentes régions d'Europe. Les trois voyages de Jacques Cartier, à partir de 1534, marquent néanmoins une étape importante, puisqu'ils constituent les premiers contacts officiels de la France avec les peuples et le territoire de cette partie de l'Amérique.

Au cours de ses expéditions, le navigateur breton remonte très loin le fleuve Saint-Laurent, jusqu'aux villages amérindiens de Stadaconé (Québec) et d'Hochelaga (sur l'actuelle île de Montréal). Les découvertes de Cartier sont toutefois considérées par les autorités françaises comme étant dénuées d'intérêt. Cartier ayant été mandaté par François Ier pour chercher de l'or et un passage vers l'Asie, ses trois voyages en Amérique ne lui ont permis de découvrir ni l'un ni l'autre. À la suite de cet échec, la Couronne française oublie cette contrée au climat inhospitalier pendant plusieurs décennies.

La mode grandissante en sol européen de coiffures et de vêtements de fourrure ainsi que les bénéfices que laisse présager ce commerce relancent par la suite l'intérêt de la France pour l'Amérique du Nord. Comme la traite des fourrures nécessite des liens étroits et constants avec les fournisseurs locaux, une présence permanente devient alors rapidement indispensable.

Jusqu'à la fin du XVIe siècle, plusieurs tentatives d'installation de comptoirs sur la côte Atlantique ou à l'intérieur du continent sont lancées. Enfin, en 1608, sous le commandement de Samuel de Champlain, un premier poste permanent est érigé. Champlain et ses hommes choisissent un emplacement au pied d'un gros rocher faisant face à un étranglement du fleuve Saint-Laurent pour construire quelques bâtiments fortifiés que l'on nomme l'Abitation de Québec (d'origine algonquine, le nom de Québec signifie «là où le fleuve se rétrécit»).

Le premier hiver à Québec est extrêmement pénible, et 20 des 28 hommes meurent du scorbut ou de sous-alimentation avant l'arrivée de navires de ravitaillement au printemps de 1609.

Quoi qu'il en soit, cette date marque le début de la présence française en Amérique du Nord. Lorsque meurt Samuel de Champlain, le jour de Noël 1635, la Nouvelle-France compte déjà environ 300 pionniers. Entre 1627 et 1663, la Compagnie des Cent Associés détient le monopole du commerce des fourrures et assure un lent peuplement de la colonie.

Si le commerce des fourrures reste, à cette époque, toujours à l'origine des efforts de colonisation, le Nouveau Monde intéresse aussi, au plus haut niveau, les milieux religieux français. Les Récollets arrivent les premiers, en 1615, avant d'être remplacés par les Jésuites à partir de 1632. Évidemment, on voit dans l'évangélisation des Amérindiens une occasion sans précédent d'étendre le christianisme.

En 1639, c'est profondément dans l'hinterland ontarien, aux abords de la baie Georgienne qui avaient été explorés plus tôt par Brûlé et Champlain, qu'un petit groupe de Jésuites fondent la mission de Sainte-Marie-aux-Pays-des-Hurons (près de l'actuelle Midland). L'entente qui les lie aux Français est probablement la principale raison qui incite les Hurons à accepter la présence des religieux. La mission est toutefois abandonnée quelques années plus tard, après que cinq Jésuites eurent péri, en 1648 et 1649, au cours des batailles perdues par les Hurons à l'avantage des Iroquois.

Cette guerre fait partie d'une vaste campagne militaire lancée par la puissante confédération iroquoise des Cinq Nations, qui anéantit, entre 1645 et 1655, toutes leurs nations rivales. Comptant respectivement au moins 10 000 individus, les Hurons, les Pétuns, les Ériés et les Neutres disparaissent presque totalement en l'espace d'une décennie. De langue iroquoienne, ces nations du sud de l'Ontario sont victimes de la guerre pour le monopole du commerce des fourrures que se livrent, par personne interposée, les puissances européennes. Alliée des Anglais, la confédération iroquoise des Cinq Nations, dont les territoires traditionnels sont plus au sud (dans les États-Unis actuels), désire s'approprier, pour elle seule, ce lucratif commerce.

En 1660 et 1661, des guerriers iroquois frappent partout en Nouvelle-France, entraînant la ruine des récoltes et le déclin de la traite des fourrures. Louis XIV, roi de France, décide alors de prendre la situation en main. Il dissout en 1663 la Compagnie des Cent Associés et décide d'administrer lui-même la colonie. La Nouvelle-France, qui regroupe environ 3 000 habitants, devient dès lors une province française.

L'émigration vers la Nouvelle-France se poursuit sous le régime royal. On recrute alors principalement des travailleurs agricoles, mais également des militaires, comme ceux du régiment de Carignan-Salières, envoyés en 1665 pour combattre les Iroquois. La Couronne prend également des initiatives pour augmenter la croissance naturelle de la population, jusqu'alors entravée par la faible proportion d'immigrantes célibataires. Ainsi, entre 1663 et 1673, environ 800 «Filles du Roy» viennent trouver des époux en Nouvelle-France contre une dot payée par le roi.

Cette période de l'histoire de la Nouvelle-France est aussi celle de la glorieuse épopée des «coureurs des bois». Délaissant leurs terres pour le commerce des fourrures, ces jeunes gens intrépides pénètrent profondément dans le continent afin de traiter directement avec les trappeurs amérindiens. L'occupation principale de la majorité des colons demeure néanmoins l'agriculture.

L'organisation sociale gravite autour du système seigneurial; les terres de la Nouvelle-France sont divisées en seigneuries qui, elles-mêmes, sont subdivisées en rotures. Pour permettre à tous l'accès aux cours d'eau, on divise les terres en bandes étroites et profondes. Dans le système seigneurial, un censitaire est tenu de verser une rente annuelle et d'accomplir une série de devoirs pour son seigneur. Mais comme le territoire est très vaste et fort peu peuplé, le censitaire de la Nouvelle-France jouit alors de conditions d'existence autrement supérieures à celles du paysan français de la même époque.

Les revendications territoriales françaises en Amérique du Nord s'accroissent rapidement à cette époque, à la faveur des expéditions de «coureurs des bois», de religieux et d'explorateurs, à qui l'on doit la découverte de la presque totalité du continent nord-américain. La Nouvelle-France atteint son apogée à l'aube du XVIIIe siècle, alors qu'elle détient une emprise importante sur le commerce des fourrures en Amérique du Nord, contrôle le fleuve Saint-Laurent et les Grands Lacs, et commence à mettre en valeur les terres de la Louisiane. Ses positions lui permettent de contenir l'expansion des colonies anglaises, pourtant beaucoup plus populeuses, entre l'océan Atlantique et la chaîne des Appalaches. Mais la France, vaincue en Europe, accepte, par le traité d'Utrecht de 1713, de remettre officiellement le contrôle de la baie d'Hudson, de l'île de Terre-Neuve et de l'Acadie à l'Angleterre. Ce traité, qui fait perdre à la Nouvelle-France des positions militaires stratégiques, l'affaiblit sévèrement et sera le prélude de sa chute.

Dans les années suivantes, l'étau ne cesse de se resserrer sur la colonie française. Dès 1755, le colonel britannique Charles Lawrence ordonne ce qu'il conçoit comme une mesure préventive: la déportation des Acadiens. Ce «Grand Dérangement» entraîne l'exode d'au moins 7 000 Acadiens, ces paysans de langue française, citoyens britanniques depuis 1713, qui occupaient jusqu'alors les terres de l'actuelle Nouvelle-Écosse.

Lorsque la guerre de Sept Ans (1756-1763) éclate en Europe, les colonies d'Amérique en deviennent rapidement l'un des enjeux importants. Sur le territoire de l'actuel Ontario, les troupes françaises parviennent, dans les premières années, à contenir la poussée des Britanniques et à rester maîtres de la navigation sur les Grands Lacs. Les troupes françaises ne sont pas très nombreuses, mais elles sont positionnées à des endroits stratégiques: au fort Frontenac, dressé à l'embouchure du lac Ontario; à Niagara, cet important portage entre le lac Ontario et le lac Érié; «au »Détroit, située à la pointe du lac Érié; à Michillimakinac, où se rencontrent les lacs Michigan et Huron; et au fort Rouillé, érigé dans l'actuel port de

Toronto. Chacune de ces fortifications va finalement tomber, l'une après l'autre, aux mains des Britanniques.

Mais l'épreuve de force pour le contrôle de l'Amérique du Nord connaît son dénouement quelques années plus tard avec la victoire définitive des troupes britanniques sur les Français. Bien que Montréal soit tombée la dernière en 1760, c'est la célèbre bataille des plaines d'Abraham, où s'affrontent les troupes de Montcalm et de Wolfe, qui concrétise, l'année précédente, la fin de la Nouvelle-France par la chute de Québec. Au moment de la conquête anglaise, la population de la Nouvelle-France s'élève à environ 60 000 habitants, dont 8 967 vivent à Québec et 5 733 à Montréal.

■ Le Régime anglais

Par le traité de Paris de 1763, la France cède officiellement à l'Angleterre le Canada, ses possessions à l'est du Mississippi et ce qui lui reste de l'Acadie. Pour les anciens sujets de la Couronne française, les premières années de l'administration britannique sont très éprouvantes. D'abord, les dispositions de la Proclamation royale de 1763 instaurent un découpage territorial qui prive la colonie du secteur le plus dynamique de son économie, la traite des fourrures. De plus, la mise en place des lois civiles anglaises et le refus de reconnaître l'autorité du pape signifient la destruction des deux piliers sur lesquels reposait jusqu'alors la société coloniale: la hiérarchie religieuse et le régime seigneurial – un nouveau système de distribution des terres, les *townships*, est mis en place, et le régime seigneurial, de plus en plus considéré comme un système fondé sur le privilège et une entrave au développement économique, sera définitivement aboli en 1854. Enfin, indispensable pour occuper toute haute fonction administrative, le serment de Test, niant la transsubstantiation dans l'Eucharistie, ne peut que discriminer les Canadiens français. Une part importante de l'élite quitte le pays pour la France, tandis que des marchands anglais prennent graduellement les commandes du commerce.

L'Angleterre accepte par la suite d'annuler la Proclamation royale, car, pour mieux pouvoir résister aux poussées indépendantistes de ses Treize colonies du Sud, elle doit rapidement accroître son emprise sur le Canada et gagner la faveur de la population. Ainsi, à partir de 1774, l'Acte de Québec remplace la Proclamation royale et inaugure une politique plus réaliste envers cette colonie anglaise dont la population est catholique et de langue française.

À cette époque, la portion de territoire à l'ouest de la rivière des Outaouais demeure une vaste zone largement inoccupée, sauf par des bandes amérindiennes et des commerçants de fourrures. La Couronne britannique n'a d'ailleurs arrêté aucun plan de colonisation ou de mise en valeur de ce territoire autre que la traite des fourrures. Ironiquement, c'est la guerre d'Indépendance américaine (1775-1783) qui va donner naissance à l'Ontario et qui radicalement changera l'histoire du Canada.

Dans les premières années de ce conflit opposant la métropole, Londres, à des insurgés de ses Treize colonies du Sud, les troupes britanniques trouvent en Ontario des positions stratégiques, à partir desquelles ils peuvent lancer des attaques contre les rebelles américains. D'une manière globale cependant, le conflit tourne au désavantage des troupes britanniques et de leurs alliés, qui doivent finalement s'avouer vaincus.

La Révolution américaine, à tout le moins à ses débuts, avait été une véritable guerre civile opposant deux factions: d'un côté, les tenants de l'Indépendance, et de l'autre, les «loyalistes», qui désiraient conserver les liens coloniaux avec la métropole. De ces loyalistes, plus de 350 000 participent activement aux conflits en s'engageant aux côtés de la Grande-Bretagne.

La signature du traité de Versailles, en 1783, qui reconnaissait la défaite britannique aux mains des révolutionnaires américains, pousse des dizaines de milliers de ces loyalistes à venir trouver refuge au Canada. Entre 5 000 et 6 000 de ceux-ci iront s'installer sur les terres vierges de ce qu'on nomme aujourd'hui l'Ontario, y développant les premières colonies permanentes sur le territoire. La plupart choisissent d'élire domicile le long de la rive nord du fleuve Saint-Laurent et du lac Ontario, dans la région où se trouvent maintenant Kingston et le comté de Prince-Édouard, ainsi que dans la région de Niagara. Certaines nations amérindiennes ayant combattu aux côtés des Britanniques se font, quant à elles, concéder des terres dans la vallée de Grand River.

Jusqu'à l'arrivée des loyalistes, sauf pour quelques commerçants qui désirent prendre la place des Français dans le commerce des fourrures, peu de citoyens d'origine britannique n'avaient émigré au Canada. Ainsi, dans les deux premières décennies suivant la Conquête, l'écrasante majorité de la population du Canada se compose alors de Canadiens français catholiques. Devant la montée du sentiment indépendantiste dans ses Treize colonies du Sud, et pour préserver l'alliance de ces anciens sujets du roi de France, la Couronne britannique leur avait d'ailleurs accordé le droit de préserver leur religion et leurs coutumes.

C'est pour éviter le statut de minoritaires aux loyalistes, tout en conservant leurs droits aux Canadiens français catholiques, que Londres promulgue l'Acte constitutionnel de 1791, qui divise le Canada en deux provinces: le Bas-Canada et le Haut-Canada. Le Bas-Canada, qui comprend le territoire de peuplement français, reste régi par la Coutume de Paris, alors que le Haut-Canada, situé à l'ouest de la rivière des Outaouais, est principalement peuplé d'anciens loyalistes, et les lois civiles anglaises y ont désormais cours. D'autre part, par l'Acte constitutionnel, la Couronne introduit au Canada les bases du parlementarisme en créant une Chambre d'assemblée dans chacune des provinces.

Le Haut-Canada choisit d'abord de faire de Newark (Niagara) sa capitale. Mais c'est un choix de courte durée, car le site n'est pas très bien protégé et pourrait tomber aisément si les Américains décidaient d'envahir le Canada. Au mois d'août 1793, Toronto, un port facile à défendre et loin de la frontière américaine, est désignée comme emplacement de la capitale de la nouvelle province. Certes, le site est stratégique, mais encore inhabité. La même année, une petite colonie y voit le jour, le long de la rivière Don. Connue sous le nom de York jusqu'en 1834, la capitale du Haut-Canada ne compte que 800 personnes en 1810; sans doute personne alors n'aurait pu lui prédire un brillant avenir.

Les colons du Haut-Canada avaient certainement de bonnes raisons de se méfier de leurs voisins du Sud, qui n'ont pas tardé à leur en faire la preuve. En 1812, supposément lassés des contrôles britanniques excessifs sur les Grands Lacs, les Américains déclarent la guerre à la Grande-Bretagne et, par conséquent, au Canada. Les loyalistes et leur descendance forment toujours la majorité de la population du Haut-Canada, ce qui confère au conflit un aspect assez émotif. La Grande-Bretagne, affairée en Europe par les guerres napoléoniennes, ne peut apporter une aide significative à sa colonie. Les colons parviennent néanmoins à repousser les attaques américaines et à faire subir aux États-Unis d'Amérique la première défaite militaire de leur jeune histoire.

Si l'invasion avait été évitée de justesse, la guerre de 1812 avait clairement démontré l'isolement géographique du Haut-Canada. En plus de rendre encore plus vulnérable la colonie en temps de guerre, les rapides qui entravent en maints endroits la remontée du fleuve Saint-Laurent limitent les échanges commerciaux de la colonie en temps de paix. De considérables travaux de canalisation du fleuve Saint-Laurent sont alors entrepris, notamment à Lachine (1814) et à Welland (1824), afin de désenclaver le Haut-Canada.

La crainte d'une nouvelle invasion américaine devait même amener les autorités de la colonie à donner leur aval à la réalisation du canal Rideau (1828-1832), un projet onéreux permettant de relier directement le fort Henry (Kingston) à la rivière des Outaouais tout en évitant de naviguer sur le fleuve Saint-Laurent, dont la rive sud forme la frontière avec les États-Unis. À l'embouchure de ce fameux canal et de la rivière des Outaouais, une petite colonie voit le jour et est désignée du nom de Bytown (rebaptisée Ottawa en 1855 et actuelle capitale du Canada).

À la population de loyalistes installés dans le Haut-Canada depuis 1783 viennent se joindre graduellement des immigrants en majorité originaires des îles Britanniques. Le Haut-Canada poursuit ainsi le lent peuplement de ses excellentes terres agricoles. Pour sa population composée essentiellement de loyalistes, de leur descendance et de nouveaux immigrants originaires des îles Britanniques, le statut de colonie de la Grande-Bretagne ne donne lieu à aucune polémique, et l'allégeance à la Couronne n'est jamais sérieusement remise en question. Par contre, dans le Bas-Canada, à majorité française et catholique, l'autorité coloniale est plus difficilement ressentie. À partir du milieu des années 1830, on y réclame, avec de plus en plus d'insistance, des réformes s'inspirant des révolutions libérales ayant déjà secoué plusieurs pays d'Europe.

■ L'Acte d'Union

Du point de vue économique, le blocus continental de Napoléon, qui pousse l'Angleterre à venir s'approvisionner en bois au Canada, initie une nouvelle vocation pour la colonie. Cela tombe à point car le motif initial de la colonisation, la traite des fourrures, ne cesse de péricliter.

En 1821, l'absorption de la Compagnie du Nord-Ouest (qui regroupe des intérêts montréalais) par la Compagnie de la Baie d'Hudson concrétise le déclin de Montréal en tant que pôle du commerce des fourrures en Amérique du Nord. D'autre part, l'épuisement des sols et la surpopulation relative causée par le haut taux de natalité des familles canadiennes-françaises débouchent, au cours de cette même période, sur une profonde crise agricole. Le niveau de vie du paysan chute de telle sorte que son régime alimentaire en vient à se composer presque essentiellement de soupe aux pois et de galettes de sarrasin.

Ces difficultés économiques, mais aussi les luttes de pouvoir entre les deux groupes linguistiques du Bas-Canada, seront les éléments catalyseurs de la rébellion des Patriotes de 1837-1838. La période d'effervescence précédant les événements s'amorce en 1834, avec la publication des *Quatre-Vingt-Douze Résolutions*, un réquisitoire impitoyable contre la politique coloniale de Londres. Ses auteurs, un groupe de parlementaires conduit par Louis-Joseph Papineau, décident de ne plus voter le budget aussi longtemps que l'Angleterre n'accédera pas à leurs demandes. La métropole réagit en mars 1837 par la voie des *Dix Résolutions* de Lord Russell, refusant catégoriquement tout compromis avec les parlementaires du Bas-Canada. Dès l'automne suivant, de violentes émeutes éclatent à Montréal, opposant les Fils de la Liberté, composés de jeunes Canadiens, au Doric Club, formé de Britanniques loyaux. Les affrontements se déplacent par la suite dans la vallée du Richelieu et dans le comté de Deux-Montagnes, où de petits groupes d'insurgés tiennent tête pendant un temps à l'armée britannique avant d'être écrasés dans le sang. L'année suivante, tentant de rallumer la rébellion, des Patriotes connaissent le même sort à Napierville en affrontant 7 000 soldats de l'armée britannique. Par contre, cette fois-ci, les autorités coloniales entendent donner l'exemple. En 1839, 12 Patriotes montent sur l'échafaud, alors que de nombreux autres sont déportés.

Entre-temps, Londres avait envoyé un émissaire, Lord Durham, afin d'étudier les problèmes de la colonie. S'attendant à découvrir un peuple en rébellion contre l'autorité coloniale, Durham constate plutôt qu'il s'agit de deux peuples en lutte, l'un français, l'autre britannique. Dans son rapport, Durham avance une solution radicale afin de résoudre définitivement le problème canadien: il propose aux autorités de la métropole d'assimiler graduellement les Canadiens français.

Dicté par Londres, l'Acte d'Union de 1840 s'inspire dans une large mesure des conclusions du rapport Durham. Dans cet esprit, on instaure un parlement unique composé d'un nombre égal de délégués des deux anciennes colonies, même si le Bas-Canada possède une population bien supérieure à celle du Haut-Canada. On unifie également les finances publiques et, enfin, la langue anglaise devient la seule langue officielle de cette nouvelle union.

Comme les soulèvements armés ont été sans résultat, la classe politique canadienne-française décide alors de s'allier aux anglophones les plus progressistes afin de combattre ces dispositions. La lutte pour l'obtention de la responsabilité ministérielle devient par la suite le principal cheval de bataille de cette coalition.

Par ailleurs, la crise agricole qui frappe toujours aussi durement le Bas-Canada, doublée de l'arrivée constante d'immigrants et d'un haut taux de natalité, entraîne une émigration massive de Canadiens français vers les États-Unis. Entre 1840 et 1850, 40 000 Canadiens français quittent le pays pour aller tenter leur chance dans les usines de la Nouvelle-Angleterre. Pour contrer cette hémorragie, l'Église et le gouvernement lancent un vaste plan de colonisation des régions périphériques, dont le Lac-Saint-Jean. Mais cette désertion massive ne cesse pas pour autant avant le début du siècle suivant, si bien que, selon les estimations, environ trois quarts de million de Canadiens français auraient émigré entre 1840 et 1930. De ce point de vue, la colonisation, qui a permis de doubler la superficie des terres cultivées, se solde par un échec. La pression démographique sévissant dans le monde rural ne pourra être absorbée que plusieurs décennies plus tard grâce à l'industrialisation.

L'économie canadienne reçoit à cette même époque un dur coup, lorsque l'Angleterre abandonne sa politique de mercantilisme et de tarifs préférentiels à l'égard de ses colonies. Pour amortir les contrecoups du changement de cap de la politique coloniale britannique, le Canada-Uni signe en 1854 un traité permettant la libre entrée de certains de ses produits aux États-Unis. L'économie canadienne reprend timidement son souffle jusqu'à ce que le traité soit répudié en 1866 sous la pression d'industriels américains. C'est pour aider à résoudre ces difficultés économiques que l'on conçoit alors, en 1867, la Confédération canadienne.

■ La Confédération

Par la Confédération de 1867, l'ancien Bas-Canada reprend forme sous le nom de Province de Québec et le Haut-Canada sous celui d'Ontario. Deux autres provinces, la Nouvelle-Écosse et le Nouveau-Brunswick, adhèrent à ce pacte qui unira par la suite un vaste territoire s'étendant de l'Atlantique au Pacifique.

Le pacte confédératif instaure une division des pouvoirs entre deux ordres de gouvernement: le gouvernement fédéral, situé à Ottawa, et les gouvernements provinciaux, dont celui de l'Ontario élit domicile à Toronto, ancienne capitale du Haut-Canada devenue, au fil des décennies, une ville à vocation commerciale et le plus important centre urbain de la province (environ 45 000 habitants). Du point de vue politique, l'instauration du régime fédéral tourne à l'avantage de l'Ontario. Au sein du nouveau parlement d'Ottawa, le nombre de députés représentant chaque province serait proportionnel à sa population. L'Ontario, désormais la plus populeuse des provinces canadiennes, avait donc tout à gagner de ce nouveau pacte. Dans les décennies précédentes, la disponibilité d'excellentes terres avait attiré un nombre croissant de nouveaux arrivants, principalement originaires des îles Britanniques, ce qui devait permettre une croissance démographique importante dans la région.

Cependant, pour les Canadiens français, ce nouveau système politique confirme leur statut de minorité amorcé par l'Acte d'Union de 1840. La création de deux ordres de gouvernement octroie par contre au Québec la juridiction dans les domaines de l'éducation, de la culture et des lois civiles.

Du point de vue économique, la Confédération tarde toutefois à donner les résultats escomptés, et il faudra attendre trois décennies, marquées de fortes fluctuations, pour assister à un premier véritable essor économique du Québec et de l'Ontario.

Les bases de cet essor seront jetées quelques années après la Confédération par John A. Macdonald, premier ministre conservateur élu à Ottawa en 1878. Sa campagne électorale avait été menée sous le thème de la Politique nationale, une série de mesures visant à protéger et à promouvoir la jeune industrie canadienne grâce à la mise en place de tarifs douaniers protecteurs, à la création d'un grand marché intérieur unifié par un chemin de fer transcontinental et à la croissance de marché intérieur par une politique de peuplement des Prairies basée sur l'immigration massive.

La révolution industrielle amorcée au milieu du XIXe siècle reprend de la vigueur à partir des années 1880. Si Montréal demeure le centre incontesté de ce mouvement, cette industrialisation touche aussi de nombreuses autres villes de moindre importance.

L'exploitation forestière, qui constitue un moteur économique majeur au cours du XIXe siècle, fait que l'on exporte désormais plus de bois scié que de bois équarri, donnant ainsi naissance à une industrie de transformation. Par ailleurs, l'expansion du système ferroviaire, qui a pour pôle Montréal, permet une spécialisation dans le secteur du matériel fixe des chemins de fer. Les industries du cuir, du vêtement et de l'alimentation connaissent également une croissance notable. De plus, cette période donne lieu à l'émergence d'une toute nouvelle industrie, le textile, qui deviendra par la suite, et pour longtemps, le symbole de la structure industrielle du Québec. Bénéficiant d'un large réservoir de main-d'œuvre peu qualifiée, les industries textiles exploitent à leurs débuts principalement femmes et enfants.

Cette vague d'industrialisation a pour conséquences d'accroître le rythme de l'urbanisation et de créer une importante classe ouvrière aux conditions de vie difficiles. Agglutinés près des usines, les quartiers ouvriers de Montréal sont terriblement insalubres, et la mortalité infantile y atteint un taux deux fois plus élevé que dans les quartiers riches.

Alors que le monde urbain vit de profondes transformations, la campagne amorce une sortie de crise. Une production dominée par les produits laitiers remplace graduellement les cultures de subsistance, contribuant à augmenter le niveau de vie des cultivateurs.

Enfin, un événement tragique, la pendaison de Louis Riel en 1885, témoigne une nouvelle fois de l'opposition qui règne entre les deux groupes linguistiques du Canada. Ayant pris la tête de rebelles métis et amérindiens dans l'ouest du Canada, Riel, un Métis francophone et catholique, est déclaré coupable de haute trahison et condamné à mort. Alors que l'opinion publique canadienne-française se mobilise pour demander au cabinet fédéral de commuer la peine, du côté anglo-saxon on réclame avec insistance la pendaison de Riel. Le gouvernement Macdonald tranche finalement pour que Riel soit pendu, déclenchant une vive réaction populaire au Québec.

L'occupation de l'ensemble des terres, la croissance démographique, l'urbanisation, l'industrialisation et la mise en valeur des richesses naturelles du territoire, qui font la fierté des colons de souche européenne, sont par contre autant de bouleversements douloureux qui marquent cette fin de siècle et menacent le mode de vie traditionnel de la plupart des Autochtones habitant les territoires québécois et ontarien. Avant la fin du siècle, le gouvernement fédéral intervient en créant les réserves, des territoires accordés aux Amérindiens mais sous contrôle de l'État. Pour ceux qui devaient accepter le système des réserves, ces terres mises à leur disposition représentent le moindre mal, mais aussi la fin de l'autonomie et de la liberté essentielles à leur mode de vie et à leurs traditions. La rencontre de deux civilisations ne pouvait avoir lieu sans que l'une d'entre elles disparaisse.

■ L'âge d'or du libéralisme économique

Le début du XXe siècle coïncide avec le commencement d'une période de croissance économique prodigieuse devant se prolonger jusqu'à la crise des années 1930. Euphorique et optimiste comme bien d'autres Canadiens, le premier ministre de l'époque, Wilfrid Laurier, prédit alors que le XXe siècle sera celui du Canada.

Au Québec, cette croissance profite d'abord au secteur manufacturier. Mais, grâce à la mise au point de nouvelles technologies et à l'émergence de certains marchés, ce sont les richesses naturelles du territoire qui deviennent le principal facteur de localisation dans cette seconde vague d'industrialisation.

L'électricité joue un rôle de pivot. En quelques années, grâce au grand nombre de rivières à fort débit et à leur dénivellation, le Québec devient l'un des plus importants producteurs d'hydroélectricité. Cette disponibilité d'énergie bon marché attire dans son sillage des industries nécessitant une forte consommation d'électricité. Des alumineries et certaines industries chimiques s'établissent ainsi à proximité des centrales hydroélectriques.

Par ailleurs, le secteur minier connaît un timide démarrage, alors que commence l'exploitation du sous-sol des Cantons-de-l'Est, riche en amiante, et de l'Abitibi, où l'on trouve des gisements de cuivre, d'or, de zinc et d'argent. Mais surtout, le secteur des pâtes et papiers québécois trouve de fabuleux débouchés aux États-Unis avec l'épuisement des forêts américaines et l'essor de la grande presse. Pour favoriser la création d'industries de transformation en sol québécois, le gouvernement du Québec intervient en 1910 pour interdire l'exportation de billes de bois.

Mais c'est en Ontario que cette croissance économique est la plus marquée. En raison de leur situation géographique, les industries ontariennes peuvent bénéficier de la proximité d'un nouveau marché en pleine croissance, l'Ouest canadien, où la colonisation provoque une forte demande en équipements et en produits manufacturiers, désormais fabriqués au Canada plutôt qu'en Grande-Bretagne. Aussi, dans les décennies à venir et pour longtemps, c'est l'industrie lourde qui allait être l'épine dorsale de la structure industrielle de l'Ontario, dont les riches minerais de fer du Moyen-Nord désormais exploités fourniraient la matière première.

L'essor industriel de l'Ontario fait partie d'une mouvance continentale qui favorise dès lors, au Canada comme aux États-Unis, les régions des Grands Lacs au détriment des plus vieux centres industriels de l'Est. Naturellement, cette industrialisation entraîne un exode massif de la population vers les villes comme Toronto, mais également dans d'autres grands centres des Grands Lacs. De plus en plus désertée, la campagne parvient cependant à augmenter et à diversifier sa production grâce à l'introduction de nouvelles techniques.

Cette nouvelle vague d'industrialisation diffère de la première à bien des égards. Ayant lieu à l'extérieur des grands centres, elle accentue l'urbanisation des régions périphériques, créant dans certains cas des villes en quelques années.

Lorsque la Première Guerre mondiale éclate en Europe, c'est sans réticence que le gouvernement canadien s'engage aux côtés de la Grande-Bretagne et que, très tôt, il fixe l'objectif de mobiliser 500 000 hommes, un effort colossal pour un pays d'environ huit millions d'habitants. Mais comme les volontaires ne sont pas suffisants, le gouvernement canadien songe alors à imposer la conscription obligatoire, sachant très bien que la population est divisée à ce sujet: d'un côté, la majorité des Canadiens de langue anglaise, principalement les Ontariens, restés très attachés à la Grande-Bretagne, sont très favorables à la conscription obligatoire; de l'autre, la majorité des Canadiens français s'y opposent avec énergie. Leurs sentiments déjà plutôt ambigus à l'égard des Britanniques viennent d'ailleurs d'être renforcés: l'Ontario, la loyaliste, promulgue en 1912 un règlement interdisant l'enseignement en français dans les écoles que fréquentent les enfants des Canadiens français venus récemment coloniser les terres du Moyen-Nord ontarien ou s'engager comme bûcherons ou comme mineurs. Le poids politique de l'Ontario devait finalement l'emporter, et la conscription obligatoire fut votée en 1917. Au Québec, la colère gronde: émeutes, bagarres et dynamitages. La population réagit furieusement. La conscription se solde finalement par un échec en ne parvenant pas à enrôler un nombre appréciable de Canadiens français. Mais surtout, elle a pour conséquence de river les deux groupes linguistiques du Canada l'un contre l'autre.

Les années de guerre ont des répercussions considérables sur la vie sociale au Canada. En manque d'ouvriers masculins, les usines avaient dû dès lors recourir à la main-d'œuvre féminine, donnant aux femmes du pays un rôle social qu'elles n'avaient jamais connu précédemment. Cependant, si, au lendemain du conflit, la plupart des femmes reprennent leur place traditionnelle au sein de la société, leurs attentes n'en demeurent pas moins plus élevées qu'auparavant. Alors, avant même que le conflit ne se termine, en 1917 les gouvernements canadien et ontarien doivent déjà se résoudre à leur accorder le droit de vote, une revendication des femmes qui n'avait longtemps eu aucun écho. Au Québec, ce droit ne sera accordé aux femmes qu'en 1940.

■ La Grande Dépression

Entre 1929 et 1945, deux événements d'envergure internationale, la crise économique et la Seconde Guerre mondiale, perturbent considérablement la vie politique, économique et sociale du pays. La Grande Dépression des années 1930, que l'on perçoit d'abord comme une crise cyclique et temporaire, se prolonge en un long cauchemar d'une décennie. L'économie canadienne, très dépendante des marchés extérieurs, s'effondre avec le ralentissement des échanges internationaux. Face à la misère de plus en plus grande qui s'installe partout, les gouvernements se décident enfin à intervenir. C'est ainsi que fut mis sur pied un système d'assistance aux familles, prélude de ce que sera l'État providence de l'après-guerre, et que le gouvernement fédéral créa en 1935 la Banque du Canada, visant ainsi à accroître son emprise sur le système monétaire et financier.

C'est toutefois au cours des années de guerre que seront lancées les mesures qui conduiront par la suite à la naissance de l'État providence canadien. Entre-temps, la crise qui secoue le libéralisme débouche sur un foisonnement d'idéologies au Québec. Les tendances se multiplient, mais le nationalisme traditionnel accapare une place de choix, encensant les valeurs traditionnelles que sont le monde rural, la famille, la religion et la langue.

■ La Seconde Guerre mondiale

La guerre éclate en 1939, et le Canada s'y engage officiellement dès le 10 septembre de la même année. La nécessité de moderniser le matériel militaire canadien et les besoins logistiques des Alliés permettent une relance de l'économie du pays. De plus, ses relations privilégiées avec la Grande-Bretagne et les États-Unis accordent au Canada un rôle diplomatique appréciable, comme en témoigneront les conférences de Québec en 1943 et 1944.

Mais, très rapidement, la polémique entourant la conscription obligatoire refait surface. Bien que le gouvernement fédéral se soit engagé à ne pas y recourir, devant la montée de l'opposition anglophone du pays, il organise un plébiscite afin de se dégager de cette promesse. Les résultats démontrent sans équivoque le clivage existant entre les deux groupes linguistiques: les Canadiens anglais votent à 80% en faveur de la conscription, alors que les Québécois francophones s'y opposent dans une même proportion. Les sentiments équivoques à l'égard de la France et de la Grande-Bretagne font en sorte que les Québécois se sentent très peu enclins à s'engager dans ce conflit. Ils doivent néanmoins se plier à la décision de la majorité. L'engagement total du Canada s'élève à 600 000 personnes, dont 42 000 trouveront la mort.

La guerre a pour effet de modifier en profondeur le visage du Québec. Son économie en sort davantage diversifiée et beaucoup plus puissante. Du côté des relations entre Québec et Ottawa, l'intervention massive du gouvernement fédéral au cours de la guerre devient le prélude à l'accroissement de son rôle dans l'économie et à la marginalisation relative des gouvernements provinciaux.

■ L'époque contemporaine

La fin du second conflit mondial initie une période exaltante de croissance économique, où les désirs de consommation réprimés par la crise et le rationnement du temps de guerre peuvent enfin être assouvis. Dans les décennies qui suivent la guerre, l'économie canadienne roule à plein régime comme jamais, et les crises économiques, jusque dans les années 1980, ne sont que passagères et sans grande conséquence.

On creuse la voie maritime du Saint-Laurent, qui ouvrira les Grands Lacs à la navigation atlantique. Du coup, Montréal cesse d'être l'escale obligée du trafic maritime. La ville, qui jouait le rôle de métropole canadienne depuis la conquête britannique, cède sa place à Toronto.

Cette richesse touche néanmoins inégalement les divers groupes sociaux et ethniques. Les communautés francophones accusent un retard de plus en plus grand sur la majorité anglophone. La mainmise des anglophones sur l'économie assure aux Canadiens anglais des revenus supérieurs et de meilleures chances de progrès. Au Québec, la croissance économique permet tout de même à Maurice Duplessis, un premier ministre à la fois conservateur, capitaliste et nationaliste, de se maintenir en poste et d'empêcher l'émergence d'institutions modernes et laïques.

Des grèves qui feront date dans l'histoire industrielle du Québec éclatent bientôt. Elles seront dûrement réprimées. Le duplessisme ne peut s'expliquer que par la collaboration tacite d'une grande partie des élites traditionnelles et du monde des affaires tant francophone qu'anglophone. En effet, le clergé, qui, en apparence, vit ses heures les plus glorieuses, éprouve un affaiblissement de son autorité, ce qui le pousse à soutenir à fond le régime duplessiste.

Malgré la prédominance du discours duplessiste, cette période donne néanmoins lieu à l'émergence d'importants foyers de contestation où sera formée une bonne partie des chefs politiques québécois et canadiens qui marqueront ensuite l'histoire contemporaine. L'opposition est alors surtout extraparlementaire. Certains artistes et écrivains témoignent de leur impatience en publiant le *Refus global*, un réquisitoire terrible contre l'atmosphère étouffante du Québec d'alors. Mais l'opposition organisée émane surtout de groupes d'intellectuels, de syndicalistes et de journalistes. Si tous s'entendent sur la nécessité d'un État providence moderne et fort, on ne s'entend pas sur lequel il convient de choisir. Certains, comme Pierre Elliott Trudeau, soutiennent que la modernisation du Québec passe par un fédéralisme centralisateur. D'autres, les néonationalistes, souscrivent plutôt à un accroissement des pouvoirs du gouvernement du Québec.

En 1960, le gouvernement change enfin au Québec et conduit dans les six années suivantes ce qu'on appellera la «Révolution tranquille». C'est une véritable course à la modernisation. Mouvement accéléré de rattrapage, la Révolution tranquille réussit en quelques années à mettre le Québec à «l'heure de la planète». L'État accroît son rôle en se chargeant des domaines de l'éducation, de la santé et des services sociaux. L'Église, dépouillée ainsi de ses principales sphères d'influence, perd alors de son autorité et plonge dans une douloureuse remise en question accentuée par la désaffection massive de ses fidèles.

Cette société en pleine effervescence engendre un pluralisme idéologique, cependant marqué par la prédominance des mouvements de gauche. On assiste à des débordements à partir de 1963, alors que le Front de libération du Québec (FLQ), un groupuscule d'extrémistes désirant accélérer la «décolonisation» du Québec, lance une première vague d'attentats à Montréal. Puis en octobre 1970, le FLQ récidive en commettant l'enlèvement d'un diplomate britannique et d'un ministre provincial. Ces incidents déclenchent une crise politique au pays.

Le phénomène politique le plus marquant entre 1960 et 1980 demeure cependant l'ascension rapide du nationalisme modéré des Québécois, qui deviendra le principal sujet politique canadien. Depuis la Révolution tranquille, les gouvernements québécois successifs se considèrent tous comme porte-parole d'une nation distincte, réclamant un statut particulier pour le Québec et un accroissement de leurs pouvoirs au détriment du gouvernement canadien. Pour les Québécois, le Canada est d'abord le projet de deux peuples fondateurs, dont l'un, francophone, réside principalement au Québec. C'est donc un devoir presque historique pour les premiers ministres québécois que de s'opposer à ce que ce peuple devienne une simple composante minoritaire diluée dans un ensemble canadien de plus en plus intégré.

Pendant que ces événements bouleversent la vie politique québécoise, on assiste à un fulgurant développement de l'économie ontarienne. Au milieu des années 1970, la domination de l'Ontario sur l'économie canadienne prend forme de symbole quand Toronto devient la métropole canadienne, surpassant en taille son éternelle rivale, Montréal. Les remarquables performances de l'économie ontarienne sont largement tributaires de la proximité des États-Unis. D'abord, pour l'exportation de ses produits, alors que plus des trois quarts des produits exportés le sont vers les États-Unis, mais aussi pour l'établissement de succursales en Ontario des grandes entreprises américaines. Par exemple, en ce qui a trait à la construction automobile, les grandes entreprises américaines se sont engagées dans les années 1960 à garantir à ce qu'une partie des véhicules soient construits au Canada, dans ce qui fut appelé le Pacte de l'auto. Dans la plupart des cas, ces entreprises ont choisi le sud de l'Ontario comme emplacement pour leurs usines.

La croissance économique a pour effet de relancer l'immigration vers l'Ontario, qui s'était pratiquement interrompue pendant les années de la crise et de la guerre. Dans le quart de siècle qui suit ces événements, ce sont pratiquement deux millions d'immigrants que reçoit l'Ontario, soit près des deux tiers des immigrants venus s'installer au Canada durant cette période. Ces immigrants ne proviennent plus en majorité des îles Britanniques comme ce fut le cas auparavant; ce sont d'abord des gens originaires d'Europe du Sud et de l'Est, puis en provenance de presque tous les pays du monde. En l'espace de quelques décennies seulement, le visage culturel de l'Ontario se transforme donc radicalement.

■ Des années 1970 à nos jours

Le néonationalisme qui se fait jour au Québec dans les années 1960 devient le promoteur d'un État québécois fort, ouvert et moderne. Il préconise un accroissement des pouvoirs du gouvernement québécois et, ultimement, l'indépendance politique. Les forces nationalistes se regroupent rapidement autour de René Lévesque, qui, huit ans après la fondation du Parti québécois, remporte une victoire qui surprend tout le monde, à commencer par les Canadiens anglophones.

S'étant fixé comme mandat de négocier la souveraineté du Québec, le Parti québécois organise en 1980 un référendum pour obtenir l'assentiment populaire. Dès le début, la campagne référendaire met au jour la division des Québécois entre souverainistes et fédéralistes. La lutte demeure vive et mobilise l'ensemble de la population jusqu'aux derniers moments. Mais finalement, après une campagne axée sur des promesses de réaménager le fédéralisme, les tenants du «Non» remportent la victoire avec près de 60% des voix. Malgré l'amertume que suscite cette défaite, les souverainistes se consolent néanmoins en constatant que le soutien à leur cause a fait un bond de géant en l'espace de quelques années. Mouvement marginal dans les années 1960, le nationalisme s'affirme désormais comme un phénomène incontournable de la politique québécoise. Le soir de la défaite, René Lévesque, déçu mais toujours aussi charismatique, prédit que ce serait pour «*la prochaine fois*».

Le mouvement amorcé par la Révolution tranquille connaît une rupture avec la défaite souverainiste au référendum, et, pour plusieurs Québécois, les années 1980 s'amorcent avec ce que l'on a appelé la «déprime postréférendaire». Le gouvernement fédéral en profite pour faire connaître son projet de réaménagement constitutionnel. Il s'agit de rapatrier la Constitution en y incluant une charte des droits et libertés individuelles, et une formule d'amendement qui permettrait de changer l'équilibre des pouvoirs sans l'assentiment de toutes les provinces. Ottawa donne suite à son projet, avec l'accord de toutes les provinces sauf le Québec, et malgré l'opposition unanime des députés de l'Assemblée nationale québécoise. Ce faisant, le gouvernement fédéral a lui-même plongé le Canada dans une crise constitutionnelle qui monopolise depuis une bonne partie des efforts de sa classe politique.

Au début des années 1980 et 1990, les économies du Québec et de l'Ontario traversent leur pire récession depuis les années 1930. Plus tard, bien qu'il y ait une lente relance de l'économie, le taux de chômage demeurera très élevé, et les finances publiques accumuleront des déficits vertigineux. À l'instar de plusieurs autres gouvernements occidentaux, les gouvernements provinciaux et fédéral doivent remettrent en question leurs choix passés.

La décennie des années 1980 et le début des années 1990 sont donc marqués du sceau de la rationalisation, mais aussi de la globalisation des marchés et de la consolidation de grands blocs économiques. Dans cet esprit, le Canada et les États-Unis concluent un accord de libre-échange en 1989, élargi au Mexique à partir de 1994 (ALENA).

La récession n'a pas mis fin au malaise politique des Québécois, et, 15 ans après le référendum de 1980, fédéralistes et souverainistes s'engagent dans une nouvelle campagne référendaire. Personne alors n'aurait pu prédire un résultat final aussi serré. Au soir du référendum, il faut attendre le dépouillement des dernières boîtes de scrutins pour enfin connaître le verdict de la population. À 49,4% les Québécois ont alors voté «Oui» au projet de souveraineté, tandis que 50,6% ont voté «Non»! Les deux options n'étaient séparées que de 30 000 votes seulement; le Québec était littéralement coupé en deux. Le lendemain du référendum de 1995, Jacques Parizeau, élu en 1994, offre sa démission comme chef du Parti québécois et premier ministre du Québec. Il sera remplacé en 1996 par Lucien Bouchard, jusque-là chef du Bloc québécois à Ottawa et qui sera élu officiellement comme premier ministre du Québec en 1998. À la suite de la démission de Lucien Bouchard, en 2001, Bernard Landry est devenu chef du Parti québécois et premier ministre du Québec.

Faut-il s'inquiéter de toutes ces tensions? Probablement pas. Les luttes politiques qui ont occupé le Canada au cours des dernières années sont simplement révélatrices d'un rééquilibrage en cours. Les questions au cœur du débat datent souvent de la conquête anglaise. Il y a donc gros à parier qu'elles ne sont pas à la veille de trouver une réponse définitive. L'une des grandes forces de la démocratie canadienne est cependant de les aborder pacifiquement et dans le respect des règles démocratiques. Et rien n'indique que cette attitude soit à la veille de changer.

Vie politique

Le document constitutionnel à la base de la Confédération canadienne de 1867, l'Acte de l'Amérique du Nord britannique, a créé une division des pouvoirs entre deux ordres de gouvernement. Ainsi, en plus du gouvernement central, situé à Ottawa, les 10 provinces canadiennes, dont le Québec et l'Ontario, possèdent respectivement un gouvernement ayant le pouvoir de légiférer dans certains domaines.

Calqués sur le modèle britannique, les systèmes politiques canadien et québécois accordent le pouvoir législatif à un Parlement élu au suffrage universel. À Québec, ce Parlement, qu'on nomme l'Assemblée nationale, se compose de 122 députés représentant autant de circonscriptions électorales. En Ontario, la Legislative Assembly compte 103 députés.

Au fédéral, le pouvoir appartient à la Chambre des communes, formée de députés provenant de toutes les régions du Canada. Le gouvernement fédéral possède également une Chambre haute, le Sénat, qui fut départie peu à peu de tous ses pouvoirs réels et dont l'avenir reste incertain.

Lors d'élections, le parti politique qui a pu faire élire le plus grand nombre de députés forme le gouvernement. Ces élections se tiennent environ tous les quatre ans, selon le mode de scrutin uninominal à majorité simple. La logique de ce type de suffrage conduit à un affrontement ne laissant généralement place qu'à deux formations politiques d'envergure. En contrepartie, ce système électoral offre l'avantage de garantir une grande stabilité entre chaque élection, tout en permettant d'identifier chaque député à une circonscription.

■ La politique fédérale

Le Canada est une monarchie constitutionnelle. Le chef de l'État est la reine du Canada, Elizabeth II d'Angleterre. Les prérogatives royales sont normalement déléguées à un gouverneur général (actuellement l'ancienne journaliste Michaëlle Jean) nommé pour cinq ans par la reine sur recommandation du premier ministre. Si les pouvoirs dévolus au gouverneur sont en théorie sans limites, c'est parce qu'il ne les exerce pas, la tradition parlementaire britannique exigeant de lui la plus stricte réserve et sa collaboration avec les représentants élus de la population. Dans chacune des provinces, un lieutenant-gouverneur remplit des charges analogues à celles du gouverneur général.

Au Canada comme dans toutes les démocraties occidentales, les pouvoirs législatifs, exécutifs et judiciaires ne reposent pas entre les mêmes mains. Techniquement, le plus important de ces pouvoirs est le pouvoir législatif, qui, à Ottawa, est exercé par le Parlement, indépendant du gouvernement. Celui-ci se divise en deux assemblées, selon le modèle anglais des chambres haute et basse. Le Sénat est la Chambre haute. Les sénateurs sont nommés sur recommandation du premier ministre, et leur tâche est d'examiner les projets de loi dans le but de les bonifier. Comme il ne s'agit pas de représentants élus, ils n'ont aucune légitimité pour faire obstruction aux volontés exprimées par les votes des députés. La Chambre des communes, ou Chambre basse, est celle où siègent tous les députés, un par circonscription. Ils y ont tous été élus pour un mandat de quatre ou cinq ans. Pour être élu, un député doit être le candidat qui récolte le plus de voix lors d'un unique tour de vote, peu importe qu'il dispose ou non de la majorité. La logique de ce type de suffrage conduit à un affrontement ne laissant généralement place qu'à deux formations politiques d'envergure. En contrepartie, ce système électoral offre l'avantage de garantir une grande stabilité entre chaque élection, tout en permettant d'identifier chaque député à une circonscription.

Les députés d'une même formation votent généralement tous dans le même sens après avoir adopté leur position en caucus. La Chambre des communes vote les lois, mais surveille aussi les activités du gouvernement, que les députés peuvent questionner sur n'importe quel sujet. En outre, le vérificateur général, le directeur des élections et, dans certaines législatures, le protecteur du citoyen dépendent directement de l'assemblée des députés. Dans chaque province, une assemblée législative fonctionne selon les mêmes règles, à cette différence près que presque toutes ces législatures ont aboli leur Sénat.

Le chef de la formation qui remporte le plus de sièges est invité par le gouverneur à occuper la place de premier ministre et à choisir les autres ministres qui formeront avec lui le cabinet. Il doit normalement le faire parmi les députés, puisqu'un ministre doit pouvoir répondre aux questions du Parlement. La tradition exige que le gouvernement démissionne si les députés votent contre lui en majorité. C'est très rare puisque le premier ministre dispose habituellement d'une majorité de députés aux Communes. Le cabinet est responsable de l'application des lois, du Trésor public et du gouvernement. C'est le véritable siège du pouvoir au Canada.

Enfin, le pouvoir judiciaire est exercé par des juges. Ceux-ci sont choisis par le ministre fédéral de la Justice s'il s'agit d'un tribunal général, et par ses homologues provinciaux dans les autres cas. Les juges sont tenus à un devoir de réserve très strict. Leur indépendance et leur impartialité, notamment à l'égard du gouvernement, sont garanties par leur inamovibilité ainsi que par une rémunération généreuse.

Au niveau fédéral, deux formations politiques, le Parti libéral et le Parti conservateur, ont gouverné tour à tour le Canada depuis le début de la Confédération en 1867. L'actuel premier ministre du Canada, un conservateur qui dirige un gouvernement minoritaire depuis février 2006, est Stephen Harper.

■ La politique au Québec

Depuis 1976, deux formations dominent la vie politique québécoise: le Parti québécois et le Parti libéral du Québec. Ce qui distingue ces deux formations politiques, c'est d'abord et avant tout la vision qu'elles ont du statut politique du Québec. Depuis sa naissance, le Parti québécois poursuit l'objectif de faire accéder le Québec à la souveraineté politique. De son côté, le Parti libéral, tout en revendiquant un accroissement des pouvoirs du gouvernement provincial, reste néanmoins attaché au système fédéral canadien.

L'Action démocratique du Québec, qui défend une position constitutionnelle à mi-chemin entre celle du PQ et du PLQ, est née en 1992. Elle est sortie de la marginalité lors des élections provinciales de mars 2007, faisant élire 36 députés et devenant du même coup l'opposition officielle d'un gouvernement libéral minoritaire dirigé par Jean Charest. Mais, coup de théâtre, lors de l'élection du 8 décembre 2008, l'ADQ ne fait élire que sept députés à l'Assemblée nationale. À la suite de cet échec, Mario Dumont, le chef du parti, donne sa démission.

Ces trois principaux partis politiques, le Parti québécois (PQ), le Parti libéral du Québec (PLQ) et l'Action démocratique du Québec (ADQ), ont tous des origines communes. En 1967, des libéraux favorables à la souveraineté du Québec quittent le parti pour fonder une nouvelle formation qui deviendra quelques années plus tard le PQ. Le scénario se répète en 1992, alors que des libéraux quittent à nouveau le parti pour dénoncer la position constitutionnelle de la formation. Cette fois-ci, c'est le rejet du rapport Allaire, rapport qui demandait un transfert considérable de pouvoirs fédéraux vers le Québec, qui mène à la formation de l'ADQ. La preuve qu'au Québec, la politique, c'est une affaire de famille.

■ La politique en Ontario

En ce qui a trait à la politique provinciale, le Parti conservateur a traditionnellement eu la main haute sur l'Ontario. Entre 1943 et 1985, la province fut gouvernée sans interruption par des premiers ministres issus des rangs conservateurs. Bien qu'ils dussent faire quelques compromis, surtout à l'occasion de gouvernements minoritaires, les conservateurs n'ont jamais été très actifs dans la promotion des intérêts des femmes, des démunis ou des minorités, notamment des francophones, nombreux dans le nord de la province.

Les élections de 1985 devaient mettre fin au long règne conservateur en Ontario. Les résultats avantageaient cependant encore les conservateurs, qui faisaient élire 52 députés, alors que les libéraux avaient récolté 48 sièges, et les néo-démocrates, 25 sièges. Il fallut donc une coalition entre les libéraux de David Peterson et les néo-démocrates de Bob Rae pour que se termine près d'un demi-siècle de régime conservateur en Ontario. David Peterson devint premier ministre de la province et promulgua certaines lois progressistes, notamment une loi proactive concernant l'équité salariale.

Lors des élections provinciales de 1990, David Peterson fut donc battu, mais, à la surprise de tous, il fut remplacé par les néo-démocrates de Bob Rae. Pendant les années de coalition avec les libéraux, Bob Rae et son parti avaient su gagner la confiance des Ontariens. En 1990, les Ontariens ont donc élu pour la première fois de leur histoire un gouvernement néo-démocrate.

L'élection de 1995 marqua le retour au pouvoir du Parti conservateur de l'Ontario, dirigé par Mike Harris. Au cours de son premier mandat, Mike Harris a imposé des coupures radicales aux dépenses de l'État, et plusieurs de ces décisions ont soulevé la colère des syndicats et des groupes sociaux. Les bonnes performances économiques de la province aidant, Mike Harris a été élu à nouveau en 1999 comme premier ministre de l'Ontario.

Mike Harris quitte la direction du Parti conservateur au printemps de l'année 2002. Il est remplacé par Ernie Eves, ministre des Finances. Ernie Eves mène le Parti conservateur à la défaite lors de l'élection de l'automne 2003, que remporte le libéral Dalton McGuinty. Depuis son élection, McGuinty mène une gestion prudente des affaires de la province.

Économie

Au cours des années 1980 et 1990, l'économie canadienne a connu de dures années de récession qui ont poussé les gouvernements, tant fédéral que provinciaux, à lutter activement contre une dette publique énorme. Cette situation a forcé plusieurs gouvernements à faire de difficiles choix et à réduire les dépenses de divers programmes sociaux. Il demeure que les compressions budgétaires effectuées par le gouvernement fédéral ont permis le dégagement de surplus pécuniaires. Les déficits provinciaux ont été cependant plus complexes à combattre, mais tant le Québec que l'Ontario sont parvenus à reprendre le contrôle de leurs dépenses.

Malgré ces difficultés des dernières années, la situation économique canadienne n'a rien de désespéré. Il s'agit encore de l'un des pays qui offre un très bon niveau de vie à ses citoyens, fait d'ailleurs souligné par l'ONU depuis 99 années. Des industries canadiennes de pointe, notamment en matière de transport, de communication, d'électronique, de génie, de services et de biotechnologies, dominent leur secteur sur le marché mondial. En outre, les dernières années ont mis un baume à la croissance de l'économie canadienne. De nouveaux modèles émergent pour soutenir l'entrepreneuriat. On voit même des syndicats obtenir des dégrèvements fiscaux pour mettre sur pied des fonds d'investissements destinés à soutenir l'entreprise privée.

■ Au Québec

L'économie québécoise est actuellement en pleine transformation. Tout comme dans la plupart des autres pays occidentaux, la tertiarisation de l'économie touche le Québec, avec la perte de vitesse de plusieurs secteurs d'exploitation des richesses minières et de certaines industries traditionnelles. En contrepartie, on a assisté au cours de cette même période à l'émergence ou à la croissance de quelques sphères d'activité économique porteuses d'avenir.

Ainsi, grâce à d'imposantes ressources électriques bon marché, le Québec est devenu un grand producteur mondial d'aluminium de première fusion et un centre important de transformation de divers autres métaux. De plus, certains produits finis, particulièrement le matériel de transport, la machinerie et les appareils électriques, ont graduellement occupé une place de choix dans l'économie locale. À titre d'exemple, la société Bombardier, jadis une petite entreprise familiale spécialisée dans la production de motoneiges, s'est transformée en un important groupe industriel qui fabrique entre autres des avions, des trains légers et des wagons de métro.

Bien entendu, l'exploitation des richesses naturelles reste toujours un secteur clé au Québec. En domestiquant d'impétueuses rivières du Nord québécois, Hydro-Québec a pu atteindre une colossale puissance installée de 25 600 MW. D'autre part, les activités économiques gravitant autour de l'exploitation des forêts demeurent encore responsables de 10% du PIB québécois et de 100 000 emplois. Enfin, en ce qui concerne l'extraction minière, l'effondrement des cours mondiaux des métaux a fait décroître les principales productions québécoises que sont le fer, l'amiante, le cuivre et le zinc. Seul l'or est en hausse.

Cette restructuration de l'économie du Québec ne se fait pas sans heurt et sans victimes. Ces dernières années, le taux de chômage s'est maintenu constamment autour de 10%, affectant très durement certains quartiers de Montréal et quelques régions périphériques. De plus, alors que la classe moyenne a vu son pouvoir d'achat fléchir, les plus riches n'ont cessé de s'enrichir. Ainsi, bien que l'on puisse apprécier le chemin parcouru depuis la Révolution tranquille, notamment en ce qui a trait à la prise en main de l'économie locale par les gens d'affaires du Québec, les Québécois devront encore relever de nombreux défis avant que l'économie ne devienne garante d'un développement social plus harmonieux.

■ En Ontario

Au début de la colonisation, l'économie de l'Ontario était principalement centrée sur la traite des fourrures. Avec l'arrivée massive de colons à partir de la fin du XVIIIe siècle dans le Sud ontarien, qui offre certaines des meilleures terres du Canada, l'agriculture se développa et devint la principale activité économique de la province. Deux siècles plus tard, l'agriculture est encore aujourd'hui une activité importante en Ontario, où l'on cultive principalement du blé, du maïs et des légumes. L'Ontario est aussi au deuxième rang, tout juste derrière le Québec, en ce qui a trait à la production laitière au Canada. Les vastes forêts du nord de la province ont également été mises à contribution. Approvisionnant d'abord l'Angleterre dès le début du XIXe siècle, l'industrie papetière ontarienne a par la suite trouvé d'excellents marchés, notamment aux États-Unis, où la croissance des besoins en papier fut créée grâce à l'émergence de la grande presse.

Le début du XXe siècle donna lieu à la découverte, dans le nord de la province, d'importants gisements métallifères, notamment de cobalt, de nickel, d'argent, de fer et de zinc. Dans les années 1950, on devait même découvrir, près du lac Elliot, le plus riche gisement d'uranium au monde. Ces découvertes, combinées au développement du réseau de chemin de fer, seront à l'origine du peuplement du nord de la province et contribueront de façon marquante à la prospérité économique provinciale durant une bonne partie du siècle.

L'économie ontarienne peut, depuis longtemps, compter sur un secteur industriel très solide, le plus dynamique au Canada, qui s'est développé rapidement depuis la fin du XIXe siècle. Même si, comme dans l'ensemble du monde industrialisé, le secteur des services a tendance à prendre de plus en plus de place, l'industrie, notamment l'industrie lourde, est encore un des fleurons de l'économie de l'Ontario. Cette industrie, aujourd'hui très diversifiée, a toujours su bénéficier de la situation stratégique de la province, au centre du Canada et à proximité des États-Unis. Elle est d'ailleurs une des raisons essentielles du succès économique de l'Ontario, la plus prospère des provinces du Canada, avec près de 40% du produit national brut (PNB).

Démographie

Le peuple du Canada, tout comme celui du reste de l'Amérique d'ailleurs, est constitué d'une population aux origines diverses. Aux Autochtones se sont joints, à partir du XVIe siècle, des colons d'origine française, dont les descendants forment aujourd'hui la plus importante minorité nationale. Puis, au cours des deux derniers siècles, le Canada s'est tour à tour enrichi d'immigrants des îles Britanniques et des États-Unis, puis d'Europe et ensuite d'un peu partout à travers le monde. Cet apport de sang neuf n'est pas à la veille de prendre fin puisque la population canadienne se fait vieillissante.

■ Les Inuits et les Amérindiens

Premiers habitants du territoire canadien, les Inuits et les Amérindiens ne représentent plus, numériquement, qu'une fraction marginale de la population totale. Les Autochtones vivent disséminés un peu partout au Canada et sont encore placés sous la tutelle maladroite du gouvernement fédéral. Quoique plusieurs puissent encore jouir de territoires de chasse et de pêche, leur mode de vie traditionnel a été, dans une large mesure, anéanti.

Mal adaptés à la société moderne, souffrant de déculturation, les peuples amérindiens et inuit sont actuellement piégés par d'importants problèmes sociaux. Depuis quelques décennies, ils se sont toutefois donné des structures politiques plus efficaces pour faire valoir leurs revendications. Les résultats n'ont pas tardé puisqu'il est désormais impossible au Canada de faire abstraction de la dynamique autochtone lorsque vient le temps de planifier l'aménagement du territoire, l'exploitation des ressources naturelles ou le développement régional.

Le lobby autochtone demeure un puissant levier moral sur le gouvernement canadien. Ces dernières années, les Amérindiens sont ainsi parvenus à attirer l'attention des médias et de la population. En 1992, un premier pas important était accompli alors qu'on abordait le principe de l'autonomie des gouvernements autochtones lors d'une conférence constitutionnelle. Puis en 1999, de longues années de négociations débouchaient sur la signature de deux accords majeurs. Le premier entraîna, le 1er avril, la création d'un tout nouveau territoire (le Nunavut) au nord du pays sous tutelle fédérale mais administré par un gouvernement autonome élu par sa population à 85% inuite. Le second accord important concerne le peuple Nisga'a de la Colombie-Britannique, auquel on a accordé l'intendance sur ses terres ancestrales. Malgré le fait que les années 1990 aient été marquées par certaines crises soulignant des relations tendues, ces accords laissent présager d'autres changements positifs dans les négociations entre les Autochtones et les divers ordres de gouvernement.

■ La population francophone

La population francophone forme la majorité au Québec et une minorité importante au Nouveau-Brunswick. Partout ailleurs au Canada, sa pérennité ne peut être considérée comme un acquis, malgré ses propres efforts et le soutien du gouvernement fédéral.

Les Québécois francophones sont les descendants, dans une écrasante majorité, des colons d'origine française arrivés au pays entre 1608 et 1759. Migration et croissance naturelle firent en sorte qu'ils étaient 60 000 lorsque la Nouvelle-France est passé aux mains des Anglais. Ils provenaient pour la plupart des régions de la côte ouest de la France. Ces 60 000 Canadiens ont légué, après un peu plus de deux siècles, un impressionnant héritage démographique de plusieurs millions d'individus, dont environ 7 millions vivent toujours au Canada. Des démographes ont établi des comparaisons très étonnantes à ce sujet: entre 1760 et 1960, la population mondiale s'est multipliée par trois, et la population de souche européenne par cinq, alors que la population française du Canada se multipliait par 24. C'est encore plus surprenant si l'on considère que très peu de mariages mixtes ont enrichi cette communauté et que l'immigration a presque totalement profité à la communauté anglophone. De plus, entre 1840 et 1930, environ 900 000 Québécois, dont une grande majorité de francophones, quittèrent le pays pour aller travailler aux États-Unis dans les industries textiles. Cette croissance phénoménale de la population francophone du Canada tient donc essentiellement à un taux de natalité élevé. Ainsi, pendant longtemps, les femmes canadiennes-françaises engendraient en moyenne huit enfants; les familles de 15 ou de 20 enfants étaient monnaie courante. Ce phénomène s'explique en partie par les pressions qu'exerçait le puissant clergé catholique, désireux de combattre la progression du protestantisme au Canada. Situation plutôt paradoxale, les francophones du Québec partagent aujourd'hui, avec des pays comme l'Allemagne, un des taux de natalité les moins élevés du monde.

Majoritaires au Québec, les francophones ont toutefois longtemps été dépourvus du contrôle de leur économie. On estime qu'en 1960 la moyenne de revenus des Québécois francophones correspondait à environ 65% de celle des Anglo-Québécois. Alors que le rattrapage économique s'amorçait avec la Révolution tranquille, on assista parallèlement à une ascension de l'affirmation nationale des francophones qui, dès lors, cessèrent de se considérer comme Canadiens français et se définirent plutôt comme Québécois. Les francophones, qui intègrent maintenant de plus en plus d'immigrants, représentent environ 80% de la population totale du Québec.

■ La population anglophone

Les premiers anglophones arrivés au Canada, surtout des marchands, n'ont représenté qu'une fraction infime de la population, même plus de 20 ans après la Conquête. Le territoire progressivement arraché à la Nouvelle-France avait permis l'établissement de différents comptoirs et postes de traite, notamment dans l'Ouest et sur la baie d'Hudson. À cette époque, des colonies de peuplement prospéraient déjà dans les provinces maritimes, en partie sur les terres dont on avait chassé les Acadiens.

La Révolution américaine allait donner son véritable envol au peuplement britannique des territoires aujourd'hui regroupés au sein du Canada. Qu'ils aient envie de nouvelles terres ou de demeurer fidèles à l'Angleterre, les loyalistes quittent les États-Unis pour le Canada entre 1783 et le début du XIXe siècle. Partout où ils s'installent, ces loyalistes tiennent à manifester leur attachement aux lois, aux coutumes et aux religions que leurs ancêtres ont amenées de Grande-Bretagne. Plus agriculteurs que commerçants, ils ne fraient pas beaucoup avec les communautés anglophones qui contrôlent les affaires à Québec et à Montréal.

Ces colons s'installent dans les colonies de Nouvelle- Écosse, de l'île du Prince-Édouard et du Nouveau-Brunswick. Plus à l'ouest, dans le Canada de l'époque, ils s'établiront dans le sud-ouest de ce qui est aujourd'hui le territoire québécois et, surtout, au nord des Grands Lacs, dans ce qui allait devenir l'Ontario. Ils y prospéreront et peupleront les plaines qui s'étendent depuis l'Ontario jusqu'aux Rocheuses, au fur et à mesure que le chemin de fer ouvrira ces territoires à la colonisation.

D'autres sujets du Royaume-Uni immigrent ensuite, souvent plus par nécessité que par choix. C'est ainsi qu'arrivent des Écossais et des Irlandais, bon nombre de ceux-ci ayant été chassés de chez eux par la famine. La diminution de l'immigration britannique, dès la fin du XIXe siècle, fut compensée par l'intégration d'arrivants d'autres souches.

Arts

■ L'art autochtone

Il reste malheureusement peu de chose de l'art autochtone ancien. Les matériaux des œuvres et les conditions de conservation n'ont pas permis leur survie jusqu'à notre époque. D'autre part, les missionnaires regardaient comme suspectes ces œuvres qui puisaient le plus souvent dans les croyances amérindiennes et inuites ancestrales.

Les premières expressions artistiques amérindiennes répertoriées sont des pétroglyphes, qu'il est notamment possible d'observer dans les parcs nationaux Superior et Petroglyph, en Ontario. Les Inuits ont également développé depuis des temps immémoriaux l'art de la sculpture.

Des artistes autochtones contemporains méritent également une mention spéciale. C'est le cas de l'Ojibwé Benjamin Chee-Chee, dont les œuvres sont des compositions abstraites aux motifs géométriques. C'est aussi le cas de Norval Morrisseau, qui peint dans son propre style, dit «pictographique», des thèmes tirés de légendes autochtones.

■ Les arts au Québec

Le monde des arts sert souvent de véhicule privilégié aux peuples pour exprimer leurs préoccupations et leurs aspirations. Au Canada francophone, l'expression artistique a pendant longtemps été à l'image d'une société constamment sur la défensive, tourmentée par la médiocrité de son présent et par des doutes quant à son avenir. Mais depuis les années d'après-guerre et surtout avec la Révolution tranquille, la culture québécoise a bien évolué et s'est affirmée. Ouverte aux influences extérieures, souvent très innovatrice, elle est maintenant d'une remarquable vitalité.

Lettres québécoises

L'essentiel des débuts de la littérature de langue française en Amérique du Nord est constitué d'écrits des premiers explorateurs (dont ceux de Jacques Cartier) et des communautés religieuses. Sous forme de récits, ces textes relatent différentes observations destinées principalement à faire connaître le pays aux autorités de la métropole. Le mode de vie des Autochtones, la géographie du pays et les premiers temps de la colonisation française figurent parmi les principaux thèmes abordés par des auteurs comme le père Sagard (*Le grand voyage au pays des Hurons*, 1632) ou par le baron de Lahontan (*Nouveaux voyages en Amérique septentrionale*, 1703).

La tradition orale domine la vie littéraire durant tout le XVIIIe siècle et au début du XIXe siècle. Les légendes issues de cette tradition (revenants, feux follets, loups-garous, chasse-galerie) sont par la suite consignées par écrit. Plusieurs années s'écoulent donc avant que le mouvement littéraire ne prenne un véritable envol, qui aura lieu à la fin du XIXe siècle. La majorité des créations d'alors, fortement teintées de la rhétorique de la «survivance», encensent les valeurs nationales, religieuses et conservatrices.

Les premières publications québécoises font l'éloge de la vie à la campagne, loin de la ville et de ses tentations. Les romans d'Antoine Gérin-Lajoie (*Jean Rivard le défricheur*, 1862, et *Jean Rivard, économiste*, 1864) en sont le parfait exemple. Ce traditionalisme continuera de marquer profondément la création littéraire jusqu'en 1930. En poésie, l'École littéraire de Montréal, plus particulièrement Émile Nelligan, qui s'inspire entre autres des œuvres des symbolistes et de Baudelaire, fait contrepoids au courant dominant pendant quelque temps.

Un changement fondamental va s'opérer au cours des années de la crise économique et de la Seconde Guerre mondiale. On voit graduellement apparaître le thème de l'aliénation des individus, et la ville devient le cadre de romans, comme c'est le cas de *Bonheur d'occasion* (1945) de la Franco-Manitobaine Gabrielle Roy (qui a vécu la plus grande partie de sa vie au Québec) et de *Au pied de la pente douce* (1945) de Roger Lemelin.

Le modernisme s'affirme franchement à partir de la fin de la guerre. Yves Thériault, auteur très prolifique, publie entre autres, de 1944 à 1962, contes et romans inuits et amérindiens (*Agaguk*, 1958; *Ashini*, 1960), qui marqueront toute une génération de Québécois. La poésie connaît une période florissante grâce à une multitude d'auteurs, notamment Alain Grandbois, Rina Lasnier, Anne Hébert, Gaston Miron et Claude Gauvreau. On assiste également à la véritable naissance du théâtre québécois grâce à la pièce *Tit-Coq* de Gratien Gélinas, qui sera suivie d'œuvres variées, dont celles de Marcel Dubé et de Jacques Ferron. Pour ce qui est des essais, le *Refus global* (1948), signé par un groupe de peintres automatistes, fut sans contredit le plus incisif des nombreux réquisitoires contre le régime duplessiste.

La Révolution tranquille «démarginalise» les auteurs. Une multitude d'essais, tel *Nègres blancs d'Amérique* (1968) de Pierre Vallières, témoignent de cette période de remise en question, de contestation et de bouillonnement culturel. Au cours de cette époque, véritable âge d'or du roman, de nouveaux noms, entre autres ceux de Marie-Claire Blais (*Une saison dans la vie d'Emmanuel*, 1965), Hubert Aquin (*Prochain épisode*, 1965) et Réjean Ducharme (*L'avalée des avalés*, 1966), s'ajoutent aux écrivains de la période précédente.

La poésie triomphe, alors que le théâtre, marqué particulièrement par l'œuvre de Marcel Dubé et par l'ascension de nouveaux dramaturges comme Michel Tremblay, s'affirme avec éclat. Parmi les plus brillants représentants du théâtre québécois d'aujourd'hui figurent André Brassard, Robert Lepage, Denis Marleau, Lorraine Pintal, René-Richard Cyr, Normand Chaurette, René-Daniel Dubois, Michel-Marc Bouchard, Wajdi Mouawad et Evelyne de la Chenelière.

Musique et chanson

En ce qui a trait à la musique, il faut attendre les années d'après-guerre pour que le modernisme puisse commencer à s'afficher au Québec. Cette tendance s'affirme résolument à partir des années 1960, alors qu'on tient pour la première fois, en 1961, une Semaine internationale de la musique actuelle. Les grands orchestres, notamment l'Orchestre symphonique de Montréal (OSM), commencent dès lors à intéresser un plus vaste public. L'intérêt pour la musique s'est également propagé en régions, où l'on tient notamment un grand festival d'été dans la région de Lanaudière et un festival de musique actuelle à Victoriaville.

La chanson, qui a toujours été un élément important du folklore québécois, connaît un nouvel essor avec la généralisation de la radio et l'amélioration de la qualité des enregistrements. Des artistes comme Ovila Légaré, la Bolduc et le Soldat Lebrun seront parmi les premiers à obtenir la faveur du public. Avec la Révolution tranquille, des chansonniers comme Félix Leclerc, Gilles Vigneault, Claude Léveillée, Jean-Pierre Ferland et Claude Gauthier font vibrer les «boîtes à chansons» du Québec par des textes fortement teintés d'affirmation nationale et culturelle. À partir de la fin des années 1960, la chanson d'ici se permet d'aller dans toutes les directions et d'explorer tous les styles. Des artistes tels que Robert Charlebois et Diane Dufresne produisent des œuvres éclatées qui empruntent autant aux musiques américaines et britanniques qu'à la chanson française, alors que Leonard Cohen fait sa marque sur la scène internationale en anglais. Aujourd'hui, cette diversité caractérise toujours la musique québécoise, qui vibre aux rythmes aussi éclectiques des Jean Leloup, Pierre Lapointe, Les Cowboys Fringants, Malajube, Arcade Fire ou Céline Dion, pour n'en nommer que quelques-uns.

La musique québécoise ne se limite toutefois pas à la chanson. Le Québec a notamment produit plusieurs grands musiciens de jazz, que ce soit les légendes que sont Oscar Peterson, Oliver Jones et Paul Bley, ou les artistes plus expérimentaux que sont René Lussier et Jean Derome. La musique classique n'est pas en reste, avec notamment le grand compositeur que fut André Mathieu, des musiciens de la trempe d'Alain Lefèvre et de Louis Lortie, sans oublier le chef d'orchestre Yannick Nézet-Séguin.

Les arts visuels

Ayant pour toile de fond idéologique le clérico-nationalisme, les œuvres d'art québécoises du XIXe siècle s'illustrent par leur attachement à un esthétisme désuet. Néanmoins encouragés par de grands collectionneurs montréalais, des peintres locaux adhèrent à des courants quelque peu novateurs à la fin du XIXe siècle et au début du XXe siècle. Il y a d'abord la vogue des paysagistes qui, comme Lucius R. O'Brien, font l'éloge de la beauté du pays. La peinture à la manière de l'école de Barbizon, qui s'applique à représenter le mode de vie pastoral, bénéficie également d'une certaine reconnaissance. Puis, inspirés par l'école de La Haye, des peintres comme Edmund Morris introduisent timidement le subjectivisme dans leurs œuvres.

Les peintures d'Ozias Leduc, qui s'inscrivent dans le courant symboliste, démontrent aussi une tendance à l'interprétation subjective de la réalité, tout comme les sculptures d'Alfred Laliberté réalisées au début du XXe siècle. Quelques créations de l'époque laissent entrevoir une certaine perméabilité aux courants européens, comme c'est le cas des tableaux de Suzor-Coté. Mais c'est dans la peinture de James Wilson Morrice, inspirée de Matisse, que l'on peut le mieux sentir l'empreinte des écoles européennes. Mort en 1924, Morrice est perçu par plusieurs comme le précurseur de l'art moderne au Québec. Il faudra néanmoins attendre plusieurs années, marquées notamment par les peintures très attrayantes de Marc-Aurèle Fortin, paysagiste mais aussi peintre urbain, avant que l'art visuel québécois ne se place au diapason des courants contemporains.

L'art moderne québécois commence d'abord à s'affirmer au cours de la guerre grâce aux chefs de file que sont Alfred Pellan et Paul-Émile Borduas. Dans les années 1950, il est possible de distinguer deux courants majeurs. Le plus important est le non-figuratif, que l'on peut diviser en deux tendances: l'expressionnisme abstrait, dont se réclament Marcelle Ferron, Marcel Barbeau, Pierre Gauvreau et surtout Jean Paul Riopelle, et l'abstraction géométrique, où s'illustrent particulièrement Jean-Paul Jérôme, Fernand Toupin, Louis Belzile et Rodolphe de Repentigny. Le second courant d'envergure de l'après-guerre, le nouveau figuratif, comprend des peintres tels que Jean Dallaire et surtout Jean Paul Lemieux.

Les tendances de l'après-guerre s'imposent toujours dans les années 1960, quoique l'arrivée de nouveaux créateurs comme Guido Molinari, Claude Tousignant et Yves Gaucher accroisse la place de l'abstraction géométrique. Par ailleurs, le domaine de la gravure et de l'estampe connaît un essor certain, les *happenings* se popularisent, et l'on commence à mettre les artistes à contribution dans l'aménagement des lieux publics. La diversification des procédés et des écoles devient réelle à partir du début des années 1970, jusqu'à présenter aujourd'hui une image très éclatée des arts visuels grâce à l'intégration de la vidéo, de l'audio et des nouvelles technologies.

Le cinéma

Il faut attendre l'après-guerre pour que naisse un authentique cinéma québécois. Entre 1947 et 1953, des producteurs privés portent à l'écran des œuvres populaires telles que *La petite Aurore, l'enfant martyre* en 1951 et *Tit-Coq* en 1952. Malheureusement, l'entrée en force de la télévision au début des années 1950 porte un dur coup au cinéma naissant qui stagnera par la suite pendant une décennie complète. Sa renaissance est largement tributaire à la venue de l'Office national du film (ONF) à Montréal en 1956. C'est dans les studios de l'ONF, particulièrement avec la création de la Production française en 1964, que se formeront certains des plus grands cinéastes québécois comme Michel Brault, Claude Jutra, Pierre Perreault et Denys Arcand, pour ne nommer que ceux-là. Gilles Carle, quant à lui, s'était déjà joint en 1961 à l'équipe française de l'ONF, qu'il a quitté en 1966.

Si le cinéma québécois de ces dernières années est toujours marqué par une production variée de films de création ou d'auteur, on assiste également à une volonté affichée des producteurs et des réalisateurs de toucher un large public et de faire grimper les recettes avec des œuvres plus commerciales. Parallèlement à l'industrie cinématographique, la démocratisation des moyens de production a permis à une nouvelle génération de cinéastes de se mettre au monde sans trop avoir à se soucier des budgets de production. Un mouvement comme Kino, créé à Montréal et dont les méthodes sont désormais répandues un peu partout sur la planète, en est le parfait exemple, comme en témoigne la devise: *Faire bien avec rien, faire mieux avec peu et le faire maintenant.*

■ Les arts en Ontario

Que ce soit en peinture, en littérature, en musique ou en cinéma, les artistes ontariens témoignent de leur réalité en créant des univers qui les distinguent. Au fil des années, ils ont su relever le défi perpétuel que constitue le déploiement d'une culture canadienne autonome en marge du géant américain.

Arts visuels

Les arts commencent à voir le jour en Ontario avec le XIXe siècle. En effet, dès les premiers temps de la colonisation, émergent des peintres de talent qui trouvent une source d'inspiration auprès de maîtres européens. Ils ont alors pour principaux clients l'Église et la bourgeoisie, qui les incitent à ne réaliser que des œuvres à caractère religieux (autels, pièces d'orfèvrerie) ou des portraits de famille.

Au tournant des années 1840, quelques artistes commencent à se distinguer et composent des toiles qui font l'éloge du territoire: immensité d'une terre quasi inhabitée, scènes pastorales et paysages typiques. Encouragés par des collectionneurs locaux, quelques artistes vont alors peu à peu développer un style bien à eux. C'est notamment le cas de Cornelius Krieghoff, d'origine hollandaise, dont les toiles évoquent la vie rustique des nouveaux habitants, et de Robert R. Whale, peintre paysagiste.

Au début du XXe siècle, la création du Canadian Art Club, voué à promouvoir la peinture canadienne, va permettre de faire connaître les œuvres d'artistes canadiens, bien que plusieurs d'entre eux se soient expatriés vers l'Europe grâce à une série d'expositions qui auront lieu de 1907 à 1915.

Au cours des premières années du XXe siècle, de grands peintres paysagistes ontariens se font connaître en créant un art véritablement canadien. Tom Thomson, dont les toiles proposent une représentation bien particulière des paysages uniques du Bouclier canadien, est à l'origine de ce mouvement. Il meurt cependant prématurément en 1917, à l'âge de 40 ans. Son influence s'avère toutefois indéniable sur un des groupes de peintres les plus marquants en Ontario, le Groupe des Sept, dont la première exposition se tient à Toronto en 1920. Ces artistes, Franklin Carmichael, Lawren S. Harris, Frank H. Johnson, Arthur Lismer, J.E.H. MacDonald, Alexander Young Jackson et Frederick Varley, sont tous des paysagistes. Bien qu'ils collaborent étroitement, chacun va développer son propre langage pictural.

Ils se démarquent par l'emploi de couleurs vives dans la composition de paysages typiques du Canada. Leur influence sur la peinture ontarienne est importante, et seuls quelques artistes parviennent à se distinguer de ce mouvement, par exemple David Milne Brown, dont la technique s'inspire du fauvisme et de l'impressionnisme.

Peu à peu, les artistes commencent à délaisser les paysages pour exploiter des thèmes plus sociaux. C'est le cas de Peraskeva Clark, dont les tableaux évoquent les difficiles années de la crise de 1929, et de Carl Schaefer, qui préfère reproduire des scènes plus rurales, issues notamment de sa région natale de Hanover, en Ontario, mais à travers lesquelles on ressent les difficiles conséquences de la crise.

L'art abstrait, qui connaît son envol autour des années 1940 au Québec, compte également quelques disciples en Ontario, dont Lawren Harris (ex-membre du Groupe des Sept) ainsi que le Groupe des Onze, deuxième grand mouvement pictural en Ontario, qui fut créé en 1954.

Un artiste qui a beaucoup marqué les arts à Toronto n'est même pas Canadien: le sculpteur écossais Henry Moore. Sa sculpture *The Archer*, qui domine le Nathan Phillips Square, est un des premiers exemples d'art public à Toronto et a contribué à la transformation de cette ville. Moore a fait don de ses œuvres complètes à l'Art Gallery of Ontario (AGO), où son curieux *Form* marque l'entrée.

Littérature

Bien que des postes de traite aient été installés à divers endroits du territoire ontarien et qu'une faible population l'habite au XVIIe siècle, ce n'est qu'à la fin du XVIIIe siècle que la colonisation débute vraiment, des villes et villages se développant le long du Saint-Laurent et des Grands Lacs. Aussi ne peut-on vraiment parler de littérature canadienne de langue anglaise qu'à partir des années 1820.

Les premiers écrivains, poètes pour la plupart, s'emploient alors à décrire la réalité géographique qui les entoure: nature sauvage et encore indomptée. Littérature réaliste s'il en est une, ce premier mouvement est représentatif des préoccupations de la société canadienne du XIXe siècle, alors aux prises avec un vaste espace à occuper. Quelques œuvres ont marqué ces premiers moments de la littérature canadienne anglaise, comme les ouvrages de William Kirby et d'Alexander McLachlan. Peu à peu se développe le désir de créer une littérature empreinte de romantisme, mais aux accents plus canadiens. Des œuvres littéraires qui cherchent à harmoniser l'espace urbain à la nature voient également le jour. Telles sont particulièrement les œuvres d'Archibald Lampman et de Duncan Campbell Scott.

Le début du XXe siècle est marqué par un événement mondial tragique, la Première Guerre mondiale, qui a des conséquences profondes sur la pensée canadienne-anglaise: plusieurs personnes commencent à ressentir la nécessité de s'affirmer face à l'Empire britannique et réclament pour le Canada une position plus égalitaire. Les écrivains ne sont pas exempts de ce mouvement, et l'on assiste alors aux premières revendications visant à mettre en valeur la culture canadienne.

Les écrivains éprouvent le besoin de se détacher de la tutelle culturelle de la Grande-Bretagne, encore omniprésente. Aux États-Unis, des auteurs comme Henry Miller réussissent déjà à s'affirmer comme écrivains américains. Cette émancipation fait l'envie de plusieurs auteurs canadiens-anglais, ce qui les pousse à se créer un style bien à eux. Mais ce mouvement ne fait pas l'unanimité, et certains auteurs, comme Mazo de la Roche dans ses chroniques, réclament encore des liens solides avec l'Empire britannique.

Ce mouvement va tout de même prendre de l'ampleur et permettre à la littérature canadienne-anglaise de se moderniser et de mieux se définir. Ainsi Hugh McMellan, dans son ouvrage *Two Solitudes*, raconte les relations entre anglophones et francophones, cherchant par ce fait à composer un texte dont les thèmes sont canadiens. Le XXe siècle, c'est aussi l'ère de l'industrialisation et des profonds bouleversements qu'elle entraîne, à l'origine d'un engagement social plus actif tendant à dénoncer les injustices et les problèmes sociaux. Donc, un mouvement contestataire reflétant le besoin de construire une société canadienne plus juste s'élabore. Les voix d'auteurs tels que Morley Callaghan, qui dépeint la dure vie des citadins et qui prône un engagement social, Stephen Leacock, dont les œuvres empreintes d'ironie critiquent la société canadienne, Raymond Souster, un Torontois qui se fait connaître par son engagement politique, et Margaret Atwood, féministe et nationaliste, se font entendre. Auteure prolifique, Margaret Atwood a reçu au cours de sa carrière de nombreux prix littéraires, et notamment en 2000, le prestigieux Booker Prize, pour son roman *The Blind Assassin*.

Le théâtre connaît aussi un épanouissement grâce, entre autres, aux pièces de Robertson Davies. La création de festivals comme celui de Stratford en 1953, qui présente entre autres diverses pièces tirées du répertoire de Shakespeare, et du festival Bernard Shaw de Niagara-on-the-Lake, a permis au théâtre ontarien de prendre son véritable envol.

Autour des années 1970, des mouvements modernes apparaissent, comme Open Letter de Toronto, cherchant à apporter de nouvelles contributions à des idées anciennes. Des auteurs ont su également se démarquer, notamment John Saul pour son essai *Les Bâtards de Voltaire* et Michel Ondaatje, écrivain torontois d'origine sri lankaise qui a remporté en 1993 le prestigieux

Booker Prize pour son roman *The English Patient* (*L'homme flambé*). Né à Toronto, l'auteur Timothy Findley (1930-2002) s'était vu décerner en 1996 la distinction de Chevalier de l'Ordre des arts et des lettres par le gouvernement français pour l'ensemble de son œuvre.

Cinéma

Jadis parent pauvre des arts canadiens, le cinéma a connu un lent développement, l'industrie cinématographique étant financièrement incapable de produire des films à gros budget, à l'instar des grands studios américains; par conséquent, il ne parvint pas à se tailler une place de choix auprès du public canadien. Cependant, au cours des années 1950, la mise sur pied de l'Office national du film (ONF), ayant pour mandat d'aider au financement de cette industrie, va permettre peu à peu l'émergence de plusieurs documentaires et films de qualité, ainsi que la reconnaissance de nombreux cinéastes canadiens. Les années 1970 sont marquantes pour l'industrie cinématographique canadienne, alors qu'on assiste à la réalisation de certains grands films qui ont enfin la faveur du public; certains réalisateurs, comme Don Shebib avec son film *Goin' Down the Road*, connaissent même des succès commerciaux.

Malgré des débuts difficiles, le cinéma canadien est parvenu aujourd'hui à se tailler une place de choix grâce à des réalisateurs talentueux tels que David Cronenberg, avec ses films *The Fly*, *Naked Lunch*, *Crash* et *A History of Violence*, et Atom Egoyan, avec *Exotica*, *The Sweet Hereafter*, *Ararat* et *Where the Truth Lies*. Quelques cinéastes d'avant-garde, notamment Bruce McDonald, avec *Roadkill* et *Highway 61*, et Don McKellar, avec *Last Night*, sont également parvenus à se démarquer.

Le cinéma d'animation a également connu, dès les premières années de la création de l'ONF, un grand succès sur la scène internationale. Norman McLaren, qui fut l'initiateur de diverses techniques qui révolutionnèrent cet art, entre autres celle consistant à peindre directement sur la pellicule, remporta un oscar pour son film *Neighbors* (1952). Dans ce domaine, d'autres créations virent le jour, par exemple celles de J. Hoedeman, *Sand Castle*, et de John Weldon et Eunice Macaumay, *Special Delivery*.

Musique

Nombre d'artistes ontariens se sont fait connaître sur la scène internationale; voici une courte rétrospective de quelques-uns parmi les plus connus.

Né à Toronto le 25 septembre 1932, Glenn Gould a, dès sa plus tendre enfance, été bercé dans un univers de musique. Apparentée au compositeur Edvard Grieg, sa mère lui enseignera jusqu'à l'âge de 10 ans les premiers rudiments de piano et d'orgue. Mais le jeune Gould se révéla très rapidement être un élève exceptionnellement doué qui, dès l'âge de cinq ans, apprit la composition musicale.

La virtuosité de Glenn Gould fut unanimement reconnue lors de son premier concert donné en public, en 1945. Un an plus tard à peine, il fit ses débuts en tant que soliste lors d'un concert à la Royal Academy, où il interpréta le *Quatrième Concerto pour piano* de Beethoven, et, dès l'âge de 14 ans, il fit son entrée à l'Orchestre symphonique de Toronto.

Amené à travailler avec les plus grands musiciens, notamment Herbert von Karajan, qui dirigeait l'Orchestre philharmonique de Berlin, ou Leonard Bernstein et l'Orchestre philharmonique de New York, Glenn Gould s'imposa sur la scène mondiale comme l'un des plus talentueux musiciens de son époque. Davantage attiré par la composition et l'enregistrement en studio que par les concerts, Glenn Gould décida de faire ses adieux prématurément à la scène le 10 avril 1964, lors d'un récital à Los Angeles, et de consacrer le reste de son existence à la création et à l'enregistrement de nombreuses œuvres. Il est mort à Toronto le 4 octobre 1982.

C'est à Toronto, le 12 novembre 1945, que naît Neil Young. Il n'y passe cependant qu'une partie de sa jeunesse avant de déménager avec sa mère à Winnipeg, au Manitoba, où il commence sa carrière de musicien. D'abord membre de différents groupes, notamment les Squires, The Buffalo Sprinfield et surtout Crosby, Still, Nash and Young, il lance sa carrière solo en 1969. En 1972, il enregistre *Harvest*, son album le plus vendu et le plus connu. Il fait aussi partie, depuis 1994, du Temple de la renommée du rock.

Bruce Cockburn est né le 27 mai 1945 à Ottawa et passe une bonne partie de son enfance dans une ferme des environs. Il gardera de ce séjour des impressions et des sentiments sur cette vie rurale qui transparaîtront dans les textes de ses premiers albums. Influencé dès son enfance par les grandes stars du rock-and-roll telles qu'Elvis Presley, Bob Dylan et John Lennon, Bruce Cockburn suivit des cours à l'école de musique de Berkeley, à Boston, pour étudier la composition et l'harmonie; ensuite, il fit un détour par Paris, où il joua dans les rues, puis revint dans sa ville natale, Ottawa. À la fin des années 1960, la musique de Cockburn prit résolument une tendance beaucoup plus acoustique, que n'abandonnera jamais l'artiste. À ce jour, cette star de la musique populaire a déjà enregistré plus de 20 albums et ne compte plus les honneurs rendus à son talent.

Le chanteur et compositeur populaire Paul Anka (1941-) s'est fait connaître par les chansons qu'il a interprétées, notamment «You are my Destiny», ou qu'il a composées pour d'autres artistes réputés, dont «My Way» (interprétée par Frank Sinatra), et qui ont connu un très grand succès. Auteur de plus de 400 chansons, il a été, à son époque, parmi les chanteurs et compositeurs canadiens les plus connus dans le monde.

L'avenue Yorkville de Toronto a vu naître quelques-uns des plus grands talents des années 1960. Le chanteur de charme Gordon Lightfoot et les fameux chanteurs folks Ian and Sylvia sont de ceux qui ont commencé leur carrière dans les boîtes et les cafés de l'avant-gardiste Yorkville.

The Band est un autre fameux nom dans l'histoire du rock-and-roll. Originaire de Toronto, ce groupe de musiciens a acquis une grande popularité vers la fin des années 1960, à la suite d'une réussite remarquable sur la scène musicale de Toronto et comme groupe accompagnateur de Bob Dylan. Après le succès de la chanson «The Weight» et du film *The Last Waltz*, The Band a cessé d'exister.

Parmi les musiciens ontariens qui se sont fait remarquer sur la scène internationale, citons le groupe hard-rock Rush; le groupe rock The Tragically Hip, reconnu pour ses concerts endiablés; la chanteuse pop-rock Alanis Morissette; les Barenaked Ladies, dont la musique oscille entre le rock, le jazz et la musique folk; et le quatuor des Cowboy Junkies, qui a connu un grand succès avec son album *The Trinity Session*, enregistré à l'intérieur de la Holy Trinity Church de Toronto. Shania Twain s'est, quant à elle, illustrée sur la scène internationale dans la musique country.

La scène musicale torontoise est particulièrement fertile depuis la fin des années 1990. Des groupes aux styles très variés comme Broken Social Scene, Do Make Say Think et le chanteur Ron Sexsmith connaissent un succès tant critique que commercial et parviennent même à percer l'important marché américain.

Renseignements généraux

Le présent chapitre a pour but de vous aider à planifier votre voyage avant votre départ et une fois sur place. Ainsi, il offre une foule de renseignements précieux aux visiteurs venant de l'extérieur quant aux procédures d'entrée au Canada et aux formalités douanières. Il renferme aussi plusieurs indications générales qui pourront vous être utiles lors de vos déplacements. Nous vous souhaitons un excellent voyage au Québec et en Ontario!

Formalités d'entrée

■ Passeport et visa

Pour la plupart des citoyens des pays de l'Europe de l'Ouest, un passeport valide suffit, et aucun visa n'est requis pour un séjour de moins de trois mois au Canada. Il est possible de demander une prolongation de trois mois (voir ci-dessous). Un billet de retour ainsi qu'une preuve de fonds suffisants pour couvrir le séjour peuvent être requis. Pour connaître la liste des pays dont le Canada exige un visa de séjour, consultez le site Internet de **Citoyenneté et Immigration Canada** *(www.cic.gc.ca)* ou prenez contact avec l'ambassade canadienne la plus proche.

Prolongation du séjour

Il faut adresser sa demande par écrit au moins trois semaines avant l'expiration du visa (date généralement inscrite dans le passeport) à l'un des centres de Citoyenneté et Immigration Canada. Votre passeport valide, un billet de retour, une preuve de fonds suffisants pour couvrir le séjour ainsi que 75$ pour les frais de dossier (non remboursables) vous seront demandés.

Avertissement: dans certains cas (études, travail), la demande doit obligatoirement être faite avant l'arrivée au Canada. Communiquez avec **Citoyenneté et Immigration Canada** *(☎888-242-2100 de l'intérieur du Canada, ☎514-496-1010, 416-973-4444 ou 604-666-2171 de l'extérieur du Canada, www.cic.gc.ca).*

Séjour aux États-Unis

Pour entrer aux États-Unis par avion, les citoyens canadiens ont besoin d'un passeport depuis le 23 janvier 2007. Cependant, et ce, jusqu'au 1er juin 2009, ceux qui y vont par voiture ou par bateau peuvent présenter soit leur passeport **ou** une pièce d'identité avec photo émise par un gouvernement (par exemple, un permis de conduire) **et** un certificat de naissance ou une carte de citoyenneté.

Les résidants d'une trentaine de pays dont la France, la Belgique et la Suisse, en voyage de tourisme ou d'affaires, n'ont plus besoin d'être en possession d'un visa pour entrer aux États-Unis à condition de:

- avoir un billet d'avion aller-retour;
- présenter un passeport électronique sauf s'ils possèdent un passeport individuel à lecture optique en cours de validité et émis au plus tard le 25 octobre 2005; à défaut, l'obtention d'un visa sera obligatoire;
- projeter un séjour d'au plus 90 jours (le séjour ne peut être prolongé sur place: le visiteur ne peut changer de statut, accepter un emploi ou étudier);
- présenter des preuves de solvabilité (carte de crédit, chèques de voyage);
- remplir le formulaire de demande d'exemption de visa (formulaire I-94W) remis par la compagnie de transport pendant le vol;
- le visa est toujours nécessaire pour certaines catégories de voyageurs (étudiants ou visa précédemment refusé).

Depuis le 12 janvier 2009, les ressortissants des pays bénéficiaires du Programme d'exemption de visa doivent obtenir une autorisation de séjour avant d'entamer leur voyage aux États-Unis. Afin d'obtenir cette autorisation, les voyageurs éligibles doivent remplir le questionnaire du Système électronique d'autorisation de voyage (ESTA) au moins 72h avant leur déplacement aux États-Unis. Ce formulaire est disponible gratui-tement sur le site Internet administré par le **U.S. Department of Homeland Security** *(https://esta.cbp.dhs.gov/esta/esta.html).*

■ Douane

Si vous apportez des cadeaux à des amis canadiens, n'oubliez pas qu'il existe certaines restrictions.

Pour les **fumeurs** *(au Québec, l'âge légal pour acheter des produits du tabac est de 18 ans et en Ontario l'âge légal est de 19 ans)*, la quantité maximale est de 200 cigarettes, 50 cigares, 200 g de tabac ou 200 bâtonnets de tabac.

Pour les **alcools** *(au Québec, l'âge légal pour acheter et consommer de l'alcool est de 18 ans et en Ontario l'âge légal est de 19 ans)*, le maximum permis est de 1,5 litre de vin (en pratique, on tolère deux bouteilles par personne), 1,14 litre de spiritueux et, pour la bière, 24 canettes ou bouteilles de 355 ml.

Pour de plus amples renseignements sur les lois régissant les douanes canadiennes, contactez l'**Agence des services frontaliers du Canada** *(☎800-959-2036 de l'intérieur du Canada, ☎204-983-3700 ou 506-636-5067 de l'extérieur du Canada; www.cbsa-asfc.gc.ca)*.

Il existe des règles très strictes concernant l'importation de **plantes** ou de **fleurs**; aussi est-il préférable, en raison de la sévérité de la réglementation, de ne pas apporter ce genre de cadeau. Si toutefois cela s'avère «indispensable», il est vivement conseillé de s'adresser au service de l'**Agence canadienne d'inspection des aliments** *(www. inspection.gc.ca)* ou à l'ambassade du Canada de son pays **avant** de partir.

Si vous voyagez avec un **animal de compagnie**, il vous sera demandé un certificat de santé (document fourni par un vétérinaire) ainsi qu'un certificat de vaccination contre la rage. La vaccination de l'animal devra avoir été faite **au moins 30 jours avant** votre départ et ne devra pas être plus ancienne qu'un an.

Accès et déplacements

■ En avion

Québec

Il existe un aéroport important au Québec, soit à Dorval, sur l'île de Montréal: l'aéroport international Pierre-Elliott-Trudeau (voir ci-dessous). Un second, l'aéroport international Jean-Lesage de Québec (voir plus loin), est nettement plus petit et ne dessert qu'un nombre limité de destinations, bien qu'il reçoive lui aussi des vols internationaux et intérieurs. **Mont-Tremblant** (voir p 162) compte également un aéroport international qui accueille quelques vols en provenance de New York et de Toronto.

L'**aéroport international Pierre-Elliott-Trudeau de Montréal** *(☎514-394-7377 ou 800-465-1213, www. admtl.com)*, nommé en hommage à l'ancien premier ministre canadien et que l'on peut aussi tout simplement appeler «**Montréal-Trudeau**», est situé à une vingtaine de kilomètres du centre-ville de Montréal, soit à plus ou moins 20 min en voiture. Pour se rendre au centre-ville, il faut prendre l'autoroute 20 Est jusqu'à la jonction avec l'autoroute Ville-Marie (720), direction «Centre-ville, Vieux-Montréal». La plupart des grandes entreprises de location de voitures sont représentées à l'aéroport.

Pour accéder à la ville par navette, l'**Aérobus** de la compagnie d'autocars **La Québécoise** *(☎514-216-8591, www.autobus.qc.ca)* propose son service de navette entre la gare d'autocars (Station Centrale), quelques grands hôtels et l'aéroport Montréal-Trudeau. Vous pouvez acheter votre ticket à la billetterie de l'aéroport ou à la **Station Centrale** *(505 boul. De Maisonneuve E., métro Berri-UQAM, ☎514-842-2281)*.

Au départ de l'aéroport Montréal-Trudeau, vous pouvez aussi utiliser le service de transport en commun de la **Société de transport de Montréal (STM)** *(☎514-288-6287, www.stm.info)* pour vous rendre au centre-ville. Prenez l'autobus 204 vers l'est jusqu'à la gare Dorval. De là, vous pourrez soit prendre le train jusqu'à la Gare centrale de Montréal, ou l'autobus 211 vers l'est jusqu'à la station de métro Lionel-Groulx.

L'aéroport Montréal-Trudeau est également desservi par de nombreuses voitures de taxi. Le service est offert à partir de 6h le matin jusqu'à l'arrivée du dernier vol. Le tarif forfaitaire se chiffre à 35$ pour les voyages entre l'aéroport et le centre-ville de Montréal. Tous les taxis desservant l'aéroport Montréal-Trudeau sont tenus d'accepter les principales cartes de crédit.

Il existe un seul aéroport dans la région de Québec, soit l'**aéroport international Jean-Lesage** *(☎418-640-2700 ou 418-640-2600, www. aeroportdequebec.com)*. Malgré sa petite taille, on y trouve tout de même tous les services utiles aux voyageurs tels que comptoirs de location de voitures, bureau de change et boutique hors taxes. L'aéroport est majoritairement desservi par des vols intérieurs (du Québec et d'autres provinces du Canada), mais aussi par quelques vols internationaux.

Situé à L'Ancienne-Lorette, il se trouve à environ 20 km au nord-ouest de Québec. Pour vous rendre au centre-ville de Québec, empruntez la route de l'Aéroport en direction sud jusqu'à la jonction avec l'autoroute 440 (autoroute Charest), que vous prendrez vers l'est. Il faut compter une vingtaine de minutes pour effectuer ce trajet. Le prix d'une course en taxi entre l'aéroport et le centre-ville de Québec est d'environ 30$.

Ontario

Le **Toronto Pearson International Airport** *(☎416-776-9892 ou 866-207-1690, www.gtaa.com)* accueille les vols internationaux, ainsi que divers vols nationaux en provenance d'autres provinces canadiennes. Il s'agit du plus grand et du plus achalandé des aéroports canadiens. La nouvelle jetée F, du terminal 1, renferme de nombreuses œuvres d'art et la plus grande boutique hors taxes du Canada.

Outre les services courants offerts dans les aéroports internationaux (boutiques hors taxes, cafétéria, restaurants, etc.), vous y trouverez un bureau de change. Plusieurs entreprises de location de voitures y sont également représentées. Des autobus font la navette entre les deux aérogares de l'aéroport.

Si vous désirez des renseignements concernant un vol:

Terminal 1
☎416-247-7678

Terminal 3
☎416-776-5100

L'aéroport étant situé à 27 km du centre-ville de Toronto, vous pourrez vous rendre facilement à votre hôtel.

En voiture, prenez la route 427 en direction sud, jusqu'à la Queen Elizabeth Way East, que vous emprunterez jusqu'à la Gardiner Expressway. Prenez ensuite la sortie York, Yonge ou Bay pour le centre-ville.

Il existe également un service qui relie l'aéroport à différents points du centre-ville, notamment certains grands hôtels. Ce moyen de transport relativement économique *(18,50$)* vous permettra de vous rendre là où vous le désirez, car, même si vous ne logez pas à l'un de ces hôtels, il pourra certainement vous emmener non loin du vôtre (s'il est au centre-ville). En taxi, il vous en coûtera environ 50$.

L'**aéroport international d'Ottawa** *(1000 Airport Parkway, ☎613-248-2000, www.ottawa-airport.ca)* accueille plusieurs vols venant d'autres villes canadiennes ou d'autres pays. Il est situé à une vingtaine de minutes du centre-ville, et vous pourrez aisément vous y rendre en voiture.

■ En voiture

Le bon état général des routes et l'essence moins chère qu'en Europe font de la voiture un moyen idéal pour visiter le Québec et l'Ontario en toute liberté. On trouve d'excellentes cartes routières publiées dans ces deux provinces ainsi que des cartes régionales dans les librairies.

Quelques conseils

Le port de la **ceinture de sécurité** est obligatoire, même pour les passagers arrière.

En **hiver**, le déneigement après une tempête vous oblige à déplacer votre voiture lorsque des panneaux l'annonçant sont disposés dans les rues. De plus, un véhicule émettant un signal avertisseur vous rappellera de dégager la voie.

Lorsqu'un **autobus scolaire** (de couleur jaune) est à l'arrêt (feux clignotants allumés), vous devez obligatoirement vous arrêter, quelle que soit la voie où vous circulez. Tout manquement à cette règle est considéré comme une faute grave.

Le **virage à droite au feu rouge** est autorisé sur l'ensemble des territoires québécois et ontarien, **sauf** sur l'île de Montréal et aux intersections où il y a un panneau d'interdiction. Avant de tourner, pensez aux piétons et aux cyclistes. Les panneaux ***Arrêt*** ou ***Stop*** sont à respecter scrupuleusement.

Les **autoroutes** sont gratuites partout au Québec et en Ontario (sauf l'autoroute 407, nommée l'Electronic Toll Road), et la vitesse y est limitée à 100 km/h. Il n'existe que quelques ponts à péage en Ontario. Sur les routes principales, la limitation de vitesse est de 90 km/h, et de 50 km/h dans les zones urbaines.

Le Canada étant un pays producteur de pétrole, l'**essence** y est nettement moins chère qu'en Europe.

Location de voitures

Un forfait incluant avion, hôtel et voiture, ou simplement hôtel et voiture, peut être moins cher que la location sur place. Nous vous conseillons de comparer. De nombreuses agences de voyages font affaire avec les entreprises de location les plus connues (Avis, Budget, Hertz et autres) et offrent des promotions avantageuses, souvent accompagnées de primes (par exemple, des rabais sur les prix des spectacles). Sur place, vérifiez si le contrat comprend le kilométrage illimité ou non et si l'assurance proposée vous couvre complètement (accident, dégâts matériels, frais d'hôpitaux, passagers, vols). Certaines cartes de crédit, les cartes Or, par exemple, vous assurent automatiquement contre les collisions et le vol du véhicule; avant de louer un véhicule, vérifiez que votre carte vous offre bien ces deux protections.

Rappelez-vous:

- Il faut avoir au moins 21 ans et posséder son permis depuis au moins un an pour louer une voiture. Toutefois, si vous avez entre 21 et 25 ans, certaines compagnies imposeront une franchise collision de 500$ et parfois un supplément journalier. À partir de l'âge de 25 ans, ces conditions ne s'appliquent plus.
- Une carte de crédit est indispensable pour le dépôt de garantie. La carte de crédit doit être au même nom que le permis de conduire.
- Dans la majorité des cas, les voitures louées sont dotées d'une transmission automatique.
- Les sièges de sécurité pour enfants sont en supplément dans la location.

Location d'autocaravanes

Bien qu'assez cher, se déplacer en autocaravane constitue un moyen très agréable de découvrir la grande nature. Tout comme pour la location d'une voiture, acheter un forfait auprès d'un voyagiste peut être plus avantageux.

N'oubliez pas cependant qu'à cause de la demande et de la période relativement courte de la belle saison, il faut réserver très tôt pour avoir un bon choix de véhicules récréatifs. Si vous partez pour l'été, vous devrez réserver au plus tard en janvier ou février.

N'oubliez pas de bien analyser la couverture d'assurance, car ce type de véhicule est très onéreux. Assurez-vous que les ustensiles de cuisine ainsi que la literie sont inclus dans le prix de la location.

Si toutefois vous désirez louer sur place, voici une adresse, en plus des nombreuses entreprises que vous trouverez dans les *Pages Jaunes* sous «Véhicules récréatifs».

Cruise Canada
☎800-671-8042
www.cruisecanada.com

Accidents

En cas d'accident grave, incendie ou autre urgence, faites le ☎911. Lors d'un accident, n'oubliez jamais de remplir une déclaration d'accident (constat à l'amiable). En cas de désaccord, demandez l'aide de la police. Si vous conduisez un véhicule loué, vous devez avertir au plus vite l'entreprise de location.

Si votre séjour est de longue durée et que vous avez décidé d'acheter une voiture, il sera alors bien utile de vous affilier au CAA (l'équivalent des «Touring Assistances» en Europe), qui vous dépannera à travers tout le Canada. Si vous êtes membre dans votre pays de l'association équivalente (France: Association Française des Automobiles Club; Suisse: Automobile Club de Suisse; Belgique: Royal Automobile Touring Club de Belgique), vous avez droit gratuitement à certains services. Pour plus de renseignements, adressez-vous à votre association ou au **CAA** *(☎800-564-2222 pour de l'information; ☎800-222-4357 ou *222 sur un portable, pour les urgences; www.caa.ca).*

■ En autocar

Après la voiture, il s'agit du meilleur moyen de transport pour se déplacer. Bien répartis, les circuits d'autocars couvrent la majeure partie du Québec et de l'Ontario. Sauf pour les transports urbains, il n'existe pas d'entreprise d'État; plusieurs compagnies d'autocars se partagent le territoire.

Il est interdit de fumer, et les animaux ne sont pas admis. En général, les enfants de 5 ans et moins sont transportés gratuitement, et les personnes de 60 ans et plus ainsi que les étudiants ont droit à d'importants rabais. Renseignez-vous avant d'acheter votre billet si vous faites partie de l'une ou l'autre de ces catégories. Il est recommandé de se présenter au moins 45 min avant le départ.

Durée des trajets et coûts (par adulte) pour un aller simple au départ de Montréal:

Sherbrooke: *2h10; 34$*
Québec: *3h15; 46$*
Rimouski: *7h; 82$*
Ottawa: *2h20; 35,25$*
Toronto: *8h25; 92,90$*

Certaines compagnies d'autocars proposent aussi des forfaits pour des excursions d'un jour ou plus incluant, selon la formule choisie, l'hébergement et le tour de ville.

■ En train

Voyager en train avec **VIA Rail** *(☎888-842-7245, www.viarail.ca)* est un excellent moyen de découvrir le Québec et l'Ontario en toute tranquillité, aussi bien en classe économique (Confort) qu'en classe supérieure (VIA 1). Cette dernière offre des privilèges tout confort qui permettent entre autres aux gens d'affaires d'avoir accès gratuitement au réseau Internet sans-fil; les sièges sont confortables et le service toujours courtois. En plus des liaisons proposées entre les grands centres urbains des deux provinces, le réseau de VIA Rail permet également de rejoindre des régions plus éloignées.

■ En bateau

Les occasions de croisières sur les cours d'eau et les lacs sont nombreuses. Sur certaines rivières, des excursions en bateau-mouche sont organisées. Quelquefois, des naturalistes accompagnent les groupes afin de les renseigner sur les écosystèmes. En général, les explications sont très intéressantes et permettent une meilleure compréhension de la flore et de la faune. Pour plus de détails, consultez les sections «Activités de plein air» de chacune des régions couvertes par ce guide pour découvrir les croisières qui y sont offertes.

■ En traversier

Au Québec et en Ontario, de nombreux traversiers vous permettront de franchir le Saint-Laurent ou d'autres cours d'eau. Pour une information détaillée, reportez-vous dans le guide à la section «Accès et déplacements» de la région que vous désirez visiter.

■ À vélo

Le vélo au Québec et en Ontario est bien populaire, spécialement dans les grandes villes comme Montréal ou Toronto, mais également en région. Des pistes cyclables sont aménagées permettant aux usagers de se déplacer aisément. Le port du casque protecteur est recommandé au Québec et est obligatoire pour les jeunes de moins de 18 ans en Ontario.

■ En auto-stop

Il existe deux formules: l'auto-stop «libre», ou l'auto-stop «organisé» proposé au Québec par l'intermédiaire de l'association **Allo-Stop** *(www.allostop.com)*. L'«auto-stop libre» est fréquent, en été surtout, et plus facile en dehors des grands centres. N'oubliez pas qu'il est interdit de «faire du pouce» sur les autoroutes.

L'«auto-stop organisé» par l'intermédiaire de l'association Allo-Stop fonctionne très bien en toute saison. Cette association efficace recrute les personnes qui désirent partager les frais d'utilisation de leur véhicule moyennant une petite rétribution (carte de membre obligatoire: passager 6$ par an, chauffeur 7$ par an). Le chauffeur reçoit une partie (environ 60%) des frais payés pour le transport. Les destinations couvrent une grande partie du Québec.

Attention: les enfants de moins de cinq ans ne peuvent voyager avec cette association à cause d'une réglementation rendant obligatoires les sièges d'enfants à ces âges.

Allo-Stop Montréal
4317 rue St-Denis
☎514-985-3032

Allo-Stop Québec
665 rue St-Jean
☎418-522-0056
2336 ch. Ste-Foy
☎418-522-0056

Renseignements utiles, de A à Z

■ Achats

Quoi acheter?

Alcools: le vin de glace et le cidre de glace, ainsi que des bières artisanales et des alcools de cassis, de mûres, d'airelles, et autres produits comme le vin rouge, blanc ou rosé, l'hydromel et le vin de bleuets.

Artisanat autochtone: de belles sculptures inuites, fabriquées à partir de différentes sortes de pierres et en général assez chères. Assurez-vous du caractère authentique de votre sculpture en réclamant la vignette d'authenticité délivrée par le gouvernement du Canada.

Artisanat local: peintures, sculptures, ébénisterie, céramiques, émaux sur cuivre, vêtements, etc.

Disques compacts: on en trouve un très grand choix, sans oublier plusieurs albums d'artistes qui ne sont pas en vente ailleurs.

Fourrure et cuir: les vêtements faits de ces peaux d'animaux sont d'excellente qualité, et leur prix est relativement bas.

Sirop d'érable: le sirop d'érable se classe en plusieurs catégories: plus sirupeux ou plus coulant, plus foncé ou plus clair, plus ou moins sucré.

■ Ambassades du Canada à l'étranger

Pour la liste complète des services consulaires à l'étranger, veuillez consulter le site Internet du gouvernement canadien: *www.dfait-maeci.gc.ca*.

Belgique

Ambassade du Canada
av. de Tervueren 2
1040 Bruxelles
☎ 02 741 06 11
▤ 02 741 06 43
www.dfait-maeci.gc.ca/canada-europa/brussels

France

Ambassade du Canada
35 av. Montaigne
75008 Paris
☎ 01 44 43 29 00
▤ 01 44 43 29 99
www.dfait-maeci.gc.ca/canada-europa/france

Suisse

Ambassade du Canada
Kirchenfeldstrasse 88
CH-3005 Berne
☎ 357 32 00
▤ 357 32 10
http://geo.international.gc.ca/canada-europa/switzerland

■ Ambassades et consulats étrangers au Canada

Belgique

Ambassade de la Belgique
360 rue Albert, bureau 820
Ottawa, ON, K1R 7X7
☎ 613-236-7267
▤ 613-236-7882
www.diplomatie.be/ottawafr

Consulat général de Belgique
999 boul. De Maisonneuve O., bureau 850
Montréal, QC, H3A 3L4
☎ 514-849-7394
▤ 514-844-3170
www.diplomatie.be/montrealfr

Consulat de la Belgique
2 Bloor St. W., bureau 2006
Toronto, ON, N4W 3E2
☎ 416-944-1422
▤ 416-944-1421
www.diplomatie.be/torontofr

France

Ambassade de France
42 Sussex Dr.
Ottawa, ON, K1M 2C9
☎ 613-789-1795
▤ 613-562-3735
www.ambafrance-ca.org

Consulat général de France
1 Place Ville Marie, 26e étage, bureau 2601
Montréal, QC, H3B 4S3
☎ 514-878-4385
▤ 514-878-3981
www.consulfrance-montreal.org

Consulat général de France à Québec
25 rue St-Louis
Québec, QC, G1R 3Y8
☎ 418-694-2294
▤ 418-694-1678
www.consulfrance-quebec.org

Consulat de France
2 Bloor St. E.
Toronto, ON, M4W 1A8
☎ 416-925-8041
▤ 416-925-3076
www.toronto.consulfrance.org

Suisse

Ambassade de Suisse
5 Malborough Ave.
Ottawa, ON, K1N 8E6
☎ 613-235-1837
▤ 613-563-1394
www.eda.admin.ch/canada

Consulat général de Suisse
1572 av. du Docteur-Penfield
Montréal, QC, H3G 1C4
☎ 514-932-7181, 514-932-7182 ou 514-932-9757
▤ 514-932-9028
www.eda.admin.ch/canada

Consulat de Suisse
154 University Ave., bureau 601
Toronto, ON, M5H 3Y9
☎ 416-593-5371
▤ 416-593-5083
www.eda.admin.ch/canada

■ Animaux

Si vous avez décidé de voyager avec votre animal de compagnie, sachez qu'en règle générale les animaux sont interdits dans les commerces, notamment les magasins d'alimentation, les restaurants et les cafés. Il est toutefois possible d'utiliser le service de transport en commun avec les animaux de petite taille s'ils sont dans une cage ou dans vos bras.

Taux de change

1$CA	=	0,60€
1$CA	=	0,81$US
1$CA	=	0,92FS
1€	=	1,66$CA
1$US	=	1,23$CA
1FS	=	1,09$CA

N.B. Les taux de change peuvent fluctuer en tout temps.

■ Argent et services financiers

Les banques et le change

Les banques sont généralement ouvertes du lundi au vendredi, de 9h à 15h. Le meilleur moyen pour retirer de l'argent consiste à utiliser sa carte bancaire (carte de guichet automatique). Attention, votre banque vous facturera des frais fixes (par exemple 5$CA), et il vaut mieux éviter de retirer trop souvent de petites sommes.

Les cartes de crédit

Les cartes de crédit, outre leur utilité pour retirer de l'argent, sont acceptées à peu près partout pour faire des achats. Il est primordial de disposer d'une carte de crédit pour louer une voiture. Les cartes les plus facilement acceptées sont, par ordre décroissant, Visa, MasterCard, Diners Club et American Express.

Les chèques de voyage

Les chèques de voyage peuvent être encaissés dans les banques sur simple présentation d'une pièce d'identité (avec frais) et sont acceptés par la plupart des commerçants comme du papier-monnaie.

La monnaie

L'unité monétaire est le **dollar** ($), lui-même divisé en cents. Un dollar = 100 cents.

Il existe des billets de banque de 5, 10, 20, 50 et 100 dollars, de même que des pièces de 1, 5, 10, 25 cents ainsi que de 1 et 2 dollars.

■ Assurances

Annulation

L'assurance annulation est normalement offerte par l'agent de voyages au moment de l'achat du billet d'avion ou du forfait. Elle permet le remboursement du billet ou du forfait dans le cas où le voyage devrait être annulé en raison d'une maladie grave ou d'un décès.

Maladie

L'assurance maladie est sans nul doute la plus importante à se procurer avant de partir en voyage, et il est prudent de bien savoir la choisir, car la police d'assurance doit être la plus complète possible. Au moment de l'achat de la police d'assurance, il faudrait veiller à ce qu'elle couvre bien les frais médicaux de tout ordre comme l'hospitalisation, les services infirmiers et les honoraires des médecins (jusqu'à concurrence d'un montant assez élevé), ainsi qu'une clause de rapatriement, pour le cas où les soins requis ne peuvent être administrés sur place. En outre, il peut arriver que vous ayez à débourser le coût des soins en quittant la clinique; il faut donc vérifier ce que prévoit la police dans ce cas. S'il vous arrivait un accident durant votre séjour, vous devriez toujours garder sur vous la preuve que vous avez contracté une assurance maladie, ce qui vous évitera bien des ennuis.

Vol

La plupart des assurances habitation au Canada protègent une partie des biens contre le vol, même si celui-ci a lieu à l'extérieur de la maison. Si une telle malchance survenait, n'oubliez toutefois pas d'obtenir un rapport de police, car sans lui vous ne pourriez pas réclamer votre dû. Les personnes disposant d'une telle protection n'ont donc pas besoin d'en prendre une supplémentaire, mais, avant de partir, assurez-vous d'en avoir bel et bien une.

■ Attraits touristiques

Les chapitres de ce guide vous entraînent à travers les différentes régions touristiques du Québec et de l'Ontario. Y sont abordés les principaux attraits touristiques, suivis d'une description historique et culturelle. Les attraits sont cotés selon un système d'étoiles pour vous permettre de faire un choix selon le temps dont vous disposez:

★	Intéressant
★★	Vaut le détour
★★★	À ne pas manquer

Le nom de chaque attrait est suivi d'une parenthèse qui vous donne ses coordonnées. Le prix qu'on y retrouve est le prix d'entrée pour un adulte. Informez-vous car plusieurs endroits offrent des rabais aux enfants, aux étudiants, aux aînés et aux familles. Plusieurs de ces attraits sont accessibles seulement pendant la saison touristique, tel qu'indiqué dans cette même parenthèse. Cependant, même hors saison, certains de ces endroits vous accueillent sur demande, surtout si vous êtes en groupe.

■ Bars et boîtes de nuit

Au Québec et en Ontario, dans la plupart des cas, aucuns frais d'entrée (en dehors du vestiaire obligatoire) ne sont demandés. Cependant, attendez-vous à débourser quelques dollars pour avoir accès aux boîtes de nuit ainsi qu'à certains bars proposant des spectacles durant les fins de semaine. Bien que la vie nocturne soit très active au Québec, la vente d'alcool cesse au plus tard à 3h du matin. Certains bars peuvent rester ouverts, mais il faudra, à ce moment, se contenter de petites limonades! Aussi, les établissements n'ayant qu'un permis de taverne et brasserie doivent fermer à minuit. Notez qu'en Ontario, il est interdit de vendre de l'alcool passé 2h du matin; c'est pourquoi rares sont les établissements qui ferment plus tard. Dans les petites villes, les restaurants font souvent aussi office de bars. Si vous désirez vous divertir le soir venu, consultez les sections «Sorties» de chacun des chapitres, mais jetez aussi un coup d'œil aux sections «Restaurants». L'âge légal pour consommer de l'alcool est de 18 ans au Québec et de 19 ans en Ontario; mais si vous paraissez plutôt jeune, prévoyez être muni de vos papiers d'identité.

■ Climat

L'une des caractéristiques du Québec et de l'Ontario par rapport à l'Europe est que les saisons y sont très marquées. Les températures peuvent monter au-delà de 30°C en été et descendre en deçà de −25°C en hiver. Si vous visitez le Québec ou l'Ontario durant chacune des deux saisons «principales» (été et hiver), il pourra vous sembler avoir visité deux pays totalement différents, les saisons influant non seulement sur les paysages, mais aussi sur le mode de vie et le comportement des habitants.

Hiver

Mon pays ce n'est pas un pays, c'est l'hiver...
– Gilles Vigneault

De la mi-novembre à la fin mars, c'est la saison idéale pour les amateurs de ski, de motoneige, de patin, de randonnée en raquettes et autres sports d'hiver. En général, il faut compter cinq ou six tempêtes de neige par hiver. Le vent refroidit encore davantage les températures et provoque parfois ce que l'on nomme ici la «poudrerie» (neige très fine emportée par le vent). Cependant, l'une des caractéristiques propres à l'hiver canadien est son nombre d'heures d'ensoleillement, plus élevé ici qu'à Paris ou Bruxelles.

Printemps

Il est bref (de la fin mars à la fin mai) et annonce la période de la «sloche» (mélange de neige fondue et de boue). La fonte des neiges laisse apercevoir une herbe jaunie par le gel et la boue, puis le réveil de la nature se fait spectaculaire.

Été

De la fin mai à la fin août s'épanouit une saison qui s'avère à bien des égards surprenante pour les Européens habitués à voir le Canada comme un pays de neige. Les chaleurs peuvent en effet être élevées et souvent accompagnées d'humidité. La végétation prend des allures luxuriantes, et il ne faut pas s'étonner de voir des poivrons rouges ou verts pousser dans un pot sur le bord d'une fenêtre. Dans les villes, les principales artères sont ornées de fleurs, et les terrasses ne désemplissent pas. C'est aussi la saison de nombreux festivals en tout genre (voir les sections «Fêtes et festivals» de chacune des régions couvertes par ce guide).

Automne

De septembre à novembre, c'est la saison des couleurs. Les arbres dessinent ce qui est probablement la plus belle peinture vivante du continent nord-américain. La nature semble exploser en une multitude de couleurs allant du vert vif au rouge écarlate en passant par le jaune ocre. S'il peut encore y avoir des retours de chaleur, comme l'été des Indiens, les jours refroidissent très vite, et les soirées peuvent déjà être froides.

L'été des Indiens

Cette période relativement courte (quelques jours) pendant l'automne donne l'impression d'un retour en force de l'été. Ce sont en fait des courants chauds venus du golfe du Mexique qui réchauffent les températures déjà fraîches. Cette période de l'année porte le nom d'«été des Indiens», car il s'agissait de la dernière chasse avant l'hiver chez les Autochtones. Les Amérindiens profitaient de ce réchauffement pour faire le plein de nourriture pour la saison froide.

■ Décalage horaire

Au Québec et en Ontario, il est six heures plus tôt qu'en Europe et trois heures plus tard que sur la côte ouest de l'Amérique du Nord. Tout le Québec (sauf les Îles de la Madeleine, qui ont une heure de plus) et tout l'Ontario (sauf la portion située à l'ouest de Thunder Bay qui vit à l'heure du Centre, donc qui a une heure de moins) est à la même heure (dite «heure de l'Est»).

■ Drogues

Absolument interdites (même les drogues dites «douces»). Aussi bien les consommateurs que les distributeurs risquent de très gros ennuis s'ils sont trouvés en possession de drogues.

■ Électricité

Partout au Canada, la tension est de 110 volts. Les fiches d'électricité sont plates, et l'on peut trouver des adaptateurs sur place.

■ Enfants

Dans les transports, en général, les enfants de 5 ans ou moins ne paient pas. Il existe aussi des rabais pour les 12 ans et moins. Pour les activités ou les spectacles, la même règle s'applique parfois. Renseignez-vous avant d'acheter les billets. Dans la plupart des restaurants, des chaises hautes pour les enfants sont disponibles, et certains proposent des menus pour enfants. Quelques grands magasins offrent aussi un service de garderie.

■ Fêtes et festivals

Le Québec est riche en activités de toutes sortes. On y organise un nombre impressionnant de festivals, d'expositions annuelles, de salons, de carnavals et de rassemblements de toutes sortes. L'Ontario compte aussi plusieurs festivals d'envergure. Ils sont décrits dans la section «Sorties» de chaque chapitre.

■ Français québécois

La langue parlée au Québec a bien souvent de quoi surprendre le voyageur étranger. Les Québécois sont toutefois très fiers de cette «langue de France aux accents d'Amérique», qu'ils ont su préserver au prix de longues luttes.

Le voyageur intéressé à en connaître un peu plus peut se référer au guide de conversation *Le Québécois pour mieux voyager*, publié par les Guides de voyage Ulysse.

■ Fumeurs

Il est interdit de fumer dans tous les lieux publics, y compris les bars et les restaurants. Les cigarettes se vendent notamment dans les épiceries, les dépanneurs et les kiosques à journaux. Il faut être âgé d'au moins 18 ans pour acheter des produits du tabac au Québec et de 19 ans pour s'en procurer en Ontario.

■ Gays et lesbiennes

Québec

En 1977, le Québec fut le deuxième État du monde, après la Hollande, à avoir inscrit dans sa charte le principe de non-discrimination pour orientation sexuelle. L'attitude des Québécois envers l'homosexualité est en général ouverte et tolérante. Les villes de Montréal et de Québec offrent beaucoup de services à leur communauté gay. À Montréal, un quartier appelé Le Village, situé principalement dans la rue Sainte-Catherine entre les rues Amherst et Papineau, regroupe la plupart des commerces fréquentés par les gays. À Québec, le secteur gay se trouve principalement dans la rue Saint-Jean-Baptiste, hors des murs de la vieille ville.

Il existe un centre d'aide, d'écoute téléphonique et de renseignements des gays et lesbiennes de Montréal: **Gai Écoute** *(écoute téléphonique tlj 8h à 3h; ☎514-866-0103 ou 888-505-1010, www.gaiecoute.org)*. Le **Centre communautaire des gais et lesbiennes** *(2075 rue Plessis, Montréal, ☎514-528-8424, www.ccglm.org)* propose toutes sortes d'activités.

À la fin du mois de juillet, pour donner le coup d'envoi à la semaine de célébration Divers/Cité, le grand Défilé de la fierté LGB2T a lieu sur le boulevard René-Lévesque; la journée se termine par des spectacles au parc Émilie-Gamelin. Renseignements: **Divers/Cité** *(4067 boul. St-Laurent, ☎514-285-4011, www.diverscite.org)*.

Des magazines gratuits tels *Être*, *RG*, *La Voix du village* et *Fugues*, sont disponibles dans les bars et autres commerces gays. Ils contiennent des renseignements sur la communauté gay, tout comme le site Internet **Portail du tourisme gai au Québec** *(www.outtravel.ca)*.

Ontario

L'attitude des Ontariens envers l'homosexualité est aussi ouverte que celles des Québécois. À Toronto, on trouve d'innombrables organismes voués au service de la communauté gay. Ils se regroupent pour la plupart dans le quartier connu sous le nom de The Village, qui rayonne autour de l'intersection des rues Church et Wellesley.

On y trouve aussi plusieurs bars, restaurants et librairies s'adressant particulièrement à la clientèle gay.

Deux publications gratuites diffusent tous les renseignements voulus sur les activités gays dans la ville même et dans ses environs. Vous en trouverez des exemplaires dans nombre de bars et restaurants du centre-ville. La plus populaire est ***XTRA!***, publiée aux deux semaines; la deuxième se nomme le Fab.

Si vous avez besoin de renseignements généraux, sachez que le personnel d'*XTRA!* est très amical et qu'il se fera un plaisir de répondre à vos questions, quelles qu'elles soient, ou de vous référer à quelqu'un qui peut vous aider. Il vous suffit de composer le ☎416-925-6665.

Le **519 Community Centre** *(519 Church St., ☎416-392-6874)* organise divers événements et activités, et offre ses services à la communauté gay.

La Gay Pride, tenue à la fin de juin, est un événement monstre. Cette semaine de célébrations regroupe une foule d'activités et se termine par une fin de semaine de trois jours pendant lesquels les rues du Village sont fermées à la circulation pour faire place à des tentes à l'intérieur desquelles on sert de la bière, à des scènes accueillant des musiciens et des comédiens, à des vendeurs de rue et aux quelque 750 000 personnes (gays et hétéros) qui, bon an mal an, participent aux festivités et assistent au grand défilé du dimanche.

■ Hébergement

Grands hôtels de luxe, hôtels-boutiques au décor créatif, auberges aux murs anciens, gîtes touristiques fleuris, auberges de jeunesse, bref, on trouve au Québec et en Ontario tous les types d'hébergement. Bien qu'il puisse être basique dans les petits établissements, le niveau de confort dans les hôtels est élevé, et plusieurs services y sont également proposés. Les lieux d'hébergement sont classés ici du plus abordable au plus cher. N'oubliez pas d'ajouter aux prix affichés la taxe fédérale de 5% et la taxe de vente du Québec de 7,5% ou de l'Ontario de 8%. Une taxe applicable sur les frais d'hébergement, appelée «Taxe spécifique sur l'hébergement», a été instaurée pour soutenir l'infrastructure touristique des régions du Québec. Selon les régions, elle varie de 2$ par nuitée à 3% du coût par nuitée.

Prix et symboles

Nous avons indiqué, à l'aide de petits symboles, différents services offerts par chaque établissement. Il ne s'agit en aucun cas d'une liste exhaustive de ce que propose l'établissement, mais bien des services que nous considérons les plus importants. Attention, la présence d'un symbole ne signifie pas que toutes les chambres offrent ce service; il vous faudra parfois débourser un supplément au prix indiqué pour obtenir par exemple un foyer ou une baignoire à remous. Par contre, si le petit symbole n'est pas apposé à l'établissement, c'est probablement que celui-ci ne peut vous offrir ce service. Il est à noter que, sauf indication contraire, tous les établissements hôteliers inscrits dans ce guide offrent des chambres avec salle de bain privée.

Les prix indiqués sont ceux en vigueur au moment de mettre sous presse. Ils sont, bien sûr, sujets à changement en tout temps. De plus, informez-vous des forfaits proposés et des rabais offerts aux corporations, membres de diverses associations, etc.

Les tarifs mentionnés dans ce guide s'appliquent, sauf indication contraire, à une chambre standard pour deux personnes, en haute saison:

$	moins de 60$
$$	de 60$ à 100$
$$$	de 101$ à 150$
$$$$	de 151 à 225$
$$$$$	plus de 225$

Label Ulysse 

Le pictogramme du label Ulysse est attribué à nos établissements favoris. Bien que chacun des établissements inscrits dans ce guide s'y retrouve en raison de ses qualités ou particularités, en plus de son rapport qualité/prix, de temps en temps un établissement se distingue parmi d'autres. Ainsi il mérite qu'on lui attribue un label Ulysse. Les labels Ulysse peuvent se retrouver dans n'importe quelle catégorie d'établissements: supérieure, moyenne-élevée, petit budget. Quoi qu'il en soit, dans chacun de ces établissements, vous en aurez pour votre argent. Repérez-les en premier!

Hôtels

Les hôtels sont nombreux, modestes ou luxueux. Dans la majorité des cas, les chambres sont louées avec salle de bain.

Gîtes touristiques

Contrairement aux hôtels, les chambres des gîtes touristiques ne sont pas toujours louées avec salle de bain privée. Bien répartis dans la majeure partie du Québec et de l'Ontario, les gîtes touristiques (*bed and breakfasts* en anglais) offrent l'avantage, outre le prix, de faire partager une ambiance familiale. Ils vous permettront aussi de vous familiariser avec une architecture régionale, certaines petites maisons de bois étant particulièrement pittoresques et chaleureuses. Attention, la carte de crédit n'est pas acceptée partout. Le prix de la chambre inclut toujours le petit déjeuner. L'appellation québécoise **Gîtes et Auberges du Passant** identifie un gîte touristique membre de la Fédération des Agricotours du Québec; les Gîtes et Auberges du Passant sont tenus de se conformer à des règles et normes qui assurent aux visiteurs une qualité impeccable. La Fédération produit chaque année en collaboration avec les Guides de voyage Ulysse le guide des *Gîtes et Auberges du Passant & Tables et Relais du Terroir au Québec*, qui indique, pour chaque région, les différentes possibilités d'hébergement avec les services offerts, les activités de plein air pouvant être pratiquées à proximité, tous les tarifs, les gîtes où vous pouvez amener votre animal de compagnie, etc. Outre les gîtes, ce guide donne aussi des adresses pour des formules de logement à la ferme ainsi que pour la location de maisons de campagne, de même que les descriptions et coordonnées de lieux de restauration gastronomique uniques.

Motels

On retrouve les motels en grand nombre. Ils sont relativement peu chers, mais ils manquent souvent de charme. Cette formule convient plutôt lorsqu'on manque de temps.

Auberges de jeunesse

Vous trouverez l'adresse des auberges de jeunesse dans la section «Hébergement» des villes où elles se trouvent. Pour de plus amples renseignements, visitez le site *www.hihostels.ca*.

Universités

Cette formule demeure assez compliquée à cause des nombreuses restrictions qu'elle implique: elle ne peut s'appliquer qu'en été (de la mi-mai à la mi-août), et il faut réserver plusieurs mois à l'avance et de préférence posséder une carte de crédit afin de payer la première nuitée à titre de réservation. Toutefois, ce type d'hébergement reste moins cher que les formules «classiques», et, si l'on s'y prend à temps, cela peut s'avérer agréable. La literie est comprise dans le prix, et, en général, une cafétéria sur place permet de prendre le petit déjeuner (non inclus).

Spas

Les spas offrent une formule d'hébergement de plus en plus populaire. Des professionnels de la santé vous offrent différents soins en hydrothérapie, massothérapie, esthétique, etc. dans des établissements qui se distinguent par leurs menus, leurs activités et leurs services. Pour avoir de plus amples renseignements ou choisir le spa qui correspondra le mieux à vos objectifs de santé, consultez le guide Ulysse *Les meilleurs spas au Québec*, ou contactez:

Spas Relais santé
☎800-788-7594
www.spasrelaissante.com

Camping

Le camping constitue le type d'hébergement le moins cher. Malheureusement, le climat ne rend possible cette activité que sur une courte période de l'année, soit de juin à août, à moins de disposer de l'équipement approprié contre le froid. Les services offerts sur les terrains de camping peuvent varier considérablement. Certains sont publics et d'autres privés. Les prix mentionnés dans ce guide s'appliquent à un emplacement pour une tente. Ils varieront, il va sans dire, selon les services ajoutés. Notez que les terrains de camping ne sont pas soumis à la taxe spécifique sur l'hébergement (voir p 53).

Par ailleurs, le Conseil du développement du camping au Québec publie en collaboration avec la Fédération québécoise de camping et caravaning (FQCC) le magazine *Camping-Caravaning*. Ce guide annuel liste 300 terrains de camping avec leurs services, et il est disponible gratuitement auprès des Associations touristiques régionales ou de la Fédération québécoise de camping et caravaning. La FQCC publie également, en collaboration avec les Guides de voyage Ulysse, le guide *Camping au Québec*, qui propose une sélection des meilleurs terrains de camping.

Fédération québécoise de camping et caravaning
1560 rue Eiffel, bureau 100
Boucherville, QC, J4B 5Y1
☎450-650-3722 ou 877-650-3722
▤450-650-3721
www.fqcc.ca
www.campingquebec.com

Réseaux d'accueil

Si vous êtes à la recherche de formules peu orthodoxes en matière d'hébergement, les réseaux **CouchSurfing Project** *(www.couchsurfing.com)* et **Hospitality Club** *(www.hospitalityclub.org)* permettent d'héberger des voyageurs ou de vous faire héberger par des habitants locaux lors de votre passage dans une ville, et ce, tout à fait gratuitement! Il faut, pour cela, se faire un profil Internet très exhaustif, question de sécurité. De plus, un système de commentaires (*feedback*) des utilisateurs permet aussi d'en savoir un peu plus sur les gens chez qui on a l'intention d'aller passer une ou quelques nuits. Enfin, les membres ne sont pas obligés d'offrir un toit à celui qui ne leur paraît pas fiable. Une belle manière de rencontrer les gens de la place!

■ Horaires

Banques

Les banques sont ouvertes du lundi au vendredi de 10h à 15h. Plusieurs d'entre elles sont ouvertes les jeudis et les vendredis jusqu'à 18h, voire 20h. Le réseau des banques possède des distributeurs de billets (guichets automatiques) en fonction jour et nuit.

Bureaux de poste

Les grands bureaux de poste sont ouverts de 9h à 17h *(Postes Canada: ☎800-267-1177, www.postescanada.ca)*. Il existe de nombreux petits bureaux de poste répartis un peu partout au Québec et en Ontario, soit dans les centres commerciaux, soit chez certains «dépanneurs» ou même dans les pharmacies; ces bureaux sont ouverts beaucoup plus tard que les autres.

Magasins

En règle générale, les magasins respectent l'horaire suivant:

lun-mer 10h à 18h
jeu-ven 10h à 21h
sam 9h ou 10h à 17h
dim 12h à 17h

On trouve également un peu partout au Québec et en Ontario des «dépanneurs» ou *convenience stores* (magasins généraux d'alimentation de quartier) qui sont ouverts plus tard et parfois 24 heures sur 24.

■ Jours fériés

Voici la liste des jours fériés au Québec et en Ontario. À noter, la plupart des services administratifs et des banques sont fermés ces jours-là.

Jour de l'An et le lendemain
1er et 2 janvier

Le vendredi précédant la fête de Pâques

Le lundi suivant la fête de Pâques

Journée nationale des Patriotes (au Québec) et Fête de la Reine (en Ontario)
lundi précédant le 25 mai

Fête nationale des Québécois
24 juin

Fête de la Confédération
1er juillet

Congé civique général (en Ontario)
1er août

Fête du Travail
1er lundi de septembre

Action de grâce
2e lundi d'octobre

Jour du Souvenir/Armistice
11 novembre

Noël et le lendemain
25 et 26 décembre

■ Laveries

On les retrouve à peu près partout dans les centres urbains. Apportez votre savon à lessive. Bien qu'on y trouve parfois des changeurs de monnaie, il est préférable d'en avoir une quantité suffisante sur soi.

■ Marchés

Nombreux en toutes saisons et couverts en hiver, les marchés publics sont intéressants non seulement pour les prix, mais aussi pour l'ambiance qui y règne.

■ Personnes à mobilité réduite

Interlocuteur privilégié de Tourisme Québec en matière d'accessibilité, Kéroul est un organisme québécois à but non lucratif qui informe, représente, développe et fait la promotion du tourisme et de la culture accessibles auprès des personnes à capacité physique restreinte et des administrations publiques et privées. Kéroul, en collaboration avec Ulysse, publie le répertoire *Québec accessible*, qui donne la liste des infrastructures touristiques et culturelles accessibles aux personnes handicapées à travers tout le Québec. Ces lieux sont classés par régions touristiques. Le livre est disponible chez Ulysse et dans toutes les bonnes librairies.

Kéroul
4545 av. Pierre-De Coubertin
C.P. 1000, Succursale M
Montréal, QC, H1V 3R2
☎514-252-3104
▤514-254-0766
www.keroul.qc.ca

Pourboire

Le pourboire s'applique à tous les services rendus à table, c'est-à-dire dans les restaurants ou autres endroits où l'on vous sert à table (la restauration rapide n'entre donc pas dans cette catégorie). Il est aussi de rigueur dans les bars, les boîtes de nuit et les taxis.

Selon la qualité du service rendu, il faut compter environ 15% de pourboire sur le montant avant les taxes. Le pourboire n'est pas, comme en Europe, inclus dans l'addition, et le client doit le calculer lui-même et le remettre au serveur.

Presse

Dans les centres urbains, vous trouverez sans problème la presse internationale. Les grands journaux québécois sont *Le Devoir*, *La Presse*, *Le Journal de Montréal* et *Le Soleil*, en français, et *The Gazette*, en anglais. Les grands quotidiens ontariens sont le *Toronto Star* et le *Toronto Sun* à Toronto, et l'*Ottawa Citizen* et *Le Droit* (en français) à Ottawa. Deux journaux nationaux sont distribués partout sur le territoire canadien: le *National Post* et le *Globe and Mail*.

Chaque semaine, on trouve les hebdomadaires *Voir* et *Ici*, en français, et *Mirror* et *Hour*, en anglais, dans plusieurs lieux publics à Montréal tels que bars, restaurants et certaines boutiques. Tous les quatre sont distribués gratuitement et couvrent les activités culturelles qui font bouger Montréal. Des éditions régionales du journal *Voir* sont également disponibles à Québec, Gatineau, Trois-Rivières, Sherbrooke et Saguenay.

Vous trouverez également des hebdomadaires culturels gratuits à Toronto (*Now* et *Eye*) et à Ottawa (*X Press*) qui pourront vous renseigner sur l'offre culturelle pendant votre séjour.

Renseignements touristiques

Québec

Il est utile de savoir que le Québec se divise en 22 régions touristiques. Les Associations touristiques régionales (ATR) s'occupent de diffuser l'information concernant leur région. Pour les villes de Montréal et Québec, ce sont les offices de tourisme qui offrent les renseignements. Pour chacune des régions touristiques, une brochure promotionnelle est publiée. Ces brochures sont disponibles gratuitement auprès de ces associations et offices.

Pour tout renseignement sur les différentes régions touristiques, vous pouvez contacter Tourisme Québec.

Tourisme Québec
C.P. 979
Montréal, QC, H3C 2W3
☎877-266-5687
www.bonjourquebec.com

Pour obtenir les coordonnées des offices de tourisme des différentes villes et régions du Québec, consultez la section «Renseignements touristiques» au début de chaque chapitre.

Les Guides de voyage Ulysse publient des guides tels que celui que vous consultez en ce moment, mais qui couvrent soit des régions ou des thèmes de manière plus spécifique (par exemple, *Randonnée pédestre au Québec*, *Le Québec cyclable*, *Le Québec à moto*, *Les meilleurs spas au Québec*, *Ville de Québec* ou *Gaspésie, Bas-Saint-Laurent, Îles de la Madeleine*). Pour la liste complète des guides Ulysse, consultez le site Internet *www.guidesulysse.com*.

Librairie Ulysse
4176 rue St-Denis
métro Mont-Royal
☎514-843-9447
560 av. du Président-Kennedy
métro McGill
☎514-843-7222

Ontario

L'Ontario est divisé en différentes régions touristiques. Vous trouverez au début de chaque chapitre, dans la section «Renseignements utiles», l'adresse complète des offices de tourisme (Travel Associations). Il est également possible d'obtenir une foule de renseignements portant sur l'ensemble de la province en vous adressant à:

Ontario Tourism
10 Dundas St. E., Suite 900
Toronto, ON, M7A 2A1
☎800-268-3736
www.ontariotravel.net

Europe

En Belgique:

Tourisme Québec
tlj 15h à 23h, sauf mercredi à partir de 16h
☎0 800 78 532 (appels gratuits en Belgique)
www.bonjourquebec.com

En France:

Tourisme Québec
tlj 15h à 23h, sauf mercredi à partir de 16h
☎0 800 90 77 77 (appels gratuits en France)
www.bonjourquebec.com

La Librairie du Québec
30 rue Gay-Lussac, 75005 Paris
☎01 43 54 49 02
▤01 43 54 39 15
www.librairieduquebec.fr
On y trouve un grand choix de livres sur le Québec et le Canada, ainsi que toute l'édition du Québec et du Canada francophone, dans tous les domaines.

The Abbey Bookshop
La librairie canadienne de Paris
29 rue de la Parcheminerie, 75005 Paris
☎01 46 33 16 24
▤01 46 33 03 33
Livres en anglais et en français sur le Canada ou d'auteurs canadiens.

■ Restaurants

Tout comme en Belgique, les Québécois appellent le petit déjeuner le déjeuner, le déjeuner le dîner et le dîner le souper (ce guide suit cependant la nomenclature internationale: «petit déjeuner», «déjeuner», «dîner»).

Prix et symboles

Les prix mentionnés dans ce guide s'appliquent à un dîner pour une personne **excluant** le service (voir «Pourboire», p 52), les boissons et les taxes.

$	moins de 15$
$$	de 15$ à 25$
$$$	de 26$ à 50$
$$$$	plus de 50$

C'est généralement selon les prix des tables d'hôte du soir que nous avons classé les restaurants, mais souvenez-vous que les déjeuners sont souvent beaucoup moins coûteux.

Pour connaître la signification du label Ulysse, voir p 49.

Apportez votre vin

Il se trouve au Québec et en Ontario des restaurants où l'on peut apporter sa bouteille de vin. Cette particularité étonnante pour les Européens vient du fait que, pour pouvoir vendre du vin, il faut posséder un permis de vente d'alcool assez coûteux. Certains restaurants voulant offrir à leur clientèle des formules économiques possèdent dès lors un autre permis qui permet aux clients d'apporter leur bouteille de vin. Dans la majorité des cas, un panonceau vous signalera cette possibilité.

Les cafés

Beaucoup de Québécois et d'Ontariens sont amateurs de café. Ainsi les cafés, ces petits restaurants à l'ambiance conviviale et détendue, sont-ils des établissements très fréquentés et répandus dans les villes. La rutilante machine à café y trône en maître des lieux, mais on peut aussi y manger des soupes, salades ou croque-monsieur et, bien sûr, des croissants et des desserts.

Cabanes à sucre

Au début du dégel, la sève commence à monter dans les arbres. C'est à ce moment que l'on procède à des entailles dans les érables afin d'en recueillir la sève; après une longue ébullition, celle-ci se transforme en un sirop sucré que l'on appelle «sirop d'érable». C'est à cette époque de l'année que plusieurs Québécois s'en vont à la campagne (dans les érablières) passer une journée à la cabane à sucre pour y manger, entre autres, des œufs dans le sirop d'érable ainsi que du lard ou des couennes de lard frites (appelées «oreilles de criss»). Après quoi on passe à la dégustation de la tire sur la neige. La tire est obtenue en faisant bouillir le sirop d'érable. Déposée chaude sur la neige, elle se consomme à l'aide de petits bâtonnets. Pour plus d'information sur les cabanes à sucre dans les différentes région du Québec, consultez le site Internet de l'**Association des Restaurateurs de Cabanes à Sucre du Québec** *(www.laroutedessucres.com)*.

■ Santé

Pour les personnes en provenance d'Europe et des États-Unis, aucun vaccin n'est nécessaire. D'autre part, il est vivement recommandé aux étrangers de contracter une assurance maladie-accident. Il existe différentes formules, et nous vous conseillons de les comparer. Emportez vos médicaments, surtout ceux qui exigent une ordonnance. Sauf indication contraire, l'eau est potable partout au Québec et en Ontario.

■ Taxes

Contrairement à l'Europe, les prix affichés le sont hors taxes dans la majorité des cas. Il y a deux taxes au Québec comme en Ontario: la TPS (taxe fédérale sur les produits et services) de 5% au Québec et de 6% en Ontario et la TVQ (taxe de vente du Québec) de 7,5% ou encore la taxe provinciale de l'Ontario de 8% (elle est de 10% sur les boissons alcoolisées) sur les biens et sur les services. Il faut donc ajouter environ 14% de taxes sur les prix affichés pour la majorité des produits ainsi qu'au restaurant. Notez qu'il existe aussi au Québec une taxe spécifique à l'hébergement de 2$ ou jusqu'à concurrence de 3% par nuitée, applicable dans tous les lieux d'hébergement, selon la région touristique.

■ Télécommunications

Dans ce guide, les indicatifs régionaux sont inscrits devant chaque numéro de téléphone. Dans plusieurs régions du Québec et dans le sud-ouest de l'Ontario, il faut toujours composer les 10 chiffres, soit l'indicatif régional, suivi des sept chiffres du numéro de téléphone. Pour les appels interurbains, faites le ***1***, suivi de l'indicatif de la région où vous appelez, puis le numéro de votre correspondant. Les numéros de téléphone précédés de ***800***, ***866***, ***877*** ou ***888*** vous permettent de communiquer avec votre correspondant sans encourir de frais si vous appelez du Canada et souvent même des États-Unis. Si vous désirez joindre un téléphoniste, faites le ***0***.

Beaucoup moins chers à utiliser qu'en Europe, les appareils téléphoniques se trouvent à peu près partout. Pour les appels locaux, la communication coûte 0,50$ pour une durée illimitée. Pour les interurbains, munissez-vous de pièces de 25 cents, ou bien procurez-vous une carte d'appels interurbains d'une valeur de 5$, 10$ ou 20$ en vente chez les marchands de journaux, dans les dépanneurs et dans les distributeurs automatiques (de diverses compagnies de téléphone) installés dans les lieux publics.

Pour appeler en **Belgique**, faites le ***011 32*** puis l'indicatif régional (Anvers ***3***, Bruxelles ***2***, Gand ***91***, Liège ***41***) et le numéro de votre correspondant.

Pour appeler en **France**, faites le ***011 33*** puis le numéro à 10 chiffres de votre correspondant en omettant le premier zéro.

Pour appeler en **Suisse**, faites le ***011 41*** puis l'indicatif régional (Berne ***31***, Genève ***22***, Lausanne ***21***, Zurich ***1***) et le numéro de votre correspondant.

■ Urgences

Partout au Québec et en Ontario, vous pouvez obtenir de l'aide en composant le ☎911. Certaines régions, à l'extérieur des grands centres, ont leur propre numéro d'urgence; dans ce cas, faites le 0.

■ Vins, bières et spiritueux

Québec

Il faut être âgé d'au moins 18 ans pour acheter et consommer de l'alcool. La vente des boissons alcoolisées est régie par une société d'État: la Société des alcools du Québec (SAQ). Si vous désirez acheter un vin, une bière importée ou un alcool, c'est dans une succursale de la SAQ qu'il faut vous rendre (de bonnes bières importées ou canadiennes et des vins corrects se vendent aussi dans les épiceries). Certaines succursales, appellées «Sélection», proposent une sélection plus variée et spécialisée de vins et spiritueux. On trouve des succursales de la SAQ dans tous les quartiers, mais leurs heures d'ouverture sont assez restreintes, sauf peut-être en ce qui concerne les succursales dites «Express», ouvertes plus tard mais offrant un choix plus limité. En règle générale, elles sont ouvertes aux mêmes heures que les commerces.

Deux grandes brasseries au Québec se partagent la plus grande part du marché: Labatt et Molson. Chacune d'elles produit différents types de bières, surtout des blondes, avec divers degrés d'alcool. Dans les bars, restaurants et discothèques, la bière pression (appelée parfois *draft*) est moins chère qu'en bouteille.

À côté de ces brasseries se trouvent des microbrasseries qui, à bien des égards, s'avèrent très intéressantes. La variété et le goût de leurs bières font qu'elles connaissent un énorme succès auprès du public québécois. McAuslan (Griffon, St-Ambroise), le Cheval Blanc (Coup de Grisou, Sainte-Paix), les Brasseurs du Nord (Boréale), GMT (Belle Gueule) et La Barberie font entre autres partie de ces microbrasseries populaires.

Ontario

Il faut être âgé de 19 ans et plus pour se procurer et consommer de l'alcool. L'Ontario peut être fière de ses microbrasseries florissantes, sources de quelques bières dignes de mention. Assurez-vous de goûter, entre autres, les produits de Sleeman, de l'Upper Canada Brewing Company, de Creemore et d'Amsterdam. Les Beer Stores proposent un énorme choix de bières, alors que les succursales de la LCBO en ont un plus modeste choix.

La Liquor Control Board of Ontario (LCBO) est la référence en matière de vins. Le vin ontarien a acquis une certaine réputation ces dernières années. Les vignobles de la région de Niagara sont les plus productifs. Le vin ontarien le plus connu est probablement le fameux *ice wine* (vin de glace), qui accompagne très bien les desserts. Recherchez-le car il fait aussi un merveilleux souvenir.

Plein air

De vastes étendues encore sauvages, paradis des randonneurs et des skieurs: c'est une expérience de plein air inoubliable qui attend les voyageurs au Québec et en Ontario. Vous y découvrirez des côtes baignées par les eaux de l'océan Atlantique, de vastes forêts humides dont les arbres sont plusieurs fois centenaires, des montagnes majestueuses, de nombreux lacs et rivières, des forêts de conifères, etc. Dans ces parcs naturels, vous pourrez vous adonner à une multitude d'activités de plein air.

Parcs

Il existe des parcs fédéraux, administrés par le gouvernement canadien, et des parcs provinciaux, à la charge de chacune des provinces. La majorité de ces parcs offrent des services et installations tels que bureau de renseignements, plans du parc, programmes d'interprétation de la nature, guides accompagnateurs et établissements d'hébergement (refuges, auberges, camping) ou de restauration.

Ces services et installations n'étant pas systématiquement disponibles dans tous les parcs (ils varient aussi selon les saisons), il est préférable de se renseigner auprès des responsables des parcs avant de partir. Il est possible de réserver les emplacements de camping, les refuges et les chalets (parcs québécois). Notez cependant que les politiques de réservations pour les emplacements de camping des parcs fédéraux varient d'un endroit à l'autre. Il est conseillé de se renseigner auprès des parcs directement ou à Parcs Canada (voir ci-dessous).

Dans plusieurs parcs, des circuits sillonnant le territoire et s'étendant sur des dizaines de kilomètres sont aménagés, permettant aux amateurs de s'adonner à des activités comme la randonnée pédestre, le ski de fond ou la motoneige pendant des jours. Les lacs et rivières, quant à eux, se prêtent bien au canot, au kayak, à la pêche et à la baignade. Le long de ces circuits, des emplacements de camping rustique ou des refuges ont été aménagés. Les emplacements de camping rustique se révèlent très rudimentaires; il est alors essentiel d'être adéquatement équipé. Comme ces circuits s'enfoncent dans des forêts, loin de toute habitation, il est fortement conseillé de respecter le balisage des sentiers. Des cartes très utiles indiquant les circuits ainsi que les emplacements de camping rustique et les refuges sont disponibles pour la plupart des parcs.

Tout au long du guide, vous trouverez la description de la majorité de ces parcs et réserves fauniques ainsi que les principales activités de plein air que l'on peut y pratiquer.

■ Les parcs fédéraux

On peut obtenir de l'information sur les parcs fédéraux du Québec et de l'Ontario en s'adressant à:

Parcs Canada
25 rue Eddy
Gatineau, QC, K1A 0M5
☎888-773-8888
www.pc.gc.ca

Outre ces parcs, le Service canadien des parcs gère des lieux historiques nationaux, dont la description est donnée dans les sections «Attraits touristiques».

Québec

Sur le territoire québécois se trouvent quatre parcs fédéraux: le parc national Forillon, en Gaspésie; le parc national de la Mauricie, en Mauricie; la réserve de parc national de l'Archipel-de-Mingan, dans la région de Duplessis; et, au confluent de la rivière Saguenay et du fleuve Saint-Laurent, le parc marin du Saguenay–Saint-Laurent, cogéré par Parcs Québec et Parcs Canada.

Ontario

Il existe six parcs nationaux en Ontario: le parc national des Îles-du-Saint-Laurent (Mallorytown), le parc national de la Pointe-Pelée (Leamington), le parc national de la Péninsule-Bruce (Tobermory), le parc national Fathom Five (Tobermory), le parc national des Îles-de-la-Baie-Georgienne (baie Georgienne) et le parc national Pukaskwa (Marathon).

■ Les parcs provinciaux

Québec

Les parcs québécois sont au nombre de 23, en comptant le parc marin du Saguenay–Saint-Laurent, cogéré par Parcs Québec et Parcs Canada.

La Société des établissements de plein air du Québec (Sépaq) gère 22 parcs, leurs installations et leurs services, tous axés sur le plein air et la découverte. La Sépaq a pour mandat de développer les sites dans une perspective de tourisme durable, en assurant la conservation et la préservation des ressources naturelles. En plus d'administrer les parcs québécois, elle a sous sa responsabilité les neuf centres touristiques et les 15 réserves fauniques du Québec.

Pour de plus amples renseignements sur les parcs et les activités qui y sont offertes ou pour faire vos réservations, veuillez communiquer avec:

Sépaq
Place de la Cité, Tour Cominar
2640 boul. Laurier, bureau 250
Québec, QC, G1V 5C2
☎800-665-6527 ou 418-890-6527 de l'extérieur du Canada et des États-Unis
www.sepaq.com

Ontario

L'Ontario régit quelque 280 parcs dont 112 sont ouverts aux visiteurs et 168 ont pour but de protéger des portions de territoire pour les générations futures. Ils couvrent environ 6% de son territoire. Certains sont de petite taille et ne proposent que des activités de jour, tandis que d'autres, plus grands, offrent aux visiteurs l'occasion de s'enfoncer plusieurs jours sur de vastes terres encore inhabitées. Dans bon nombre de ces parcs, des plages, des emplacements de camping, des voies canotables ou des sentiers de randonnée sont mis à la disposition des visiteurs. Tout au long de ce guide, vous trouverez la description des principaux d'entre eux dans les sections «Attraits touristiques». Si vous désirez plus de renseignements concernant les parcs provinciaux, vous pouvez communiquer avec le bureau de renseignements touristiques de la région où se trouve le parc ou vous adresser à:

Parcs Ontario
300 Water St.
Peterborough, ON, K9J 8M5
☎888-688-7275 (information) ou 800-668-2746 (réservations de camping)
www.ontarioparks.com

■ Les réserves fauniques

Québec

Au Québec, les réserves fauniques couvrent généralement des territoires plus vastes que les parcs. La pêche et la chasse, organisées et contrôlées, y sont permises. Quinze réserves fauniques sont gérées par la Société des établissements de plein air du Québec, la Sépaq (voir ci-dessus). Ces territoires de nature sauvage où la pêche et la chasse sont à l'honneur comportent de beaux pavillons d'hébergement et des chalets.

■ Les centres touristiques

Québec

Au Québec, la Sépaq administre aussi neuf centres touristiques. On peut entre autres y faire de magnifiques séjours, déguster des repas gastronomiques et visiter des sites historiques, le tout dans un environnement incomparable, sans oublier la pratique de toutes sortes d'activités de plein air.

■ Les zones d'exploitation contrôlée et les pourvoiries

Québec

Soixante-trois zones d'exploitation contrôlée (ZEC) sont aussi gérées par le gouvernement du Québec. Elles ne sont généralement pas aménagées pour recevoir les visiteurs comme le sont les parcs et les réserves fauniques. On y pratique toutefois la chasse et la pêche. Les pourvoiries, quant à elles, sont des domaines privés aménagés spécialement pour recevoir les chasseurs et les pêcheurs. Quelques-unes sont équipées de refuges rustiques, tandis que d'autres vous accueillent dans une auberge de luxe au menu élaboré.

Fédération québécoise des gestionnaires de zecs (FQGZ)
www.zecquebec.com

Féderation des pourvoiries du Québec (FPQ)
www.fpq.com

■ L'Association des jardins du Québec

Québec

Le Québec possède de merveilleux jardins où il fait bon se promener tout en découvrant des aménagements paysagers aux beautés sans pareilles. De même que les bâtiments historiques, les œuvres d'art et les traditions ancestrales, les jardins sont également reconnus comme faisant partie intégrante du patrimoine québécois.

C'est en 1989 que l'on décida de regrouper les 20 grands jardins du Québec sous l'Association des jardins du Québec afin de promouvoir l'horticulture ornementale et de les faire connaître à tous les amoureux de la nature.

Association des jardins du Québec
82 Grande Allée O.
Québec, QC, G1R 2G6
☎418-692-0886
www.jardinsduquebec.com

Les loisirs d'été

Lorsque la température est clémente, il est possible de pratiquer les activités de plein air dont nous donnons la liste ci-dessous. Il ne faut pas oublier que les nuits sont fraîches (sauf peut-être en juillet et août dans les régions du sud). En été, dans certaines régions, des chemises ou chandails à manches longues seront fort utiles si vous ne désirez pas vous offrir en repas aux «maringouins» (moustiques) ou aux mouches noires. Au mois de juin, durant lequel ceux-ci sont particulièrement voraces, des insectifuges sont indispensables pour les promenades en forêt.

■ Baignade

Québec

Les plages de sable blanc fin, de galets ou de roches sont nombreuses au Québec. On les retrouve surtout au bord des milliers de lacs sans oublier celles des Îles de la Madeleine. Vous n'aurez aucune difficulté à en trouver une à votre goût, même si l'eau peut parfois être un peu froide.

Ontario

L'Ontario possède quantité de fort belles et vastes plages. Que vous décidiez de vous étendre sur les dunes du parc Sandbanks de l'île de Quinte ou que vous choisissiez de vous rendre sur le long croissant de la plage de Providence Bay, sur l'île Manitoulin, ou encore que vous préfériez les plages tranquilles et encore sauvages d'un des nombreux lacs et rivières du parc Algonquin, ou enfin l'une des magnifiques plages bordant les lacs Huron, Érié ou Supérieur, l'Ontario aura de quoi vous combler.

■ Canot et kayak

Les territoires québécois et ontariens sont pourvus d'une multitude de lacs et de rivières qui comblera les amateurs de canot et de kayak.

Pour plus d'information, vous pouvez vous adresser à la **Fédération québécoise du canot et du kayak** *(www.canot-kayak.qc.ca)*, qui publie plusieurs cartes et guides pratiques sur les parcours canotables du Québec. Pour l'Ontario, adressez-vous à l'**Ontario Recreational Canoeing and Kayaking Association (ORCA)** *(www.orca.on.ca)*.

■ Canyoning

Québec

Le canyoning se présente comme un sport hybride alternant la marche, la descente en rappel et la nage, et consistant à parcourir un cours d'eau encaissé dont le profil est accidenté. En fait, on peut pratiquer le canyoning aussi bien dans des canyons que dans des gorges, des cascades et des défilés. Plutôt récent au Québec, ce sport s'adresse à tous ceux qui sont âgés de plus de 10 ans, se trouvent en bonne condition physique, savent nager et n'ont pas peur d'être suspendus dans le vide.

L'un des endroits les plus populaires au Québec où l'on pratique la descente en rappel est situé au pied du mont Sainte-Anne, non loin de la ville de Québec: la chute Jean-Larose, avec ses trois cascades vrombissantes qui se jettent dans des bassins d'eau limpide. Il existe également dans les environs d'autres canyons qui s'offrent aux mordus du canyoning, tels le canyon de la Vieille Rivière et le canyon des Éboulements. Seul organisme professionnel au Québec en descente de canyon, **Canyoning-Québec** *(www.canyoning-quebec.com)* vous prendra en charge et fera en sorte que les aventures que vous vivrez soient mémorables.

■ Chasse et pêche

Pour pouvoir chasser ou pêcher sur le territoire québécois ou ontarien, un résidant doit se procurer un permis provincial, disponible chez les dépositaires autorisés: parcs provinciaux, magasins de sport, quincailleries, dépanneurs, ou dans certaines pourvoiries, ZEC et réserves fauniques gérés par la Sépaq. Et, pour obtenir un permis de chasse avec arme à feu, arbalète et arc, il faut être titulaire du certificat du chasseur approprié à l'engin utilisé.

De plus, un permis de chasse fédéral, délivré par le Service canadien de la faune et vendu dans les bureaux de poste, peut être requis, par exemple pour la chasse aux oiseaux migrateurs, laquelle requiert également le permis de chasse provincial.

Pour de l'information générale sur la pratique de la chasse et de la pêche au Québec, communiquez avec:

Ministère des Ressources naturelles et de la Faune
www.mrnfp.gouv.qc.ca

Sépaq
www.sepaq.com

En Ontario, communiquez avec:

Ministère des Richesses naturelles
www.mnr.gov.on.ca

■ Descente de rivière

La descente de rivière, ou rafting, est un sport pour le moins riche en émotions fortes. Elle consiste à affronter des rapides en radeau ou canot pneumatique. Ces embarcations, qui accueillent généralement une dizaine de personnes, sont d'une solidité et d'une flexibilité nécessaires pour bien résister aux rapides.

La descente de rivière est particulièrement appréciée au printemps, lorsque les rivières sont en crue et ont un courant beaucoup plus impétueux. Il va sans dire qu'il faut être en bonne condition physique pour participer à une activité de ce genre, d'autant plus qu'entre les rapides c'est la force des rameurs qui mène le bateau. Cependant, une excursion bien organisée, en compagnie d'un guide expérimenté, ne présente pas de danger démesuré. Les entreprises qui proposent de telles descentes fournissent généralement l'équipement nécessaire au confort et à la sécurité des participants. Alors, embarquez-vous et laissez les rivières enfin libérées des glaces de l'hiver vous faire sauter de plaisir et tournoyer au milieu de grandes éclaboussures!

■ Équitation

Québec

Plusieurs centres équestres proposent des cours ou des promenades. Quelques-uns d'entre eux organisent même des excursions de plus d'une journée. Selon les centres, on peut retrouver deux styles équestres: le style classique (selle anglaise) et le style western. Tous deux étant bien différents, il est utile de vérifier lequel est offert par le centre que vous avez choisi au moment de la réservation. Certains parcs québécois disposent de sentiers de randonnée équestre.

L'association **Québec à cheval** *(www.cheval.qc.ca)* a pour objectif de faire connaître la randonnée équestre. Des stages de formation sont également proposés. Pour de l'information, adressez-vous à cette association.

■ Escalade

Les amateurs pourront s'adonner à l'escalade hiver comme été. Pour cette activité, on doit se munir d'un équipement adéquat (qui est parfois loué sur place) et, bien sûr, connaître les techniques de base. Certains centres proposent des cours d'initiation.

Au Québec, vous pourrez obtenir des renseignements concernant l'escalade auprès de la **Fédération québécoise de la montagne et de l'escalade** *(www.fqme.qc.ca)*.

En Ontario, vous pourrez obtenir de l'information en vous adressant à la section de Toronto de l'**Alpine Club of Canada** *(www.climbers.org/rock)*.

■ Golf

Dans la plupart des régions du Québec et de l'Ontario, des terrains de golf ont été aménagés. Ils sont généralement en activité du mois de mai au mois d'octobre. Les sites Internet *www.accesgolf.com* et *www.golfontario.com* proposent des répertoires des terrains de golf.

■ Observation des baleines et des phoques

Québec

L'estuaire et le golfe du Saint-Laurent recèlent une vie aquatique riche et variée. On y retrouve d'innombrables mammifères marins dont plusieurs espèces de baleines (béluga, rorqual commun et rorqual bleu) et de phoques (phoque gris, phoque commun). Dans le parc marin du Saguenay–Saint-Laurent (cogéré par Parcs Québec et Parcs Canada), qui borde les régions touristiques de Charlevoix, du Saguenay–Lac-Saint-Jean, du Bas-Saint-Laurent et de Manicouagan, des excursions d'observation des baleines sont organisées.

Assurez-vous toutefois de faire affaire avec une entreprise reconnue et responsable qui respecte les règles imposées afin de protéger les mammifères marins: par exemple, de ne pas poursuivre les baleines ou trop s'en approcher.

■ Observation des oiseaux

Outre les parcs fédéraux et provinciaux, plusieurs sites particulièrement intéressants sont accessibles pour observer les oiseaux, notamment le parc national de la Pointe-Pelée en Ontario et le parc national de l'Île-Bonaventure-et-du-Rocher-Percé, au Québec. À cette fin, nous vous recommandons deux guides: *Les oiseaux du Québec et de l'est de l'Amérique du Nord* (guide Peterson), paru chez Broquet, et *Birds of Ontario*, publié chez Lone Pine.

■ Patin à roues alignées

Ce sport est le pendant estival du patin à glace. Il demande un certain temps d'adaptation, mais, une fois à l'aise sur ces patins, vous apprécierez la facilité avec laquelle les kilomètres défileront sous vos pieds. On pratique le patin à roues alignées surtout en milieu urbain, sur des pistes revêtues. Quelques entreprises en font la location. Il est fortement conseillé de se munir d'un casque protecteur, de genouillères, de protège-coudes et de gants.

■ Plongée sous-marine

Le Québec compte pas moins de 200 centres de plongée, écoles ou clubs. Notez qu'il existe deux centres hyperbares reconnus, soit à l'hôpital Sacré-Cœur de Montréal et à l'Hôtel-Dieu de Lévis. Pour en connaître davantage sur la plongée sous-marine au Québec, adressez-vous à la **Fédération québécoise des activités subaquatiques** *(www.fqas.qc.ca)*.

Dans la région des Lacs en Ontario, le parc marin national Fathom Five est le favori des plongeurs. Situé à l'extrémité de la péninsule Bruce, il est composé d'eaux cristallines, d'îles et de grottes, certaines sous-marines, et d'épaves de bateaux qui sombrèrent jadis; que demander de plus pour enthousiasmer les plongeurs qui peuvent prendre part à des excursions à partir du quai de Tobermory.

■ Randonnée pédestre

Québec

Activité à la portée de tous, la randonnée pédestre se pratique en maints endroits au Québec. Plusieurs parcs proposent des sentiers de longueur et niveau de difficulté variables. Certains offrent même des sentiers de longue randonnée. S'enfonçant dans les étendues sauvages, les parcours peuvent alors s'étendre sur des dizaines de kilomètres.

Sur de tels sentiers, il faut, bien sûr, respecter le balisage et partir bien équipé. Il existe des cartes indiquant les sentiers ainsi que les emplacements de camping rustique et les refuges.

Le guide Ulysse *Randonnée pédestre au Québec* est disponible en librairie. Il propose différents circuits classés aussi bien d'après leur niveau de difficulté que d'après leur longueur. Les Guides de voyage Ulysse publient aussi des guides plus spécialisés, tels *Randonnée pédestre Montréal et environs*, qui propose divers itinéraires situés non loin de la métropole ou à Montréal même, et *Le Sentier transcanadien au Québec*, qui permet d'explorer ce long sentier qui traverse 11 des régions du Québec. La **Fédération québécoise de la marche** *(www.fqmarche.qc.ca)*, qui a pour but de développer la pratique de la randonnée pédestre, de la raquette et de la marche en milieu urbain, peut aussi fournir divers renseignements.

Ontario

Outre les sentiers de randonnée sillonnant les parcs nationaux et provinciaux, il existe de nombreux sentiers traversant le territoire ontarien. Le plus connu d'entre eux est sans conteste le Bruce Trail, qui s'allonge sur 736 km, de Niagara à Tobermory. L'association **Hike Ontario** *(www.hikeontario.com)* coordonne l'entretien de plusieurs de ces sentiers, dont quelques-uns sont décrits dans le présent guide. Si vous désirez des renseignements supplémentaires, vous pouvez vous procurer le Green Escapes Ulysses *Hiking in Ontario*.

■ Vélo

Québec

Le vélo constitue un moyen des plus agréables pour découvrir les régions du Québec. Les Guides de voyage Ulysse publient les guides *Le Québec cyclable* et *Cyclotourisme au Québec*, qui vous aideront à organiser de belles excursions sur les routes du Québec.

Inaugurée officiellement en août 2007, la **Route verte** *(www.routeverte.com)* est un itinéraire cyclable de plus de 4 000 km qui sillonne le territoire québécois d'est en ouest et du nord au sud sur plusieurs axes. Il est composé de pistes cyclables en site propre, de voies partagées et de chaussées désignées qui permettent la pratique sécuritaire du vélo et la découverte du patrimoine naturel et culturel du Québec.

Des sentiers de vélo de montagne ont également été aménagés dans plusieurs parcs. On peut obtenir des renseignements à cet égard au bureau d'accueil des parcs.

De nombreuses boutiques de vélos offrent un service de location. Nous vous proposons les coordonnées de quelques boutiques qui offrent ce service dans la section «Activités de plein air» des différents chapitres de ce guide. Il est conseillé de se munir d'une bonne assurance. Certains établissements incluent une assurance-vol dans le prix de location.

Ontario

Durant l'été, il est très agréable de se balader à vélo partout en Ontario, en empruntant soit les routes secondaires généralement tranquilles, soit les chemins sillonnant les parcs. Les personnes désirant partir à vélo et suivre des itinéraires d'une journée ou de quelques jours peuvent se procurer le guide Green Escapes Ulysses *Cycling in Ontario*. De plus, Ulysse propose le guide *Ontario's Bike Paths and Rail Trails*. Il est également possible de communiquer avec:

Ontario Cycling Association
1185 Eglinton Ave. E., Suite 408
North York, ON, M3C 3C6
☎416-426-7416
www.ontariocycling.org

Les loisirs d'hiver

En hiver, alors que le Québec et l'Ontario se parent pendant plusieurs mois d'un manteau blanc, la plupart des parcs comptant des sentiers de randonnée pédestre s'adaptent aux nouvelles conditions climatiques pour accueillir les skieurs de fond, motoneigistes et autres adeptes de la raquette. Les amateurs de sports d'hiver peuvent également compter sur des stations de ski modernes et de magnifiques patinoires extérieures. Bref, il est toujours possible d'être actif au Québec et en Ontario en hiver!

■ Motoneige

Voilà un sport très populaire au Québec et en Ontario; après tout, n'oublions pas que c'est le Québécois Joseph-Armand Bombardier qui inventa la motoneige, donnant ainsi naissance à ce qui allait devenir un des plus importants groupes industriels du Québec, aujourd'hui impliqué dans la fabrication d'avions et de matériel ferroviaire.

Pour mener à bien vos excursions, n'oubliez pas de suivre les quelques consignes de sécurité qui suivent:

- veillez à bien respecter la réglementation;
- munissez-vous d'un permis;
- prenez une bonne assurance-responsabilité civile;
- ne vous éloignez pas des sentiers de motoneige;
- conduisez toujours sur le côté droit du sentier;
- portez un casque de sécurité;
- allumez vos phares le jour comme le soir.

Il existe des cartes des sentiers de motoneige qui vous aideront à tracer vos itinéraires.

Québec

Un réseau de 33 500 km de sentiers de motoneige balisés, entretenus et signalisés, sillonne le territoire québécois. Des circuits traversant diverses régions touristiques mènent les intrépides au cœur de vastes régions sauvages. Le long de ces sentiers, on trouve tous les services nécessaires aux motoneigistes (ateliers de réparation, relais chauffés, pompes à essence et services de restauration). Il est possible de louer, dans certains centres, les motoneiges et l'équipement requis pour entreprendre de telles expéditions.

Pour emprunter les sentiers de motoneige, il faut être en possession du certificat d'immatriculation du véhicule et avoir une carte de membre de la **Fédération des clubs de motoneigistes du Québec** *(www.fcmq.qc.ca)*.

Ontario

L'Ontario a développé un vaste réseau de pistes de quelque 43 000 km qui sillonne essentiellement le moyen nord et le nord du territoire. Pour emprunter les sentiers, vous devrez vous procurer un permis auprès de l'**Ontario Federation of Snowmobile Clubs** *(www.ofsc.on.ca)*.

■ Pêche sur la glace

Communément appelée «pêche blanche», ce type de pêche a vu sa popularité grandir d'année en année. Le principe consiste, comme son nom l'indique, à pêcher le poisson sur la glace. Une petite cabane de bois est installée sur le lac ou sur la surface gelée du cours d'eau afin de pouvoir s'y tenir au chaud pendant les longues heures de patience que demande cette activité. Tout au long du guide, nous mentionnons quelques endroits où la pratique de la pêche blanche est possible.

■ Planche à neige

La planche à neige (ou surf des neiges) est apparue au Québec et en Ontario au début des années 1990. Bien que marginal à l'origine, ce sport ne cessa de prendre de l'ampleur, si bien qu'aujourd'hui les stations de ski de l'Amérique du Nord dénombrent souvent plus de planchistes que de skieurs. Ça se comprend! Avec la planche à neige, les sensations éprouvées dans une descente quintuplent.

Contrairement à ce que plusieurs croient, le surf des neiges ne s'adresse pas uniquement aux jeunes; il n'y a pas d'âge pour goûter les plaisirs d'un slalom. Pour les débutants qui désirent tenter l'expérience, il est conseillé de prendre quelques leçons avant de s'engager sur les pistes, plusieurs stations offrant ce service. La majorité des stations de ski font aussi la location d'équipement.

■ Ski alpin

On dénombre plusieurs stations de ski alpin au Québec et en Ontario. Certaines d'entre elles disposent de pistes éclairées qui sont ouvertes en soirée. Près des stations de ski se trouvent des hôtels offrant des forfaits économiques incluant la chambre, les repas et les billets de ski; renseignez-vous au moment de réserver votre chambre.

Les billets de ski alpin sont coûteux; aussi, afin de s'adapter à tous les types de skieurs, les stations de ski mettent-elles en vente des billets pour la demi-journée, la journée ou la soirée. Plusieurs d'entre elles proposent même des billets à l'heure ou selon un système de points. Pour plus d'information sur les stations de ski alpin au Québec, procurez-vous le guide Ulysse *Ski alpin au Québec*.

En Ontario: *www.skiontario.on.ca*.

■ Ski de fond

Québec

Les centres de ski de fond et les parcs disposant de sentiers de ski de fond sont nombreux au Québec. Dans la plupart des centres, il est possible de louer de l'équipement à la journée. Plusieurs comptent des sentiers de longue randonnée, le long desquels on a installé des refuges afin d'accueillir les skieurs.

Certains centres de ski de fond offrent aux personnes empruntant un sentier de longue randonnée la possibilité d'aller porter en motoneige la nourriture au refuge. Les Guides de voyage Ulysse publient le guide *Raquette et ski de fond au Québec*. Ce guide vous donne la longueur des sentiers, leur niveau de difficulté et leurs particularités.

Ontario

Certains parcs du centre et du nord de la province sont réputés pour leurs longues pistes de ski de fond, notamment les parcs Algonquin, Frontenac et Killarney. Certains disposent même d'emplacements de camping d'hiver, recommandés pour les personnes bien équipées seulement. Le Green Escapes Ulysses *Cross-Country Skiing and Snowshoeing in Ontario* répertorie les plus belles pistes de ski de fond et les plus beaux sentiers de raquettes de la province.

Le Québec

Vaste contrée située à l'extrémité nord-est du continent américain, le Québec s'étend sur 1 667 441 km², ce qui équivaut à plus de trois fois la superficie de la France. Cet immense territoire à peine peuplé, sauf dans ses régions les plus méridionales, comprend de formidables étendues sauvages, riches en lacs, en rivières et en forêts. Il forme une grande péninsule septentrionale dont les interminables fronts maritimes plongent à l'ouest dans les eaux de la baie James et de la baie d'Hudson, au nord dans le détroit d'Hudson et la baie d'Ungava, et à l'est dans le golfe du Saint-Laurent.

Le Québec possède également de très longues frontières terrestres qu'il partage à l'ouest avec l'Ontario, au sud-est avec le Nouveau-Brunswick et l'État du Maine, au sud avec les États de New York, du Vermont et du New Hampshire, et au nord-est avec Terre-Neuve-et-Labrador.

La géographie du pays est marquée de trois formations géomorphologiques d'envergure continentale. D'abord, le puissant et majestueux fleuve Saint-Laurent, le plus important cours d'eau de l'Amérique du Nord à se jeter dans l'Atlantique, le traverse sur plus d'un millier de kilomètres. Principale voie de pénétration du territoire, le fleuve a depuis toujours été le pivot du développement du Québec. Encore aujourd'hui, la majeure partie de la population québécoise se regroupe sur les basses terres qui le bordent, principalement dans la région métropolitaine de Montréal, qui compte environ la moitié de la population du Québec. Plus au sud, près de la frontière canado-américaine, la chaîne des Appalaches longe les basses terres du Saint-Laurent depuis le sud-est du Québec jusqu'à la péninsule gaspésienne.

Le reste du Québec, soit près de 90% de son territoire, est formé du Bouclier canadien, une formation rocheuse qui s'étend de la rive nord du fleuve Saint-Laurent jusqu'au détroit d'Hudson. Le Bouclier canadien est doté de richesses naturelles fabuleuses, de grandes forêts et d'un formidable réseau hydrographique dont plusieurs rivières servent à la production d'électricité.

Le mode d'occupation du sol des premiers colons modèle encore de nos jours l'espace territorial québécois. Les paysages des basses terres du Saint-Laurent portent ainsi l'empreinte du régime seigneurial français. Ce système de répartition des terres, qui divisait celles-ci en longs rectangles très étroits, avait été élaboré pour permettre au plus grand nombre possible de colons d'avoir accès aux cours d'eau.

L'immense péninsule du Québec, à la géographie diverse et aux climats variés, s'enorgueillit également d'une faune d'une grande richesse. En effet, une multitude d'animaux peuplent ses vastes forêts, plaines ou régions septentrionales, alors que ses mers, lacs et rivières regorgent de poissons et d'animaux aquatiques.

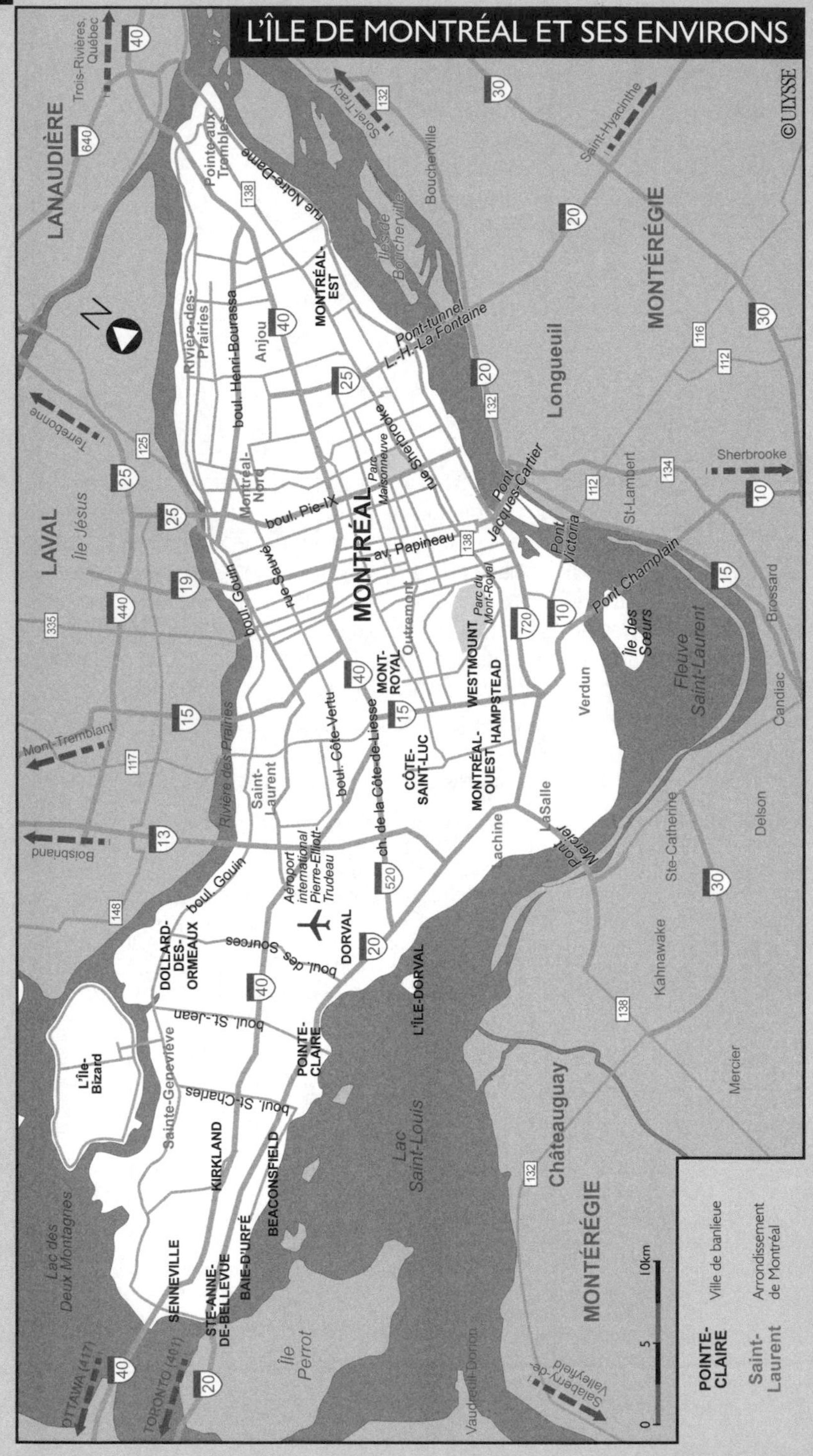
L'ÎLE DE MONTRÉAL ET SES ENVIRONS
©ULYSSE
LANAUDIÈRE
LAVAL
Île Jésus
MONTÉRÉGIE
Longueuil
Châteauguay
MONTRÉAL
Trois-Rivières, Québec
Sorel-Tracy
Saint-Hyacinthe
Sherbrooke
Terrebonne
Mont-Tremblant
Boisbriand
OTTAWA (417)
TORONTO (401)
Salaberry-de-Valleyfield
Pointe-aux-Trembles
Rivière-des-Prairies
Anjou
MONTRÉAL-EST
Montréal-Nord
Parc Maisonneuve
Outremont
Parc du Mont-Royal
MONT-ROYAL
WESTMOUNT
HAMPSTEAD
CÔTE-SAINT-LUC
MONTRÉAL-OUEST
Saint-Laurent
Verdun
LaSalle
Lachine
Aéroport international Pierre-Elliott-Trudeau
DORVAL
L'ÎLE-DORVAL
DOLLARD-DES-ORMEAUX
POINTE-CLAIRE
L'Île-Bizard
Sainte-Geneviève
KIRKLAND
BEACONSFIELD
BAIE-D'URFÉ
STE-ANNE-DE-BELLEVUE
SENNEVILLE
Île Perrot
Lac des Deux Montagnes
Lac Saint-Louis
Rivière des Prairies
Fleuve Saint-Laurent
Île des Sœurs
Îles de Boucherville
Boucherville
St-Lambert
Brossard
Candiac
Delson
Ste-Catherine
Kahnawake
Mercier
Vaudreuil-Dorion
rue Notre-Dame
rue Sherbrooke
boul. Henri-Bourassa
boul. Pie-IX
av. Papineau
rue Sauvé
boul. Gouin
boul. Côte-Vertu
ch. de la Côte-de-Liesse
boul. des Sources
boul. St-Jean
boul. St-Charles
Pont-tunnel L.-H.-La Fontaine
Pont Jacques-Cartier
Pont Victoria
Pont Champlain
Pont Mercier
0
5
10km
POINTE-CLAIRE Ville de banlieue
Saint-Laurent Arrondissement de Montréal

Montréal

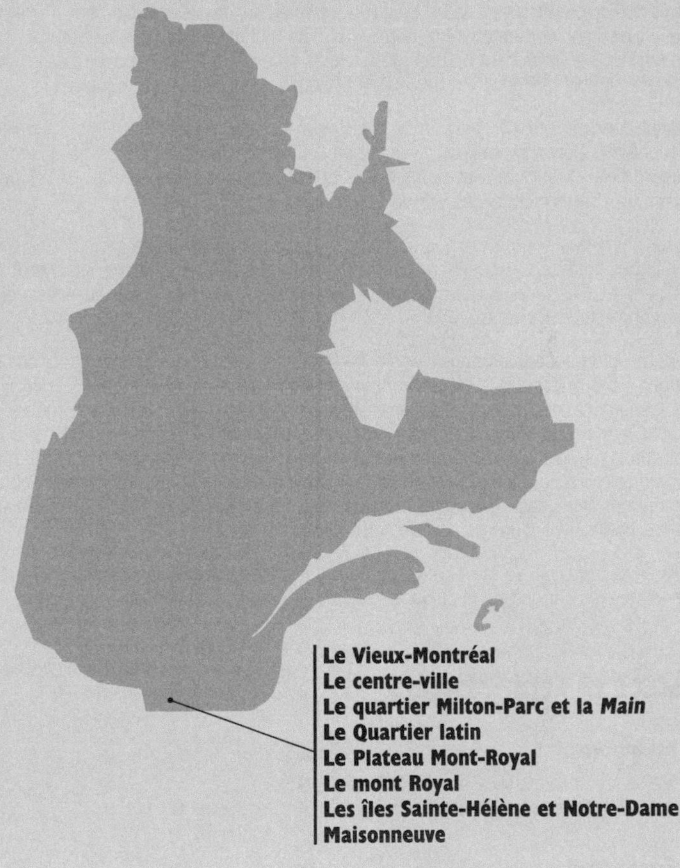
Le Vieux-Montréal
Le centre-ville
Le quartier Milton-Parc et la *Main*
Le Quartier latin
Le Plateau Mont-Royal
Le mont Royal
Les îles Sainte-Hélène et Notre-Dame
Maisonneuve

Ville exceptionnelle, latine, nordique et cosmopolite, **Montréal ★★★** est avant tout la métropole du Québec et la seconde ville francophone du monde après Paris. Ceux qui la visitent l'apprécient d'ailleurs pour des raisons souvent fort diverses, si bien que, tout en parvenant à étonner les voyageurs d'outre-Atlantique par son caractère anarchique et sa nonchalance, Montréal réussit à charmer les touristes américains par son cachet européen.

Il faut dire qu'on y trouve d'abord ce qu'on y recherche, et assez facilement d'ailleurs, car la ville est bien souvent en équilibre entre plus d'un monde: solidement amarrée à l'Amérique du Nord tout en regardant du côté de l'Europe, revendiquée par le Québec et le Canada, et toujours, semble-t-il, en pleine mutation économique, sociale et démographique.

Elle est donc plutôt difficile à cerner, cette ville. Si Paris possède ses Grands Boulevards et sa tour Eiffel, New York, ses gratte-ciel et sa célèbre statue de la Liberté, qu'est-ce qui symbolise le mieux Montréal? Ses nombreuses et belles églises? Ses espaces verts? Son Stade olympique? Ses somptueuses demeures victoriennes?

En fait, bien que son patrimoine architectural soit riche, on l'aime sans doute d'abord et avant tout pour son atmosphère unique, attachante. De plus, si l'on visite Montréal avec ravissement, c'est avec enivrement qu'on la découvre, car elle est généreuse, accueillante et pas mondaine pour un sou.

En outre, lorsque vient le temps d'y célébrer le jazz, le cinéma, l'humour, la chanson ou la fête nationale des Québécois, c'est par centaines de milliers qu'on envahit ses rues pour faire de ces événements de chaleureuses manifestations populaires. Montréal, une grande ville restée à l'échelle humaine? Certainement. D'ailleurs, derrière les airs de cité nord-américaine que projette sa haute silhouette de verre et de béton, Montréal cache bien mal le fait qu'elle est d'abord une ville de quartiers, de «bouts de rue», qui possèdent leurs propres églises, leurs commerces, leurs restaurants, leurs brasseries, bref, leurs caractères, façonnés au fil des années par l'arrivée d'une population aux origines diverses.

Fuyante et mystérieuse, la magie qu'opère Montréal n'en demeure pas moins véritable. Et la ville se vit avec passion au jour le jour ou à l'occasion d'une simple visite.

Accès et déplacements

En avion

La ville de Montréal est desservie par l'**aéroport international Pierre-Elliott-Trudeau** (voir p 41).

En voiture

Voies d'accès

Si vous partez de Québec, vous pouvez emprunter l'autoroute 20 Ouest jusqu'au pont Champlain, puis prendre l'autoroute Bonaventure, qui mène directement au centre-ville. Vous pouvez aussi arriver par l'autoroute 40 Ouest, que vous devez emprunter jusqu'à l'autoroute Décarie (15), d'où vous devez suivre les indications vers le centre-ville.

En arrivant d'Ottawa, empruntez l'autoroute 40 Est jusqu'à l'autoroute Décarie (15), que vous devez prendre en suivant les indications vers le centre-ville. De Toronto, vous arrivez sur l'île de Montréal par l'autoroute 20 Est, puis vous devez prendre l'autoroute Ville-Marie (720) en suivant les indications vers le centre-ville.

Location de voitures

Avis
1225 rue Metcalfe
☎514-866-2847

Budget
Gare centrale
895 rue De La Gauchetière O.
☎514-866-7675

Enterprise
1005 rue Guy
☎514-931-3722

National
1200 rue Stanley
☎514-878-2771

En autocar

La **Station Centrale** *(505 boul. De Maisonneuve E., ☎514-842-2281; métro Berri-UQAM)*, située à l'angle de la rue Berri, est la gare d'autocars

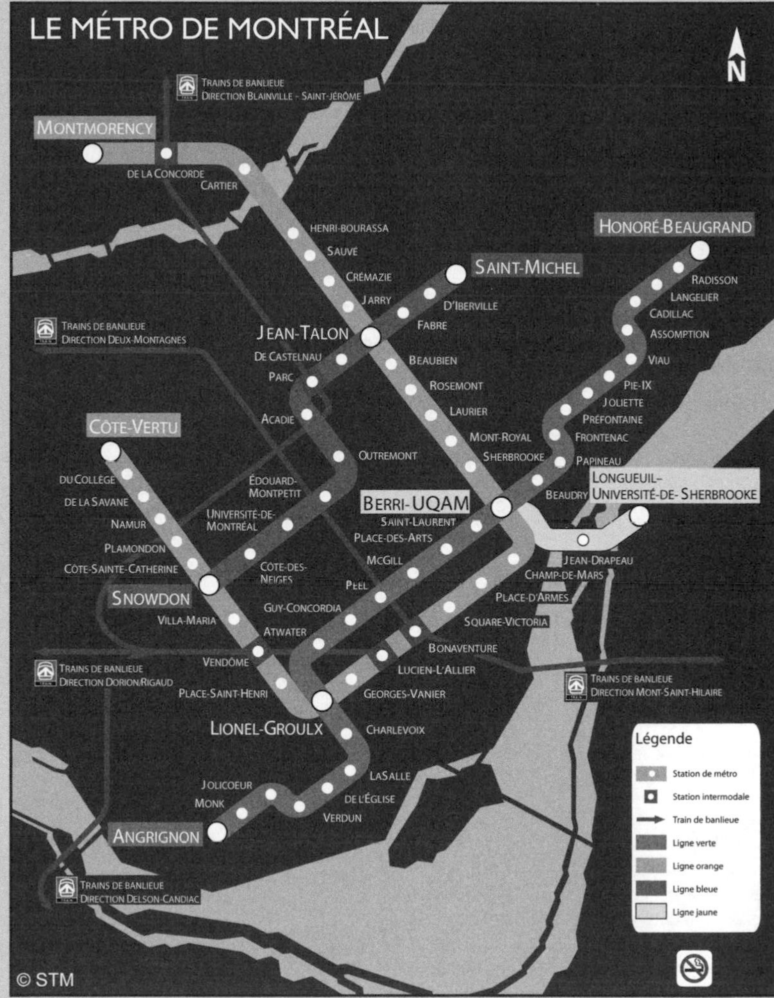

de Montréal. Elle est desservie par des compagnies comme **Greyhound** *(☎800-661-8747, www.greyhound.ca)* et **Orléans Express** *(☎888-999-3977, www.orleansexpress.com)*, qui relient la plupart des grandes villes du Canada et des États-Unis. La gare est bâtie juste au-dessus de la station de métro Berri-UQAM.

■ En train

La **Gare centrale** *(895 rue De La Gauchetière O., ☎514-989-2626 ou 888-842-7245, www.viarail.ca; métro Bonaventure)* est située en plein centre-ville.

■ En transports en commun

Il est fort aisé de visiter Montréal en ayant recours aux transports publics, car la ville est pourvue d'un réseau de lignes d'autobus et de métro qui couvre bien l'ensemble de son territoire.

Pour utiliser le réseau de la **Société de transport de Montréal (STM)** *(www.stm.info)*, on doit se procurer la carte d'accès (CAM) au prix de 68,50$ (valable pour un mois) ou 20$ (valable pour une semaine). La carte mensuelle est en vente quelques jours précédant sa validité. La carte touristique, quant à elle, permet d'utiliser l'autobus et le métro une journée (9$) ou trois jours consécutifs (17$). On peut également acheter six billets pour 12,75$, ou encore opter pour payer 2,75$ à chaque voyage. Les enfants bénéficient de prix réduits. Toutes les cartes et les billets sont en vente dans les stations de métro. **Notez que les chauffeurs d'autobus ne vendent pas de billets et ne font pas de monnaie**.

Lorsqu'un trajet nécessite une correspondance (transfert d'autobus au métro ou vice versa), le passager doit demander un billet de correspondance au chauffeur ou le prendre, après avoir franchi les tourniquets du métro, dans la distributrice prévue à cet effet. À l'intérieur du métro, on peut obtenir gratuitement un plan du réseau ainsi que l'horaire de chacune des lignes d'autobus qui desservent la station.

Pour connaître les horaires des autobus, composez le ☎514-288-6287 (correspondant aux lettres du mot «AUTOBUS» sur le clavier du téléphone). Pour toute autre information, visitez le site Internet *www.stm.info* ou composez le ☎514-786-4636.

■ En taxi

Taxi Co-op
☎514-725-9885

Taxi Diamond
☎514-273-6331

Taxi Royal
☎514-274-3333

■ À vélo

Le vélo demeure un des moyens les plus agréables pour se déplacer en été. Des pistes cyclables ont été aménagées afin de permettre aux cyclistes de se promener dans bon nombre de quartiers de la ville. Pour faciliter ses déplacements, on peut se procurer une carte des pistes cyclables aux bureaux d'information touristique.

La **Société de transport de Montréal (STM)** *(☎514-786-4636, www.stm.info)* permet aux usagers de transporter un vélo dans le métro, entre 10h et 15h ou après 19h en semaine et toute la journée les samedis, dimanches et jours fériés.

Renseignements utiles

■ Renseignements touristiques

Centre Infotouriste de Montréal
fin juin à début sept tlj 8h30 à 19h30, reste de l'année tlj 9h à 18h
1255 rue Peel, angle rue Ste-Catherine
métro Peel
☎514-873-2015

Le Centre Infotouriste de Montréal diffuse de l'information détaillée, avec nombre de documents à l'appui (cartes routières, dépliants, guides d'hébergement) sur toutes les régions touristiques du Québec.

Bureau d'accueil touristique du Vieux-Montréal
mai à oct tlj 9h à 19h, nov à avr mer-dim 9h à 17h
174 rue Notre-Dame E.
métro Champ-de-Mars
☎514-874-1696

■ Visites guidées

Architectours (Héritage Montréal)
☎514-286-2662
www.heritagemontreal.qc.ca
Ces promenades à pied sillonnent divers quartiers et sont axées sur l'architecture, l'histoire et l'urbanisme. Les visites sont organisées les fins de semaine du début août à la fin septembre. Elles durent en moyenne 2h et coûtent environ 15$ par personne.

Le Bateau-Mouche
mi-mai à mi-oct
quai Jacques-Cartier, Vieux-Port
☎514-849-9952 ou 800-361-9952
www.bateau-mouche.com
Croisières commentées sur le fleuve montrant Montréal sous un angle nouveau. Le jour, l'excursion dure 1h; les départs se font tous les jours à 13h30, 15h et 16h30. L'excursion du midi dure 90 min, et le départ est à 11h30 (déjeuner compris). Le soir, un dîner est servi à bord; la promenade dure alors 3h30. Comptez environ 27$ pour l'excursion de jour et plus de 89$ pour le dîner.

Attraits touristiques

Le Vieux-Montréal ★★★

p 110 *p 115* *p 126* *p 132*

Au XVIIIe siècle, Montréal était, tout comme Québec, entourée de fortifications en pierres. Entre 1801 et 1817, cet ouvrage défensif fut démoli à l'instigation des marchands, qui y voyaient une entrave au développement de la ville. Cependant, la trame des rues anciennes, comprimée par près de 100 ans d'enfermement, est demeurée en place. Ainsi, le Vieux-Montréal d'aujourd'hui correspond à peu de chose près au territoire couvert par la ville fortifiée.

Au XIXe siècle, ce secteur devient le noyau commercial et financier du Canada. On y construit de somptueux sièges sociaux de banques et

LE VIEUX-MONTRÉAL

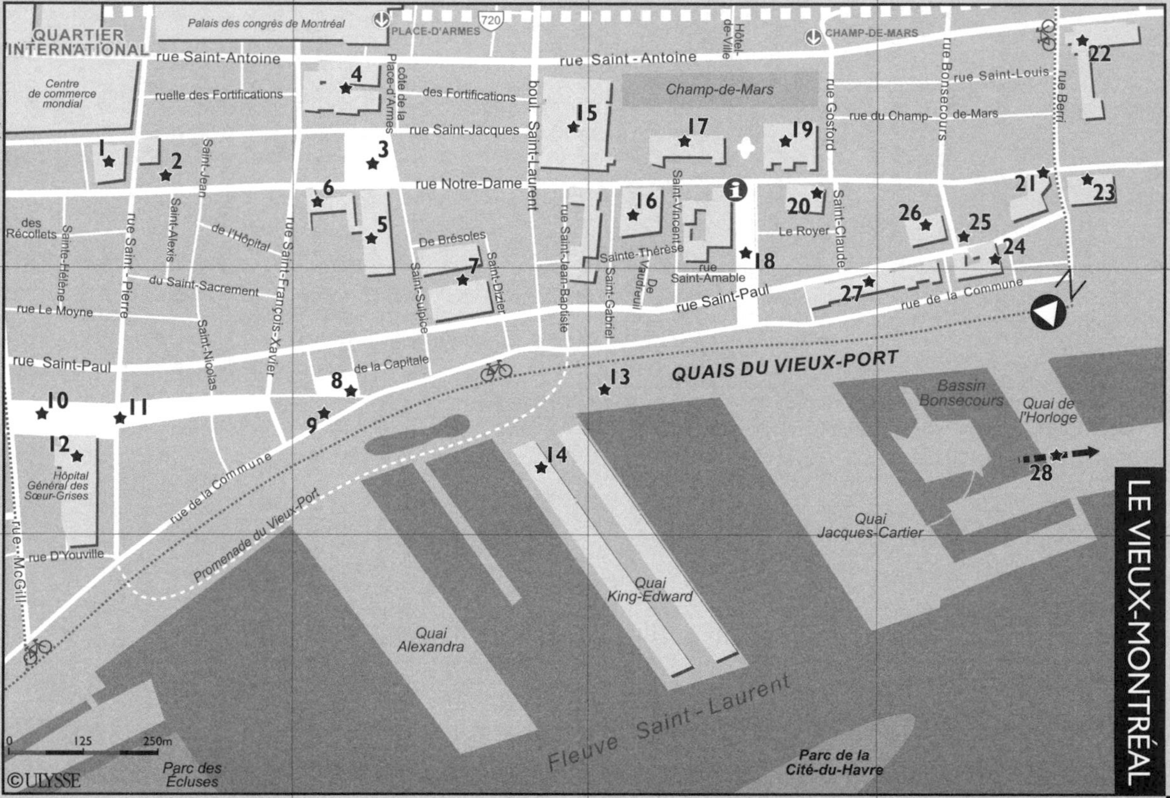

★ ATTRAITS TOURISTIQUES

1. AX Banque Royale
2. AX Banque Molson
3. BX Place d'Armes / monument à Maisonneuve
4. BX Banque de Montréal
5. BX Basilique Notre-Dame
6. CX Vieux Séminaire Saint-Sulpice
7. BY Cours Le Royer
8. BY Place Royale / maison de la Douane
9. BY Pointe-à-Callière, musée d'archéologie et d'histoire de Montréal
10. AY Place D'Youville
11. AY Centre d'histoire de Montréal
12. AY Hôpital Général des Sœurs Grises / maison de mère d'Youville
13. CY Vieux-Port de Montréal
14. BY Centre des sciences de Montréal
15. BX Palais de justice
16. CX Édifice Ernest-Cormier
17. CX Ancien palais de justice
18. CX Place Jacques-Cartier / colonne Nelson
19. CX Hôtel de ville
20. CX Musée du Château Ramezay
21. DX Lieu historique national Sir-George-Étienne-Cartier
22. DX Gare Viger
23. DX Gare Dalhousie
24. DX Chapelle Notre-Dame-de-Bon-Secours / musée Marguerite-Bourgeoys
25. DX Maison Pierre du Calvet
26. DX Maison Papineau
27. CY Marché Bonsecours
28. DY Tour de l'Horloge

©ULYSSE

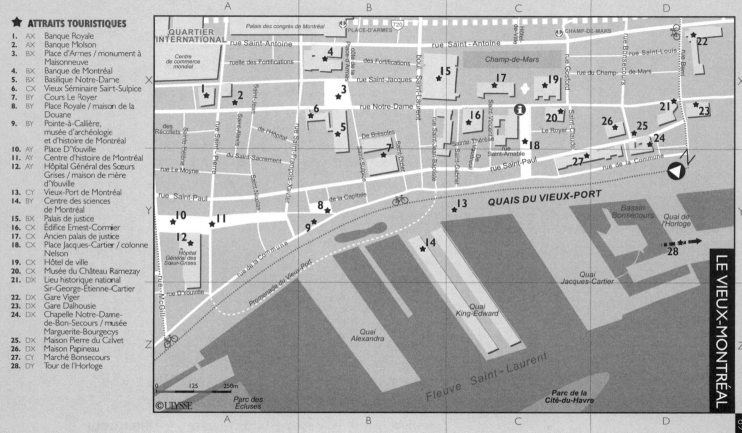

de compagnies d'assurances, ce qui entraîne la destruction de la quasi-totalité des bâtiments du Régime français.

Puis, au XXe siècle, après une période d'abandon de 40 ans au profit du centre-ville moderne, le long processus visant à redonner vie au Vieux-Montréal a été enclenché avec les préparatifs de l'Exposition universelle de 1967 et se poursuit, de nos jours, à travers de nombreux projets de recyclage et de restauration. Cette revitalisation connaît même un second souffle depuis la fin des années 1990. Des hôtels de marque sont aménagés dans des édifices historiques, alors que plusieurs Montréalais renouent avec la vieille ville en y déménageant leurs pénates.

››› *Le circuit débute à l'extrémité ouest du Vieux-Montréal, rue Saint-Jacques (métro Square-Victoria). Derrière vous se trouve le* ***square Victoria*** *(voir p 86), décrit dans le circuit portant sur le centre-ville de Montréal et son Quartier international.*

La **rue Saint-Jacques** a été pendant plus de 100 ans l'artère de la haute finance canadienne. Cette particularité se reflète dans son architecture riche et variée, véritable encyclopédie des styles de la période 1830-1930. Les banques, les compagnies d'assurances, tout comme les grands magasins et les sociétés ferroviaires ou maritimes du pays, étaient alors contrôlés, pour une bonne part, par des Écossais devenus Montréalais, attirés par les perspectives d'enrichissement qu'offraient les colonies.

Il faut pénétrer dans le hall de l'ancien siège social de la **Banque Royale ★★** *(360 rue St-Jacques; métro Square-Victoria)* pour admirer les hauts plafonds de ce «temple de la finance», érigé à une époque où les banques devaient se doter de bâtiments imposants afin de donner confiance à l'épargnant. On remarquera, sur le pourtour du hall en pierre de Caen, les armoiries des 10 provinces canadiennes ainsi que celles de Montréal (croix de Saint-Georges) et d'Halifax (oiseau jaune), où la banque a été fondée en 1861.

La **Banque Molson ★** *(288 rue St-Jacques; métro Square-Victoria)* a été fondée en 1853 par la famille Molson, célèbre pour sa brasserie mise sur pied par l'ancêtre John Molson (1763-1836) en 1786. À l'instar d'autres banques de l'époque, la Banque Molson imprimait même son propre papier-monnaie. C'est dire toute la puissance de ses propriétaires, qui ont beaucoup contribué au développement de Montréal. L'édifice, achevé en 1866, est un des premiers exemples du style Second Empire, aussi appelé style Napoléon III, à avoir été érigé au Canada. Ce style d'origine française, ayant pour modèle le Louvre et l'Opéra de Paris, a connu une grande popularité en Amérique entre 1865 et 1890. On remarquera, au-dessus de l'entrée, les têtes de Thomas Molson et de deux de ses enfants, sculptées dans le grès.

››› *Longez la rue Saint-Jacques jusqu'à la place d'Armes, que l'on découvre soudainement.*

Sous le Régime français, la **place d'Armes ★★** *(métro Place-d'Armes)* constituait le cœur de la cité. Utilisée pour des manœuvres militaires et des processions religieuses, elle comportait aussi le puits Gadoys, principale source d'eau potable de l'agglomération. En 1847, la place se transforme en un joli jardin victorien, ceinturé d'une grille, qui disparaîtra au début du XXe siècle pour faire place au terminus des tramways. Entre-temps, on y installe en 1895 le **monument à Maisonneuve ★★** du sculpteur Philippe Hébert, qui représente le fondateur de Montréal, Paul de Chomedey, sieur de Maisonneuve, entouré de personnages ayant marqué les débuts de la ville, soit Jeanne Mance, fondatrice de l'Hôtel-Dieu, Lambert Closse avec sa chienne Pilote, ainsi que Charles Le Moyne, chef d'une famille d'explorateurs célèbres. Un guerrier iroquois complète le tableau.

Cette place de forme trapézoïdale est entourée de plusieurs édifices dignes de mention. La **Banque de Montréal ★★** *(119 rue St-Jacques; métro Place-d'Armes)*, fondée en 1817 par un groupe de marchands, est la plus ancienne institution bancaire du pays. L'ancien siège social de la Banque de Montréal (déménagé à Toronto) occupe tout un quadrilatère au nord de la place d'Armes, au centre duquel trône le magnifique édifice de John Wells abritant le hall bancaire, construit en 1847 sur le modèle du Panthéon romain. Son portique corinthien est un monument à la puissance commerçante des marchands écossais. En 1970, les chapiteaux de ses colonnes, gravement endommagés par la pollution, ont été remplacés par des répliques en aluminium. Dans le fronton se trouve un bas-relief en pierre de Binney, exécuté en Écosse par le sculpteur de Sa Majesté, Sir John Steele. Il représente les armoiries de la banque.

Au no 511 Place-d'Armes, la surprenante tour de grès rouge, élevée en 1888 pour la compagnie d'assurances New York Life, est considérée comme le premier gratte-ciel montréalais, avec seulement huit étages. L'édifice voisin *(507 Place-d'Armes)* comporte de beaux détails Art déco. Il est un des premiers immeubles Montréalais à avoir dépassé les 10 étages, à la suite de l'abrogation, en 1927, du règlement limitant la hauteur des édifices.

››› *Du côté sud de la place d'Armes, on retrouve la basilique Notre-Dame ainsi que le Vieux Séminaire Saint-Sulpice.*

En 1663, la seigneurie de l'île de Montréal est acquise par les Messieurs de Saint-Sulpice de Paris. Ces derniers en demeureront les maîtres incontestés jusqu'à la conquête britannique (1759-1760). En plus de distribuer des terres aux colons et de tracer les premières rues de la ville, les Sulpiciens font ériger de nombreux bâtiments, notamment la première église paroissiale de Montréal en 1673. Placé sous le vocable de Notre-Dame, ce lieu de culte orné d'une belle façade baroque s'inscrivait dans l'axe de la rue du même nom, formant ainsi une agréable perspective, caractéristique de l'urbanisme classique français. Mais, au début du XIXe siècle, cette petite église villageoise faisait piètre figure, lorsque comparée à la cathédrale anglicane de la rue Notre-Dame et à la nouvelle cathédrale catholique de la rue Saint-Denis, deux édifices aujourd'hui disparus.

Les Sulpiciens décidèrent alors de marquer un grand coup afin de surpasser pour de bon leurs rivaux. En 1823, ils demandent à l'architecte new-yorkais d'origine irlandaise protestante James O'Donnell de dessiner la plus vaste et la plus originale des églises au nord du Mexique, au grand dam des architectes locaux.

La **basilique Notre-Dame** ★★★ *(5$; lun-ven 9h à 16h, sam 9h à 15h30, dim 12h30 à 15h30; 110 rue Notre-Dame O., ☎514-842-2925 ou 866-842-2925, www.basiliquenddm.org; métro Place-d'Armes)*, construite entre 1824 et 1829, est un véritable chef-d'œuvre du style néogothique en Amérique. Il ne faut pas y voir une réplique d'une cathédrale d'Europe, mais bien un bâtiment foncièrement néoclassique de la révolution industrielle, sur lequel est apposé un décor d'inspiration médiévale. Notez que les visites sont limitées les samedis d'été en raison des nombreux mariages.

O'Donnell fut tellement satisfait de son œuvre qu'il se convertit au catholicisme avant de mourir, afin d'être inhumé sous l'église. Le décor intérieur d'origine, jugé trop sévère, fut remplacé par le fabuleux décor polychrome actuel entre 1874 et 1880. Exécuté par Victor Bourgeau, champion de la construction d'églises dans la région de Montréal, et par une cinquantaine d'artisans, il est entièrement de bois peint et doré à la feuille.

On remarquera en outre le baptistère, décoré de fresques du peintre Ozias Leduc, le puissant orgue Casavant de 7 000 tuyaux, fréquemment mis à contribution lors des nombreux concerts donnés à la basilique, ainsi que les vitraux du maître-verrier limousin Francis Chigot, qui dépeignent des épisodes de l'histoire de Montréal et qui furent installés lors du centenaire de l'église.

Le **Vieux Séminaire Saint-Sulpice** ★ *(130 rue Notre-Dame O.; métro Place-d'Armes)* fut construit en 1683 sur le modèle des hôtels particuliers parisiens, érigés entre cour et jardin. C'est le plus ancien édifice de la ville. Depuis plus de trois siècles, il est habité par les Messieurs de Saint-Sulpice, qui en ont fait, sous le Régime français, le manoir d'où ils administraient leur vaste seigneurie. À l'époque de sa construction, Montréal comptait à peine 500 habitants, terrorisés par les attaques incessantes des Iroquois. Le séminaire, même s'il semble somme toute modeste, représentait dans ce contexte un précieux morceau de civilisation européenne au milieu d'une contrée sauvage et isolée. L'horloge publique, installée au sommet de la façade en 1701, serait la plus ancienne du genre au Nouveau Monde.

››› *Empruntez la rue Saint-Sulpice, qui longe la basilique.*

Les immenses entrepôts du **Cours Le Royer** ★ *(angle des rues St-Paul et St-Sulpice; métro Place-d'Armes)* ont été conçus entre 1860 et 1871 par Michel Laurent et Victor Bourgeau, dont c'est une des seules réalisations commerciales, pour les religieuses hospitalières de Saint-Joseph, qui les louaient à des importateurs. Ils sont situés sur l'emplacement même du premier Hôtel-Dieu de Montréal, fondé par Jeanne Mance en 1642 et inauguré en 1645. L'ensemble de 43 000 m² a été recyclé en appartements et en bureaux entre 1977 et 1986. À cette occasion, la petite rue Le Royer a été excavée pour permettre l'aménagement d'un stationnement souterrain, recouvert d'un agréable passage piétonnier.

››› *Tournez à droite dans la rue Saint-Paul, puis rejoignez la place Royale, sur votre gauche.*

Plus ancienne rue montréalaise, tracée en 1672 par l'arpenteur Bénigne de Basset selon le plan de l'urbaniste et historien Dollier de Casson, la **rue Saint-Paul** fut pendant longtemps la principale artère commerciale de Montréal. C'est probablement la rue la plus emblématique du Vieux-Montréal, une rue que l'on a plaisir à arpenter car elle est bordée de beaux immeubles de pierres datant du XIXe siècle et abritant des galeries d'art et des boutiques d'artisanat.

Plus ancienne place publique de Montréal, la **place Royale** *(métro Place-d'Armes)* existe depuis 1657. D'abord place de marché, elle devient, à son tour, un joli square victorien entouré d'une grille, avant d'être surélevée pour permettre l'aménagement d'une crypte archéologique pour le musée Pointe-à-Callière en 1991.

À l'extrémité nord de la place Royale, la **maison de la Douane** est un bel exemple d'architecture néoclassique britannique telle que transposée au Canada. Les lignes sévères du bâtiment, accentuées par le revêtement de pierres grises locales, sont compensées par ses proportions agréables et ses allusions simplifiées à l'Antiquité. L'édifice construit en 1836 fait aujourd'hui également partie du musée Pointe-à-Callière.

L'établissement muséologique dénommé **Pointe-à-Callière, musée d'archéologie et d'histoire de Montréal** ★★ *(14$; sept à juin mar-ven 10h à 17h, sam-dim 11h à 17h; juil et août lun-ven 10h à 18h, sam-dim 11h à 18h; 350 place Royale, ☎514-872-9150, www.pacmusee.qc.ca; métro Place-d'Armes)* se trouve à l'emplacement même où Montréal fut fondée le 17 mai 1642, soit la pointe à Callière. Un obélisque commémoratif, aujourd'hui situé au centre de la place D'Youville, y a été érigé en 1893. Là où commence la place D'Youville coulait autrefois la petite rivière Saint-Pierre; là où se trouve la rue de la Commune s'approchait la rive boueuse du fleuve, découpant ainsi une pointe isolée sur laquelle les premiers colons érigèrent le fort Ville-Marie. Les dirigeants de la colonie décidèrent bientôt d'installer la ville sur la rive voisine, où se trouvent de nos jours les rues Saint-Paul et Notre-Dame, un héritage de cette époque. Le site du fort fut par la suite occupé par un cimetière et par le château du gouverneur de Callière, d'où son nom.

Le musée utilise les techniques les plus modernes pour présenter aux visiteurs un intéressant panorama de l'histoire de la ville. Un spectacle multimédia avec conversations de personnages holographiques, une visite des vestiges découverts sur le site, de belles maquettes représentant différents stades du développement de la place Royale et des expositions thématiques composent le menu de ce musée érigé pour les fêtes du 350e anniversaire de Montréal (1992).

››› *Dirigez-vous vers la place D'Youville, à l'ouest du musée.*

La forme allongée de la **place D'Youville** ★, qui s'étend de la place Royale à la rue McGill, vient de ce qu'elle est aménagée sur le lit de la rivière Saint-Pierre, canalisée en 1832.

Au milieu de la place D'Youville se dresse l'ancienne caserne de pompiers nº 3, rare exemple d'architecture d'inspiration flamande au Québec. Le bâtiment abrite le **Centre d'histoire de Montréal** ★ *(6$; mar-dim 10h à 17h; 335 place D'Youville, ☎514-872-3207, www.ville.montreal.qc.ca/chm)*. Une belle petite exposition occupe le rez-de-chaussée. On y voit divers objets retraçant l'histoire de Montréal. Depuis les moments marquants comme Expo 67 jusqu'aux détails de la vie quotidienne à diverses époques, en passant par des événements comme des grèves ou la démolition de bâtiments du patrimoine architectural, on suit l'évolution de la ville grâce à des présentations animées. L'aspect sonore, entre autres, y est important. On a par exemple enregistré le témoignage de Montréalais de différentes origines qui racontent leur ville. Aux étages supérieurs se tiennent des expositions temporaires, tout aussi animées que l'exposition permanente, qui se rattachent à des communautés culturelles ou à des quartiers de la ville de Montréal. On y a installé une passerelle vitrée d'où l'on peut observer le Vieux-Montréal.

››› *Tournez à gauche dans la rue Saint-Pierre.*

La communauté des sœurs de la Charité est mieux connue sous le nom de Sœurs Grises, sobriquet dont on avait affublé les religieuses accusées à tort de vendre de l'alcool aux Amérindiens et ainsi de les «griser». En 1747, la fondatrice de la communauté, Marguerite d'Youville, prend en main l'ancien hôpital des frères Charon, fondé en 1693, qu'elle transforme en **Hôpital Général des Sœurs Grises** ★ *(138 rue St-Pierre; métro Square-Victoria)*, où sont hébergés les «enfants trouvés» de la ville. Seule l'aile ouest et les ruines de la chapelle subsistent de ce complexe des XVIIe et XVIIIe siècles, aménagé en forme de *H*. On peut y visiter la **Maison de mère d'Youville** *(entrée libre; sur rendez-vous; ☎514-842-9411)*, qui retrace l'histoire de la fondatrice de la communauté. L'autre partie, qui composait auparavant une des belles perspectives classiques de la vieille ville, fut éventrée lors du prolongement de la rue Saint-Pierre en plein milieu de la chapelle. Le transept droit et une partie de l'abside, visibles sur la droite, ont été solidifiés pour recevoir une œuvre représentant les textes des lettres patentes de la congrégation.

››› *Traversez la rue de la Commune pour rejoindre les Quais du Vieux-Port, en bordure du fleuve.*

Le port de Montréal est l'un des plus importants ports intérieurs du continent. Il s'étend sur 25 km le long du fleuve, de la Cité-du-Havre aux raffineries de l'est de l'île. Le **Vieux-Port de Montréal** ★ *(www.vieuxportdemontreal.com; métro Place-d'Armes ou Champ-de-Mars)* correspond à la portion historique du havre, située devant la ville ancienne. Délaissé à cause de sa vétusté, il a été réaménagé entre 1983 et 1992 pour accueillir les promeneurs, à l'instar de plusieurs zones portuaires centrales nord-américaines. Les **Quais du Vieux-Port** *(www.quaisduvieuxport.com)* comportent un agréable parc linéaire, aménagé sur les remblais et doublé d'une promenade le long des quais offrant une «fenêtre» sur le fleuve de même que sur les quelques activités maritimes qui ont heureusement été préservées. L'agencement met en valeur les vues sur l'eau, sur le centre-ville et sur la rue de la Commune, qui dresse devant la ville sa muraille d'entrepôts néoclassiques en pierres grises, représentant l'un des seuls exemples d'aménagement dit en «front de mer» en Amérique du Nord. Du Vieux-Port, on peut faire une excursion sur le fleuve avec **Le Bateau-Mouche** (voir p 68).

Sur la droite, dans l'axe de la rue McGill, est située l'embouchure du **canal de Lachine** ★, inauguré en 1825. Cette voie navigable permettait enfin de contourner les infranchissables rapides de Lachine, en amont de Montréal, donnant ainsi accès aux Grands Lacs et au Midwest américain. Le canal devint en outre le berceau de la révolution industrielle canadienne, les filatures et les minoteries tirant profit de son eau comme force motrice, tout en bénéficiant d'un système d'approvisionnement et d'expédition direct, du bateau à la manufacture.

Fermé en 1970, soit 11 ans après l'ouverture de la Voie maritime du Saint-Laurent en 1959, le canal a été pris en charge par le Service canadien des parcs, qui a aménagé sur ses berges une piste cyclable entre le Vieux-Port et Lachine. Les écluses qui se trouvent dans le Vieux-Port, restaurées en 1991, sont adjacentes à un parc et à une audacieuse Maison des éclusiers. Derrière se dresse le dernier des grands **silos à grains** du Vieux-Port. Cette structure de béton armé, érigée en 1905, avait suscité l'admiration de Walter Gropius et du Corbusier lors de leur voyage d'études. Elle est maintenant éclairée tel un monument. Derrière, on aperçoit l'étrange amoncellement de cubes d'**Habitat 67** (voir p 104), alors que, sur la gauche, se trouve la **gare maritime Iberville du Port de Montréal** *(☎514-283-7011)*, où accostent les paquebots en croisière sur le fleuve Saint-Laurent.

À l'est, le quai King-Edward accueille le **Centre des sciences de Montréal** *(12$; lun-ven 9h à 16h, sam-dim et lundis fériés 10h à 17h; quai King-Edward, ☎514-496-4724 ou 877-496-4724, www.centredessciencesdemontreal.com; métro Place-d'Armes)*, un complexe récréotouristique et interactif de sciences et de divertissements installé dans un hangar recyclé en un bâtiment d'architecture moderne. Il abrite un cinéma IMAX, un ciné-jeu interactif, sorte de jeu vidéo collectif sur grand écran, ainsi que des restaurants et des boutiques.

››› *Longez la promenade des Quais du Vieux-Port jusqu'au boulevard Saint-Laurent, que vous emprunterez vers le nord, puis tournez à droite dans la rue Notre-Dame.*

Après les secteurs des affaires et des entrepôts, on aborde maintenant le quartier des institutions civiques et judiciaires, où pas moins de trois palais de justice se côtoient en bordure de la rue Notre-Dame. Le nouveau **palais de justice** *(1 rue Notre-Dame E.; métro Champ-de-Mars)*, inauguré en 1971, écrase les alentours par ses volumes massifs. La sculpture de son parvis, intitulée *Allegrocube*, est de l'artiste Charles Daudelin. Un mécanisme permet d'ouvrir et de fermer cette «main de la Justice» stylisée.

De son inauguration en 1926 jusqu'à sa fermeture en 1970, l'**édifice Ernest-Cormier** ★★ *(100 rue Notre-Dame E.; métro Champ-de-Mars)* a reçu les causes criminelles puis accueillit le Conservatoire de musique et d'art dramatique de 1975 à 2001. On doit entre autres à l'illustre Ernest Cormier le pavillon principal de l'Université de Montréal et les portes de l'Assemblée générale des Nations Unies à New York. Complètement restauré, l'édifice Ernest-Cormier a retrouvé sa vocation première comme Cour d'appel du Québec en 2004. Il comporte d'exceptionnelles torchères en bronze, coulées à Paris aux ateliers d'Edgar Brandt. Leur installation, en 1925, marque les débuts de l'Art déco au Canada. Le hall principal, revêtu de travertin et percé de trois puits de lumière en forme de coupole, mérite une petite visite.

L'**ancien palais de justice** ★ *(155 rue Notre-Dame E.; métro Champ-de-Mars)*, doyen des palais de justice montréalais, a été érigé entre 1849 et 1856 à l'emplacement du premier palais de justice de 1800. Il s'agit d'un autre bel exemple d'architecture néoclassique canadienne. À la suite de la division des tribunaux en 1926, le vieux Palais a hérité des causes civiles. Depuis l'ouverture du nouveau palais de justice, à sa gauche, le vieux Palais a été transformé pour accueillir une annexe de l'hôtel de ville, situé à sa droite.

››› *Poursuivez par la rue Notre-Dame. Vous trouverez la place Jacques-Cartier sur votre droite.*

La **place Jacques-Cartier** ★ *(métro Champ-de-Mars)* a été aménagée sur l'emplacement du château de Vaudreuil, incendié en 1803. L'ancienne résidence montréalaise du gouverneur de la Nouvelle-France était sans contredit la plus raffinée des demeures de la ville. Dessinée par l'ingénieur Gaspard Chaussegros de Léry en 1723, elle comportait un escalier en fer à cheval donnant sur un beau portail en pierre de taille, deux pavillons en avancée de part et d'autre du corps principal et un jardin à la française s'étendant jusqu'à la rue Notre-Dame. La forme allongée de la place Jacques-Cartier lui vient de ce que les marchands, ayant racheté la propriété, ont choisi de donner au gouvernement de la Ville une languette de terre, à condition qu'un marché public y soit aménagé, augmentant du coup la valeur des terrains limitrophes, demeurés entre des mains privées.

Rapidement plus nombreux à Montréal qu'à Québec, ville du gouvernement et des troupes d'occupation, les marchands d'origine britannique trouveront différents moyens pour assurer leur visibilité et exprimer leur patriotisme au grand jour. Ainsi, ils seront les premiers au monde, en 1809, à ériger un monument à la mémoire de l'amiral Horatio Nelson, vainqueur de la flotte franco-espagnole à Trafalgar. On raconte qu'ils auraient même enivré des Canadiens français pour leur extorquer une contribution au financement du projet. La base de la **colonne Nelson** fut dessinée et exécutée à Londres. Elle regroupe des bas-reliefs relatant les exploits du célèbre amiral à Aboukir, à Copenhague et, bien sûr, à Trafalgar. La statue de Nelson, au sommet, était à l'origine en pierre artificielle Coade, mais elle fut à maintes reprises endommagée par des manifestants, jusqu'à son remplacement par une réplique en fibre de verre en 1981. La colonne Nelson est le plus ancien monument qui subsiste à Montréal.

À l'autre extrémité de la place, on aperçoit le **quai Jacques-Cartier** et le fleuve, alors que, sur la droite, à mi-course, se cache la petite **rue Saint-Amable**, où se regroupent les artistes et artisans vendant bijoux, dessins et gravures pendant la belle saison.

Sous le Régime français, Montréal avait, à l'instar de Québec et de Trois-Rivières, son propre gouverneur, qui ne doit pas être confondu avec le gouverneur de la Nouvelle-France dans son ensemble. Il en sera de même sous le Régime anglais. Il faut attendre 1833 pour qu'un premier maire élu prenne en main la destinée de la ville. Ce sera Jacques Viger (1787-1858), homme féru d'histoire, qui donnera à Montréal sa devise (*Concordia Salus*) et ses armoiries, formées des quatre symboles des peuples «fondateurs», soit le castor canadien-français, auquel peut se substituer la fleur de lys, le trèfle irlandais, le chardon écossais et la rose anglaise.

Après avoir logé dans des bâtiments inadéquats pendant des décennies (mentionnons simplement l'incident de l'aqueduc Hayes, édifice comportant un immense réservoir d'eau sous lequel se trouvait la salle du Conseil, et qui se fissura un jour en pleine séance; on imagine la suite), l'administration municipale put enfin emménager dans l'édifice actuel en 1878: l'**hôtel de ville** ★★ *(275 rue Notre-Dame E.; métro Champ-de-Mars)*. Bel exemple du style Second Empire ou Napoléon III, il est l'œuvre d'Henri-Maurice Perrault, auteur du palais de justice voisin. En 1922, un incendie (encore un!) détruisit l'intérieur et la toiture de l'édifice. Celle-ci fut rétablie en 1926 en prenant pour modèle l'hôtel de ville de Tours en France. Des expositions se tiennent sporadiquement dans le hall d'honneur, qu'on atteint par l'entrée principale. C'est du balcon de l'hôtel de ville que le général de Gaulle a lancé son fameux «*Vive le Québec libre*» en 1967, au plus grand plaisir de la foule massée devant l'édifice.

››› *Rendez-vous derrière l'hôtel de ville en passant par la jolie* ***place Vauquelin****, située dans le prolongement de la place Jacques-Cartier.*

Réalisée en 1930 par le sculpteur Paul Eugène Bénet, originaire de Dieppe, la statue à la mémoire de l'amiral Jean Vauquelin (1728-1772), défenseur de Louisbourg à la fin du Régime français, fut probablement installée à cet endroit pour faire contrepoids à la colonne Nelson, symbole du contrôle britannique sur le Canada. Descendez l'escalier qui conduit au **Champ-de-Mars**, dont le réaménagement, en 1991, a permis de dégager une partie des vestiges des fortifications qui entouraient jadis Montréal. Tout comme à Québec, Gaspard Chaussegros de Léry est responsable de cet ouvrage bastionné, érigé entre 1717 et 1745. Cependant, les murs de Montréal ne connurent jamais la bataille, la vocation commerciale et le site même de la ville interdisant ce genre de geste téméraire. Les grandes pelouses bordées d'arbres rappellent, quant à elles, que le Champ-de-Mars a été utilisé comme terrain de manœuvre et de parades militaires jusqu'en 1924. On remarquera aussi le dégagement qui permet de s'offrir une vue sur le centre-ville et ses gratte-ciel.

››› *Retournez à la rue Notre-Dame.*

Le **Musée du Château Ramezay** ★ *(9$; mar-dim 10h à 16h30, été tlj 10h à 18h; 280 rue Notre-Dame E., ☎514-861-3708, www.chateauramezay.qc.ca; métro Champ-de-Mars)* est aménagé dans le plus humble des «châteaux» construits à Montréal, et pourtant le seul qui subsiste. Le Château Ramezay a été érigé en 1705 pour le gouverneur de Montréal, Claude de Ramezay, et sa famille.

En 1745, il passe entre les mains de la Compagnie des Indes occidentales, qui en fait son siège nord-américain. On conserve alors dans ses voûtes les précieuses fourrures du Canada, avant qu'elles ne soient expédiées en France. À la Conquête, les Britanniques s'installent au château avant d'être délogés temporairement par l'armée des insurgés américains, qui voudraient bien que le Québec se joigne aux États-Unis en formation. Même Benjamin Franklin vient résider au château pendant quelques mois, en 1775, pour convaincre les Montréalais de devenir citoyens américains.

Après avoir accueilli les premiers locaux de la succursale montréalaise de l'Université Laval de Québec, le bâtiment devient musée en 1895 sous les auspices de la Société d'archéologie et de numismatique de Montréal, fondée par Jacques Viger. On y présente toujours une riche collection de costumes et d'objets usuels des XVIIIe et XIXe siècles, ainsi que de nombreux objets amérindiens. La salle de Nantes est revêtue de belles boiseries d'acajou de style Louis XV, sculptées en 1725 par Germain Boffrand, et qui proviennent du siège nantais de la Compagnie des Indes occidentales.

››› *Longez la rue Notre-Dame jusqu'à l'intersection avec la rue Berri.*

À l'angle de la rue Berri se trouve le **Lieu historique national Sir-George-Étienne-Cartier ★** *(3,90$; début sept à fin déc et début avr à fin mai mer-dim 10h à 12h et 13h à 17h, jan à mars fermé, fin mai à début sept tlj 10h à 18h; 458 rue Notre-Dame E., ☎514-283-2282 ou 888-773-8888, www.pc.gc.ca/cartier; métro Champ-de-Mars)*, composé de deux maisons jumelées, habitées successivement par George-Étienne Cartier, l'un des pères de la Confédération canadienne. On y a recréé un intérieur bourgeois canadien-français du milieu du XIXe siècle. En tout temps, des bandes sonores éducatives et originales accompagnent avec authenticité la visite des lieux.

La rue Berri marque approximativement la frontière est du Vieux-Montréal, et donc de la ville fortifiée du Régime français, au-delà de laquelle s'étendait le faubourg Québec, excavé au XIXe siècle pour permettre l'installation de voies ferrées, ce qui explique la brusque dénivellation entre le coteau Saint-Louis et les gares Viger et Dalhousie.

La **gare Viger**, que l'on aperçoit sur la gauche, a été inaugurée par le Canadien Pacifique en 1897 pour desservir l'est du pays. Sa ressemblance avec le Château Frontenac de Québec n'est pas fortuite, puisqu'elle a été dessinée pour la même société ferroviaire et par le même architecte, l'Américain Bruce Price. La gare de style château, fermée en 1935, comprenait également un hôtel prestigieux et de grandes verrières, aujourd'hui disparues.

La petite **gare Dalhousie** *(514 rue Notre-Dame; métro Champ-de-Mars)*, en contrebas de la maison George-Étienne-Cartier, a été la première gare du Canadien Pacifique, entreprise formée pour la construction d'un chemin de fer transcontinental canadien. Elle a été le théâtre du départ du premier train transcontinental, à destination de Port Moody (à 20 km de Vancouver), le 28 juin 1886.

La gare Dalhousie a longtemps abrité l'École nationale de cirque de Montréal, qui a emménagé dans un bâtiment érigé dans ce qui est désormais appelé TOHU, la Cité des arts du cirque, dans le nord de l'île de Montréal. C'est la compagnie de cirque Eloize qui loge maintenant dans la gare Dalhousie.

››› *Tournez à droite dans la rue Berri, puis encore à droite dans la rue Saint-Paul, qui offre une belle perspective sur le dôme du marché Bonsecours. Continuez tout droit jusqu'à la chapelle Notre-Dame-de-Bon-Secours.*

Une première chapelle fut érigée à cet endroit en 1658, à l'instigation de Marguerite Bourgeoys, fondatrice de la congrégation de Notre-Dame. La **chapelle Notre-Dame-de-Bon-Secours ★** *(400 rue St-Paul E.; métro Champ-de-Mars)* actuelle date de 1771, alors que les Messieurs de Saint-Sulpice voulurent établir une desserte de la paroisse mère dans l'est de la ville fortifiée. La chapelle a été mise au goût du jour vers 1890, au moment où l'on a ajouté la façade actuelle en pierres bossagées ainsi que la chapelle aérienne donnant sur le port, d'où l'on bénissait autrefois les navires et leur équipage en partance pour l'Europe. L'intérieur, refait à la même époque, contient de nombreux *ex-voto* offerts par des marins sauvés d'un naufrage. Certains prennent la forme de maquettes de navires, suspendues au plafond de la nef. La chapelle est aujourd'hui le lieu de divers concerts et activités, en collaboration avec le Musée Marguerite-Bourgeoys (voir ci-dessous).

Entre 1996 et 1998, on a effectué des fouilles sous la nef de la chapelle qui ont mis au jour plusieurs objets amérindiens préhistoriques. Aujourd'hui le **Musée Marguerite-Bourgeoys ★** *(8$; mai à oct mar-dim 10h à 17h30, nov à mi-jan mar-dim 11h à 15h30, mars à avr mar-dim 11h à 15h30, fermé mi-jan à fév; 400 rue St-Paul E., ☎514-282-8670, www.marguerite-bourgeoys.com)* expose ces intéressantes pièces archéologiques, mais il y a encore plus à découvrir. Attenant à la chapelle

Notre-Dame-de-Bon-Secours, il nous entraîne dans les dédales de l'histoire, depuis le haut de la tour du clocher, d'où la vue est imprenable, jusqu'aux profondeurs de la crypte, où les vieilles pierres parlent par elles-mêmes. Vous en apprendrez plus sur la vie de Marguerite Bourgeoys, pionnière de l'éducation au Québec, et pourrez voir son authentique portrait et découvrir l'énigme l'entourant... Des visites guidées permettent également de découvrir le site archéologique abritant les fondations de cette chapelle de pierres, la plus ancienne de Montréal.

››› *Tournez à droite dans la rue Bonsecours.*

Datant de 1725, la **maison Pierre du Calvet** ★ *(401 rue Bonsecours)* est représentative de l'architecture urbaine française du XVIIIe siècle, adaptée au contexte local, puisque l'on y trouve les épais murs de moellons noyés dans le mortier, les contre-fenêtres extérieures apposées devant des fenêtres à vantaux à petits carreaux de verre importé de France, mais surtout les hauts murs coupe-feu, imposés par les intendants afin d'éviter la propagation des flammes d'un bâtiment à l'autre. Elle loge depuis plusieurs années l'**Hostellerie Pierre du Calvet** (voir p 111).

La **maison Papineau** ★ *(440 rue Bonsecours; métro Champ-de-Mars)* fut autrefois habitée par Louis-Joseph Papineau (1786-1871), avocat, politicien et chef des mouvements nationalistes canadiens-français jusqu'à l'insurrection de 1837. La maison de 1785, revêtue d'un parement de bois imitant la pierre de taille, a été l'un des premiers bâtiments du Vieux-Montréal à être restauré (1962).

Entre 1845 et 1850, on érige entre la rue Saint-Paul et la rue de la Commune le **Marché Bonsecours** ★★ *(300 rue St-Paul E., www.marche-bonsecours.qc.ca)*, un bel édifice néoclassique en pierres grises, doté de fenêtres à guillotines à l'anglaise. Il comporte un portique, dont les colonnes doriques en fonte furent coulées en Angleterre, et un dôme argenté, qui a longtemps été le symbole de la ville, à l'entrée du port. Le marché public a été fermé au début des années 1960 à la suite de l'apparition des supermarchés d'alimentation, puis transformé en bureaux municipaux. Rouvert en 1996, on peut aujourd'hui y déambuler au milieu d'une exposition et de diverses boutiques (voir p 132). À l'origine, l'édifice logeait également l'hôtel de ville de Montréal ainsi qu'une salle de concerts à l'étage. Le long de la rue Saint-Paul, on peut voir les anciens celliers du marché, récemment mis au jour, alors que, du grand balcon de la rue de la Commune, on aperçoit le bassin Bonsecours, en partie reconstitué, où accostaient les bateaux à aubes à bord desquels les agriculteurs venaient en ville vendre leurs produits.

››› *Rendez-vous à la place Jacques-Cartier.*

À partir du quai Jacques-Cartier, on aperçoit vers l'est la **tour de l'Horloge** ★ *(début mai à fin sept; au bout du quai de l'Horloge,* ☎ *514-496-7678; métro Champ-de-Mars)*, qui se dresse sur le quai de l'Horloge. Cette structure est en réalité un monument érigé en 1922 à la mémoire des marins de la marine marchande morts au cours de la Première Guerre mondiale, et inauguré par le prince de Galles (futur Édouard VIII) lors de l'une de ses nombreuses visites à Montréal. Au sommet de la tour se trouve un observatoire permettant d'admirer l'île Sainte-Hélène, le pont Jacques-Cartier et l'est du Vieux-Montréal. De la place du Belvédère, située au pied de la tour, on a cette impression étrange d'être sur le pont d'un navire qui glisse lentement sur le fleuve Saint-Laurent en direction de l'Atlantique.

››› *Pour retourner vers le métro, remontez la place Jacques-Cartier, traversez la rue Notre-Dame, la place Vauquelin puis le Champ-de-Mars jusqu'à la station du même nom.*

Le centre-ville ★★★

p 111 p 117 p 126 p 131

Les gratte-ciel du centre-ville donnent à Montréal son visage typiquement nord-américain. Toutefois, à la différence d'autres villes du continent, un certain esprit latin s'infiltre entre les tours pour animer ce secteur de jour comme de nuit. Les bars, les cafés, les grands magasins, les boutiques, les sièges sociaux, deux universités et de multiples collèges sont tous intégrés à l'intérieur d'un périmètre restreint au pied du mont Royal.

Au début du XXe siècle, le centre de Montréal s'est déplacé graduellement de la vieille ville vers ce qui était, jusque-là, le quartier résidentiel huppé de la bourgeoisie canadienne, baptisé le «Golden Square Mile». De grandes artères comme la rue Dorchester, qui deviendra boulevard, lequel portera plus tard le nom de René-Lévesque, étaient alors bordées de demeures palatiales entourées de jardins ombragés. Le centre-ville a connu une transformation radicale en un très court laps de temps, soit entre 1960 et 1967, période qui voit s'ériger la Place Ville Marie, le métro, la ville souterraine, la Place des Arts et plusieurs autres infrastructures qui influencent encore le développement du secteur.

Le circuit du centre-ville débute au Musée des beaux-arts de Montréal, situé rue Sherbrooke à l'angle de la rue Crescent. Prévoyez une demi-journée pour la visite de ce fleuron des musées d'art québécois.

Le **Musée des beaux-arts de Montréal** ★★★ *(15$ pour les expositions temporaires, à moitié prix mer 17h à 21h, entrée libre pour la collection; mar 11h à 17h, sam-dim 10h à 17h, mer-ven 11h à 21h; 1379-1380 rue Sherbrooke O., ☎514-285-2000, mbam.qc.ca; métro Guy-Concordia, autobus 24)*, situé au cœur du centre-ville, est le plus important et le plus ancien musée québécois. Il regroupe des collections variées qui dressent un portrait de l'évolution des arts dans le monde depuis l'Antiquité jusqu'à nos jours. L'institution est installée dans trois pavillons: le pavillon Michal et Renata Hornstein et le pavillon Liliane et David M. Stewart au nº 1379 de la rue Sherbrooke et le pavillon Jean-Noël Desmarais au nº 1380. Seulement 10% de la collection du musée, qui comprend plus de 35 000 objets, est exposée. À celle-ci peuvent se joindre jusqu'à trois expositions temporaires d'envergure internationale présentées simultanément, constituant ainsi un volet appréciable des activités du musée.

Parmi les collections permanentes du musée, les plus intéressantes sont certainement la collection des **Maîtres anciens** *(pavillon Jean-Noël Desmarais, niveau 4)*, qui comprend des toiles, des meubles et des sculptures du Moyen Âge, de la Renaissance ainsi que des périodes baroques et classiques, soit un vaste panorama de l'histoire de l'art européen de l'an 1000 jusqu'à la fin du XVIIIe siècle, la collection d'**Art canadien** *(pavillon Michal et Renata Hornstein, niveau 2)*, véritable fleuron du musée, et la collection d'**Arts décoratifs de la Renaissance au XXIe siècle** *(pavillon Liliane et David M. Stewart, niveau 1)*, composée de meubles et d'objets décoratifs de style international. Pour sa part, l'**espace Marc-Aurèle Fortin** comprend des œuvres qui donnent une vision complète des genres pratiqués par le peintre: portraits, natures mortes, scènes religieuses et paysages, de même que des représentations urbaines de Montréal. Deux nouvelles salles permanentes consacrées à Napoléon Bonaparte et au Premier Empire ont ouvert leurs portes à l'automne 2008.

Descendez la rue Crescent qui borde le musée au sud de la rue Sherbrooke.

La **rue Crescent** ★ *(métro Guy-Concordia)*, perpendiculaire à la rue Sainte-Catherine, a une double personnalité. Au nord du boulevard De Maisonneuve, elle accueille, à l'intérieur d'anciennes maisons en rangée, des antiquaires et des boutiques de luxe, alors qu'au sud on retrouve une concentration de boîtes de nuit, de restaurants et de bars, la plupart précédés de terrasses ensoleillées. Pendant longtemps, la rue Crescent fut connue comme le pendant anglophone de la rue Saint-Denis. Même s'il est vrai qu'elle est toujours la favorite des visiteurs américains, sa clientèle est aujourd'hui plus diversifiée.

Prenez à gauche le boulevard De Maisonneuve, puis à droite la rue Peel.

Les **Cours Mont-Royal** ★ *(1455 rue Peel; métro Peel)* sont reliées au réseau souterrain tentaculaire qui gravite autour des stations de métro. Il s'agit d'un complexe multifonctionnel comprenant quatre niveaux de boutiques, des bureaux et des appartements aménagés dans l'ancien hôtel Mont-Royal. Ce palace des Années folles, inauguré en 1922, était, avec ses quelque 1 100 chambres, le plus vaste hôtel de l'Empire britannique. Mis à part l'extérieur, seule une portion du plafond du hall, auquel est suspendu l'ancien lustre du casino de Monte Carlo, a été conservée lors du recyclage de l'immeuble en 1987. Il faut voir les quatre cours intérieures, hautes de 10 étages, et se promener dans ce qui est peut-être le plus réussi des centres commerciaux du centre-ville. En face, ce qui ressemble à un petit manoir écossais est en fait l'ancien siège social des distilleries Seagram.

Poursuivez vers le sud par la rue Peel jusqu'au square Dorchester.

Le **Centre Infotouriste** *(début sept à fin juin tlj 9h à 18h, fin juin à début sept tlj 8h30 à 19h30; 1255 rue Peel, angle rue Ste-Catherine O., ☎877-266-5687, www.tourisme-montreal.org ou www.bonjourquebec.com; métro Peel)* abrite les comptoirs de plusieurs intervenants du domaine touristique, entre autres les bureaux d'information touristique du gouvernement du Québec.

De 1799 à 1854, le **square Dorchester** ★ *(métro Peel)* était occupé par le cimetière catholique de Montréal. Cette année-là, le cimetière Saint-Antoine fut transféré en partie sur le mont Royal (**cimetière Notre-Dame-des-Neiges**, voir p 98). En 1872, la Ville fait de l'espace libéré deux squares de part et d'autre de la rue Dorchester (actuel boulevard René-Lévesque). La portion nord porte le nom de «square Dorchester» (anciennement le square Dominion), alors que la portion sud fut rebaptisée «place du Canada» lors du centenaire de la Confédération (1967). Plusieurs monuments ornent le square Dorchester: au centre, on peut voir une statue équestre à la mémoire des soldats canadiens tués lors de la guerre des Boers en Afrique du

Sud, puis, sur le pourtour, une belle statue du poète écossais Robert Burns, une sculpture d'après *Le Lion* de Belfort de Bartholdi, offerte par la compagnie d'assurances Sun Life, et le monument du sculpteur Émile Brunet en l'honneur de Sir Wilfrid Laurier, premier ministre du Canada de 1896 à 1911. Le square est aussi le point de départ des visites guidées en autocar.

Le **Windsor** ★ *(1170 rue Peel, www.lewindsor.com; métro Peel)*, l'hôtel où descendaient les membres de la famille royale lors de leurs visites en terre canadienne, n'existe plus. Seule l'annexe de 1906 subsiste, transformée depuis 1986 en édifice de bureaux. La jolie Peacock Alley, de même que les salles de bal, ont cependant été conservées. Un impressionnant atrium, visible des étages supérieurs, a été aménagé pour les locataires. À l'emplacement du vieil hôtel se dresse la **tour CIBC**. Ses parois sont revêtues d'ardoise verte, respectant ainsi les couleurs dominantes des bâtiments du square, qui sont le gris beige de la pierre et le vert du cuivre oxydé.

L'**édifice Sun Life** ★★ *(1155 rue Metcalfe; métro Peel)*, érigé entre 1913 et 1933 pour la puissante compagnie d'assurances Sun Life, fut pendant longtemps le plus vaste édifice de l'Empire britannique. C'est dans cette «forteresse» de l'establishment anglo-saxon, aux colonnades dignes de la mythologie antique, que l'on dissimula les joyaux de la Couronne britannique au cours de la Seconde Guerre mondiale. En 1977, le siège social de la compagnie fut déménagé à Toronto en guise de protestation contre les lois linguistiques favorables au français. Heureusement, le carillon qui sonne à 17h, chaque jour de la semaine, n'a pas été transféré et demeure partie intégrante de l'âme du quartier.

››› *La place du Canada est un prolongement du square Dorchester vers le sud.*

La **place du Canada** ★ *(métro Bonaventure)* accueille le 11 novembre de chaque année la cérémonie du Souvenir, à la mémoire des soldats canadiens tués au cours de la guerre de Corée et des deux guerres mondiales. Les anciens combattants se réunissent autour du Monument aux morts, qui trône au centre de la place. Un monument plus imposant, à la mémoire de Sir John A. Macdonald, premier à avoir été élu premier ministre du Canada en 1867, est situé en bordure du boulevard René-Lévesque.

Avant même qu'il ne soit aménagé en 1872, le square Dorchester est devenu le point de convergence de diverses églises. La **cathédrale Marie-Reine-du-Monde** ★★ *(boul. René-Lévesque O., angle Mansfield; métro Bonaventure)* est une des survivantes des huit temples érigés dans les environs du square entre 1865 et 1875. Siège de l'archevêché de Montréal et rappel de la puissance extrême du clergé jusqu'à la Révolution tranquille, cette cathédrale est une réduction au tiers de la basilique Saint-Pierre-de-Rome.

En 1852, un terrible incendie détruit la cathédrale catholique de la rue Saint-Denis. L'évêque de Montréal à l'époque, l'ambitieux Mgr Ignace Bourget (1799-1885), profitera de l'occasion pour élaborer un projet grandiose qui surpassera enfin l'église Notre-Dame des Sulpiciens et qui assurera la suprématie de l'Église catholique à Montréal. Quoi de mieux alors qu'une réplique de Saint-Pierre-de-Rome élevée en plein quartier protestant. Malgré les réticences de l'architecte Victor Bourgeau, le projet sera mené à terme, l'évêque obligeant même Bourgeau à se rendre à Rome pour mesurer le vénérable édifice. La construction, entreprise en 1870, sera finale-

★ ATTRAITS TOURISTIQUES

1. AX Musée des beaux-arts de Montréal
2. AY Rue Crescent
3. BY Cours Mont-Royal
4. BY Centre Infotouriste
5. BY Square Dorchester
6. BY Windsor / Tour CIBC
7. BY Édifice Sun Life
8. BY Place du Canada
9. BY Cathédrale Marie-Reine-du-Monde
10. BZ Église anglicane St. George
11. AY 1250 Boulevard René-Lévesque
12. BZ Gare Windsor
13. AZ Centre Bell
14. AZ Place du Centenaire
15. AY Centre Canadien d'Architecture / Maison Shaughnessy
16. AY Jardin de sculptures du CCA
17. BZ Château Champlain
18. BZ 1000 De La Gauchetière / Atrium
19. BZ Place Bonaventure
20. BY Place Ville Marie
21. BY Place Montréal Trust
22. BX Tours jumelles BNP / Banque Laurentienne
23. BX Université McGill
24. BX Musée McCord d'histoire canadienne
25. BY Centre Eaton
26. CY Cathédrale Christ Church / Promenades Cathédrale
27. CY Square Phillips
28. CY La Baie
29. CY Église St. James United
30. CY Église du Gesù
31. CY Basilique St. Patrick
32. DY La Vitrine
33. DY Place des Arts
34. DY Musée d'art contemporain de Montréal
35. DY Complexe Desjardins
36. DY Monument-National
37. DZ Palais des congrès de Montréal
38. CZ Place Jean-Paul-Riopelle
39. CZ Centre CDP Capital
40. CZ Tour de la Bourse
41. CZ Square Victoria
42. CZ Maison de l'OACI
43. CZ Centre de commerce mondial de Montréal

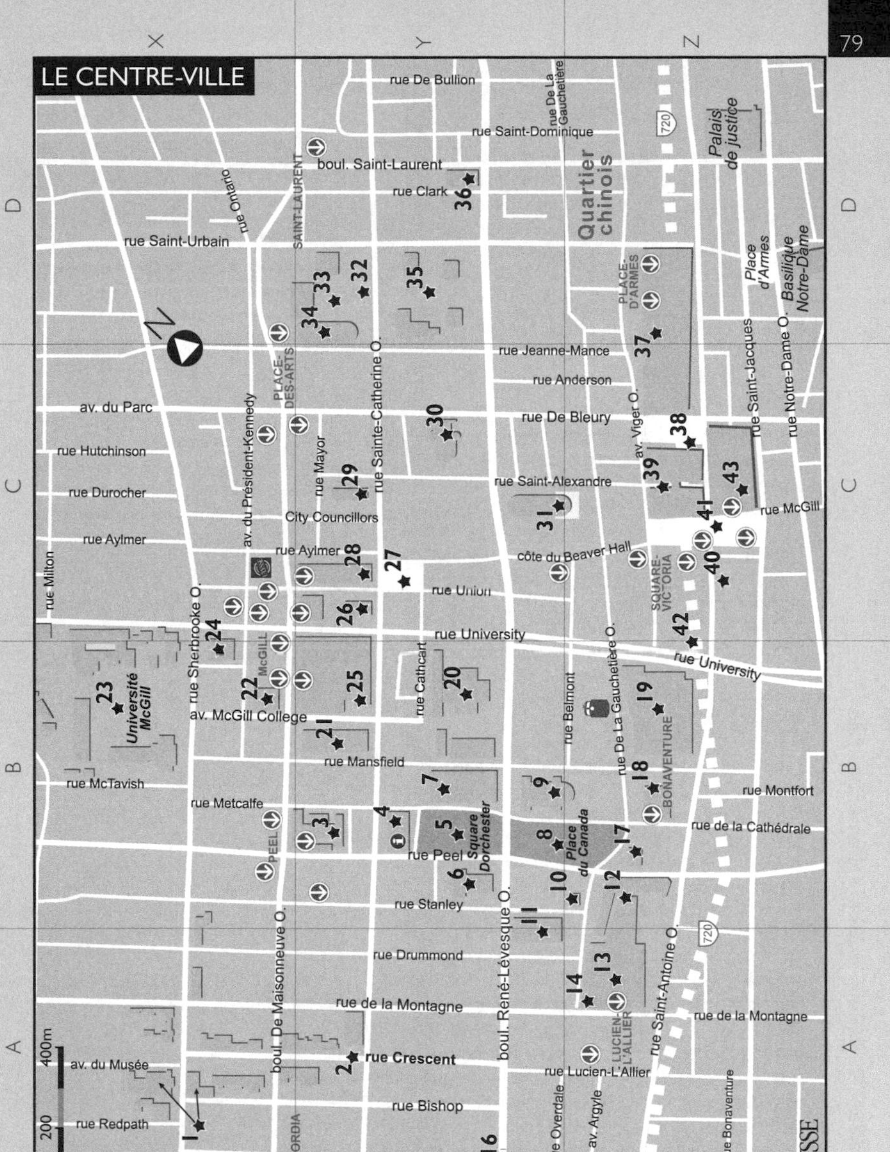
LE CENTRE-VILLE
X
Y
Z
A
B
C
D
rue De Bullion
rue De La Gauchetière
rue Saint-Dominique
boul. Saint-Laurent
SAINT-LAURENT
rue Clark
Quartier chinois
Palais de justice
720
rue Ontario
rue Saint-Urbain
PLACE-D'ARMES
Place d'Armes
Basilique Notre-Dame
PLACE-DES-ARTS
rue Jeanne-Mance
rue Anderson
rue Saint-Jacques
rue Notre-Dame O.
av. du Parc
rue De Bleury
av. Viger O.
rue Hutchinson
av. du Président-Kennedy
rue Mayor
rue Sainte-Catherine O.
rue Saint-Alexandre
rue Durocher
City Councillors
rue McGill
rue Aylmer
côte du Beaver Hall
rue Milton
rue Union
SQUARE-VICTORIA
rue Sherbrooke O.
rue University
McGILL
rue Cathcart
Université McGill
av. McGill College
rue Belmont
rue De La Gauchetière O.
BONAVENTURE
rue Mansfield
rue McTavish
rue Metcalfe
rue Montfort
PEEL
Square Dorchester
rue de la Cathédrale
rue Peel
Place du Canada
rue Stanley
boul. René-Lévesque O.
rue Drummond
boul. De Maisonneuve O.
rue Saint-Antoine O.
rue de la Montagne
LUCIEN-L'ALLIER
av. du Musée
rue Crescent
rue Lucien-L'Allier
rue Bishop
rue Redpath
GUY-CONCORDIA
rue Overdale
av. Argyle
rue Bonaventure
rue Mackay
rue Simpson
0
200
400m
©ULYSSE

ment achevée en 1894. Les statues de cuivre des 13 saints patrons des paroisses de Montréal seront, quant à elles, installées en 1900.

L'intérieur, modernisé au cours des années 1950, ne présente plus la même cohésion qu'autrefois. Il faut cependant remarquer le beau baldaquin, réplique de celui du Bernin, exécuté par le sculpteur Victor Vincent. Dans la chapelle mortuaire, sur la gauche, sont inhumés les évêques et archevêques de Montréal, la place d'honneur étant réservée au gisant de Mgr Bourget. Un monument, à l'extérieur, rappelle lui aussi ce personnage qui a beaucoup fait pour rapprocher la France du Canada.

››› *En sortant de la cathédrale, empruntez le boulevard René-Lévesque à gauche, puis la rue Peel à gauche et marchez jusqu'à la très jolie église anglicane St. George.*

L'**église anglicane St. George** ★★ *(1101 rue Stanley; métro Bonaventure)*, de style néogothique, affiche un extérieur de grès délicatement sculpté. On remarquera à l'intérieur l'exceptionnel plafond à charpente apparente et les boiseries du chœur, ainsi qu'une tapisserie provenant de l'abbaye de Westminster ayant servi lors du couronnement de la reine Elizabeth II.

L'édifice dénommé **1250 Boulevard René-Lévesque** ★ *(1250 boul. René-Lévesque O.; métro Bonaventure)*, haut de 47 étages, qui se dresse à l'arrière-plan de l'église St. George, a été achevé en 1991. Son jardin d'hiver planté de bambous est accessible au public.

En 1887, le directeur du Canadien Pacifique, William Cornelius Van Horne, demande à son ami new-yorkais Bruce Price (1845-1903) d'élaborer les plans de la **gare Windsor** ★★ *(angle rue De La Gauchetière et rue Peel; métro Bonaventure)*, une gare moderne qui agira comme terminal du chemin de fer transcontinental, achevé l'année précédente. Price est, à l'époque, un des architectes les plus en vue de l'est des États-Unis, où il conçoit des projets résidentiels pour la haute société, mais aussi des gratte-ciel, tel l'American Surety Building de Manhattan. On le chargera, par la suite, de la construction du Château Frontenac de Québec, qui lancera la vogue du style château au Canada.

L'allure massive qui se dégage de la gare Windsor, ses arcades en série, ses arcs cintrés soulignés dans la pierre et ses contreforts d'angle en font le meilleur exemple montréalais du style néoroman. Sa construction va consacrer Montréal comme plaque tournante du transport ferroviaire au pays et amorcer le transfert des activités commerciales et financières du Vieux-Montréal vers le Golden Square Mile. Délaissée au profit de la Gare centrale après la Seconde Guerre mondiale, la gare Windsor ne fut plus utilisée que par les passagers des trains de banlieue jusqu'en 1993. Reliée au Montréal souterrain, elle abrite des commerces et des bureaux. La salle des pas perdus de la gare sert entre autres à divers événements.

››› *Prenez la rue De La Gauchetière en direction du Centre Bell.*

Le **Centre Bell** *(8$; tlj, visites guidées 9h45 et 13h15, durée 1h15; 1260 rue De La Gauchetière O., ☎514-989-2841 ou 800-363-3723, www.centrebell.ca; métro Bonaventure ou Lucien-L'Allier)*, érigé à l'emplacement des quais de la gare Windsor, bloque maintenant tout accès des trains au vénérable édifice. L'immense bâtiment aux formes incertaines, inauguré en mars 1996 sous le nom de Centre Molson, a succédé au Forum de la rue Sainte-Catherine en tant que patinoire du club de hockey Les Canadiens.

L'amphithéâtre compte 21 273 sièges, ainsi que 138 loges vitrées, vendues à fort prix aux entreprises montréalaises. La saison régulière de la Ligue nationale de hockey s'étend d'octobre à avril, et les éliminatoires peuvent se prolonger jusqu'en juin. Deux mille places sont mises en vente à la billetterie du Centre Bell le jour même de chaque match, ce qui permet d'obtenir de bons billets à la dernière minute. Le Centre Bell accueille en outre de fréquents concerts et spectacles familiaux. À l'angle des rues De La Gauchetière et de la Montagne, la **place du Centenaire** honore des joueurs du club Les Canadiens.

››› *Quelque peu hors circuit, se trouve le magnifique Centre Canadien d'Architecture (CCA). Pour vous y rendre, empruntez le boulevard René-Lévesque en direction ouest jusqu'à la rue Saint-Marc, où vous tournerez à droite. Puis prenez à gauche la rue Baile: l'entrée du CCA est située à quelques pas.*

Fondé en 1979 par Phyllis Lambert, le **Centre Canadien d'Architecture** ★★★ *(10$, entrée libre jeu 17h30 à 21h; mer-dim 10h à 17h, jeu 10h à 21h; 1920 rue Baile, ☎514-939-7026, www.cca.qc.ca; métro Guy-Concordia, autobus 150 ou 15)* est un centre international de recherche et un musée. Fort de ses vastes collections, le CCA est un chef de file dans l'avancement du savoir, de la connaissance et de l'enrichissement des idées et des débats sur l'art de l'architecture, son histoire, sa théorie, sa pratique ainsi que son rôle dans la société.

L'édifice comprend la **maison Shaughnessy**, dont la façade donne sur le boulevard René-Lévesque Ouest. Cette maison est en fait constituée de deux habitations jumelées, construites en 1874 selon les plans de l'architecte William Tutin Thomas. Elle est représentative des demeures bourgeoises qui bordaient autrefois le boulevard René-Lévesque (anciennement la rue Dorchester puis le boulevard du même nom).

En 1974, la maison Shaughnessy fut au centre de la sauvegarde du quartier, décrépi en plusieurs endroits. La maison, elle-même menacée de démolition, fut rachetée *in extremis* par Phyllis Lambert, qui y a aménagé les bureaux et les salles de réception du Centre Canadien d'Architecture. Un ancien président du Canadien Pacifique, Sir Thomas Shaughnessy, qui a habité la maison pendant plusieurs décennies, a laissé son nom au bâtiment. Les habitants du secteur, regroupés en association, ont par la suite choisi de donner son nom au quartier tout entier.

Le **jardin de sculptures du CCA** ★ *(sur l'esplanade Ernest-Cormier, devant le Centre Canadien d'Architecture, du côté sud du boulevard René-Lévesque)* de l'artiste Melvin Charney, aménagé entre deux bretelles d'autoroute, fait face à la maison Shaughnessy. Il exprime les différentes strates de développement du quartier à travers un segment du verger des Sulpiciens, sur la gauche, et les limites de lots des demeures victoriennes indiquées par des lignes de pierres et des plantations de rosiers qui rappellent les jardins de ces maisons. L'esplanade Ernest-Cormier, le long de la falaise qui séparait autrefois le quartier riche des quartiers ouvriers, permet de contempler la basse ville (La Petite-Bourgogne, Saint-Henri, Verdun) et le fleuve Saint-Laurent. Certains points forts de ce panorama sont représentés de manière stylisée au sommet de mâts en béton.

››› *Pour poursuivre le circuit principal, prenez le boulevard René-Lévesque en direction est jusqu'à la place du Canada, à l'angle de la rue Peel. Tournez à droite pour aller rejoindre le Château Champlain, à l'angle de la rue De La Gauchetière.*

Aujourd'hui un hôtel de la chaîne Marriott, le **Château Champlain** ★ *(1 place du Canada; métro Bonaventure)* (voir p 113), surnommé «la râpe à fromage» par les Montréalais à cause de ses multiples ouvertures cintrées et bombées, a été réalisé en 1966 par les Québécois Jean-Paul Pothier et Roger D'Astous.

La tour du **1000 De La Gauchetière** *(1000 rue De La Gauchetière O.; métro Bonaventure)*, gratte-ciel de 51 étages, a été terminée en 1992. On y retrouve le terminus des autobus qui relient Montréal à la Rive-Sud ainsi que l'**Atrium** *(6$; location de patins 5$; lun-jeu 11h30 à 21h; ven 11h30 à 19h et soirées DJ 19h à 24h; sam 12h à 19h et soirées DJ 19h à 24h, dim 12h à 21h; ☎514-395-0555, www.le1000.com)*, une patinoire intérieure ouverte toute l'année. Les architectes ont voulu démarquer l'immeuble de ses voisins en le dotant d'un couronnement en pointe recouvert de cuivre. Sa hauteur totale atteint le maximum permis par la ville, car le mont Royal, symbole ultime de Montréal, ne peut en aucun cas être dépassé. C'est le plus haut gratte-ciel de la ville.

››› *Poursuivez en direction est dans la rue De La Gauchetière. Vous apercevrez sur votre droite la Place Bonaventure.*

La **Place Bonaventure** ★ *(1 Place Bonaventure; métro Bonaventure)*, immense cube de béton strié sans façade, était, au moment de son achèvement en 1966, l'une des réalisations de l'architecture moderne les plus révolutionnaires de son époque. Ce complexe multifonctionnel du Montréalais Raymond Affleck est érigé au-dessus des voies ferrées qui mènent à la Gare centrale, où se superposent un stationnement, un centre commercial à deux niveaux relié au métro et à la ville souterraine, un vaste centre d'exposition et de foire, des salles de vente en gros, des bureaux et, aux étages supérieurs, un hôtel de 400 chambres avec, sur le toit, un charmant jardin urbain qui mérite une petite visite.

››› *Prenez la rue Mansfield vers le nord, qui longe la cathédrale Marie-Reine-du-Monde. On aperçoit à l'arrière-plan l'imposant édifice Sun Life. Empruntez à droite le boulevard René-Lévesque.*

La construction de la **Place Ville Marie** ★★★ *(1 Place Ville Marie; métro Bonaventure)* a lieu dans la portion nord de cette tranchée dès 1959 et se termine en 1962. Le célèbre architecte sino-américain Ieoh Ming Pei (pyramide du Louvre de Paris, East Building de la National Gallery of Art de Washington) conçoit, au-dessus des voies ferrées, un complexe multifonctionnel comprenant des galeries marchandes très étendues, aujourd'hui reliées à la majorité des immeubles environnants, et différents édifices de bureaux, notamment la fameuse tour cruciforme en aluminium. Sa forme particulière, tout en permettant d'obtenir un meilleur éclairage naturel jusqu'au centre de la construction, est devenue l'emblème incontesté du centre-ville de Montréal. Le maire de l'époque, Jean Drapeau, suggère alors de nommer le complexe «Ville-Marie», le premier nom de Montréal.

Au milieu de l'espace public en granit du complexe Place Ville Marie, composé de quatre édifices et de sa galerie commerciale, une rose des vents indique le nord géographique, alors que l'orientation de l'**avenue McGill College**, dans l'axe de la place, suggère plutôt le nord tel que les Montréalais le perçoivent dans la vie de tous les jours. Cette artère, bordée de gratte-ciel multicolores, était encore en 1950 une étroite rue résidentielle. La large perspective qu'elle offre maintenant permet de voir le mont Royal coiffé de sa **croix** métallique (voir p 96).

››› *Traversez la Place Ville Marie, puis empruntez l'avenue McGill College.*

L'avenue McGill College a été élargie et entièrement réaménagée au cours des années 1980. On peut y voir plusieurs exemples d'une architecture postmoderne éclectique et polychrome, où le granit poli et le verre réfléchissant abondent. La **Place Montréal Trust** *(angle rue Ste-Catherine; métro McGill)* est un de ces centres commerciaux qui sont surmontés d'une tour de bureaux et qui sont reliés à la ville souterraine et au métro par des corridors et des places privées.

Les **tours jumelles BNP** et **Banque Laurentienne** ★ *(1981 av. McGill College; métro McGill)*, les plus réussis des immeubles de l'avenue McGill College, ont été construites en 1981. Leurs parois de verre bleuté mettent en valeur la sculpture intitulée *La foule illuminée* du sculpteur franco-britannique Raymond Mason.

››› *À l'angle de l'avenue McGill College et de la rue Sherbrooke, vous apercevrez le portail du campus de l'université McGill.*

L'**université McGill** ★★ *(805 rue Sherbrooke O.; métro McGill)* a été fondée en 1821 grâce à un don du marchand de fourrures James McGill, ce qui en fait la plus ancienne des quatre universités de la ville. L'institution sera, tout au long du XIXe siècle, l'un des plus beaux fleurons de la bourgeoisie écossaise du Golden Square Mile. Le campus principal de l'université est caché dans la verdure au pied du mont Royal. On y pénètre, à l'extrémité nord de l'avenue McGill College, par le portail Roddick, qui renferme l'horloge et le carillon universitaire. Sur la droite, on aperçoit deux bâtiments néoromans de Sir Andrew Taylor, conçus pour abriter les départements de physique (1893) et de chimie (1896). L'École d'architecture occupe maintenant le second édifice. Un peu plus loin se trouve l'édifice du département d'ingénierie, le Macdonald Engineering Building, un bel exemple du style néobaroque anglais avec son portail à bossages, doté d'un fronton brisé écarté (Percy Nobbs, 1908). Au fond de l'allée se dresse le plus ancien bâtiment du campus, l'Arts Building de 1839. Cet austère bâtiment néoclassique de l'architecte John Ostell fut pendant trois décennies le seul pavillon de l'université McGill. Il abrite le Moyse Hall, un beau théâtre antiquisant de 1926.

Le **Musée McCord d'histoire canadienne** ★★ *(13$, entrée libre les 1ers samedis de chaque mois de 10h à 12h; mar-ven 10h à 18h, sam-dim 10h à 17h; lundis fériés et en été 10h à 17h; 690 rue Sherbrooke O., ☎514-398-7100, www.musee-mccord.qc.ca; métro McGill et autobus 24)* loge dans l'ancien édifice de l'association étudiante de l'université McGill. Le beau bâtiment d'inspiration baroque anglais, de l'architecte Percy Nobbs (1906), a été agrandi vers l'arrière en 1991. C'est le musée qu'il faut absolument voir à Montréal si l'on s'intéresse à la vie quotidienne au Canada aux XVIIIe et XIXe siècles. On y trouve en effet une importante collection ethnographique, à laquelle s'ajoutent des collections de costumes, d'arts décoratifs, de tableaux, d'estampes et de photographies, notamment la fameuse collection «Notman» avec plus de 450 000 photographies dont 200 000 négatifs sur verre, véritable portrait du Canada de la fin du XIXe siècle. L'exposition permanente (niveau 2), qui intègre ces fameuses photographies de Notman, illustre peut-être le mieux la vie des Montréalais à l'époque, entre tempêtes de neige (voir la section «Hiverner») et développement économique de la ville (section «Prospérer»). En sortant du musée, on aperçoit, dans la rue Victoria, entre les parties nouvelles et anciennes du musée, une intéressante sculpture de Pierre Granche intitulée *Totem urbain/histoire en dentelle*.

››› *Revenez à la rue Sainte-Catherine.*

La **rue Sainte-Catherine** est la principale artère commerciale de Montréal. Longue de 15 km, elle change de visage à plusieurs reprises sur son parcours. Vers 1870, elle était encore bordée de maisons en rangée, mais, en 1920, elle était déjà au cœur de la ville et de la vie montréalaise. Depuis les années 1960, dans le centre-ville, un ensemble de centres commerciaux reliant l'artère aux lignes de métro adjacentes s'est ajouté aux commerces ayant pignon sur rue. Un des plus récents, le **Centre Eaton** *(705 rue Ste-Catherine O.; métro McGill)* comprend une longue galerie à l'ancienne, bordée de cinq niveaux de magasins, de restaurants et de cinémas. Un tunnel piétonnier le relie à la Place Ville Marie.

La première cathédrale anglicane de Montréal était située rue Notre-Dame, à proximité de la place d'Armes. À la suite d'un incendie en 1856, il fut décidé de reconstruire la **cathédrale Christ Church** ★★ *(angle rues Ste-Catherine O. et Uni-*

Les galeries intérieures

L'inauguration de la Place Ville Marie, en 1962, avec sa galerie marchande au sous-sol, marque le point de départ de ce que l'on appelle aujourd'hui les galeries intérieures ou le Montréal souterrain. Le développement de cette «cité sous la cité» est accéléré par la construction du métro, qui débute le 23 mai 1962. Rapidement, la plupart des commerces, des édifices à bureaux et quelques hôtels du centre-ville sont stratégiquement reliés au réseau piétonnier souterrain et, par extension, au métro.

Aujourd'hui, cinq zones importantes forment cette «ville souterraine», la plus grande du monde.

- Autour de la station Berri-UQAM, accès aux bâtiments de l'Université du Québec à Montréal, à la Place Dupuis, à la Grande Bibliothèque et à la gare routière (Station Centrale).
- Entre les stations Place-des-Arts et Place-d'Armes, formée de la Place des Arts, du Musée d'art contemporain, des complexes Desjardins et Guy-Favreau ainsi que du Palais des congrès.
- La station Square-Victoria, le centre des affaires.
- La plus fréquentée et la plus importante, autour des stations McGill, Peel et Bonaventure, englobant des centres commerciaux comme La Baie et le Centre Eaton.
- Le secteur commercial entourant la station Atwater, qui avoisine le Westmount Square et la Place Alexis Nihon.

versity; métro McGill) plus près de la population à desservir, soit au cœur du Golden Square Mile naissant. L'architecte Frank Wills de Salisbury, prenant pour modèle la cathédrale de sa ville d'origine, a réalisé un ouvrage flamboyant doté d'un seul clocher aux transepts. La sobriété de l'intérieur contraste avec la riche ornementation des églises catholiques que l'on retrouve dans le même circuit. Seuls quelques beaux vitraux, exécutés dans les ateliers de William Morris, ajoutent un peu de couleur. La flèche de pierres du clocher fut démolie en 1927 et remplacée par une copie en aluminium, car elle aurait éventuellement entraîné l'affaissement de l'édifice. Le problème lié à l'instabilité des fondations ne fut pas réglé pour autant, et il fallut la construction du centre commercial **Promenades Cathédrale**, sous l'édifice, en 1987, pour solidifier le tout. Ainsi, la cathédrale anglicane Christ Church repose maintenant sur le toit d'un centre commercial. Par la même occasion, une tour de verre postmoderne, coiffée d'une «couronne d'épines», fut érigée à l'arrière. À son pied se trouve une petite place dédiée à l'architecte Raoul Wallenberg, diplomate suédois qui sauva de la déportation nazie plusieurs centaines de juifs hongrois durant la Seconde Guerre mondiale.

C'est autour du **square Phillips** ★ *(angle rues Union et Ste-Catherine O.; métro McGill)* qu'apparurent les premiers magasins de la rue Sainte-Catherine, autrefois strictement résidentielle. Henry Morgan y transporta sa Morgan's Colonial House, aujourd'hui **La Baie**, à la suite des inondations de 1886 dans la vieille ville. Henry Birks, issu d'une longue lignée de joailliers anglais, suivit bientôt, en installant sa célèbre bijouterie dans un bel édifice de grès beige, sur la face ouest du square. En 1914, on a inauguré, au centre du square Phillips, un monument à la mémoire du roi Édouard VII, œuvre du sculpteur Philippe Hébert. Le square est un lieu de détente apprécié par les clients des grands magasins.

L'**église St. James United** ★ *(463 rue Ste-Catherine O.; métro McGill)*, une ancienne église méthodiste construite entre 1887 et 1889, dont l'intérieur est aménagé en auditorium, présentait à l'origine une façade complète donnant sur un jardin. Pour contrer la diminution de ses revenus, la communauté religieuse fit construire, en 1926, un ensemble de commerces et de bureaux sur le front de la rue Sainte-Catherine, ne laissant qu'un étroit passage pour pénétrer dans l'église. Toutefois, l'église St. James United a fait l'objet d'heureux travaux de rénovation. Ainsi, son impressionnante façade, avec rosace et verrières, et ses tours de style néogothique ont été restaurées. Et pour mettre en valeur l'ensemble, les commerces et bureaux qui cachaient sa façade ont été démolis, dévoilant à nouveau le parvis.

››› *Tournez à droite dans la rue De Bleury.*

Après 40 ans d'absence, les Jésuites reviennent à Montréal en 1842 à l'invitation de Mgr Ignace Bourget. Six ans plus tard, ils fondent le collège Sainte-Marie, où plusieurs générations de garçons recevront une éducation exemplaire. L'**église du Gesù** ★★ *(1202 rue De Bleury; métro Place-des-Arts)* fut conçue, à l'origine, comme chapelle du collège. Le projet grandiose, entrepris en 1864, ne put être achevé faute de fonds. Ainsi, les tours de l'église néo-Renaissance n'ont jamais reçu de clochers. Quant au décor intérieur, il fut exécuté en trompe-l'œil par l'artiste Damien Müller. On remarquera les beaux exemples d'ébénisterie que sont les sept autels principaux ainsi que les parquets marquetés qui les entourent. Les grandes toiles suspendues aux murs ont été commandées aux frères Gagliardi de Rome. Le collège des Jésuites, érigé au sud de l'église, a été démoli en 1975, mais le Gesù a heureusement pu être sauvé puis restauré en 1983. Depuis, il accueille un centre de créativité qui porte son nom.

››› *Quelque peu hors circuit, se trouve la basilique St. Patrick. Pour y aller, suivez la rue De Bleury vers le sud. Prenez à droite le boulevard René-Lévesque puis à gauche la petite rue Saint-Alexandre. Entrez dans l'église par les accès situés sur les côtés.*

Fuyant la misère et la maladie de la pomme de terre, les Irlandais arrivent nombreux à Montréal entre 1820 et 1860, où ils participent aux chantiers du canal de Lachine et du pont Victoria. La construction de la **basilique St. Patrick** ★★ *(460 boul. René-Lévesque O.; métro Square-Victoria)*, qui servira de lieu de culte à la communauté catholique irlandaise, répond donc à une demande nouvelle et pressante. Au moment de son inauguration en 1847, l'église dominait la ville située en contrebas. Elle est, de nos jours, bien dissimulée entre les gratte-ciel du centre des affaires. Le père Félix Martin, supérieur des Jésuites, et l'architecte Pierre-Louis Morin se chargèrent des plans de l'édifice néogothique, style préconisé par les Messieurs de Saint-Sulpice, qui financèrent le projet. Paradoxe parmi tant d'autres, l'église St. Patrick est davantage l'expression d'un art gothique français que de sa contrepartie anglo-saxonne. Chacune des colonnes en pin qui divisent la nef en trois vaisseaux est un tronc d'arbre taillé d'un seul morceau.

››› *Revenez à la rue Sainte-Catherine.*

À l'intersection de la rue Sainte-Catherine et du boulevard Saint-Laurent se trouve le cœur du **Quartier des spectacles** *(www.quartierdesspectacles.com)*: celui-ci couvre une superficie d'un kilomètre carré dans lequel on retrouve plus de 30 salles de spectacle offrant 28 000 sièges, des galeries d'art et des lieux de diffusion de la culture alternative. À l'instar du TKTS Booth de New York où les résidants et les visiteurs achètent des billets pour les comédies musicales de Broadway à moindre coût, **La Vitrine** *(mar-sam 11h à 20h, dim-lun 11h à 18h; 145 rue Ste-Catherine O., ☎514-285-4545 ou 866-924-5538, ▤514-285-2814, http://vitrine.cyberpresse.ca/)* est un lieu d'information «physique et virtuel» sur les nombreuses activités culturelles qui se déroulent à Montréal. On peut surtout s'y procurer des billets de dernière minute à prix avantageux.

Inspiré par des ensembles culturels comme le Lincoln Center de New York, le gouvernement du Québec a fait ériger, dans la foulée de la Révolution tranquille, la **Place des Arts** ★ *(175 rue Ste-Catherine O., entre les rues Jeanne-Mance et Saint-Urbain, ☎514-842-2112 ou 866-842-2112, www.pda.qc.ca; métro Place-des-Arts)*, un complexe de cinq salles consacré aux arts de la scène. La Salle Wilfrid-Pelletier, au centre, fut inaugurée en 1963 (2 982 places). Elle accueille entre autres l'Orchestre symphonique de même que l'Opéra de Montréal. L'édifice des théâtres, sur la droite, adopte une forme cubique. Il renferme trois salles: le Théâtre Maisonneuve (1 453 places), le Théâtre Jean-Duceppe (755 places) et le Studio-théâtre, une petite salle intimiste de 138 places. Quant à la Cinquième salle (350 places), elle a été aménagée en 1992 dans le cadre de la construction du Musée d'art contemporain. La Place des Arts est reliée à l'axe gouvernemental de la ville souterraine, qui s'étend du Palais des congrès jusqu'à l'avenue du Président-Kennedy. Développée par les différents ordres de gouvernement, cette portion du réseau souterrain a été baptisée ainsi par opposition au réseau privé, qui gravite autour de la Place Ville Marie, plus à l'ouest.

L'esplanade de la Place des Arts joue également le rôle d'une agora culturelle au cœur du centre-ville. Pendant l'été, le secteur de la Place des Arts se transforme en un grand pôle animé où sont déployées la majorité des scènes des grands festivals de Montréal qui accueillent chaque année des centaines de milliers de spectateurs.

Le Festival international de jazz de Montréal

Du premier Festival de jazz lancé modestement en 1980 par Alain Simard, André Ménard et Denyse McCann, sur l'île Sainte-Hélène, à la très dynamique Équipe Spectra, qui fait vibrer le centre-ville de Montréal au rythme de nombreux événements et concerts chaque année, la conception montréalaise fait recette et a su élever le Festival international de jazz de Montréal au rang du plus important rendez-vous du jazz au monde: une programmation éclectique, des artistes du monde entier, allant des grandes pointures du jazz aux découvertes locales, et un volet important de concerts gratuits en plein air qui attirent plus d'un million de festivaliers.

Le **Musée d'art contemporain de Montréal ★★** *(8$, entrée libre mer 18h à 21h; mar-dim 11h à 18h, mer 11h à 21h; 185 rue Ste-Catherine O., angle rue Jeanne-Mance, ☎514-847-6226, www.macm.org; métro Place-des-Arts)* a ouvert ses portes sur son emplacement actuel en 1992. Il s'agit du premier (1964) musée d'art contemporain au Canada. Il abrite une collection de plus de 7 000 œuvres. L'édifice tout en longueur, érigé sur l'esplanade de la Place des Arts et relié au réseau piétonnier souterrain, renferme huit salles où sont présentées des œuvres québécoises et internationales réalisées après 1940. L'intérieur, nettement plus réussi que l'extérieur, s'organise autour d'un hall circulaire. L'exposition permanente du musée regroupe la plus importante collection des œuvres de Paul-Émile Borduas. Les expositions temporaires font, quant à elles, surtout la part belle aux créations multimédias.

Le musée compte également la petite librairie Olivieri, spécialisée dans les monographies d'artistes canadiens et dans les essais sur l'art, une boutique de produits tendance et le restaurant La Rotonde, qui domine l'esplanade de la Place des Arts. Au rez-de-chaussée, une amusante sculpture métallique de Pierre Granche intitulée *Comme si le temps... de la rue* représente la trame de rues montréalaise, envahie par des oiseaux casqués, dans une sorte de théâtre semi-circulaire. Notez que tous les premiers vendredis soir du mois, le musée présente ses «vendredis nocturnes», de 17h à 21h, avec cocktail, musique en direct et visites guidées des expositions.

Le vaste **complexe Desjardins ★** *(rue Ste-Catherine O., www.complexedesjardins.com; métro Place-des-Arts)* abrite plusieurs institutions et services du Mouvement Desjardins depuis 1976. On y trouve également de nombreux bureaux gouvernementaux. Il est doté d'une place publique intérieure, très courue durant les mois d'hiver, où ont lieu divers événements culturels au cours de l'année. La place est entourée entre autres de boutiques et d'une aire de restauration à comptoirs multiples.

››› *Prenez à droite le boulevard Saint-Laurent.*

Érigé en 1893 pour la Société Saint-Jean-Baptiste, vouée à la défense des droits des francophones, le **Monument-National ★** *(1182 boul. St-Laurent, ☎514-871-2224 ou 866-844-2172, www.monument-national.qc.ca; métro St-Laurent)* constituait un centre culturel dédié à la cause du Canada français. On y proposait des cours commerciaux, on y tenait la tribune favorite des orateurs politiques et on y présentait des spectacles à caractère religieux. Toutefois, au cours des années 1940, on y a aussi monté des spectacles de cabaret et des pièces à succès qui ont lancé la carrière de plusieurs artistes québécois, notamment les Olivier Guimond père et fils. L'édifice, vendu à l'École nationale de théâtre du Canada en 1971, a fait l'objet d'une restauration complète lors de son centenaire; à cette occasion, on a mis en valeur la plus ancienne salle de spectacle du Canada.

››› *Traversez le boulevard René-Lévesque, puis tournez à droite dans la rue De La Gauchetière.*

Le **Quartier chinois ★** *(rue De La Gauchetière; métro Place-d'Armes)* de Montréal, malgré son exiguïté, n'en demeure pas moins un lieu de promenade agréable. Les Chinois venus au Canada pour la construction du chemin de fer transcontinental, terminé en 1886, s'y sont installés en grand nombre à la fin du XIXe siècle. Bien qu'ils n'habitent plus le quartier, ils y viennent toujours les fins de semaine pour flâner et faire provision de produits exotiques. La rue De La Gauchetière a été transformée en artère piétonne, bordée de restaurants et encadrée par des portes monumentales d'inspiration chinoise que l'on retrouve également sur le boulevard Saint-Laurent pour délimiter le quartier.

››› *Tournez à gauche dans la rue Saint-Urbain et traversez l'avenue Viger.*

Le **Quartier international de Montréal (QIM)** ★★ *(www.qimtl.qc.ca)* est le fruit du réaménagement de tout un secteur situé entre les rues Saint-Urbain, Saint-Jacques, University et Viger. Ce projet, conduit par les architectes et urbanistes Clément Demers et Réal Lestage, a été couronné de nombreux prix, dont le prestigieux *PMI Project of the Year*, décerné par le Project Management Institute en 2005, le prix du design urbain 2006 de l'Institut royal d'architecture du Canada et le Prix Brownie IUC 2008 de l'Institut urbain du Canada. Longtemps défiguré par l'autoroute Ville-Marie, et par conséquent délaissé des Montréalais, ce quartier constitue désormais la vitrine économique internationale de la ville de Montréal.

Le **Palais des congrès de Montréal** ★★ *(201 av. Viger O.; 1001 place Jean-Paul-Riopelle, ☎514-871-8122 ou 800-268-8122, www.congresmtl.com; métro Place-d'Armes)*, érigé en partie au-dessus de l'autoroute Ville-Marie, contribuait d'une certaine manière à isoler le Vieux-Montréal du centre-ville. À la suite d'aménagements importants en 2002, le Palais des congrès a doublé sa surface et s'intègre mieux en continuité entre ces deux secteurs.

Une autre partie s'ouvre au niveau de la rue, où une immense façade de verre coloré crée des effets de lumière tant à l'intérieur qu'à l'extérieur du Palais. Elle regarde vers la **place Jean-Paul-Riopelle** ★★ *(entre le Palais des congrès et le Centre CDP Capital)*, où est installée une immense sculpture-fontaine en bronze signée par l'artiste, intitulée *La Joute*, avec jets d'eau et flammes. Durant la belle saison, des animations avec brume et cercle de feu attirent tous les soirs de nombreux visiteurs. Devant s'élève un édifice à l'architecture imposante, le **Centre CDP Capital** ★, bureau d'affaires de la Caisse de dépôt et placement du Québec (CDP).

››› *Tournez à gauche dans l'avenue Viger et marchez jusqu'au square Victoria. Il vous est également possible de rejoindre le square en traversant l'édifice du Centre CDP Capital.*

La **tour de la Bourse** ★ *(800 square Victoria, ☎514-871-2424; métro Square-Victoria)* est le bâtiment qui domine le paysage à l'arrivée. Élevée en 1964, l'élégante tour noire de 47 étages qui abrite les bureaux et le parquet de la Bourse est un des nombreux édifices montréalais dessinés par des créateurs venus d'ailleurs. Sa construction était censée redonner vie au quartier des affaires de la vieille ville, délaissé depuis le krach de 1929 au profit des environs du square Dorchester.

Au XIXe siècle, le **square Victoria** ★★ *(métro Square-Victoria)* adoptait la forme d'un jardin victorien entouré de magasins et de bureaux Second Empire ou néo-Renaissance. Seul l'étroit édifice du 751 de la rue McGill subsiste de cette époque. Le square Victoria a été complètement repensé dans l'esprit de son aménagement premier: il demeure ainsi l'un des axes importants du Quartier international de Montréal. En effet, le square Victoria a retrouvé sa forme historique, avec ses dimensions d'origine et sa statue restaurée de la reine Victoria.

En 2003, grâce à l'initiative du QIM, la bouche de métro de la station Square-Victoria s'est vue ornée de la grille d'entrée restaurée (elle y était depuis 1967) du «métropolitain» parisien – œuvre d'Art nouveau que l'architecte Hector Guimard avait conçue au début des années 1900. Cette grille Guimard est la seule authentique existant hors de Paris.

Montréal est le siège des deux organismes régissant le transport aérien civil dans le monde, l'IATA (International Air Transport Association) et l'OACI (Organisation de l'aviation civile internationale). Cette dernière est une agence des Nations Unies fondée en 1947. L'organisme est doté d'une **Maison de l'OACI** *(angle des rues University et St-Antoine O.)* pour abriter les délégations de ses 189 pays membres. Du square Victoria, on aperçoit l'arrière de l'édifice, intégré au Quartier international de Montréal. «Verrière-totem», le *Miroir aux alouettes*, œuvre de l'artiste Marcelle Ferron, se dresse devant la façade ouest de la Maison de l'OACI.

››› *Pénétrez dans le passage couvert du Centre de commerce mondial.*

Les centres de commerce mondiaux, mieux connus sous le nom de *World Trade Centers*, sont des lieux d'échanges destinés à favoriser le commerce international. Le **Centre de commerce mondial de Montréal** ★ *(rue McGill; métro Square-Victoria)* couvre un quadrilatère complet constitué de façades anciennes apposées sur une nouvelle structure traversée en son centre par un impressionnant passage vitré long de 180 m. Celui-ci occupe une portion de la ruelle des Fortifications, voie qui suit l'ancien tracé du mur nord de la ville fortifiée.

Le quartier Milton-Parc et la *Main* ★

▲ p 114 ◍ p 119 ♪ p 127 ◘ p 131

Le beau **quartier Milton-Parc ★**, aussi appelé le «ghetto McGill» en raison de la proximité de l'université du même nom, recèle une richesse architecturale qu'il fait bon parcourir pour en apprécier toute la beauté.

Le parcours révèle l'histoire des religieuses hospitalières de Saint-Joseph. En 1860, ces dernières quittent leur Hôtel-Dieu du Vieux-Montréal, fondé par Jeanne Mance en 1642, pour s'installer plus au nord au pied du mont Royal (avenue des Pins). Victor Bourgeau conçoit les plans du nouvel hôpital, alors situé en rase campagne. Dans les années qui suivent, les religieuses lotissent leur propriété par étapes, perçant des rues bientôt bordées de jolies demeures du tournant du XXe siècle. Plusieurs de ces maisons en rangée seront menacées de démolition à la suite du dévoilement, en 1973, d'un gigantesque projet de développement immobilier. Les résidants de Milton-Parc s'opposent à la destruction massive de leur quartier: plusieurs maisons victoriennes en pierres grises allaient faire place à un vaste projet de revitalisation urbaine dont la première partie, et qui fut la seule construite, est le complexe La Cité.

Appuyés par Héritage Montréal et l'architecte Phyllis Lambert, fondatrice et première directrice du Centre Canadien d'Architecture, et avec l'aide financière de la Société canadienne d'hypothèques et de logement (SCHL), les résidants créent entre 1979 et 1982 le plus important projet de coopératives d'habitation en Amérique du Nord, entraînant la rénovation de rangées entières de bâtiments construits au tournant du XXe siècle.

Le **complexe La Cité** *(angle av. du Parc et rue Prince-Arthur)* a été rebaptisé «Place du Parc» il y a quelques années. Il est distribué sur quatre quadrilatères de part et d'autre de la rue Prince-Arthur. Il s'agit de l'unique portion construite du vaste projet de redéveloppement du quartier qui prévoyait la destruction de la majeure partie des bâtiments victoriens des rues Hutchison, Jeanne-Mance et Sainte-Famille. Le complexe, érigé entre 1973 et 1977, comprend des immeubles d'habitation, un centre commercial, des salles de cinéma ainsi qu'un centre sportif.

››› *Tournez à gauche dans la rue Sainte-Famille.*

Cette dernière offre une double perspective sur la chapelle de l'Hôtel-Dieu de l'avenue des Pins au nord et sur l'ancienne École de design de l'UQAM de la rue Sherbrooke au sud. Elle n'est pas sans rappeler les aménagements de l'urbanisme classique français, dont le Vieux-Montréal renfermait autrefois quelques exemples. Un peu plus haut dans la rue, on peut voir six immeubles résidentiels aux détails vaguement Art nouveau, élevés en 1910 pour les Hospitalières afin de loger les médecins de l'Hôtel-Dieu *(n°s 3705 à 3739 de la rue Ste-Famille)*.

Le **Musée des Hospitalières ★** *(6$; mi-oct à mi-juin mer-dim 13h à 17h; mi-juin à mi-oct mar-ven 10h à 17h, sam-dim 13h à 17h; 201 av. des Pins O., ☎ 514-849-2919, www.museedeshospitalieres.qc.ca; métro Place-des-Arts et Sherbrooke, autobus 55 et 144)* est installé dans l'ancien logement des aumôniers, voisin de la chapelle de l'Hôtel-Dieu. Il raconte en détail l'histoire de la communauté des Filles hospitalières de Saint-Joseph, fondée à l'abbaye de La Flèche (Anjou) en 1634, ainsi que l'évolution de la médecine au cours des trois derniers siècles. On peut y voir l'ancien escalier en bois de l'abbaye de La Flèche (1634), offert à la Ville de Montréal par le département de la Sarthe en 1963. Il a été habilement restauré par les Compagnons du Devoir et a été intégré au joli pavillon d'entrée du musée.

L'**Hôtel-Dieu ★** *(3840 rue St-Urbain; métro Place-des-Arts et Sherbrooke, autobus 55 et 144)* est toujours un des principaux hôpitaux de Montréal. Sa fondation et celle de la ville, pratiquement simultanées, participaient d'un même projet initié par un groupe de dévots parisiens, dirigé par Jérôme Le Royer de La Dauversière.

Grâce à la fortune d'Angélique Faure de Bullion, épouse du surintendant des finances de Louis XIV, et au dévouement de Jeanne Mance, originaire de Langres, l'institution prend rapidement de l'ampleur sur ses terrains de la rue Saint-Paul, dans le Vieux-Montréal. Mais le manque d'espace dans la vieille ville, l'air vicié et le bruit forcent les religieuses à relocaliser l'hôpital actuel sur leur ferme du Mont-Sainte-Famille au milieu du XIXe siècle. Le complexe, maintes fois agrandi, est aménagé autour d'une belle chapelle néoclassique coiffée d'un dôme, dont la façade rappelle les églises québécoises urbaines du Régime français.

››› *Suivez l'avenue des Pins vers l'est jusqu'au boulevard Saint-Laurent. La section du boulevard située dans les environs de l'Hôtel-Dieu est bordée d'un mélange de boutiques d'alimentation spécialisées dans les produits de l'Europe de l'Est et d'ailleurs, de restaurants et de cafés à la mode, de brocanteurs et de librairies.*

La découverte de la ***Main***, soit le **boulevard Saint-Laurent ★★**, surnommé ainsi car il constituait à la fin du XVIIIe siècle la principale artère du faubourg Saint-Laurent donnant accès à l'intérieur des terres, demeure une activité urbaine fort intéressante en raison de ses nombreux attraits tant commerciaux que multiculturels. D'abord créée à l'intérieur des fortifications en 1672 sous le patronyme de Saint-Lambert, la «rue Saint-Laurent» devient au XVIIIe siècle la première et la plus importante artère se développant vers le nord, divisant l'île de Montréal en deux jusqu'à la rivière des Prairies. Désignée officiellement en 1792 comme «ligne de partage» entre l'est et l'ouest de Montréal, elle est dénommée pendant quelque temps «Saint-Laurent du *Main*», puis surnommée «la *Main*» (encore aujourd'hui). En 1905, la Ville de Montréal lui donne le nom de «boulevard Saint-Laurent».

Entre-temps, vers 1880, la haute société canadienne-française conçoit le projet de faire de ce boulevard les «Champs-Élysées» montréalais. On démolit alors le flanc ouest pour élargir la voie et reconstruire de nouveaux immeubles dans le style néoroman de Richardson, à la mode en cette fin du XIXe siècle. Peuplé de vagues successives d'immigrants qui débarquent dans le port, le boulevard Saint-Laurent ne connaîtra jamais la gloire prévue par ses promoteurs. Le tronçon du boulevard compris entre les boulevards René-Lévesque et De Maisonneuve deviendra cependant le noyau de la vie nocturne montréalaise dès le début du XXe siècle. On y trouvait les grands théâtres, tel le Français, où se produisait Sarah Bernhardt. À l'époque de la Prohibition aux États-Unis (1919-1930), le secteur s'encanaille, attirant chaque semaine des milliers d'Américains qui fréquentent les cabarets et les lupanars (maisons de prostitution), nombreux dans le Red Light, le quartier chaud de Montréal, jusqu'à la fin des années 1950.

L'été est festif sur la *Main*! Chaque année, depuis 1979, les commerçants du boulevard Saint-Laurent s'associent, durant une fin de semaine de juin et d'août, pour une gigantesque braderie, la «Frénésie de la *Main*». L'un des axes routiers les plus fréquentés de Montréal, le boulevard Saint-Laurent devient alors piétonnier entre la rue Sherbrooke et l'avenue du Mont-Royal: c'est l'occasion de flâner, de chiner ou de déguster mangues et Piña Colada sur les terrasses, tout en se réappropriant le pavé montréalais.

››› *Prenez à droite le boulevard Saint-Laurent.*

On croise d'abord la **rue Prince-Arthur** *(entre le boul. St-Laurent et l'av. Laval)*. Cette artère piétonne était, dans les années 1960, le centre de la contre-culture et du mouvement hippie à Montréal. Elle est, de nos jours, bordée de nombreux restaurants qui étendent leur terrasse jusqu'au milieu de la rue. Les soirs d'été, une foule compacte se masse entre les établissements pour applaudir les amuseurs publics. De la rue Prince-Arthur, on peut rejoindre vers l'est le **square Saint-Louis** (voir plus loin) et la rue Saint-Denis.

Ex-Centris ★ *(3536 boul. St-Laurent, ☎514-847-2206, www.ex-centris.com; métro St-Laurent et autobus 55)* est confortablement logé dans un édifice en pierres qui se marie très bien avec ses voisins plus anciens. Complexe de nouveaux médias de Montréal, il a ouvert ses portes en 1999. Daniel Langlois, son fondateur, en a financé entièrement la construction. Surtout dédié au cinéma, le complexe s'apprêtait à adopter en 2009 une programmation plus multidisciplinaire. Malgré tout, le Cinéma Parallèle poursuit ses activités au sein du complexe.

››› *Tournez à droite dans la rue Milton, puis à gauche dans la rue Clark et encore à gauche dans la rue Sherbrooke.*

La **maison Notman ★** *(51 rue Sherbrooke O.; métro Place-des-Arts)* fut habitée de 1876 à 1891 par le photographe montréalais William Notman, connu pour ses scènes canadiennes et ses portraits de la bourgeoisie du XIXe siècle. Les inépuisables archives photographiques Notman peuvent être consultées au **Musée McCord** (voir p 82). La maison, érigée en 1844, est un bel exemple du style néogrec tel qu'on l'exprimait alors en Écosse.

››› *Empruntez le boulevard Saint-Laurent vers le sud.*

Installé dans les anciens bâtiments de la brasserie Ekers, le **Musée Juste pour rire ★** *(9$ et plus, selon les spectacles ou activités; mar-dim sur réservation seulement, groupe d'au moins 15 personnes; 2111 boul. St-Laurent, ☎514-845-2322, www.hahaha.com; métro St-Laurent)* fut inauguré en 1993. Ce musée unique en son genre explore diverses facettes du domaine de l'humour en présentant divers extraits de films et des décors parfois déroutants. Le bâtiment dans lequel il se trouve offre quelque 3 000 m² de surface d'exposition. On y trouve aussi **Le Cabaret du Musée Juste pour rire**, une salle où sont présentés de nombreux spectacles.

››› *Le circuit du quartier Milton-Parc et de la Main se termine à la station de métro Saint-Laurent, à l'angle du boulevard De Maisonneuve.*

LE QUARTIER MILTON-PARC ET LA *MAIN*

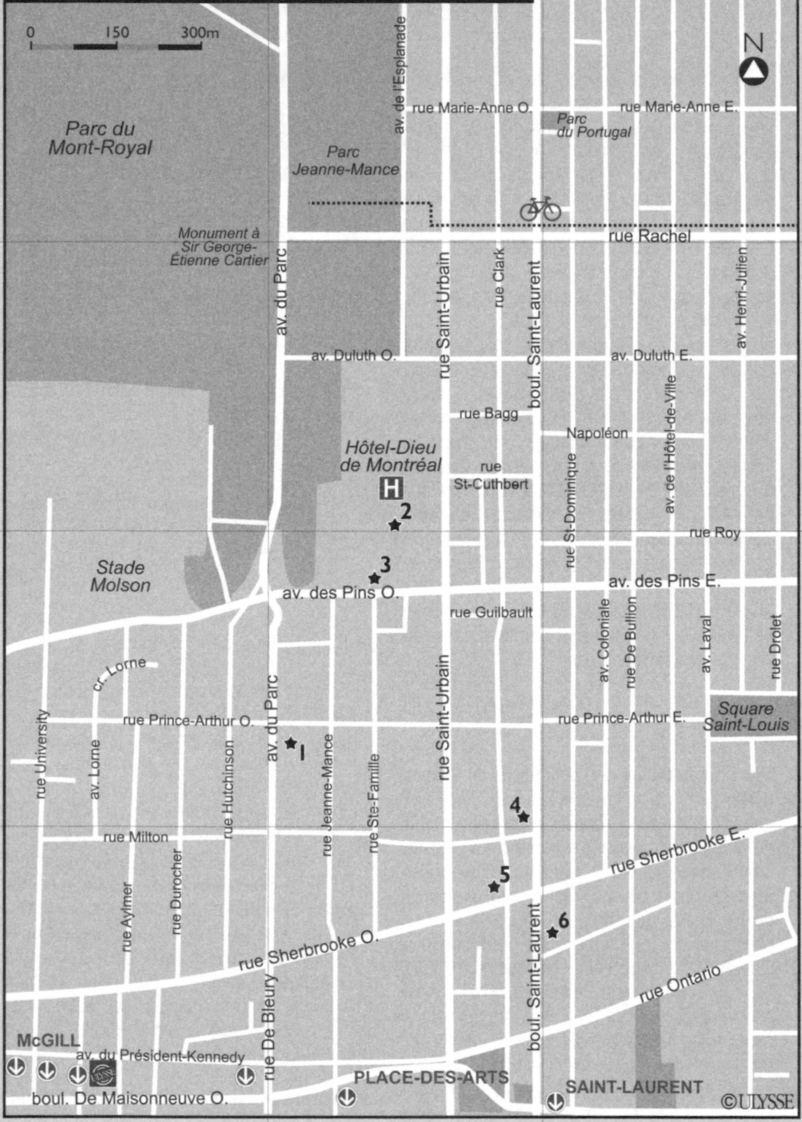

A B C

W X Y Z

0 150 300m

N

Parc du Mont-Royal
Parc Jeanne-Mance
Parc du Portugal
Monument à Sir George-Étienne Cartier
Hôtel-Dieu de Montréal
Stade Molson
Square Saint-Louis
av. du Mont-Royal E.
av. de l'Esplanade
rue Marie-Anne O.
rue Marie-Anne E.
rue Rachel
av. du Parc
rue Saint-Urbain
rue Clark
boul. Saint-Laurent
av. Henri-Julien
av. Duluth O.
av. Duluth E.
rue Bagg
Napoléon
rue St-Cuthbert
av. de l'Hôtel-de-Ville
rue St-Dominique
rue Roy
av. des Pins O.
av. des Pins E.
rue Guilbault
av. Coloniale
rue De Bullion
av. Laval
rue Drolet
cr. Lorne
rue Prince-Arthur O.
rue Prince-Arthur E.
rue University
av. Lorne
rue Hutchinson
rue Jeanne-Mance
rue Ste-Famille
rue Milton
rue Aylmer
rue Durocher
rue Sherbrooke O.
rue Sherbrooke E.
rue De Bleury
rue Ontario
McGILL
av. du Président-Kennedy
boul. De Maisonneuve O.
PLACE-DES-ARTS
SAINT-LAURENT
©ULYSSE

★ ATTRAITS TOURISTIQUES

1. BY Complexe La Cité
2. BX Musée des Hospitalières
3. BY Hôtel-Dieu
4. BY Ex-Centris
5. BZ Maison Notman
6. CZ Musée Juste pour rire

Le Quartier latin ★★

p 114 p 120 p 128 p 131

Le Quartier latin, ce quartier universitaire qui gravite autour de la rue Saint-Denis, est apprécié pour ses théâtres, ses cinémas et ses innombrables cafés-terrasses d'où l'on peut observer la foule bigarrée d'étudiants et de fêtards. Son histoire débute en 1823, alors que l'on inaugure l'église Saint-Jacques, première cathédrale catholique de Montréal. Ce prestigieux édifice de la rue Saint-Denis a tôt fait d'attirer dans ses environs la crème de la société canadienne-française, composée surtout d'anciennes familles nobles demeurées au Canada après la Conquête. En 1852, un incendie ravage le quartier, détruisant du même coup la cathédrale et le palais épiscopal de Mgr Bourget. Reconstruit péniblement dans la seconde moitié du XIXe siècle, le secteur conservera sa vocation résidentielle, jusqu'à ce que l'Université de Montréal s'y installe en 1893. S'amorce alors une période d'ébullition culturelle, qui sera à la base de la Révolution tranquille des années 1960. Assurant la prospérité du Quartier latin, l'Université du Québec à Montréal (UQAM), créée en 1969, a pris la relève de l'Université de Montréal, déménagée sur le versant nord du mont Royal.

››› *Le circuit débute à la sortie de la station de métro Sherbrooke.*

L'**Institut de tourisme et d'hôtellerie du Québec (ITHQ)** *(3535 rue St-Denis, ☎514-282-5108, www.ithq.qc.ca; métro Sherbrooke)*, implanté à l'est du square Saint-Louis, en bordure de la rue Saint-Denis, prend des allures ultramodernes avec ses parois de verre. On y donne des cours de cuisine, de tourisme et d'hôtellerie de tout premier ordre, en plus d'y offrir des services d'hébergement (**Hôtel de l'Institut**, voir p 114). Essayez le **Restaurant de l'Institut** (voir p 120) pour un avant-goût, à un prix raisonnable, de la cuisine des futurs grands chefs de Montréal. Vous pouvez aussi vous lancer dans un cours pratique ou un «cours-repas» afin de connaître les recettes gourmandes de cette école, ouverte au grand public.

››› *Traversez la rue Saint-Denis pour vous rendre au square Saint-Louis.*

En 1848, la Ville de Montréal aménage un réservoir d'eau au sommet de la Côte-à-Barron, qui désigne à l'époque la pente ascendante au nord de la rue Sherbrooke. En 1879, le réservoir est démantelé et son site converti en parc de verdure sous le nom de **square Saint-Louis ★★** *(métro Sherbrooke)*. Des entrepreneurs érigent alors autour du square de belles demeures victoriennes d'inspiration Second Empire, qui constituent ainsi le noyau du quartier résidentiel de la bourgeoisie canadienne-française. Ces ensembles forment l'un des rares paysages urbains montréalais où règne une certaine harmonie. À l'ouest, la **rue Prince-Arthur** (voir plus haut) débouche sur le square.

Prenez à droite l'**avenue Laval**, l'une des seules rues de la ville où l'on puisse encore sentir pleinement l'ambiance de la Belle Époque. Délaissées par la bourgeoisie canadienne-française à partir de 1920, ces maisons seront reconverties en pensions avant de retrouver la faveur des artistes québécois qui ont entrepris de les restaurer une par une. Le poète Émile Nelligan (1879-1941) a habité le nº 3688 avec sa famille au tournant du XXe siècle. Œuvre de Roseline Granet, un buste en bronze à la mémoire de l'auteur du *Vaisseau d'or* a récemment été inauguré à l'angle de l'avenue Laval et du square Saint-Louis.

››› *Tournez à gauche dans la rue Sherbrooke puis dirigez-vous vers l'est jusqu'à la rue Saint-Denis que vous prendrez à droite; descendez la Côte-à-Barron en direction de l'Université du Québec à Montréal.*

La **Bibliothèque Saint-Sulpice ★** *(1704 rue St-Denis; métro Berri-UQAM)* fut d'abord aménagée pour les Messieurs de Saint-Sulpice, qui voyaient d'un mauvais œil la construction d'une bibliothèque municipale ouverte à tous dans la rue Sherbrooke. Même si de nombreux ouvrages étaient encore à l'Index, donc interdits de lecture par le clergé, cette ouverture était vue comme de la concurrence déloyale. Annexe de la Bibliothèque nationale du Québec jusqu'à l'ouverture de la **Grande Bibliothèque** (voir plus loin), l'édifice fut dessiné en 1914 dans le style Beaux-Arts. Ce style, synthèse de l'architecture française de la Renaissance et du classicisme, était enseigné à l'École des beaux-arts de Paris, d'où son nom en Amérique. L'intérieur de la Bibliothèque Saint-Sulpice arbore de belles verrières réalisées par Henri Perdriau en 1915.

Le **Théâtre Saint-Denis** *(1594 rue St-Denis, ☎514-849-4211, www.theatrestdenis.com; métro Berri-UQAM)* possède deux salles de spectacle parmi les plus courues de la ville. Au cours de l'été, on y présente le festival d'humour Juste pour rire. Depuis son ouverture, en 1916, le théâtre a vu défiler tous les grands noms de l'industrie du spectacle français et québécois, et même du monde entier. Modernisé à plusieurs reprises, il fut une nouvelle fois complètement rénové en 1989. On remarquera le haut de la salle originale, qui dépasse la façade de granit rose, ajoutée lors de la dernière rénovation.

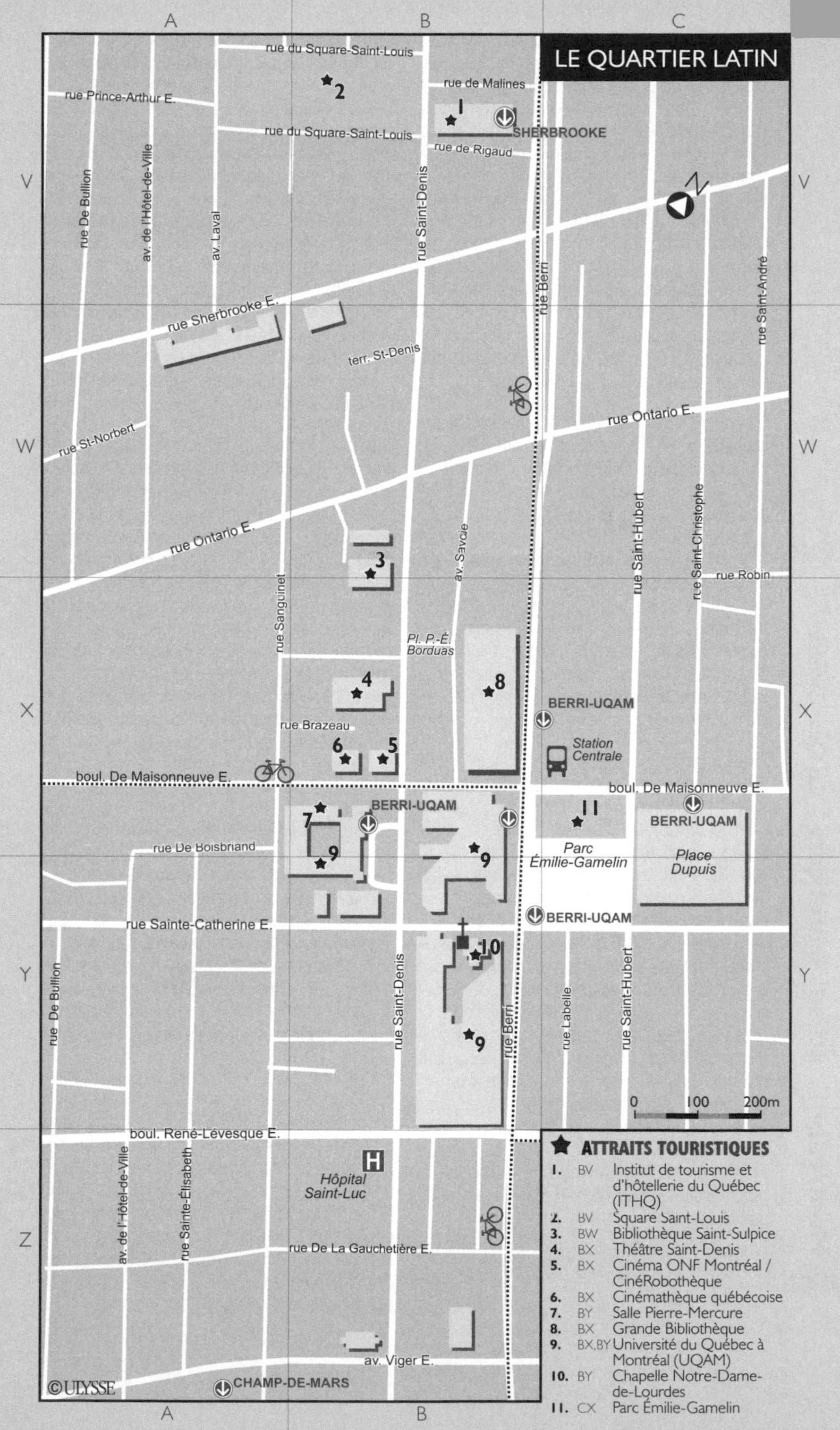
LE QUARTIER LATIN
A
B
C
V
W
X
Y
Z
N
rue du Square-Saint-Louis
rue de Malines
rue Prince-Arthur E.
rue du Square-Saint-Louis
SHERBROOKE
rue de Rigaud
rue De Bullion
av. de l'Hôtel-de-Ville
av. Laval
rue Saint-Denis
rue Berri
rue Saint-André
rue Sherbrooke E.
terr. St-Denis
rue St-Norbert
rue Ontario E.
rue Ontario E.
av. Savoie
rue Saint-Hubert
rue Saint-Christophe
rue Robin
rue Sanguinet
Pl. P.-É. Borduas
BERRI-UQAM
Station Centrale
rue Brazeau
boul. De Maisonneuve E.
boul. De Maisonneuve E.
BERRI-UQAM
BERRI-UQAM
rue De Boisbriand
Parc Émilie-Gamelin
Place Dupuis
BERRI-UQAM
rue Sainte-Catherine E.
rue De Bullion
rue Saint-Denis
rue Berri
rue Labelle
rue Saint-Hubert
0 100 200m
boul. René-Lévesque E.
Hôpital Saint-Luc
av. de l'Hôtel-de-Ville
rue Sainte-Élisabeth
rue De La Gauchetière E.
av. Viger E.
©ULYSSE
CHAMP-DE-MARS
ATTRAITS TOURISTIQUES
1. BV Institut de tourisme et d'hôtellerie du Québec (ITHQ)
2. BV Square Saint-Louis
3. BW Bibliothèque Saint-Sulpice
4. BX Théâtre Saint-Denis
5. BX Cinéma ONF Montréal / CinéRobothèque
6. BX Cinémathèque québécoise
7. BY Salle Pierre-Mercure
8. BX Grande Bibliothèque
9. BX,BY Université du Québec à Montréal (UQAM)
10. BY Chapelle Notre-Dame-de-Lourdes
11. CX Parc Émilie-Gamelin

À l'angle du boulevard De Maisonneuve se trouve le **Cinéma ONF Montréal** *(mar-dim 12h à 21h; 1564 rue St-Denis, ☎514-496-6887; www.onf.ca)*, le centre de diffusion et de consultation montréalais de l'Office national du film du Canada (ONF). Il comprend la **CinéRobothèque** *(5,50$ pour 2 heures, 3$ pour une heure)*, qui permet aux usagers des 21 postes (individuels ou doubles) de visionner des films différents, et abrite deux salles de projection où l'on présente différents documentaires et films. Un incontournable pour les groupes d'enfants: l'atelier d'animation Norman McLaren. Petits cinéastes en herbe, ils partiront au bout de 2h, avec leur propre film. On peut aussi y louer ou acheter plus de 9 000 titres de la collection de l'ONF à la boutique.

Un peu plus loin vers l'ouest, la **Cinémathèque québécoise** ★ *(expositions entrée libre, séance 7$; fermé lun; 335 boul. De Maisonneuve E., ☎514-842-9763, www.cinematheque.qc.ca; métro Berri-UQAM)* accueille également les cinéphiles. Elle possède une collection de 35 000 films canadiens, québécois et étrangers, ainsi que de nombreux appareils témoignant des débuts du cinéma. La Cinémathèque loge, en plus de ses salles de projection, des salles d'exposition, une médiathèque et une boutique, sans oublier son café-bar. En face se dresse la salle de concerts de l'Université du Québec à Montréal, la **salle Pierre-Mercure** du Centre Pierre-Péladeau, aux qualités acoustiques exceptionnelles.

À l'est de ce même boulevard se trouve la **Grande Bibliothèque** ★★ *(mar-ven 10h à 22h, sam-dim 10h à 17h; 475 boul. De Maisonneuve E., angle rue Berri, ☎514-873-1100, www.bnquebec.ca)*, qui a ouvert ses portes au public montréalais le 30 avril 2005. Projet pharaonique de près de 100 millions de dollars, ce bâtiment lumineux de six étages, construit tout en contraste de bois et de verre sur le terrain de l'ancien Palais du commerce, concentre plus de quatre millions de documents, soit la plus importante collection québécoise de livres et de supports multimédias. Mise à mort des bibliothèques de quartiers pour certains, la Grande Bibliothèque répond davantage, pour d'autres, aux besoins d'une grande métropole culturelle. Après avoir jeté un coup d'œil à l'entrée principale du bâtiment, à cet arbre de la connaissance, véritable bouquet d'étincelles d'aluminium, conçu par l'artiste québécois Jean-Pierre Morin, empruntez l'un des ascenseurs panoramiques jusqu'au dernier étage: vous y aurez une vue imprenable sur Montréal.

››› *Revenez à la rue Saint-Denis, où vous tournerez à gauche, puis prenez la rue Sainte-Catherine à gauche.*

Contrairement à la plupart des campus universitaires nord-américains, composés de pavillons disséminés dans un parc, le campus de l'**Université du Québec à Montréal (UQAM)** ★ est intégré à la ville à la manière des universités de la Renaissance en France ou en Allemagne. Il est en outre relié à la «ville souterraine» et au métro. L'UQAM occupe l'emplacement des premiers bâtiments de l'Université de Montréal et de l'église Saint-Jacques, reconstruite après l'incendie de 1852. Seuls le mur du transept droit et le clocher néogothique, dessiné par Victor Bourgeau, ont été intégrés au pavillon Judith-Jasmin de 1979, pour devenir l'emblème de l'institution. L'UQAM fait partie du réseau de l'Université du Québec, fondé en 1969 et réparti dans différentes villes du Québec. Ce lieu de haut savoir, en pleine expansion, accueille chaque année plus de 40 000 étudiants.

L'artiste Napoléon Bourassa habitait une grande maison de la rue Saint-Denis (no 1242), située aujourd'hui en face de l'un des pavillons de l'UQAM: remarquez sur la façade la «tête à Papineau», une sculpture de cette grande figure politique du XIXe siècle. La **chapelle Notre-Dame-de-Lourdes** ★ *(430 rue Ste-Catherine E.; métro Berri-UQAM)*, érigée en 1876, est l'œuvre de sa vie. Elle a été commandée par les Messieurs de Saint-Sulpice, qui voulaient assurer leur présence dans ce secteur de la ville. Son vocabulaire romano-byzantin est en quelque sorte le résumé des carnets de voyage de son auteur. Il faut voir les fresques très colorées de Bourassa qui ornent l'intérieur de la petite chapelle, dont le fronton est surmonté d'une vierge dorée.

Le **parc Émilie-Gamelin** ★ *(angle rue Berri et rue Ste-Catherine E.; métro Berri-UQAM)* honore la mémoire de la fondatrice des sœurs de la Providence, dont l'asile occupait le lieu jusqu'en 1960. L'espace, autrefois baptisé «square Berri», fut aménagé en 1992 dans le cadre des fêtes du 350e anniversaire de Montréal. En fond de scène, on retrouve de curieuses sculptures métalliques de l'artiste Melvin Charney, à qui l'on doit également le **jardin de sculptures du CCA** (voir p 80).

Au nord du parc se trouve la gare routière (Station Centrale), aménagée au-dessus de la station de métro Berri-UQAM, où trois des quatre lignes du métro convergent. À l'est, la Place Dupuis, qui regroupe des commerces, des bureaux et un hôtel, occupe l'ancien grand magasin Dupuis Frères. Dans la rue Sainte-Catherine, on peut encore apercevoir certains magasins chers aux Montréalais. La section de la rue Sainte-Catherine située entre les rues Amherst et Papineau est appelée le **Village gay**.

Le Plateau Mont-Royal ★★

p 115 p 120 p 128 p 131

S'il existe un quartier typique à Montréal, c'est bien le Plateau Mont-Royal. Rendu célèbre par les écrits de Michel Tremblay, l'un de ses illustres fils, «le Plateau», comme l'appellent ses résidants, c'est le quartier des intellectuels fauchés autant que des jeunes professionnels et des vieilles familles ouvrières francophones. Ses longues rues sont bordées des fameux duplex et triplex montréalais, dont les longs et étroits appartements sont accessibles par des escaliers extérieurs aux contorsions amusantes. Ces derniers aboutissent à des balcons en bois ou en fer forgé, qui sont autant de loges fleuries d'où l'on observe le spectacle de la rue.

Le Plateau Mont-Royal est délimité à l'ouest par le mont Royal, à l'est et au nord par les voies ferrées du Canadien Pacifique, et au sud par la rue Sherbrooke. Il est traversé par quelques artères bordées de cafés et de théâtres, comme la rue Saint-Denis et le boulevard Saint-Laurent, mais conserve dans l'ensemble une douce quiétude. Une visite de Montréal serait incomplète sans une excursion sur le Plateau Mont-Royal, ne serait-ce que pour flâner sur ses trottoirs et mieux saisir l'âme de Montréal.

››› *Le circuit débute à la sortie du métro Mont-Royal. Dirigez-vous vers la droite sur l'avenue du Mont-Royal.*

Le **Sanctuaire du Saint-Sacrement** ★ *(500 av. du Mont-Royal E.; métro Mt-Royal)* et son église Notre-Dame-du-Très-Saint-Sacrement ont été érigés à la fin du XIXe siècle. Derrière une façade quelque peu austère se cache un véritable petit palais vénitien, une église colorée, conçue selon les plans de l'architecte Jean-Baptiste Resther. Ce sanctuaire voué à l'exposition et à l'adoration perpétuelle de l'Eucharistie est ouvert à la prière et à la contemplation tous les jours de la semaine. On y présente à l'occasion des concerts de musique baroque.

››› *Suivez l'avenue du Mont-Royal vers l'est.*

On côtoie sur l'**avenue du Mont-Royal**, principale artère commerciale du quartier, une population bigarrée qui magasine dans des commerces hétéroclites, allant des boulangeries artisanales aux magasins de babioles à un dollar, en passant par les boutiques où l'on vend des disques, livres et vêtements d'occasion.

››› *Tournez à droite dans la rue Fabre.*

La **rue Fabre** présente de bons exemples de l'habitat type montréalais. Ces maisons, construites entre 1900 et 1925, comprennent respectivement de deux à cinq logements, tous accessibles par des entrées individuelles donnant sur l'extérieur. On notera les détails d'ornementation qui varient d'un immeuble à l'autre, tels que les vitraux Art nouveau, les parapets et les corniches de brique et de tôle, les balcons aux colonnes toscanes ainsi que le fer forgé torsadé des balcons et des escaliers.

››› *Tournez à gauche dans la rue Rachel.*

À l'extrémité de la rue Fabre, on aperçoit le **parc La Fontaine** ★ *(métro Sherbrooke)*, principal espace vert du Plateau Mont-Royal, créé en 1908 sur l'emplacement d'un ancien champ de tir militaire. Des monuments honorant la mémoire de Sir Louis-Hippolyte La Fontaine, de Félix Leclerc et de Dollard des Ormeaux y ont été élevés. D'une superficie de 36 ha, le parc est agrémenté de deux petits lacs artificiels et de sentiers ombragés que l'on peut emprunter à pied ou à vélo. Des terrains de pétanque et des courts de tennis sont mis à la disposition des amateurs. En hiver, une grande patinoire éclairée est entretenue sur les étangs. On y trouve également le Théâtre de Verdure, où sont présentés des concerts estivaux. La fin de semaine, le parc est envahi par les gens du quartier qui viennent profiter des belles journées ensoleillées.

››› *Pour votre traversée du parc, empruntez l'avenue Calixa-Lavallée ou les sentiers qui bordent les étangs jusqu'à l'angle de la rue Cherrier et de l'avenue du Parc-La Fontaine.*

C'est au sud du parc que fut érigée la statue de Sir Louis-Hippolyte La Fontaine (1807-1864), ancien premier ministre du Canada et l'un des principaux défenseurs du français dans les institutions du pays. Vous passerez devant l'édifice Art déco de la petite **école Le Plateau** (1930). L'**obélisque de la place Charles-de-Gaulle** *(angle av. Émile-Duployé; métro Sherbrooke)*, réalisé par l'artiste français Olivier Debré, domine la rue Sherbrooke Est. L'œuvre en granit bleu de Vire a été donnée par la Ville de Paris à la Ville de Montréal en 1992, à l'occasion du 350e anniversaire de la fondation de la métropole québécoise. L'**hôpital Notre-Dame**, l'un des principaux hôpitaux de la ville, lui fait face. On peut également apercevoir l'**ancienne Bibliothèque centrale de Montréal** ★ *(1210 rue Sherbrooke E.)*, qui a récemment trouvé une nouvelle vocation en accueillant le Conseil des arts de Montréal et le Conseil du patrimoine; par le fait même, elle a été renommée «édifice Gaston-Miron».

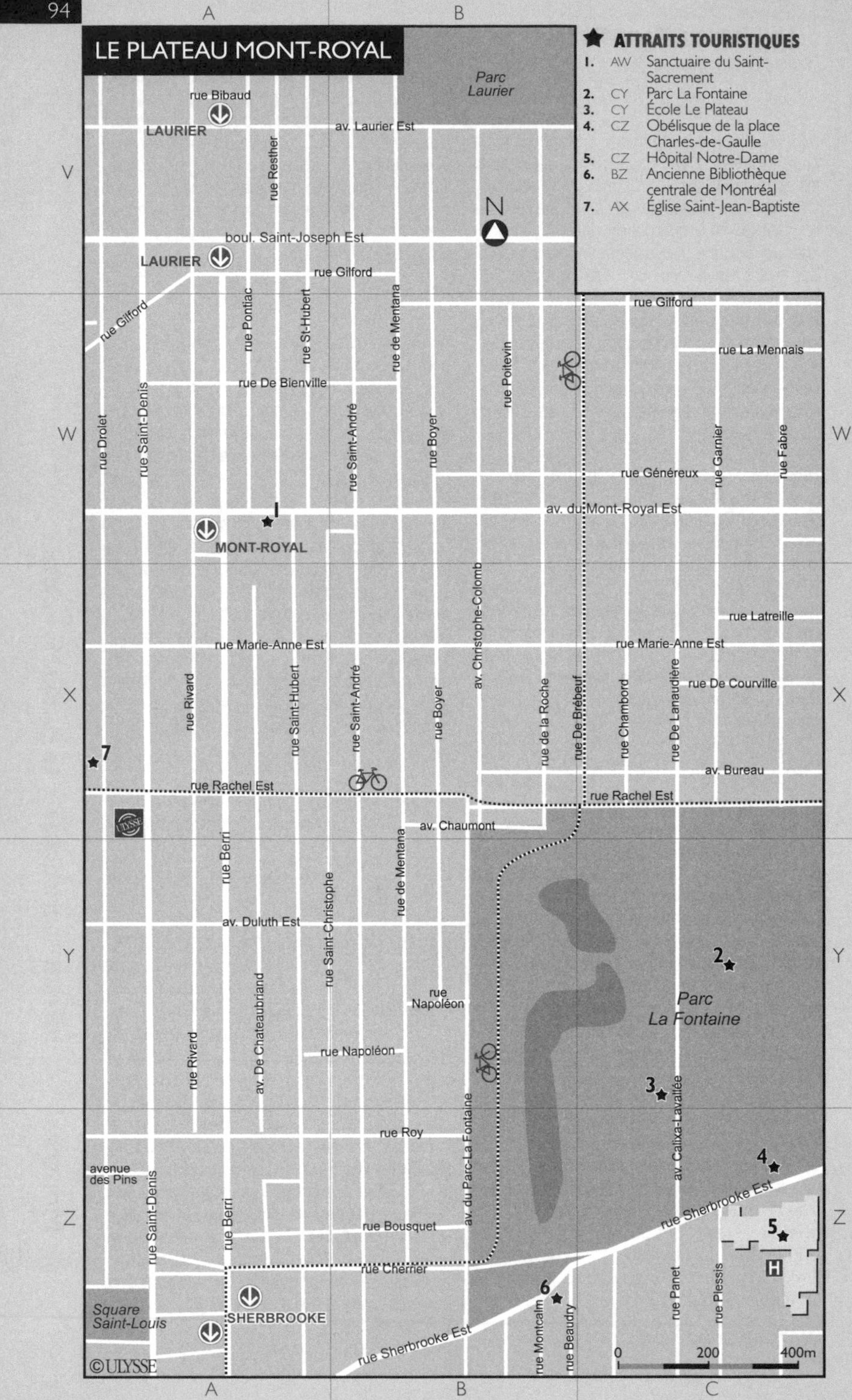
LE PLATEAU MONT-ROYAL
ATTRAITS TOURISTIQUES
1. AW Sanctuaire du Saint-Sacrement
2. CY Parc La Fontaine
3. CY École Le Plateau
4. CZ Obélisque de la place Charles-de-Gaulle
5. CZ Hôpital Notre-Dame
6. BZ Ancienne Bibliothèque centrale de Montréal
7. AX Église Saint-Jean-Baptiste
Parc Laurier
Parc La Fontaine
Square Saint-Louis
LAURIER
MONT-ROYAL
SHERBROOKE
rue Bibaud
av. Laurier Est
boul. Saint-Joseph Est
rue Gilford
rue De Bienville
av. du Mont-Royal Est
rue Marie-Anne Est
rue Rachel Est
av. Chaumont
av. Duluth Est
rue Napoléon
rue Roy
avenue des Pins
rue Bousquet
rue Cherrier
rue Sherbrooke Est
rue La Mennais
rue Généreux
rue Latreille
rue De Courville
av. Bureau
rue Drolet
rue Saint-Denis
rue Resther
rue Pontiac
rue St-Hubert
rue Saint-Hubert
rue de Mentana
rue Saint-André
rue Boyer
rue Poitevin
av. Christophe-Colomb
rue de la Roche
rue De Brébeuf
rue Chambord
rue De Lanaudière
rue Garnier
rue Fabre
rue Rivard
rue Berri
rue Saint-Christophe
av. De Chateaubriand
av. du Parc-La Fontaine
av. Calixa-Lavallée
rue Montcalm
rue Beaudry
rue Panet
rue Plessis
N
0 200 400m
A B C
V W X Y Z
©ULYSSE

Les ruelles: la face cachée de Montréal

Derrière les artères animées de la métropole se cache un fascinant réseau de quelque 450 km de voies secondaires qui sont autant de petits mondes en soi: les ruelles. Rendez-vous depuis toujours des enfants montréalais qui y jouent à l'abri de la circulation automobile, les ruelles sont également envahies à la tombée du jour par une faune particulière, celle des chats errants qui se réunissent en comités et mangent à tous les râteliers. Durant les beaux jours, le badaud qui lève les yeux pourra y observer des alignements impromptus de «cordes à linge» avec leur kyrielle de vêtements colorés qui sèchent au soleil.

Créées au XIXe siècle et autrefois bordées par d'imposants hangars qui servaient à l'entreposage d'objets de la vie courante, plusieurs de ces ruelles ont été splendidement aménagées par leurs résidants, avec parterres fleuris et murales colorées. Voici quelques belles ruelles de Montréal que vous pourrez découvrir en explorant les quartiers de la ville.

Plateau Mont-Royal:

- la voie secondaire entre les rues Drolet et Henri-Julien, au nord de l'avenue du Mont-Royal;
- la petite rue Demers, qui relie l'avenue de l'Hôtel-de-Ville à la rue De Bullion, au nord de la rue Villeneuve.

Mile-End:

- la minuscule rue Groll, qui relie les rues Saint-Urbain et Waverly au nord de la rue Fairmount.

Milton-Parc:

- le petit passage qui s'étend entre les rues Clark et Saint-Urbain au nord de la rue Milton.

››› *Empruntez la rue Cherrier, qui se détache de la rue Sherbrooke en face du monument dédié à La Fontaine, et rendez-vous à la rue Saint-Denis, que vous emprunterez vers le nord.*

La section de la **rue Saint-Denis** entre le boulevard De Maisonneuve, au sud, et le boulevard Saint-Joseph, au nord, est bordée de nombreux cafés-terrasses et de belles boutiques installées à l'intérieur d'anciennes demeures Second Empire de la deuxième moitié du XIXe siècle. On y trouve également plusieurs librairies et restaurants qui sont devenus au fil des ans de véritables institutions de la vie montréalaise.

››› *Prenez à gauche l'avenue Duluth puis à droite la rue Drolet.*

La **rue Drolet** offre un bon exemple de l'architecture ouvrière des années 1870 et 1880 sur le Plateau, avant l'avènement de l'habitat vernaculaire, à savoir le duplex et le triplex dotés d'escaliers extérieurs tels qu'on a pu en apercevoir dans la rue Fabre. Vous serez surpris par la couleur des maisons: des briques vert amande, saumon, bleu nuit ou parme, recouvertes de lierre en été. À l'angle des rues Rachel et Drolet, on découvre l'église Saint-Jean Baptiste.

L'**église Saint-Jean-Baptiste** ★★ *(309 rue Rachel; métro Mt-Royal)*, consacrée sous le vocable du saint patron des Canadiens français en général et des Québécois en particulier, est un gigantesque témoignage de la foi solide de la population catholique et ouvrière du Plateau Mont-Royal au tournant du XXe siècle, laquelle, malgré sa misère et ses familles nombreuses, a réussi à amasser des sommes considérables pour la construction d'églises somptueuses. L'extérieur fut édifié en 1874. L'intérieur, quant à lui, fut repris à la suite d'un incendie, selon des dessins de Casimir Saint-Jean, qui en fit un chef-d'œuvre du style néobaroque à voir absolument. Le baldaquin de marbre rose et de bois doré du chœur (1915) protège l'autel de marbre blanc d'Italie qui fait face aux grandes orgues Casavant du jubé, lesquelles comptent parmi les plus puissantes de la ville. L'église, qui peut accueillir 3 000 personnes assises, est le lieu de fréquents concerts.

››› *Avant de remonter la rue Saint-Denis jusqu'à l'avenue du Mont-Royal pour reprendre le métro, faites un crochet par la Librairie Ulysse (4176 rue St-Denis).*

Le mont Royal ★★★

Le mont Royal, surnommé ainsi par Jacques Cartier lorsqu'il le gravit en 1535, est un point de repère important dans le paysage montréalais, autour duquel gravitent les quartiers centraux de la ville. Appelée simplement «la montagne» par les citadins, cette masse trapue de 233 m de haut à son point culminant est en fait le «poumon vert» de Montréal. Elle est couverte d'arbres matures et apparaît à l'extrémité des rues du centre-ville, exerçant un effet bénéfique sur les Montréalais, qui ainsi ne perdent jamais totalement contact avec la nature. La montagne est aujourd'hui protégée par le statut d'Arrondissement historique et naturel du Mont-Royal.

La montagne comporte en réalité trois sommets: le sommet Mont-Royal, le sommet Outremont et le sommet Westmount, du nom de la ville autonome aux belles demeures de style anglais. Les cimetières catholique, protestant et juifs de la montagne forment ensemble la plus vaste nécropole du continent nord-américain.

››› *Pour vous rendre au point de départ du circuit, prenez l'autobus 11 à la station de métro Mont-Royal, sur le Plateau Mont-Royal. Descendez au belvédère Camillien-Houde. Si vous êtes en voiture, prenez l'avenue du Mont-Royal vers l'ouest, puis la voie Camillien-Houde jusqu'au belvédère (stationnement sur votre gauche).*

Du **belvédère Camillien-Houde** ★★ *(voie Camillien-Houde)*, beau point d'observation, on embrasse du regard tout l'est de Montréal. On voit, à l'avant-plan, le quartier du Plateau Mont-Royal, avec sa masse uniforme de duplex et de triplex, percée en plusieurs endroits par les clochers de cuivre verdi des églises paroissiales, et, à l'arrière-plan, les quartiers Rosemont et Maisonneuve, dominés par le Stade olympique.

››› *Montez l'escalier de bois à l'extrémité sud du stationnement de l'observatoire, puis empruntez le chemin Olmsted, qui conduit au Chalet du Mont-Royal et au belvédère Kondiaronk. On passe alors devant la croix du Mont-Royal.*

La **croix du Mont-Royal**, qui se dresse au bord du chemin Olmsted, fut installée en 1927 pour commémorer le geste fait par le fondateur de Montréal, Paul Chomedey, sieur de Maisonneuve, lorsqu'il gravit la montagne en janvier 1643 pour y planter une croix de bois en guise de remerciement à la Vierge pour avoir épargné le fort Ville-Marie d'une inondation dévastatrice.

Le **Chalet du Mont-Royal** ★★★ *(tlj 8h à 20h; parc du Mont-Royal, ☎514-872-3911)*, au centre du parc, fut conçu par Aristide Beaugrand-Champagne en 1932 en remplacement de l'ancien qui menaçait ruine. Au cours des années 1930 et 1940, les big bands donnaient des concerts à la belle étoile sur les marches de l'édifice. L'intérieur est décoré de 17 toiles marouflées représentant des scènes de l'histoire du Canada et commandées à de grands peintres québécois, comme Marc-Aurèle Fortin et Paul-Émile Borduas. Le chalet a fait l'objet d'une importante rénovation en 2003, et les tableaux ont été restaurés.

Mais si l'on se rend au Chalet du Mont-Royal, c'est d'abord pour la traditionnelle vue sur le centre-ville depuis le **belvédère Kondiaronk** ★★★ (du nom du grand chef huron-wendat qui a négocié le traité de la Grande Paix en 1701), admirable en fin d'après-midi et en soirée, alors que les gratte-ciel s'illuminent.

Le **parc du Mont-Royal** ★★★ *(www.lemontroyal.qc.ca)* a été créé par la Ville de Montréal en 1870 à la suite des pressions des résidants du Golden Square Mile qui voyaient leur terrain de jeu favori déboisé par divers exploitants de bois de chauffage. Frederick Law Olmsted (1822-1903), le célèbre créateur du Central Park à New York, fut mandaté pour aménager les lieux. Il prit le parti de conserver au site son caractère naturel, se limitant à quelques points d'observation reliés par des sentiers en tire-bouchon. Inauguré en 1876, ce parc de 190 ha, concentré dans la portion sud de la montagne, est toujours un endroit de promenade apprécié par les Montréalais.

››› *Empruntez la route de gravier qui conduit au stationnement du Chalet et à la voie Camillien-Houde. À droite se trouve une des entrées du cimetière Mont-Royal.*

Le **cimetière Mont-Royal** ★★ *(voie Camillien-Houde, www.mountroyalcem.com; autobus 11)* fait partie des plus beaux sites naturels de la ville. Conçu comme un éden pour ceux qui rendent visite à leurs défunts, il est aménagé tel un jardin anglais dans une vallée isolée, donnant l'impression d'être à mille lieues de la ville, alors qu'on est

★ **ATTRAITS TOURISTIQUES**

1. DY Belvédère Camillien-Houde
2. DZ Croix du Mont-Royal
3. CZ Chalet du Mont-Royal
4. CZ Belvédère Kondiaronk
5. CZ Parc du Mont-Royal
6. CY Cimetière Mont-Royal
7. CZ Maison Smith
8. BZ Lac aux Castors
9. BY Cimetière Notre-Dame-des-Neiges
10. AY Parc Summit
11. AX Oratoire Saint-Joseph
12. BX Université de Montréal

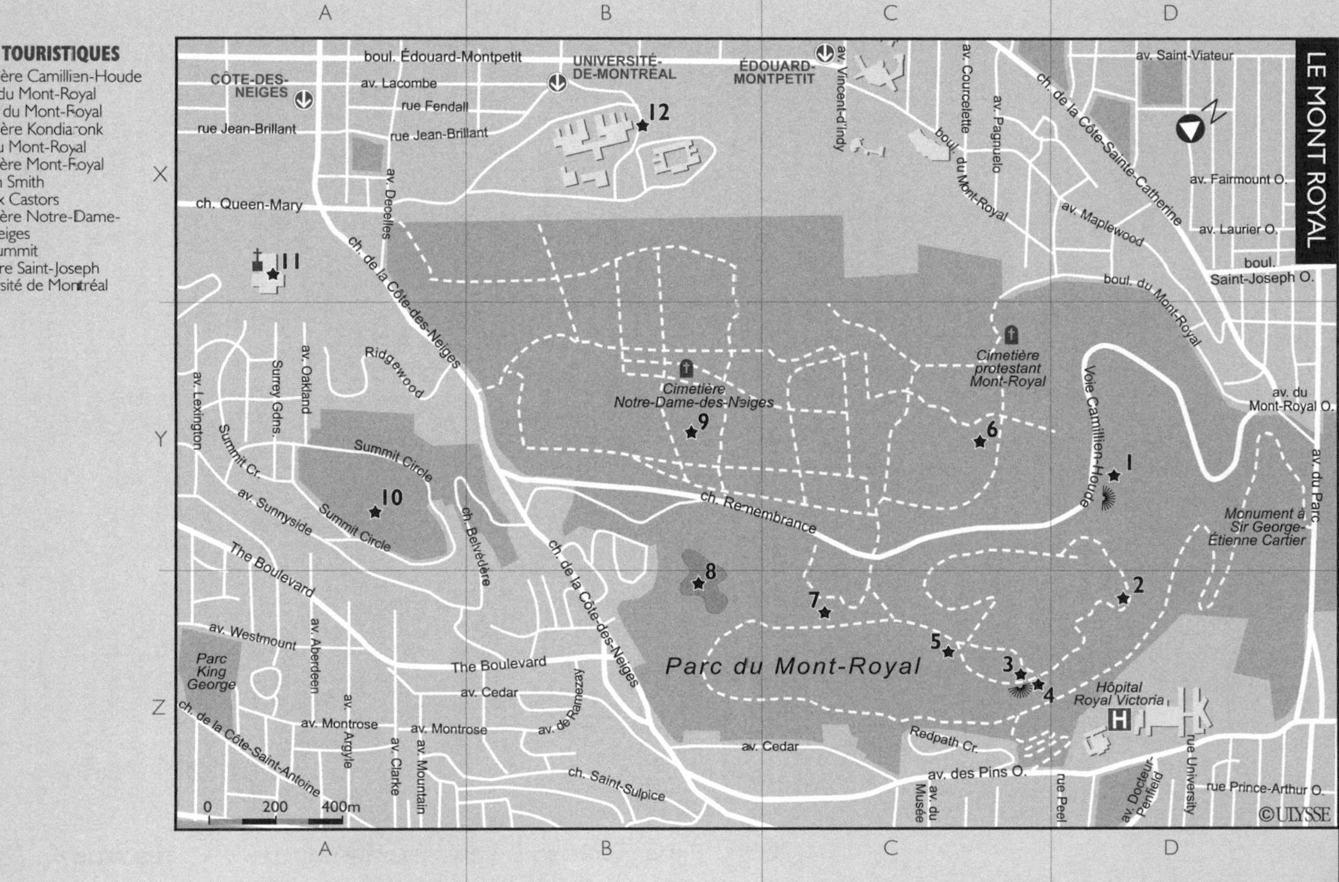

en fait en son centre. On y retrouve une grande variété d'arbres fruitiers, sur les branches desquels viennent se percher environ 145 espèces d'oiseaux dont certaines sont absentes d'autres régions du Québec. Le cimetière, créé à l'origine par les Églises anglicane, presbytérienne, méthodiste, unitarienne et baptiste, a ouvert ses portes en 1852 et accueille à ce jour les citoyens de toutes confessions religieuses. Certains de ses monuments sont de véritables œuvres d'art créées par des artistes de renom. Parmi les personnalités et les familles qui y sont inhumées, il faut mentionner l'armateur Sir Hugh Allan, les brasseurs Molson, qui possèdent le plus imposant mausolée, ainsi qu'Anna Leonowens, gouvernante du roi de Siam au XIXe siècle, qui a inspiré les créateurs de la pièce *The King and I* (*Le roi et moi*).

En route vers le lac aux Castors, on remarquera la seule des anciennes maisons de ferme de la montagne qui subsiste encore, la **Maison Smith** *(1620 ch. Remembrance,* ☎ *514-843-8240, www.lemontroyal.qc.ca)*, quartier général des Amis de la montagne, organisme qui propose toutes sortes d'expositions et d'activités en collaboration avec le Centre de la montagne.

Le petit **lac aux Castors** *(en bordure du ch. Remembrance)* a été aménagé en 1958 sur le site des marécages se trouvant autrefois à cet endroit. En hiver, il se transforme en une agréable patinoire. Ce secteur du parc, aménagé de manière plus conventionnelle, comprend en outre des pelouses et un jardin de sculptures.

››› *Empruntez le sentier qui mène au chemin Remembrance, à l'entrée du cimetière Notre-Dame-des-Neiges.*

Le **cimetière Notre-Dame-des-Neiges** ★★ *(ch. Remembrance, www.cimetierenddn.org; autobus 11)* est une véritable cité des morts, puisque près d'un million de personnes y ont été inhumées depuis 1855, date de son inauguration. Il succède au cimetière Saint-Antoine, qui occupait le square Dorchester, jugé trop étroit. Contrairement au cimetière Mont-Royal qui reçoit différentes confessions religieuses, il présente des attributs qui identifient clairement son appartenance au catholicisme. Ainsi, deux anges du paradis encadrant un crucifix accueillent les visiteurs à l'entrée principale, sur le chemin de la Côte-des-Neiges.

Le cimetière peut être visité tel un parcours pour découvrir des personnalités du monde des affaires, des arts, de la politique et de la science au Québec. Un obélisque à la mémoire des Patriotes des rébellions de 1837-1838 et plusieurs monuments réalisés par des sculpteurs de renom parsèment les 55 km de routes et de sentiers qui sillonnent les lieux. Du cimetière et des chemins qui y conduisent, on jouit de plusieurs points de vue sur l'oratoire Saint-Joseph.

››› *En sortant du cimetière par le chemin Remembrance, prenez l'autobus 11 en direction de l'oratoire Saint-Joseph.*

Vous croiserez sur votre route le **parc Summit** ★ *(Summit Circle; métro Côte-des-Neiges)*, véritable forêt urbaine et refuge d'oiseaux. Il s'agit du plus grand parc de Westmount. De son **belvédère**, on y a une vue imprenable sur Montréal.

L'**oratoire Saint-Joseph** ★★ *(entrée libre; tlj 7h à 20h30, messe tlj, crèches de Noël du monde de nov à fin avr, tlj 10h à 17h; 3800 ch. Queen-Mary,* ☎ *514-733-8211, www.saint-joseph.org; métro Côte-des-Neiges)*, coiffé d'un dôme en cuivre, le deuxième en importance au monde après celui de Saint-Pierre-de-Rome, est érigé à flanc de colline, ce qui accentue davantage son caractère mystique. De la grille d'entrée, il faut gravir plus de 300 marches pour atteindre la basilique ou prendre l'ascenseur. L'oratoire a été aménagé entre 1924 et 1967 à l'instigation du bienheureux frère André, de la Congrégation de Sainte-Croix, portier du collège Notre-Dame (situé en face) à qui l'on attribue de nombreux miracles. Ce véritable complexe religieux est donc à la fois dédié à saint Joseph et à son humble créateur. Il comprend la basilique inférieure, la crypte du frère André et la basilique supérieure, ainsi qu'un musée. La première chapelle du petit portier, aménagée en 1904, une cafétéria et un magasin d'articles de piété complètent les installations.

L'oratoire est un des principaux lieux de dévotion et de pèlerinage en Amérique. Il accueille chaque année quelque deux millions de visiteurs. L'enveloppe extérieure de l'édifice fut réalisée dans le style néoclassique, mais l'intérieur est avant tout une œuvre moderne. Il ne faut pas manquer de voir dans la basilique supérieure les vitraux de Marius Plamondon, l'autel et le crucifix d'Henri Charlier ainsi que l'étonnante chapelle dorée, à l'arrière.

À l'extérieur, on peut aussi voir le carillon de 56 cloches de bronze (10 900 kg) de la Maison Paccard et Frères, d'abord destiné à la tour Eiffel, puis offert à l'oratoire en 1954, et le beau chemin de croix dans les jardins à flanc de montagne, réalisé par Louis Parent et Ercolo Barbieri. Les jardins demeurent l'œuvre de l'architecte paysagiste Frederick G. Todd. L'observatoire de l'oratoire Saint-Joseph, d'où l'on embrasse du regard l'ensemble de Montréal, est le point culminant de l'île à 263 m de hauteur.

L'accès à l'attrait suivant est assez éloigné du trajet suivi, aussi une visite du site constitue-t-elle une excursion supplémentaire à laquelle il faut consacrer environ 1h.

Une succursale de l'Université Laval de Québec ouvre ses portes dans le Château Ramezay en 1876, après bien des démarches entravées par la maison mère, qui voulait garder le monopole de l'éducation universitaire en français à Québec. Quelques années plus tard, elle emménage dans la rue Saint-Denis, donnant ainsi naissance au **Quartier latin** (voir p 90). L'**Université de Montréal ★** *(2900 boul. Édouard-Montpetit, www.umontreal.ca; métro Université-de-Montréal)* obtient finalement son autonomie en 1920, ce qui permet à ses directeurs d'élaborer des projets grandioses. Ernest Cormier (1885-1980) est approché pour la réalisation d'un campus sur le flanc nord du mont Royal. Cet architecte, diplômé de l'École des beaux-arts de Paris, fut un des premiers à introduire l'Art déco en Amérique du Nord.

Les plans du pavillon central évoluent vers une structure Art déco épurée et symétrique, revêtue de briques jaune clair et dotée d'une tour centrale, visible depuis le chemin Remembrance et le cimetière Notre-Dame-des-Neiges. La construction, amorcée en 1929, est interrompue par la crise américaine, et ce n'est qu'en 1943 que le pavillon central, sur le flanc de la montagne, accueille ses premiers étudiants. Depuis, une pléiade de pavillons se sont joints à celui-ci, faisant de l'Université de Montréal la deuxième plus grande université de langue française au monde, avec plus de 58 000 étudiants.

Outremont et le Mile-End ★

p 123 p 129 p 131

Il existe, de l'autre côté du mont Royal (c'est-à-dire «outre mont»), un quartier qui, comme Westmount (son vis-à-vis anglophone du côté sud), s'est accroché au flanc du massif montagneux et a accueilli au cours de son développement une population relativement aisée, composée de nombreux hommes et femmes influents de la société québécoise: **Outremont ★**.

Ce n'est pas d'hier qu'Outremont, autrefois une ville autonome et aujourd'hui un arrondissement de la Ville de Montréal, constitue un emplacement de choix pour l'établissement humain. De récentes recherches avancent en effet que ce serait dans ce secteur qu'aurait probablement été situé le mystérieux village amérindien d'Hochelaga, disparu entre les visites de Jacques Cartier et de Champlain. Le chemin de la Côte-Sainte-Catherine, axe principal de développement d'Outremont, serait d'ailleurs là pour témoigner d'une certaine activité amérindienne: il se superposerait à celui d'un ancien sentier aménagé par les Autochtones pour contourner la montagne.

Après la venue des Européens, le territoire d'Outremont deviendra d'abord une zone agricole maraîchère (XVIIe et XVIIIe siècles), puis horticole et de villégiature (XIXe siècle) pour bon nombre de bourgeois de Montréal attirés par cette campagne toute proche. Les produits des terres outremontaises étaient alors de grande renommée pour toutes les tables importantes du Nord-Est américain. L'expansion urbaine de Montréal aura raison de cette vocation dès la fin du XIXe siècle et sera à l'origine de l'Outremont essentiellement résidentiel d'aujourd'hui.

L'itinéraire proposé pour explorer Outremont s'articule autour du chemin de la Côte-Sainte-Catherine et a pour point de départ l'intersection du boulevard du Mont-Royal et du chemin de la Côte-Sainte-Catherine (autobus 11 à partir de la station de métro Mont-Royal).

Voie de contournement de la montagne, le **chemin de la Côte-Sainte-Catherine** est curviligne sur une bonne partie de son parcours, ainsi qu'en angle par rapport à la trame générale des rues du secteur. Il constitue, en quelque sorte, la frontière entre deux types de relief en séparant du même coup ce qu'il est convenu d'appeler «Outremont-en-haut» (la partie la plus cossue d'Outremont, juchée sur la montagne proprement dite) du reste de l'arrondissement. Ce grand boulevard fut d'abord le lieu d'établissement de nombreuses résidences imposantes tirant notamment profit de la pente accentuée du côté sud *(maisons des héritiers du fabricant de cigares Grothé aux n°s 96 et 98)*. On remarquera, le long du chemin, l'aménagement des terrains: accès et façades du côté de l'avenue Maplewood, située derrière (pour certaines des résidences), terrassement en plateaux, conservation d'éléments de bois propres à retenir le sol, érection de murets de soutènement, etc.

Depuis une trentaine d'années, cependant, le développement sporadique et controversé d'immeubles résidentiels de prestige, du côté nord de la rue, est venu changer quelque peu l'allure générale du chemin, du moins dans la partie comprise entre le boulevard du Mont-Royal et l'avenue Laurier.

››› *Rendez-vous jusqu'à l'angle de l'avenue Bloomfield et de l'avenue Laurier.*

À l'angle de l'avenue Laurier et de l'avenue Bloomfield s'élève l'**église Saint-Viateur ★**, qui date de la seconde décennie du XXe siècle. D'inspiration néogothique, son intérieur est remarquable, orné par des artistes renommés en peinture (Guido Nincheri), en verrerie (Henri Perdriau), en ébénisterie (Philibert Lemay) et en sculpture (Médard Bourgault et Olindo Gratton). Les peintures recouvrant le plafond des voûtes et racontant la vie de saint Viateur sont très particulières.

L'**avenue Laurier ★**, entre le chemin de la Côte-Sainte-Catherine et la rue Hutchison, est l'une des artères commerciales d'Outremont les plus fréquentées par la population aisée outremontaise et montréalaise. L'avenue a bénéficié d'un retapage et d'un réaménagement urbain qui participent au chic des commerces spécialisés: épiceries fines, boutiques de mode, cafés en terrasse et restaurants bordent cette avenue qu'on prend plaisir à arpenter.

N'hésitez pas à la parcourir aussi au-delà de la rue Hutchison jusqu'au boulevard Saint-Laurent, où elle forme, avec les avenues Fairmount et Saint-Viateur au nord, le cœur du **Mile-End ★**, ce quartier bourgeois-bohème en pleine effervescence. Surtout connu pour sa tradition d'accueil de populations immigrantes, le Mile-End représente très bien la diversité culturelle montréalaise, sur le plan résidentiel mais aussi commercial puisqu'on y voit fleurir un grand nombre d'agréables cafés, restaurants et boutiques en tous genres fréquentés par une clientèle bigarrée et polyglotte. On doit aussi l'ambiance populaire de ce quartier à son héritage ouvrier: plusieurs industries s'y implantèrent au XIXe siècle, notamment des carrières et des tanneries.

La meilleure façon de découvrir le quartier est peut-être tout simplement de se promener dans ses rues charnières pour goûter à cette ambiance éclectique qui le caractérise si bien. Curieux château au milieu des bâtiments résidentiels, la **caserne de pompiers nº 30**, construite en 1905 à l'angle de l'avenue Laurier et du boulevard Saint-Laurent, a été tout à la fois l'hôtel de ville de Saint-Louis-du-Mile-End, une banque, un bureau de poste, une prison et une caserne de pompiers dont elle conserve encore aujourd'hui la vocation. De biais avec la caserne se trouve le parc Lahaie, qui borde une église de style baroque: l'**église Saint-Enfant-Jésus du Mile-End ★** *(5039 rue St-Dominique)*. Elle a été conçue au XIXe siècle, et sa coupole abrite des œuvres d'Ozias Leduc. Mais s'il est une église à découvrir dans le Mile-End, c'est bien l'**église Saint Michel-Archange ★** *(5580 rue St-Urbain)*. En 1914, l'architecte Aristide Beaugrand-Champagne s'inspira étonnamment du style byzantin pour créer ce lieu de culte catholique, qui détonne dans le paysage résidentiel ouvrier du quartier. D'abord destinée à la communauté irlandaise, cette église sert aujourd'hui de sanctuaire à la communauté polonaise. Son imposant dôme de 23 m de diamètre constituait, avant l'édification de l'oratoire Saint-Joseph, le dôme le plus important de la ville.

››› *Après une balade dans le Mile-End, revenez sur l'avenue Laurier à la hauteur de l'église Saint-Viateur et engagez-vous dans l'avenue Bloomfield.*

La composition générale de l'avenue Bloomfield est très agréable (grands arbres, bons espaces en cour avant, architecture distinctive des bâtiments, sinuosité de la rue). Quelques immeubles, le long de cette artère, valent la peine d'être mentionnés: l'**académie Querbes,** aux nos 215 à 235, construite en 1914, d'architecture originale (entrée monumentale, galeries de pierre développées jusqu'au deuxième étage) et d'aménagement avant-gardiste pour l'époque (avec piscine, quilles, gymnase, etc.); les nos 249 et 253, avec leurs balcons en forme de dais, au-dessus d'entrées traitées à la manière de loggias; le nº 261, construit par le même architecte que les précédents et où a habité le chanoine Lionel Groulx, prêtre, écrivain, professeur d'histoire et grand nationaliste québécois (l'édifice abrite maintenant une fondation à son nom); le nº 262, qui se distingue par l'alternance des matériaux dans la composition de sa façade (briques rouges et pierres grises). Un peu plus loin, en face du parc Outremont, au nº 345, se trouve une maison construite en 1922 par et pour Aristide Beaugrand-Champagne, architecte, caractérisée par son toit cathédrale et son stuc blanc.

››› *Tournez à gauche dans l'avenue Elmwood.*

Le **parc Outremont** est une des nombreuses aires de détente et de jeux de la municipalité, très prisées de la population. Il a été aménagé sur l'emplacement d'un marécage recevant jadis l'eau d'un ruisseau des hauteurs limitrophes. Son aménagement, qui date du début du XXe siècle, confère à l'endroit une tranquille beauté. Au centre du bassin McDougall trône une fontaine qui s'inspire des *Groupes d'enfants* qui ornent le parterre d'eau du château de Versailles. Un monument se dresse en face de la rue McDougall à la mémoire des citoyens d'Outremont morts durant la Première Guerre mondiale.

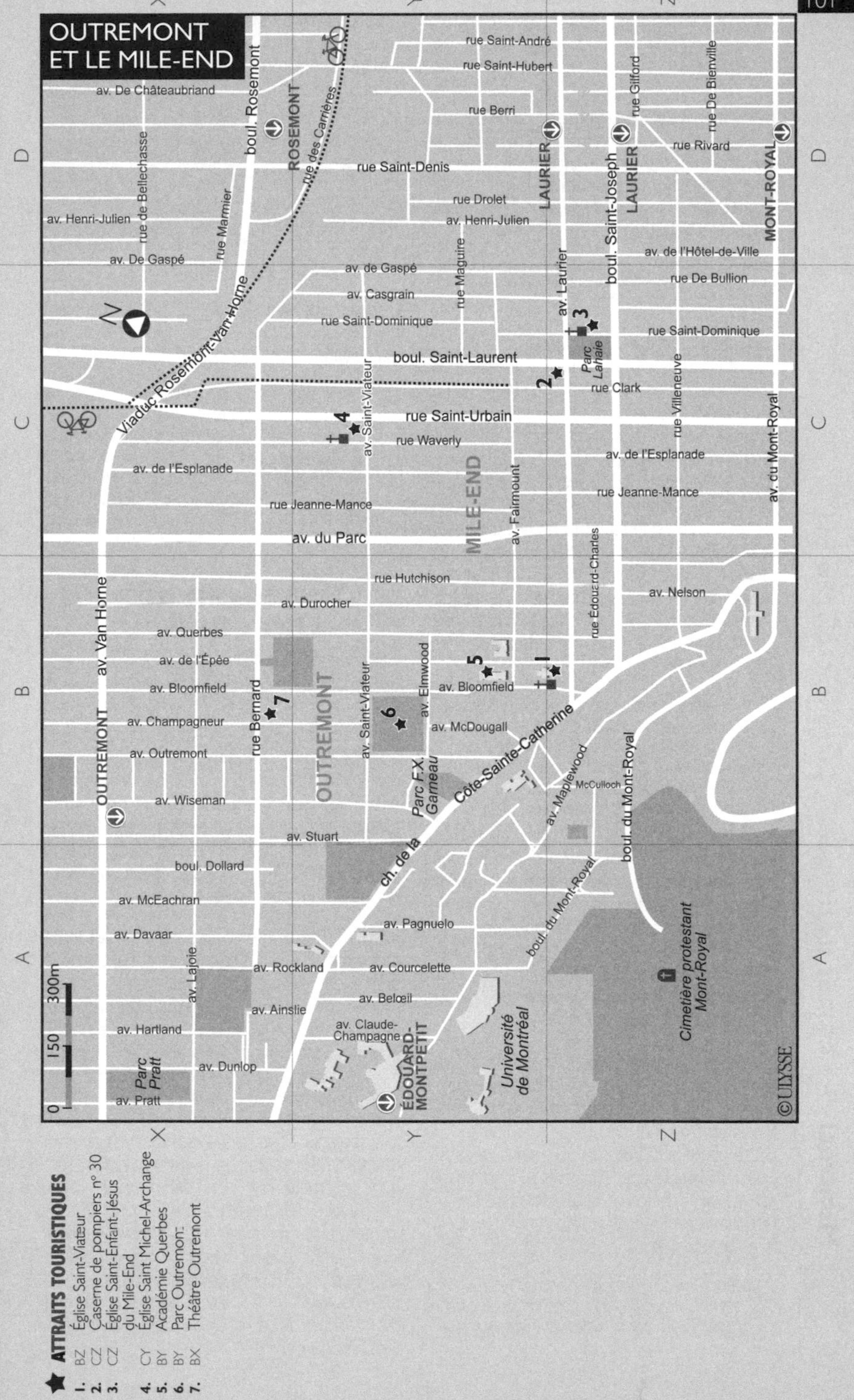
OUTREMONT ET LE MILE-END
rue Saint-André
rue Saint-Hubert
av. De Châteaubriand
boul. Rosemont
ROSEMONT
rue des Carrières
rue Berri
rue de Bellechasse
LAURIER
boul. Saint-Joseph
rue Gilford
rue De Bienville
rue Rivard
MONT-ROYAL
rue Saint-Denis
rue Marmier
rue Drolet
av. Henri-Julien
av. De Gaspé
rue Maguire
av. Laurier
av. de l'Hôtel-de-Ville
rue De Bullion
av. de Gaspé
av. Casgrain
rue Saint-Dominique
Viaduc Rosemont-Van Horne
boul. Saint-Laurent
Parc Lahaie
rue Clark
rue Villeneuve
av. Saint-Viateur
rue Saint-Urbain
rue Waverly
av. de l'Esplanade
av. du Mont-Royal
MILE-END
av. Fairmount
rue Jeanne-Mance
av. du Parc
rue Édouard-Charles
rue Hutchison
av. Nelson
av. Van Horne
av. Durocher
av. Querbes
av. de l'Épée
av. Bloomfield
av. Elmwood
rue Bernard
av. Champagneur
av. McDougall
ch. de la Côte-Sainte-Catherine
av. Outremont
OUTREMONT
Parc F.X. Garneau
av. Maplewood
McCulloch
av. Wiseman
boul. du Mont-Royal
av. Stuart
boul. Dollard
av. McEachran
av. Davaar
av. Pagnuelo
av. Lajoie
av. Rockland
av. Courcelette
av. Beloeil
av. Ainslie
av. Claude-Champagne
ÉDOUARD-MONTPETIT
Université de Montréal
Cimetière protestant Mont-Royal
av. Hartland
av. Dunlop
Parc Pratt
av. Pratt
0 150 300m
©ULYSSE
ATTRAITS TOURISTIQUES
1. BZ Église Saint-Viateur
2. CZ Caserne de pompiers n° 30
3. CZ Église Saint-Enfant-Jésus du Mile-End
4. CY Église Saint Michel-Archange
5. BY Académie Querbes
6. BY Parc Outremont
7. BX Théâtre Outremont

››› *Tournez à gauche dans l'avenue McDougall puis à droite dans le chemin de la Côte-Sainte-Catherine.*

Le chemin de la Côte-Sainte-Catherine continue ici encore d'attirer la construction de résidences dont certaines sont d'un intérêt architectural indéniable. C'est le cas notamment du nº 325, avec sa galerie très développée et ses nombreux détails ornementaux.

››› *Descendez l'avenue Davaar jusqu'à l'avenue Bernard.*

L'**avenue Bernard** ★ *(métro Outremont)* est à la fois une rue de commerces, de bureaux et de logements. Sa prestance (avenue large, grands terre-pleins de verdure, aménagement paysager sur rue, bâtiments de caractère) reflète la volonté d'une époque de confirmer formellement le prestige de la municipalité grandissante, aujourd'hui fusionnée à Montréal. C'est dans cette rue qu'est érigé notamment le **Théâtre Outremont** *(1234-1248 av. Bernard, ☎514-495-9944, www.theatreoutremont.ca)*, édifice Art déco classé monument historique, dont la vocation actuelle est dédiée aux spectacles et au cinéma. Sa décoration intérieure est de l'architecte Emmanuel Briffa (1875-1955).

››› *Reprenez le chemin de la Côte-Sainte-Catherine jusqu'à l'avenue Claude-Champagne. Au bout de l'avenue, tournez à gauche dans le boulevard du Mont-Royal et continuez tout droit aux feux de signalisation pour vous engager sur l'avenue Maplewood.*

Appelée aussi l'«avenue du pouvoir», l'**avenue Maplewood** ★ *(métro Édouard-Montpetit)* est l'axe central de ce secteur appelé «Outremont-en-haut», où, souvent dans une topographie très accidentée, sont venues se percher des résidences cossues qu'ont habitées ou habitent toujours de nombreux personnages influents du Québec.

Au-delà de l'avenue McCulloch (qui a vu s'établir pour un temps la famille de Pierre Elliott Trudeau, ancien premier ministre du Canada, au nº 84), l'avenue Maplewood devient encore plus pittoresque. Sa petite pente ainsi que sa légère sinuosité, associées à la beauté des résidences et à l'aménagement soignée des cours qui la bordent, confirment l'attrait que peut exercer «Outremont-en-haut» sur l'intelligentsia québécoise.

››› *Empruntez le passage piétonnier, situé entre les nos 52 et 54, qui mène au boulevard du Mont-Royal par la ruelle du même nom.*

Le **boulevard du Mont-Royal** est la deuxième grande artère d'«Outremont-en-haut». Son toponyme tire son origine du fait que le premier tronçon de cette voie conduisait au cimetière protestant Mont-Royal.

La belle vue sur l'est de Montréal (notamment sur le Plateau Mont-Royal) qui s'offre à vous au bout de la rue (au tournant du boulevard) révèle du même coup la différence radicale qui existe entre cette section d'Outremont et la ville à son pied.

Le **cimetière Mont-Royal** (voir p 96), auquel on accède par le boulevard du Mont-Royal, est décrit dans un autre circuit.

››› *Empruntez de nouveau le boulevard du Mont-Royal jusqu'à l'angle du chemin de la Côte-Sainte-Catherine pour reprendre l'autobus 11, qui vous conduira à la station de métro Mont-Royal, au cœur du Plateau, ou dans le parc du Mont-Royal, sur les hauteurs de la ville (circuit I).*

Les îles Sainte-Hélène et Notre-Dame ★★

p 125 *p 129*

Les îles Sainte-Hélène et Notre-Dame, situées au milieu du fleuve Saint-Laurent, demeurent des lieux de loisirs très animés, été comme hiver. Plage, parc d'attractions, circuit de course automobile, casino et autres services et installations se partagent ces îles magnifiques que les Montréalais de tous les âges aiment visiter régulièrement durant les beaux jours.

Lorsque Samuel de Champlain aborde l'île de Montréal en 1611, il trouve, en face, un petit archipel rocailleux. Il baptise la plus grande de ces îles du prénom de sa très jeune épouse, Hélène Boullé. En 1760, l'île sera le dernier retranchement des troupes françaises en Nouvelle-France, sous le commandement du chevalier François de Lévis.

L'importance stratégique des lieux est connue de l'armée britannique, qui aménage un fort dans la partie est de l'île au début du XIXe siècle. La menace d'un conflit armé avec les Américains s'étant amenuisée, l'île Sainte-Hélène est louée à la Ville de Montréal par le gouvernement canadien en 1874. Elle devient alors un parc de détente relié au Vieux-Montréal par un service de traversier et, à partir de 1930, par le pont Jacques-Cartier.

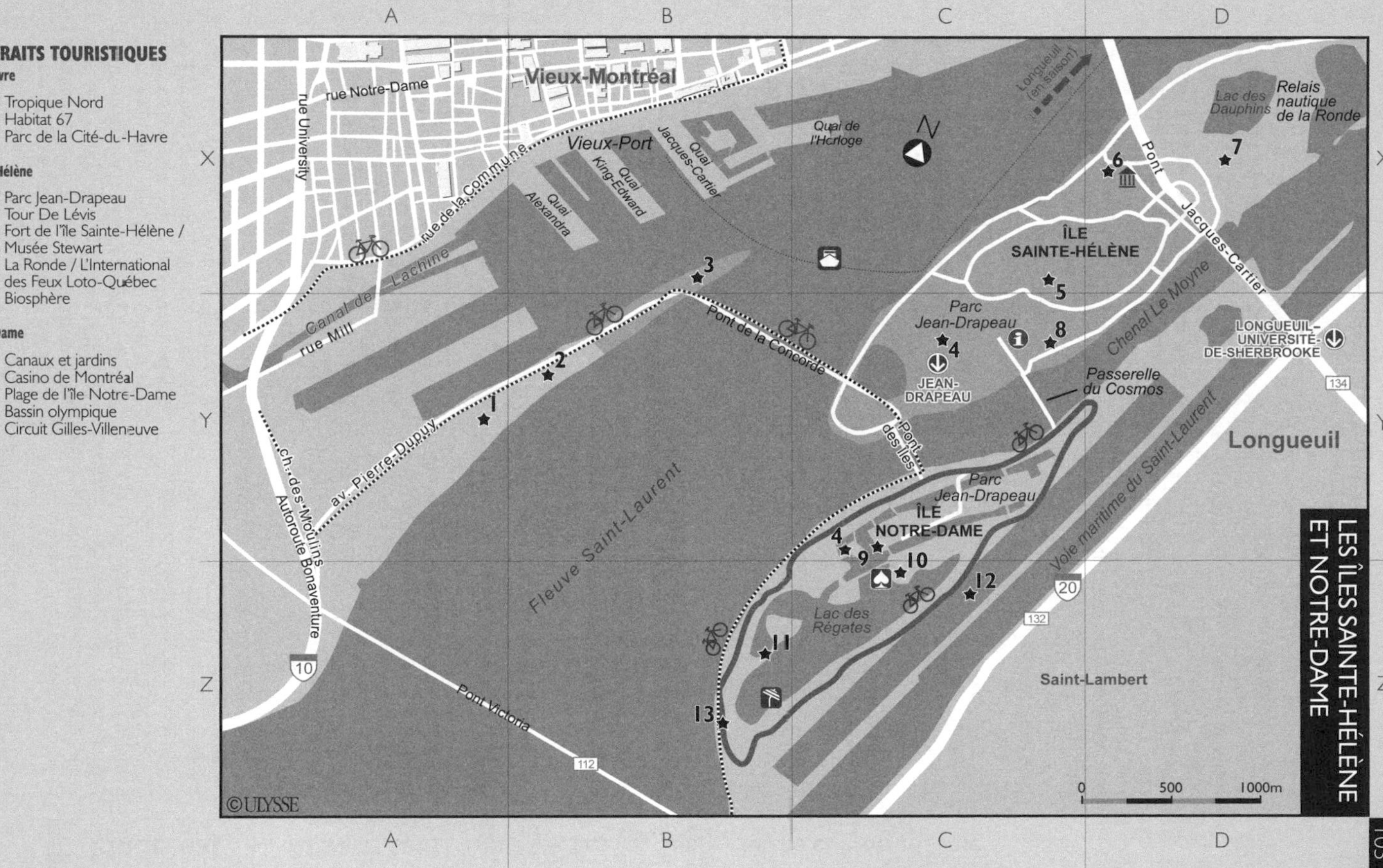

ATTRAITS TOURISTIQUES

Cité-du-Havre

1. AY Tropique Nord
2. BY Habitat 67
3. BX Parc de la Cité-du-Havre

Île Sainte-Hélène

4. CY Parc Jean-Drapeau
5. CX Tour De Lévis
6. DX Fort de l'île Sainte-Hélène / Musée Stewart
7. DX La Ronde / L'International des Feux Loto-Québec
8. CY Biosphère

Île Notre-Dame

9. CY Canaux et jardins
10. CZ Casino de Montréal
11. BZ Plage de l'île Notre-Dame
12. CZ Bassin olympique
13. BZ Circuit Gilles-Villeneuve

Au début des années 1960, Montréal obtient l'Exposition universelle de 1967. On désire l'aménager sur un vaste lieu attrayant et situé à proximité du centre-ville. Un tel emplacement n'existe pas. Il faut donc l'inventer de toutes pièces en doublant la superficie de l'île Sainte-Hélène et en créant l'île Notre-Dame à l'aide de la terre excavée des tunnels du métro. D'avril à novembre 1967, 45 millions de visiteurs fouleront le sol des deux îles et de la Cité-du-Havre, qui constitue le point d'entrée du site. «L'Expo», comme l'appellent encore familièrement les Montréalais, fut plus qu'un ramassis d'objets hétéroclites. Ce fut le réveil de Montréal, son ouverture au monde et, pour ses visiteurs venus de partout, la découverte d'un nouvel art de vivre, celui de la minijupe, des réactés, de la télévision en couleurs, des hippies, du *flower power* et du rock revendicateur.

››› *Il n'est pas facile de se rendre du centre-ville à la Cité-du-Havre. Le meilleur moyen consiste à emprunter la rue Mill, puis le chemin des Moulins, qui court sous l'autoroute Bonaventure jusqu'à l'avenue Pierre-Dupuy. Celle-ci conduit au pont de la Concorde, qui franchit le fleuve Saint-Laurent pour atteindre les îles. On peut également s'y rendre avec l'autobus 168 à partir de la station de métro McGill.*

Tropique Nord ★, **Habitat 67** ★★ et le **parc de la Cité-du-Havre** ★ sont construits sur une pointe de terre créée pour les besoins du port de Montréal, qu'elle protège des courants et de la glace, et qui offre de beaux points de vue sur la ville et sur l'eau. À l'entrée se trouvent le siège de l'administration du port ainsi qu'un groupe d'édifices qui comprenait autrefois l'Expo-Théâtre et le Musée d'art contemporain. Un peu plus loin, on aperçoit la grande verrière de Tropique Nord, ce complexe d'habitation dont les appartements donnent sur l'extérieur, d'un côté, et sur un jardin tropical intérieur, de l'autre.

On reconnaît ensuite Habitat 67, cet ensemble résidentiel expérimental réalisé dans le cadre de l'Exposition universelle pour illustrer les techniques de préfabrication du béton et annoncer un nouvel art de vivre. Son architecte, Moshe Safdie, n'avait que 23 ans au moment de l'élaboration des plans. Habitat 67 se présente tel un gigantesque assemblage de cubes contenant chacun une ou deux pièces. Les appartements d'Habitat 67 sont toujours aussi prisés et logent plusieurs personnalités québécoises. Plusieurs années après leur construction, ils n'ont de cesse de choquer ou de séduire les Montréalais.

Le parc de la Cité-du-Havre comprend 12 panneaux qui retracent brièvement l'histoire du fleuve Saint-Laurent. La piste cyclable menant aux îles Notre-Dame et Sainte-Hélène passe tout près.

››› *Traversez le pont de la Concorde. Du printemps à l'automne, l'île Sainte-Hélène est également accessible par une navette fluviale, depuis le Vieux-Port (6$; ☎514-281-8000).*

Le **parc Jean-Drapeau** ★★ *(☎514-872-6120, www.parcjeandrapeau.com; métro Jean-Drapeau)* est aujourd'hui composé des îles Sainte-Hélène et Notre-Dame. À l'origine, le parc Hélène-de-Champlain avait une superficie de 50 ha. Les travaux d'Expo 67 l'ont portée à plus de 120 ha. La portion originale correspond au territoire surélevé et ponctué de rochers, composés d'une pierre d'un type particulier à l'île Sainte-Hélène appelée «brèche», une pierre très dure et ferreuse qui prend une teinte orangée avec le temps lorsqu'elle est exposée à l'air. En 1992, la portion ouest de l'île Sainte-Hélène a été réaménagée en un vaste amphithéâtre (le «parterre» du parc Jean-Drapeau) en plein air où sont présentés des spectacles à grand déploiement. Sur une belle place en bordure de la rive faisant face à Montréal, on aperçoit *L'Homme*, important stabile en acier inoxydable du sculpteur américain Alexander Calder réalisé pour l'Expo 67. Le parc renferme maintenant 14 œuvres d'art public, d'artistes d'ici et d'ailleurs, réparties sur les deux îles.

››› *Empruntez les sentiers qui convergent vers le centre de l'île.*

À l'orée du parc Hélène-de-Champlain original, on peut voir le chalet des baigneurs aménagé pendant la crise des années 1930. On notera le revêtement en pierres de brèche du chalet. Les trois piscines originales de l'île ont été démolies puis reconstruites pour accueillir les XIes Championnats du monde FINA en 2005. L'île, au relief complexe, est dominée par la **tour De Lévis**, simple château d'eau aux allures de donjon érigé en 1936.

››› *Suivez les indications vers le fort de l'île Sainte-Hélène.*

À la suite de la guerre de 1812 entre les États-Unis et la Grande-Bretagne, le **Fort de l'île Sainte-Hélène** ★★ *(métro Jean-Drapeau)* est construit afin que l'on puisse défendre adéquatement Montréal. Les travaux effectués sont achevés en 1825. L'ensemble en pierres de brèche se présente tel un *U* échancré, entourant une place d'armes qui sert de nos jours de terrain de parade à la Compagnie Franche de la Marine et au 78e régiment des Fraser Highlanders. Ces deux régiments factices en costumes d'époque font revivre les traditions militaires françaises et écossaises du Canada, pour le grand plaisir des visiteurs. De la place d'armes, on bénéficie d'une belle vue sur le port et sur le **pont Jacques-Cartier** ★★, qui chevauche l'île et sépare le parc de verdure de La Ronde. Inauguré en 1930, le pont peut-être emprunté aussi bien à pied et en vélo qu'en voiture.

Le **Musée Stewart** ★★ *(☎514-861-6701, www.stewart-museum.org; métro Jean-Drapeau)*, installé dans l'arsenal du fort, est voué à l'histoire de la découverte et de l'exploration du Nouveau Monde. On y présente un ensemble d'objets des siècles passés, parmi lesquels figurent d'intéressantes collections de cartes, d'armes à feu, d'instruments scientifiques et de navigation, rassemblées par l'industriel montréalais David Stewart et son épouse Liliane. Au moment de mettre sous presse, le musée fermait ses portes temporairement au public pour des travaux de rénovation importants. La réouverture est prévue pour le mois de mai 2010.

La Ronde ★ *(38$; mi-mai à fin oct; ☎514-397-2000, www.laronde.com; métro Jean-Drapeau et autobus 167)*, ce parc d'attractions aménagé à l'occasion de l'Exposition universelle de 1967 dans l'ancienne île Ronde, ouvre chaque été ses portes aux jeunes et aux moins jeunes. **L'International des Feux Loto-Québec** (voir p 130), un concours international d'art pyrotechnique, s'y tient pendant les mois de juin et de juillet.

››› *Empruntez le chemin qui longe la côte sud de l'île en direction de la Biosphère.*

Ancien pavillon des États-Unis à l'Expo 67, la **Biosphère** ★★ *(10$, entrée libre pour les 17 ans et moins; juin à oct tlj 10h à 18h, nov à mai mar-dim 10h à 18h et jours fériés 10h à 17h; ☎514-283-5000, www.biosphere.ec.gc.ca; métro Jean-Drapeau)* de 80 m de diamètre, à structure tubulaire en acier, a malheureusement perdu son revêtement translucide en acrylique lors d'un incendie en 1976. Depuis 1995, elle abrite un musée de l'environnement qui traite des grands enjeux liés à l'eau, aux changements climatiques, à l'écosystème Grands Lacs–Saint-Laurent, au développement durable et à la consommation responsable. Les expositions et activités interactives visent à sensibiliser le public et à l'amener à agir en faveur de l'environnement. Jeux, maquettes, modules, défis et expériences y sont offerts pour explorer, mieux comprendre et apprendre tout en s'amusant.

››› *Traversez le pont du Cosmos pour vous rendre sur l'île Notre-Dame.*

L'**île Notre-Dame** est sortie des eaux du fleuve Saint-Laurent en l'espace de 10 mois, grâce aux 15 millions de tonnes de roc et de terre transportés sur le site depuis le chantier du métro. Comme il s'agit d'une île artificielle, on a pu lui donner une configuration fantaisiste en jouant autant avec la terre qu'avec l'eau. Ainsi l'île est traversée par d'agréables **canaux** et **jardins** ★★ *(métro Jean-Drapeau et autobus 167)*, aménagés à l'occasion des Floralies internationales de 1980. Il est possible de louer des embarcations pour sillonner les canaux.

Situé sur l'île Notre-Dame, le **Casino de Montréal** ★ (voir p 129) *(entrée libre; 18 ans et plus; stationnement et vestiaire gratuits; tlj 24 heures sur 24; ☎514-392-2746 ou 800-665-2274, www.casinosduquebec.com; métro Jean-Drapeau et autobus 167)* est aménagé dans ce qui fut les pavillons de la France et du Québec lors de l'Exposition universelle de 1967. Dans le bâtiment principal, soit l'ancien **pavillon de la France** ★ conçu en aluminium, les galeries supérieures offrent une vue imprenable sur le centre-ville et le fleuve Saint-Laurent. Le bâtiment annexe, à l'allure d'une pyramide tronquée, que l'on voit immédiatement à l'ouest, est l'ancien **pavillon du Québec** ★.

À proximité se trouve l'accès à la **plage de l'île Notre-Dame** *(8$, 5$ après 16h mi-juin à mi-août tlj 10h à 19h; ☎514-872-6120; métro Jean-Drapeau et autobus 167)*, qui donne l'occasion aux Montréalais de se prélasser sur une vraie plage de sable, même au milieu du fleuve Saint-Laurent. Le système de filtration naturel permet de garder l'eau du petit lac intérieur propre, sans devoir employer d'additifs chimiques. Le nombre de baigneurs que la plage peut accueillir est cependant contrôlé afin de ne pas déstabiliser ce système.

D'autres équipements de sport et de loisir s'ajoutent à ceux déjà mentionnés, soit le **bassin olympique**, aménagé à l'occasion des Jeux de 1976, et le **circuit Gilles-Villeneuve** *(métro Jean-Drapeau et autobus 167)*, qui a accueilli pendant de nombreuses années le Grand Prix du Canada, une course de Formule 1.

››› *Pour retourner au centre-ville de Montréal, prenez le métro à la station Jean-Drapeau.*

Maisonneuve ★★

p 125 p 126 p 133

En 1883, la ville de Maisonneuve voit le jour dans l'est de Montréal à l'initiative de fermiers et de marchands canadiens-français. Dès 1889, les installations du port de Montréal la rejoignent, facilitant ainsi son développement. Puis, en 1918, cette ville autonome est annexée à Montréal, devenant de la sorte l'un de ses principaux quartiers ouvriers, francophone à 90%. Au cours de son histoire, Maisonneuve a été profondément marquée par des hommes aux grandes idées, qui ont voulu faire de ce coin de pays un lieu d'épanouissement collectif. Les frères Marius et Oscar Dufresne, à leur arrivée au pouvoir à la mairie de Maisonneuve en 1910, institueront une politique de démesure en faisant ériger de prestigieux édifices publics de style Beaux-Arts destinés à faire de «leur» ville un modèle de développement pour le Québec français. Puis, le frère Marie-Victorin y fonde en 1931 le Jardin botanique de Montréal, aujourd'hui l'un des plus importants au monde. Enfin, en 1971, le maire Jean Drapeau inaugure dans Maisonneuve les travaux de l'immense complexe sportif qui accueillera les Jeux olympiques de Montréal en 1976.

››› *De la station de métro Pie-IX, montez la côte qui mène à l'angle de la rue Sherbrooke Est. Le circuit commence au Jardin botanique.*

Jardin botanique et Insectarium de Montréal ★★★ *(16$, basse saison 13,50$; mi-mai à début sept tlj 9h à 18h, début sept à fin oct tlj 9h à 21h, nov à mi-mai mar-dim 9h à 17h, 4101 rue Sherbrooke E., ☎514-872-1400, www.museumsnature.ca; métro Pie-IX).* D'une superficie de 75 ha, le Jardin botanique de Montréal a été entrepris pendant la crise des années 1930 sur l'emplacement du Mont-de-La-Salle, la maison mère des frères des Écoles chrétiennes, grâce à une initiative du frère Marie-Victorin, célèbre botaniste québécois. Derrière l'édifice Marie-Victorin de style Art déco, qui abrite entre autres l'Institut de recherche en biologie végétale issu d'un partenariat entre l'Université de Montréal et le Jardin botanique, s'étirent les 10 serres d'exposition. Ouvertes tout au long de l'année et reliées les unes aux autres, on peut notamment y voir une précieuse collection d'orchidées ainsi qu'une partie du plus important regroupement de penjings hors d'Asie, dont fait partie la fameuse collection «Wu», donnée au jardin par le maître Wu Yee-Sun de Hong-Kong en 1984.

Trente jardins thématiques extérieurs, ouverts du printemps à l'automne, conçus pour instruire et émerveiller le visiteur, s'étendent au nord et à l'ouest des serres. Parmi ceux-ci, il faut souligner une belle roseraie, le Jardin japonais et son pavillon de style *sukiya*, ainsi que le très beau Jardin de Chine du lac de rêve, dont les pavillons ont été réalisés par des artisans venus exprès de Chine. Montréal étant jumelée entre autres villes à Shanghai, on a voulu en faire le plus vaste jardin du genre hors d'Asie.

Il faut aussi voir le **Jardin des Premières-Nations**, inauguré en 2001. Sa réalisation est l'aboutissement du travail de plusieurs intervenants, dont plusieurs autochtones des Premières Nations. Dès la fondation du Jardin botanique, le frère Marie-Victorin avait imaginé un jardin de plantes médicinales utilisées par les Amérindiens. L'interprétation de ce jardin permet de se familiariser avec les cultures autochtones, et particulièrement avec leurs relations avec le monde végétal.

Un Arboretum sillonné de sentiers occupe la partie nord du Jardin botanique. C'est dans ce secteur qu'a été érigée la **Maison de l'arbre**, véritable centre d'interprétation qui permet de mieux comprendre la vie d'un arbre et des forêts. L'exposition permanente que l'on y présente reprend d'ailleurs la forme d'une moitié de tronc d'arbre où le visiteur circule entre les anneaux de croissance. La structure du bâtiment, formée d'un assemblage de poutres d'épinettes, rappelle un alignement d'arbres urbains.

L'**Insectarium de Montréal** *(☎514-872-1400)*, le plus important musée entièrement consacré aux insectes en Amérique du Nord, est situé à l'est des serres. Ce musée vivant invite les visiteurs à découvrir le monde fascinant de plus de 160 000 spécimens d'insectes à l'aide d'une fourmilière, d'une bourdonnière, d'une ruche, de vivariums et de jeux interactifs. Surveillez les diverses activités organisées tout au long de l'année!

››› *Retournez au boulevard Pie-IX. Du côté ouest, tout juste au sud de la rue Sherbrooke Est, se dresse le Château Dufresne.*

Le **Château Dufresne** ★★ *(7$; jeu-dim 10h à 17h; 2929 rue Jeanne-d'Arc, ☎514-259-9201, www.chateaudufresne.qc.ca; métro Pie-IX)* est constitué en réalité de deux résidences bourgeoises jumelées de 22 pièces chacune, érigées derrière une façade unique. Le château fut réalisé en 1916 pour les frères Marius et Oscar Dufresne, fabricants de chaussures et promoteurs d'un projet d'aménagement grandiose pour Maisonneuve, auquel la Première Guerre mondiale allait mettre

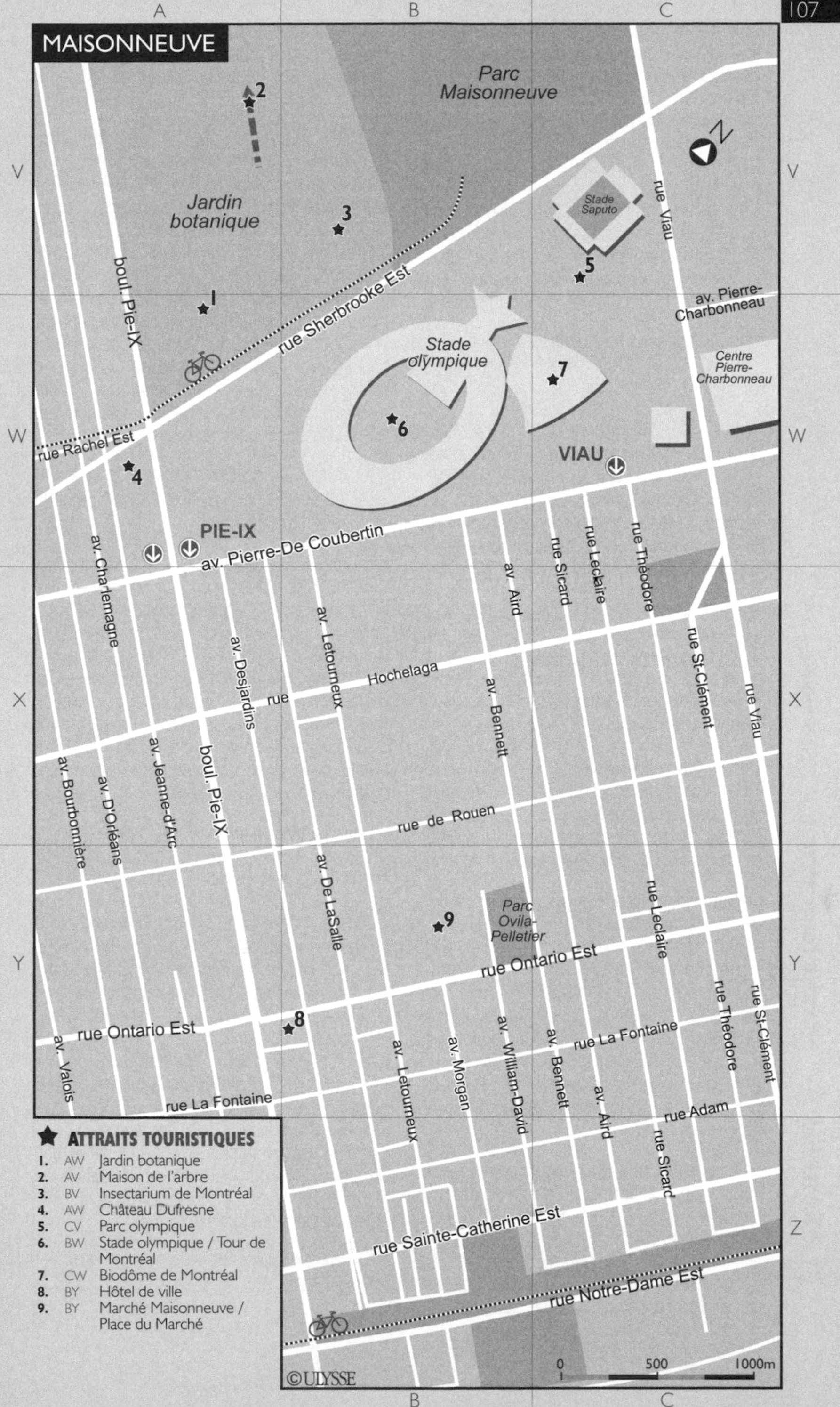

ATTRAITS TOURISTIQUES

1. AW Jardin botanique
2. AV Maison de l'arbre
3. BV Insectarium de Montréal
4. AW Château Dufresne
5. CV Parc olympique
6. BW Stade olympique / Tour de Montréal
7. CW Biodôme de Montréal
8. BY Hôtel de ville
9. BY Marché Maisonneuve / Place du Marché

un terme, engendrant la faillite de la municipalité. Leur demeure, œuvre conjointe de Marius Dufresne et de l'architecte parisien Jules Renard, devait former le noyau d'un quartier résidentiel bourgeois qui n'a jamais vu le jour. Elle est un des meilleurs exemples d'architecture Beaux-Arts à Montréal. Le Château Dufresne, bâtiment historique classé, a été décoré par Guido Nincheri et est inspiré du Petit Trianon de Versailles. On propose des visites des salles avec leur collection de meubles tout en faisant revivre l'histoire de ses occupants, de même que des expositions temporaires sur les arts visuels ou le patrimoine.

››› *Descendez la côte du boulevard Pie-IX, puis tournez à gauche dans l'avenue Pierre-De Coubertin.*

Jean Drapeau fut maire de Montréal de 1954 à 1957 puis de 1960 à 1986. Il rêvait de grandes choses pour «sa» ville. D'un pouvoir de persuasion peu commun et d'une détermination à toute épreuve, il mena à bien plusieurs projets importants, notamment la construction du métro et de la Place des Arts, ainsi que la venue à Montréal de l'Exposition universelle de 1967 et, bien sûr, des Jeux olympiques d'été de 1976. Mais, pour cet événement international, il fallait doter la ville d'équipements à la hauteur.

Qu'à cela ne tienne, on irait chercher un visionnaire parisien qui dessinerait du jamais vu: c'est ainsi que naquirent, un milliard de dollars plus tard, le **Parc olympique** et sa pièce maîtresse, l'œuvre de l'architecte Roger Taillibert, également auteur du stade du Parc des Princes, à Paris, une structure qui étonne par la courbure de ses formes organiques en béton.

Le **Stade olympique** ★★★ *(8$; visite combinée avec la Tour de Montréal 17,75$, visites guidées tlj départs réguliers entre 11h et 15h30; 4141 av. Pierre-De Coubertin, ☎514-252-4737 ou 877-997-0919, www.rio.gouv.qc.ca; métro Viau)*, de forme ovale, dispose de 56 000 places, et sa tour penchée fait 175 m de hauteur. Au loin, on aperçoit les deux tours de forme pyramidale du Village olympique qui ont logé les athlètes en 1976. Le Stade olympique accueille chaque année différents événements.

La tour du stade, la plus haute tour penchée du monde, a été rebaptisée la **Tour de Montréal**. Un funiculaire *(14$; tlj 9h à 17h, jusqu'à 19h en haute saison, fermé début jan à mi-fév, ☎514-252-4737)* grimpe à l'assaut de la structure, permettant de rejoindre l'observatoire d'où les visiteurs peuvent contempler l'ensemble de l'Est montréalais. Au second niveau de l'observatoire sont présentées des expositions diverses. On y trouve aussi une aire de détente, le Salon Montréal. Le pied de la tour abrite les piscines du Complexe olympique, alors qu'à l'arrière se profile un gros cinéma multisalles.

L'ancien vélodrome, situé à proximité, a été transformé en un milieu de vie artificiel pour les plantes et les animaux, appelé le **Biodôme de Montréal** ★★★ *(16$; fin juin à début sept tlj 9h à 18h, début sept à fin juin mar-dim 9h à 17h; 4777 av. Pierre-De Coubertin, ☎514-868-3000, www.biodome.qc.ca; métro Viau)*. Ce musée rattaché au Jardin botanique présente sur 10 000 m² quatre écosystèmes fort différents les uns des autres: la forêt tropicale, la forêt laurentienne, le Saint-Laurent marin et le monde polaire. Ce sont des microcosmes complets, comprenant végétation, mammifères et oiseaux en liberté, ainsi que des conditions climatiques réelles.

››› *Revenez au boulevard Pie-IX et empruntez-le vers le sud jusqu'à la rue Ontario, où vous tournerez à gauche.*

Le coup d'envoi de la politique de grandeur de l'administration Dufresne fut donné en 1912 par la construction de l'**hôtel de ville** ★ *(4120 rue Ontario E.)* selon les plans de l'architecte Cajetan Dufort. De 1925 à 1967, on y trouvait l'Institut du Radium, spécialisé dans la recherche sur le cancer. Depuis 1981, l'édifice abrite la bibliothèque Maisonneuve. À l'étage, un dessin «à vol d'oiseau» de Maisonneuve vers 1915 laisse voir les bâtiments prestigieux réalisés ainsi que ceux qui sont demeurés sur papier.

Le **marché Maisonneuve** ★ *(4445 rue Ontario E., ☎514-937-7754, www.marchespublics-mtl.com)* est un des agréables marchés publics de Montréal. Depuis 1995, il loge dans un bâtiment relativement récent si on le compare avec celui, voisin, qui l'abritait autrefois. Ce dernier s'inscrit dans un concept d'aménagement urbain hérité des enseignements de l'École des beaux-arts de Paris, appelé «Mouvement City Beautiful» en Amérique du Nord; il s'agit d'un mélange de perspectives classiques, de parcs de verdure et d'équipements civiques et sanitaires. Érigé dans l'axe de l'avenue Morgan en 1914, l'ancien marché Maisonneuve, de Cajetan Dufort, est la réalisation la plus ambitieuse initiée par Dufresne. On trouve, au centre de la **place du Marché**, une œuvre importante du sculpteur Alfred Laliberté intitulée *La fermière*.

››› *Revenez sur vos pas jusqu'à la station de métro Pie-IX.*

Activités de plein air

Baignade

Les trois piscines olympiques (récréative, de compétition et de plongeon) du **Complexe aquatique de l'île Sainte-Hélène** *(☎514-872-6120; www.parcjeandrapeau.com)* ont été inaugurées en 2005 pour accueillir les XIes Championnats du monde FINA (Fédération Internationale de Natation).

Sur l'île Notre-Dame, l'eau de la plage du **parc Jean-Drapeau** (voir p 104) est filtrée de façon naturelle, ce qui permet aux gens de se baigner dans une eau propre ne contenant aucun additif chimique. Le nombre de baigneurs admis étant limité, il faut arriver tôt quand les beaux jours d'été pointent à l'horizon.

Glissade

À Montréal, plusieurs parcs comportent des pentes aménagées pour la glissade. Toutes conviennent aux familles qui désirent passer un après-midi sous le soleil hivernal, et certaines, plus casse-cou, ne manquent pas de plaire aux amateurs de sensations fortes. Parmi les plus belles figurent celles du **parc du Mont-Royal** ★★★ (devant le lac aux Castors ou face à l'avenue du Parc) et du **parc Jean-Drapeau** ★★ (durant la fête des Neiges voir p 130).

Navigation de plaisance

La restauration des écluses du **canal de Lachine**, berceau de l'histoire industrielle du Canada, a enfin amené la réouverture de cette voie historique à la navigation de plaisance.

L'**École de Voile de Lachine** *(3045 boul. St-Joseph, Lachine, ☎514-634-4326, www.voilelachine.com)* fait la location de planches à voile, de petits voiliers ainsi que de dériveurs légers, et propose des cours privés ou de groupe.

Observation des oiseaux

Le **Jardin botanique de Montréal** (voir p 106) reçoit, tout au long de l'hiver, la visite de nombreuses espèces d'oiseaux. Parmi celles que vous aurez la chance de rencontrer, citons le gros-bec errant, le pic mineur, la mésange à tête noire, le sizerin flammé et la sittelle à poitrine rousse.

Patin à glace

La popularité du patin à glace ne faiblit pas à Montréal. Cette activité extérieure est peu coûteuse et ne nécessite qu'un minimum d'équipement et de technique.

En hiver, dans plusieurs parcs, des patinoires sont aménagées pour le plus grand plaisir de tous. Parmi les plus belles, mentionnons celles du **lac aux Castors** (parc du Mont-Royal; voir p 98), de l'étang du **parc La Fontaine** (voir p 93) et du **bassin Bonsecours** *(5$; location de patins 7$; Quais du Vieux-Port, ☎514-496-7678, www.quaisduvieuxport.com; métro Champ-de-Mars)*.

L'**Atrium** *(6$; location de patins 5,50$; 1000 rue De La Gauchetière O., ☎514-395-0555, www.le1000.com)*, situé dans la plus haute tour à bureaux de Montréal, soit le 1000 De La Gauchetière, renferme une grande patinoire de 900 m² ouverte toute l'année. Au-dessus de la patinoire, il y a une superbe coupole vitrée qui diffuse les rayons du soleil.

Randonnée pédestre

Montréal est une ville qui se laisse découvrir aisément en marchant. Mais à ceux qui désirent parcourir des coins de verdure magnifiques, où l'asphalte et le béton ne sont pas encore maîtres, la ville offre des centaines de kilomètres de sentiers de randonnée pédestre. Pour en connaître davantage sur ces sentiers pédestres de la ville, il faut se procurer le guide Ulysse ***Marcher à Montréal et ses environs***.

Tout près du centre-ville, le **parc du Mont-Royal** (voir p 96) est une oasis de verdure qui se prête bien à la randonnée pédestre. Le parc compte une vingtaine de kilomètres de sentiers, incluant de nombreux petits sentiers secondaires ainsi que le magnifique chemin Olmsted et la boucle du sommet.

Le **parc Maisonneuve** *(délimité par le Jardin botanique, la rue Sherbrooke E., le boul. Rosemont et la rue Viau; 4601 rue Sherbrooke E., métro Viau)*, un grand espace vert de 63 ha situé en face du **Stade olympique** (voir p 108), compte une dizaine de kilomètres de sentiers de randonnée pédestre.

Quelques kilomètres de sentiers sillonnent le **parc La Fontaine** (voir p 93), où les Montréalais viennent se reposer sous les grands arbres ou près des étangs.

Le **parc Jean-Drapeau** (voir p 104) compte une douzaine de kilomètres de sentiers. On y trouve une multitude de petits chemins ainsi que des sentiers mieux aménagés et de petites routes.

La piste du **canal de Lachine**, longue de 14,5 km et très prisée des cyclistes, peut également être parcourue à pied. Elle relie le Vieux-Port et le parc René-Lévesque, à Lachine.

■ Vélo

Montréal offre environ 600 km de pistes cyclables. On peut se procurer une carte de ces pistes aux bureaux d'information touristique, ou encore acheter dans les librairies le guide Ulysse ***Le Québec cyclable*** ou la carte-guide Ulysse ***Montréal à vélo***.

Les abords du **canal de Lachine** ont été réaménagés dans le but de mettre en valeur cette voie de communication importante au cours des XIXe et XXe siècles. Depuis, une piste cyclable fort agréable longe le canal.

En partant du Vieux-Montréal, on peut se rendre jusqu'aux **îles Notre-Dame et Sainte-Hélène** (voir p 102). La piste traverse d'abord un secteur où sont établies diverses usines, puis passe par la Cité-du-Havre et va jusqu'aux îles (on traverse le fleuve par le pont de la Concorde). Il est facile de circuler d'une île à l'autre. Joliment paysagées, elles constituent un havre de détente où il fait bon se promener en contemplant, au loin, la silhouette de Montréal.

Location de vélos

La Bicycletterie J.R.
151 rue Rachel E., Plateau Mont-Royal
☎514-843-6989
www.labicycletteriejr.com

Ça Roule Montréal
27 rue de la Commune E., Vieux-Montréal
☎514-866-0633 ou 877-866-0633
www.caroulemontreal.com

Pignon sur Roues
1308 av. du Mt-Royal E., Plateau Mont-Royal
☎514-523-6480
www.pignonsurroues.com

Hébergement

Montréal compte une myriade d'hôtels et d'auberges de toutes catégories. Le prix des chambres varie grandement d'une saison à l'autre. La semaine du Festival international de jazz de Montréal, au début du mois de juillet, est la plus demandée de l'année; il est donc recommandé de réserver longtemps à l'avance si vous prévoyez séjourner à Montréal pendant cette période.

Dans la mesure où vous souhaitez réserver (fortement conseillé pour l'été), une carte de crédit s'avère indispensable, car, dans plusieurs cas, on vous demandera de payer à l'avance la première nuitée.

Le Vieux-Montréal

Auberge Alternative
$ bc @
358 rue St-Pierre
☎514-282-8069
www.auberge-alternative.qc.ca
L'Auberge Alternative est située dans un immeuble rénové datant de 1875. Les 34 lits des chambres et des dortoirs sont rudimentaires mais confortables, et les salles de bain sont très propres. Murs aux couleurs gaies, beaucoup d'espace, vaste salle de «repos-cuisinette» avec murs de pierres et vieux planchers de bois, bref, l'ambiance est conviviale.

Les Passants du Sans Soucy
$$$-$$$$ ≡ @
171 rue St-Paul O.
☎514-842-2634
www.lesanssoucy.com
Les Passants du Sans Soucy est une charmante auberge aménagée dans une maison construite en 1723 et rénovée dans les années 1990. Elle est propose neuf coquettes chambres meublées d'antiquités. Réservations requises.

Marriott SpringHill Suites Vieux-Montréal
$$$$ ≡ @
445 rue St-Jean-Baptiste
☎514-875-4333 ou 866-875-4333
www.springhillsuites.com
Bien qu'il soit niché dans une petite rue du Vieux-Montréal, le Marriott SpringHill Suites Vieux-Montréal est pourtant imposant. Il compte 124 suites équipées d'une cuisinette, d'un canapé, d'une table de travail et de modems. Vieux-Montréal oblige, les suites ne sont pas très grandes, et leur décor, similaire d'une chambre à l'autre, rappelle celui des grandes chaînes, mais elles restent tout de même confortables. L'hôtel s'est associé à un restaurant, **Le Vieux Saint-Gabriel** (voir p 116), accessible par un passage intérieur.

Bonaparte
$$$$-$$$$$ ≡ @
447 rue St-François-Xavier
☎514-844-1448
www.bonaparte.ca
Le restaurant **Bonaparte** (voir p 116), bien connu pour sa délicieuse cuisine française, se double d'une auberge. Une trentaine de chambres logent donc sur ses étages supérieurs. Outre l'accès à Internet, toutes les chambres offrent un bon confort ainsi qu'une décoration agréable. Celles situées à l'arrière de l'édifice, qui date de 1886, ont vue sur le jardin des Sulpiciens, derrière la basilique Notre-Dame. Le petit déjeuner est servi au restaurant.

Le Saint-Sulpice
$$$$-$$$$$
414 rue St-Sulpice
514-288-1000 ou 877-785-7423
514-288-0077
www.lesaintsulpice.com

Pénétrez dans l'immense hall du Saint-Sulpice, c'est accéder à un monde de luxe et de confort aux accents du Vieux-Montréal: boiseries aux teintes ambrées ou d'acajou, murs de pierres, tapis aux motifs de fleurs de lys, foyer, etc. L'hôtel se targue de ne proposer que des suites, au nombre de 108. Vous y aurez donc assez d'espace pour évoluer à l'aise et disposerez même d'une cuisinette. Plaisir suprême: certaines suites disposent d'un balcon ou d'une terrasse sur le toit.

Auberge du Vieux-Port
$$$$$
97 rue de la Commune E.
514-876-0081 ou 888-660-7678
www.aubergeduvieuxport.com

Située juste en face du Vieux-Port de Montréal, l'Auberge du Vieux-Port est un bijou à découvrir. Le hall, chic et agréablement décoré, laisse voir les murs de pierres du bâtiment historique, érigé en 1882. Les 27 chambres et lofts appartements sont décorées dans un esprit historique, et le résultat est tout à fait remarquable. Au sous-sol, où un restaurant, Les Remparts, sert de la cuisine française, on peut voir une partie des anciennes fortifications de la vieille ville.

Hostellerie Pierre du Calvet
$$$$$
405 rue Bonsecours
514-282-1725 ou 866-544-1725
www.pierreducalvet.ca

Non loin du métro Champ-de-Mars, l'Hostellerie Pierre du Calvet loge dans une des plus anciennes maisons de Montréal (1725). Elle se cache discrètement à l'angle des rues Bonsecours et Saint-Paul. Ses 10 chambres au charme vétuste sont munies d'un foyer, lambrissées de jolies boiseries anciennes et rehaussées de vitraux et d'antiquités. En outre, les salles de bain sont recouvertes de marbre d'Italie. Par ailleurs, une jolie cour intérieure et une salle de séjour ont été aménagées pour permettre aux clients de s'affranchir du grouillement de la foule. Le petit déjeuner est servi dans une serre victorienne. L'hostellerie abrite également l'excellent restaurant **Les Filles du Roy** (voir p 117).

Hôtel Nelligan
$$$$$
106 rue St-Paul O.
514-788-2040 ou 877-788-2040
www.hotelnelligan.com

L'établissement a de la gueule. Installé dans le Vieux-Montréal, cet hôtel-boutique propose une soixantaine de chambres et de suites tout confort. Entre le hall et le restaurant s'étend une agréable petite cour intérieure où est servi le petit déjeuner. Les chambres sont belles, avec leurs murs de pierres ou de briques, leurs stores de bois, leurs salles de bain modernes dont certaines sont équipées d'une baignoire à remous double, leurs couettes en duvet... Le thème de la poésie se retrouve un peu partout dans l'hôtel, particulièrement dans les tableaux accrochés aux murs des chambres où sont calligraphiés des vers de Nelligan. Le matin, un petit déjeuner continental élaboré est servi gracieusement à la clientèle.

St Paul Hotel
$$$$$
355 rue McGill
514-380-2222 ou 866-380-2202
www.hotelstpaul.com

Les 96 chambres et les 24 suites de l'hôtel St Paul ont pour cadre un magnifique édifice historique entièrement rénové. Le décor intérieur est pourtant on ne peut plus moderne. Différents matériaux s'y côtoient pour créer un effet saisissant. On est loin de la sobriété et du classique ici, on donne plutôt dans l'audace et l'avant-garde du design. D'autant plus qu'on a réussi à y créer, somme toute, des lieux sobres et invitants. Et si le cœur vous en dit, on offre aussi des massages aux chambres.

Hôtel Le St-James
$$$$$
355 rue St-Jacques
514-841-3111 ou 866-841-3111
www.hotellestjames.com

Magnifique hôtel qui respire le grand luxe, le St-James comble une clientèle fortunée qui désire visiter Montréal tout en prenant ses aises dans un environnement somptueux et raffiné. Il se dresse justement en plein cœur de l'ancien quartier des affaires de Montréal. Antiquités, tableaux, sculptures, mobilier trônent dans le hall, dans les couloirs ainsi que dans les 61 chambres et suites de l'hôtel qui se voit ainsi richement paré. L'architecture de l'édifice, avec ses frises et ses moulures, est rehaussée par la chaleur et l'opulence du décor qui s'accompagne de services et d'équipements haut de gamme, tel le spa pour les soins du corps.

Le centre-ville

Auberge de jeunesse
$-$$
1030 rue Mackay
514-843-3317 ou 866-843-3317
www.hostellingmontreal.com

L'Auberge de jeunesse, située à deux pas du centre-ville, propose 250 lits répartis dans des chambres pouvant loger de 4 à 10 personnes, ainsi qu'une quinzaine de chambres privées équipées de salles de bain complètes. Cette auberge compte parmi les moins chères à Montréal. Un service de consignation des bagages, une cuisine, une laverie, une salle de télévision et une table de billard sont disponibles sur place.

Hôtel du Nouveau Forum
$$ bc/bp ≡ ♿
1320 rue St-Antoine O.
☎514-989-0300 ou 888-989-0300
www.nouveau-forum.com
Érigé juste à côté du Centre Bell et pas très loin du Vieux-Montréal, le petit Hôtel du Nouveau Forum propose 32 petites chambres sans prétention mais convenables, dont 6 avec salles de bain partagées. L'atmosphère aseptisée des couloirs et de la salle à manger est heureusement réchauffée par un personnel très sympathique et un petit déjeuner des plus copieux. Chambres avec douche seulement.

Gîte Couette et Chocolat
$$-$$$ bc ≡ @
1074 rue St-Dominique
☎514-876-3960
www.couetteetchocolat.net
Situé tout près du Quartier chinois, le Gîte Couette et Chocolat compte cinq chambres. Niché dans une belle maison de ville de style victorien, l'établissement a été entièrement décoré à neuf et dispose d'une climatisation et d'une zone d'accès sans fil à Internet gratuite.

Courtyard Marriott Montréal
$$$ ≡ ♿ @
410 rue Sherbrooke O.
☎514-844-8855 ou 800-449-6654
www.courtyard.com
L'hôtel Courtyard Marriott Montréal se dresse à l'orée du centre-ville. Il compte 180 chambres réparties sur une vingtaine d'étages, de sorte que chaque étage ne regroupe pas plus de neuf chambres, ce qui lui donne des airs de petit hôtel. Des chambres au décor agréable offrent une belle vue sur la montagne ou sur le fleuve.

Holiday Inn Select Montréal Centre-Ville
$$$-$$$$
≡ ♿ @
99 av. Viger O.
☎514-878-9888 ou 877-660-8550
www.hiselect.com/yul-downtown
Le Holiday Inn Select Montréal Centre-Ville est un établissement qui offre tout le confort d'un hôtel de qualité supérieure. Cet établissement étant situé au cœur du Quartier chinois, on reconnaît de loin son toit en pagode. À l'intérieur aussi, il présente un décor à l'orientale. En plus d'être pourvues de literies hypoallergènes, les 235 chambres sont impeccables et spacieuses, tandis que le service est empressé et courtois. S'y trouve aussi un bon restaurant: **Chez Chine** (voir p 117).

Castel Durocher
$$$ chambres
$$$$$ appartements
bc/bp @ ≡
3488 rue Durocher
☎514-282-1697
www.casteldurocher.com
Belle demeure de style Queen Anne construite en 1898, et située à deux pas de la rue Sainte-Catherine et de la Place des Arts a été reconvertie en gîte touristique de cinq chambres: le Castel Durocher. Les deux étages de l'établissement peuvent aussi être loués comme appartement privé, incluant chambre à coucher, salon, cuisine, salle à manger et salle de bain. La touche gourmande de ce gîte: les chocolats belges Chic Choc, fabriqués de façon artisanale.

Square Phillips Hôtel & Suites
$$$$ ≡ @ ♿
1193 rue du Square-Phillips
☎514-393-1193 ou 866-393-1193
www.squarephillips.com
Le Square Phillips Hôtel & Suites, situé au sud de la rue Sainte-Catherine, est une excellente adresse pour tout visiteur qui fait un voyage d'affaires ou d'agrément. Conçus comme des appartements meublés, les 80 studios et 80 suites comportant une ou deux chambres à coucher sont répartis sur 10 étages et se louent à la journée, à la semaine ou au mois. S'y trouve aussi une piscine intérieure flanquée d'une belle terrasse qui permet de jouir d'une vue intéressante sur le centre-ville.

Château Versailles
$$$$-$$$$$
≡ ♿ @
1659 rue Sherbrooke O.
☎514-933-8111 ou 888-933-8111
www.versailleshotels.com
Installé dans le bâtiment constitué du Château et de la Tour de Versailles, l'hôtel Château Versailles a été reconverti en un charmant hôtel-boutique. Les 65 chambres ont conservé certains attributs du bâtiment ancien, tels que moulures, foyer, lustres, etc., agencés à des éléments de décor victorien et à des accessoires modernes. Il s'en dégage une belle atmosphère de détente.

Hôtel de la Montagne
$$$$-$$$$$
≡ ♿ @
1430 rue de la Montagne
☎514-288-5656 ou 800-361-6262
www.hoteldelamontagne.com
Outre ses 135 chambres réparties sur 19 étages, l'Hôtel de la Montagne dispose d'un excellent restaurant, Aux Beaux Jeudis, et d'un bar au personnel chaleureux, le Thursday's.

Hôtel Opus Montréal
$$$$$ ≡ @ ♿
10 Sherbrooke O.
☎514-843-6000 ou 866-744-6346
www.opushotel.com
Conçues pour le globe-trotter du XXIe siècle, les 136 chambres comprenant 13 suites de l'Hôtel Opus Montréal apportent une touche fonctionnelle que l'on trouve rarement dans d'autres établissements hôteliers. Facilement modulables en bureaux grâce à de longs panneaux de bois muraux, et dotées de téléviseurs à écran

plat et à ordinateur intégré, les chambres plairont à ceux qui se rendent à Montréal pour affaires. Tout en gardant le cachet de l'édifice Godin d'origine, la décoration minimaliste donne une touche très moderne à l'établissement, idéalement situé entre le boulevard Saint-Laurent et le centre-ville.

Hôtel Le Germain
$$$$$ @
2050 rue Mansfield
☎514-849-2050 ou 877-333-2050
www.hotelboutique.com

En plein cœur de l'animé centre-ville se dresse l'Hôtel Le Germain. Chacune des 101 chambres est aménagée avec soin, dans un style minimaliste où règnent les tons terreux et crème, les meubles en bois d'acajou ou en osier et les jolis accessoires. Le tout donne un effet des plus reposants. Les tables de travail sont équipées de l'accès Internet et de fauteuils ergonomiques.

Hôtel W
$$$$$ @
901 rue du Square-Victoria
☎514-395-3100 ou 888-627-7081
www.whotels.com

Cet établissement prestigieux est installé dans l'imposant édifice de l'ancienne Banque du Canada, au cœur du Quartier international. Confort et design résument l'esprit des 152 chambres de l'hôtel. Un étage a été ajouté à l'édifice afin d'accueillir une trentaine de suites. Outre les désormais classiques téléviseurs à écran plat, lecteurs DVD et zones d'accès sans fil à Internet haute vitesse que l'on retrouve dans tous les hôtels-boutiques de la ville, les chambres, dont les fenêtres donnent sur le square Victoria, sont munies de beaux bureaux d'appoint et de douches spacieuses, le tout dans des tons de noir et de bleu, couleurs désormais emblématiques de l'Hôtel W de Montréal. Le spa Sweat, le Wunderbar, le Salon Du Plateau, le W Café Bartini et le Ristorante Otto complètent cette gamme d'installations destinée à vous faire vivre une véritable expérience hôtelière à Montréal.

Fairmont Le Reine Elizabeth
$$$$$ @
900 boul. René-Lévesque O.
☎514-861-3511 ou 866-540-4483
www.fairmont.com

Le Reine Elizabeth fait partie des institutions hôtelières du centre-ville montréalais qui se sont démarquées au cours des ans. L'hôtel compte 1 039 chambres.Son hall orné de boiseries est splendide. Au rez-de-chaussée se trouve une galerie de boutiques d'où, grâce aux couloirs souterrains, on rejoint aisément la gare ferroviaire ainsi que le «Montréal souterrain».

Hilton Montréal Bonaventure
$$$$$ @
900 rue De La Gauchetière O.
☎514-878-2332 ou 800-267-2575
www.hiltonmontreal.com

À l'hôtel Hilton Montréal Bonaventure, on retrouve dans ses 395 chambres plusieurs petites commodités, ce qui en fait un établissement idéal pour la détente aux limites du centre-ville et du Vieux-Montréal. Il est possible de se baigner, tout au long de l'année, dans la piscine extérieure chauffée. L'hôtel dispose d'un charmant jardin et d'un accès à la «ville souterraine».

Hôtel Omni Mont-Royal
$$$$$ @
1050 rue Sherbrooke O.
☎514-284-1110
www.omnihotels.com

Faisant partie des hôtels les plus réputés de Montréal, l'Hôtel Omni Mont-Royal dispose de 299 chambres spacieuses et très confortables. L'hôtel abrite deux restaurants et dispose d'une piscine extérieure chauffée, ouverte toute l'année.

Loews Hôtel Vogue
$$$$$ @
1425 rue de la Montagne
☎514-285-5555 ou 800-465-6654
www.loewshotels.com

Au premier abord, le bâtiment de verre et de béton sans ornement qui abrite le Loews Hôtel Vogue peut sembler dénué de grâce. Le hall, agrémenté de boiseries aux couleurs chaudes, donne une idée plus juste du luxe et de l'élégance de l'établissement. Mais avant tout, ce sont les 142 vastes chambres, garnies de meubles aux lignes gracieuses, qui révèlent le confort de cet hôtel.

Montréal Marriott Château Champlain
$$$$$ @
1050 rue De La Gauchetière O.
☎514-878-9000 ou 800-200-5909
www.marriott.com

Le Château Champlain est installé dans un bâtiment blanc aux fenêtres en demi-lune, ce qui lui a valu le surnom de «râpe à fromage». Cet hôtel réputé dispose malheureusement de 611 petites chambres moins belles que celles auxquelles on pourrait s'attendre d'un établissement de cette classe. Accès direct à la «ville souterraine».

Ritz-Carlton Montréal
$$$$$
@
1228 rue Sherbrooke O.
☎514-842-4212 ou 800-363-0366
www.ritzmontreal.com

Le Ritz-Carlton fut inauguré en 1912 et n'a cessé depuis de s'embellir, afin d'offrir à sa clientèle un confort toujours supérieur tout en conservant son élégance et son charme d'antan. Dignes d'un établissement de grande classe, les 229 chambres sont décorées de superbes meubles anciens

et offrent un confort supérieur. Un excellent restaurant (**Café de Paris**, voir p 118) se double en été d'un agréable jardin où l'on peut casser la croûte (**Le Jardin du Ritz**, voir p 118).

Le quartier Milton-Parc et la *Main*

Pensione Popolo
$-$$ bc/bp @
4873 boul. St-Laurent
☎514-284-2863
www.casadelpopolo.com

La Pensione Popolo propose quatre chambres modestes mais coquettes, avec accès à une cuisinette. L'accès Internet est gratuit dans les bureaux de l'établissement. Sans oublier un laissez-passer pour les concerts payants de la **Casa Del Popolo** (voir p 127). On vous avertit toutefois que certaines chambres se trouvent au-dessus de cette salle de spectacles. Le bruit peut être incommodant, mais le prix plaira aux mélomanes à petit budget.

Bienvenue Bed & Breakfast
$$-$$$ bc/bp ≡ @
3950 av. Laval
☎514-844-5897 ou 800-227-5897
www.bienvenuebb.com

À deux pas de l'avenue Duluth se trouve le Bienvenue Bed & Breakfast. Situé dans une rue tranquille, cet établissement dispose de 12 chambres avec grand lit, plutôt petites mais décorées de façon charmante. Il est installé depuis les années 1990 dans une maison joliment entretenue d'où se dégage une atmosphère paisible et amicale. Le petit déjeuner, très copieux, est servi dans une agréable salle à manger.

Le Quartier latin

Auberge de jeunesse de l'Hôtel de Paris
$ bc @
901 rue Sherbrooke E.
☎514-522-6861 ou 800-567-7217
www.hotel-montreal.com

L'Auberge de jeunesse de l'Hôtel de Paris, qui appartient à l'Hôtel de Paris (voir plus bas), est divisée en dortoirs comptant de 4 à 20 lits. On fournit couverture, draps et oreiller. La cuisine commune, bien qu'elle soit petite, dispose du nécessaire pour permettre de se faire à manger, et une terrasse offre une vue agréable. Il y a quatre douches et salles de toilettes, ainsi qu'une laverie tout près. Pas de couvre-feu.

Résidences René-Lévesque de l'UQAM
$-$$ bc/bp ♿ ❄ @
mi-mai à mi-août
303 boul. René-Lévesque E.
☎514-987-6669
www.residences-uqam.qc.ca

Les Résidences René-Lévesque de l'UQAM, à un prix plus que raisonnable, vous permettent de découvrir le Quartier latin, le Quartier chinois et le Vieux-Montréal, tous situés à proximité. Comme les **Résidences de l'Ouest de l'UQAM** (voir p 112), on y compte un grand nombre de chambres et cinq modes d'hébergement distincts, de la formule Multi avec salles de bain et cuisinettes communes aux studios-suites tout équipés.

Pierre et Dominique
$$ bc @
271 rue du Square-St-Louis
☎514-286-0307
www.pierdom.qc.ca

Le **square Saint-Louis** (voir p 90) est un agréable parc entouré de superbes maisons victoriennes. Le gîte touristique Pierre et Dominique y a pignon sur rue. Il propose trois chambres confortables et décorées avec beaucoup de goût. À noter que les convives préparent eux-mêmes leur petit déjeuner avec les aliments bios fournis par le propriétaire.

Gîte Angelica Blue
$$-$$$ ≡ @
1213 rue Ste-Élisabeth
☎514-844-5048 ou 800-878-5048
www.angelicablue.com

Le Gîte Angelica Blue est un gîte touristique invitant qui propose six chambres thématiques différentes aux dimensions variées. Chacune des chambres exhale toutefois un cachet chaleureux.

Hôtel de Paris
$$-$$$ ≡ @
901 rue Sherbrooke E.
☎514-522-6861 ou 800-567-7217
www.hotel-montreal.com

L'Hôtel de Paris, aménagé dans une belle maison construite en 1870, compte 38 chambres. L'hôtel conserve un cachet particulier avec ses magnifiques boiseries dans l'entrée, et les chambres sont confortables.

Aux portes de la nuit
$$$ @
3496 av. Laval
☎514-848-0833
www.auxportesdelanuit.com

Donnant sur le square Saint-Louis, ce gîte touristique est aménagé dans une jolie maison victorienne qui abrite cinq jolies chambres. Les meubles en bois, les poutres apparentes et les tons ocre des murs lui confèrent une atmosphère chaleureuse. Les chambres Bleue, Terrasse et Jaune sont climatisées en été. Les familles opteront pour la chambre Terrasse, sous les toits, qui offre une jolie vue sur le mont Royal et comprend un grand lit et deux lits simples.

Hôtel de l'Institut
$$$-$$$$ ≡ ♿ @
3535 rue St-Denis
☎514-282-5120 ou 800-361-5111
www.ithq.qc.ca/hotel

L'Hôtel de l'Institut occupe deux des étages supérieurs de l'Institut de tourisme et d'hôtellerie du Québec (ITHQ).

Juste en face du square Saint-Louis, à la croisée des quartiers du Plateau, de la *Main* et du Quartier latin, il est idéalement situé. Les 42 chambres dont deux suites ont bénéficié d'une cure de jouvence de belle qualité. L'Hôtel de l'Institut est résolument moderne et très confortable et dispose de tous les services d'un grand hôtel. Car faut-il savoir que l'hôtel est tenu par les étudiants qui y font leur stage; ils sont suivis de près par des professeurs qui s'assurent de l'excellence de leur travail selon les standards de l'hôtellerie quatre étoiles. Le petit déjeuner-buffet est servi dans le magnifique **Restaurant de l'Institut** (voir p 120).

Le Jardin d'Antoine
$$$-$$$$
2024 rue St-Denis
☎514-843-4506 ou 800-361-4506
www.hotel-jardin-antoine.qc.ca

Réparties sur trois étages, les quelque 25 chambres du Jardin d'Antoine sont décorées avec soin, certaines exhibant mur de briques et plancher de bois franc. Plusieurs suites confortables et bien équipées sont proposées. Le jardin, à l'arrière, est assez petit, mais les balcons sont ornés de bacs à fleurs, et l'effet demeure agréable.

Le Plateau Mont-Royal

Le Gîte du Plateau Mont-Royal
$-$$
185 rue Sherbrooke O.
☎514-522-3910 ou 877-350-4483
www.hostel.com

Le Gîte du Plateau Mont-Royal est une magnifique maison de ville de trois étages, typique du quartier, avec ses poutres de bois et ses hauts plafonds. On y propose des chambres simples, doubles, triples, quadruples et des dortoirs. Cet établissement est entretenu avec soin par des employés sympathiques.

Le Gîte du parc Lafontaine
$-$$
début juin à mi-sept
1250 rue Sherbrooke E.
☎514-522-3910 ou 877-350-4483

Le Gîte du parc Lafontaine est une maison de chambres centenaire. Les clients peuvent profiter de 25 chambres meublées, d'une cuisine, d'un salon, d'une buanderie, d'une terrasse, d'un accueil sympathique et surtout d'une situation géographique favorable: à deux pas du parc La Fontaine et non loin de la rue Saint-Denis.

Anne ma sœur Anne
$$$-$$$$
4119 rue St-Denis
☎514-281-3187
www.annemasoeuranne.com

Aménagées dans un bel édifice de pierres datant du XIXe siècle, les 17 chambres-studios d'Anne ma sœur Anne offrent une formule intéressante en plein cœur du Plateau. Décorées très sobrement, elles sont aisément modulables en bureaux le jour, grâce au mobilier mural intégré, et chacune d'elles dispose d'une cuisinette entièrement équipée. Si vous le pouvez, réservez l'une des quatre chambres avec terrasse privée donnant sur les toits montréalais: ce sont les plus agréables de l'hôtel.

L'Auberge de la Fontaine
$$$$-$$$$$
1301 rue Rachel E.
☎514-597-0166 ou 800-597-0597
www.aubergedelafontaine.com

Si vous cherchez un établissement sachant allier charme, confort et tranquillité, descendez à l'Auberge de la Fontaine, qui, en plus d'abriter 21 chambres décorées avec goût, se trouve en face du beau parc La Fontaine. Un sentiment de calme et de bien-être vous envahira dès l'entrée.

Près de l'aéroport

Hôtel Best Western Montréal Aéroport
$$$-$$$$
13000 ch. de la Côte-de-Liesse
☎514-631-4811 ou 800-361-2254
www.bestwestern.com

Les 110 chambres de l'Hôtel Best Western Montréal Aéroport sont agréables et économiques. L'hôtel offre à ses clients un service aussi rare qu'intéressant: on peut y garer sa voiture pour près de trois semaines. Un service de navette pour l'aéroport Montréal-Trudeau y est offert gratuitement.

Hilton Montréal Aéroport
$$$$
12505 ch. de la Côte-de-Liesse
☎514-631-2411 ou 800-567-2411
www.hilton.com

Le Montréal Aéroport Hilton propose 486 chambres agréables à proximité de l'aéroport Montréal-Trudeau. Service de blanchisserie. Accès Internet dans les chambres.

Restaurants

Montréal a acquis une réputation plus qu'enviable sur le plan gastronomique. Toutes les cuisines du monde y sont représentées, et l'on peut toujours y dénicher une bonne table, quel que soit son budget. La sélection qui suit est classée selon l'ordre des circuits proposés afin de faciliter la découverte de la perle rare, où que l'on soit dans la ville.

Le Vieux-Montréal

Crémerie Saint-Vincent
$
153 rue St-Paul E.
☎514-392-2540

Ouvert uniquement durant l'été, la Crémerie Saint-Vincent est un des rares établissements à Montréal où l'on peut savourer

une excellente crème glacée molle garnie de sucre d'érable. Une grande variété de glaces figure au menu.

Olive + Gourmando
$
351 rue St-Paul O.
☎514-350-1083
Les deux fondateurs de cette boulangerie-bistro de la rue Saint-Paul ont fait leurs armes chez Toqué!, depuis longtemps le restaurant montréalais le plus en vue. Après un bol de soupe du jour, suivi d'une salade accompagnée d'un sandwich à la truite fumée, on termine son repas en s'offrant un de leur fameux *brownie* (carré au chocolat) à saveur de café illy. Inutile d'en rajouter: c'est une halte sans prétention, mais charmante et gourmande, dans le Vieux-Montréal.

Titanic
$
fermé sam-dim
445 rue St-Pierre
☎514-849-0894
Voici un restaurant tout petit et très achalandé à découvrir pour le déjeuner. Installé dans un demi-sous-sol, le Titanic offre une myriade de sandwichs sur pain baguette et de salades aux accents de la Méditerranée: feta et autres fromages, poissons fumés, pâtés, légumes marinés... Délicieux!

Gandhi
$$
230 rue St-Paul O.
☎514-845-5866
Une véritable perle que ce restaurant indien du Vieux-Montréal. On s'y croirait à la table d'un maharadja, tant l'élégance du décor et des tables nous surprend. La table déçoit un peu par son manque d'audace et d'imagination, mais tous les plats font honneur aux plus pures traditions de la cuisine indienne, et, au bout du compte, on mange au Gandhi aussi bien que dans les meilleurs restos indiens, pour pas plus cher.

Casa de Matéo
$$
440 rue St-François-Xavier
☎514-844-7448
La Casa de Matéo est un joyeux restaurant mexicain garni de hamacs, de cactus et de bibelots latino-américains. Le personnel sera heureux de vous faire potasser votre espagnol. Les plats sont typiques et excellents.

Chez l'Épicier
$$$
311 rue St-Paul E.
☎514-878-2232
Auriez-vous pensé à manger chez votre épicier? Pourtant, quel merveilleux établissement pour goûter des produits frais et une cuisine du marché! L'Épicier, qui fait effectivement office d'épicerie fine, est surtout un restaurant où l'on déguste une formidable cuisine créative, présentée de manière spectaculaire. Des murs de pierres, de grandes fenêtres qui donnent sur la magnifique architecture du Marché Bonsecours et un décor bistro confèrent à l'établissement à la fois l'ambiance des lieux très fréquentés et une certaine intimité. L'Épicier se fait aussi sommelier derrière son bar à vins.

Bonaparte
$$$
L'Auberge Bonaparte
447 rue St-François-Xavier
☎514-844-4368
Le menu varié du restaurant français Bonaparte réserve toujours de délicieuses surprises. Les convives les dégustent dans une des trois salles de l'établissement, toutes richement décorées dans le style Empire. La plus grande offre la chaleur d'un foyer en hiver, tandis qu'une autre, appelée La Serre, offre une ambiance feutrée grâce à la présence de nombreuses plantes vertes.

Le Vieux Saint-Gabriel
$$$
fermé dim-lun
426 rue St-Gabriel
☎514-878-3561
On va au Vieux Saint-Gabriel d'abord et avant tout pour profiter d'un décor enchanteur, car le restaurant est aménagé dans une maison qui, déjà en 1754, abritait une auberge, l'établissement évoquant les premières années de la Nouvelle-France. Le menu, quant à lui, est sans extravagance et présente des plats français et italiens.

Chez Queux
$$$
fermé lun
158 rue St-Paul E.
☎514-866-5194
Profitant d'un site des plus agréables face à la place Jacques-Cartier, Chez Queux sert une délicieuse cuisine française. Le service et le décor raffinés en font un restaurant tout indiqué pour faire un excellent repas.

Le Garde-Manger
$$$-$$$$
408 rue St-François-Xavier
☎514-678-5044
Le Garde-Manger offre probablement la table la plus éclatée et la plus amusante du Vieux-Montréal. L'ambiance toute new-yorkaise et la générosité des propriétaires ont fait de ce resto un lieu de rassemblement pour les jeunes Montréalais branchés. On vous y servira principalement des fruits de mer variés, apprêtés et présentés de manière simple et originale. Et pour dessert... une barre Mars frite! Pourquoi pas? Idéal pour ceux qui aiment bien manger et faire la fête en un seul et même endroit.

Le Club Chasse et Pêche
$$$-$$$$
423 rue St-Claude
☎514-861-1112
Si le nom vous surprend, le décor vous étonnera davantage: fauteuils profonds et abat-jours kitchs, photos abstraites au mur de couleurs sombres, pour un heureux mariage de rusticité et de finesse, comme sa table, d'ailleurs. Claude Pelletier concocte des mets créatifs et raffinés, allant du foie gras poêlé au délicieux carré d'agneau. Somme toute, le secret le moins bien gardé de la gastronomie montréalaise.

Les Filles du Roy
$$$$
Hostellerie Pierre du Calvet
405 rue Bonsecours
☎514-282-1725
Fleuron de l'hôtellerie montréalaise, l'**Hostellerie Pierre du Calvet** (voir p 111) abrite une des très bonnes tables de Montréal. Cet établissement est en effet particulièrement recommandé pour sa délicieuse cuisine imaginative qui célèbre les produits du terroir. De plus, son cadre élégant, ses antiquités, ses plantes ornementales et la discrétion de son service vous feront passer une soirée des plus agréables dans l'historique **maison Pierre du Calvet** (voir p 76), qui date de 1725.

Le centre-ville

Nocochi
$
2156 rue Mackay
☎514-989-7514
On vient dans ce petit café au décor épuré pour... les desserts! Y sont apprêtés de fines bouchées sucrées aux amandes, au thé ou au chocolat, des macarons aux pistaches ou à l'eau de rose... à emporter ou à déguster sur place, avec un café, bien sûr. Mais Nocochi propose aussi des casse-croûte (salades, omelettes, sandwichs), clientèle estudiantine oblige: ce café-pâtisserie est proche de l'université Concordia.

Le Lutétia
$
Hôtel de la Montagne
1430 rue de la Montagne
☎514-288-5656
Dans son chic décor victorien, le restaurant de l'**Hôtel de la Montagne** (voir p 112), Le Lutétia, vous propose le petit déjeuner tous les jours jusqu'à 11h.

Café du Nouveau Monde
$$-$$$
fermé dim
Théâtre du Nouveau Monde
84 rue Ste-Catherine O.
☎514-866-8669
Quel bel ajout dans ce secteur que ce Café du Nouveau Monde, où il fait bon simplement prendre un verre, un café ou un dessert dans le décor déconstructiviste du rez-de-chaussée ou encore un bon repas à l'étage, où l'atmosphère rappelle les brasseries parisiennes. Le menu s'associe au décor et affiche les classiques de la cuisine française de bistro. Service impeccable, belle présentation et cuisine irréprochable, que demander de plus?

Café des beaux-arts
$$-$$$
fermé lundi
Musée des beaux-arts de Montréal
accès par le 1380 ou le 1384 de la rue Sherbrooke Ouest
☎514-843-3233
Le café du Musée des beaux-arts de Montréal offre une cuisine créative et alléchante ainsi qu'un service empressé. Salon privé du bistro, Le Collectionneur fait honneur aux groupes qui le louent pour des événements ou autres lancements, cocktails et conférences.

L'Actuel
$$-$$$
fermé dim
1194 rue Peel
☎514-866-1537
L'Actuel, le plus belge des restaurants montréalais, ne désemplit pas midi et soir. On y trouve deux salles, dont une grande assez bruyante et très animée où se pressent des garçons affables parmi les gens d'affaires. La cuisine propose évidemment des moules, mais aussi plusieurs autres spécialités liégeoises.

Ferreira
$$$
fermé dim
1446 rue Peel
☎514-848-0988
Voilà un sympathique et excellent restaurant du centre-ville, qui propose des spécialités portugaises apprêtées avec un raffinement qu'on ne trouve que rarement au Portugal même. Il faut souligner la qualité du *caldo verde*, cette soupe aux choux qui réchauffe le cœur et le corps, et le généreux riz aux fruits de mer. Les âmes esseulées peuvent manger au bar: on leur tiendra joyeuse compagnie.

Chez Chine
$$$
Holiday Inn Select Montréal Centre-Ville
99 av. Viger O.
☎514-878-9888
L'hôtel **Holiday Inn Select Montréal Centre-Ville** (voir p 112), qui s'élève aux limites du Chinatown, renferme un restaurant digne de ce quartier, Chez Chine, qui propose de délicieuses spécialités chinoises. La salle à manger, fort vaste, est aménagée à côté de la réception; aussi, afin d'enrayer l'atmosphère quelque peu impersonnelle qui pourrait émaner de cette pièce sans fenêtres, s'agrémente-t-elle d'une jolie décoration. Les tables sont réparties aux abords d'un grand bassin au

centre duquel a été érigée une pagode (où se trouve une grande table). Il est également possible de réserver de petits salons attenants, parfaits pour les réceptions privées.

Julien
$$$
fermé dim
1191 av. Union
☎514-871-1581
Un classique à Montréal, Julien est reconnu pour servir une des meilleures bavettes à l'échalote en ville. Mais on ne s'y rend pas uniquement pour savourer une bavette, car les plats y sont tous plus succulents les uns que les autres. D'ailleurs, ici tout est impeccable: le service, la décoration et même la carte des vins.

La Troïka
$$$
fermé dim
2171 rue Crescent
☎514-849-9333
La Troïka est un restaurant russe dans la plus pure tradition. Dans un décor tout en tentures, en recoins et en souvenirs, un accordéoniste épanche sa nostalgie du pays. Les repas sont excellents et authentiques.

Beaver Club
$$$$
fermé dim-lun
Fairmont Le Reine Elizabeth
900 boul. René-Lévesque O.
☎514-861-3511, poste 2448
De magnifiques boiseries confèrent une atmosphère raffinée au restaurant de renommée internationale qu'est le Beaver Club, un atout incomparable pour le grand hôtel montréalais où il est établi. Sa table d'hôte variable peut aussi bien comporter du homard frais que de fines coupes de bœuf ou de gibier. Tout y est préparé avec le plus grand soin, et une attention de tous les instants est portée aux moindres détails, présentation comprise. Il y a même un sommelier à demeure, et vous pourrez y danser le samedi soir.

Café de Paris
$$$$
fermé dim-lun
Ritz-Carlton Montréal
228 rue Sherbrooke O.
☎514-842-4212
Le Café de Paris est le restaurant réputé du magnifique hôtel **Ritz-Carlton Montréal** (voir p 113). Son riche décor, aux tons chauds de bleu et d'ocre, est d'une beauté distinguée. Le menu, composé avec soin, affiche de délicieux plats.

Decca 77
$$$$
fermé dim
1077 rue Drummond
☎514-934-1077
www.decca77.com
Tout près de la gare Windsor et du Centre Bell, le restaurant Decca 77 au décor chic, moderne et soigné, est très certainement l'une des meilleures tables du centre-ville et une excellente adresse pour un déjeuner d'affaires. La qualité des plats et la finesse des vins vous feront également passer une très agréable soirée gastronomique.

La Queue de Cheval
$$$$
1221 boul. René-Lévesque O.
☎514-390-0090
Temple pour carnivores, La Queue de cheval impressionne par son décor opulent où se mêlent boiseries, murs lambrissés et chandeliers qui pendouillent des hauts plafonds voûtés. En attendant sa table, on s'accoude au bar feutré, tout indiqué pour déguster un whisky sous les airs d'une musique de circonstance. La carte comporte une belle sélection de steaks vieillis à point qui proviennent des meilleurs éleveurs du *Midwest* américain. Poissons, fruits de mer et veau figurent également au menu. Bref, une adresse idéale pour les appétits costauds et les estomacs solides.

Le Jardin du Ritz
$$$$
Ritz-Carlton Montréal
1228 rue Sherbrooke O.
☎514-842-4212
Le Jardin du Ritz est l'endroit rêvé pour se soustraire aux chaleurs estivales ainsi qu'à l'activité grouillante du centre-ville. On y déguste les classiques de la cuisine française et on prend le thé devant un étang entouré de fleurs et de verdure où s'ébattent des canards. Clientèle diversifiée. Ouvert seulement pendant la belle saison, Le Jardin est le prolongement de l'autre restaurant de l'hôtel, le Café de Paris (voir ci-dessus). Prendre un repas dans ce jardin vous assure un moment de pur bonheur.

Toqué!
$$$$
fermé dim-lun
Centre CDP Capital
900 place Jean-Paul Riopelle
☎514-499-2084
Si la gastronomie vous intéresse, le Toqué! est sans contredit l'adresse à retenir à Montréal. Le chef, Normand Laprise, insiste sur la fraîcheur des aliments et officie dans la cuisine, où les plats sont toujours préparés avec grand soin, puis admirablement bien présentés. Il faut voir les desserts, de véritables sculptures modernes. De plus, le service est classique, la carte des vins est bonne, le décor est élégant, et les prix élevés n'intimident pas les convives. L'une des tables les plus originales de Montréal.

Le quartier Milton-Parc et la *Main*

Euro Deli
$
3619 boul. St-Laurent
☎514-843-7853
Euro Deli est le restaurant tout indiqué pour faire un repas rapide à base de pâtes ou de pizza, à presque toute heure de la journée ou de la soirée, en compagnie d'une clientèle bigarrée.

Schwartz's Montréal Hebrew Delicatessen
$
3895 boul. St-Laurent
☎514-842-4813
Montréal est reconnue pour son *smoked meat*, et, de l'avis de plusieurs, on trouve au Schwartz's Montréal Hebrew Delicatessen l'un des meilleurs en ville. On y vient pour avaler rapidement un sandwich et pour côtoyer une foule de connaisseurs carnivores qui viennent parfois de loin pour goûter à ce délice. Le petit local n'est pas des plus accueillants, mais l'authenticité est garantie!

Lélé da Cuca
$-$$
70 rue Marie-Anne E.
☎514-849-6649
Au restaurant Lélé da Cuca, on peut goûter de délicieux plats mexicains et brésiliens. Du local exigu, qui ne peut accueillir qu'une trentaine de personnes, se dégage une ambiance détendue et sans façon. On peut apporter son vin.

Santropol
$-$$
3990 rue St-Urbain
☎514-842-3110
Le Santropol accueille des gens de tout âge friands d'énormes sandwichs, de quiches et de salades toujours servis avec force fruits et légumes. L'établissement est également réputé pour sa grande variété de tisanes et de cafés. Ambiance détendue et service agréable. On peut s'y procurer du café équitable.

Shed Café
$$
3515 boul. St-Laurent
☎514-842-0220
Au Shed Café, on propose un menu composé entre autres de salades, de hamburgers et de desserts, tous présentés de façon originale. Son intérieur, qui a certes contribué à séduire la clientèle venue pour voir et être vue, est farfelu et avant-gardiste.

Vents du Sud
$$-$$$
323 rue Roy E.
☎514-281-9913
Ah! les vents du sud! Chauds, doux, porteurs de mille et une odeurs alléchantes... Au cœur de l'hiver, si vous ne venez pas à bout du froid et surtout si vous avez besoin d'un bon repas copieux, pensez à ce petit resto basque. La cuisine basque, où règnent la tomate, le poivron rouge et l'oignon, est consistante et savoureuse. On peut apporter son vin.

Café Méliès
$$$
Ex-Centris
3540 boul. St-Laurent
☎514-847-9218
Le Café Méliès a suivi le Cinéma Parallèle dans le bel et moderne édifice du complexe **Ex-Centris** (voir p 88). Situé sur deux étages, il a vue sur la rue grâce à de magnifiques fenêtres. Son décor cinématographique est surprenant (notez le majestueux escalier). Le Café Méliès est devenu l'une des bonnes tables innovatrices de Montréal.

Pop!
$$$
250 av. des Pins
☎514-287-1648
Le Pop! partage la même porte que le **Laloux** (voir ci-dessous). On parle de deux entités distinctes aux avantages communs. Le chef de pâtisserie du Laloux est ici le chef de cuisine. Sa spécialité: les tartes alsaciennes. Vous profiterez aussi d'une des plus belles cartes de vins de Montréal. Une expérience unique dans un décor de style scandinave du milieu des années 1960.

La Prunelle
$$$
327 av. Duluth E.
☎514-849-8403
Un des meilleurs restaurants du quartier, dans un espace très ouvert sur la rue, ce qui est particulièrement agréable en été. On sert ici une cuisine française classique avec quelques accents d'innovation, délicieuse et présentée de manière agréable. Avantage non négligeable, on peut apporter son vin ici. Réservez donc cette bonne bouteille pour une belle soirée à La Prunelle.

Pintxo
$$$
256 rue Roy E.
☎514-844-0222
Voilà, tout simplement, un petit bonheur de resto à découvrir au plus vite. Deux charmantes salles à la décoration sobre mais chaleureuse, séparées d'une entrée-boudoir où trône un foyer au gaz, vous accueillent pour un repas rempli de surprise et de convivialité. Que vous fassiez partie d'un groupe, que vous soyez avec quelques amis ou encore que vous y alliez accompagné de votre douce moitié, Pintxo semble magiquement se prêter à toutes les circonstances. Quant à la gastronomie, le chef Alonso Ortiz, fier Mexicain ayant fait ses classes auprès de non moins fiers grands maîtres de la cuisine basque, vous délectera par ses petites bouchées (les fameux *pintxos*, tapas du Pays basque) et ses plats tout en finesse. On vous proposera sûrement de vous

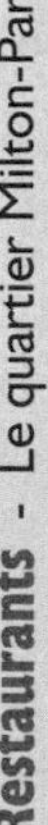

abandonner aux choix du chef: surtout n'hésitez pas!

Moishe's Steak House
$$$-$$$$
3961 boul. St-Laurent
☎514-845-3509
Moishe's loge dans un bâtiment à la devanture voyante et laide. Il ne faut cependant pas se fier aux apparences, car on y sert probablement les meilleurs steaks en ville. Le secret de cette viande tendre à souhait résiderait dans la méthode de vieillissement. Une autre de ses spécialités est le foie aux oignons frits.

Laloux
$$$$
250 av. des Pins
☎514-287-9127
Le jeune chef du Laloux, Marc-André Jetté, a fait ses classes dans les meilleurs restaurants de la ville: Leméac, Chez l'Épicier, Decca 77. Son chef de pâtisserie, Patrice Demers, est l'un des plus reconnus au Québec. Qu'en dire de plus? Simplement, bon appétit.

Le Quartier latin

Camellia Sinensis
$
351 rue Émery
☎514-286-4002
Spécialisé dans l'importation de thés artisanaux de Chine, du Japon et de l'Inde, ce petit salon de thé, situé en face du cinéma Quartier Latin, offre calme et tranquillité. Les gourmands en seront pour leurs frais: pas de viennoiseries, juste du thé... mais quel thé! Une petite boutique adjacente au salon de thé permet aux visiteurs de humer les différentes saveurs proposées avant d'acheter leur sorte préférée.

La Paryse
$
fermé lun
302 rue Ontario E.
☎514-842-2040
Dans un décor rappelant les années 1950, le restaurant La Paryse se voit régulièrement envahi par une foule jeune et bigarrée. En jetant un coup d'œil sur le menu, on comprend pourquoi: ses délicieux hamburgers et frites maison sont servis en généreuses portions!

Le Pèlerin-Magellan
$
330 rue Ontario E.
☎514-845-0909
Situé près de la rue Saint-Denis, Le Pèlerin-Magellan attire une clientèle hétéroclite qui aime discuter tout en grignotant une cuisine de bistro, dans une atmosphère jeune et sympathique. Le mobilier de bois imitant l'acajou et les expositions d'œuvres d'art moderne parviennent à créer une ambiance amicale.

Le Piémontais
$$$
fermé dim
1145A rue De Bullion
☎514-861-8122
Tous les vrais amateurs de cuisine italienne connaissent et vénèrent Le Piémontais. L'étroitesse des lieux et la proximité des tables rendent l'établissement très bruyant, mais la douceur d'un décor où dominent le rose, la gentillesse, la bonne humeur et l'efficacité du personnel, ainsi que la poésie que l'on découvre dans son assiette, procurent une expérience inoubliable.

Restaurant de l'Institut
$$$
Institut de tourisme
et d'hôtellerie du Québec
3535 rue St-Denis
☎514-282-5161 ou 800-361-5111
www.ithq.qc.ca
Situé au rez-de-chaussée de l'Institut de tourisme et d'hôtellerie du Québec (ITHQ), derrière de larges baies vitrées donnant sur le square Saint-Louis, ce restaurant est un havre de lumière le jour et une adresse au cœur de la vie trépidante montréalaise le soir. Le plafond suspendu telle une pergola, les murs et le plancher en bois de chêne et d'érable confèrent à l'endroit un grand calme et beaucoup de chaleur. Aidé des étudiants de l'institut, le chef William Chacon prépare six menus par année en utilisant principalement des produits du terroir. Matin, midi et soir, le Restaurant de l'Institut offre un des meilleurs rapports qualité/prix à Montréal.

Le Plateau Mont-Royal

Byblos
$
fermé lun
1499 av. Laurier E.
☎514-523-9396
Au petit restaurant Byblos, aux apparences très simples et aux murs ornés de pièces d'artisanat perse, vous jouirez d'une ambiance à la fois discrète et exotique. La cuisine, raffinée et légère, recèle de petites merveilles de l'Iran. Le service est attentionné, et le sourire règne en maître.

Fruit Folie
$
3817 rue St-Denis
☎514-840-9011
On accourt au Fruit Folie pour ses petits déjeuners spectaculaires, délicieux et proposés à prix imbattables. Bien entendu la plupart des assiettes débordent de fruits, c'est la folie! Vous devrez probablement patienter si vous faites la grasse matinée le dimanche et arrivez après 11h, surtout si vous convoitez les tables de la terrasse. Fruit Folie sert aussi des repas simples, des pâtes et des salades pour le déjeuner et le dîner.

La Binerie Mont-Royal
$
367 av. du Mont-Royal E.
☎514-285-9078
Dans un décor formé de quatre tables et d'un comptoir, La Binerie Mont-Royal

est un petit resto de quartier d'aspect modeste. Mais elle a bonne réputation grâce à sa spécialité, les fèves au lard (les «binnes»), et au roman d'Yves Beauchemin (*Le Matou*), auquel elle sert de toile de fond.

La Banquise

$

994 rue Rachel E.

☎514-525-2415

Ce joli petit restaurant aux couleurs de l'été, ouvert jour et nuit, est bien connu des résidants du Plateau qui viennent y apaiser leur fringale après la sortie du samedi soir. La spécialité: la poutine, avec une vingtaine de variétés différentes, de la poutine Elvis (steak haché, piments et champignons sautés) à la poutine Obélix (à la viande fumée). Mais on y propose aussi un plat du jour (salades ou hamburgers).

Tampopo

$-$$

4449 rue Mentana

☎514-526-0001

La minuscule salle du Tampopo ne dérougit pas. Pratiquement à toute heure, on y trouve quantité de gens du Plateau et d'ailleurs venus se rassasier d'un bon plat de cuisine asiatique. Les copieuses soupes tonkinoises côtoient sur la carte une série de plats de nouilles. Derrière le comptoir, les cuistots s'affairent devant d'énormes woks dans lesquels ils font sauter légumes, viandes et fruits de mer pour les servir juste à point. Prenez place sur de petits tabourets devant ce comptoir ou par terre sur une natte à l'une des trois tables basses et ne manquez pas de savourer aussi le décor aux accents orientaux!

Chu Chai

$$

4088 rue St-Denis

☎514-843-4194

Le Chu Chai ose innover, et il faut l'en féliciter. Ici, on a imaginé une cuisine thaïlandaise végétarienne qui donne dans le pastiche: crevettes végétariennes, poisson végétarien et même bœuf ou porc végétarien. L'imitation est extraordinaire, au point qu'on passe la soirée à se demander comment c'est possible. La chef peut vous expliquer qu'il s'agit vraiment de produits végétaux comme le seitan, le blé, etc. Le résultat est délicieux et ravit la clientèle diversifiée qui se presse dans sa salle modeste ou à la terrasse. Le midi, le restaurant propose une table d'hôte économique.

Khyber Pass

$$

506 av. Duluth E.

☎514-849-1775

L'exotique et chaleureux restaurant Khyber Pass propose une cuisine traditionnelle afghane. Les entrées ouvrent la voie à un amalgame de saveurs étonnantes et recherchées. Les bouchées de citrouille nappées d'une sauce au yogourt, menthe et ail, ainsi que les raviolis bouillis, couverts d'une sauce aux tomates et aux lentilles, sont particulièrement réussis. L'agréable découverte se poursuit avec un choix de grillades d'agneau, de bœuf et de poulet, dont la marinade se marie parfaitement au parfum du riz qui les accompagne. Le service est attentionné, et, en été, une terrasse est mise à la disposition des clients. On peut apporter son vin

Le Nil Bleu

$$

3706 rue St-Denis

☎514-285-4628

La cuisine délicieuse du restaurant éthiopien Le Nil Bleu vaut certainement le déplacement, ne serait-ce que pour manger de façon traditionnelle, de la main droite, un choix de viandes et de légumes enroulés dans une énorme crêpe, communément appelée *injera*. Son décor se révèle des plus chaleureux.

Ouzeri

$$

4690 rue St-Denis

☎514-845-1336

L'Ouzeri s'est donné pour objectif d'offrir à sa clientèle une cuisine grecque recherchée: mission accomplie. La cuisine est excellente et recèle plusieurs surprises, comme la moussaka végétarienne et les pétoncles au fromage fondu. Avec son plafond très haut et ses longues fenêtres, ce restaurant constitue un établissement agréable où l'on risque de s'éterniser, surtout quand la musique nous plonge dans la rêverie.

Café Cherrier

$$-$$$

3635 rue St-Denis

☎514-843-4308

Lieu de rencontre par excellence de tout un contingent de professionnels, la terrasse et la salle du Café Cherrier ne désemplissent pas. L'atmosphère de brasserie française y est donc très animée avec beaucoup de va-et-vient, ce qui peut donner lieu à d'agréables rencontres. Le menu affiche des plats de bistro généralement savoureux, mais on doit parfois déplorer un service approximatif.

La Raclette

$$-$$$

1059 rue Gilford

☎514-524-8118

Restaurant de quartier très prisé par les belles soirées d'été en raison de son attrayante terrasse, La Raclette plaît aussi pour son menu, où l'on retrouve des plats tels que la raclette (bien sûr), mais aussi l'émincé de porc zurichois ou le saumon à la moutarde de Meaux et le clafoutis aux cerises. Les personnes ayant un solide appétit peuvent opter pour le menu «dégustation», qui comprend l'entrée, la soupe, le plat principal, le dessert et le café. On peut apporter son vin

Les Trois Petits Bouchons
$$-$$$
fermé dim
4669 rue St-Denis
☎514-285-4444

Les Trois Petits Bouchons, c'est trois jeunes amis bons vivants qui ont uni leur savoir-faire pour ouvrir ce petit bonheur de resto-bar à vin. Ils réussissent avec brio à nous faire vivre trois grands plaisirs: être bien reçu, bien manger et bien boire. Au bar en solitaire, en salle en amoureux ou en groupe à la table d'amis, on s'y sent toujours bien et on se dit qu'on en ferait bien son resto de quartier.

Misto
$$-$$$
929 av. du Mt-Royal E.
☎514-526-5043

Le Misto est un restaurant italien couru par une clientèle branchée qui vient y manger une délicieuse cuisine imaginative. Dans ce grand et chaleureux local paré de briques et décoré dans les tons de vert, l'atmosphère bruyante et les tables très rapprochées n'enlèvent rien au service attentionné et sympathique.

Un Monde Sauté
$$-$$$
1481 av. Laurier E.
☎514-590-0897

Ce resto au concept original n'en finit plus de faire jaser. L'idée est pourtant simple: un menu inspiré des cuisines du monde (essentiellement des sautés, d'où le nom), un décor chaleureux tout en couleurs et un service d'une gentillesse irréprochable. Une touche d'exotisme qui ensoleillera même les plus froides journées d'hiver.

Au Pied de Cochon
$$$
536 av. Duluth E.
☎514-281-1114

Bistro situé au cœur du Plateau et où l'on mange fort bien, ce restaurant est dédié à la bonne chère. Essayez la côte de «cochon heureux» ou le jarret d'agneau confit, ou encore, si vous êtes un peu plus audacieux, la poutine au foie gras. Sacrilège! crieront certains, mais attendez d'avoir goûté!

Bistro Cocagne
$$$
3842 rue St-Denis
☎514-286-0700
www.bistro-cocagne.com

Après plusieurs années de service au sein du restaurant de renom qu'est le Toqué!, Alexandre Loiseau vous fera aujourd'hui apprécier ses talents de grand chef en vous conviant dans son propre restaurant. Sa passion? Les produits régionaux. Il vous proposera donc ici des produits toujours frais et de qualité. Les avantages? Son ingéniosité à combiner une cuisine du marché avec des saveurs parfois surprenantes, et sa créativité en matière de présentation, chaque plat étant en soi un véritable petit tableau. Quant au décor, boiseries et mobilier aux couleurs apaisantes, le tout baigné par un éclairage tout en douceur, composent un ensemble chaleureux qui invite aux confidences. Une excellente adresse pour un bon repas gastronomique dans une ambiance décontractée.

Le Continental
$$$
4007 rue St-Denis
☎514-845-6842

En juillet 2007, le restaurant Le Continental a été victime d'un incendie dévastateur. Les propriétaires n'ont par contre pas chômé. Quelques mois plus tard apparaissait, un pâté de maisons plus loin, un petit bistro bien sympathique qui fut à son tour agrandi pour reprendre ses dimensions d'autrefois. Les habitués du Continental disent maintenant se retrouver chez eux avec un menu toujours aussi alléchant. On va au Continental pour la fraîcheur des produits, la stabilité des classiques et la chaleur du service.

Le Piton de la Fournaise
$$$
fermé lun
835 av. Duluth E.
☎514-526-3936

Le charmant et tout petit restaurant Le Piton de la Fournaise pétille de vie et éveille les sens. On y apprête avec ingéniosité une cuisine réunionnaise qui n'en finit pas de surprendre par ses parfums, ses épices et ses textures. Afin que l'expérience du Piton de la Fournaise soit un succès, il est suggéré d'avoir tout son temps devant soi. Notez au passage qu'il y a deux services le vendredi et le samedi en raison de l'achalandage. On peut apporter son vin.

L'Express
$$$
3927 rue St-Denis
☎514-845-5333

Lieu de rencontre par excellence des yuppies vers 1985, L'Express demeure très apprécié pour son décor de wagon-restaurant, son atmosphère de bistro parisien animé, que peu ont su reproduire, et son menu toujours invitant. Il a su acquérir ses lettres de noblesse au fil des années.

Le Symposium Psarotaverna
$$$
3829 rue St-Denis
☎514-842-0867

Le Symposium Psarotaverna transporte sa clientèle instantanément en mer Égée, avec son décor bleu et blanc ainsi que l'âme chaleureuse et insulaire du service. Le poisson (vivaneau, daurade, pageot) et les fruits de mer en sont les spécialités. Essayez le délicieux *saganaki*.

Vintage Tapas et Porto

$$$

fermé dim

4475 rue St-Denis

☎514-849-4264

Derrière une façade discrète se cache un restaurant très apprécié par la clientèle montréalaise. Le Vintage propose une cuisine portugaise classique. On y sert des grillades de veau, bœuf, poisson et fruits de mer, ainsi que des tapas, de petites entrées savoureuses à découvrir. Comme il se doit, le restaurant affiche une bonne carte de vins et de portos.

Au 5e péché

$$$$

330 av. du Mont-Royal E.

☎514-286-0123

Ce restaurant est un des incontournables de l'avenue du Mont-Royal. Le chef Benoit Lenglet conçoit des plats d'inspiration française à partir de produits 100% québécois. La situation centrale du restaurant permet aussi de terminer sa soirée dans certaines des boîtes de nuit les plus intéressantes du plateau Mont-Royal.

Outremont et le Mile-End

Café Souvenir

$

ouvert 24h sur 24 jeu-sam, jusqu'à 23h dim-mer

1261 av. Bernard

☎514-948-5259

Des plans de quelques grandes villes européennes, notamment Paris, ornent les murs du Café Souvenir. D'ailleurs, une ambiance de café français se dégage de ce petit resto sympa. Les dimanches pluvieux, les Outremontais y viennent nombreux, juste le temps d'une petite causerie. Le menu n'a rien d'extravagant, mais les plats sont bons.

Fairmount Bagel Bakery

$

24 heures sur 24

74 av. Fairmount O.

☎514-272-0667

Célèbre concurrent du St. Viateur Bagel Shop, la Fairmount Bagel Bakery innove en proposant une vingtaine de *bagels* différents. Salées ou sucrées, les saveurs sont variées, comme ces *bagels* au chocolat, au muesli ou aux tomates séchées. Fait étonnant: l'absence de serrure sur la porte de cette boulangerie ouverte au public 24 heures sur 24, et 365 jours par année!

La Croissanterie Figaro

$

5200 rue Hutchison

☎514-278-6567

Charmant café, La Croissanterie Figaro est un de ces trésors de quartier qu'on découvre avec ravissement. De petites tables en marbre, des lustres vieillots et des boiseries composent un décor propice aux petits déjeuners qui se prolongent et aux tête-à-tête alors qu'on voudrait que le temps s'arrête. De grandes fenêtres s'ouvrent sur l'extérieur et permettent au soleil matinal d'entrer. Ce café semble appartenir à une époque révolue! Quartier oblige, la clientèle se compose d'artistes rêveurs et de professeurs distraits.

Le Bilboquet

$

1311 av. Bernard

☎514-276-0414

Des gens de tout âge viennent au Bilboquet pour se délecter de mille et une savoureuses glaces. Ce petit café sympathique, installé au cœur d'Outremont, dispose d'une mignonne terrasse et attire une foule nombreuse les soirs d'été.

St. Viateur Bagel Shop

$

24 heures sur 24

263 av. St-Viateur O.

☎514-276-8044

C'est de cette petite boulangerie artisanale, au cœur du quartier d'Outremont, que vient la renommée des *bagels* montréalais. Cuits au four à bois, ces petits pains en forme d'anneau rivalisent aisément avec leurs concurrents new-yorkais. Aux graines de sésame ou de pavot, aux raisins, à la cannelle ou tout simplement nature, vous avez le choix. Et si vous préférez les grignoter sur le pouce dans un petit bistro, garnis de saumon ou de fromage à la crème, c'est au **St. Viateur Bagel & Café** *(1127 av. du Mont-Royal E., ☎514-528-6361)* que vous devez vous rendre, au cœur du Plateau.

Caffè Grazie Mille

$-$$

58 av. Fairmount O.

pas de tél.

Ce café représente bien l'Italie qu'on aime: des paninis simples et toujours frais, des cafés comme on en boit rarement ailleurs et un patron qui discute haut et fort avec ses clients. La terrasse est un petit bonheur en été.

Chao Phraya

$$

50 av. Laurier O.

☎514-272-5339

Le Chao Phraya présente un décor moderne agrémenté de larges baies vitrées. On y sert de délicieux mets thaïlandais.

Le Bistingo

$$

1199 av. Van Horne

☎514-270-6162

D'aucuns affirment que l'avenue Van Horne compte parmi les moins jolies rues d'Outremont. Il n'empêche que s'y succèdent plusieurs bistros des plus charmants, dont Le Bistingo. Ses quelques tables, ses larges baies vitrées, son service attentionné et son menu toujours alléchant,

qui varie au gré des arrivages, ont sans doute contribué à sa réussite car les gens y reviennent. Cuisine française.

Paris-Beurre
$$
1226 av. Van Horne
☎514-271-7502
Certains se plaignent que la carte du Paris-Beurre ne change guère, mais les habitués y reviennent justement pour déguster des plats classiques qui ont acquis leurs lettres de noblesse, comme la côte de bœuf sauce moutarde, le saumon à l'oseille et la délectable crème brûlée à la vanille, qui ne déçoivent jamais. Ils profitent en outre d'une salle à manger ayant bien du cachet, bien qu'elle soit dotée de larges baies vitrées s'ouvrant sur la tristounette avenue Van Horne.

Rumi
$$
5198 rue Hutchison
☎514-490-1999
Et si la Route de la soie passait par la rue Hutchison? Il suffit d'entrer au restaurant Rumi (du nom d'un célèbre maître soufi du XIIIe siècle) pour s'y croire. La décoration arborant tentures et tissus persans et les bonnes odeurs se dégageant des nombreux mets parfumés qu'on y sert en font un lieu tout désigné pour un repas paisible et succulent.

BU
$$-$$$
5245 boul. St-Laurent
☎514-276-0249
Les disciples de Bacchus prennent place chez BU pour s'offrir une cuisine italienne rustique et délicieuse, mais aussi pour profiter de l'impressionnante carte des vins, qui affiche de nombreuses importations privées. Une trentaine de vins sont proposés au verre à des prix très raisonnables, et les excellentes suggestions du personnel, affable et sans prétention, permettent de découvrir ou d'approfondir leurs connaissances du merveilleux monde des vins. Une excellente adresse pour une soirée intime à partager des antipasti ou pour un dîner plus raffiné.

Nonya
$$-$$$
fermé dim-lun
151 rue Bernard O.
☎514-875-9998
Rare ambassadeur de la cuisine indonésienne au Québec, Nonya propose, dans un cadre élégant, un éventail de plats raffinés et inspirés des recettes familiales parmi les plus appréciés de l'archipel. De l'*Udang Mangga* (crevettes sautées au lait de coco et cari rouge sur lit de mangue verte) au *Pepes Ikan* (filet de tilapia en papillote de feuilles de bananier), en passant par les *Sates* (brochettes de poulet ou d'agneau grillées, nappées de sauce aux arachides) et le pudding au riz noir servi dans une crème coco chaude, le menu dégustation constitue un délicieux tour d'horizon qui comblera les amateurs de nouveautés orientales.

Leméac Café Bistrot
$$$
1045 av. Laurier O.
☎514-270-0999
Table incontournable d'Outremont, ce café bistro, aménagé par l'architecte Luc Laporte, doit son nom à la célèbre maison d'édition montréalaise qui occupait auparavant ce bel espace de l'avenue Laurier. Les boiseries, le jardin-terrasse et les larges baies vitrées confèrent une luminosité particulière à ce bistro typiquement européen. Les plats au menu, qui déclinent les classiques de la cuisine française (foie de veau, bavette, confit de canard), s'accompagnent d'un vaste choix d'excellents vins.

Souvenirs d'Indochine
$$$
fermé dim-lun
243 av. du Mont-Royal O.
☎514-848-0336
Dans un décor tout en finesse, Monsieur Hà sert une cuisine qui ne l'est pas moins. Loin des clichés parfois ternes des mets vietnamiens servis ailleurs, on goûte ici aux plus recherchés des plats de l'Indochine, dans lesquels on retrouve un soupçon d'influence française. Il ne faut pas manquer les entrées, entre autres le calmar frit et la soupe à la mousse de crabe. Côté assiettes, les crevettes au curry vert et le saumon raviront vos papilles. Jusqu'au riz qui surpasse ce que l'on connaît!

Taza Flores
$$$
5375 av. du Parc
☎514-574-5511
Après le resto de quartier et le bistro-club, voici le bar à tapas. À vous de composer votre repas parmi de petites mais copieuses assiettes d'amuse-gueules d'inspiration espagnole. La nourriture est bonne, le service chaleureux et le plaisir jusqu'en fin de soirée garanti. La cuisine est ouverte jusqu'à 23h du mardi au jeudi et jusqu'à 2h les vendredi et samedi.

La Chronique
$$$$
99 av. Laurier O.
☎514-271-3095
Les Montréalais dans le coup vous le diront à l'unisson: La Chronique brigue toujours sa place parmi les meilleurs restaurants de la ville en repoussant continuellement les normes de la gastronomie. Le réputé chef d'origine belge Marc De Canck favorise les produits québécois et propose une cuisine du marché en constante évolution qui gravite toujours autour d'aliments d'une fraîcheur indéniable qui vous feront fondre de plaisir. Dans un décor sans artifice, agrémenté par les sempiternelles photos en noir et blanc, les convives peuvent déguster entre autres la morue charbonnière ou un magret de canard. La liste des vins fera le bonheur

des amis de Bacchus. Le service est professionnel, prévenant et sans ostentation.

Milos
$$$$
5357 av. du Parc
☎514-272-3522
Le Milos peut en montrer aux innombrables brochetteries grecques ayant pignon sur rue à Montréal, car on élabore ici une authentique cuisine grecque. La réputation de cet établissement repose fermement sur la qualité de ses poissons et fruits de mer provenant de tous les coins du monde et d'une fraîcheur invariablement exceptionnelle. Le décor préserve le charme de la simple *psarotaverna* que ce restaurant était à ses débuts, tout en affichant une certaine élégance rustique à même de plaire à sa riche clientèle. Les portions se veulent généreuses, mais, s'il vous reste un peu de place pour le baklava traditionnel, vous ne serez pas déçu.

Raza
$$$$
fermé dim-lun
114 av. Laurier O.
☎514-227-8712
Le chef d'origine péruvienne Mario Navarette Jr., anciennement des restaurants Bice et Les Caprices de Nicolas, a ouvert son restaurant Raza sur la chic avenue Laurier en 2005. Il y propose une succulente nouvelle cuisine latine qui ne manque pas d'impressionner: les délicieux plats de poisson qui varient selon les arrivages témoignent bien de la créativité du chef et de son équipe. La salle à manger est décorée avec goût et fait un bon usage de projections d'images. La carte des vins présente quelques importations privées intéressantes, et les cocktails proposés en apéritif sont savoureux: essayez le grand classique péruvien, le *pisco sour*, tout à fait divin. L'une des belles additions à la scène culinaire de Montréal.

Les îles Sainte-Hélène et Notre-Dame

Hélène de Champlain
$$$
fermé lun
200 Tour de l'Isle, île Ste-Hélène
☎514-395-2424
Établi sur l'île Sainte-Hélène, le restaurant Hélène de Champlain bénéficie d'un site enchanteur, sans doute un des plus beaux à Montréal. La grande salle, pourvue d'un foyer et offrant une vue sur la ville et le fleuve, s'avère des plus agréables. Chaque coin de la salle à manger possède un charme bien à lui, et l'on peut y profiter des paysages qui varient au gré des saisons. La cuisine française qu'on y sert n'est pas gastronomique, mais on mange bien. Le service est empressé et courtois.

Le Festin du Gouverneur
$$$$
Fort de l'île Ste-Hélène
☎514-879-1141
Au Festin du Gouverneur, on recrée un festin tel qu'on en organisait en Nouvelle-France au début de la colonisation. Des personnages en costumes d'époque et des plats de la cuisine québécoise traditionnelle font revivre aux convives ces soirées de fête. Les réservations sont nécessaires.

Nuances
$$$$
Casino de Montréal
île Notre-Dame
☎514-392-2708
Juché au cinquième étage du Casino de Montréal, le Nuances compte parmi les meilleures tables de la ville, voire du Canada. Dans un riche décor où se côtoient acajou, laiton, cuir et vue sur les lumières de la ville, cet établissement de prestige propose une cuisine raffinée et imaginative. Ainsi figurent au menu une escalope de foie gras poêlée comme entrée, ainsi que le magret de canard rôti ou la longe d'agneau du Québec pour la suite. Les desserts savoureux sont, quant à eux, présentés de façon spectaculaire. Le cadre feutré et classique de ce restaurant ayant remporté plusieurs honneurs prestigieux depuis son ouverture convient bien aux dîners d'affaires, mais aussi aux occasions spéciales et aux grandes demandes... Il est à noter que le Casino possède également trois autres restaurants à formule plus économique: le **Via Fortuna** *($$)*, **La Bonne Carte** *($$)*, avec buffet et menu à la carte, et le casse-croûte **L'Entre-mise** *($)*.

Maisonneuve

La Bécane rouge
$$
fermé dim-lun
4316 rue Ste-Catherine E.
☎514-252-5420
La Bécane rouge est un sympathique bistro. Sur deux étages, les serveurs s'activent et contribuent à reproduire cette ambiance typique des bistros français. Les résidants du quartier et les habitués du Théâtre Denise-Pelletier aiment à s'y retrouver autour d'un verre de vin, d'un café ou d'un bon plat du jour. En été, installez-vous sur la terrasse donnant sur le parc Morgan pour déjeuner.

Les Cabotins
$$$
4821 rue Ste-Catherine E.
☎514-251-8817
Installé dans une ancienne mercerie dont il a conservé certains éléments de décor, le restaurant Les Cabotins propose une cuisine française traditionnelle, mais relevée d'un soupçon d'excentricité. Les associations de saveurs

(saumon aux agrumes, escargots à la fraise et au Ricard...), toujours heureuses et raffinées, satisferont grandement les palais d'une clientèle variée. Le décor est aussi à cette image, doucement kitsch et chic à la fois, avec ses tables en formica et ses nombreuses lampes créant une ambiance intime.

Sorties

Activités culturelles

La vie culturelle est intense à Montréal. Tout au long de l'année, des expositions et des spectacles sont organisés afin de permettre aux Montréalais de découvrir diverses facettes de la culture. Les hebdomadaires culturels *Voir*, *Ici*, *Mirror* et *Hour*, distribués gratuitement, donnent un aperçu des principaux événements qui se tiennent à Montréal.

Billetteries

Deux principaux réseaux de billetterie distribuent les billets de spectacles, de concerts et d'événements sportifs. Ceux qui voudront profiter de billets de dernière minute à prix réduit doivent se rendre au guichet de La Vitrine culturelle (voir ci-dessous), rue Sainte-Catherine; il s'agit généralement de concerts ou de pièces de théâtre dans de petites salles.

Admission
☎514-790-1245 ou 800-361-4595
www.admission.com

Ticketpro
☎514-790-1111 ou 866-908-9090
www.ticketpro.ca

La Vitrine culturelle
145 rue Ste-Catherine O.
☎514-285-4545
www.lavitrine.com

Théâtres et salles de spectacle

Les droits d'entrée aux spectacles varient grandement d'une salle à l'autre. La plupart des salles offrent cependant des tarifs réduits aux étudiants.

Le National
1220 rue Ste-Catherine E.
☎514-845-2014
www.latulipe.ca

La Tulipe
4530 av. Papineau
☎514-529-5000
www.latulipe.ca

Le Gesù – Centre de créativité
1200 rue De Bleury
☎514-861-4378
www.gesu.net

Monument-National
1182 boul. St-Laurent
☎514-871-9883
www.monument-national.qc.ca

Place des Arts
175 rue Ste-Catherine O.
☎514-842-2112
www.pds.qc.ca

Théâtre Corona
2490 rue Notre-Dame O.
☎514-931-2088
www.theatrecorona.com

Théâtre d'Aujourd'hui
3900 rue St-Denis
☎514-282-3900
www.theatredaujourdhui.qc.ca

Théâtre Denise-Pelletier
4353 rue Ste-Catherine E.
☎514-253-8974
www.denise-pelletier.qc.ca

Théâtre du Nouveau Monde
84 rue Ste-Catherine O.
☎514-866-8668
www.tnm.qc.ca

Théâtre du Rideau Vert
4664 rue St-Denis
☎514-844-1793
www.rideauvert.qc.ca

Théâtre Saint-Denis
1594 rue St-Denis
☎514-849-4211
www.theatrestdenis.com

Bars et boîtes de nuit

Un droit d'entrée ainsi que des frais pour le vestiaire peuvent être exigés dans les bars de Montréal. Bien que la vie nocturne y soit très active, la vente d'alcool cesse au plus tard à 3h du matin.

Le Vieux-Montréal

Les Deux Pierrots
104 rue St-Paul E.
☎514-861-1270
www.lespierrots.com
Véritable institution montréalaise, Les Deux Pierrots a toujours su répondre aux exigences de ses clients en matière de divertissement. Si votre idéal de soirée consiste à vous mettre debout sur votre chaise et à danser sur des airs populaires chantés par un chansonnier tout en buvant de la bière, alors c'est l'endroit rêvé pour vous. En été, ce bar dispose d'une agréable terrasse.

Le Confessionnal
431 rue McGill
☎514-656-1350
www.confessionnal.ca
Le confortable petit *lounge* du Confessionnal est tout indiqué pour faire connaissance avec la jeune faune professionnelle de Montréal. Les cinq à sept y sont si populaires qu'on doit souvent faire la queue avant d'y entrer. Et une fois à l'intérieur, c'est en jouant des coudes qu'on se fraie un chemin jusqu'au bar.

Le centre-ville

Altitude 737
1 Place Ville Marie
☎514-397-0737
www.altitude737.com
Si vous êtes de ces gens qui aiment atteindre les sommets, il faut grimper aux étages supérieurs de la Place Ville Marie, où l'Altitude 737 est pris d'assaut les soirs de semaine, particulièrement les jeudis et vendredis, alors qu'une clien-

tèle de jeunes professionnels dans la trentaine s'y rend pour prendre un verre avant d'aller dîner.

Brutopia
1219 rue Crescent
☎514-393-9277
www.brutopia.net
Entre la rue Sainte-Catherine et le boulevard René-Lévesque se trouve un chouette petit pub irlandais qui tranche avec l'ambiance flafla et chichi qui caractérise la rue Crescent. Cet établissement sans prétention brasse sa propre bière (aucune bouteille de bière décapsulée n'y est vendue) et constitue l'endroit idéal pour commencer la soirée avant de poursuivre la fête ailleurs.

Les Foufounes Électriques
87 rue Ste-Catherine E.
☎514-844-5539
www.foufounes.qc.ca
Autrefois haut lieu de la marginalité de Montréal, Les Foufounes Électriques ne sont plus ce qu'elles étaient. Le décor composé de graffitis et de sculptures étranges est toujours le même, mais le bar a vu sa clientèle changer et sa musique devenir un peu plus commerciale.

Loft
1405 boul. St-Laurent
☎514-281-8058
www.clubleloft.com
Très grande discothèque au sombre décor «techno» rehaussé de mauve et où seule la musique alternative a sa place, le Loft attire une clientèle dont l'âge varie entre 18 et 30 ans. On peut y voir des expositions temporaires parfois intéressantes. Certains amateurs y viennent pour les tables de billard. La terrasse sur le toit est fort agréable.

McKibbin's Irish Pub
1426 rue Bishop
☎514-288-1580
www.mckibbinsirishpub.com
Le McKibbin's Irish Pub est décoré dans la plus pure tradition irlandaise. Ses tabourets et banquettes de bois, ses murs de briques ainsi que ses nombreux bibelots, trophées et photos d'époque lui confèrent un aspect vieillot, non dénué de charme. On y boit de célèbres bières irlandaises, alors que des mélodies dublinoises résonnent aux oreilles.

Upstairs Jazz Club
1254 rue MacKay
☎514-931-6808
www.upstairsjazz.com
Situé en plein centre-ville, l'Upstairs présente des spectacles de blues et de jazz tous les jours de la semaine. En été, une terrasse murée, à l'arrière du bar, fait le bonheur des amateurs de couchers de soleil.

Le quartier Milton-Parc et la Main

Balattou
4372 boul. St-Laurent
☎514-845-5447
www.balattou.com
Le Balattou est sans doute la boîte africaine la plus populaire de Montréal. Elle est sombre, bondée, chaude, trépidante et bruyante. Des spectacles sont présentés en semaine, pour lesquels le droit d'entrée varie.

Blizzarts
3956 boul. St-Laurent
☎514-843-4860
Vous désirez vous mettre au parfum de la vie urbaine montréalaise? Alors planifiez une chaude soirée aux Blizzarts. Ce *lounge* vous permet à la fois d'apprécier une musique électronique minimaliste un verre à la main et de faire souffrir vos hanches sur la piste de danse au fond de la salle.

Les Bobards
4328 boul. St-Laurent
☎514-987-1174
www.lesbobards.qc.ca
Dans ce bar de quartier sans artifice, de grandes fenêtres permettent de regarder le va-et-vient du boulevard Saint-Laurent, tandis qu'on y déguste l'une des nombreuses variétés de bières pression. On y offre des arachides à volonté. Les innombrables écales qui recouvrent le sol confèrent à la soirée un caractère empreint de pittoresque et de simplicité.

Casa del Popolo
4873 boul. St-Laurent
☎514-284-3804
www.casadelpopolo.com
La Casa del Popolo est à la fois un restaurant végétarien, un café et une salle de spectacle. On y propose des concerts aux consonances éclectiques: pop, rock, folk, jazz et musique actuelle et électronique.

Dieu du Ciel
29 av. Laurier O.
☎514-490-9555
www.dieuduciel.com
Bien qu'un peu excentré, le Dieu du Ciel est une microbrasserie conviviale qui mérite résolument le déplacement. L'établissement offre une excellente sélection de bières maison. En cas de petite faim, on peut commander les sempiternels *nachos* gratinés.

Le Divan Orange
4234 boul. St-Laurent
☎514-840-9090
www.ledivanorange.org
Le Divan Orange est à la fois un restaurant végétarien, une salle de spectacle pouvant accueillir 180 personnes et un bar avec des bières de microbrasseries québécoises à la carte. C'est dans un endroit comme celui-là que vous vous frotterez aux meilleurs artistes émergents de Montréal, du Québec et d'ailleurs.

Else's
156 rue Roy E.
☎514-286-6689
Il est parfois des bars où l'on va pour la première fois et où l'on se sent tout de suite chez soi. Le Else's est ainsi, par son ambiance feutrée et chaleureuse, par la simplicité des gens qui le fréquentent, mais aussi par sa localisation au coin de deux rues paisibles, qui lui confère son statut de véritable bar de quartier. Zone d'accès Internet sans fil.

Laïka
4040 boul. St-Laurent
☎514-842-8088
www.laikamontreal.com
Nommé d'après le premier chien russe à avoir été projeté dans l'espace, le Laïka est un café-resto *in* durant le jour qui se transforme en *lounge* branché le soir venu. Dans un décor épuré, un DJ aux platines ouvre des sessions de drum & bass, house, funk ou electronica plutôt pointues.

Le Réservoir
9 av. Duluth E.
☎514-849-7779
Microbrasserie le soir et bistro le midi, Le Réservoir invite également les gens à venir bruncher les samedis et dimanches. On aime son emplacement, sur la petite avenue Duluth, semi-piétonnière, sa terrasse à l'étage pour les brunchs et sa bière brassée sur place.

Le Quartier latin

Le Cheval Blanc
809 rue Ontario E.
☎514-522-0211
www.lechevalblanc.ca
Le Cheval Blanc est aménagé dans une ancienne taverne montréalaise au cachet préservé et à l'ambiance chaleureuse et décontractée. Différentes bières sont brassées sur place et alternent avec les saisons. Lieu de prédilection de plusieurs habitués, on peut également louer l'espace pour des événements culturels.

Jello Bar
151 rue Ontario E.
☎514-285-2621
www.jellobar.com
Le Jello Bar loge dans un local garni d'un curieux mélange de meubles et de bibelots rescapés des années 1960 et 1970, où l'on propose un choix de 50 cocktails de martini différents, à être bus tranquillement sur fond de musique blues, funk, house, hip hop et groove.

L'amère à boire
2049 rue St-Denis
☎514-282-7448
www.ameréaboire.com
Installée entre les rues Ontario et Sherbrooke, L'amère à boire est une petite mais sympathique brasserie artisanale qui fabrique une dizaine de lagers et des ales. L'établissement est flanqué d'une petite terrasse arrière pour ceux qui souhaitent se soustraire de l'animation grouillante de la rue Saint-Denis.

Les 3 Brasseurs
1658 rue St-Denis
☎514-845-1660
www.les3brasseurs.ca
À un jet de pierre du Théâtre Saint-Denis, Les 3 Brasseurs est une franchise de l'Hexagone qui se taille une place enviable parmi les microbrasseries montréalaises. Tant sa déco rustique que son service de bon aloi fidélisent une clientèle d'étudiants et de jeunes cadres qui viennent étancher leur soif.

L'Île Noire Pub
342 rue Ontario E.
☎514-982-0866
www.ilenoire.com
L'Île Noire Pub est un très beau bar dans le plus pur style écossais. Les bois précieux dont on a usé abondamment confèrent à l'établissement un charme feutré et une ambiance raffinée. Le personnel, très professionnel, vous conseillera dans le choix de scotchs, dont la liste est impressionnante. Aussi, on y propose un bon choix de bières pression importées.

Le Saint-Sulpice
1680 rue St-Denis
☎514-844-9458
www.lesaintsulpice.ca
Aménagé dans une maison ancienne dont il occupe les trois étages, le Saint-Sulpice est décoré avec goût. Il dispose d'une très grande terrasse à l'arrière et une autre à l'avant, toutes deux parfaites pour profiter des soirées d'été.

Le Plateau Mont-Royal

Bily Kun
354 av. du Mont-Royal E.
☎514-845-5392
www.bilykun.com
Le Bily Kun, second bar de la microbrasserie du Cheval Blanc, offre un vaste choix de bières, notamment la marque maison, d'excellente qualité et à bon prix. Avec un décor original orné de cous d'autruches empaillés, l'atmosphère est sympathique et surtout branchée!

Le Boudoir
850 av. du Mt-Royal E.
☎514-526-2819
Plusieurs seront captivés par la chaleur qui se dégage du Boudoir. Une grande sélection de bières de microbrasseries est disponible, et les amateurs de scotchs, quant à eux, s'y retrouvent lundi et mardi pour les prix réduits (de 20h à 3h).

Le Café Campus
57 rue Prince-Arthur E.
☎514-844-1010
www.cafecampus.com
Surtout fréquenté par une clientèle estudiantine, Le Café Campus est installé dans un grand local de la rue Prince-Arthur et est réparti sur trois étages. On n'y vient pas pour le décor, des plus quelconques, mais bien pour danser jusqu'aux petites heures de la nuit. Le Petit Café Campus, la salle de spectacle de l'établissement, présente, quant à lui, de bons concerts de rock et de blues.

L'Esco
4467A rue St-Denis
☎514-842-7244
www.myspace.com/lescobar
Situé non loin de la station de métro Mont-Royal, L'Esco est un bon vieux bar de quartier. L'ambiance y est parfois électrisante la fin de semaine ou bien animée par des musiciens

de la relève qui jouent des airs de rock and roll.

Le Gymnase
4177 rue St-Denis
☎514-845-8717
www.legymnase.ca
Le gymnase est une salle polyvalente. On y accueille des spectacles, des lancements, des événements corporatifs et des partys étudiants. Ses deux étages sont en fait consacrés à la danse. Les soirées thématiques secrètes, *Beat 80+ et Beat 90+* font le plaisir de ceux qui en ont un vague souvenir comme de ceux qui les découvrent.

La Quincallerie
980 rue Rachel E.
☎514-524-3000
www.laquincaillerie.ca
Le nom rappelle que l'endroit était autrefois occupé par une véritable quincaillerie. Les nouveaux proprios ont donc décoré et redoré les lieux avec goût et minutie. Le design est sublime: des murs noirs, de grandes ardoises, des tables en teck, des plafonds hauts et même des petits lapins qui fument sur de superbes casiers de bois.

Le Plan B
327 av. Mont-Royal E.
☎514-845-6060
www.barplanb.ca
Le Plan B n'est en rien un... plan b. Sa situation enviable en fait un des petits bars les plus appréciés des jeunes du Plateau Mont-Royal. Un endroit où l'on aime s'asseoir au zinc et consulter une carte qui nous offre une belle variété de bières, de whiskys et... d'eaux! Au Plan B, tout semble bien dosé. Le décor est sobre.

Taverne Inspecteur Épingle
4051 rue St-Hubert
☎514-598-7764
Voilà un autre bon établissement pour écouter du blues en buvant une grosse bière. La Taverne Inspecteur Épingle, rendue célèbre par la présence occasionnelle du coloré chanteur québécois Plume Latraverse, présente de bons concerts d'artistes locaux.

Le Verre Bouteille
2112 av. du Mt-Royal E.
☎514-521-9409
www.verrebouteille.com
Ouvert depuis 1942, Le Verre Bouteille est l'un des derniers bastions de musique québécoise sur le Plateau. Les fins de semaine, des chansonniers brûlent les planches pour divertir le public. Ambiance relâchée et service de bon aloi.

Zinc Café Bar Montréal
1148 av. du Mont-Royal E.
☎514-523-5432
Cherchez-vous un bon établissement où discuter de tout et de rien en buvant un «picon bière»? Le Zinc Café Bar Montréal sert une variété de boissons hors du commun, et ce, dans un local chaleureux.

Outremont et le Mile-End

L'Assommoir
112 rue Bernard O.
☎514-272-0777
Ce resto-bar est situé dans le Mile-End. Attirant une clientèle de jeunes trentenaires, il s'est fait connaître pour ses cinq à sept branchés, sa longue liste de cocktails et ses mini-défilés de designers québécois, établis eux aussi dans ce quartier devenu très tendance.

Baldwin Barmacie
115 rue Laurier O.
☎514-276-4282
www.baldwinbarmacie.com
Une barmacie? S'agit-il d'une pharmacie où le zinc remplace l'officine du pharmacien et où les ordonnances donnent droit à un remède contre l'ennui? En réalité, le nom est un hommage à la grand-mère du propriétaire qui tenait autrefois une pharmacie tout près. Le Baldwin Barmacie s'adresse à une jeune clientèle du quartier Mile-End toujours plus vivant. Le décor est simple, l'éclairage idéal et les cocktails créatifs. Un endroit parfait pour les cinq à sept en bonne compagnie.

BU
5245 boul. St-Laurent
☎514-276-0249
www.bu-mtl.com
L'ambiance est décontractée dans ce bar à vin du Mile-End. La carte des vins affiche chaque jour une sélection d'une trentaine de vins au verre. Ceux qui le souhaitent peuvent accompagner leur dégustation d'antipasti, que l'on sert jusqu'à 2h du matin.

Whisky Café
5800 boul. St-Laurent
☎514-278-2646
www.whiskycafe.com
On a tellement soigné la décoration du Whisky Café que même les toilettes sont devenues une attraction touristique. Les tons chauds utilisés dans un contexte moderne, les grandes colonnes recouvertes de boiseries, les chaises style «années 1950», tout cela contribue à une sensation de confort et de classe. La clientèle de 20 à 35 ans, aisée et bien élevée, coule une jeunesse dorée.

■ Casino

Casino de Montréal
entrée libre
tlj 24h sur 24
☎514-392-2746 ou 800-665-2274
Avec ses 3 200 machines à sous et sa centaine de tables de jeu (blackjack, roulette, baccara, poker, etc.), le Casino de Montréal constitue à n'en point douter un élément important de la vie nocturne montréalaise. Il figure maintenant sur la liste des 10 plus importants casinos du monde en termes d'équipements de jeu. Le **Cabaret du Casino** pour sa part présente divers spectacles de variétés hauts en couleur.

■ Divertissements

La Ronde (voir p 105) est un parc d'attractions où plusieurs

manèges divertiront les plus jeunes comme les plus vieux.

Événements sportifs

Football

Stade Percival-Molson
475 av. des Pins O.
☎514-871-2255
www.montrealalouettes.com
Les **Alouettes de Montréal** de la Ligue canadienne de football (LCF) jouent leurs matchs au stade Percival-Molson depuis 1998. La saison régulière débute à la fin du mois de mai, pour se terminer à la fin du mois d'octobre. Il faut assister, ne serait-ce qu'une seule fois, à une partie des Alouettes, pour profiter de la vue imprenable sur le centre-ville et, bien sûr, pour encourager l'équipe montréalaise, comme le font les 20 000 spectateurs.

Hockey

Centre Bell
1260 rue De La Gauchetière O.
☎514-790-1245 ou 800-361-4595
www.canadiens.com
Les parties de hockey de la célèbre équipe du **Canadien de Montréal** (de la Ligue nationale de hockey) sont présentées au Centre Bell. On y joue 42 matchs durant la saison régulière. Puis commencent les séries éliminatoires, aux termes desquelles l'équipe gagnante remporte la légendaire coupe Stanley.

Soccer

Stade Saputo
4750 rue Sherbrooke E.
☎514-328-3668 ou 514-790-1245
www.impactmontreal.com
En 2008, l'**Impact de Montréal**, l'équipe de soccer de la métropole québécoise, a inauguré son nouveau domicile, le stade Saputo. Construit au coût de 15 millions de dollars, ce stade accueille plus de 13 000 spectateurs. Équipe professionnelle de la A-League internationale, l'Impact présente ses matchs à compter de la mi-mai jusqu'à la fin d'août et vous promet du vrai football européen comme il s'en joue sur le Vieux-Continent.

Tennis

Stade Uniprix
285 rue Faillon O.
☎514-790-1245 ou 800-361-4595
www.tenniscanada.com
Au Stade Uniprix, situé à l'angle du boulevard Saint-Laurent et de la rue Jarry, les meilleurs joueurs ou joueuses de tennis du circuit mondial participent, chaque année au début du mois d'août, à la **Coupe Rogers**. Les années paires, il s'agit d'une compétition de tennis féminin.

Fêtes et festivals

Durant les beaux jours, la fièvre des festivals emporte les Montréalais et les visiteurs. Du mois d'avril au mois d'août se succèdent une foule de festivals, chacun comportant un thème différent. Une chose est certaine: il y en a pour tous les goûts. Le reste de l'année, les grands événements se font moins fréquents, mais demeurent tout aussi intéressants.

Janvier

Fête des Neiges
☎514-872-6120
www.fetedesneiges.com
Montréal organise une fête pour célébrer les plaisirs et les activités de la blanche saison. La fête des Neiges a lieu au parc Jean-Drapeau, de la fin janvier au début février. Des toboggans géants et des patinoires sont installés pour le plus grand plaisir des familles montréalaises. Le concours de sculptures sur neige attire également bon nombre de curieux.

Février

Festival Montréal en lumière
☎514-288-9955 ou 888-477-9955
www.montrealenlumiere.com
Le Festival Montréal en lumière apporte un brin de magie à l'hiver québécois. Ainsi, à la mi-février, des jeux de lumière soulignent l'architecture de la ville, et des spectacles pyrotechniques sont présentés en plein air. Dans le volet «Art de la table» du festival, des chefs chevronnés, venus de partout dans le monde, proposent dégustations, repas et ateliers. Le festival présente aussi des concerts, de la danse et du théâtre.

Juin

L'International des Feux Loto-Québec
☎514-397-2000
www.montrealfeux.com
Concours international d'art pyrotechnique, L'International des Feux Loto-Québec s'amorce à la mi-juin et se poursuit jusqu'au début d'août. Les meilleurs artificiers du monde présentent à La Ronde (île Sainte-Hélène) des spectacles pyromusicaux d'une grande qualité. Les représentations ont lieu à 22h les samedis de juin et les mercredis et samedis de juillet et d'août. Une foule de Montréalais se pressent alors à la Ronde (droit d'entrée), ainsi que sur le pont Jacques-Cartier et sur le bord du fleuve (c'est alors gratuit) afin d'apprécier les innombrables fleurs de feux qui colorent pendant une demi-heure le ciel de leur ville.

Juillet

Festival international de jazz de Montréal
☎514-871-1881 ou 888-515-0515
www.montrealjazzfest.com
Pendant les journées du Festival international de jazz de Montréal (FIJM), sur le quadrilatère entourant la Place des Arts, se dressent les scènes où sont présentés de multiples spectacles rythmés sur

des airs de jazz. De la de fin juin à la mi-juillet, cette partie de la ville et bon nombre de salles de spectacle sont prises d'une activité trépidante. Ces journées sont l'occasion de descendre dans les rues pour se laisser emporter par l'atmosphère joyeuse émanant de ces excellents spectacles en plein air présentés gratuitement, auxquels les Montréalais participent en grand nombre.

Festival Juste pour rire
☎514-845-2322 ou 888-244-3155
www.hahaha.com
L'humour et la fantaisie sont à l'honneur durant le Festival Juste pour rire, à la mi-juillet. Des salles de spectacle accueillent alors des humoristes venant de divers pays. Ainsi, la portion de la rue Saint-Denis située dans le Quartier latin est fermée à la circulation, des spectacles ayant lieu dans la rue ainsi qu'au Théâtre Saint-Denis. Vous verrez alors plusieurs artistes s'y produire.

Festival international Nuits d'Afrique
☎514-499-9239
www.festivalnuitsdafrique.com
Montréal prend un air de fête tout au long du Festival international Nuits d'Afrique, qui se déroule à la mi-juillet. Plusieurs concerts et activités en plein air (au parc Émilie-Gamelin) sont offerts. Les grands noms de la musique africaine, antillaise et caribéenne proposent également des prestations en salles.

FrancoFolies de Montréal
☎514-876-8989 ou 888-444-9114
www.francofolies.com
Les FrancoFolies de Montréal sont organisées dans le but de promouvoir la chanson francophone. Durant les journées de ce festival, à la fin de juillet, des artistes provenant d'Europe, des Antilles françaises, du Québec, du Canada français et d'Afrique présentent des spectacles où l'on découvre les talents et les spécialités de chacun. Tous les amateurs «francofous» se regroupent alors entre le complexe Desjardins et la Place des Arts, rue Sainte-Catherine, où se produisent plusieurs artistes aux divers accents francophones. De plus, d'autres spectacles sont proposés en salle.

Août

Festival des films du monde de Montréal
☎514-848-3883
www. ffm-montreal.org
Débutant au cours de la dernière semaine du mois d'août et s'étendant jusqu'à la fête du Travail (début septembre), le Festival des films du monde de Montréal se tient dans diverses salles de cinéma de la ville. Pendant ces jours de compétition cinématographique, des films provenant de différents pays sont présentés au public montréalais. Durant ces journées, des films sont présentés de 9h à minuit, pour le plus grand plaisir des cinéphiles. Des projections en plein air sont également présentées sur l'esplanade de la Place des Arts.

Octobre

Festival du nouveau cinéma
☎514-844-2172 ou 866-844-2172
www.nouveaucinema.ca
Présenté au complexe Ex-Centris à la mi-octobre, le Festival du nouveau cinéma a pour vocation la diffusion et le développement du cinéma d'auteur et de la création numérique.

Achats

Les mordus de magasinage s'en donnent à cœur joie à Montréal. Parmi leurs terrains de chasse de prédilection figurent entre autres la rue Sainte-Catherine, une grande artère commerciale de la ville et un incontournable du magasinage montréalais; les dédales de magasins du réseau piétonnier de la «ville souterraine»; les galeries d'art du Vieux-Montréal; et les friperies de l'avenue du Mont-Royal.

■ Grandes artères commerciales

C'est la portion de la **rue Sainte-Catherine** entre les rues Saint-Denis et Guy qui constitue l'artère commerciale principale du centre-ville de Montréal. Avec son lot de grands magasins, de boutiques en tout genre et de restaurants, c'est une rue très animée et agréable à parcourir.

Très coloré dans le secteur compris entre l'avenue du Mont-Royal et le boulevard De Maisonneuve, le **boulevard Saint-Laurent**, qu'on surnomme affectueusement la *Main*, abrite différentes communautés culturelles et des artistes multidisciplinaires, et propose une grande variété de boutiques, des plus classiques aux plus avant-gardistes, en passant par des cafés et restos aux saveurs du monde, et une belle sélection de boutiques de meubles québécois et européens au design recherché.

Dans sa portion du Plateau, située entre le boulevard Saint-Joseph et la rue Sherbrooke, la **rue Saint-Denis** constitue un véritable pôle d'attraction les fins de semaine. Elle est parsemée de librairies, de boutiques de designers de mode québécois et de prêt-à-porter, ainsi que quelques friperies. De plus, on y trouve une grande concentration de restaurants, de bars et de cafés en vogue, pour une pause en après-midi ou une sortie nocturne bien méritée.

Cœur et âme du Plateau, l'**avenue du Mont-Royal** bourdonne d'activité de jour comme de nuit. Du petit café à la bonne boulangerie, de la quincaillerie de quartier au disquaire d'occasion, sans oublier les friperies et autres boutiques de vêtements tendance à prix abordables, l'avenue du Mont-Royal saura plaire autant aux amateurs de lèche-vitrine qu'aux férus de magasinage.

Pour des courses plus chics, la jolie **avenue Laurier** entre la côte Sainte-Catherine et le boulevard Saint-Laurent se distingue par ses galeries d'art, ses boutiques aux accents classiques, ses épiceries fines et ses bonnes tables.

La portion de la **rue Notre-Dame** située entre les rues Peel et Atwater regorge de boutiques d'antiquaires où des trésors et des pacotilles d'un autre âge sont proposés aux chineurs.

■ Antiquités

À Montréal, des antiquaires et des brocanteurs proposent une foule de marchandises hétéroclites qui sauront plaire aux goûts de chacun. Les personnes désirant acheter de belles antiquités, sans se soucier du prix, pourront aller se balader dans la section de la **rue Sherbrooke** qui traverse Westmount où bon nombre d'antiquaires ont pignon sur rue. Si vous préférez chercher des trésors de toutes catégories de prix, allez plutôt chez les brocanteurs installés dans la **rue Notre-Dame** près de la rue Guy ou ceux de la **rue Amherst** entre les rues Ontario et de Maisonneuve.

■ Art

Artisanat

Dix Mille Villages
4128 rue St-Denis
☎514-848-0538
Le commerce équitable est le fer de lance de cette petite boutique d'artisanat. On y présente des objets, décoratifs le plus souvent, d'Asie, d'Afrique ou d'Amérique du Sud, entre autres des céramiques du Vietnam, quelques sculptures du Kenya et des vases du Pérou.

L'Empreinte coopérative
272 rue St-Paul E.
☎514-861-4427
Installée dans un bâtiment historique du Vieux-Montréal, L'Empreinte, une coopérative d'artisans québécois, propose accessoires, vêtements, objets d'art et accessoires de décoration pour la maison. Une visite de cette galerie-boutique donne l'occasion de découvrir les dernières créations des artisans du Québec.

Marché Bonsecours
390 rue St-Paul E.
☎514-878-2787
Le Marché Bonsecours est l'endroit où aller magasiner si vous êtes friand d'artisanat, si vous aimez les produits des métiers d'art ou si vous préférez les objets très design. Parmi les boutiques-galeries où l'on se doit de faire un saut, mentionnons la **Boutique des métiers d'art du Québec** (☎*514-878-2787*) et la **Boutique Arts en mouvement** (☎*514-875-9717*).

Tous les ans, quelques jours avant Noël, se tient, à la Place Bonaventure *(1 Place Bonaventure)*, le **Salon des métiers d'art du Québec**. Une belle foire, qui est l'occasion pour les artisans québécois d'exposer et de vendre les fruits de leur travail.

Galeries

Les galeries d'art à Montréal sont légion. Difficile de les décrire car elles se transforment au gré des expositions; il faut donc s'y rendre et se laisser inspirer...

Espace Pepin
350 rue St-Paul O.
☎514-844-0114
www.pepinart.com

Galerie Clarence Gagnon
1108 av. Laurier O., Outremont
☎514-270-2962
301 rue St-Paul, Vieux-Montréal
☎514-875-2787

Galerie Claude Lafitte
2160 rue Crescent
☎514-842-1270

Galerie Dominion
1438 rue Sherbrooke O.
☎514-845-7471

Galerie Graff
963 rue Rachel E.
☎514-526-2616

Galerie Michel-Ange
430 rue Bonsecours
☎514-875-8281

Galerie Oboro
4001 rue Berri
☎514-844-3250

Galerie Pangée
40 rue St-Paul O.
☎514-845-3368

Galerie Samuel Lallouz
1434 rue Sherbrooke O.
bureau 200
☎514-849-5844

Galerie Simon Blais
5420 boul. St-Laurent
☎514-849-1165

■ Chaussures

Brown's
1191 rue Ste-Catherine O.
☎514-987-1206
Les modèles se suivent et se ressemblent chez les chausseurs montréalais. Brown's fait exception: beaucoup de choix pour hommes et femmes.

La Godasse
3686B boul. St-Laurent
☎514-286-8900
Adidas, Puma, Le Coq Sportif et Nike, bref, toutes les chaussures urbaines dernier cri sont en vente chez la Godasse.

Mona Moore
1446 rue Sherbrooke O.
☎514-842-0662
Depuis 2004, Mona Moore, cette passionnée du sac à main et de l'escarpin de défilé, parcourt Paris, Milan et New York à la recherche des collections les plus avant-gardistes. Elle vous promet le tout dernier cri, mais à un prix qui en découragera plus d'une. On peut toujours rêver de commettre une folie.

Roseinstein Paris
2148 rue de la Montagne
☎514-287-7682
Il s'agit ici de la Mecque de la chaussure haut de gamme. Une boutique qui nous rappelle que les pieds ne servent pas simplement à marcher, mais aussi à éblouir. Attendez-vous par contre à casser la tirelire. Le prix des modèles oscille entre 300$ et 1 000$.

■ Enfants

Jeux

Au Diabolo
1390 av. du Mt-Royal E.
☎514-528-8889
Un véritable paradis des jeux et des jouets, pour les tout-petits, les moins petits... et les grands enfants de tout âge!

Mode

Fiou
3922 rue St-Denis
☎514-844-0444
Chez Fiou, on habille les bébés et les enfants de huit ans et moins. De beaux vêtements de qualité de marques connues sont proposés par un patron qui a du métier.

Peek a Boo
807 rue Rachel E.
☎514-890-1222
Peek a Boo est une sympathique boutique de vêtements et accessoires d'occasion. Du pyjama au porte-bébé, vous y trouverez toutes sortes d'articles propres et abordables pour chouchouter bébé.

■ Lecture

Journaux

La Maison de la Presse internationale
550 rue Ste-Catherine E.
☎514-842-3857

Multimags
920 av. Mont-Royal E.
☎514-523-3158
3552 boul. St-Laurent
☎514-287-7355

Librairies

Archambault
500 rue Ste-Catherine E.
☎514-849-6201
Place des Arts
175 rue Ste-Catherine O.
☎514-281-0367

Chapter's
1171 rue Ste-Catherine O.
☎514-849-8825

Indigo
1500 av. McGill
☎514-281-5549

L'Échange
(librairie d'occasion)
713 av. Mont-Royal
☎514-523-6389

Librairie-bistrot Olivieri
5219 ch. de la Côte-des-Neiges
☎514-739-3639
Musée d'art contemporain de Montréal
185 rue Ste-Catherine O.
☎514-847-6903

Librairie du Centre Canadien d'Architecture
1920 rue Baile
☎514-939-7028

Librairie Gallimard
3700 boul. St-Laurent
☎514-499-2012

Librairie Ulysse
4176 rue St-Denis
☎514-843-9447
560 av. du Président-Kennedy
☎514-843-7222
Voir p 135.

Paragraphe
2220 McGill College
☎514-845-5811

Le Parchemin
505 rue Ste-Catherine E.
☎514-845-5243

Renaud-Bray
4380 rue St-Denis
☎514-844-2587
Complexe Desjardins
☎514-288-4844

■ Marchés publics

On trouve encore à Montréal des marchés publics où les producteurs québécois viennent vendre les produits de leur récolte. Dans certains d'entre eux, on peut également se procurer des marchandises importées.

Les marchés publics de Montréal
www.marchespublics-mtl.com

Marché Atwater
138 av. Atwater
☎514-937-7754

Marché Jean-Talon
7070 rue Henri-Julien
☎514-937-7754

Marché de Lachine
1865 rue Notre-Dame, angle 18e Avenue
☎514-937-7754

Marché Maisonneuve
4445 rue Ontario E.
☎514-937-7754

■ Mode

L'industrie de la mode est florissante à Montréal. La ville est un carrefour multiculturel où

quantité de couturiers québécois, canadiens, américains, italiens, français et autres présentent leurs dernières créations. Certaines artères, comme la rue Saint-Denis, l'avenue Laurier, le boulevard Saint-Laurent et la rue Sherbrooke, se distinguent par le nombre de boutiques de mode qui les bordent.

Centres commerciaux

Complexe Les Ailes
677 rue Ste-Catherine O.
☎514-288-3759

Centre Eaton
705 rue Ste-Catherine O.
☎514-288-3710

Cours Mont-Royal
1455 rue Peel
☎514-842-7777

Promenades Cathédrale
625 rue Ste-Catherine O.
☎514-845-8230

Place Montréal Trust
1500 av. McGill College
☎514-843-8000

Place Ville Marie
1 Place Ville Marie
☎514-866-6666

Grands magasins

La Baie
585 rue Ste-Catherine O.
☎514-281-4422
Anciennement le grand magasin Morgans avant son acquisition par l'historique Compagnie de la Baie d'Hudson en 1972, La Baie offre une importante variété de marchandises: vêtements pour toute la famille, produits de beauté, articles de décoration, jouets, bijoux, meubles et appareils électroménagers. On y trouve aussi une lunetterie, une billetterie et une agence de voyages.

Holt Renfrew
1300 rue Sherbrooke O.
☎514-842-5111
Holt Renfrew demeure l'une des adresses prestigieuses de Montréal. Ce grand magasin propose des grandes marques de qualité et le prêt-à-porter des couturiers les plus reconnus internationalement. Vous y trouverez aussi des produits de beauté et des parfums en provenance de Londres, de New York, de Paris et de Milan.

Ogilvy
1307 rue Ste-Catherine O.
☎514-842-7711
Une institution du bon goût à Montréal depuis 1866, Ogilvy, un grand magasin spécialisé, ne cesse aujourd'hui de présenter à sa clientèle des produits haut de gamme: décoration intérieure, alimentation, bijoux, produits de beauté et prêt-à-porter pour tous les membres de la famille.

Simons
977 rue Ste-Catherine O.
☎514-282-1840
Vous trouverez dans ce grand magasin originaire de Québec de quoi habiller hommes, femmes et enfants des pieds à la tête, dans plusieurs styles différents, et ce, à très bon prix. On y vend aussi des accessoires de mode et de la literie.

Prêt-à-porter

American Apparel
3523 boul. St-Laurent
☎514-286-0091
Pour la griffe de Dov Charney, originaire de Montréal, avec ses t-shirts branchés en coton *Made in LA*.

Boutique Les Mains folles
4427 rue St-Denis
☎514-284-6854
La boutique des Mains folles affiche, rue Saint-Denis, sa belle façade ornée de bas-reliefs accrocheurs. On y trouve des robes, des jupes et des chemises fabriquées avec de beaux tissus colorés imaginées par les créateurs Anja et Jeremie Bakandika. Quelques beaux bijoux se marient bien à ces vêtements.

Dubuc Mode de Vie
4451 rue St-Denis
☎514-282-1424
Prêt-à-porter pour hommes et femmes créé par Philippe Dubuc.

Ima
24 rue Prince-Arthur
☎514-844-0303
Cette boutique de grand luxe vous offre des collections d'ici et d'ailleurs. Le personnel attentif vous aidera à trouver ce qui convient, de la tenue la plus désinvolte à la silhouette la plus habillée.

Lola & Emily
3475 boul. St-Laurent
☎514-288-7598
On a un faible pour cet appartement-boutique qui renouvelle la façon de magasiner. Classique pour Emily, rock pour Lola, les vêtements des designers choisis par les deux propriétaires côtoient accessoires, meubles et produits de beauté.

Lyla Collection
400 av. Laurier O.
☎514-271-0763
Pour femmes: lingerie, maillots et autres vêtements d'appoint. Expositions d'œuvres d'artistes.

Mimi & Coco
4927 rue Sherbrooke O.
☎514-482-6362
Le Mimi & Coco est la boutique indiquée pour les fanas de haute couture à prix moins déraisonnable. Si vous cherchez le t-shirt qui ne passe pas inaperçu, votre quête s'arrête ici.

Morales
5392 boul. St-Laurent
☎514-271-5061
www.renatamorales.com
D'origine mexicaine, Renata Morales propose des créations aux lignes baroques et sensuelles.

Muse
4467 rue St-Denis
☎514-848-9493
Une boutique de prêt-à-porter pour femmes libres et romantiques du créateur de la griffe, Christian Chenail.

Pierre, Jean, Jacques
158 av. Laurier O.
☎514-270-8392
La boutique de vêtements masculins Pierre, Jean, Jacques a emménagé sur la très sélecte avenue Laurier où la propriétaire conseille, avec professionnalisme, les hommes de tout âge.

Revenge
3852 rue St-Denis
☎514-843-4379
Pas besoin de parcourir les rues de Paris pour découvrir de grandes créations, car Revenge propose aux deux sexes vêtements et accessoires amoureusement créés par des designers québécois talentueux.

U & I
3650 boul. St-Laurent
☎514-844-8788
Cette boutique de mode au décor dépouillé réunit les designers en vogue du moment: Comme des garçons, Martin Margiela, Mackage, Denis Gagnon. Classée parmi les boutiques les plus tendances à Montréal. Pour hommes et femmes.

■ Musique

Parmi les magasins qui se font un point d'honneur de proposer une grande sélection de disques compacts, figurent:

Archambault
500 rue Ste-Catherine E.
☎514-849-6201
Place des Arts
175 rue Ste-Catherine O.
☎514-281-0367

HMV
1020 rue Ste-Catherine O.
☎514-875-0765

D'autres magasins se spécialisent plutôt dans les disques d'occasion et dans certains styles musicaux plus éclectiques. Les disquaires suivants sauront faire le bonheur de ceux qui ne recherchent pas nécessairement le dernier tube en vogue.

Cheap Thrills
2044 rue Metcalfe
☎514-844-8988
Cheap Thrills présente une grande sélection de disques de blues, de jazz, de hip-hop et de musique actuelle et alternative, neufs ou de seconde main.

L'Oblique
4333 rue Rivard
☎514-499-1323
Installé sur le Plateau Mont-Royal depuis longtemps, L'Oblique offre une belle gamme de disques de musique alternative et actuelle.

■ Offrir

Boutique du Musée d'art contemporain
185 rue Ste-Catherine O.
☎514-847-6904

Boutique-librairie du Musée des beaux-arts
1380 rue Sherbrooke O.
☎514-285-1600
Les boutiques des musées montréalais sont véritablement une continuité des institutions qu'elles côtoient. Les objets d'art, reproduits en série, sont dignes des plus beaux salons.

Aux Plaisirs de Bacchus
1225 rue Bernard O.
☎514-273-3104
Les amateurs de bons vins se doivent d'aller faire un tour à la boutique Aux Plaisirs de Bacchus, qui propose un bel éventail d'accessoires pour garnir sa cave à vins. Verres pour les dégustations également en vente.

■ Plein air

La Cordée
2159 rue Ste-Catherine E.
☎514-524-1106
La Cordée a ouvert ses portes en 1953 pour fournir de l'équipement aux scouts et guides de la région. Depuis, elle sert une vaste clientèle d'amateurs et de professionnels qui recherchent de l'équipement de plein air de qualité. Agrandie et rénovée en 1997, La Cordée présente sans doute la plus grande surface de plein air à Montréal, et ses locaux, au design attrayant, permettent de magasiner dans un environnement agréable.

La Maison des cyclistes
1251 rue Rachel E.
☎514-521-8356
La Maison des cyclistes, comme son nom l'indique, propose différents services aux amateurs de cyclotourisme. On y trouve entre autres un café et une boutique qui vend des guides, des cartes et de petits accessoires qui peuvent être utiles à ceux qui désirent

explorer Montréal et le Québec en vélo.

Mountain Equipment Co-op
Marché Central
8989 boul. de l'Acadie, angle rue Legendre
☎514-788-5878
Chaîne canadienne spécialisée dans l'équipement de plein air, Mountain Equipment Co-op est notamment réputée pour ses vêtements de grande qualité. Tout le monde est invité à se joindre à la coopérative (5$ pour devenir membre à vie), comme l'ont déjà fait quelque 127 000 Québécois.

■ Voyage

Librairie Ulysse
4176 rue St-Denis
☎514-843-9447
560 av. du Président-Kennedy
☎514-843-7222
En plus d'une grande variété de guides et d'accessoires de voyage, la Librairie Ulysse dispose d'une belle sélection de cartes routières et de plans de ville.

Montérégie et Cantons-de-l'Est

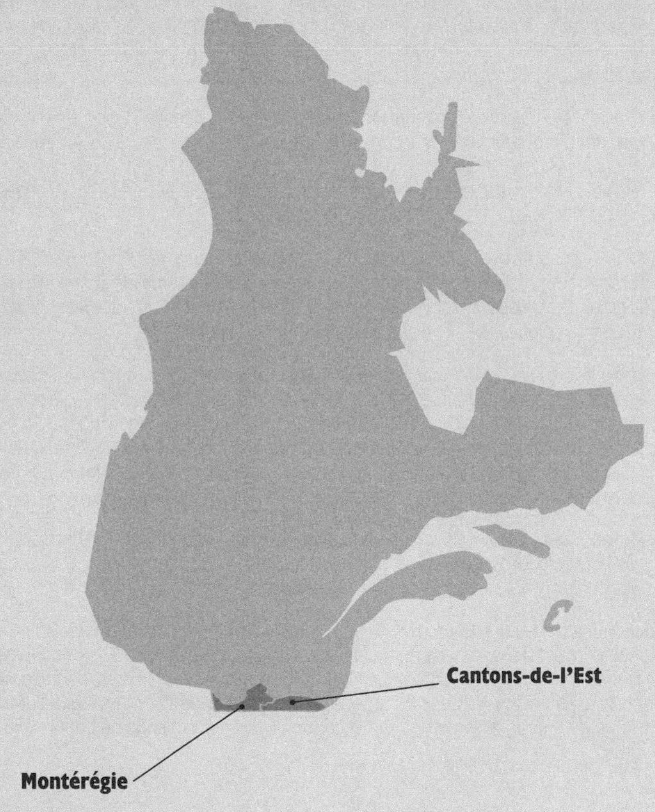

Les Montérégiennes, soit les monts Brome, Rougemont, Saint-Bruno, Saint-Grégoire, Saint-Hilaire, Shefford et Yamaska, et la montagne de Rigaud constituent les seules dénivellations d'importance de la Montérégie. Disposées ici et là sur le territoire, ces collines massives, qui ne s'élèvent qu'à environ 400 m, furent longtemps considérées comme d'anciens volcans. En réalité, ce sont plutôt des roches métamorphiques qui devinrent apparentes à la suite de la longue érosion des terres avoisinantes.

Riche d'histoire et recelant de nombreux édifices patrimoniaux, la Montérégie est d'abord et avant tout une belle plaine très propice à l'agriculture, située entre l'Ontario, la Nouvelle-Angleterre et les contreforts des Appalaches. Sa situation géographique et ses multiples voies de communication naturelles, notamment la majestueuse rivière Richelieu, lui octroyèrent longtemps un rôle militaire et stratégique d'importance.

Ouvertes au public, les anciennes fortifications qui se dressent dans la région furent des avant-postes servant à protéger la colonie contre les Iroquois, les Anglais puis les Américains. La nation américaine y connut d'ailleurs, en 1812, la première défaite militaire de sa jeune histoire. Les Patriotes et les Britanniques s'y affrontèrent aussi, à Saint-Charles-sur-Richelieu et à Saint-Denis-sur-Richelieu, lors des Rébellions de 1837-1838.

Entre de gracieux vallons et des montagnes aux sommets arrondis, les Cantons-de-l'Est cachent de petits villages fort pittoresques qui rappellent à bien des égards la Nouvelle-Angleterre. Situés à l'extrême sud du territoire québécois, à même les contreforts des Appalaches, ils constituent l'une des plus belles et verdoyantes régions du Québec.

Comme en témoignent toujours de nombreux toponymes tels que Massawippi et Coaticook, cette vaste région fut d'abord parcourue et habitée par les Abénaquis. Par la suite, lorsque la Nouvelle-France passa sous domination anglaise et que prit fin la guerre de l'Indépendance américaine, de nombreux colons restés fidèles à la couronne britannique (les loyalistes) quittèrent les États-Unis et vinrent s'installer dans la région que l'on nommait alors «Eastern Townships».

Les loyalistes furent suivis, tout au long du XIXe siècle, de grands contingents d'immigrants provenant des îles Britanniques, surtout des Irlandais, et de colons de souche française venant des régions surpeuplées des basses terres du Saint-Laurent.

Même si aujourd'hui la population est à plus de 90% francophone, l'apport anglo-saxon reste très présent, notamment dans le patrimoine architectural. Dans plusieurs villes et villages s'élèvent de jolies églises anglicanes bordées de belles résidences du XIXe siècle, de style victorien ou vernaculaire américain. Restés très attachés aux Cantons-de-l'Est, les Anglo-Québécois y ont conservé de prestigieuses institutions, comme l'université Bishop de Lennoxville.

Accès et déplacements

■ En voiture

Pour vous rendre en Montérégie à partir de Montréal, prenez le pont Champlain, puis continuez par l'autoroute 10 en direction de Chambly, sur la rive ouest du Richelieu, jusqu'à la sortie du boulevard Fréchette. Pour atteindre les Cantons-de-l'Est, poursuivez votre chemin en direction est sur l'autoroute 10.

■ En autocar (gares routières)

Montérégie

Saint-Jean-sur-Richelieu
600 boul. Pierre-Caisse
☎450-359-6024

Saint-Hyacinthe
1330 rue Calixa-Lavallée
☎450-773-3287

Sorel-Tracy
191 rue du Roi
☎450-743-4411

Longueuil
120 place Charles-Le Moyne
station de métro Longueuil–Université-de-Sherbrooke
☎450-670-3422

Cantons-de-l'Est

Granby
Dépanneur Couche-Tard
111 rue St-Charles S.
☎450-776-1571

Bromont
Dépanneur Shefford
624 rue Shefford
☎450-534-2116

Sutton
Station-service Esso
28 rue Principale N.
☎450-538-2452

Magog
Terminus Café
768 rue Sherbrooke
☎819-843-4617

Sherbrooke
Terminus Limocar
80 rue du Dépôt
☎819-569-3656

Lac-Mégantic
Dépanneur 6630
6630 rue Salaberry
☎819-583-2717

■ En train (gare ferroviaire)

Montérégie

Saint-Hyacinthe
1450 rue Sicotte
☎888-842-7245

■ En traversier

Montérégie

Saint-Paul-de-l'Île-aux-Noix–Île-aux-Noix
7,15$/piéton; mi-mai à mi-oct
☎450-291-5700

Saint-Denis-sur-Richelieu–Saint-Antoine-sur-Richelieu
4$/véhicule; mi-mai à mi-nov
☎450-787-2759

Saint-Marc-sur-Richelieu–Saint-Charles-sur-Richelieu
4$/véhicule; mi-mai à mi-nov
☎450-584-2813

Longueuil–Montréal
6$/piéton; mi-mai à début oct
☎514-281-8000

■ En transport en commun

Montérégie

Réseau de transport de Longueuil (RTL)
100 place Charles-Le Moyne
station de métro Longueuil–Université-de-Sherbrooke
☎450-463-0131
www.rtl-longueuil.qc.ca

Renseignements utiles

■ Renseignements touristiques

Montérégie

Tourisme Montérégie
2001 boul. Rome, 3e étage
Brossard, QC J4W 3K5
☎450-469-0069, 514-990-4600 ou 866-469-0069
www.tourisme-monteregie.qc.ca

Office de tourisme et des congrès du Haut-Richelieu
31 rue Frontenac
Saint-Jean-sur-Richelieu, QC J3B 7X2
☎450-542-9090 ou 888-781-9999
www.tourismehautrichelieu.org

Bureau de tourisme et des congrès de Saint-Hyacinthe
2090 rue Cherrier
Saint-Hyacinthe, QC J2S 8R3
☎450-774-7276 ou 800-849-7276
www.tourismesainthyacinthe.qc.ca

Office du tourisme de Longueuil
205 ch. Chambly
Longueuil, QC J4H 3L3
☎450-670-7293

Office de tourisme du Suroît
1155 boul. Mgr-Langlois
Salaberry-de-Valleyfield, QC J6S1B9
☎450-377-7676 ou 800-378-7648
www.tourisme-suroit.qc.ca

Cantons-de-l'Est

Tourisme Cantons-de-l'Est
20 rue Don-Bosco S.
Sherbrooke, QC J1L 1W4
☎819-820-2020 ou 800-355-5755
www.cantonsdelest.com

Bromont
15 boul. Bromont
Bromont, QC J2L 2K4
☎450-534-2006 ou 877-276-6668
www.granby-bromont.com

Granby
100 rue du Tourisme
Granby, QC J0E 2A0
☎450-375-8774 ou 866-472-6292
www.granby-bromont.com

Magog
55 rue Cabana
Magog, QC J1X 2C4
☎819-843-2744 ou 800-267-2744
www.tourisme-memphremagog.com

Sherbrooke
2964 King O.
Sherbrooke, QC J1L 1Y7
☎819-821-1919 ou 800-561-8331
www.tourismesherbrooke.com

Sutton
24-A rue Principale S.
C.P. 1049
Sutton, QC J0E 2K0
☎450-538-8455 ou 800-565-8455
www.sutton.ca

Lac-Mégantic
3295 rue Laval N.
Lac-Mégantic, QC G6B 1A5
☎819-583-5515 ou 800-363-5515
www.tourisme-megantic.com

Attraits touristiques

Montérégie ★★

p 153 p 156 p 158 p 159

Chambly ★★ (23 000 hab.)

L'agréable ville de Chambly occupe un site privilégié en bordure du Richelieu, qui s'élargit à cet endroit pour former le bassin de Chambly. Celui-ci se trouve à l'extrémité des rapides qui entravaient autrefois la navigation sur la rivière, faisant du lieu un élément clé du système défensif de la Nouvelle-France.

Dès 1665, le régiment de Carignan-Salières, sous le commandement du capitaine Jacques de Chambly, y construit un premier fort de pieux pour repousser les Iroquois de la rivière des Iroquois (le Richelieu), qui effectuent alors de fréquentes incursions jusqu'à Montréal. En 1672, le capitaine de Chambly reçoit la seigneurie qui portera son nom en guise de remerciement pour services rendus à la colonie.

Après la conquête, le bourg qui se formera graduellement autour du fort connaîtra une période florissante au moment de la guerre canado-américaine de 1812-1814, alors qu'une importante garnison britannique y est stationnée. Puis, en 1843, on inaugure le canal de Chambly, qui permettra de contourner les rapides du Richelieu, facilitant ainsi le commerce entre le Canada et les États-Unis.

Le **Lieu historique national du Fort-Chambly** ★★★ *(5,65$; avr à mi-mai et sept à mi-oct mer-dim 10h à 17h, mi-mai à début sept tlj 10h à 17h; 2 rue De Richelieu, ☎450-658-1585 ou 888-773-8888, www. pc.gc.ca/fortchambly).* Le fort Chambly est le plus important ouvrage militaire du Régime français qui soit parvenu jusqu'à nous. Il a été construit entre 1709 et 1711 selon les plans de l'ingénieur Josué Boisberthelot de Beaucours, à l'instigation du marquis de Vaudreuil. Le fort, défendu par les Compagnies franches de la Marine, devait protéger la Nouvelle-France contre une éventuelle invasion anglaise. Il remplace les trois forts de bois ayant occupé le site depuis 1665.

Saint-Jean-sur-Richelieu (88 000 hab.)

Cette ville industrielle fut pendant longtemps une importante porte d'entrée au Canada à partir des États-Unis, ainsi qu'un relais indispensable sur la route de Montréal, grâce à son port sur le Richelieu, très fréquenté à partir de la fin du XVIIIe siècle, à son chemin de fer, le premier au Canada, qui la relie à La Prairie dès 1836, et au canal de Chambly, inauguré en 1843. Au milieu du XIXe siècle, Saint-Jean-sur-Richelieu voit prospérer de nombreuses entreprises liées à ces voies de communication, parmi lesquelles on pouvait compter plusieurs fabriques de poteries et de faïences dont les théières, cruches et assiettes allaient devenir une spécialité de la région. L'architecture de la ville reflète ce passé industriel avec ses manufactures, ses édifices commerciaux, son habitat ouvrier et ses belles demeures victoriennes.

Le **Musée du Haut-Richelieu** ★ *(4$; mar-sam 11h à 17h, dim 13h à 17h; 182 rue Jacques-Cartier N., ☎450-347-0649, www.museeduhaut-richelieu.com)* est aménagé à l'intérieur de l'ancien marché public érigé en 1859. Le musée présente, outre différents objets et maquettes liés à l'histoire du Haut-Richelieu, une intéressante collection de poteries et de faïences produites dans la région au cours du XIXe siècle.

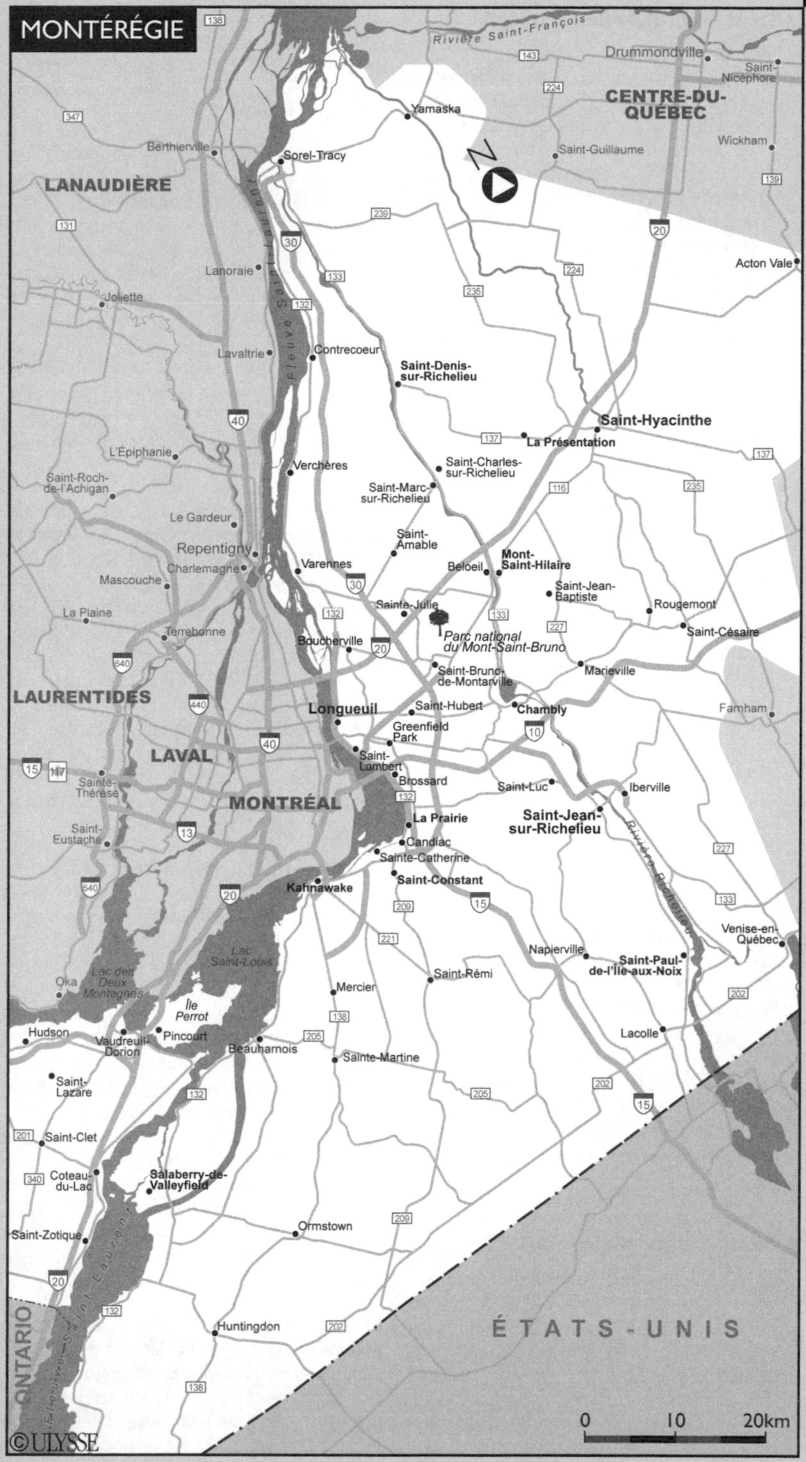
MONTÉRÉGIE
Rivière Saint-François
Drummondville
Saint-Nicéphore
CENTRE-DU-QUÉBEC
Yamaska
Wickham
Berthierville
Sorel-Tracy
Saint-Guillaume
LANAUDIÈRE
Acton Vale
Lanoraie
Joliette
Fleuve Saint-Laurent
Lavaltrie
Contrecoeur
Saint-Denis-sur-Richelieu
Saint-Hyacinthe
La Présentation
L'Épiphanie
Verchères
Saint-Charles-sur-Richelieu
Saint-Roch-de-l'Achigan
Saint-Marc-sur-Richelieu
Le Gardeur
Saint-Amable
Repentigny
Charlemagne
Varennes
Beloeil
Mont-Saint-Hilaire
Mascouche
Saint-Jean-Baptiste
La Plaine
Sainte-Julie
Rougemont
Terrebonne
Saint-Césaire
Boucherville
Parc national du Mont-Saint-Bruno
Saint-Bruno-de-Montarville
Marieville
LAURENTIDES
Longueuil
Saint-Hubert
Chambly
Farnham
Greenfield Park
LAVAL
Saint-Lambert
Sainte-Thérèse
Brossard
Saint-Luc
Iberville
MONTRÉAL
Saint-Jean-sur-Richelieu
La Prairie
Saint-Eustache
Candiac
Rivière Richelieu
Sainte-Catherine
Saint-Constant
Kahnawake
Venise-en-Québec
Lac Saint-Louis
Napierville
Saint-Paul-de-l'Île-aux-Noix
Lac des Deux Montagnes
Oka
Saint-Rémi
Mercier
Île Perrot
Hudson
Vaudreuil-Dorion
Pincourt
Lacolle
Beauharnois
Sainte-Martine
Saint-Lazare
Saint-Clet
Coteau-du-Lac
Salaberry-de-Valleyfield
Ormstown
Saint-Zotique
ONTARIO
Huntingdon
ÉTATS-UNIS
0 10 20km
©ULYSSE

Saint-Paul-de-l'Île-aux-Noix

Ce village est surtout connu pour son fort, édifié sur l'île aux Noix au milieu de la rivière Richelieu. Le premier occupant de l'île, le cultivateur Pierre Joudernet, payait sa rente seigneuriale sous la forme d'un sac de noix, d'où le nom donné aux lieux. Vers la fin du Régime français, l'île acquit une grande importance stratégique en raison de la proximité du lac Champlain et des colonies américaines. En 1759, les Français entreprirent de fortifier l'île, mais les ressources manquèrent, tant et si bien que la prise du fort par les Britanniques se fit sans difficulté. En 1775, l'île devint le quartier général des forces révolutionnaires américaines qui tentaient alors d'envahir le Canada. Puis, au cours de la guerre de 1812-1814, le fort reconstruit servit de base pour l'attaque de Plattsburg par les Britanniques.

Le **Lieu historique national du Fort-Lennox ★★** *(3,90$; mi-mai à fin juin lun-ven 10h à 17h, sam-dim 10h à 18h; fin juin à début sept tlj 10h à 18h; début sept à mi-oct sam-dim 10h à 18h; 1 61e Avenue, ☎450-291-5700 ou 888-773-8888, www.pc.gc.ca/fortlennox)* occupe le tiers de l'île aux Noix, dont il a transformé la configuration. Il a été construit entre 1819 et 1829, sur les ruines des forts précédents, par les Britanniques qui voyaient alors les Américains ériger le fort Montgomery de l'autre côté de la frontière. Derrière l'enceinte bastionnée en terre et entourée de larges fossés, se trouvent une poudrière, deux entrepôts, le corps de garde, le logis des officiers, une caserne et 17 casemates. Le bel ensemble en pierres de taille présente les traits de l'architecture coloniale néoclassique de l'Empire britannique.

Le **Blockhaus-de-la-Rivière-Lacolle ★** *(entrée libre; mi-mai à mi-juin et début sept à début oct sam-dim 9h à 17h, mi-juin à début sept tlj 9h à 17h30; 1 rue Principale, ☎450-246-3227)*, une construction de bois équarri à deux étages, dotée de meurtrières, se trouve au sud de la municipalité de Saint-Paul-de-l'Île-aux-Noix. Sa construction remonte à 1782, ce qui en fait l'une des plus anciennes structures de bois en Montérégie. C'est aussi l'un des rares ouvrages du genre qui subsistent au Québec.

Mont-Saint-Hilaire ★ (16 200 hab.)

Campée devant l'énorme masse du mont Saint-Hilaire, cette petite municipalité de la vallée du Richelieu, célèbre entre autres pour ses succulentes pommes, tire ses origines de la seigneurie de Rouville, concédée à Jean-Baptiste Hertel en 1694. Elle sera vendue en 1844 au major Thomas Edmund Campbell, secrétaire du gouverneur britannique, qui y exploitera une ferme modèle dont l'existence sera maintenue jusqu'en 1942. De l'autre côté de la rivière se trouve la charmante municipalité de Belœil, où se concentrent les principales adresses intéressantes dans la région pour la table et le gîte.

Légèrement défiguré par l'aménagement de stationnements et l'ajout d'une grille ostentatoire, le **manoir Rouville-Campbell ★** *(25 ch. des Patriotes S.)*, d'allure médiévale, n'en demeure pas moins l'une des plus splendides résidences seigneuriales du Québec. Il a été construit en 1832, mais a été considérablement modifié en 1850 dans le style néo-Tudor. Le sculpteur Jordi Bonet sauva le manoir, laissé à l'abandon depuis 1956, lorsqu'il en fit son atelier en 1969. En 1987, la maison et les écuries ont été reconverties en hôtellerie (voir p 154). En face du manoir Rouville-Campbell se dresse le **monument aux Patriotes de Mont-Saint-Hilaire.**

L'**église Saint-Hilaire ★★** *(260 ch. des Patriotes N.)* devait à l'origine arborer deux tours en façade surmontées d'autant de flèches. À la suite de disputes internes, seule la base des tours fut érigée vers 1830, et un seul clocher, disposé au centre de la façade, fut finalement installé. Quant au décor intérieur de style néogothique, il fut aménagé sur une longue période, soit de 1838 à 1928; mais c'est l'œuvre du peintre Ozias Leduc (1864-1955), exécutée à la fin du XIXe siècle, qui attire davantage l'attention. Cet artiste, originaire de Mont-Saint-Hilaire, est l'auteur de l'ensemble des belles toiles marouflées aux tons pastel qui ornent l'église, de même que des dessins des vitraux et des lampes de la nef.

La **Maison des cultures amérindiennes ★** *(6$; lun-ven 9h à 17h, sam-dim 13h à 17h; 510 montée des Trente, ☎450-464-2500, www.maisonamerindienne.com)* a pour objectif de mieux faire connaître les premiers habitants du Québec. Elle offre de nombreuses activités pour se familiariser avec les racines et les traditions amérindiennes. Une exposition permanente explique les techniques de cueillette et de transformation de l'eau de l'érable, activité non seulement ardue mais aussi festive pour ces premiers habitants; en saison, il est même possible de participer au processus grâce à l'érablière séculaire adjacente au bâtiment. En tout temps, les visiteurs peuvent goûter à une cuisine amérindienne renouvelée. Des expositions temporaires d'œuvres d'artistes amérindiens contemporains y sont aussi présentées.

Il faut prévoir au moins 3h pour visiter le **Centre de la Nature du mont Saint-Hilaire ★★** *(5$; tlj 8h jusqu'à une heure avant le coucher du soleil; 422 ch. des Moulins, ☎450-467-1755, www.centrenature.qc.ca)*. Aménagé dans la partie supérieure de la montagne, ce centre est un ancien domaine privé que le brigadier Andrew Hamilton Gault a légué à l'Université McGill de Montréal en 1958. On y fait de la recherche scientifique et on y permet les activités récréatives à longueur d'année sur la moitié du domaine (randonnée pédestre, ski de fond), qui fait 11 km^2 au total. Le domaine a été reconnu en tant que réserve de la biosphère par l'UNESCO en 1978, car il est constitué d'une forêt mature qui fut quasi inexploitée au cours des siècles. À l'entrée, on trouve un centre d'interprétation portant sur la formation des collines montérégiennes ainsi qu'un jardin de plantes indigènes.

Saint-Hyacinthe ★★ (52 000 hab.)

Saint-Hyacinthe, surnommée la «capitale agroalimentaire du Québec», a vu le jour à la fin du XVIIIe siècle autour des moulins de la rivière Yamaska et du domaine de Jacques-Hyacinthe Delorme, seigneur de Maska. Grâce à la fertilité des terres environnantes, la ville s'est développée rapidement, attirant nombre d'institutions religieuses, de commerces et d'industries. La transformation et la distribution des produits agricoles jouent encore un rôle prédominant dans son économie. S'y trouvent par ailleurs la seule faculté de médecine vétérinaire francophone d'Amérique ainsi que des centres de recherche et autres instituts de technologie agroalimentaire. Chaque année, on y tient en juillet une importante foire agricole régionale.

Les rues du vieux Saint-Hyacinthe sont par ailleurs sympathiques et agréables à parcourir à pied, avec son marché, ses cafés et ses bistros offrant des produits de qualité dans un cadre sympathique et sans prétention.

La **cathédrale Saint-Hyacinthe-le-Confesseur** ★ *(1900 rue Girouard O.)* est un édifice d'allure trapue malgré ses flèches qui culminent à 50 m. Elle a été construite en 1880 et remaniée en 1906, alors qu'on lui a donné sa façade néoromane et son curieux intérieur rococo. On y remarquera les riches chandeliers qui pendent de la voûte ainsi que le trône épiscopal, qui occupe l'emplacement habituellement réservé à l'autel, au fond du chœur.

D'abord créé pour remplir une mission pédagogique, le **Jardin Daniel-A.-Séguin** ★ *(8,50$; tlj mi-juin à début sept 10h à 17h; 3215 rue Sicotte, ☎450-778-6504, poste 6215 ou 450-778-0372, www.itasth.qc.ca/jardindas)* est ouvert au public depuis 1995. Grâce à ses visites guidées, ses panneaux explicatifs et ses ateliers, les amateurs d'horticulture y trouveront de précieux conseils pour parfaire leurs connaissances et ensuite les appliquer à leur propre jardin.

La Présentation

L'**église de La Présentation** ★★ *(551 ch. de l'Église)* se démarque des autres lieux saints érigés en Montérégie à la même époque par sa façade en pierres de taille finement sculptée, achevée en 1819. On y remarquera les inscriptions rédigées en ancien français au-dessus des entrées. Le vaste presbytère dissimulé dans la verdure ainsi que la maison du sacristain, plus modeste, complètent ce paysage typique des paroisses rurales du Québec.

Saint-Denis-sur-Richelieu ★

Au cours des années 1830, Saint-Denis-sur-Richelieu fut le lieu de grands rassemblements politiques et le siège des Fils de la Liberté, ces jeunes Canadiens français qui voulaient faire du Bas-Canada (le Québec d'aujourd'hui) un pays indépendant. Plus important encore, Saint-Denis-sur-Richelieu a été le théâtre de l'unique victoire des Patriotes sur les Britanniques lors des Rébellions de 1837-1838. En effet, le 23 novembre 1837, les troupes du général Gore durent se replier sur Sorel après une lutte acharnée contre les Patriotes, mal équipés mais bien décidés à l'emporter sur l'ennemi. Toutefois, les troupes britanniques se vengèrent quelques semaines plus tard. Surprenant ses citoyens endormis, ils pillèrent et brûlèrent maisons, commerces et industries de Saint-Denis-sur-Richelieu.

Le bourg de Saint-Denis, fondé en 1758, a connu une intense période d'industrialisation au début du XIXe siècle. On y trouvait entre autres la plus importante chapellerie au Canada, où l'on confectionnait les fameux hauts-de-forme en peau de castor, portés par les hommes d'Europe et d'Amérique, de même que plusieurs poteries et faïenceries. La répression qui a suivi les Rébellions a mis un terme à cette expansion économique et dès lors Saint-Denis a retrouvé sa vocation de simple village agricole.

La **Maison nationale des Patriotes** ★ *(6$; mai à sept mar-dim 10h à 17h, oct dim 10h à 17h, nov mar-ven 10h à 16h; 610 ch. des Patriotes, ☎450-787-3623, www.mndp.qc.ca)* abrite un intéressant centre d'interprétation portant sur les Rébellions de 1837-1838 et sur l'histoire des Patriotes. On y décrit les principales batailles des Rébellions et les causes de cette insurrection qui a profondément marqué la région du Richelieu et le Québec tout entier. Le centre d'interprétation propose aussi des tours guidés du village de Saint-Denis, afin de mettre en contexte les différents éléments d'information qui concernent les Rébellions.

Saint-Constant (25 000 hab.)

Cette municipalité recèle une institution muséale d'envergure, **Exporail-Musée ferroviaire canadien** ★★ *(14$; fin juin à début sept tlj 10h à 18h, sept et oct mer-dim 10h à 17h, nov à mai sam-dim 10h à 17h; 110 rue St-Pierre, ☎450-632-2410, www.exporail.org)*. Le musée présente une importante collection de matériel ferroviaire, des locomotives, des wagons et des véhicules d'entretien. On peut y admirer la fameuse locomotive *Dorchester*, mise en service en 1836 sur la première voie ferrée du pays, entre Saint-Jean-sur-Richelieu et La Prairie, plusieurs wagons luxueux du XIXe siècle ayant appartenu au Canadien Pacifique de même que des locomotives de l'étranger, comme la puissante *Chateaubriand* de la Société nationale des chemins de fer français (SNCF), mise en service en 1884.

La Prairie ★ (22 200 hab.)

Les rues du **Vieux-La Prairie** ★★ revêtent un caractère urbain rarement atteint dans les villages du Québec au XIXe siècle. Plusieurs des maisons ont été soigneusement restaurées depuis que le secteur a été classé arrondissement historique par le gouvernement du Québec en 1975. Une promenade, le long des rues Saint-Ignace, Sainte-Marie, Saint-Jacques et Saint-Georges, permet d'en apprécier les particularités.

Saint-Bruno-de-Montarville

Adossé au mont Saint-Bruno, Saint-Bruno-de-Montarville est une oasis de verdure et compte en moyenne 24 m^2 d'espace vert par habitant, en excluant son parc national qui s'étend sur plus de 8 km^2.

Le **parc national du Mont-Saint-Bruno** ★ *(3,50$, stationnement inclus; tlj 8h jusqu'au coucher du soleil; 330 rang des 25 E., ☎450-653-7544 ou 800-665-6527, www.sepaq.com)*. Au sommet du mont se trouvent deux lacs, le lac Seigneurial et le lac du Moulin, à proximité duquel s'élève un moulin à eau du XIX^e^ siècle. Le parc est un agréable lieu de promenade et de détente. Des sentiers d'autointerprétation et des promenades guidées ont pour but de le faire connaître aux visiteurs. Pendant l'hiver, on peut y faire du ski de randonnée *(10$)*; des pistes totalisant près de 27 km y sont aménagées, le long desquelles se trouvent de petits refuges chauffés.

Longueuil ★ (232 000 hab.)

La ville de Longueuil, située en face de Montréal, de l'autre côté du fleuve, est la plus peuplée de la Montérégie. Elle faisait autrefois partie de la seigneurie de Longueuil, concédée à Charles Le Moyne (1624-1685) en 1657. Celui-ci est à l'origine d'une dynastie ayant joué un rôle de premier plan dans le développement de la Nouvelle-France.

Le fils aîné, Charles Le Moyne de Longueuil, hérita de la seigneurie. Entre 1685 et 1690, il fait construire, sur le site de l'actuelle église Saint-Antoine-de-Padoue, un véritable château fort comprenant quatre tours d'angle, une église et plusieurs corps de logis. En 1700, la seigneurie de Longueuil est élevée au rang de baronnie par Louis XIV.

La **rue Saint-Charles** est la principale artère commerciale de Longueuil. À l'est de l'**hôtel de ville** *(300 rue St-Charles O.)* se trouvent plusieurs cafés et restaurants agréables.

L'**église Saint-Antoine-de-Padoue** ★★ *(rue St-Charles, angle ch. Chambly)*. Le château de Longueuil occupait autrefois cet emplacement. Après avoir été assiégé par les insurgés américains lors de l'invasion de 1775, il a été réquisitionné par l'armée britannique. En 1792, alors qu'une garnison y était stationnée, un incendie éclata, détruisant une bonne partie de l'ensemble érigé au XVIIe siècle. Les ruines sont mises à profit en 1810 lors de la construction de la seconde église catholique. Quelques années plus tard, la rue Saint-Charles est percée en plein centre du site du château. Ainsi ont disparu les derniers vestiges d'un édifice unique en Amérique du Nord. Des fouilles archéologiques, effectuées au cours des années 1970, ont permis de retracer l'emplacement exact du château et de mettre au jour une partie de ses fondations, visibles à l'est de l'église.

Boucherville ★ (38 900 hab.)

Le **parc national des Îles-de-Boucherville** ★ *(3,50$; tlj 8h au coucher du soleil; 55 rue de l'Île-Ste-Marguerite, Boucherville, ☎450-928-5088 ou 800-665-6527, www.sepaq.com)* est voué aux activités de plein air. Le cyclisme et la randonnée y sont à l'honneur durant la belle saison. On y trouve aussi un terrain de golf et des aires de pique-nique. Pour visiter les îles sous un tout autre angle, il est possible de se promener en canot ou en kayak. Quatre circuits totalisant 28 km permettent aux canoteurs et kayakistes de découvrir maints aspects des côtes des îles.

En hiver, ce sont les amateurs de ski nordique et de raquette qui s'y donnent rendez-vous.

Le parc a également beaucoup à offrir en matière de flore et de faune. Plus de 170 espèces de poissons y ont été recensées à ce jour, et l'on y retrouve une population importante de cerfs de Virginie. Riche en oiseaux de toutes sortes (quelque 40 espèces), ce site s'avère aussi très prisé des ornithologues amateurs.

Kahnawake (8 800 hab.)

Les Jésuites implantent en 1667 une mission pour les Iroquois convertis à La Prairie. Après quatre déménagements, la mission Saint-François-Xavier se fixe définitivement dans la seigneurie du Sault-Saint-Louis en 1716. Elle est devenue Kahnawake, nom qui signifie «là où il y a des rapides». Au fil des ans, des Iroquois mohawks, venus de l'État de New York, se sont joints aux premiers habitants de la mission, modifiant le paysage linguistique de l'endroit, tant et si bien que l'anglais constitue de nos jours la langue d'usage de la communauté, même si ses habitants ont pour la plupart conservé les patronymes d'ascendance française donnés par les Jésuites.

Mission Saint-François-Xavier ★★ *(Church Rd., ☎450-632-6030)*. Sous le Régime français, on obligeait les bourgs et les missions à s'entourer de fortifications. Très peu de ces murailles ont survécu, même partiellement, au temps et aux pressions du développement. L'enceinte de la mission de Kahnawake, en partie debout, représente donc un cas quasi unique au nord du Mexique. Elle a été entreprise en 1720 afin de protéger l'église et le couvent des Jésuites, érigés en 1717. On peut encore voir le corps de garde, la poudrière et le logement des officiers (1754).

L'église abrite le **Sanctuaire Kateri-Tekakouitha**, du nom de cette jeune Autochtone convertie au christianisme et décédée en 1680, qui deviendra, 300 ans plus tard, la première Amérindienne béatifiée.

Salaberry-de-Valleyfield (39 900 hab.)

Cette ville industrielle est née vers 1845 autour d'un moulin à scie et à papier, racheté quelques années plus tard par la Montreal Cotton Company (filature). Grâce à cette industrie, Salaberry-de-Valleyfield a connu à la fin du XIXe siècle une ère de prospérité qui en fit l'une des principales villes du Québec de l'époque. Son vieux noyau commercial et institutionnel de la rue Victoria témoigne de cette période faste, tout en lui donnant davantage l'allure d'une vraie ville que Châteauguay, pourtant plus peuplée de nos jours. L'agglomération est coupée en deux par le vieux canal de Beauharnois, en fonction de 1845 à 1900 (à ne pas confondre avec l'actuel canal de Beauharnois, qui passe au sud de la ville).

Siège d'un évêché depuis 1892, la ville de Salaberry-de-Valleyfield a été dotée de l'actuelle **cathédrale Sainte-Cécile** ★ *(31 rue de la Fabrique)* en 1934, à la suite de l'incendie du lieu saint précédent. Il s'agit là d'une œuvre colossale, plus élancée et plus proche des modèles historiques. En façade, on remarquera une statue de sainte Cécile, patronne des musiciens.

La **Réserve nationale de faune du Lac-Saint-François** ★★ *(entrée libre; début mai à début sept; ch. de la Pointe Fraser, Dundee, ☎450-370-6954)*. Situé sur la rive sud du fleuve Saint-Laurent, ce territoire est un milieu humide reconnu par la Convention Ramsar (liste mondiale des milieux remarquables). Il offre aux visiteurs la possibilité d'observer 220 espèces d'oiseaux, 600 plantes et plus de 40 espèces de mammifères différents. De mai à septembre, on propose des excursions guidées en canot rabaska ainsi que des randonnées pédestres avec guide-interprète.

Le **Lieu historique national de la Bataille-de-la-Châteauguay** ★ *(4$; mi-mai à fin août tlj 10h à17h; début sept à mi-oct sam-dim 10h à 17h, fermé les jours fériés sauf le 1er juil; 2371 ch. Rivière-Châteauguay N., ☎450-829-2003 ou 888-773-8888, www.pc.gc.ca)*. Lors de la guerre de l'Indépendance des États-Unis, en 1775-1776, les Américains avaient tenté une première fois de s'approprier le Canada, colonie britannique depuis 1759. La peur des Canadiens français d'être un peuple noyé dans une mer anglo-saxonne, à une époque où l'ensemble de la colonie canadienne était encore très majoritairement française, explique l'échec de cette première tentative. En 1812-1813, les Américains essaient de nouveau de prendre le Canada. Cette fois, c'est la fidélité de l'élite canadienne à la couronne d'Angleterre, mais aussi la bataille décisive de la Châteauguay, qui ont fait échouer le projet. En octobre 1813, les troupes du général Hampton, fortes de 2 000 hommes, se massent à la frontière. Elles pénètrent dans le territoire canadien, à la faveur de la nuit, en longeant la rivière Châteauguay. Mais Charles Michel d'Irumberry de Salaberry, seigneur de Chambly, les y attend à la tête de 300 miliciens et de quelques dizaines d'Amérindiens. Le 26 octobre, la bataille s'engage. La ruse qu'utilise de Salaberry aura raison des Américains, qui battent bientôt en retraite, mettant ainsi fin à une série de conflits et inaugurant une période d'amitié durable entre les deux pays.

Activités de plein air

Observation de la faune

La **Réserve nationale de faune du Lac-Saint-François** *(☎450-370-6954)* est une réserve faunique incontournable. Le milieu marécageux, les canaux et les étangs cachent une flore et une faune uniques. Certaines espèces qu'on y rencontre ne se retrouvent nulle part ailleurs au Canada.

Parcours d'aventure en forêt

Arbraska Mont St-Grégoire *(35$; 45 ch. du Sous-Bois, Mont-St-Grégoire, ☎450-358-8999, www.arbraska.com)* propose ses ponts, obstacles et tyroliennes dans les arbres, au gré de six parcours, dont deux faciles pour les enfants et un pour les experts, plus haut et pas mal plus difficile... Avis aux aventuriers!

Randonnée pédestre

Le **Centre d'interprétation du milieu écologique du Haut-Richelieu (CIME)** *(3$; fin juin à fin août tlj 9h à 18h, reste de l'année horaire variable; 16 ch. du Sous-Bois, Mont-St-Grégoire, ☎450-346-0406, www.cimehautrichelieu.qc.ca)* a été mis sur pied en 1981 pour mettre en valeur et protéger les richesses naturelles du mont Saint-Grégoire. Il a aménagé un réseau de cinq sentiers totalisant 1,7 km qui donne accès au sommet du mont et offre des vues exceptionnelles sur les petits villages et les vastes fermes de la Montérégie.

Le **Centre de la Nature du mont Saint-Hilaire** *(422 ch. des Moulins, Mont-St-Hilaire, ☎450-467-1755, www.centrenature.qc.ca)*. Avec 400 m d'altitude, le mont Saint-Hilaire offre plusieurs possibilités de randonnée grâce à ses nombreux sentiers. Et en prime, les points de vue que l'on découvre au bout de nos peines en valent l'effort. Entre autres, le Pain de sucre procure une vue sans pareille sur la région montérégienne.

Le **parc national du Mont-Saint-Bruno** *(330 rang des 25 E., St-Bruno-de-Montarville, ☎450-653-7544 ou 800-665-6527, www.sepaq.com)* dispose d'un réseau d'agréables sentiers. On y croise de nombreux lacs, et plusieurs aires de pique-nique et de détente sont aménagées pour la convenance des promeneurs.

Ski de fond

Centre de la Nature du mont Saint-Hilaire
5$
location d'équipement
3 sentiers – 13,9 km
422 ch. des Moulins
Mont-St-Hilaire
☎450-467-1755
www.centrenature.qc.ca

Parc national du Mont-Saint-Bruno
10,50$
location d'équipement
8 sentiers – 35 km
330 rang des 25 E.
St-Bruno-de-Montarville
☎450-653-7544 ou 800-665-6527
www.sepaq.com

Vélo

La Montérégie a redoublé d'efforts pour répondre à une demande croissante d'amateurs en instaurant un réseau de pistes cyclables surprenant, comprenant les Montérégiades et une portion non négligeable de la Route Verte. **Tourisme Montérégie** *(☎450-466-4666, www.tourisme-monteregie.qc.ca)* offre gratuitement deux très bonnes cartes aux amateurs de cyclotourisme: une carte des 12 pistes cyclables de la région et une carte des itinéraires routiers.

Cantons-de-l'Est ★★

p 154 p 157 p 158 p 160

Granby ★ (48 200 hab.)

Située à quelques kilomètres du verdoyant parc national de la Yamaska, Granby, «la princesse des Cantons-de-l'Est», respire l'air frais de la campagne environnante. Outre ses résidences témoignant de l'architecture victorienne, elle renferme de grandes avenues et de nombreux parcs ornés de fontaines et de sculptures.

Traversée par la rivière Yamaska Nord, Granby se veut également le point de rencontre des pistes cyclables de la Montérégiade et de l'Estriade. Son dynamisme et sa jeunesse se reflètent à travers ses festivals, notamment le célébrissime **Festival international de la chanson** (voir p 159), grâce auquel la Francophonie a découvert plusieurs excellents compositeurs et interprètes. La ville de Granby est aussi connue pour son zoo, ouvert en 1953.

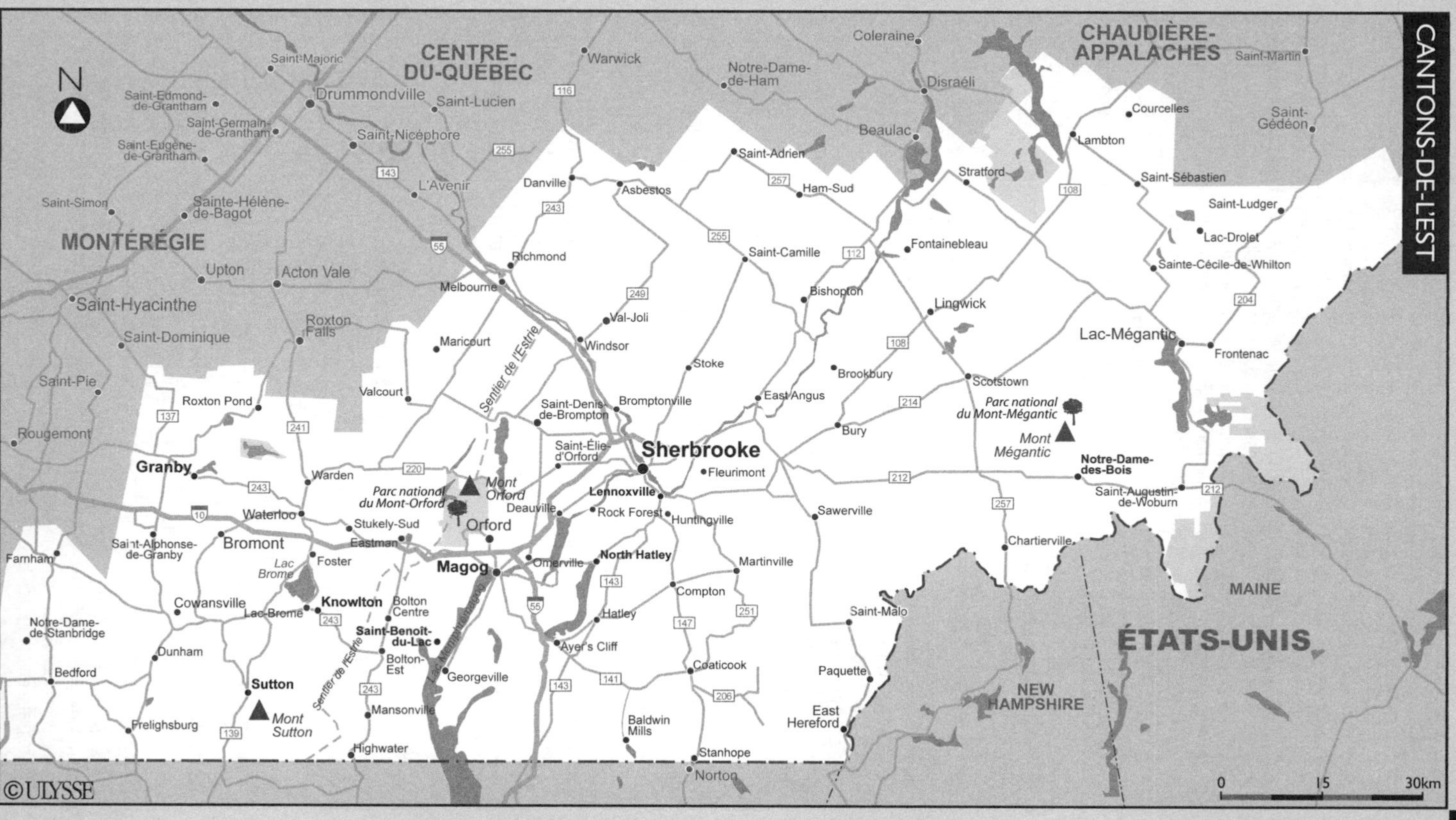
CANTONS-DE-L'EST
CHAUDIÈRE-APPALACHES
CENTRE-DU-QUÉBEC
MONTÉRÉGIE
ÉTATS-UNIS
MAINE
NEW HAMPSHIRE
N
0
15
30km
Sherbrooke
Magog
Granby
Lac-Mégantic
Parc national du Mont-Mégantic
Mont Mégantic
Parc national du Mont-Orford
Mont Orford
Orford
Mont Sutton
Sutton
Lac Brome
Lac Memphrémagog
Sentier de l'Estrie
Notre-Dame-des-Bois
Saint-Augustin-de-Woburn
Chartierville
Frontenac
Saint-Ludger
Lac-Drolet
Sainte-Cécile-de-Whilton
Saint-Sébastien
Courcelles
Lambton
Saint-Martin
Saint-Gédéon
Stratford
Disraéli
Coleraine
Beaulac
Fontainebleau
Lingwick
Scotstown
Bishopton
Brookbury
Bury
Saint-Malo
Sawerville
Paquette
East Hereford
East Angus
Ham-Sud
Saint-Adrien
Saint-Camille
Notre-Dame-de-Ham
Warwick
Asbestos
Danville
Richmond
Melbourne
Stoke
Val-Joli
Windsor
Bromptonville
Fleurimont
Saint-Denis-de-Brompton
Saint-Élie-d'Orford
Lennoxville
Rock Forest
Huntingville
Martinville
Compton
Coaticook
Stanhope
Norton
Baldwin Mills
North Hatley
Hatley
Ayer's Cliff
Deauville
Omerville
Georgeville
Saint-Benoît-du-Lac
Bolton Centre
Bolton-Est
Mansonville
Highwater
Stukely-Sud
Eastman
Knowlton
Foster
Lac-Brome
Warden
Waterloo
Bromont
Cowansville
Valcourt
Maricourt
Roxton Falls
Roxton Pond
Acton Vale
Upton
Saint-Dominique
Saint-Hyacinthe
Saint-Pie
Rougemont
Saint-Simon
Sainte-Hélène-de-Bagot
Saint-Alphonse-de-Granby
Dunham
Frelighsburg
Notre-Dame-de-Stanbridge
Bedford
Farnham
Drummondville
Saint-Majoric
Saint-Nicéphore
L'Avenir
Saint-Lucien
Saint-Edmond-de-Grantham
Saint-Germain-de-Grantham
Saint-Eugène-de-Grantham
116
255
143
55
10
243
220
241
137
139
141
147
206
251
257
112
108
214
212
204
249
©ULYSSE

Au **Zoo de Granby** ★★ *(29,50$; début juin à fin août tlj 10h à 19h, fin août à mi-oct 10h à 18h; 17,60$; fin déc à début mars 10h à 17h; 300 boul. David-Bouchard,* ☎ *877-472-6299, www.zoodegranby.com)*, vous pourrez observer plus de 150 espèces animales provenant des Amériques, de l'Afrique, de l'Asie et de l'Océanie, de l'hippopotame à la grenouille cornue d'Argentine. La visite du zoo est intéressante non seulement pour l'observation des animaux, mais aussi parce qu'on retrouve sur le site un parc aquatique, l'**Amazoo**, un attrait estival incontournable si vous êtes avec des enfants.

La Route des vins ★

Le visiteur européen pourra trouver bien prétentieux d'entendre parler de «Route des vins» (route 202) pour décrire le parcours entre Dunham et Stanbridge East, mais l'expérience québécoise en matière de viticulture est tellement surprenante et la concentration de vignobles dans cette région si unique au Québec que l'enthousiasme l'a emporté sur la mesure. La région bénéficie d'un microclimat et d'un sol propice à la culture de la vigne (ardoise). La majorité des vins ne sont vendus que sur place, mais de gros efforts sont déployés en vue d'une reconnaissance locale et internationale grandissante.

Vous pouvez visiter le vignoble de **L'Orpailleur** *(1086 route 202, Dunham,* ☎*450-295-2763, www.orpailleur.ca)*, où sont entre autres élaborés un vin blanc sec et un apéritif rappelant le Pineau des Charentes, l'Apéridor. On y produit aussi La Marquise, un délicieux vin blanc à haute teneur en alcool; La Part des Anges, un mélange de vin blanc et de cognac au goût de noisette, ainsi qu'un «vin de glace» très réputé. L'Orpailleur a aussi ouvert un **Économusée de la vigne et du vin**, par ailleurs très intéressant.

Le **Domaine des côtes d'Ardoise** *(879 route 202, Dunham,* ☎*450-295-2020, www.cotesdardoise.com)* est l'un des vignobles québécois qui produit un vin rouge. Encore une fois, on a droit à l'accueil chaleureux du vigneron.

Le vignoble **Les Blancs Coteaux** *(1046 route 202, Dunham,* ☎*450-295-3503, www.blancscoteaux.com)*, en plus de faire un vin de qualité, dispose d'une jolie boutique d'artisanat.

Knowlton ★★

Le **lac Brome** ★, de forme circulaire, est populaire auprès des amateurs de planche à voile, qui bénéficient d'une aire de stationnement et d'une petite plage en bordure de la route à l'approche de Knowlton.

Le **Musée du comté de Brome** ★ *(5$; mi-mai à mi-sept lun-sam 10h à 16h30, dim 11h à 16h30; 130 rue Lakeside,* ☎*450-243-6782, www.townshipsheritage.com)*, réparti dans cinq bâtiments loyalistes, raconte l'histoire et la vie des gens de la région. On y trouve, outre les habituelles collections de meubles et de photographies, un magasin général reconstitué, une cour de justice du XIXe siècle et, chose plus rare, une intéressante collection militaire dont fait partie un avion de la Première Guerre mondiale.

Sutton ★

Une des principales stations de sports d'hiver de la région, la ville de Sutton est située en contrebas du massif des monts du même nom. On trouve aussi dans la région quelques terrains de golf bien aménagés pour combler les sportifs pendant l'été. Parmi les églises de Sutton, on remarquera plus particulièrement la **Grace Church** anglicane, en pierres, de style néogothique et érigée en 1850. Son clocher a malheureusement perdu son ouverture en ogive.

Le lac Memphrémagog ★★

Long de 44,5 km, mais d'une largeur variant entre seulement 1 km et 2 km, le lac Memphrémagog n'est pas sans rappeler les lochs écossais. Il possède même son propre monstre marin, baptisé *Memphré*, que plusieurs jurent avoir aperçu depuis 1798. La portion sud du lac, non visible depuis Magog, à son extrémité nord, est située aux États-Unis. Le nom du lac vient de la langue abénaquise (il signifie «au lac vaste»), tout comme celui du lac Massawippi («beaucoup d'eau claire») et de la baie Missisquoi («beaucoup d'oiseaux aquatiques»). Les amateurs de voile y seront au paradis, puisqu'il s'agit de l'un des meilleurs endroits pour pratiquer ce sport au Québec.

Saint-Benoît-du-Lac ★★

Le territoire de cette municipalité correspond exclusivement au domaine de l'**abbaye de Saint-Benoît-du-Lac** *(*☎*819-843-4080, www.st-benoit-du-lac.com)*, fondée en 1913 par des moines bénédictins chassés de leur abbaye de Saint-Wandrille-de-Fontenelle, en Normandie. L'ensemble comprend le monastère, l'hôtellerie, la chapelle abbatiale et les bâtiments de ferme. Seuls quelques corridors de même que la chapelle sont accessibles au public. On ne manquera pas d'écouter le chant grégorien pendant les vêpres, à 17h tous les jours de la semaine.

L'hôtellerie accueille les hommes (la Villa Sainte-Scholastique loge les femmes) qui désirent se

Mais que diable est donc un «canton»?

Les cantons sont des entités territoriales différentes des seigneuries, à la fois par leur forme plus ou moins carrée plutôt qu'allongée, et par leur mode d'administration inspiré d'un modèle de développement britannique. Le canton était créé sur demande de la communauté qui désirait s'y installer plutôt qu'à partir d'une concession à un seul individu. Pour la plupart constitués au début du XIXe siècle, les cantons ont comblé les espaces laissés vacants par le régime seigneurial français, généralement des sites montagneux éloignés des berges déjà peuplées du Saint-Laurent et de ses affluents, lesquels constituaient à l'époque les principales voies de communication de la colonie. Les Cantons-de-l'Est forment la région où ce mode de peuplement du territoire s'est le plus répandu au Québec.

recueillir pendant quelque temps. De plus, les moines font l'élevage de bovins charolais et exploitent deux vergers (production de cidre) ainsi qu'une fromagerie (fromages l'Ermite et Mont Saint-Benoît). Rendez-vous à la boutique, au sous-sol du bâtiment principal, où sont vendus une dizaine de variétés d'excellents fromages et de produits dérivés de la pomme, tels le cidre, le vinaigre et les sauces qui n'ont rien à envier aux produits maison *(lun-sam 9h à 10h45 et 11h45 à 16h30, juil et août jusqu'à 18h)*.

Magog ★ (24 000 hab.)

Principal centre de services entre Granby et Sherbrooke, Magog est une ville qui a beaucoup à offrir aux amateurs de sport. Elle occupe un site admirable à l'extrémité nord du lac Memphrémagog. Sa vocation culturelle n'est pas à dédaigner non plus, puisqu'elle possède un théâtre où sont présentées plusieurs avant-premières. L'industrie textile, qui occupait autrefois une grande place dans la vie des habitants, a beaucoup diminué au profit du tourisme. La rue Principale, bordée de boutiques et de restaurants, est agréable à parcourir à pied.

Le **parc national du Mont-Orford** ★★ *(3,50$; 3321 ch. du Parc, Canton d'Orford, ☎819-843-9855 ou 800-665-6527, www.sepaq.com)* couvre près de 60 km² et comprend, en plus du mont Orford, les abords des lacs Stukely et Fraser. En été, il dispose de deux plages, d'un magnifique terrain de golf, d'emplacements de camping situés au cœur de la forêt et de quelque 50 km de sentiers de randonnée pédestre (la plus belle piste est celle menant au mont Chauve). En outre, le parc s'adapte aux besoins des amateurs de sports d'hiver et propose des sentiers de ski de fond ainsi qu'une trentaine de pistes de ski alpin.

Le Cep d'Argent ★★ *(7$; juin à oct tlj 10h à 17h; 1257 ch. de la Rivière, ☎819-864-4441 ou 877-864-4441, www.cepdargent.com)*, un vignoble créé il y a une vingtaine d'années, a gagné ses titres de reconnaissance au Québec et même à l'étranger. Quelque 60 000 vignes de plusieurs types de cépages produisent une bonne gamme de produits fins, dont le merveilleux Mistral, un vin blanc apéritif très goûteux. On peut visiter l'ensemble des installations avec un guide, qui explique durant 1h le long et difficile processus de vinification au nord du 45e parallèle!

North Hatley ★★

Les paysages enchanteurs de North Hatley ont eu tôt fait d'attirer les riches villégiateurs américains, qui s'y sont fait construire de luxueuses villas entre 1890 et 1930. La plupart d'entre elles bordent toujours la portion nord du lac Massawippi, qui, à l'instar du lac Memphrémagog, rappelle un loch écossais. De belles auberges et des restaurants gastronomiques contribuent au charme de l'endroit, lui assurant la réputation d'un lieu de villégiature des plus raffinés. On notera, au centre du village, la minuscule **église unie**, qui fait davantage penser à une chapelle de culte catholique qu'à un temple protestant.

Le **Manoir Hovey** ★ *(ch. Hovey)*, grande villa construite en 1900 sur le modèle de Mount Vernon, résidence de George Washington en Virginie, était autrefois la demeure estivale de l'Américain Henry Atkinson, qui recevait chez lui chaque été artistes et politiciens de son pays. La maison sert de nos jours d'auberge de grand luxe (voir p 156).

Lennoxville ★

Lennoxville, une petite ville encore majoritairement anglophone et aujourd'hui fusionnée à Sherbrooke, se distingue par la présence des prestigieuses maisons d'éducation de langue anglaise que sont l'université Bishop et le Bishop's College. Fondée aux abords de la route qui relie Drummondville à la frontière canado-américaine, elle prit le nom de Lennoxville en l'honneur de Charles Lennox, quatrième duc de Richmond, qui fut gouverneur du Haut-Canada et du Bas-Canada en 1818. Il faut quitter la route principale (route 143) et parcourir les rues secondaires pour découvrir les bâtiments institutionnels, de même que les belles maisons cachées dans la verdure.

Une des trois universités de langue anglaise au Québec, l'**université Bishop** ★ *(ch. du Collège)* est une petite institution qui offre un enseignement personnalisé, dans un cadre enchanteur, à quelque 1 300 étudiants provenant de tous les coins du Canada. Elle a été fondée en 1843 à l'instigation du pasteur Lucius Doolittle. À l'arrivée, on aperçoit le **McGreer Hall**, élevé en 1876 puis modifié plus tard pour lui donner un air médiéval. La **chapelle anglicane St. Mark**, érigée à côté, a été reconstruite en 1891 à la suite d'un incendie. Son intérieur, long et étroit, comporte de belles boiseries en chêne ainsi que des vitraux intéressants.

Sherbrooke ★★ (148 000 hab.)

Principale agglomération de la région, Sherbrooke est surnommée la «reine des Cantons-de-l'Est». Elle est implantée sur une série de collines de part et d'autre de la rivière Saint-François, ce qui accentue son aspect désordonné. Malgré sa vocation plutôt industrielle, la ville possède plusieurs bâtiments d'intérêt, pour la plupart concentrés sur la rive ouest. Sherbrooke est née au début du XIXe siècle autour d'un moulin et d'un petit marché, comme tant d'autres villages des Cantons-de-l'Est. Cependant, sa désignation pour l'implantation d'un palais de justice, destiné à desservir l'ensemble de la région, allait la distinguer des communautés environnantes dès 1823. La venue du chemin de fer en 1852 et la concentration, dans son centre, d'institutions comme le siège de l'Eastern Townships Bank, allaient modifier le paysage de Sherbrooke par la construction de prestigieux édifices victoriens. Aujourd'hui la ville accueille notamment une importante université de langue française, fondée en 1952 afin de faire contrepoids à l'université Bishop de Lennoxville. Malgré son nom, qu'elle porte en l'honneur de Sir John Coape Sherbrooke, gouverneur de l'Amérique du Nord britannique à l'époque de sa fondation, la ville est depuis longtemps à forte majorité francophone (plus de 95%).

Créé pour promouvoir une mission d'éveil aux sciences naturelles, le Musée du Séminaire de Sherbrooke a vu le jour en 1879 au cœur d'une institution scolaire sherbrookoise. Quelque 125 ans plus tard, le **Musée de la nature et des sciences** ★★ *(7,50$; fin juin à début sept tlj 10h à 17h, début sept à fin juin mer-dim 10h à 17h; 225 rue Frontenac, ☎819-564-3200 ou 877-434-3200, www.expoconcept.com)* a pris le relais dans un nouvel établissement. En plus de présenter des expositions temporaires ainsi qu'une exposition permanente qui explique le cycle annuel des saisons dans le sud du Québec, le musée possède une collection de 65 000 objets amassés par les prêtres du Séminaire.

Importante institution financière du XIXe siècle, aujourd'hui amalgamée à la banque CIBC, l'ancienne **Eastern Townships Bank** ★★ *(241 rue Dufferin)* fut créée par la bourgeoisie des Cantons-de-l'Est, incapable d'obtenir du financement des banques montréalaises pour le développement de projets locaux. Son siège sherbrookois fut érigé en 1877. À la suite d'un don de la banque CIBC et des multiples travaux de rénovation favorisant la conservation des œuvres, l'édifice abrite, depuis le milieu des années 1990, le **Musée des beaux-arts de Sherbrooke** *(7,50$; mar-dim 12h à 17h; 241 rue Dufferin, ☎819-821-2115, www.mbas.qc.ca)*. Au fond de la salle accueillant les visiteurs, l'œuvre de Gérard Gendron représentant un trésor sur la place publique trace un parallèle entre l'institution que logeait autrefois l'édifice et sa vocation artistique d'aujourd'hui. Outre son énorme collection d'art naïf, le musée présente des œuvres contemporaines des artistes de la région. Des bénévoles se trouvent sur place pour répondre aux questions des visiteurs sur les expositions qui s'y renouvellent tous les deux mois.

Quartier du parc Mitchell ★★

Autour du parc, agrémenté d'une fontaine du sculpteur George Hill (1921), se trouvent certaines des plus belles maisons de Sherbrooke. Au numéro 428 de la rue Dufferin s'élève la **maison Morey** *(on ne visite pas)*, représentative de cette architecture victorienne bourgeoise qu'affectionnaient les marchands et les industriels originaires des îles Britanniques ou des États-Unis. Elle a été construite en 1873.

SHERBROOKE

ATTRAITS TOURISTIQUES

1. EX Musée de la nature et des sciences
2. EX Musée des beaux-arts de Sherbrooke / Eastern Townships Bank
3. DX Parc Mitchell
4. EX Maison Morey

Notre-Dame-des-Bois

Cette petite localité, établie au cœur des Appalaches à plus de 550 m d'altitude, est en quelque sorte la porte d'entrée du mont Mégantic et de son observatoire, ainsi que du mont Saint-Joseph et de son sanctuaire, tous inclus dans le parc national du Mont-Mégantic.

Surtout connu du public pour son célébrissime observatoire (voir ci-dessous), le **parc national du Mont-Mégantic** ★ *(3,50$; tlj 9h à 17h, jusqu'à 23h lors des soirées d'astronomie; animaux domestiques non admis; 189 route du Parc, ☎819-888-2941 ou 800-665-6527, www.sepaq.com)* témoigne des différents types de végétation montagneuse des Cantons-de-l'Est et abrite en fait deux monts, le mont Mégantic et le mont Saint-Joseph. De lourdes infrastructures ne risquent pas de venir gâcher la tranquillité de ce parc, dont la mission première est éducative. Les marcheurs et les skieurs pourront profiter de ses sentiers d'interprétation, de ses refuges et des plates-formes de camping, et observer, avec un peu de chance, jusqu'à 125 espèces d'oiseaux qui y trouvent refuge. On y pratique également la raquette en hiver et le vélo de montagne en été.

L'**ASTROlab du Parc du Mont Mégantic** ★★ *(à compter de 16$; fin mai à fin juin sam 12h à 16h30 et 20h à 23h, dim 12h à 16h30; fin juin à fin août tlj 12h à 16h30 et 20h à 23h; fin août à début oct sam 12h à 16h30 et 20h à 23h, dim 12h à 16h30; 189 route du Parc, ☎819-888-2941 ou 800-666-6527, www.astrolab.qc.ca)* est un centre d'interprétation de l'astronomie. Vous pourrez découvrir, à travers les différentes salles de ce musée interactif et son spectacle multimédia, l'histoire de l'astronomie, de ses premières heures aux technologies les plus récentes. Une visite guidée au sommet du mont Mégantic, d'une durée approximative de 1h15, présente toutes les installations de l'observatoire. Célèbre pour son observatoire, le mont Mégantic fut choisi en fonction de sa situation stratégique, à environ égale distance des universités de Montréal et Laval, ainsi que de son éloignement des sources lumineuses urbaines. Deuxième sommet en importance des Cantons-de-l'Est, il s'élève à 1 105 m. Lors du **Festival d'astronomie populaire du Mont Mégantic**, au cours de la deuxième semaine de juillet, les passionnés d'astronomie peuvent observer la voûte céleste à l'aide du plus puissant télescope de l'est de l'Amérique du Nord. Autrement, ce dernier est mis à la disposition des chercheurs. Toutefois, le grand public a accès à l'observatoire populaire muni d'un télescope de 61 cm. En été, des «observations-causeries» proposent une présentation sur écran géant et une observation du ciel.

Le **lac Mégantic** ★★, vaste nappe d'eau cristalline qui s'étend sur 20 km de longueur et 7 km en son point le plus large, est riche en poissons de toutes sortes, notamment en truites, et attire bon nombre de vacanciers voulant profiter des plaisirs de la pêche ou tout simplement des plages. Cinq municipalités établies autour du lac, dont la plus connue est Lac-Mégantic, accueillent les visiteurs qui viennent profiter de la belle nature de cette région montagneuse.

Activités de plein air

■ *Équitation*

Le **Centre équestre de Bromont** *(100 rue Laprairie, Bromont, ☎450-534-3255, www.centreequestrebromont.com)* a accueilli les compétitions de sport équestre des Jeux olympiques de 1976, pour lesquelles des écuries et des manèges (intérieurs et extérieurs) ont été construits. Depuis lors, une partie des installations est mise à la disposition des personnes qui désirent suivre des cours. L'International Bromont y est aussi présenté au mois de juillet.

■ *Parcours d'aventure en forêt*

À Sutton est installé un parcours d'aventure en forêt **D'Arbre en arbre** *(35$; 429 ch. Maple, Sutton, ☎450-538-6464 ou 866-538-6464, www.arbresutton.com)*, avec ses ponts, cordages et tyroliennes au cœur de l'élégante forêt environnante. Le parcours est intéressant, physique et monte passablement haut. Ne manquez surtout pas la corde de Tarzan: émotions garanties!... On y trouve aussi un parcours pour les enfants. L'équipe de guides est très professionnelle.

■ *Randonnée pédestre*

Le **Sentier de l'Estrie** *(☎819-864-6314, www.lessentiersdelestrie.qc.ca)* propose une longue randonnée de plus 175 km qui sillonne les secteurs de Chapman, Kingsbury, Brompton, Orford, Bolton, Glen, Echo et Sutton. Il est à noter que le sentier traverse principalement des terrains privés. Les propriétaires ont accordé un droit de passage exclusif aux membres de la Corporation du Sentier de l'Estrie. Vous pouvez vous procurer le topo-guide du Sentier de l'Estrie au coût de 22$ et la carte de membre (obligatoire, 35$ pour un an) qui vous permet de circuler sur le sentier.

Le **parc national du Mont-Orford** *(3,50$; ☎819-843-9855 ou 800-665-6527, www.sepaq.com)* est un site incontournable en fait de randonnée dans les Cantons-de-l'Est. Plusieurs sections du Sentier de l'Estrie le traversent. Il s'agit d'un excellent choix pour les marcheurs, puisqu'il dispose d'un réseau de près de 80 km de sentiers comportant différents degrés de difficulté. Nous recommandons particulièrement les randonnées du Mont Chauve et du Mont Orford.

Huit sentiers totalisant 60 km sillonnent le **parc national du Mont-Mégantic** *(☎819-888-2941 ou 800-665-6527, www.sepaq.com)*. Traversant le massif du mont Mégantic et les crêtes des monts Victoria et Saint-Joseph, le sentier des trois sommets est certainement l'un des plus beaux de la région. De plus, ce réseau est relié à celui des **Sentiers frontaliers** *(☎819-544-9004 ou 800-665-6527, www.sentiersfrontaliers.qc.ca)*, qui sillonne un territoire chevauchant la frontière canado-américaine.

■ *Raquette et ski de fond*

Parc national du Mont-Orford
10$
location d'équipement
ski de fond: 14 sentiers – 50 km
raquette: 7 sentiers – 55 km
Canton d'Orford
☎819-843-9855 ou 800-665-6527
www.sepaq.com

Sentiers du Mont Mégantic
7$
ski de fond: 9 sentiers – 38 km
raquette: 9 sentiers – 33 km
Parc national du Mont-Mégantic
189 route du Parc
Notre-Dame-des-Bois
☎819-888-2941 ou 866-888-2941
www.sepaq.com

■ *Ski alpin*

Les skieurs trouveront à la **station touristique Bromont** *(59$; 150 rue Champlain, Bromont, ☎450-534-2200 ou 866-276-6668, www.skibromont.com)* 56 pistes dont 40 éclairées le soir qui permettent aux amateurs de faire du ski les vendredis et samedis jusqu'à 22h30 et le reste de la semaine jusqu'à 22h. Le mont n'offre cependant qu'un dénivelé d'au plus 385 m.

La **station de ski Sutton** *(56$; 671 rue Maple, Sutton, ☎450-538-2545, www.montsutton.com)* dispose de 53 pistes de ski alpin sur un dénivelé de 460 m. Réputée parmi les amateurs de sous-bois, cette station n'a rien à envier à ses consœurs québécoises et américaines.

Figurant parmi les plus belles stations de ski du Québec, **Mont Orford ★** *(47$; Canton d'Orford, ☎819-843-6548 ou 800-567-2772, www.orford.com)* propose 54 pistes qui sauront plaire à tous. Son dénivelé est de 540 m.

Le **Mont Owl's Head** *(39$; ch. du Mont Owl's Head, Mansonville, ☎450-292-3342, conditions de ski: ☎450-292-5000, www.owlshead.com)* est l'une des plus belles stations de ski des Cantons-de-l'Est en raison des panoramas qu'il offre sur le lac Memphrémagog et les montagnes environnantes. Cette station saura surtout plaire aux amateurs de descente ainsi qu'aux skieurs débutants ou intermédiaires, puisque l'on peut y déplorer le manque de pistes de très haut calibre.

■ *Vélo*

Plusieurs circuits sont proposés au cycliste dans les Cantons-de-l'Est, dont six pistes cyclables, six circuits routiers et la **Véloroute des Cantons**, une grande boucle amalgamant pistes et routes panoramiques qui permet de faire littéralement le tour de la région. Vous pouvez commander la carte des voies cyclables de la région auprès de **Tourisme Cantons-de-l'Est** *(☎819-820-2020 ou 800-355-5755, www.cantonsdelest.com)* ou consulter la carte interactive sur le site web de l'association.

Hébergement

Montérégie

Chambly

Gîte L'Air du Temps
$$$ @ ≡
124 rue Martel
☎450-658-1642
www.airdutemps.qc.ca
L'Air du Temps, cette charmante maison située juste en face du bassin de Chambly, a été rénovée avec goût, même si l'on a un peu exagéré l'usage des tons pastel. Une grande chambre est au rez-de-chaussée, alors que les quatre autres ont été aménagées dans l'ancien grenier. Accueil sympathique et convivial par Marie, l'aubergiste franco-martiniquaise. Un très copieux petit déjeuner à cinq services y est aussi offert. Propreté irréprochable.

Saint-Jean-sur-Richelieu

Aux chants d'oiseaux
$$-$$$
310 ch. du Petit-Bernier
☎450-346-4118 ou 514-770-2270
www.auxchantsdoiseaux.com
À mi-chemin entre Saint-Jean-sur-Richelieu et L'Acadie se trouve le charmant gîte champêtre Aux chants d'oiseaux. Prenez la rue Saint-Jacques, qui devient la rue des

Carrières; suivez-la jusqu'au chemin du Petit-Bernier, puis tournez à gauche. Le gîte sera à votre droite 2 km plus loin. Empreint d'un décor champêtre et résolument rural, le gîte Aux chants d'oiseaux est ni plus ni moins qu'une ferme, où l'on peut même faire une balade en tracteur et accompagner les propriétaires lors de leurs travaux aux champs. Une pyramide en plein champ est le théâtre d'une gamme de soins corporels proposés par l'hôtesse des lieux, allant des pierres chaudes au traitement énergétique Reiki. L'ambiance franche et conviviale qu'offre le gîte porte à la détente. En plus des trois chambres, sympathiques et chaleureuses, une maisonnette est disponible à l'arrière, idéale pour les familles à l'âme rustique!

Mont-Saint-Hilaire

Manoir Rouville-Campbell
$$$$ ≡ ≋ ♨ ◎ ♿
125 ch. des Patriotes S.
☎450-446-6060 ou 866-250-6060
www.manoirrouvillecampbell.com

Le Manoir Rouville-Campbell a ce petit quelque chose qui confère à certains établissements une atmosphère unique et même, à la limite, mystique. Quand on entre dans le manoir, on a l'impression que le temps s'est arrêté il y a plus d'un siècle. Il faut dire que l'endroit, maintenant vieux de près de 150 ans, a vu plusieurs pages de l'histoire du Québec se tourner. Le manoir a été reconverti en hôtel de luxe en 1987. Pour une expérience de la vie de seigneur, c'est l'endroit tout indiqué. La salle à manger, le bar et les jardins avec vue sur le Richelieu ajoutent un plus à ce lieu d'hébergement déjà magique. On y trouve aussi une salle de spectacle.

Saint-Marc-sur-Richelieu

Aux rêves d'antan
$$
595 boul. Richelieu
☎450-584-3461

La maison ancestrale où est installé le gîte Aux rêves d'antan était autrefois l'hôtel du village. Lorsque les bateaux transportaient des matières dangereuses sur le Richelieu, ils devaient jeter l'ancre pour la nuit, la navigation nocturne étant interdite. Les équipages profitaient donc de ces trois mêmes chambres chaleureuses qui sont aujourd'hui proposées aux passants. La vue est splendide et le lieu très pittoresque.

Hostellerie Les Trois Tilleuls
$$$$-$$$$$
≡ ◎ ≋ ❄ ♨ @
290 boul. Richelieu
☎450-856-7787 ou 800-263-2230
www.lestroistilleuls.com

L'Hostellerie Les Trois Tilleuls est membre de la prestigieuse association des Relais & Châteaux. Construite au bord de la rivière Richelieu, elle bénéficie d'un site champêtre d'une grande tranquillité. On doit le nom de l'établissement à trois fiers arbres ombrageant la propriété. Les chambres, décorées de meubles rustiques, disposent toutes d'un balcon donnant sur la rivière. À l'extérieur, des jardins et un belvédère sont mis à la disposition de la clientèle, qui a aussi accès à la piscine chauffée. Des services de spa y sont aussi proposés, selon la méthode Givenchy.

Cantons-de-l'Est

Granby

Une fleur au bord de l'eau
$$ ≋ @ ≡
90 rue Drummond
☎450-776-1141 ou 888-375-1747
www.unefleur.ca

Dans une maison ancienne de couleur framboise située au centre-ville de Granby est installé le gîte touristique Une fleur au bord de l'eau, dont le grand terrain se rend jusqu'au lac Boivin. Une piscine à l'arrière, presque dans le lac, et un hangar à vélos complètent les installations. Le gîte compte cinq chambres et offre un copieux petit déjeuner. Les propriétaires sont à la fois accueillants et discrets.

Bromont

Château Bromont
$$$$
≡ ◎ ≋ ♨ ♿ ❄ @
90 Stanstead
☎450-534-3433 ou 888-276-6668
www.chateaubromont.com

Le Château Bromont propose plusieurs types de chambres, de celles à deux niveaux dont le lit est situé soit au pied, soit au sommet d'un escalier en colimaçon, aux suites élégantes, en passant par les chambres-salons. Ces dernières demeurent les plus agréables, décorées de riches tons neutres et pourvues de balcons. Tous les convives ont droit à un peignoir et à un choix d'oreillers. Le Pavillon des sens, un spa-hammam unique au Québec avec ses huit chambres et ses quatre suites, est attenant au Château Bromont, auquel il est relié par une passerelle.

Dunham

Au Temps des Mûres
$$ bc/bp ≋
2024 ch. Vail
☎450-266-1319 ou 888-708-8050
www.tempsdesmures.qc.ca

Situé dans une érablière de 160 ha le long d'une route panoramique bordée de grands arbres, cette jolie fermette de briques à pignons propose cinq chambres douillettes, chacune avec planchers de bois et couettes moelleuses. Le petit déjeuner complet est servi sur une longue table de bois à l'usage de tous les convives. Les enfants sont les bienvenus.

Mystic

L'Œuf

$$-$$$

229 ch. Mystic

450-248-7529

Situé en plein cœur du petit hameau de Mystic, l'établissement L'Œuf, qui compile restaurant, auberge, chocolaterie et boutique, propose cinq chambres sympathiques et chaleureuses. Les magnifiques planchers sont d'origine et datent, comme la maison, de 1860. Le propriétaire est accueillant. La table est par ailleurs très appréciable et gourmande. Terrasse ombragée et jardin fleuri.

Lac-Brome

Auberge du Joli Vent

$$$

667 ch. Bondville

450-243-4272 ou 866-525-4272

www.aubergedujolivent.com

L'Auberge du Joli Vent est aménagée dans une ancienne maison de ferme du XIXe siècle aux abords d'un splendide terrain de 47 ha, chose rare dans les Cantons-de-l'Est. Les 10 chambres, sobres et sympathiques, et la chaleureuse aire commune confortable sont décorées avec goût et vous assurent un séjour radieux. En somme, beaucoup de classe et de sobriété pour cet établissement situé à 10 min de Bromont. Le petit déjeuner est succulent, et la table (voir p 157) vaut le détour pour l'originalité de son menu, unique dans les Cantons-de-l'Est.

Knowlton

La Venise Verte

$$-$$$

58 rue Victoria

450-243-1844

www.laveniseverte.com

Cette coquette habitation de briques (1884) constitue un bon choix. Les propriétaires ont aménagé quatre chambres pourvues de planchers de bois franc. Elles sont toutes jolies et décorées avec simplicité d'un mélange d'antiquités et de meubles modernes; les lits sont recouverts de couettes moelleuses, et les murs sont colorés de teintes apaisantes. Les petits déjeuners sont composés de produits bios et, autant que possible, locaux.

Sutton

Domaine Tomali-Maniatyn

$$$-$$$$

377 ch. Maple

450-538-6605

www.maniatyn.com

Les mots nous manquent pour qualifier la splendide et immense demeure de bois en pièce sur pièce qui abrite le Domaine Tomali-Maniatyn. Quatre suites avec cuisine sont proposées, qui allient confort moderne, chic européen et exotisme africain. Le dépaysement est garanti grâce, entre autres, à une vue de 360° sur les montagnes environnantes. Une piscine intérieure à l'eau salée se prolonge à l'extérieur (elle est recouverte de céramique et est ornée d'une mosaïque), et le petit déjeuner à cinq services est créatif. Un vrai bijou à deux pas de la station de ski Sutton. Époustouflant!

Magog

La Maison de Ville – Bed & Bistro

$$-$$$

353 rue St-Patrice O.

819-868-2417

www.lamaisondeville.ca

Établie au cœur de Magog dans une jolie maison, près de plusieurs autres gîtes, La Maison de Ville se distingue par son ambiance plutôt contemporaine et épurée. Les cinq chambres, décorées simplement, sont très confortables. Un petit bistro est aussi proposé, et son menu créatif est au goût du jour.

Orford

Camping Stukely

$

3321 ch. du Parc

accès par l'autoroute 10 ou 55, sortie 118, en direction du parc national du Mont-Orford

819-843-9855 ou 800-665-6527

www.sepaq.com

Situé dans le parc national du Mont-Orford, le Camping Stukely, au bord du lac du même nom, se trouve en plein cœur d'une végétation dense. Ainsi les sentiers de randonnée pédestre et les pistes pour vélo de montagne sont accessibles à partir du site. En soirée, durant la saison chaude, le centre communautaire se transforme en salle de cinéma. Le camping possède également une plage et fait la location d'embarcations.

Gîte de la Maison Hôte

$$$

2037 ch. du Parc

819-868-2604 ou 866-507-0517

www.maisonhote.com

En 1999, les propriétaires ont habilement transformé leur résidence revêtue de bardeaux en un gîte touristique et sont devenus des hôtes parfaits. Leurs quatre chambres impeccables offrent des planchers de bois franc, des literies attrayantes et une véritable atmosphère campagnarde. Les clients de certaines chambres ont même un panorama sur le mont Orford. Les convives apprécient les petits déjeuners à cinq services; en saison, ils sont composés de fleurs comestibles et servis sur la terrasse ou dans le solarium. Le Gîte de la Maison Hôte est le refuge idéal dans les environs et se veut nettement supérieur à la plupart des établissements du centre-ville de Magog.

Manoir des Sables

$$$$-$$$$$

90 av. des Jardins

819-847-4747 ou 800-567-3514

www.manoirdessables.com

À l'ombre du mont Orford se dresse le très luxueux et moderne Manoir des Sables. On y retrouve une foule de

services et installations dont des piscines extérieure et intérieure, un parcours de golf à 18 trous, des courts de tennis et un spa. Plusieurs des chambres possèdent un foyer, et celles du dernier étage offrent une vue splendide sur le lac et le terrain de 60 ha. Une chambre dans la section «Privilège» vous assure un service exemplaire et inclut le petit déjeuner continental. Les chambres standards (dont certaines sont peintes d'un joli ton de bleu) et de luxe (identiques aux premières, en plus d'avoir un grand lit et un foyer) sont meublées sans façon. Les salles de bain sont agréables.

North Hatley

Manoir Hovey
$$$$$
575 ch. Hovey
☎819-842-2421 ou 800-661-2421
www.manoirhovey.com

Bâti en 1900, le Manoir Hovey reflète bien l'époque où de riches familles choisissaient North Hatley pour y passer leurs vacances dans de belles demeures de campagne (voir p 149). Transformé en auberge il y a plus de 40 ans, le manoir offre aujourd'hui encore un grand confort. Il compte 40 chambres garnies de beaux meubles anciens; et la plupart font face au lac Massawippi. La vaste étendue de pelouse au bord du lac, derrière la propriété, est idéale pour une relaxation estivale. Bref, cet agréable établissement déborde de cachet: c'est l'endroit parfait pour une fin de semaine en amoureux. Un excellent restaurant est aussi proposé (voir p 158).

Sherbrooke

Marquis de Montcalm
$$
797 rue Général-De Montcalm
☎819-823-7773 ou 866-421-7773
www.marquisdemontcalm.com

Dans le centre-ville de Sherbrooke, cette splendide demeure abrite un luxueux gîte pourvu de cinq chambres joliment décorées, avec toutes les commodités modernes, comme Internet sans fil, un bain à remous extérieur, etc. Petit déjeuner à cinq services et accueil très sympathique.

Montérégie

Chambly

Les grillades du fort
$$-$$$
1717 rue Bourgogne
☎450-447-7474

Au bord du bassin de Chambly, la maison de bois aux allures maritimes qui abrite Les grillades du fort invite à profiter du beau paysage environnant. On y sert bien sûr des grillades, mais aussi des crêpes et des fondues au fromage. Très agréable terrasse au bord de l'eau et service sympathique.

Saint-Jean-sur-Richelieu

Chez Noeser
$$$$
236 rue De Champlain
☎450-346-0811

Chez Noeser est un sympathique restaurant offrant un service des plus agréables et une délicieuse cuisine française pleine de créativité. Une agréable terrasse fleurie à l'arrière accueille la clientèle en été. Notez qu'une suite est disponible pour la nuit (***$$$$***). On peut apporter son vin.

Saint-Hyacinthe

Le Bouffon Resto-Pub
$-$$
485 rue Ste-Anne
☎450-778-9915

Haut lieu de fréquentation maskoutaine, Le Bouffon Resto-Pub est un typique pub irlandais digne des meilleurs établissements d'outre-mer. Dans un décor chaleureux garni de boiseries, Le Bouffon se distingue avec un choix de plus de 150 bières importées, sans parler des scotchs et des portos. Repas du midi ou du soir et soirées animés ne sont que quelques-unes des possibilités qu'offre ce resto. En été, trois terrasses sur deux niveaux sont garnies d'arbres et de fleurs. Durant la saison froide, un coin foyer avec canapés vous accueille à l'étage.

Saint-Bruno-de-Montarville

La Rabastalière
$$$
fermé lun
125 ch. de la Rabastalière
☎450-461-0173

La Rabastalière, aménagée dans une chaleureuse maison centenaire, propose une savoureuse cuisine française classique et un menu gastronomique, composé de six services et différent chaque semaine. Une verrière est également mise à la disposition de ceux qui désirent manger en toute quiétude par une journée ensoleillée. Le service est sympathique et le menu excellent.

Longueuil

Lou Nissart
$$$
fermé dim-lun
260 rue St-Jean
☎450-442-2499
www.lounissart.ca

Au cœur du Vieux-Longueuil se trouve un charmant petit restaurant. En effet, le Lou Nissart est un endroit où il fait bon se retrouver entre amis afin de savourer une cuisine provençale. Très agréable terrasse.

Cantons-de-l'Est

Granby

Ben la Bédaine
$
599 rue Principale
☎450-378-2921
Le nom très évocateur de Ben la Bédaine vous fera peut-être sourire, mais sachez qu'il s'agit en fait d'un véritable temple de la frite!

La Maison Chez Nous
$$$-$$$$
mer-dim
847 rue Mountain
☎450-372-2991
Le patron de La Maison Chez Nous a renoncé à sa cave à vins afin de permettre certaines économies à sa clientèle, qui peut désormais apporter son vin. Autre choix significatif de la maison, la cuisine régionale est mise à l'honneur dans ce qu'elle a de meilleur et de plus recherché.

Bromont

Les Délices de la Table
$$$
jeu-lun midi
641 rue Shefford
☎450-534-1646
Les Délices de la Table, un petit restaurant aux allures champêtres avec ses murs jaune soleil, ses rideaux de dentelle et ses nappes aux motifs de fleurs et de fruits, est le genre d'établissement où l'on se sent bien dès qu'on franchit la porte. Vous pourrez déguster de délicieux plats à base de produits régionaux, préparés avec soin et raffinement par le chef, qui est aussi le propriétaire des lieux. Il est préférable de réserver car l'établissement, en plus d'être petit, est très fréquenté. Très bonne table, mais l'addition est plutôt salée.

Dunham

Bistro Le p'tit Bacchus
$$-$$$
3809 rue Principale
☎450-295-2875
Joli bâtiment de briques rouges datant du XIXe siècle (une ancienne halte pour diligences). Le p'tit Bacchus est un attrayant restaurant qui fait la fierté de ses propriétaires. À l'intérieur, on a préservé les murs de briques qui servent de supports aux œuvres d'artistes des environs. Le menu comporte surtout des spécialités du sud de la France, comme la bouillabaisse et le cassoulet. En saison, profitez d'une terrasse dans la cour arrière, partagée avec la microbrasserie voisine, le **PUBlic House** (voir p 159).

Lac-Brome

Auberge du Joli Vent
$$$
ven-dim
667 ch. Bondville
☎450-243-4272 ou 866-525-4272
www.aubergedujolivent.com
Le restaurant de l'**Auberge du Joli Vent** (voir p 155) est une table originale créée par le chef suisse-allemand Hans Christiner, dont l'expérience a été puisée en peu partout en Europe et au Moyen-Orient. Le menu se compose de gibiers du Québec, de légumes de saison apprêtés à l'européenne, mais avec des accents d'Extrême-Orient, ce qui le rend tout à fait unique. La salle à manger est chaleureuse et sympathique.

Knowlton

Aux Trois Canards
$$$
mai à oct tlj, nov à avr mer-dim
78 rue Lakeside
☎450-242-5801
C'est avec plaisir que vous constaterez que la cuisine du restaurant Aux Trois Canards est aussi alléchante que la mignonne habitation à bardeaux jaunes et bleus qui l'abrite. Évidemment, la spécialité de la maison est le canard (le canard à l'orange est particulièrement sublime), mais le menu propose aussi d'autres plats d'inspiration française. En plus d'une table d'hôte le soir, on y offre un menu de style bistro pour le déjeuner et le dîner, alors que sont servis des plats traditionnels comme la tourte au canard. Le service est excellent.

Sutton

Le Cafetier
$-$$
9 rue Principale N.
☎450-538-7333
Le Cafetier est un petit café agréable où il fait bon passer le temps et prendre un thé bio ou un café équitable. Les déjeuners (soupes, salades et sandwichs) sont bons et offerts à prix raisonnables. Le service est gentil, et l'établissement dispose d'une borne Internet sans fil.

Il Duetto
$$$-$$$$
tlj dès 16h30
227 ch. Élie
☎450-538-8239
Situé dans une contrée rurale calme et bien caché parmi les collines aux alentours de Sutton, le restaurant Il Duetto propose une fine cuisine italienne. Les pâtes maison y sont fraîches, et les plats principaux s'inspirent de la gastronomie des différentes régions italiennes. Le menu dégustation à cinq services donne une bonne idée de la variété de la cuisine. Terrasse.

Magog

Le Saint-Tropez
$$$$
mer-dim dès 17h
211 rue Merry S.
☎819-843-2017
Avoisinant la marina du lac Memphrémagog, Le Saint-Tropez propose les meilleures

tables avec vue sur le lac. En effet, ce dernier est si populaire, surtout au coucher du soleil, que le propriétaire a disposé les tables des trois élégantes salles à manger de façon à ce que les convives aient un panorama sur les eaux. La cuisine de la maison, de type international, est aussi populaire, et la table d'hôte saisonnière à quatre services offre un bon rapport qualité/prix. Terrasse au bord du lac en saison.

North Hatley

Café Massawippi
$$$$
mi-mai à début sept tlj, début sept à mi-mai mer-sam
3050 ch. Capelton
☎819-842-4528
Cette petite maison située au-delà du centre de North Hatley abrite une véritable trouvaille. On y propose une table d'hôte quotidienne (trois services) des plus inspirées, qui marie par exemple des crevettes géantes aux fruits de la passion, des médaillons de caribou au cacao et du lapin à de la marmelade de figues, le tout se présentant de manière réussie. Mais le menu change souvent. Ambiance musicale et touche originale. La carte des vins et le service sont tous deux excellents. Le chef, Dominic Tremblay, a même conçu son propre livre de recettes.

Manoir Hovey
$$$$
575 ch. Hovey
☎819-842-2421 ou 800-661-2421
Garnie de meubles anciens et d'un foyer, et offrant une superbe vue sur le lac Massawippi, la salle à manger du **Manoir Hovey** (voir p 156) offre une ambiance feutrée où vous passerez une excellente soirée. Sa cuisine québécoise créative met à l'honneur les produits de la région et a mérité bien des éloges. Une table d'hôte variée et un menu découverte sont proposés.

Sherbrooke

La rose des sables
$$
270 rue Dufferin
☎819-346-5571
Au restaurant La rose des sables, vous pourrez savourer une bonne cuisine marocaine.

Resto Le Cartier – Pub St-Malo
$$-$$$
255 boul. Jacques-Cartier S.
☎819-821-3311
Le restaurant Le Cartier a acquis une grande popularité en bien peu de temps. Donnant sur le parc Jacques-Cartier, à quelques minutes de voiture de l'Université de Sherbrooke, ce petit restaurant respire aisément grâce à ses larges baies vitrées. Ses menus santé abordables en font un endroit familial chic, cependant suffisamment intime pour les dîners entre amis. Bonne sélection de bières provenant des microbrasseries québécoises. À côté se trouve le Pub St-Malo, version un peu moins coûteuse du Cartier.

Sorties

■ Activités culturelles

Upton

Unique en Amérique du Nord, le concept théâtral de **La Dame de cœur** *(fin juin à fin août, fermé lun-mar; 611 rang de la Carrière, ☎450-549-5828; www.damedecoeur.com)* ne manquera pas d'émerveiller jeunes et moins jeunes. Sur un magnifique site historique, le Théâtre de la Dame de Cœur présente un spectacle multidisciplinaire avec des marionnettes géantes et des effets visuels saisissants. La salle de spectacle extérieure, avec son immense toiture, renferme des sièges pivotants munis de bretelles chauffantes pour éviter l'inconfort des soirées fraîches. Vous vivrez sans contredit un retour unique dans l'imaginaire de vos rêves d'enfant.

Magog

Le Vieux Clocher
64 rue Merry N.
☎819-847-0470
www.vieuxclocher.com
Aménagé dans une vieille église protestante de 1887, Le Vieux Clocher sert au rodage de maints spectacles qui ont, par la suite, un très grand succès au Québec et en France. Vous pouvez assister aux spectacles en réservant vos places à l'avance. L'endroit est petit mais sympathique.

■ Bars et boîtes de nuit

Saint-Hyacinthe

Le Bilboquet
1850 rue des Cascades O.
☎450-771-6900
Le Bilboquet fait partie des endroits que l'on aime dès que l'on franchit le pas de la porte. Le Bilboquet, c'est non seulement un fabricant de bière artisanale, la Métayer blonde, brune ou rousse (huit au total, toutes délicieuses), et un lieu de rencontre décontracté et intimiste où l'on sert des repas légers à l'intérieur ou à la terrasse, mais aussi l'endroit à Saint-Hyacinthe où l'on encourage la relève artistique en invitant de jeunes musiciens, en décorant avec les œuvres des gens du coin, en offrant des pièces de théâtre et des soirées de poésie, et en réunissant un cercle littéraire. Bref, c'est un endroit hyper-sympathique sans prétention avec de beaux projets «plein la tête».

Le Bouffon Resto-Pub
485 rue Ste-Anne
☎450-778-9915
Le Bouffon Resto-Pub est un autre bon endroit à fréquenter pour des soirées animées (voir p 156).

Dunham

PUBlic House
3809 rue Principale
☎450-295-1500
www.betf.ca
La microbrasserie PUBlic House a emménagé dans l'ancien relais de diligence de Dunham, ce qui lui donne un charme très caractéristique et en fait un lieu tout indiqué pour une soirée agréable entre amis. Les murs arborent des expositions d'œuvres d'artistes locaux. La terrasse est partagée avec le **Bistro Le p'tit Bacchus** (voir p 157).

Knowlton

Knowlton Pub
267 ch. Knowlton
☎819-242-6862
Le Knowlton Pub a acquis une réputation telle que même les Montréalais en quête de dépaysement s'y rendent pour passer une soirée entre amis.

Magog

Microbrasserie La Memphré
12 rue Merry S.
☎819-843-3405
Cette confortable microbrasserie à l'éclairage discret, avec sofas installés en face d'un bon feu en hiver, propose des verres d'India Pale Ale et de Scotch Ale. Elle sert aussi de bistro et dispose d'une belle terrasse estivale.

■ Fêtes et festivals

Mai

Le lundi précédant le 25 mai de chaque année, on célèbre la **Journée nationale des Patriotes** *(fin mai; St-Denis-sur-Richelieu, ☎450-787-3623)* dans le but d'honorer leur mémoire. À cette occasion, des commémorations et des activités à caractère historique sont organisées dans diverses régions du Québec et plus particulièrement à Saint-Denis-sur-Richelieu, où se trouve la **Maison nationale des Patriotes** (voir p 143).

Juillet

Quelques journées de festivités sont organisées dans le cadre de la **Traversée internationale du lac Memphrémagog** *(fin juil; Magog, ☎819-847-3007 ou 800-267-2744, www.traversee-memphremagog.com)*. Animation ambulante, spectacles d'artistes québécois, expositions de toutes sortes et chansonniers sont alors de la partie. Le couronnement des célébrations a lieu avec l'arrivée des nageurs en provenance de Newport (É.-U.). Le périple de 42 km (un vrai marathon!) est entrepris par des athlètes considérés parmi les meilleurs au monde en termes de natation d'endurance.

Pendant les mois de juillet et d'août, le **Festival Orford** *(3165 ch. du Parc, Canton d'Orford, ☎819-843-3981 ou 800-567-6155, www.arts-orford.org)* propose, depuis plus de 50 ans, une série de concerts présentant des ensembles musicaux formés de virtuoses connus internationalement. Plusieurs excellents concerts sont également donnés gratuitement par de jeunes musiciens venus perfectionner leur art au **Centre d'arts Orford** *(entrée libre; 3165 ch. du Parc, Canton d'Orford, ☎819-843-9871 ou 800-567-6155, www.arts-orford.org)* durant l'été. Du plus haut calibre, le festival se veut un délice absolu pour les mélomanes et autres amoureux de la musique.

Le **Festival d'astronomie populaire du Mont Mégantic** (voir p 152) se tient chaque année vers la deuxième semaine de juillet.

Août

L'**International de montgolfières** *(deuxième ou troisième semaine d'août; St-Jean-sur-Richelieu, ☎450-347-9555, www.montgolfieres.com)* se tient à Saint-Jean-sur-Richelieu. Le ciel se couvre alors d'une centaine de montgolfières multicolores. Les envolées ont lieu tous les jours à 6h et à 18h, si la température le permet. De l'animation, des expositions et des spectacles font partie des festivités pendant ces journées.

La **Fête Bières et Saveurs** *(fin août et début sept; Chambly, ☎ 450-447-2096, www.bieresetsaveurs.com)*. Pendant quatre jours, c'est l'occasion de déguster, sur le site enchanteur du fort Chambly, une variété de bières des quatre coins du monde et des produits du terroir.

Septembre

Le **Festival international de la chanson de Granby** *(mi-sept; Granby, ☎450-375-7555, www.ficg.qc.ca)* a déjà couronné le talent de jeunes artistes québécois dans le domaine de la chanson francophone.

Achats

■ Alimentation

Saint-Antoine-Abbé

Léger et frais, l'hydromel est la boisson tout indiquée pour les belles journées d'été, et **Hydromellerie les Vins Mustier Gerzer** *(toute l'année; 3299 route 209, ☎450-826-4609)*, dans la magnifique région de Saint-Antoine-Abbé en Montérégie, sont passés maîtres dans sa fabrication. D'ailleurs, à cet endroit, l'abeille est à l'honneur avec une grande variété de produits à base de miel. Dégustation.

Rougemont

Cidrerie Michel Jodoin
tlj
1130 rang de la Petite-Caroline
☎450-469-2676
www.cidrerie-michel-jodoin.qc.ca

Michel Jodoin, aidé de toute sa famille, produit sans contredit l'un des meilleurs cidres du Québec. Des études l'ayant mené jusqu'en Champagne, Bretagne et Normandie, et le goût unique des variétés de pommes québécoises, lui ont permis de créer un cidre absolument succulent. Sur place, on vous offre une visite guidée des installations où l'on vous expliquera que le cidre doit vieillir au moins deux ans en fût de chêne pour acquérir le maximum de qualités. Dégustation sur place.

Vinaigrerie artisanale Pierre Gingras
sam-dim 10h à 17h, lun-ven 9h à 17h
1132 rang de la Grande-Caroline
☎450-469-4954 ou 888-469-4954
www.cidervinegar.com

Il semble que le vinaigre de cidre ait un effet thérapeutique miraculeux. Un peu chaque jour dans votre eau, et adieu les problèmes d'articulation. Chose certaine, celui de la Vinaigrerie artisanale Pierre Gingras, aromatisé de diverses façons, reste un indispensable dans la cuisine, ne serait-ce que pour réussir de sublimes vinaigrettes maison. Dégustation, vente de produits de la pomme et visites guidées.

Dunham

La Rumeur affamée
mer-dim
3809 rue Principale
☎450-295-2399

Allez faire un tour à La Rumeur affamée pour déguster un ou plusieurs fromages, ses pâtés et autres délices maison. Il s'agit d'une épicerie-charcuterie-boulangerie-pâtisserie-chocolaterie... Aussi à Sutton et à Lac-Brome.

Mystic

L'Œuf
229 ch. Mystic
☎450-248-7529

La boutique de l'Œuf propose des mets préparés sur place ainsi que des confitures, des glaces, des chocolats, sans oublier la spécialité maison, le Noiselat, une tartinade aux noisettes extraordinaire!

Knowlton

Boutique Gourmet Canards du Lac Brome
lun-jeu 8h à 17h, ven 8h à 18h, sam-dim 9h30 à 17h
40 ch. Centre
☎450-242-3825
www.canardsdulacbrome.com

Le fameux «canard du Lac Brome» est en fait un canard d'élevage, malgré sa réputation déjà acquise. Au lieu de passer leurs journées à se prélasser sur le lac, les canards sont élevés par milliers (1,7 million par année) dans des poulaillers aux abords du centre du village. Pour vous procurer de la saucisse, du foie gras, du confit ou un oiseau frais, rendez-vous aux Canards du Lac Brome.

■ Antiquités

Hudson

Le **Marché aux puces Finnegan** *(boutique dim 11h à 17h, marché public sam seulement mai à nov 9h à 16h; 775 rue Principale, ☎450-458-4377)*, ce célèbre marché en plein air où l'on propose non seulement des antiquités, mais aussi une foule d'autres trouvailles, est un incontournable dans la Montérégie. Quel plaisir de déambuler à travers tous ces trésors qui sont pour la plupart vendus à un prix abordable!

■ Artisanat

Knowlton

Zen Den
30 rue Lakeside
☎450-243-1222

La boutique Zen Den propose des vêtements et autres produits artisanaux internationaux. Les articles sont issus du commerce équitable, qui permet d'offrir un juste salaire à l'artisan du pays d'origine. De très beaux articles.

Magog

Les Trésors de la Grange
début mai à mi-oct tlj 10h à 17h30
790 ch. des Pères
☎819-847-4222

Cette grange plus que centenaire située aux abords de Magog, sur le chemin de l'abbaye, est un endroit agréable (et plein de courants d'air) où sont exposés de l'artisanat régional (objets de bois, vitraux, bijoux et jolies curiosités) ainsi que des tableaux et des antiquités. Prix raisonnables.

■ Équipement de plein air

Sherbrooke

Boutique Atmosphère
2325 rue King O.
☎819-566-8882

La boutique Atmosphère se spécialise dans les articles de plein air. Il s'agit d'un bon endroit où aller pour compléter son équipement avant d'entreprendre une randonnée dans la région!

Lanaudière, Laurentides et Outaouais

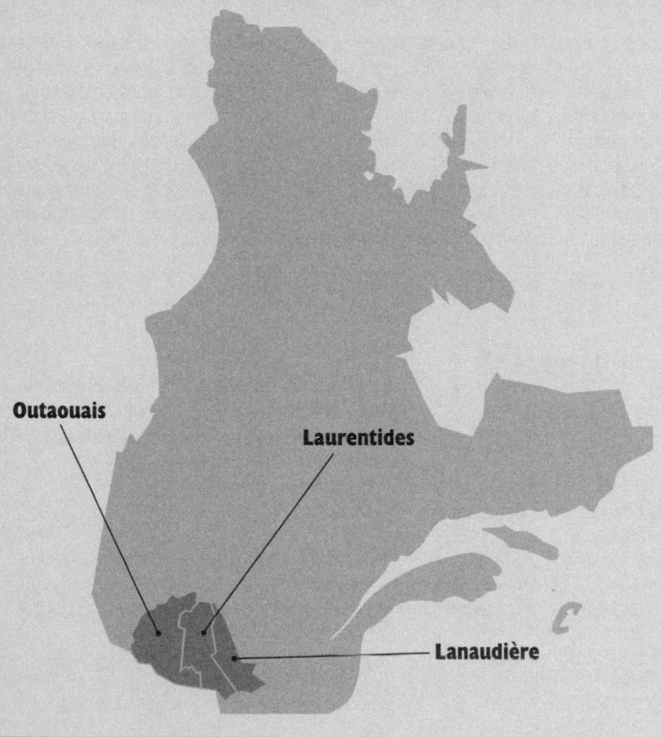

Région de lacs et de rivières, de terres cultivées, de forêts sauvages et de grands espaces, Lanaudière s'étend de la plaine du Saint-Laurent jusqu'au début du plateau laurentien. Une des premières zones de colonisation de la Nouvelle-France, la région possède un patrimoine architectural exceptionnel et maintient vivantes plusieurs traditions populaires héritées des temps anciens.

La région des Laurentides, sans doute la plus réputée contrée de villégiature du Québec, attire de nombreux visiteurs en toute saison. Depuis longtemps, on «monte dans le Nord» pour s'y détendre et apprécier la beauté de ses paysages. Ses lacs, montagnes et forêts sont particulièrement propices à la pratique d'activités sportives diverses et aux balades. Comme les Laurentides possèdent la plus grande concentration de stations de ski en Amérique du Nord, lorsque l'hiver se pointe, ce sport y devient roi. Les quelques villages de la région, qui s'étendent au pied des montagnes, sont très souvent coquets et agréables.

Coureurs des bois et explorateurs sillonnèrent très tôt la belle et diversifiée région de l'Outaouais, mais elle ne fut colonisée qu'au début du XIXe siècle, par des loyalistes arrivant des États-Unis. L'exploitation des forêts, et tout particulièrement des essences de pin blanc et de pin rouge, idéales pour les constructions navales, fut longtemps la principale vocation économique de la région. Une fois ces arbres coupés en billes, on les laissait descendre la rivière des Outaouais, puis le fleuve Saint-Laurent jusqu'à Québec, où ils étaient chargés sur des navires en partance pour la Grande-Bretagne. Le secteur forestier conserve toujours une importance appréciable, mais des industries tertiaires et une importante administration publique générée par la proximité de la capitale canadienne s'y sont ajoutées.

Accès et déplacements

■ En avion

Laurentides

L'**aéroport international de Mont Tremblant** *(150 Roger-Hébert, Rivière-Rouge, ☎819-275-9099 ou 877-425-7919, www.mtia.ca)* est situé à 30 min au nord de la station touristique Mont-Tremblant. Il accueille aussi bien les gros porteurs que les petits avions privés et les jets corporatifs, et offre tous les services et installations d'un aéroport international.

■ En voiture

Lanaudière

L'autoroute 25, dans le prolongement du boulevard Pie-IX à Montréal, permet de se diriger vers Terrebonne, premier arrêt sur le circuit.

Laurentides

De Montréal, suivez l'autoroute 13 Nord. Prenez ensuite la sortie de la route 344 Ouest, qui se rend à Oka.

Outaouais

De Montréal, deux possibilités s'offrent au visiteur pour rejoindre le point de départ du circuit, l'une (1) par la vallée des Outaouais directement et l'autre (2), plus rapide, par l'Ontario.

1. Empruntez l'autoroute 13 Nord puis la route 344 Ouest, pour enfin suivre la route 148 Ouest vers Ottawa.

2. Empruntez l'autoroute 40 Ouest, qui devient la route 17 Ouest en Ontario. À Hawkesbury, franchissez la rivière des Outaouais pour revenir au Québec. Prenez à gauche la route 148 Ouest en direction de Montebello et d'Ottawa.

■ En autocar (gares routières)

Lanaudière

Terrebonne
Galeries de Terrebonne
☎450-492-6111

Joliette
Restaurant Point d'Arrêt
250 rue Richard
☎450-759-5133

Rawdon
3228 1re Avenue, devant le restaurant Patate à gogo
☎450-834-2000

Saint-Donat
536 rue Principale (devant le bureau d'information touristique)
☎819-424-2833

Laurentides

La compagnie d'autocars **Galland** *(☎514-842-2281, www.galland-bus.com)* propose plusieurs liaisons par jour entre Montréal *(Station Centrale)* et les Laurentides.

Saint-Jérôme (gare intermodale)
455 boul. Jean-Baptiste-Rolland E.
☎514-287-8726

Sainte-Adèle
1208 rue Valiquette (Pharmacie Brunet)
☎450-229-6609

Outaouais

Montebello
535 rue Notre-Dame
☎819-423-6311

Gatineau
238 boul. St-Joseph
☎819-771-2442

■ En train (gare ferroviaire)

Lanaudière

Joliette
380 rue Champlain
☎888-742-7245

Outaouais

L'excursion en train à vapeur Hull-Chelsea-Wakefield (voir p 174) est un moyen de transport tout à fait charmant pour visiter la vallée de la Gatineau jusqu'à Wakefield. La balade d'une durée de 5h (64 km), avec arrêt de 2h à Wakefield, permet de contempler les scènes pastorales de la région.

■ En transports en commun

Laurentides

Une navette relie Saint-Jovite, le village de Mont-Tremblant et la montagne (mont Tremblant). Le service d'autobus est offert entre avril et décembre; le billet se vend 2$. Pour de plus amples renseignements sur les horaires: ☎866-253-0097.

Renseignements utiles

■ Renseignements touristiques

Lanaudière

Tourisme Lanaudière
3568 rue Church
Rawdon, QC J0K 1S0
☎450-834-2535 ou 800-363-2788
www.lanaudiere.ca

Berthierville
461 rue de Bienville
☎450-836-7336

Joliette
500 rue Dollard
☎450-759-5013 ou 800-363-1775

Terrebonne
5000 côte Terrebonne
☎450-964-0681 ou 866-964-0681

Rawdon
3112 1re Avenue (route 337)
☎450-834-1071

Saint-Donat
536 rue Principale
☎450-424-2833 ou 888-783-6628

Laurentides

Tourisme Laurentides
14142 rue de la Chapelle
Mirabel, QC J7J 2C8
☎450-436-8532 ou 800-561-6673
www.laurentides.com

Saint-Sauveur-des-Monts
605 ch. des Frênes
☎450-227-3417 ou 800-898-2127

Sainte-Adèle
1490 rue St-Joseph
☎450-229-3729

Mont-Tremblant
5080 montée Ryan
☎877-425-2434

Outaouais

Tourisme Outaouais
103 rue Laurier
Gatineau, QC J8X 3V8
☎819-778-2222 ou 800-265-7822
www.tourismeoutaouais.com

Montebello
502A rue Notre-Dame
☎423-5602
www.petite-nation.qc.ca/tourisme

Gatineau
103 rue Laurier
☎819-778-2222 ou 800-265-7822
www.ville.gatineau.qc.ca

Centre des visiteurs du parc de la Gatineau
33 ch. Scott
Chelsea
☎819-827-2020
www.capitaleducanada.gc.ca/gatineau
www.collines-outaouais.org

Maniwaki
156 rue Principale S.
☎819-449-6627
www.vallee-de-la-gatineau.com

Attraits touristiques

Lanaudière ★

p 176 p 180 p 184 p 185

Terrebonne ★★ (96 100 hab.)

Terrebonne, cette municipalité située en bordure de la bouillonnante rivière des Mille Îles, tire son nom de la fertilité des terres qui l'entourent. De nos jours, elle est incluse dans la couronne de banlieues qui ceinture Montréal, mais le quartier ancien, réparti entre haute et basse villes, a conservé de beaux bâtiments résidentiels et commerciaux. Terrebonne est certainement l'un des meilleurs endroits au Québec pour comprendre ce qu'était une seigneurie prospère au XIXe siècle.

Sur le **Site historique de l'Île-des-Moulins** ★★ *(entrée libre; visites guidées 6$, trois départs par jour; fin juin à fin août mer-dim 10h30 à 20h30; au bas de la rue des Braves, ☎450-471-0619, www.ile-des-moulins.qc.ca)* est concentré l'ensemble exceptionnel de moulins et autres installations pré-industrielles de la seigneurie de Terrebonne. Animées par des guides en costume d'époque qui relatent l'histoire du patrimoine industriel de l'île, les visites guidées du site sont intéressantes. Les expositions sont très instructives, surtout celle qui traite des moulins à eau, avec leur évolution technologique, leur fonctionnement et leur histoire.

Joliette ★ (19 150 hab.)

Le **Musée d'art de Joliette** ★★ *(8$; en été mar-dim 11h à 17h, le reste de l'année mer-dim 12h à 17h; 145 rue du Père-Wilfrid-Corbeil, ☎450-756-0311, www.musee.joliette.org).* Le père Wilfrid Corbeil a fondé ce musée exceptionnel à partir de la collection des clercs de Saint-Viateur, amassée au cours des années 1940 pour illustrer l'évolution des arts au Québec et dans le monde. Le plus important musée régional du Québec loge dans le bâtiment quelque peu rébarbatif de la rue Wilfrid-Corbeil depuis 1976. On peut y voir des œuvres majeures de peintres québécois et canadiens tels que Marc-Aurèle de Foy Suzor-Coté, Jean Paul Riopelle et Emily Carr, mais aussi des œuvres d'artistes européens et américains comme Henry Moore et Karel Appel. Une section est consacrée à l'art religieux québécois et une autre, plus surprenante encore, à l'art religieux du Moyen Âge et de la Renaissance, époques représentées par de belles pièces allemandes, françaises et italiennes.

L'**Amphithéâtre de Lanaudière** *(1575 boul. Base-de-Roc, ☎450-759-2999).* On doit la création du Festival de Lanaudière au père Fernand Lindsay. Le festival présente chaque année, en juillet et en août, les vedettes de l'art lyrique et du concert. En 1989, un amphithéâtre en plein air de 2 000 places a été érigé afin d'augmenter la capacité d'accueil de l'événement, jusque-là confiné aux églises des environs. Le sculpteur Georges Dyens a complété l'aménagement du site par des allées et des sculptures raffinées.

Berthierville ★

L'**église Sainte-Geneviève** ★★ *(780 av. Montcalm)* constitue l'un des trésors de Lanaudière. Sa construction en 1781 en fait l'une des plus anciennes de la région. Mais c'est le décor intérieur de style Louis XVI qui en fait vraiment un édifice exceptionnel. D'une richesse peu commune pour l'époque, il comprend un beau maître-autel exécuté en 1759, un retable en coquille et une voûte ornée de fins losanges, ainsi que plusieurs tableaux parmi lesquels figurent une *Sainte Geneviève*, toile française du XVIIIe siècle disposée au-dessus du maître-autel, et six toiles de Louis Dulongré peintes en 1797.

Gilles Villeneuve, champion de course automobile mort tragiquement en 1982 lors des essais de qualification du Grand Prix de Belgique, était originaire de Berthierville. Le **Musée Gilles-Villeneuve** *(9,75$; tlj 9h à 17h; 960 av. Gilles-Villeneuve, ☎450-836-2714 ou 800-639-0103, www.museegillesvilleneuve.com)* est consacré à la carrière de l'illustre pilote de Formule 1 chez Ferrari. De 1996 à 2006, son fils Jacques a pris la relève. En 1997, il a remporté le titre de champion du monde de Formule 1. Le musée consacre donc un volet à la carrière de Jacques Villeneuve.

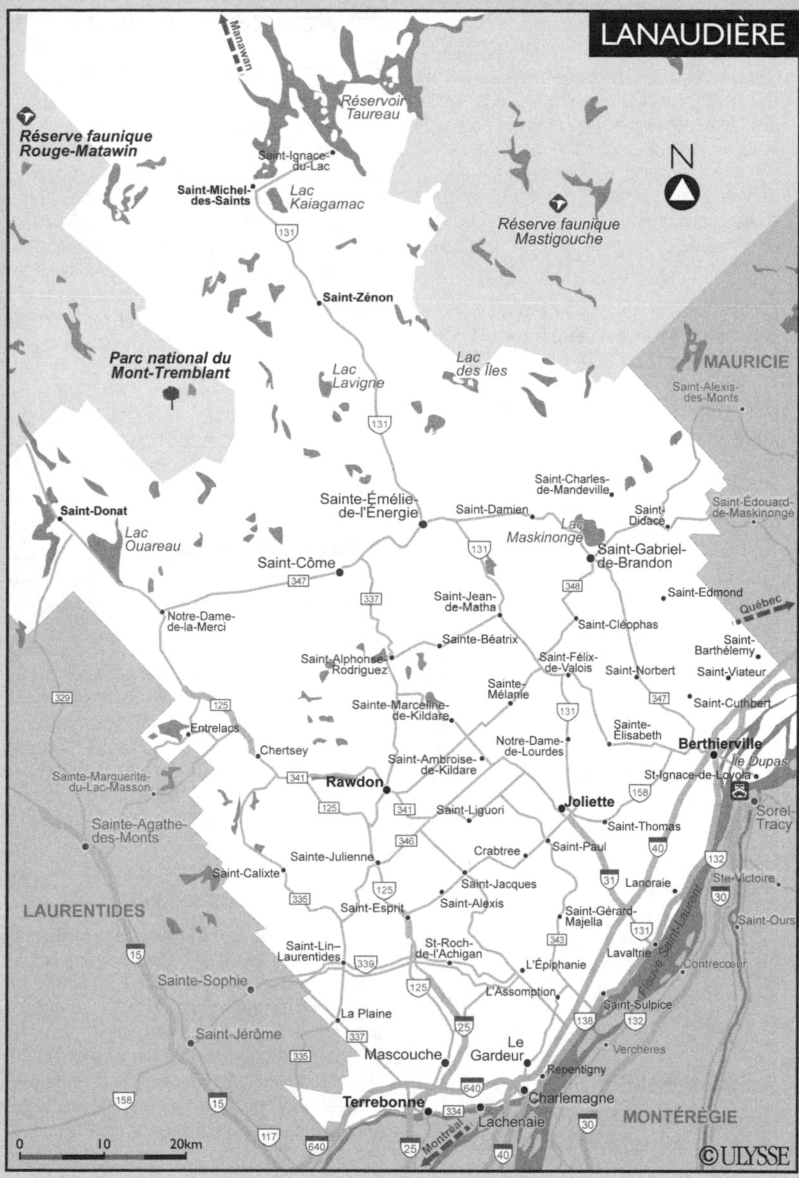
LANAUDIÈRE
Réserve faunique Rouge-Matawin
Réservoir Taureau
Manawan
Saint-Ignace-du-Lac
Saint-Michel-des-Saints
Lac Kaiagamac
Réserve faunique Mastigouche
Saint-Zénon
Parc national du Mont-Tremblant
Lac Lavigne
Lac des Îles
MAURICIE
Saint-Alexis-des-Monts
Saint-Charles-de-Mandeville
Sainte-Émélie-de-l'Énergie
Saint-Damien
Saint-Didace
Saint-Édouard-de-Maskinongé
Saint-Donat
Lac Ouareau
Lac Maskinongé
Saint-Gabriel-de-Brandon
Saint-Côme
Saint-Jean-de-Matha
Saint-Edmond
Québec
Notre-Dame-de-la-Merci
Saint-Cléophas
Sainte-Béatrix
Saint-Barthélemy
Saint-Alphonse-Rodriguez
Saint-Félix-de-Valois
Saint-Norbert
Saint-Viateur
Sainte-Mélanie
Sainte-Marceline-de-Kildare
Saint-Cuthbert
Entrelacs
Notre-Dame-de-Lourdes
Sainte-Élisabeth
Berthierville
Chertsey
Saint-Ambroise-de-Kildare
Île Dupas
Sainte-Marguerite-du-Lac-Masson
Rawdon
St-Ignace-de-Loyola
Joliette
Sorel-Tracy
Saint-Liguori
Saint-Thomas
Sainte-Agathe-des-Monts
Crabtree
Saint-Paul
Sainte-Julienne
Saint-Calixte
Saint-Jacques
Lanoraie
Ste-Victoire
LAURENTIDES
Saint-Esprit
Saint-Alexis
Saint-Gérard-Majella
Saint-Ours
Saint-Lin–Laurentides
St-Roch-de-l'Achigan
Lavaltrie
Fleuve Saint-Laurent
Contrecœur
L'Épiphanie
Sainte-Sophie
L'Assomption
Saint-Sulpice
La Plaine
Saint-Jérôme
Le Gardeur
Verchères
Mascouche
Repentigny
Charlemagne
Terrebonne
Lachenaie
MONTÉRÉGIE
Montréal
0 10 20km
©ULYSSE

Rawdon ★ (9 850 hab.)

Dans les environs de Rawdon, deux beaux sites naturels, aménagés de façon à recevoir les visiteurs, sont à signaler. Il y a tout d'abord le **parc des Chutes-Dorwin** ★ *(entrée libre; tlj 9h à 19h; ☎450-834-2282)*, accessible par la route 337 peu avant le village. Grâce à deux belvédères, il est possible d'admirer ces impressionnantes chutes de la rivière Ouareau, hautes de 30 m. Une aire de pique-nique boisée se trouve à proximité.

L'autre site naturel digne d'intérêt dans les parages est le **parc des Cascades** ★ *(6$ par voiture; mi-mai à mi-oct tlj; ☎450-834-2596)*, que l'on atteint en empruntant la route 341 dans le prolongement du boulevard Pontbriand. Encore là, une aire de pique-nique borde la rivière Ouareau, dont les eaux forment de jolies cascades en caressant les nombreux rochers que l'on trouve à cette hauteur, où les amateurs de bain de soleil s'étendent au cours de la belle saison.

Saint-Donat ★

Bordée par des montagnes pouvant atteindre 900 m d'altitude, et située à quelques minutes du mont Tremblant et au bord du lac Archambault, Saint-Donat, une petite municipalité de Lanaudière, s'étend à l'est jusqu'au lac Ouareau. Saint-Donat est aussi une des portes d'entrée du **parc national du Mont-Tremblant**, généralement associé à la région des Laurentides (voir p 170).

Saint-Zénon

Dans le **parc des Sept-Chutes** *(5$; mai à nov tlj 9h à 17h; route 131, ☎450-884-0484 ou 450-833-1334)* de Saint-Zénon, des sentiers de randonnée pédestre, ponctués de points de vue spectaculaires, sillonnent les abords de jolies cascades.

Saint-Michel-des-Saints

La **réserve faunique Rouge-Matawin** *(3,50$; 26 km à l'ouest de St-Michel-des-Saints, ☎819-833-5530 ou 800-665-6527, www.sepaq.com)* s'étale sur 1 394 km² de verdure et dissimule quelque 450 lacs et cours d'eau tout en abritant une faune luxuriante. On peut s'y adonner à maintes activités telles que la randonnée, la chasse, la pêche, le canot-camping et la cueillette de fruits sauvages, ainsi que la motoneige en hiver.

Activités de plein air

Parcours d'aventure en forêt

Non loin des chutes Dorwin, le centre récréotouristique **Arbraska** *(31$; juin à août tlj, sept à mai sam-dim; 4131 rue Forest Hill, Rawdon, ☎450-834-5500 ou 877-886-5500, www.arbraska.com)*, qui s'étend sur plus de 65 km², propose huit parcours d'aventure de difficultés croissantes dans les hauts fûts de la forêt. Un des premiers centres du genre au Québec, le parc Arbraska de Rawdon est aussi l'un des plus amusants. Bref, une activité de plein air qui sort de l'ordinaire et qui se pratique seul, en famille ou entre amis. Les férus de sensations fortes ne voudront certainement pas manquer de s'envoyer en l'air dans le parcours *Les Makaks*, ou pire, dans celui de *La Barouka*, deux circuits particulièrement hauts et difficiles. Ceux qui ont le vertige devraient s'abstenir!

Randonnée pédestre

Quelque 12 km de sentiers sillonnent le **parc des Sept-Chutes** de Saint-Zénon (voir plus haut).

Le **sentier de la Matawinie** *(Ste-Émélie-de-l'Énergie, à environ 5 km du village, accès par la route 131 N., ☎450-884-0484, www.matawinie.org)*, d'une longueur de 21 km, permet d'observer la vallée de la rivière Noire et offre plusieurs autres points de vue sur la région. Il serpente en s'élevant jusqu'à 565 m d'altitude et mène, le long d'un parcours accidenté, à la hauteur du parc des Sept-Chutes de Saint-Zénon.

Raquette et ski de fond

Le **Centre de villégiature et Auberge La Montagne Coupée** *(14$; 1000 ch. de la Montagne-Coupée, St-Jean-de-Matha, ☎450-886-3891 ou 800-363-8614, www.montagnecoupee.com)* propose des activités de plein air tout au long de l'année. En hiver, il offre quelque 65 km de sentiers de ski de fond, dont 43 km pour pratiquer le pas de patin, ainsi qu'un sentier de 1 km aménagé pour la raquette qui mène au sommet de la montagne. Sur place, un centre fait la location d'équipement.

Dans la région de Saint-Donat, on trouve plusieurs endroits pour pratiquer le ski de fond. Ainsi, il y a des sentiers dans le **secteur La Donatienne du parc des Pionniers** *(ch. Hector-Bilodeau)*, la **Montagne Noire** et le **parc national du Mont-Tremblant** (secteur La Pimbina).

■ *Ski alpin*

La **Station touristique Val Saint-Côme** *(43$; 501 ch. Val St-Côme, St-Côme, ☎450-883-0701 ou 800-363-2766, www.valsaintcome.com)* est la plus importante station de ski alpin dans la région de Lanaudière. On y dénombre 21 pistes dont certaines éclairées pour le ski de soirée. Dénivelé: 300 m.

À la **station de ski Mont-Garceau** *(37$; 190 ch. du Lac Blanc, St-Donat, ☎819-424-2784, www.skigarceau.com)*, 17 pistes attendent les skieurs. L'une d'entre elles est réservée aux amateurs de surf des neiges. Dénivelé: 305 m.

La **station de ski La Réserve** *(37$; 56 ch. du Mont-La-Réserve, St-Donat, ☎819-424-1373 ou 877-424-1373, www.ski-la-reserve.com)*, aménagée sur une petite montagne, offre 18 pistes accessibles par deux télésièges quadruples.

Laurentides ★★

p 176 p 181 p 184 p 185

Oka ★

Le **parc national d'Oka** ★ *(3,50$; 2020 ch. d'Oka, ☎450-479-8365 ou 800-665-6527, www.sepaq.com)* propose des sentiers de randonnée pédestre en été, et de ski de fond en hiver, totalisant 50 km. Au sud de la route 344, vous découvrirez la majorité des pistes, qui sillonnent un terrain relativement plat. Au nord de la route 344, deux autres sentiers mènent au sommet de la colline d'Oka (168 m), d'où l'on embrasse du regard l'ensemble de la région. Le sentier du Sommet, long de 7,5 km, aboutit à un belvédère panoramique, alors que le sentier du Calvaire (5,5 km) longe les stations du plus ancien calvaire des Amériques. Celui-ci fut aménagé par les Sulpiciens en 1740 afin de stimuler la foi des Amérindiens nouvellement convertis au catholicisme. Humble et digne tout à la fois, le **calvaire d'Oka** se compose de quatre oratoires trapézoïdaux et de trois chapelles rectangulaires en pierre blanchie à la chaux. Ces petits bâtiments, aujourd'hui vidés de leur contenu mais restaurés, servaient à l'origine d'écrins à des bas-reliefs en bois illustrant des scènes de la Passion du Christ. Le parc dispose d'emplacements de camping, d'un centre d'interprétation, d'un centre de services appelé **Le Littoral**, situé au bord du lac des Deux Montagnes et comportant une salle à manger et des boutiques, ainsi que d'une plage.

Saint-Jérôme (65 000 hab.)

Ville administrative et industrielle, Saint-Jérôme est surnommée «La Porte du Nord» puisque, à sa hauteur, on quitte la vallée du Saint-Laurent pour pénétrer dans la région montagneuse qui s'étend au nord de Montréal et de Québec, les Laurentides. Celles-ci forment la plus vieille chaîne de montagnes de la planète. Leur douce rondeur, leur faible hauteur et leur sol sablonneux trahissent le grand âge des Laurentides, comprimées par les glaciations successives. Saint-Jérôme fut le point de départ de la colonisation de ces territoires dans la seconde moitié du XIXe siècle.

La **cathédrale de Saint-Jérôme** ★ *(tlj 7h30 à 16h30; 355 rue St-Georges, en face du parc Labelle, ☎450-432-9741)*, simple église paroissiale au moment de sa construction en 1899, est un vaste édifice de style romano-byzantin. Elle reflète le statut prestigieux de «siège» de la colonisation des Laurentides de Saint-Jérôme. Devant la cathédrale se dresse une statue en bronze du curé Labelle, œuvre d'Alfred Laliberté.

C'est par ailleurs à Saint-Jérôme que commence le **parc linéaire du P'tit Train du Nord** ★★ *(gratuit en été, 9$ en hiver)*, qui suit le tracé de l'ancien chemin de fer des Laurentides. Il s'étend sur 230 km entre Saint-Jérôme et Mont-Laurier. Depuis son ouverture au milieu des années 1990, ce parc hors de l'ordinaire est devenu une attraction de premier plan dans la région. Au cours de l'été, des milliers de cyclistes l'envahissent, alors qu'en hiver ce sont les skieurs de fond et les motoneigistes (au nord de Sainte-Agathe) qui en font autant.

C'est entre 1891 et 1909, sous l'impulsion du légendaire curé de Saint-Jérôme, Antoine Labelle, que fut construite cette ligne de chemin de fer qui devait jouer un rôle prépondérant dans la colonisation des Laurentides. Plus tard, et ce, jusque dans les années 1940, *le P'tit Train du Nord*, comme on le surnommait et comme le chantera Félix Leclerc, contribua au développement de l'industrie touristique des Laurentides en favorisant l'ouverture de nombreuses stations de villégiature et de sports d'hiver.

Saint-Sauveur ★ (9 100 hab.)

Trop rapproché de Montréal, le secteur de Saint-Sauveur a souffert, ces dernières années, d'un développement excessif qui a fait pousser comme des champignons les copropriétés, les restaurants, les commerces de grandes chaînes et les galeries d'art. Sa rue principale, très fréquentée, reste cependant le meilleur endroit pour prendre un bain de foule dans les Laurentides.

Cette station de sports d'hiver (voir p 171) est un des lieux de prédilection des artistes de variétés, qui y possèdent de luxueuses résidences secondaires à flanc de montagne.

Sainte-Adèle ★ (10 850 hab.)

Les Laurentides ont été surnommées «Les Pays-d'en-Haut» par les colons qui, au XIXe siècle, se dirigeaient vers ces terres septentrionales éloignées de la vallée du Saint-Laurent. L'écrivain et journaliste Claude-Henri Grignon, né à Sainte-Adèle en 1894, en a fait le théâtre de son œuvre. Son célèbre roman, *Un homme et son péché*, raconte la vie de misère dans les Laurentides à cette époque. C'est Grignon qui a demandé à l'architecte Lucien Parent de dessiner l'église de Sainte-Adèle, que l'on peut encore admirer de nos jours en bordure de la rue Principale.

Au Pays des Merveilles *(15$; mi-juin à fin août tlj 10h à 18h; 3595 ch. de la Savane, ☎450-229-3141, www.paysmerveilles.com)*, un petit parc d'attractions sans prétention, plaira surtout aux jeunes enfants. Dans un décor rappelant les aventures rocambolesques d'*Alice au pays des merveilles*, on a aménagé glissades, pataugeuse, minigolf, labyrinthe, etc.

Estérel ★

En Belgique, le nom «Empain» est synonyme de réussite financière. Le baron Louis Empain, héritier de la fortune familiale au début du XXe siècle, était un grand bâtisseur. Lors d'un voyage au Canada en 1935, il acquiert la Pointe Bleue, une langue de terre qui avance paresseusement dans le lac Masson. En deux ans, de 1936 à 1938, il fait construire une vingtaine de bâtiments sur le site. Empain baptise l'ensemble **Domaine de l'Estérel**. La Seconde Guerre mondiale viendra cependant contrecarrer ses plans. À la suite du conflit, le domaine est morcelé. Il est en partie racheté par l'homme d'affaires québécois Fridolin Simard en 1958, qui fait construire l'actuel hôtel **L'Estérel** (voir p 177) en bordure de la route 370, puis procède à des lotissements successifs. On retrouve, sur ces derniers terrains, de belles maisons modernes en pierres et en bois.

Sainte-Agathe-des-Monts ★
(9 200 hab.)

Cette ville de commerce et de services, au cœur des Laurentides, est née autour d'une scierie en 1849. Elle est devenue, grâce à l'ouverture du chemin de fer du Nord en 1892, le premier centre de villégiature des Laurentides. Située au point de rencontre de deux mouvements de colonisation, celui des Anglo-Saxons du comté d'Argenteuil et celui des Canadiens français de Saint-Jérôme, Sainte-Agathe-des-Monts a su attirer les vacanciers fortunés, séduits par son **lac des Sables** ★. Ceux-ci se sont fait construire quelques belles villas sur le pourtour du lac et dans les parages de l'église anglicane. La région était autrefois considérée comme une destination de choix par les grandes familles juives de Montréal et de New York. En 1909, la communauté juive fonde le sanatorium du Mont-Sinaï (le bâtiment actuel fut érigé en 1930) et, dans les années qui suivent, elle fait construire des synagogues à Sainte-Agathe-des-Monts et à Val-Morin.

Station touristique Mont-Tremblant ★★

Certains des plus importants centres touristiques des Laurentides ont été créés par de richissimes familles américaines passionnées de ski alpin. Elles ont choisi les Laurentides pour la beauté des paysages, le charme français du Québec, mais surtout pour le climat septentrional qui permet de prolonger la saison de ski au-delà de celle des États-Unis. La station touristique Mont-Tremblant fut fondée par le millionnaire de Philadelphie Joseph Ryan en 1938. Depuis 1991, la station appartient au groupe Intrawest, propriétaire de stations comme Whistler, en Colombie-Britannique. Intrawest a investi plus d'un milliard et demi au cours de la dernière décennie pour élever la station au niveau de ses concurrents de l'Ouest américain et canadien. Il a ouvert de nombreuses pistes supplémentaires et fait construire un véritable village au pied du mont ainsi que deux magnifiques terrains de golf.

Au plus fort de la saison, une centaine de pistes de ski alpin sont ouvertes sur les flancs du mont Tremblant (875 m). On trouve à cet endroit non seulement les plus longues et les plus difficiles dénivelées de la région, mais aussi un vaste complexe hôtelier de même qu'un «village» rappelant l'architecture traditionnelle du Québec. Le village de la station se compose de plusieurs éléments des plus colorés, dont les allures un peu factices à la Disneyland ne plaisent pas à tous. Mais au fond, l'endroit n'a été façonné que dans un seul but: fournir un cadre qui sort de l'ordinaire pour unique fin de loisir.

Mont-Tremblant ★★

De l'autre côté du lac Tremblant se trouve le charmant village de Mont-Tremblant, à ne pas confondre avec le village piétonnier de la station touristique développée par Intrawest. Dans un

LAURENTIDES
0 15 30km
Maniwaki
Ferme-Neuve
Lac-Saint-Paul
Mont-Laurier
Lac des Îles
Lac des Trente et un Milles
Saint-Aimé-du-Lac-des-Îles
Lac-des-Écorces
Parc linéaire Le P'tit Train du Nord
Réservoir Kiamika
Réservoir aux Sables
Lac du Cerf
Lac-Saguay
Notre-Dame-du-Laus
Lac Nominingue
L'Ascension
Réserve faunique de Papineau-Labelle
Lac Montjoie
Rivière-Rouge
L'Annonciation
Aéroport international de Mont-Tremblant
La Minerve
La Macaza
Lac Gagnon
Labelle
Parc national du Mont-Tremblant
Lac-Simon
Lac Simon
La Conception
Mont-Tremblant
Station touristique Mont-Tremblant
OUTAOUAIS
Namur
Saint-Jovite
Saint-André-Avelin
Saint-Faustin–Lac-Carré
Lac Archambault
Saint-Donat
Montebello
Lac Papineau
Lac Ouareau
Rivière-des-Outaouais
Saint-Adolphe-d'Howard
Sainte-Agathe-des-Monts
Harrington
Val-David
Val-Morin
Grenville
Morin-Heights
Estérel
Sainte-Marguerite-du-Lac-Masson
Brownsburg-Chatham
Saint-Sauveur
Sainte-Adèle
Piedmont
Sainte-Anne-des-Lacs
Lachute
Prévost
ONTARIO
Carillon
Rawdon
Saint-André-d'Argenteuil
Saint-Jérôme
LANAUDIÈRE
Aéroport international Montréal-Mirabel (cargo)
Mirabel
Blainville
Saint-Joseph-du-Lac
La Plaine
Oka
Saint-Eustache
Sainte-Thérèse
Parc national d'Oka
Deux-Montagnes
Terrebonne
Lac Saint-François
Laval
Fleuve Saint-Laurent
Montréal
MONTÉRÉGIE
Longueuil
Parc linéaire Le P'tit Train du Nord
©ULYSSE

cadre plus authentique, on y trouve de sympathiques boutiques et restaurants, ainsi que d'autres possibilités d'hébergement.

Le **parc national du Mont-Tremblant** ★★ *(3,50$; ☎819-688-2281 ou 800-665-6527, www.sepaq.com)* fut inauguré en 1894 sous le nom de «Parc de la Montagne tremblante» en hommage à une légende algonquine. Il couvre un territoire de 1 510 km² qui englobe le mont, six rivières et quelque 400 lacs. En 1938, la station de ski alpin était créée, et depuis elle n'a cessé d'accueillir les skieurs. Le parc compte également 16 sentiers de ski de fond qui s'étendent sur plus de 80 km. La station répond aux besoins des sportifs en toute saison. Ainsi, les amateurs de randonnée pédestre peuvent profiter de 100 km de sentiers. D'ailleurs, les sentiers La Roche et La Corniche ont été classés parmi les plus beaux du Québec. Le parc dispose de pistes cyclables et de circuits pour le vélo de montagne. Des activités nautiques telles que le canot et la planche à voile peuvent aussi y être pratiquées.

La légende du mont Tremblant

Les Algonquins prétendent que cette montagne, qui surplombe un beau pays de lacs et de forêts, est habitée par des esprits qui la font trembler de colère lorsqu'un individu ou un intrus ne respecte pas les règles édictées par le conseil des Manitous (autorités surnaturelles pouvant s'incarner dans des personnes ou dans des objets). Ces lois sacrées sont les suivantes: *Ne tue point, sauf pour te défendre ou par nécessité. Aime la plus humble des plantes et respecte les arbres.* Vous aurez donc été averti...

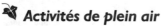

 *Activités de plein air*

■ *Randonnée pédestre*

Le **parc national d'Oka** *(3,50$; 2020 ch. d'Oka, Oka, ☎450-479-8365 ou 800-665-6527, www.sepaq.com)* compte quelque 50 km de sentiers de randonnée pédestre.

S'étendant sur 0,4 km, la **promenade de la Rivière-du-Nord** *(entre les rues Martigny et St-Joseph, St-Jérôme)* raconte l'histoire de la région à l'aide de panneaux thématiques. On y a de belles vues sur la rivière du Nord.

Près de Saint-Faustin–Lac-Carré, le **Centre touristique et éducatif des Laurentides** *(5,50$; fin avr à fin oct tlj; 5000 ch. du Lac-Caribou, ☎819-326-1606)* dispose d'un réseau de sentiers de randonnée d'environ 35 km. Parmi les huit pistes de 1 km à 10 km qu'on y trouve, Le Panoramique (3 km) est celle qui offre les plus belles vues sur les alentours. L'Aventurier (10 km), qui représente la plus longue piste du centre, permet quant à elle d'accéder au sommet d'une montagne de 530 m.

À la **station touristique Mont-Tremblant** *(1000 ch. des Voyageurs, ☎866-836-3030, www.tremblant.ca)*, une montée à bord du télésiège *Tremblant Express* permet de rejoindre le centre **ÉcoZone**, d'où partent des pistes conçues pour les familles (Le Manitou, Le 360°, Le Montagnard et Les Ruisseaux), mais aussi pour les randonneurs chevronnés (Les Caps, Le Grand Brûlé, Les Sommets, Le Parben et Le Johannsen). Tout au long des sentiers, des bornes explicatives permettent d'en connaître davantage sur la faune et la flore laurentiennes.

Le **parc national du Mont-Tremblant** *(3,50$; ☎819-688-2281 ou 800-665-6527, www.sepaq.com)* est un excellent choix pour les amateurs de randonnée, puisqu'on y trouve des sentiers de tous les niveaux de difficulté. Ainsi, les sentiers de **La Roche** et de **La Corniche** (8 km) permettent de s'offrir une courte et délicieuse randonnée, alors que les 47,6 km de **La Diable** sauront sûrement satisfaire les marcheurs les plus mordus.

■ *Raquette et ski de fond*

Le **parc national d'Oka** *(3,50$; 2020 ch. d'Oka, Oka, ☎450-479-8365 ou 800-665-6527, www.sepaq.com)* possède huit sentiers de ski de fond totalisant quelque 50 km. Ainsi, on y trouve trois sentiers classés faciles, deux difficiles et trois très difficiles. Par ailleurs, les amateurs de raquette seront heureux d'apprendre que le parc leur réserve trois sentiers totalisant 23,4 km.

Le **parc linéaire du P'tit Train du Nord** *(7$; ☎450-436-8532)*, long de quelque 230 km, se transforme, l'hiver venu, en un merveilleux sentier de ski de fond et de motoneige. Le sentier de ski de fond s'étend de Saint-Jérôme à Sainte-Agathe et devient ensuite le royaume de la motoneige jusqu'à Mont-Laurier.

Le **Réseau de Morin-Heights et Corridor Aérobique** *(8$; 50 ch. du Lac-Écho, Morin-Heights, ☎450-226-1220 ou 450-226-3232)* est un des plus anciens centres de ski de fond du Canada. Avec ses 58 km de pistes,ce centre est un endroit idéal pour pratiquer le ski «aventure», c'est-à-dire de très longues randonnées sur des sentiers moins fréquentés et non entretenus mécaniquement.

Le **centre de ski de fond L'Estérel** *(13$; 39 boul. Fridolin-Simard, Estérel, ☎450-228-2571 ou 888-378-3735, www.esterel.com)* se révèle être un des centres de ski de fond les mieux organisés de la région. Grâce à ses 330 m d'altitude, il bénéficie d'excellentes conditions de ski. À L'Estérel, on mise sur un centre pour tous les types d'expériences. Les sentiers sont généralement courts, sans pour autant être faciles. Le centre compte 13 sentiers pour le ski de fond, dont 4 faciles, 5 difficiles et 4 très difficiles, pour une longueur totale de 115 km. Pour leur part, les amateurs de raquette y trouveront cinq sentiers totalisant 18 km.

Un autre rendez-vous fort prisé des amateurs de ski de fond est le **Centre de vacances et de Plein Air Le P'tit Bonheur** *(8$; 1400 ch. du Lac-Quenouille, Lac-Supérieur, ☎819-326-9516 ou 800-567-6788, www.ptitbonheur.com)*, qui gère un réseau de 57 km. On peut aussi y pratiquer la raquette sur un sentier.

Avec ses 35 sentiers de ski de fond totalisant 100 km dont 25 km pour le pas de patin, le **Centre de ski de fond Mont-Tremblant–Saint-Jovite** *(12$; 539 ch. St-Bernard, Mont-Tremblant, ☎819-425-5588)* est l'un des plus imposants des Laurentides. On y trouve aussi des sentiers de raquette et un comptoir de location.

Le **parc national du Mont-Tremblant** *(3,50$; ☎819-688-2281 ou 800-665-6527, www.sepaq.com)* offre quelque 80 km de sentiers de ski de fond et 25 km de sentiers aménagés pour la raquette.

■ *Ski alpin*

Deux stations de ski ont été aménagées sur les monts entourant Piedmont, la **station de ski Mont-Olympia** *(41$; ch. de la Montagne, Piedmont, ☎450-227-3523 ou 800-363-3696, www.mssi.ca)*, avec 23 pentes d'une dénivellation totale de 200 m, et la **station de ski Mont-Avila** *(41$; ch. Avila, Piedmont, ☎450-227-4671 ou 514-871-0101, www.mssi.ca)*, qui propose une dizaine de pentes, dont la plus longue fait 1 050 m.

Avec sa petite montagne n'ayant qu'un dénivelé de 210 m, la **station touristique Mont-Saint-Sauveur** *(51$; 350 rue St-Denis, St-Sauveur, ☎450-227-4671, www.mssi.ca)* accueille une clientèle nombreuse en raison de la proximité de Montréal. Cette station possède tout de même 38 pistes dont plusieurs éclairées.

La station touristique Mont-Saint-Sauveur étant fréquemment envahie, certaines personnes préféreront les pentes des monts voisins, qui possèdent moins de pistes mais où l'attente pour se rendre aux sommets est moins longue. La **station de ski Mont-Habitant** *(37$; 12 boul. des Skieurs, ☎450-227-2637 ou 866-227-2637, www.monthabitant.com)*, avec ses 11 pistes, en fait partie.

Également situées dans les environs, mentionnons la **station de ski Morin-Heights** *(41$; ch. Bennett, ☎450-227-2020)*, qui compte 23 pistes dont 16 éclairées, ainsi que la modeste (11 pistes) station **L'Avalanche** *(28$; 1657 ch. de l'Avalanche, ☎819-327-3232, www.mont-avalanche.com)*, près de Saint-Adolphe-d'Howard.

La région de Sainte-Adèle attire, elle aussi, les skieurs grâce à deux stations de ski de bonne envergure. La **station de ski Mont-Gabriel** *(36$; 1501 montée Gabriel, Ste-Adèle, ☎450-227-1100, www.mssi.ca)* offre 18 pistes (dont 12 sont éclairées en soirée) destinées aux skieurs de tout type. De plus, on retrouve au Mont-Gabriel la célèbre piste dénommée «Tomahawk», qui accueille le championnat mondial de ski acrobatique. La **station de ski Le Chantecler** *(39$; 1474 ch. du Chantecler, ☎450-229-3555 ou 888-916-1616, www.skichantecler.com)*, près de laquelle le beau complexe touristique Le Chantecler a été bâti, propose 25 pistes, dont 17 sont ouvertes pour le ski de soirée.

À Val-Morin, on peut skier au **centre de ski Belle Neige** *(33$; route 117, ☎819-322-3311 ou 877-600-3311, www.belleneige.com)*. On y trouve 14 pistes toutes catégories. Puis, aux environs de Val-David, il y a **Mont-Alta** *(25$; route 117, ☎819-322-3206, www.mont-alta.com)* et la **station de ski Vallée-Bleue** *(29$; 1418 ch. Vallée-Bleue, ☎819-322-3427 ou 866-322-3427, www.valleebleue.com)*, qui comptent respectivement 22 et 17 pistes.

À Saint-Faustin–Lac-Carré, la **station de ski Mont-Blanc** *(39$; route 117, ☎819-688-2444 ou 800-567-6715, www.skimontblanc.com)* possède le second dénivelé en importance dans les Laurentides (300 m). Trente-neuf pistes y sont aménagées.

Depuis plusieurs années déjà, la **station touristique Mont-Tremblant** *(67,75$; 1000 ch. des Voyageurs, Mont-Tremblant, ☎888-736-2526, www.tremblant.ca)*, appelée tout simplement «Tremblant» par ses fans, est reconnue comme l'un des plus importants centres récréotouristiques d'Amérique du Nord. Elle offre entre autres une quinzaine de pistes sur le versant Soleil, orienté plein sud et protégé du vent. En tout, la station compte 94 pistes sillonnant ce mont de 875 m d'altitude pour un dénivelé de 645 m, auxquelles il faut ajouter deux parcs à neige avec demi-lunes pour les amateurs de sensations fortes! Sans parler de l'agréable village touristique qui s'étend à son pied. Les 6 km de la Nansen ne feront qu'amplifier l'enthousiasme des débutants; les pistes Zig Zag et Vertige, comme leur nom le laisse présager, enflammeront les experts; les 77 ha de sous-bois enchanteront les aventuriers. Bonne glisse!

Non loin de la station touristique Mont-Tremblant, vous découvrirez une autre belle station de ski de la région, **Gray Rocks** *(29$; 2322 rue Labelle, Mt-Tremblant, ☎819-425-2771 ou 800-567-6767, www.grayrocks.com)*, qui présente 22 pistes sur un dénivelé (bien inférieur à sa voisine) de 191 m.

■ *Vélo*

L'ancienne voie ferrée du **parc linéaire du P'tit Train du Nord** *(☎450-436-8532)*, qui permit longtemps aux Montréalais de «monter dans le Nord», a été transformée en une superbe voie cyclable. De Saint-Jérôme à Mont-Laurier, 230 km de pistes aménagées s'offrent à vous. De plus, le parcours traverse plusieurs petits villages où il est possible de trouver hébergement et restauration pour toutes les bourses.

Outaouais ★★

p 179 p 183 p 184 p 185

Montebello ★

Sous le Régime français, la région de l'Outaouais ne connaît pas de véritable développement. Située en amont des rapides de Lachine, donc difficilement accessible par voie d'eau, la région demeure un riche territoire de chasse et de trappe, jusqu'à ce que l'on amorce l'exploitation de ses ressources forestières au début du XIXe siècle. La seigneurie de la Petite-Nation, concédée à Mgr de Laval en 1674, sera la seule incursion colonisatrice dans ce vaste territoire. Incursion bien théorique toutefois, puisque ce n'est qu'en 1801, date à laquelle la seigneurie passe entre les mains du notaire Joseph Papineau, que s'installent les premiers colons appelés à donner naissance au bourg de Montebello. Son fils, Louis-Joseph Papineau (1786-1871), chef des mouvements nationalistes canadiens-français à Montréal, hérite de la Petite-Nation en 1817. De retour d'un exil de huit ans aux États-Unis et en France à la suite des Rébellions de 1837-1838, Papineau, désillusionné et franchement déçu du comportement du clergé catholique lors de ces événements tragiques, se retire sur ses terres de Montebello, où il se fait construire un prestigieux manoir.

Le **Lieu historique national du Manoir-Papineau** ★★ *(7,80$; mi-mai à fin août tlj 10h à 17h, fin août à début oct sam-dim 10h à 17h; 500 rue Notre-Dame, ☎819-423-6965 ou 888-773-8888, www.pc.gc.ca)*. Le manoir Papineau a été érigé entre 1846 et 1849 dans l'esprit des villas monumentales néoclassiques. L'adjonction de tours, au cours de la décennie suivante, a cependant donné une allure médiévale à l'ensemble. L'une de ces tours renferme la précieuse bibliothèque que Papineau voudra ainsi mettre à l'abri du feu. L'intérieur comporte une vingtaine de pièces d'apparat ouvertes au public, qui peut ainsi déambuler au milieu d'un riche décor. Le manoir Papineau s'inscrit dans un beau parc ombragé. En bordure de l'allée du seigneur se dresse la **chapelle funéraire des Papineau** (1853), où ont été inhumés 11 membres de la célèbre famille. On sera surpris de constater que cette chapelle est vouée au culte anglican, conséquence de la conversion du fils Papineau à l'Église d'Angleterre après la mort de son célèbre père, auquel on a refusé la sépulture religieuse catholique. Un buste de ce dernier, exécuté par Napoléon Bourassa à partir du masque funéraire du défunt, figure parmi les éléments d'intérêt de la chapelle.

Le **Château Montebello** ★★ *(392 rue Notre-Dame, ☎819-423-6341 ou 866-540-4462, www.fairmont.com/montebello)* est un vaste hôtel de villégiature (voir p 179) construit dans le parc du manoir; il constitue le plus grand édifice de bois rond au monde. Il fut érigé en 1929 en un temps record de 90 jours. On ne manquera pas de visiter son impressionnant hall central, doté d'une cheminée à six âtres, autour de laquelle rayonnent les six ailes abritant les chambres et le restaurant. Il appartient maintenant à la chaîne hôtelière Fairmont.

Gatineau

Dans le cadre d'un vaste programme de réaménagement de la région de la capitale fédérale (1983-1989), des parcs et des musées ont vu le jour de part et d'autre de la frontière du Québec et de l'Ontario. Gatineau a hérité du magnifique **Musée canadien des civilisations** ★★★ *(10$; début mai à mi-oct tlj 9h à 18h, jeu jusqu'à 21h et début juil à début sept jeu-ven jusqu'à 21h; mi-oct à fin avr mar-dim 9h à 18h, jeu jusqu'à 21h;*

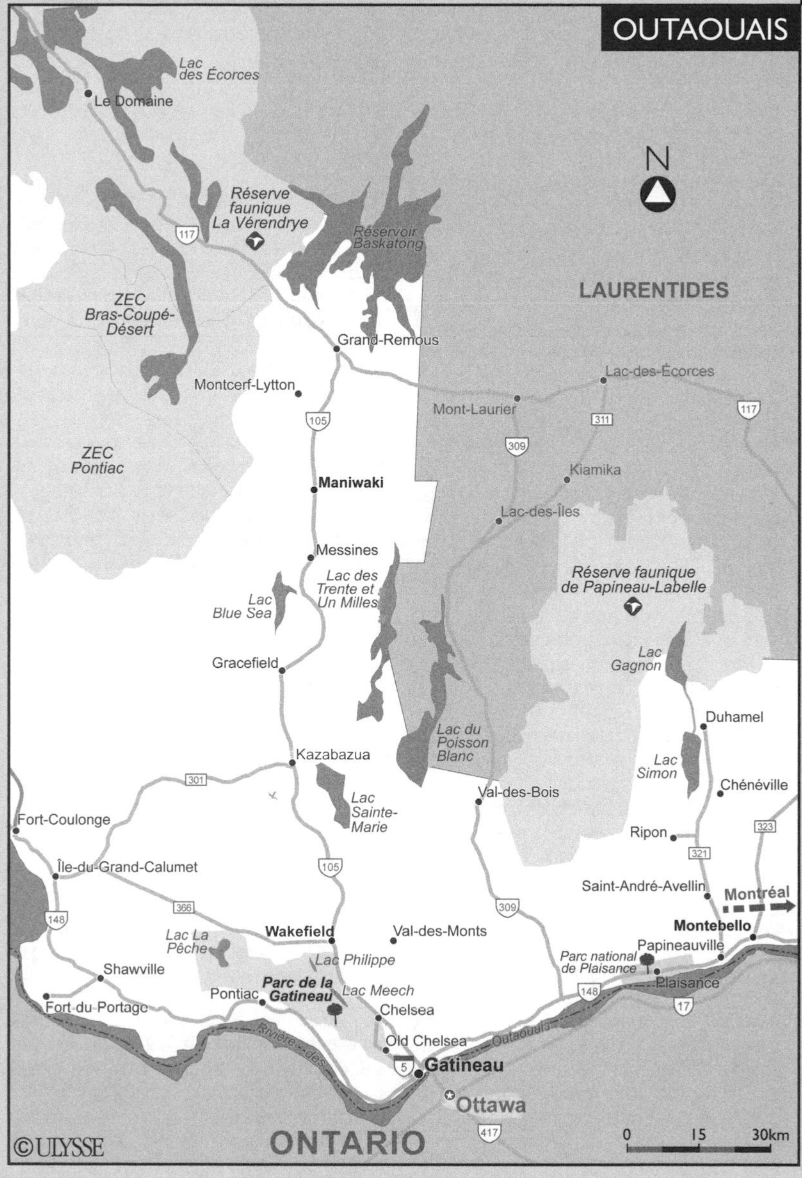
OUTAOUAIS
Lac des Écorces
Le Domaine
N
Réserve faunique La Vérendrye
117
Réservoir Baskatong
LAURENTIDES
ZEC Bras-Coupé-Désert
Grand-Remous
Montcerf-Lytton
Lac-des-Écorces
Mont-Laurier
311
117
105
309
ZEC Pontiac
Kiamika
Maniwaki
Lac-des-Îles
Messines
Réserve faunique de Papineau-Labelle
Lac des Trente et Un Milles
Lac Blue Sea
Gracefield
Lac Gagnon
Duhamel
Lac du Poisson Blanc
Kazabazua
Lac Simon
301
Chénéville
Val-des-Bois
Lac Sainte-Marie
Fort-Coulonge
Ripon
323
321
Île-du-Grand-Calumet
105
Saint-André-Avellin
Montréal
366
309
148
Montebello
Lac La Pêche
Wakefield
Val-des-Monts
Papineauville
Lac Philippe
Parc national de Plaisance
Shawville
Plaisance
Parc de la Gatineau
Lac Meech
148
Pontiac
Fort-du-Portage
Chelsea
17
Rivière des Outaouais
Old Chelsea
5
Gatineau
Ottawa
417
©ULYSSE
ONTARIO
0 15 30km

100 rue Laurier, ☎819-776-7000 ou 800-555-5621, www.civilisations.ca), consacré à l'histoire des différentes ethnies qui ont fait le Canada. L'architecte albertain d'origine amérindienne Douglas Cardinal a dessiné les plans des deux étonnants bâtiments aux formes organiques qui composent le musée. Le premier, sur la gauche, abrite les bureaux administratifs et les laboratoires de restauration, alors que le second, sur la droite, regroupe les collections du musée. Leurs formes ondoyantes évoquent des rochers du Bouclier canadien sculptés par le vent et les glaciers. De l'esplanade, à l'arrière, on jouit de belles vues sur la rivière des Outaouais et sur la colline du Parlement à Ottawa.

S'il est un musée qu'il faut absolument voir au Québec, c'est bien celui-là. Il s'agit en fait du plus visité au pays. Sa Grande Galerie rassemble la plus importante collection de mâts totémiques amérindiens au monde. L'institution fait aussi revivre de façon magistrale différentes époques de l'histoire canadienne, de la venue des Vikings, vers l'an 1000, à l'Acadie française du XVIIe siècle et à l'Ontario rural du XIXe siècle. L'art autochtone contemporain ainsi que les arts et traditions populaires y sont également représentés. Le musée a d'ailleurs inauguré en 2003 une grande **Salle des Premiers Peuples**, qui dépeint toutes les nations autochtones du Canada. Le **Musée canadien de la poste** se trouve aussi dans le complexe; il retrace l'histoire du service postal canadien avec des expositions thématiques intéressantes. Le **Musée canadien des enfants**, conçu expressément pour les plus jeunes, invite le visiteur à sélectionner le thème de son choix avant de lui faire vivre une aventure extraordinaire. Aux salles d'exposition s'ajoute une salle de cinéma IMAX.

Le **Casino du Lac-Leamy** ★ *(lun-ven 9h à 4h, fin de semaine 24 heures sur 24; 1 boul. du Casino, ☎819-772-2100 ou 800-665-2274, www.casino-du-lac-leamy.com)* (voir p 184) occupe un site impressionnant entre deux lacs, le lac Leamy, dans le parc du même nom, et le lac de la Carrière, qui prend place dans la cuvette d'une ancienne carrière de pierre calcaire. Le thème de l'eau est omniprésent autour du superbe bâtiment inauguré en 1996, que ce soit au milieu de l'allée grandiose conduisant à l'entrée principale, ponctuée de hautes fontaines, ou à travers le port de plaisance de 20 places permettant aux joueurs venus de Montréal ou Toronto d'accéder directement au casino par voie d'eau. L'aire de jeux, d'une superficie totale de 6 563 m^2, comprend 1 800 machines à sous et 64 tables de jeux. Jumelé au casino, le Théâtre du Casino est une salle de spectacle moderne offrant confort et visibilité à tous les spectateurs. À cela, il faut ajouter l'excellent **Baccara** (voir p 183), un des rares restaurants cotés cinq diamants (CAA-AAA) au Canada, et deux bars (voir p 184).

Imaginez-vous les magnifiques paysages du parc et de la rivière Gatineau défilant sous vos yeux alors que vous êtes confortablement installé à bord d'un train à vapeur datant de 1907... C'est cette balade mémorable que vous propose le **Train à vapeur Hull-Chelsea-Wakefield** ★ *(nombreux forfaits sur réservation; 165 rue Deveault, ☎819-778-7246 ou 800-871-7246, www.trainavapeur.ca)*. En plus de vous donner l'occasion de contempler de splendides décors naturels, l'excursion d'une demi-journée vous entraîne jusqu'à la charmante petite ville anglo-saxonne de Wakefield. Les activités du train ont été suspendues en 2008 en raison du mauvais état des voies ferrées, mais au moment de mettre sous presse, on annonçait que des travaux de réfection seraient entrepris et que le train serait de retour pour l'été 2009.

Parc de la Gatineau ★★

Le **parc de la Gatineau** *(entrée libre, stationnement 9$ pour le Domaine Mackenzie-King et pour les plages; 33 ch. Scott, Chelsea, ☎819-827-2020 ou 800-465-1867)* fut fondé en 1934, durant la Dépression, afin de protéger cette forêt de plus de 35 000 ha des gens à la recherche de bois de chauffage bon marché. Chacun peut aujourd'hui profiter de ce superbe parc composé de collines et de rivières. Il est traversé par une route longue de 34 km et ponctuée de belvédères, notamment le **belvédère Champlain**, qui offre une magnifique vue sur la région du Pontiac.

Des activités de plein air peuvent y être pratiquées tout au long de l'année. En été, des sentiers de randonnée pédestre et des pistes pour vélo de montagne sont aménagés. Le parc compte plusieurs lacs, entre autres le célèbre lac Meech, qui donna son nom à une entente constitutionnelle finalement non ratifiée. Les activités nautiques telles que la planche à voile, le canot et la baignade y sont fort populaires. Le parc de la Gatineau met en outre à la disposition des visiteurs un service de location d'embarcations ainsi que des emplacements de camping. On y trouve également la **caverne Lusk**, qu'il est possible d'explorer. Creusée dans le marbre, elle fut formée par l'action de l'eau issue de la fonte de glaciers il y a 12 500 ans. En hiver, quelque 200 km de sentiers de ski de fond sont entretenus dans le parc.

William Lyon Mackenzie King fut premier ministre du Canada de 1921 à 1930 puis de 1935 à 1948. Il s'intéressa aux arts et à l'horticulture presque autant qu'à la politique. King aimait se retirer dans sa résidence d'été, près du lac Kingsmere, aujourd'hui intégrée au parc de la Gatineau. Le **Domaine Mackenzie-King** ★★ *(entrée et stationnement 8$; mi-mai à mi-oct lun-ven 11h à 17h, sam-dim et jours fériés 10h à 18h; rue Barnes, Chelsea, ☎613-239-5100 à Ottawa ou ☎819-827-2020 en Outaouais ou 800-465-1867)*, ouvert au public, comprend deux maisons (l'une d'entre elles a été transformée en un charmant salon de thé), un jardin à l'anglaise et surtout des *follies*, ces fausses ruines que les esprits romantiques affectionnent tant. Cependant, contrairement à la plupart de ces structures, qui sont érigées de toutes pièces, les ruines du domaine Mackenzie-King sont d'authentiques fragments de bâtiments provenant principalement du premier parlement canadien, incendié en 1916, et du palais de Westminster, endommagé par les bombes allemandes en 1941.

Wakefield ★

Wakefield est une jolie petite ville anglo-saxonne située à l'embouchure de la rivière La Pêche. Elle fut fondée vers 1830 par des colons écossais, anglais et irlandais. Il fait bon se promener dans sa rue principale, bordée d'un côté par des boutiques et des cafés, et de l'autre par la belle rivière Gatineau, traversée au loin par le **pont Gendron**. Ce long pont couvert arbore une couleur rouge brique qui se détache, en été, du vert de la forêt qui l'entoure. Wakefield est aussi le point d'arrivée du populaire **Train à vapeur Hull-Chelsea-Wakefield** (voir p 174). Même si vous ne prenez pas part à l'excursion, vous pouvez assister au retournement du train, par la méthode ancienne, dans le petit parc où elle se termine. Bon nombre de lieux de villégiature sont proposés dans ce petit village pittoresque, entre autres le magnifique **Moulin Wakefield** (voir p 179).

Maniwaki

La **Forêt de l'Aigle** ★★ *(divers forfaits sont offerts selon les activités et l'hébergement; ch. du Black Rollway, ☎819-449-7111 ou 866-449-7111, www.foretdelaigle.com)* consiste en une nouvelle initiative de développement forestier durable basé sur le concept de la forêt habitée. On peut y pratiquer une foule d'activités de plein air, et ce, dans le respect de la nature. On y retrouve un parcours d'aventure en forêt et on peut pratiquer l'équitation, le vélo de montagne, la chasse et la pêche, le canot, le kayak sur les lacs et les rivières, la randonnée pédestre... Il est préférable de réserver à l'avance pour toutes ces activités. Différentes formules d'hébergement sont aussi proposées.

Activités de plein air

■ *Randonnée pédestre*

Le **parc de la Gatineau** *(☎819-827-2020 ou 800-465-1867)* possède une foule de sentiers de randonnée totalisant pas moins de 165 km, autant d'occasions d'en découvrir les beautés. Vous pourrez ainsi partir à la découverte du lac Pink, fort beau mais à l'équilibre fragile (on ne peut s'y baigner), par le sentier (1,4 km) qui le longe. Si vous préférez les splendides panoramas, optez plutôt pour le sentier du Mont-King, d'une longueur de 2,5 km, qui vous mènera au sommet de ce mont, d'où vous aurez une vue splendide sur la vallée de la rivière des Outaouais. Enfin, les personnes disposant d'un peu plus de temps, et qui désirent entreprendre une excursion fascinante, devraient suivre le sentier de la Caverne Lusk, long de 10,5 km, qui se rend à une véritable caverne de marbre, vieille de 12 500 ans.

■ *Raquette et ski de fond*

En hiver, alors que le **parc de la Gatineau** *(12$; ☎819-827-2020 ou 800-465-1867)* se couvre d'un épais tapis de neige, pas moins de 200 km de sentiers de ski de fond y sont entretenus. Ces sentiers, au nombre de 47, sont destinés aux skieurs de tous types qui y trouveront à coup sûr leur bonheur. Pour leur part, les amateurs de raquette trouveront cinq sentiers totalisant 27 km, dont un mène à la caverne Lusk.

Hébergement

Lanaudière

Joliette

Château Joliette
$$$ ≡ @
450 rue St-Thomas
☎450-752-2525 ou 800-361-0572
www.chateaujoliette.com

Vaste bâtiment de briques rouges construit au bord de la rivière L'Assomption, le Château Joliette se présente comme le plus grand hôtel de la ville. Il comporte de longs couloirs dépourvus d'ornements. Les chambres, au décor moderne, sont grandes et confortables.

Saint-Ambroise-de-Kildare

La Bergerie des Neiges
$$
1401 rang 5
☎450-756-8395
www.bergeriedesneiges.com

Tenu par un professeur de musique et une ancienne avocate résolument sympathiques, le chouette gîte touristique La Bergerie des Neiges accueille des voyageurs tous azimuts selon les règles de la bienséance. Les propriétaires ont remodelé une ancienne école de rang pour y construire cinq chambres coquettes et chaleureuses, chacune offrant une thématique différente. Ils accueillent également des groupes à leur table pour leur faire découvrir leurs produits maison. De plus, les clients ont droit à une visite guidée de la bergerie. Si la météo le permet, une piscine creusée et chauffée ainsi qu'une jolie terrasse sont à la disposition des clients. Le délicieux petit déjeuner composé de crêpes, de fruits et de croissants fait l'unanimité. Accueil chaleureux et authentique.

Saint-Jean-de-Matha

Centre de villégiature et Auberge de la Montagne Coupée
$$$-$$$$
≡
1000 ch. de la Montagne-Coupée
☎450-886-3891 ou 800-363-8614
www.montagnecoupee.com

Le Centre de villégiature et Auberge de la Montagne Coupée ne se laisse repérer qu'après une montée qui semble interminable. L'excursion en vaut toutefois le coup lorsqu'apparaît enfin le bâtiment tout blanc doté d'immenses baies vitrées. L'établissement compte une cinquantaine de chambres confortables au décor moderne, baignées de lumière naturelle. Leur aspect général mériterait toutefois d'être remis au goût du jour. Certaines sont munies d'un foyer. Depuis le salon et la salle à manger, les grandes fenêtres dévoilent un panorama saisissant. Centre équestre et théâtre d'été au bas du domaine. Restaurant remarquable (voir p 180).

Saint-Donat

Parc national du Mont-Tremblant
$
2951 route 125 Nord
☎819-688-2251 ou 800-665-6527
www.sepaq.com

Le secteur Pimbina du parc national du Mont-Tremblant, accessible par la route 125, non loin de Saint-Donat, compte 340 emplacements de camping.

Saint-Côme

Auberge Aux Quatre Matins
$$-$$$$
155 rue des Skieurs
☎450-883-1932 ou 800-929-1932
www.auxquatrematins.ca

Établissement à l'ambiance familiale et conviviale, l'Auberge Aux Quatre Matins se trouve à un jet de pierre de la Station touristique Val Saint-Côme et abrite 11 chambres lumineuses et trois suites. Toutes sont spacieuses et impeccablement tenues. Si vous êtes disposé à délier les cordons de votre bourse et à vous offrir une petite folie, nous vous suggérons fortement de louer celle qui comporte un toit cathédrale, un foyer et une baignoire à remous. On y loue également de petits appartements avec cuisinette. Il va sans dire que, durant l'hiver, l'auberge est souvent pleine comme un œuf, aussi est-il préférable de réserver à l'avance. En été, on y propose entres autres des forfaits incluant des activités comme le golf, la pêche ou les balades en tout-terrain. Services de spa.

Laurentides

Saint-Sauveur

Manoir Saint-Sauveur
$$$$$ ≡ @
246 ch. du Lac-Millette
☎450-227-1811 ou 800-361-0505
www.manoir-saint-sauveur.com

Le Manoir Saint-Sauveur a mis l'accent sur les activités sportives. On y propose, en hiver ou en été, une foule de forfaits ski alpin, golf ou équitation, ainsi qu'une grande variété d'installations sportives (courts de tennis et de squash). Une aile renferme de belles chambres aux chauds tons de beige et aux couettes attrayantes. Choisissez-les, moyennant un léger supplément (louez une chambre du côté de la montagne). Le Manoir Saint-Sauveur réussit à combiner le confort d'un chalet de ski à l'élégance d'un grand hôtel. Il a l'avantage d'être construit en bordure du village de Saint-Sauveur, où vous pourrez vous rendre à pied.

Sainte-Adèle

Auberge de la Gare

$$ bc ≡

1694 ch. Pierre-Péladeau

☎450-228-3140 ou 888-825-4273

www.aubergedelagare.com

Située à quelques kilomètres de Sainte-Adèle, l'Auberge de la Gare est aménagée dans une jolie demeure victorienne dotée d'élégantes salles communes. Les chambres campagnardes sont décorées de tons pastel et d'antiquités, et au sous-sol se trouve une agréable salle de jeux. Choisissez votre petit déjeuner: sucré ou salé!

L'Eau à la Bouche

$$$ ≡ @

3003 boul. Ste-Adèle

☎450-229-2991 ou 888-828-2991

www.leaualabouche.com

Faisant à la fois partie des prestigieuses associations des Relais & Châteaux et des Relais Gourmands, l'hôtel L'Eau à la Bouche est surtout connu pour son excellent restaurant gastronomique (voir p 181). L'établissement propose des chambres compactes et simples, garnies d'un mobilier sobre mais élégant. Quelques-unes sont mêmes dotées d'un foyer. Le bâtiment de l'hôtel même a été construit en retrait de la route au milieu des années 1980. Il offre une vue splendide sur les pistes de la station de ski Le Chantecler. Le restaurant, quant à lui, a été aménagé dans un bâtiment séparé. L'ensemble se trouve sur la route 117, au nord du village de Sainte-Adèle.

Estérel

L'Estérel

$$$-$$$$ ≡ @

39 ch. Fridolin-Simard

☎450-228-2571 ou 888-378-3735

www.esterel.com

Le vaste complexe de l'hôtel L'Estérel, agréablement aménagé au bord du lac Masson, offre l'occasion de s'adonner à bon nombre d'activités nautiques ainsi qu'à des sports aussi divers que le tennis, le golf et le ski de fond. L'accent est surtout mis sur le plein air. Ceux qui aiment les paysages seront ravis par les chambres avec panorama, dont les balcons surplombent littéralement le lac... Vous pourrez presque vous y tremper les pieds!

Val-David

Chalet Beaumont

$ @

1451 rue Beaumont; de la gare routière, empruntez la rue de l'Église et traversez le village jusqu'à la rue Beaumont, où vous tournerez à gauche; comptez 2 km

☎819-322-1972

www.chaletbeaumont.com

Le Chalet Beaumont abrite l'une des rares auberges de jeunesse des Laurentides. Faite de rondins et disposant de deux foyers, elle est fort sympathique et confortable. L'auberge est située en montagne, dans un secteur paisible. Il s'agit d'un très bon choix pour les amateurs de plein air préoccupés par leur budget. Avant de louer, il est conseillé de s'enquérir des personnes susceptibles de partager les dortoirs, car l'auberge accueille souvent des groupes de jeunes étudiants en excursion à Val-David.

Le Creux du Vent

$$-$$$ @

1430 rue de l'Académie

☎819-322-2280 ou 888-522-2280

www.lecreuxduvent.com

Les six chambres de cette petite auberge ne sont pas spectaculaires, mais le confort qu'elles offrent est excellent, et les tarifs des forfaits sont littéralement imbattables pour la région. Le lieu est décoré de façon originale, et la terrasse, ombragée par de splendides arbres centenaires et donnant sur le cours d'eau en contrebas, est tout simplement magnifique. Au restaurant, le menu du chef Bernard, le sympathique propriétaire d'origine suisse, est simple mais très raffiné et vaut le déplacement (voir p 182).

Hôtel La Sapinière

$$$$$ ½p ≡ @

1244 ch. de la Sapinière

www.sapiniere.com

Le bâtiment en rondins de l'Hôtel La Sapinière date de 1936. Malgré le prix, ne vous attendez pas à du luxe; le décor des chambres est un peu vieux mais tout de même joyeux, comprenant moquette rose, papier peint fleuri et rideaux de dentelle. L'endroit est une halte confortable pour qui séjourne dans cette région, d'autant plus qu'il est situé dans un cadre enchanteur, tout près d'un lac paisible et entouré de montagnes, de la piste cyclable du parc linéaire du P'tit Train du Nord et des sentiers de ski de fond. Des embarcations sont disponibles pour ceux qui désirent profiter du lac La Sapinière. La table est exceptionnelle (voir p 182)

Sainte-Agathe-des-Monts

Auberge Le Saint-Venant

$$$ ≡ @

234 rue St-Venant

☎819-326-7937 ou 800-697-7937

www.st-venant.com

L'Auberge Le Saint-Venant constitue l'un des secrets bien gardés de Sainte-Agathe-des-Monts. Dans une belle grande maison juchée sur une colline, on a aménagé avec beaucoup de raffinement cet établissement de neuf chambres. Celles-ci se révèlent être vastes, décorées avec goût et baignées de lumière grâce à de grandes fenêtres. Accueil à la fois chaleureux et discret.

Lac-Supérieur

Avalanche Bed & Breakfast
$$$-$$$$ @
111 ch. de L'Avalanche
819-688-5222
www.avalanchebb.ca

Les cinq magnifiques chambres de ce non moins magnifique gîte situé en pleine montagne sont ravissantes et chaleureuses à souhait. La maison est splendide, et les propriétaires sont sympathiques et souriants, mais le comble, c'est le terrain. La gigantesque propriété à flanc de montagne avec une vue exceptionnelle, ajoutée au confort de l'établissement, en fait sûrement un des lieux les plus charmants au Québec! Un incontournable, littéralement.

Chalets Côté Nord
$$$$$ @
141 ch. du Tour-du-Lac
888-268-3667
www.cotenord.ca

Chalets Côté Nord propose 50 chalets de bois rond de très grand luxe, en location à court ou long terme. Chaque chalet peut accueillir de 4 à 10 personnes. Situés en retrait de la route, les chalets sont de type traditionnel, mais offrent tout le confort moderne auquel on peut s'attendre pour ce prix (cuisine complète, salle de bain avec baignoire à remous dans certains cas, salon, foyer en pierres, balcon avec vue...). Côté Nord est associé avec le **Restaurant Caribou** (où se trouve le bureau d'accueil pour les chalets), qui propose le service de restauration *in situ* selon plusieurs formules (voir p 182) Il est possible de faire usage de canots, d'un quai et d'un patio pour se détendre en été. En hiver, les sentiers de ski de fond du parc national du Mont-Tremblant passent tout près de là. Décidément, une splendide option vous offrant grand confort, nature et activités de plein air de toutes sortes, si toutefois votre portefeuille est en bonne santé financière! Au moment de mettre sous presse, un projet prévoyait l'ajout de quatre suites de grand luxe à même le bâtiment du Restaurant Caribou.

Station touristique Mont-Tremblant

Station touristique Mont-Tremblant
1000 ch. des Voyageurs
866-836-3030
www.tremblant.ca

La station touristique Mont-Tremblant gère toute une gamme d'unités d'hébergement. Ainsi peut-on choisir une chambre ou un appartement à l'intérieur d'un complexe comme le **Country Inn and Suites by Carlson** *(**$$$$$** @; 819-681-5555 ou 800-461-8711, www.countryinns.com)*, situé près du lac Miroir. Les familles devraient quant à elles opter pour les copropriétés locatives du domaine **La Chouette** *(**$$$**; 866-836-3030)*. Celles-ci, tout équipées, ont des dimensions modestes, mais sont magnifiquement baignées de lumière naturelle. Elles offrent en outre un excellent rapport qualité/prix.

Westin Resort Tremblant
$$$$$
@
100 ch. Kandahar
819-681-8000
www.westin.com/tremblant

Le Westin hausse la barre en termes de luxe et de confort. Le hall est aussi splendide et chaleureux qu'un manoir champêtre, tandis que les chambres sont pourvues des caractéristiques propres à la chaîne Westin (lits et douches de luxe). Elles sont décorées d'audacieux tons de rouge et d'or, et offrent toutes les commodités; même les chambres standards sont munies d'une cuisinette. Le service est généralement excellent.

Hôtel Quintessence
$$$$$ @
3004 ch. de la Chapelle
819-425 3400 ou 866-425-3400
www.hotelquintessence.com

Avec un tel nom, l'établissement ne se fait décidément pas de complexe, mais l'hôtel est toutefois capable de soutenir pareille appellation. Premier hôtel-boutique à s'être installé dans la station touristique Mont-Tremblant, l'Hôtel Quintessence est situé sur les rives du lac Tremblant, à un jet de pierre du village piétonnier. L'hôtel comporte 30 suites élégantes et luxueuses dont les dimensions varient. Toutes les suites offrent une belle vue sur le lac, sans parler des meubles en teck, du foyer surélevé, de l'accès haute vitesse à Internet, d'un lecteur DVD, des sanitaires au plancher de marbre chauffant et de la baignoire à remous. Par ailleurs, le marbre, le fer forgé, la pierre, les boiseries et les murs lambrissés confèrent à l'établissement une ambiance et un décor des plus chaleureux. Le restaurant (voir p 183) de l'hôtel fait partie du circuit gastronomique de la région. Personnel souriant et avenant.

Mont-Tremblant

Auberge de jeunesse de Mont-Tremblant
$ bc @
2213 ch. du Village
819-425-6008 ou 866-425-6008
www.hostellingtremblant.com

L'auberge de jeunesse de Mont-Tremblant dispose de 84 lits, certains en dortoir, d'autres en chambres fermées. Dans les aires communes, on trouve une cuisine, un café-resto-bar et un salon avec foyer.

Parc national du Mont-Tremblant
$
819-688-2281 ou 800-665-6527
www.sepaq.com

Le parc national du Mont-Tremblant, secteur de la Diable,

propose près de 600 emplacements de camping. Installations sanitaires et douches.

Le Lupin
$$$
127 Pinoteau
☎819-425-5474 ou 877-425-5474
www.lelupin.com
Érigé en 1945, ce gîte touristique de neuf chambres a su conserver l'atmosphère de campagne qui régnait à Mont-Tremblant avant que les chaînes d'hôtels n'y débarquent. On y trouve plusieurs styles de chambres champêtres: de petites standards aux meubles simples, des chambres supérieures aux autres avec planchers de bois, boiseries et courtepointes, et des chambres beaucoup plus romantiques avec baignoires profondes, foyer et lecteur DVD. Les chambres les plus petites sont situées au sous-sol, au beau milieu d'une collection de souvenirs et babioles de ski. Les petits déjeuners sont excellents et substantiels (sucrés ou salés), et les hôtes sont serviables. Le Lupin est bien situé, dans un endroit tranquille qui se trouve à 1 km des pistes de ski, des restaurants et des bars de la station touristique Mont-Tremblant.

Le Refuge B&B
$$$-$$$$
2672 ch. du Village
☎819-681-0278 ou 888-681-0278
www.refuge-tremblant.ca
Le Refuge propose l'hébergement dans les cinq chambres d'une magnifique maison en bois. La vue est tout simplement magnifique, surtout de la suite, qui s'étale sur deux niveaux. Les douches en céramique, les lits douillets et les services disponibles dans les chambres (ordinateur avec accès à Internet, petit déjeuner...) sont garants du niveau de confort des lieux. Le propriétaire est discret, et le gîte se trouve à quelques kilomètres de la station touristique Mont-Tremblant.

Outaouais

Montebello

Fairmont Le Château Montebello
$$$$$
392 rue Notre-Dame
☎819-423-6341 ou 866-540-4462
www.fairmont.com/montebello
Baptisée Château Montebello, cette superbe structure construite en bois de pin et de cèdre s'élève sur le bord de la rivière des Outaouais. Elle détient le titre de la plus importante structure de bois rond au monde. C'est aujourd'hui un centre de villégiature qui dispose de plusieurs installations, notamment une piscine intérieure et extérieure, un spa, des terrains de squash et une salle de conditionnement physique. Par ailleurs, Le Château Montebello propose aussi le complexe **Fairmont Kenauk** (**$$$$$**; *1000 ch. Kenauk,* ☎*819-423-5573, www.fairmont.com/Fr/kenauk*), un complexe de chalets de bois rond de très grand luxe, au cœur d'une réserve faunique privée de bonne dimension. Plusieurs forfaits y sont proposés, principalement pour la chasse et la pêche.

Gatineau

Auberge Un pied à terre
$$
245 rue Papineau
☎819-772-4364
www3.sympatico.ca/unpiedaterre
Que ce soit pour y séjourner ou pour casser la croûte, l'Auberge Un pied à terre est localisée tout près du Musée des civilisations. Cette maison patrimoniale a été acquise initialement, au début du XXe siècle, par l'homme de théâtre Wilfrid Sanche. Plusieurs années plus tard, c'est dans cette maison que naquit son petit-fils, le comédien Guy Sanche, mieux connu sous le pseudonyme de Bobino. En plus d'un téléviseur, d'une douche et d'une salle de bain privée, chacune des quatre chambres possède son propre coin cuisine avec micro-ondes et réfrigérateur. L'Auberge Un pied à terre abrite aussi un petit café ouvert au public, qui propose de petits plats à peu de frais.

Auberge de la Gare
$$$-$$$$
205 boul. St-Joseph
☎819-778-8085 ou 866-778-8085
www.aubergedelagare.ca
L'Auberge de la Gare est un hôtel simple et conventionnel. Le service est courtois et aimable. Les chambres sont propres, bien tenues, mais sans surprise. Il s'agit d'un établissement offrant un bon rapport qualité/prix.

Parc de la Gatineau

Camping du lac La Pêche
$
route 366
☎819-456-3016 ou 866-456-3016
www.campingparcdelagatineau.ca
Sans doute un des plus beaux sites de la région pour camper, le parc de la Gatineau a, avec plus de 350 emplacements, vraiment de quoi plaire à tous ceux qui désirent dormir en pleine nature. Des emplacements sont aussi aménagés pour recevoir les véhicules récréatifs.

Wakefield

Le Moulin Wakefield
$$$-$$$$$
60 ch. du Moulin
☎819-459-1838 ou 888-567-1838
www.wakefieldmill.com
Le Moulin Wakefield est un incontournable dans la région. Par le bon goût et la sobriété de son décor, toutefois très original et chaleureux, un séjour passé dans cette auberge de 27 chambres, toutes de grand cachet et confort, s'avère inoubliable. Les chambres ont été aménagées dans l'ancien moulin et profitent de fenêtres inhabituellement hautes. Une baignoire à remous et un foyer sont présents dans chaque

unité. Des murs de pierres sont apparents un peu partout; la terrasse à plusieurs niveaux et la verrière du restaurant donnent sur une chute d'eau en contrebas (moulin oblige...). Le restaurant et le pub valent le détour, ne serait-ce que pour leur impressionnante cave à vins. Finalement, le spa est digne d'un établissement de très haute gamme. Une magnifique adresse!

Restaurants

Lanaudière

Terrebonne

L'Étang des Moulins
$$$-$$$$
888 rue St-Louis
☎450-471-4018

L'Étang des Moulins loge dans une superbe maison de pierres qui domine l'arrondissement historique. Une première salle, à l'entrée, baigne dans une ambiance chaleureuse et romantique. On y remarque un petit bar sur la gauche et un bel escalier menant à l'étage. À l'arrière, une seconde pièce possède de grandes fenêtres offrant une splendide vue sur l'île des Moulins. Cette seconde partie de l'établissement donne aussi accès à une terrasse protégée par une jolie verrière. Le raffinement de l'établissement se remarque jusque sur les tables, élégamment nappées de dentelle, et c'est bercé de chansons françaises que l'on y savoure son repas. Le service s'avère quant à lui discret et attentionné. Au menu, on a tôt fait de remarquer des mets français que l'on croyait connaître et qu'on réussit ici à réinventer. Les gourmets n'hésiteront pas quant à eux à délier les cordons de leur bourse et ainsi succomber aux charmes du «menu inspiration» à sept services. À n'en point douter, l'une des meilleures tables de Lanaudière.

Le Folichon
$$$-$$$$
804 rue St-François-Xavier
☎450-492-1863

L'arrondissement historique de Terrebonne, avec son parc, ses jolies boutiques et ses belles demeures, constitue un lieu de promenade fort apprécié. D'aucuns en profiteront d'ailleurs pour couronner une aussi agréable excursion par une halte à l'une de ses nombreuses bonnes tables. À cet égard, Le Folichon ne déçoit pas. Aménagé dans une sympathique maison en bois de deux étages, le restaurant arrive, grâce à son atmosphère chaleureuse, à faire oublier les plus froides journées d'hiver. En été toutefois, plusieurs opteront plutôt pour sa terrasse ombragée. La table d'hôte, composée de cinq services, laisse habituellement un bon souvenir. Qui plus est, la carte des vins impressionne par sa variété.

Joliette

Le Fil d'Ariane
$$-$$$
400 boul. Manseau
☎450-755-3131

Restaurant gastronomique au décor feutré, Le Fil d'Ariane concocte une excellente cuisine belge remplie de saveurs. La carte propose également une belle sélection de plats inspirés des recettes culinaires de l'Hexagone. La salle à manger est baignée d'une douce lumière et d'une musique de circonstance. Par les chaudes journées d'été, les gourmets se donnent rendez-vous sur la terrasse pour déguster leur repas sous les étoiles. La très belle carte des vins joue sur le registre de la qualité. Le personnel est souriant et avenant. Sans doute l'un des meilleurs restaurants de la région.

Saint-Alphonse-Rodriguez

Auberge sur la Falaise
$$$$
324 av. du Lac-Long S.
☎450-883-2269

À l'Auberge sur la Falaise, c'est dans une atmosphère d'une rare tranquillité que vous prendrez votre repas. Perdu en pleine forêt et surplombant un beau lac paisible, cet établissement constitue une fameuse retraite pour quiconque cherche à fuir, ne serait-ce que le temps d'un dîner, le rythme trépidant de la vie moderne. Avec beaucoup d'habileté, le chef adapte ici la gastronomie française à la sauce québécoise. Pour les gourmets, le menu gastronomique à cinq services est un choix éclairé et a toutes les chances de vous faire vivre une expérience mémorable.

Saint-Jean-de-Matha

Centre de villégiature et Auberge de la Montagne Coupée
$$$$
1000 ch. de la Montagne-Coupée
☎450-886-3891 ou 800-363-8614

Le **Centre de villégiature et Auberge de la Montagne Coupée** (voir p 176), une autre adresse réputée pour le calme de son site, propose quant à lui un étonnant menu de cuisine évolutive québécoise. Grâce à de hautes baies vitrées (sur deux niveaux), la salle à manger, située au rez-de-chaussée d'un beau bâtiment blanc moderne, planté au bord d'une falaise, offre aux convives une vue à couper le souffle sur la nature environnante. Et ce n'est là qu'une entrée en matière, le meilleur (le repas!) restant encore à venir. Aux plats de gibier présentés avec une rare imagination s'ajoutent quelques succulentes trouvailles. Service des plus attentionnés. Belle carte des vins. Petits déjeuners très copieux.

Saint-Donat

La petite Michèle

$-$$$

327 rue St-Donat, Place Monette

☎819-424-3131

Pour les voyageurs à la recherche d'une bonne table familiale, La petite Michèle est le restaurant tout indiqué. Une ambiance décontractée, un service amical et un menu composé de plats québécois, voilà ce que vous y trouverez.

Saint-Côme

Auberge Aux Quatre Matins

$$-$$$

155 rue des Skieurs

☎450-883-1932

Le restaurant de l'**Auberge Aux Quatre Matins** (voir p 176) s'inspire des produits de la région pour élaborer une carte originale. La salle à manger est chaleureuse et conviviale.

Laurentides

Saint-Jérôme

Taberna Bistro Bar Tapas

$$

322 rue du Palais

☎450-436-4949

L'ambiance boisée et chaleureuse de ce petit bistro est très conviviale. Une grande terrasse est ombragée par plusieurs grands arbres. On y sert un très bon choix de tapas de tous types. Sympathique et peu cher.

Saint-Sauveur

Au Petit Café Chez Denise

$-$$

338 rue Principale

☎450-227-5955

Vous en avez assez des croissants et des cappuccinos? Faites comme les gens du coin et rendez-vous chez Denise pour une grosse bouffe: œufs, bacon, jambon, saucisses, fèves au lard... Le petit déjeuner est servi une bonne partie de la journée, mais s'il est vraiment trop tard, savourez un *hot chicken*, un *club sandwich* ou une généreuse assiette de foie de bœuf accompagnée d'une boule de purée de pommes de terre servie avec une cuillère à crème glacée... Certains seront peut-être ravis de pouvoir s'offrir des crêpes aux fruits et d'autres plats du genre, mais les mets traditionnels restent tout de même le meilleur choix. Authentique.

Papa Luigi

$$-$$$

155 rue Principale

☎450-227-7250

On trouve au menu de Papa Luigi des spécialités italiennes, on s'en doute, mais aussi des fruits de mer et des grillades. Installé dans une belle maison de bois peinte en bleu, l'établissement attire les foules, surtout la fin de semaine. Réservations fortement recommandées.

Orange & Pamplemousse

$$$

120 rue Principale

☎450-227-4330

Ce petit bistro haut de gamme propose ses petits déjeuners à partir de 8h et sa table d'hôte le soir jusqu'à 22h. On y sert une excellente cuisine santé, exotique et fusion, actualisée au gré des produits disponibles selon les saisons. Une très bonne adresse.

Sainte-Adèle

La Chitarra

$$-$$$

140 rue Morin, côté sud, angle Ouimet, en haut de la côte

☎450-229-6904

À La Chitarra, vous pourrez savourer des spécialités des cuisines française et italienne, comme les plats de pâtes, de viande et de poisson, qui se révèlent être toujours excellents. Il s'agit d'une bonne adresse à Sainte-Adèle. Réservations recommandées.

La Clef des Champs

$$$-$$$$

875 ch. Pierre-Péladeau

☎450-229-2857

Au restaurant La Clef des Champs, vous dégusterez une cuisine française digne des plus fins palais. La savoureuse cuisine classique du chef est reconnue depuis maintenant de nombreuses années. La salle à manger, chaleureusement décorée, est parfaite pour les repas en tête-à-tête. Le restaurant dispose en outre d'une excellente cave à vins.

L'Eau à la Bouche

$$$$

3003 boul. Ste-Adèle

☎450-229-2991

L'une des meilleures tables des Laurentides, voire du Québec, se trouve à l'hôtel **L'Eau à la Bouche** (voir p 177). La chef-propriétaire Anne Desjardins se fait ici un point d'honneur de se surpasser jour après jour, afin de servir à sa clientèle une cuisine française exceptionnelle à base de produits du Québec. Deux menus, l'un à trois services et l'autre à six services, sont proposés chaque soir. Très belle carte des vins. Une inoubliable expérience gastronomique!

Sainte-Marguerite-du-Lac-Masson

Bistro à Champlain
$$$$
75 ch. Masson
☎450-228-4988
Il ne faut pas se fier à l'allure quelconque de la maison qui abrite le Bistro à Champlain. Il s'agit en fait d'une des meilleures tables des Laurentides. On y prépare d'excellents plats issus d'une cuisine nouvelle employant des produits frais de la région. L'intérieur se révèle absolument extraordinaire. Il s'agit en fait d'une véritable galerie d'art où vous pourrez admirer plusieurs tableaux d'artistes réputés comme Jean Paul Riopelle, qui était un ami intime du propriétaire, ou encore de Joan Mitchell et de Louise Prescott. L'établissement possède de plus l'une des caves à vins les plus réputées du Québec, sinon la meilleure, avec quelque 35 000 bouteilles. Il est d'ailleurs possible de la visiter sur réservation. Chacun peut goûter quelques crus de cette formidable réserve, car même les plus grands vins sont vendus au verre. Il est préférable de réserver.

Val-Morin

Au Mazot Suisse
$$-$$$
5320 boul. Labelle
☎450-229-5600
Au Mazot Suisse loge dans une maison semblable au typique chalet suisse, dénommé «mazot». Le menu propose des spécialités telles que la fondue bourguignonne (filet de bœuf) et la raclette (préparée dans le four original). L'établissement est fort agréable.

Val-David

Le Mouton Noir Café Bistro
$
2301 rue de l'Église
☎819-322-1571
www.bistromoutonnoir.com
Petit bistro pour le petit déjeuner et le dîner, Le Mouton Noir se transforme en bar pour la soirée durant les fins de semaine (voir p 184). Le menu, qui change quotidiennement, est très abordable et affiche des plats santé et originaux. Sympathique.

Le Creux du Vent
$$
1430 rue de l'Académie
☎819-322-2280 ou 888-522-2280
www.lecreuxduvent.com
La table de la petite auberge sympathique du même nom vaut le détour, pour son menu de cuisine française raffinée mais aussi pour son ambiance, sa splendide terrasse et son rapport qualité/prix imbattable. Service amical.

Restaurant La Sapinière
$$$$
Hôtel La Sapinière
1244 ch. de la Sapinière
☎819-322-2020
Au restaurant de l'**Hôtel La Sapinière** (voir p 177), on s'efforce depuis 1936 de développer une cuisine créative d'inspiration québécoise et française. Parmi les spécialités de la maison, notons les plats de gibier, de même que le pain d'épice. Très bonne sélection de vins.

Sainte-Agathe-des-Monts

Le Havre des Poètes
$$
55 rue St-Vincent
☎819-326-7770
Le restaurant Le Havre des Poètes présente des spectacles de chansonniers interprétant les classiques de la musique francophone. La cuisine est appréciée, mais on s'y rend surtout pour l'ambiance.

Auberge chez Girard
$$-$$$
18 rue Principale O.
☎819-326-0922
www.aubergechezgirard.com
À l'Auberge chez Girard, situé non loin du lac des Sables, un peu en retrait de la route, vous profiterez d'un cadre tout à fait agréable et d'une délicieuse cuisine française. Le restaurant est aménagé sur deux niveaux, le premier étant le plus bruyant. L'endroit est fort agréable après les journées de plein air.

La Sauvagine
$$$$
1592 route 329 N.
☎819-326-7673 ou 800-787-7172
www.lasauvagine.com
Le restaurant français La Sauvagine est judicieusement installé dans ce qui fut jadis la chapelle d'un couvent. L'aménagement est des plus réussis; d'énormes meubles d'époque composent le décor.

Lac-Supérieur

Restaurant Caribou
$$$-$$$$
Chalets Côté Nord
141 ch. Tour-du-Lac
☎819-688-5201 ou 877-688-5201
Au Restaurant Caribou, la jeune chef cuisinière Suzanne Boulianne est toujours souriante (même lorsqu'elle sert) et vous offrira probablement l'un des meilleurs repas de votre séjour dans la région. La salle à manger épurée, confortable et décorée de boiseries, offre une belle vue sur le lac Supérieur (surtout au coucher du soleil). Mme Boulianne mise sur les produits québécois, et tout ce qu'elle prépare atteste son enthousiasme et son talent. Tous les soirs, le menu comprend de trois à cinq amuse-gueule et plats principaux (le caribou demeure toujours de la partie). La carte des vins est très convenable, et le verre à quelques dollars est délicieux. Il est conseillé de réserver à

l'avance. Le restaurant est ouvert le matin pour le petit déjeuner et propose aussi le service de traiteur aux **Chalets Côté Nord** (voir p 178) selon plusieurs formules: un chef au chalet, des plats pour emporter et de la livraison à domicile.

Saint-Jovite

Le Cheval de Jade
$$$-$$$$
688 rue de Saint-Jovite
☎819-425-5233
www.chevaldejade.com
Le Cheval de Jade est sans aucun doute l'endroit préféré des amoureux dans la région de Mont-Tremblant. Le restaurant est aménagé dans une demeure à bardeaux blancs, à quelques pas du centre commercial de Saint-Jovite, et son décor, simple et élégant, est composé de briques, de boiseries, de murs vert foncé et de rideaux de dentelle blanche. En été, il est possible de dîner à l'extérieur, sous un auvent. Les spécialités de la maison: poisson (doré avec sauce homard, bouillabaisse) et flambés. Le service est attentionné, chaleureux et sans prétention... L'endroit idéal pour une soirée hors de l'ordinaire!

Station touristique Mont-Tremblant

Microbrasserie La Diable
$
117 ch. Kandahar
☎819-681-4546
En été, on peut s'attabler sur la belle terrasse de la Microbrasserie La Diable afin de profiter du spectacle de la rue piétonne où elle se trouve. Sinon, la salle intérieure, répartie sur deux étages, réserve beaucoup plus d'espace que l'on serait porté à le croire de prime abord. Ici, on mange côtes levées, saucisses et viandes fumées en accompagnant le tout d'une des bières brassées sur place, comme l'Extrême Onction, une bière très forte (8,5% d'alcool).

Aux Truffes
$$$$
3035 ch. de la Chapelle
☎819-681-4544
Dans un décor à la fois moderne et chaleureux, Aux Truffes, qui donne sur la place Saint-Bernard, constitue la meilleure adresse de la station touristique Mont-Tremblant. On y prépare une succulente nouvelle cuisine française dans laquelle figurent en bonne place truffes, foie gras et plats de viande sauvage.

La Quintessence
$$$$
Hôtel Quintessence
3004 ch. de la Chapelle
☎819-425-3400
Le restaurant de l'**Hôtel Quintessence** (voir p 178) favorise les produits régionaux et élabore des recettes résolument alléchantes. Le bar à vins est le lieu tout indiqué pour prendre l'apéro avant de passer à table. Ami de Bacchus, réjouissez-vous, puisque la cave renferme 5 000 bouteilles dûment sélectionnées! Bon choix de portos et de scotchs. Cadre feutré et service attentionné.

Outaouais

Gatineau

Auberge Un pied à terre
$
245 rue Papineau
☎819-772-4364
L'**Auberge Un pied à terre** (voir p 179) renferme un petit café où tout le monde est invité à déguster des mets à bon prix, sans oublier ses cafés spécialisés.

Le Sans-Pareil
$$$-$$$$
fermé dim
71 boul. St-Raymond
☎819-771-1471
www.lesanspareil.com
Le Sans-Pareil est situé tout près des principales attractions de la région. Ici l'addition est belge. Il est donc normal que l'on y propose des moules (un choix de plusieurs préparations). Mais ce serait un péché que de s'arrêter là, car la carte présente beaucoup d'autres assiettes délicieuses! Le menu change souvent et favorise les produits frais que l'on retrouve dans les différentes régions du Québec. Il faut donc se laisser tenter, sans aucune crainte, par le menu surprise à quatre services, qui inclut également les vins appropriés. C'est un endroit petit mais fort charmant. À découvrir!

Le **Casino du Lac-Leamy** (voir p 174) renferme deux restaurants où vous pourrez prendre un excellent repas loin du tapage des salles de jeu. Le **Banco** *(**$$**; ☎819-772-6220 ou 800-665-2274)* propose une formule buffet, à bon prix, ainsi que divers plats à la carte. Plus chic et plus cher, le **Baccara** *(**$$$$**; fermé le midi; 1 boul. du Casino, ☎819-772-6210 ou 800-665-2274)* a su se tailler une place parmi les meilleurs restos de la région, avec sa cote cinq diamants (CAA-AAA). La table d'hôte affiche tous les jours des plats raffinés, que vous dégusterez tout en profitant d'une vue spectaculaire sur le lac. La cave à vins, bien garnie, et le service toujours impeccable concourent également à faire de votre repas une expérience culinaire mémorable.

Chelsea

L'Orée du bois
$$$-$$$$
mar-dim dès 17h en été, mar-sam en hiver
15 ch. Kingsmere, Old Chelsea
☎819-827-0332
www.oreeduboisrestaurant.com
Visiter l'Outaouais sans se rendre dans le parc de la Gatineau est une hérésie. Ne serait-ce que pour y prendre un repas. L'Orée du bois vous accueille dans une maison rustique en plein cœur

de la nature. Le bois, la brique et les rideaux crochetés que l'on retrouve à l'intérieur ajoutent à l'harmonie. Voilà une entreprise familiale du genre que l'on retrouve partout dans les différentes régions de la France. Manon, souriante, vous reçoit et supervise les salles, tandis que Guy concentre son expertise sur la cuisine. La formule ne peut qu'être gagnante pour le client. Guy élabore une cuisine française qui met en valeur les excellents produits régionaux que l'on retrouve au Québec. La carte propose ainsi des plats préparés à base de champignons des bois, de fromage de chèvre frais, de canard du Lac Brome, de cerf et de poissons fumés sur place au bois d'érable. Les prix sont raisonnables et les portions généreuses.

Sorties

■ Activités culturelles

Terrebonne

Le chaleureux **Théâtre du Vieux-Terrebonne** *(866 rue St-Pierre, ☎450-492-4777 ou 866-404-4777, www.theatreduvieuxterrebonne.com)* a gagné au fil des ans le respect de la communauté artistique québécoise. Ainsi, les plus grands noms de la chanson et de l'humour s'y arrêtent systématiquement pour y roder leur spectacle avant d'affronter le public montréalais. Des troupes de théâtre en tournée y font aussi fréquemment halte.

Joliette

Rien de plus agréable que d'assister à un concert en plein air à l'**Amphithéâtre de Lanaudière** *(1575 boul. Base-de-Roc, ☎450-759-4343 ou 800-561-4343, www.lanaudiere.org)*, brillamment installé dans un vallon ceinturé d'arbres. C'est au cours de l'été, à l'occasion du Festival de Lanaudière, que ce site à l'acoustique remarquable propose le meilleur de sa programmation.

Gatineau

Le **Théâtre du Casino** *(☎819-772-2100)*, qui s'est ajouté aux installations du Casino du Lac-Leamy, comprend 1 000 sièges confortables offrant une bonne vue sur la scène.

Wakefield

À Wakefield, on ne s'ennuie pas. On y trouve en effet quelques bistros pour se divertir, ainsi que le **Mouton Noir/Blacksheep** *(420 ch. Riverside, ☎819-459-3228, www.theblacksheepinn.com)*. Anciennement une auberge, ce bar comprend une salle de spectacle qui affiche une programmation variée et surprenante pour une aussi petite ville. Des dimanches après-midi folk aux soirées africaines, l'ambiance est chaude. Qu'ils soient de la région ou de renommée internationale, les artistes qui s'y produisent sont généralement intéressants et font vibrer toute la localité le temps d'un spectacle ou deux!

■ Bars et boîtes de nuit

Joliette

L'Alchimiste
536-A boul. Manseau
☎450-760-2945
Le petit bar bariolé et bruyant de la microbrasserie L'Alchimiste attire une foule éclectique. On y sert huit excellentes bières brassées sur place. Des spectacles de musique aux consonances éclectiques animent parfois les soirées.

Saint-Sauveur

Les Vieilles Portes
185 rue Principale
☎450-227-2662
Le bar Les Vieilles Portes est un endroit agréable pour prendre un verre entre amis. En été, il bénéficie d'une terrasse fort plaisante.

Bentley's
235 rue Principale
☎450-227-1851
Le Bentley's est souvent rempli de jeunes venus prendre un verre avant d'aller danser.

Val-David

Le Mouton Noir Café Bistro
2301 rue de l'Église
☎819-322-1571
www.bistromoutonnoir.com
Ce petit bistro se transforme en bar les soirs de fins de semaine. Plusieurs spectacles y sont présentés tout au long de l'année. Ambiance éclectique et amicale.

Station touristique Mont-Tremblant

Le P'tit Caribou
☎819-681-4500
www.ptitcaribou.com
Le P'tit Caribou est un bar jeune et énergique qui décolle vraiment lorsqu'il est rempli à pleine capacité, ce qui arrive surtout après une belle journée de ski.

Gatineau

Café Aux Quatre Jeudis
44 rue Laval
☎819-771-9557
Depuis de très nombreuses années, le café Aux Quatre Jeudis est l'endroit privilégié par les habitués des cafés. Belle grande terrasse en été. Fort sympathique.

Le Fou du Roi
253 boul. St-Joseph
☎819-778-0516
Le Fou du Roi est le lieu de rencontre des gens qui ont dépassé la trentaine. Les vitrines s'ouvrent sur une petite terrasse en été. Également très fréquenté après les heures de bureau.

Au **Casino du Lac-Leamy**, vous trouverez le **777** et **La Marina** *(1 boul. du Casino)*, où l'on sert pas moins de 70 sortes de bières produites par les microbrasseries québécoises et canadiennes. Vous pourrez aussi aller au **Bacchus**, installé dans le Hilton Lac-Leamy qui avoisine le casino.

■ Casino

Les personnes qui désirent s'amuser tout en ayant la possibilité de gagner (ou de perdre!) de bons montants d'argent peuvent se rendre au **Casino du Lac-Leamy** *(lun-ven 9h à 4h, fin de semaine 24 heures sur 24; 1 boul. du Casino, Gatineau, ☎819-772-2100 ou 800-665-2274)*. Vaste, il renferme notamment des machines à sous, des tables de keno, de blackjack et de roulette, ainsi que deux restaurants.

■ Fêtes et festivals

Juillet

Le **Festival de Lanaudière** à Joliette *(☎450-759-7636 ou 800-561-4343, www.lanaudiere.org)* constitue l'événement le plus important de la région. Et pour cause: pendant les plus belles semaines de l'été, des dizaines de concerts de musique classique, contemporaine et, plus rarement, populaire sont présentés dans les églises de la région ou encore, en plein air, au superbe Amphithéâtre de Lanaudière.

À la mi-juillet, les plus grands musiciens de blues se donnent rendez-vous à la station touristique Mont-Tremblant pour le **Festival International du Blues de Tremblant** *(☎888-857-8043)*. Spectacles à l'extérieur, ainsi que dans les bars et restos de la station touristique.

Août

À Gatineau (secteur de Hull), l'ouverture du Casino du Lac-Leamy est à l'origine d'un festival de feux d'artifice, **Les grands feux du Casino du Lac-Leamy** *(☎819-771-3389 ou 888-429-3389)*, qui se déroule pendant le mois d'août chaque année.

Septembre

Une fois l'automne venu, la nature de la région de Saint-Donat se pare de ses couleurs les plus variées. Pour célébrer cette explosion spectaculaire, de nombreuses activités familiales sont organisées dans le cadre des **Week-ends des Couleurs** *(☎819-424-2833 ou 888-783-6628)*.

Le **Festival de montgolfières de Gatineau** *(☎819-243-2330 ou 800-668-8383)* se déroule à Gatineau pendant la fin de semaine de la fête du Travail, début septembre. Une féerie de couleurs inonde alors le ciel. En peu d'années, ce festival a acquis une réputation enviable et constitue le plus important du genre au Canada. Très bien organisé, il attire plusieurs grands artistes de la chanson en soirée.

Achats

Joliette

Boulangerie et fromagerie St-Viateur
602 rue Notre-Dame
☎450-755-4575
Plusieurs pains et pâtisseries bios et artisanales. Aussi, un grand choix de fromages locaux. Beaux et bons produits.

Rawdon

Ferme Guy Rivest
La boutique est ouverte en été seulement
1305 ch. Laliberté
☎450-834-5127
Boissons alcoolisées aux fraises. Légères et délicieuses!

Saint-Sauveur

La rue Principale de Saint-Sauveur est bordée d'une foule de commerces variés que vous prendrez sans doute plaisir à découvrir. Outre de belles boutiques de mode, vous trouverez des spécialistes des reproductions de meubles québécois d'époque.

Station touristique Mont-Tremblant

La station touristique Mont-Tremblant regorge de boutiques de toutes sortes. De grandes chaînes canadiennes comme Roots et La Cache y côtoient de petites boutiques exclusives. Du prêt-à-porter jusqu'aux confiseries et pâtisseries, en passant par les soins du corps et les articles de maison, vous y trouverez de tout.

Gatineau

La **boutique du Musée canadien des civilisations** *(100 rue Laurier)* est en quelque sorte une autre salle de cette institution. Bien que les pièces d'artisanat autochtone et canadien qui y sont vendues n'aient pas la même qualité artistique que celles exposées dans le musée, vous y dénicherez toutes sortes de trésors à prix accessible. En plus de l'artisanat, on y vend une foule de chouettes petits bibelots. Le Musée canadien des civilisations renferme également une librairie disposant d'une fort belle collection d'ouvrages traitant de l'histoire et de l'artisanat de nombre d'ethnies.

Wakefield

La petite ville de Wakefield réserve quelques plaisirs à ceux qui aiment déambuler tranquillement en fouinant dans des boutiques. Une riche communauté d'artistes et d'artisans s'y est en effet établie et a ouvert un bon nombre de boutiques prêtes à recevoir les visiteurs. Parmi celles-ci, la boutique **Jamboree** *(740 Riverside Rd., ☎819-459-2537)* propose une belle sélection d'artisanat d'ici et d'ailleurs, ainsi que des produits maison: confitures, chutneys et achards aux bleuets sauvages ou aux courgettes, s'il faut choisir.

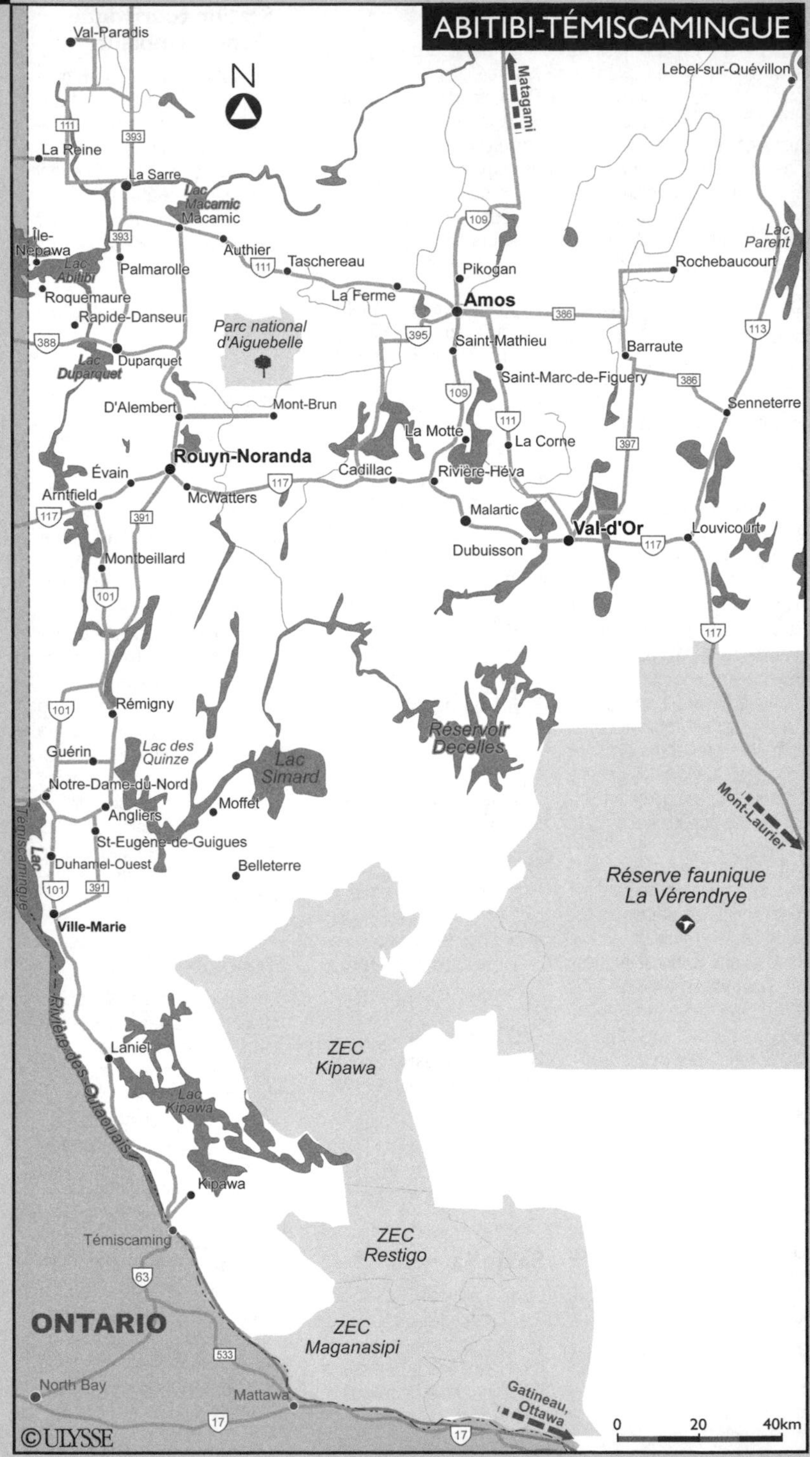
ABITIBI-TÉMISCAMINGUE
N
Val-Paradis
Lebel-sur-Quévillon
Matagami
111
393
La Reine
La Sarre
Lac Macamic
Macamic
109
Île-Nepawa
393
Lac Abitibi
Authier
Lac Parent
Palmarolle
111
Taschereau
Pikogan
Rochebaucourt
Roquemaure
La Ferme
Amos
386
Rapide-Danseur
Parc national d'Aiguebelle
395
Saint-Mathieu
113
388
Lac Duparquet
Duparquet
Barraute
Saint-Marc-de-Figuery
386
109
D'Alembert
Mont-Brun
Senneterre
111
La Motte
La Corne
Rouyn-Noranda
397
Cadillac
Rivière-Héva
Évain
117
Arntfield
McWatters
Malartic
117
391
Val-d'Or
Louvicourt
Dubuisson
117
Montbeillard
101
117
Rémigny
101
Réservoir Decelles
Lac des Quinze
Guérin
Lac Simard
Notre-Dame-du-Nord
Mont-Laurier
Moffet
Angliers
Lac Témiscamingue
St-Eugène-de-Guigues
Duhamel-Ouest
Belleterre
Réserve faunique La Vérendrye
101
391
Ville-Marie
Rivière-des-Outaouais
Laniel
ZEC Kipawa
Lac Kipawa
Kipawa
Témiscaming
ZEC Restigo
63
ONTARIO
ZEC Maganasipi
533
North Bay
Mattawa
Gatineau, Ottawa
17
17
0
20
40km
©ULYSSE

Abitibi-Témiscamingue

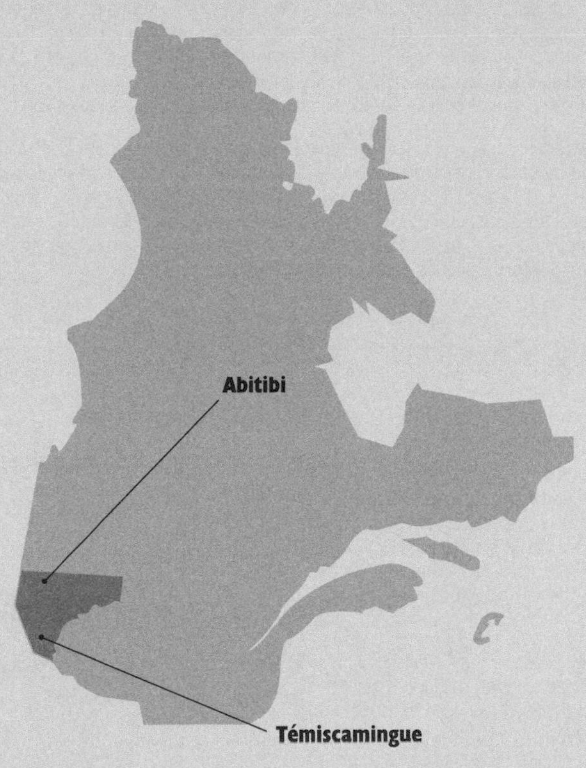

Avec ses 20 000 lacs et ses 150 000 habitants, la région de l'Abitibi-Témiscamingue peut sans doute être considérée comme la dernière frontière du Québec, en excluant le Grand Nord québécois et la Baie-James. Quoique les riches terres bordant le lac Témiscamingue et la rivière des Outaouais aient été occupées dès le XIXe siècle, la colonisation de la majeure partie de la région ne commença qu'au début du siècle dernier, avec l'arrivée de femmes et d'hommes déterminés à y vivre de l'agriculture malgré la pauvreté du sol.

Après de dures années de défrichage et de maigres récoltes, la découverte de gisements d'or au cours des années 1920 provoqua une deuxième vague migratoire ayant l'allure d'une véritable Ruée vers l'or. Des villes y poussèrent comme des champignons en quelques années, avec l'exploitation naissante des gisements d'or, mais aussi de cuivre et d'argent, dans ce que l'on nomme la «faille de Cadillac». La région conserve encore aujourd'hui une atmosphère de *boom town*, et le secteur minier emploie toujours un cinquième de la main-d'œuvre locale, les autres piliers de l'économie régionale étant l'agriculture et, surtout, le secteur forestier.

Du point de vue touristique, l'Abitibi-Témiscamingue est encore un territoire à défricher! L'explorateur moderne qui s'y aventure découvrira une richesse inouïe, des espaces vierges à profusion et des cours d'eau aux possibilités quasi infinies! Fréquentée depuis plusieurs années par les chasseurs et les pêcheurs qui reconnaissent la générosité de la nature, la région offre beaucoup plus que du gibier et du poisson. Ses forêts, ses lacs et ses rivières se prêtent à une multitude d'aventures, douces ou extrêmes.

Accès et déplacements

■ En voiture

Même si l'Abitibi et le Témiscamingue font partie de la même région touristique, ces deux entités territoriales propres couvrent respectivement un vaste territoire. L'Abitibi est située à environ 500 km de Montréal. Pour vous y rendre, empruntez l'autoroute 15 Nord au départ de Montréal. À Sainte-Agathe, elle devient la route 117.

Le Témiscamingue est accessible soit par l'Abitibi, soit par l'Ontario. Dans le premier cas, suivez la route 391 Sud au départ de Rouyn-Noranda. À Rollet, empruntez la route 101 Sud puis la route 391 Sud jusqu'à Angliers. Dans le second cas, empruntez les routes 17, 533 et 63 en Ontario (sur la rive sud de la rivière des Outaouais). Puis rendez-vous à Témiscaming, et parcourez le circuit que nous vous proposons en sens inverse pour terminer à Guérin.

■ En autocar (gares routières)

Val-d'Or
Terminus Maheux
1420 4e Avenue
☎819-874-2200

Rouyn-Noranda
Terminus Maheux
52 rue Horne
☎819-762-2200

Ville-Marie
Dépanneur au Cagibi
19 rue Ste-Anne
☎819-629-2166

■ En train (gare ferroviaire)

Senneterre
4e Rue O.
☎819-737-2979

Renseignements utiles

■ Renseignements touristiques

Tourisme Abitibi-Témiscamingue
155 av. Dallaire, bureau 100
Rouyn-Noranda, QC J9X 4T3
☎819-762-8181 ou 800-808-0706
www.48nord.qc.ca

Val-d'Or
Office du tourisme et des congrès
1070 3e Avenue E.
☎819-824-9646 ou 877-582-5367
www.ville.valdor.qc.ca

Amos
Maison du tourisme
892 route 111 E.
☎819-727-1242 ou 800-670-0499
www.ville.amos.qc.ca

Rouyn-Noranda
Tourisme Rouyn-Noranda
1675 av. Larivière
☎819-797-3195 ou 888-797-3195
www.tourismerouyn-noranda.ca

Ville-Marie
1 rue Industrielle
☎819-629-2918
www.temiscamingue.net

Attraits touristiques

L'Abitibi ★

p 191 p 192 p 193 p 193

Des centaines de lacs et de rivières, la forêt à perte de vue et un relief de hauts plateaux relativement peu prononcé font de l'Abitibi un lieu idéal pour la chasse, la pêche et le camping sauvage. L'Abitibi-Témiscamingue est traversée par la ligne démarquant les eaux de la vallée du Saint-Laurent de celles de la baie James, et c'est d'ailleurs ce que le mot d'origine algonquine *Abitibi* signifie: «ligne de partage des eaux».

Val-d'Or (32 000 hab.)

Qui aurait cru que sous le Régime français il y avait bel et bien de l'or au Québec? Après s'être fourvoyés en apportant à François Ier de la vulgaire pyrite de fer, les explorateurs de l'Amérique française avaient abandonné la recherche du précieux métal doré. Ce n'est qu'en 1922 que des prospecteurs découvrent aux limites de la faille minéralisée de Cadillac un formidable gisement d'or.

Une ville champignon verra bientôt le jour dans cette vallée de l'or. Elle portera un nom qui lui convient à merveille: Val-d'Or. Au cours des années 1930, Val-d'Or fut le plus important site d'extraction d'or au monde. Elle demeure encore de nos jours un important centre minier.

La **Cité de l'Or** ★★ *(25$, famille 67$; mi-juin à début sept 9h à 17h, sept à mai lun-ven 9h à 17h sur réservations; 123 av. Perreault, ☎819-825-7616 ou 877-582-5367, www.citedelor.com)* vous donne l'occasion de descendre 90 m sous terre dans une ancienne mine. On y explique les différentes techniques d'extraction de l'or. Cette expérience intéressante permet de voir les incroyables conditions de travail des hommes-taupes. Pour la visite d'une durée de presque 2h, portez un bon lainage car la température au fond d'une mine n'a rien à voir avec celle de l'extérieur. Après la visite de la mine, vous pouvez vous rendre aux installations de surface de l'ancienne mine Lamaque.

En arrivant des Laurentides par la route 117, vous avez certainement croisé pendant quelques heures la **réserve faunique La Vérendrye** ★★ *(3,50$; ☎819-435-2541 ou 800-665-6527, www.sepaq.com)*. Couvrant 12 589 km², cette réserve représente le deuxième territoire naturel en importance au Québec. Elle est devenue, au fil des années, le paradis des amateurs de plein air. Ainsi, chaque été, de nombreux adeptes du canot, du canot-camping, de la pêche, et même des cyclistes et des vacanciers de villégiature (qui y garent leur véhicule motorisé ou y plantent leur tente), y affluent.

Vous pourrez y accéder à partir de trois postes d'accueil: l'entrée Nord, qui est située à 60 km au sud de Val-d'Or; le Domaine, qui donne accès au centre du parc et que vous verrez annoncé sur la route Transcanadienne; et l'entrée Sud, accessible depuis la route 117 dans le nord de la région des Laurentides, à quelque 15 km du village de Grand-Remous. Le Domaine est par ailleurs l'endroit où l'on trouve de l'essence, un garage, un dépanneur et un restaurant; on peut aussi y louer une embarcation ou un chalet. Des tables de pique-nique ont été installées au bord de la route.

Amos (12 700 hab.)

À l'été de 1912, les premiers colons de l'Abitibi s'installent sur les berges de la rivière Harricana après un voyage épuisant. Le premier village de cabanes rustiques, bâties avec le bois coupé pour défricher le site, fait rapidement place à une ville moderne qui n'a rien à envier aux autres villes du Québec. Amos a été le point de départ de la colonisation de l'Abitibi. Elle en est toujours le centre administratif et religieux.

La **cathédrale Sainte-Thérèse-d'Avila** ★ *(11 boul. Mgr-Dudemaine, ☎819-732-2110)*, élevée à ce rang en 1939, a été construite en 1923. Sa structure circulaire inusitée, coiffée d'un large dôme, et son vocabulaire romano-byzantin ne sont pas sans rappeler l'église St. Michael's and St. Anthony's de Montréal. L'intérieur est orné de marbres d'Italie, de belles mosaïques et de verrières françaises.

Le **Refuge Pageau** ★★ *(12,50$; début juin à fin août mar-dim 10h à 16h, sept et oct visites guidées lun-ven 10h30 et 13h30, sam-dim 13h à 16h, hiver lun-ven visites guidées à 13h30, sam-dim 13h30 et 15h; 4241 ch. Croteau, ☎819-732-8999, www.refugepageau.ca)* recueille les animaux blessés, les soigne et, une fois ces bêtes guéries, les remet en liberté. Malheureusement, ces bêtes ne peuvent pas toutes retourner dans la nature sans risques; alors certaines restent au refuge et amusent les visiteurs. En automne, vous pourrez être témoin du magnifique spectacle des oiseaux migrateurs qui s'arrêtent au refuge. Une initiative louable qui mérite certainement une visite.

Si vous avez un peu de chance, vous apercevrez Michel Pageau en train de jouer avec ces animaux sauvages, dans leur cage respective, que personne d'autre ne peut approcher. Il est toujours impressionnant de voir un homme se faire lécher le visage par un loup ou lutter avec un ours. Outre les ours et les loups, on y retrouve des renards intéressés, des chevreuils curieux, des aigles fiers et plusieurs autres représentants de la faune québécoise.

Rouyn-Noranda (39 300 hab.)

La ville de Rouyn-Noranda est devenue un pilier culturel national par son éclectisme et son audace. Plusieurs festivals d'envergure internationale y sont organisés, notamment le **Festival du cinéma international en Abitibi-Témiscamingue** (voir p 193) et le **Festival de musique émergente en Abitibi-Témiscamingue** (voir p 193).

Les promoteurs du **Centre éducatif forestier du Lac-Joannès** *(entrée libre ou payante selon les activités; fin juin à début sept tlj 10h à 18h; 703 ch. des Cèdres, par la route 117, direction Rouyn-Noranda, McWatters, ☎819-762-8867, www.afat.qc.ca)* privilégient les activités en famille, et c'est pourquoi on y trouve des installations pour tous. Fondé en 1972, le centre tente de vulgariser les activités économiques du milieu forestier en proposant des sentiers pédestres, une piste d'hébertisme et un gigantesque labyrinthe habité de personnages le samedi. Des guides d'observation sont offerts pour une meilleure compréhension de la faune et de la flore lors des randonnées. Les groupes doivent réserver.

Le **Circuit d'interprétation historique du Vieux-Rouyn et du Vieux-Noranda** comporte des panneaux d'interprétation répartis en 13 stations pour Noranda et 7 stations pour Rouyn. Les tableaux du parcours relatent l'histoire des vieilles villes de Noranda et Rouyn en présentant chacun des bâtiments importants construits depuis leur fondation. Un plan est disponible au bureau d'information touristique *(mai à nov; 1675 av. Larivière, ☎819-797-3195)*.

Le **parc national d'Aiguebelle** ★★ *(3,50$; 4702 rang Hudon, Mont-Brun, ☎819-637-7322 ou 800-665-6527, www.sepaq.com)* couvre un territoire de 243 km². En plus des multiples lacs et rivières, on y retrouve les plus hautes collines de la région. Les visiteurs peuvent y pratiquer plusieurs activités de plein air tout au long de l'année, dont les plus populaires sont le canot, la pêche, la randonnée à bicyclette et à pied (69 km) durant la saison estivale, et le ski de fond (35 km) ainsi que la raquette durant l'hiver. On peut aussi y séjourner en refuge ou en camping.

Activités de plein air

Agences d'excursions

Afin de découvrir le mode de vie ancestral des premiers habitants du territoire, les rendez-vous avec les Autochtones sont de plus en plus nombreux dans la région, entraînant les visiteurs sur les traces des Amérindiens en canot, en raquettes, en traîneau à chiens ou à motoneige. Les excursions sont guidées par des Autochtones.

Wawatè *(104 rue Perreault, Val-d'Or, ☎819-824-7652 ou 819-825-9518, www.aubergeorpailleur.com)*, mot d'origine algonquine, signifie «aurore boréale». L'entreprise loge à l'**Auberge de l'Orpailleur** (voir p 191) et propose toutes sortes d'activités de plein air orientées sur les richesses naturelles et communautaires de l'Abitibi-Témiscamingue.

Abitibi8inni *(55 rue Wigwan, Pikogan, ☎819-732-3350, www.abitibiwinni.com)* propose des forfaits sur mesure pour des expéditions sur la rivière Harricana. Les guides autochtones permettent aux participants d'expérimenter la vie amérindienne à l'époque des grandes expéditions en canot, en plus d'avoir l'occasion de goûter la cuisine traditionnelle et de dormir sous le tipi ou dans un camp aménagé. Il faut réserver au moins une semaine à l'avance. Ce périple est hautement recommandé si vous voulez mieux connaître la véritable première culture du Québec. Splendide.

Chasse et pêche

Dans ce royaume de lacs et de rivières, de grands espaces et de forêts sans fin, la chasse et la pêche dominent. La **Pourvoirie Balbuzard Sauvage** *(lac Trévet, Senneterre, ☎819-737-8681, www.balbuzard.com)* a acquis une excellente réputation grâce à la qualité de sa table et de son confort. Les tarifs dépendent toujours de la saison que l'on choisit pour s'y rendre et de l'activité qu'on désire pratiquer.

La **Pourvoirie du lac Faillon** *(Senneterre, ☎819-737-4429, www.pourvoiriedulacfaillon.com)* figure, elle aussi, parmi les plus populaires. En plus, vous y trouverez une jolie plage.

Randonnée pédestre

Le **parc national d'Aiguebelle** *(☎819-637-7322)* constitue l'un des lieux préférés des gens de la région pour la pratique de la randonnée pédestre. Les sentiers vous invitent à fouler le sol le plus âgé du Bouclier canadien.

Le Témiscamingue ★

p 193

La rivière des Outaouais prend sa source dans le beau lac Témiscamingue, qui a laissé son nom à toute une région du Québec située à la frontière avec l'Ontario. Le Témiscamingue, mot d'origine amérindienne signifiant «l'endroit des eaux profondes», constituait autrefois le cœur des territoires algonquins.

Ville-Marie

Lieu stratégique sur la route de la baie d'Hudson, le lac Témiscamingue est connu depuis le XVIIe siècle. Déjà en 1686, le chevalier de Troyes s'y arrête brièvement lors d'une expédition pour déloger les Anglais de la baie.

Un poste de traite est aménagé au bord du lac la même année. Au XIXe siècle, l'ouverture de chantiers au Témiscamingue amène une population saisonnière, bientôt remplacée par des colons qui s'établiront à proximité de la mission des oblats, donnant ainsi naissance à Ville-Marie. La ville occupe un bel emplacement au bord du lac, mis en valeur par l'aménagement d'un parc riverain.

Le **Lieu historique national du Fort-Témiscamingue** ★★ *(5$; début juin à début sept, hors saison sur réservation; 834 ch. du Vieux-Fort, Duhamel-Ouest,* ☎*819-629-3222 ou 888-773-8888, www.pc.gc.ca)* est situé à 8 km au sud de Ville-Marie. Ce site rappelle l'importance de la traite des fourrures dans l'économie québécoise. De la Compagnie du Nord-Ouest au Régime français, en passant par la Compagnie de la Baie d'Hudson, le fort Témiscamingue, habité de 1720 à 1902, fut un lieu de rencontre entre différentes cultures et religions.

Une exposition interactive met en valeur la collection archéologique et la trame historique du lieu. Vous retrouverez aussi des platesformes et des scénographies rappelant l'emplacement des anciens bâtiments ainsi que leur fonction. Tout près, vous verrez la «Forêt enchantée», plantée de thuyas de l'Est déformés par la rigueur hivernale et bordée par le majestueux lac Témiscamingue, témoin de plusieurs millénaires d'histoire.

Activités de plein air

■ *Chasse et pêche*

De réputation internationale, la **Réserve Beauchêne** *(Témiscaming,* ☎*819-627-3865 ou 888-627-3865, www.beauchene.com)* propose la formule dite de «pêche sportive», selon laquelle les poissons doivent être remis à l'eau. De cette façon, on vous assure une qualité de pêche supérieure. De plus, les chambres sont très confortables et la table est renommée.

Hébergement

L'Abitibi

Val-d'Or

Auberge de l'Orpailleur
$$ @
104 av. Perreault
☎819-825-9518
www.aubergeorpailleur.com

L'Auberge de l'Orpailleur, située dans le village minier de Bourlamaque, est aménagée dans l'ancienne *bunkhouse* qui accueillait les mineurs célibataires. En plus de l'attrait historique, les chambres sont agréablement décorées, chacune d'elles ayant un cachet particulier. L'établissement propose aussi une suite complète avec deux chambres et cuisine à l'étage. L'accueil et le petit déjeuner copieux rendent les séjours inoubliables. Les propriétaires gèrent aussi l'entreprise de plein air **Wawatè** (voir p 190).

Auberge Harricana
$$-$$$ ≡ @
1 ch. des Scouts
☎819-825-4414
www.aubergeharricana.ca

La gigantesque structure de bois rond qui abrite les 26 chambres de l'Auberge Harricana est tout simplement magnifique! Seul établissement hôtelier situé sur le bord de l'eau à Val-d'Or, l'auberge profite d'un emplacement retiré tout en demeurant à proximité du centre-ville. On y propose quelques forfaits d'activités de plein air, surtout axés sur l'hiver et la motoneige, tout équipement fourni. Splendide et hautement abordable compte tenu de la qualité du service, du confort et de l'environnement (la terrasse est particulièrement spectaculaire). Une bonne table est aussi proposée aux villégiateurs, dont notamment un excellent brunch le dimanche.

Amos

Complexe Hôtelier Amosphère
$$-$$$
1031 route 111 E.
819-732-7777 ou 800-567-7777
www.amosphere.com
Établissement se qualifiant «d'écoresponsable», l'Amosphère offre un hébergement de catégorie supérieure. En soirée, la salle à manger propose des spécialités de grillades et de fruits de mer. Le complexe hôtelier fait aussi office de relais de motoneigistes en hiver; on y trouve notamment des garages chauffés pour les motoneiges.

Hôtel des Eskers
$$-$$$
201 av. Authier
819-732-5386 ou 888-666-5386
www.hoteleskers.com
L'Hôtel des Eskers propose une variété de chambres de catégories différentes (standard, de luxe, studio, loft...), avec tout le confort auquel on peut s'attendre d'un établissement hôtelier moderne. Il renferme aussi un bon restaurant, le **Chat'O Resto-Bar-Café** (voir plus loin).

Rouyn-Noranda

Le Passant B&B
$$ bc/bp
489 rue Perreault E.
819-762-9827
www.lepassant.com
Quatre charmantes chambres (une avec salle de bain privée, trois autres avec salle de bain commune) vous accueillent au gîte convivial qu'est Le Passant B&B. Réputé pour sa bonne table, Michel Bellehumeur, le propriétaire, propose un petit déjeuner fortifiant composé des produits de son potager.

Le Noranda
$$$-$$$$
41 6e Rue (secteur Noranda)
819-762-2341
www.lenoranda.com
Rénové, Le Noranda est l'adresse la mieux cotée en ville, avec toute la classe et tout le confort relatifs à ce genre d'établissement. Studios, chambres feng-shui, spa relaxation et piscine intérieure sont au menu. Le restaurant de l'hôtel, **Le Cellier** (voir plus loin) est très agréable. Chic et de bon goût. Une valeur sûre.

Restaurants

L'Abitibi

Val-d'Or

Restaurant L'Armorique
$-$$
805 2e Avenue
819-825-4300
Ce café-bar sert des petits déjeuners de type continental. Terrasse agréable.

L'Amadeus
$$-$$$
166 av. Perreault
819-825-7204
L'Amadeus prépare une excellente cuisine française. Le service est impeccable et le décor des plus agréables.

Restaurant Fleur de Lotus
$$-$$$
450 3e Avenue
819-874-1137
Le Fleur de Lotus propose une cuisine asiatique santé. Vous pourrez y déguster de délicieuses spécialités thaïes et vietnamiennes. On peut apporter son vin.

Amos

Le Chat'O Resto-Bar-Café
$$
Hôtel des Eskers
201 av. Authier
819-732-5386 ou 888-666-5386
Une impressionnante collection de bouteilles de bière nous accueille à l'entrée du restaurant de l'**Hôtel des Eskers** (voir plus haut), dans un décor bric à brac. Le menu propose une cuisine québécoise typique et sans surprises, mais pleinement satisfaisante. Buffet. Belle ambiance. Bon choix de vins.

Restaurant Le Moulin
$$$
100 1re Avenue O.
819-732-8271
Le Restaurant Le Moulin prépare une cuisine française et régionale raffinée. La truite fera le régal des palais les plus fins.

Rouyn-Noranda

La Muse Gueule
$-$$
140 rue Perreault E.
819-797-9686
Ce très beau restaurant à l'ambiance décontractée et au décor lambrissé attire une clientèle jeune et dynamique. Le menu du jour est en général plus raffiné que la carte régulière, composée de soupes et de plats de poisson et de volaille. Tout est savoureux et servi en généreuses portions. Une bonne adresse.

Olive et Basil
$-$$
164A rue Perreault E.
819-797-6655
Olive et Basil est un rayon de fraîcheur. Une excellente table d'hôte est proposée à prix raisonnable. Le menu se compose de savoureuses spécialités méditerranéennes.

Le Cellier
$$-$$$
Le Noranda
41 6e Rue (secteur Noranda)
819-762-2341
Au magnifique décor feutré et distingué, le bar à vin et restaurant Le Cellier propose une cave à vin digne de ce nom et offre la possibilité de déguster au verre certains grands crus. La table est relativement raffinée et fantaisiste, et mise sur les produits régionaux. Excellent rapport qualité/prix. Bar agréable.

Le Témiscamingue

Ville-Marie

Restaurant-Bar La Bannik
$$
862 ch. du Vieux-Fort
☎819-622-0922
Le Restaurant-Bar La Bannik est situé sur une colline qui surplombe le Lieu historique national du Fort-Témiscamingue. La vue depuis la terrasse est tout à fait exceptionnelle. Malheureusement, la cuisine n'est pas très étoffée. On y sert surtout des grillades, des pizzas et des repas légers. Cependant, vous pourrez aussi profiter d'une table d'hôte qui propose des plats plus élaborés.

Sorties

■ Bars et boîtes de nuit

Rouyn-Noranda

Cabaret de la dernière chance
146 8e Avenue
☎819-762-9222
Véritable institution, le Cabaret met sa salle à la disposition des artistes locaux depuis plus de 25 ans. Plusieurs grands noms y sont passés, tels Richard Desjardins et Michel Rivard. Murs colorés et soirées thématiques. Léger relent des années *peace and love*...

L'Abstracto
144 rue Perreault E.
☎819-762-8840
Café-bar attenant (et communiquant) au resto **La Muse Gueule** (voir p 192). L'Abstracto dispose de la quasi complète sélection des bières de microbrasseries du Québec, en plus de ne servir, pour le café, que de l'équitable. Expositions d'arts visuels sur les grands murs de briques. Spectacles à l'occasion.

Val-d'Or

Le Rafiot
536 3e Avenue
☎819-874-5252
Le Rafiot présente des spectacles et des expositions d'arts visuels. Bières québécoises et importées. Heureuse ambiance.

■ Fêtes et festivals

Août

Le **Festival de musique émergente en Abitibi-Témiscamingue** *(fin août à début sept;* ☎ *819-797-0888 ou 877-797-0889, www.fmeat.org)*, présente des artistes tant nationaux qu'internationaux œuvrant dans le domaine de la musique à contre-courant. Depuis quelques années, ce festival obtient une reconnaissance grandissante dans le milieu des arts, et la programmation est généralement étonnante pour un festival en région. La plupart des concerts sont payants, mis à part ceux présentés à l'extérieur. Quelques-uns se tiennent à Val-d'Or, mais l'essentiel se passe à Rouyn-Noranda. Un incontournable.

Octobre

Le **Festival du cinéma international en Abitibi-Témiscamingue** *(fin oct à début nov; Rouyn-Noranda,* ☎ *819-762-6212, www.festivalcinema.ca)*, à caractère non compétitif, présente des films provenant de divers pays, diffusés pour la première fois en Amérique, et parfois même au monde. Une manifestation culturelle à l'envergure surprenante pour ce coin de pays.

Achats

■ Art et artisanat

Rouyn-Noranda

La Fontaine des Arts
25 av. Principale
☎819-764-5555
www.fontainedesarts.qc.ca
La Fontaine des Arts est une galerie d'art qui permet à des artistes régionaux d'exposer leurs œuvres pour le plus grand plaisir des amateurs. Il est possible d'acheter les tableaux qui y sont exposés, ainsi que du matériel d'art.

Makonigan
153 av. Principale
☎819-764-9497
Makonigan, une petite boutique d'artisanat autochtone, propose des produits authentiques d'un peu partout au Canada. Les prix sont abordables, et la propriétaire n'hésite pas à vous entretenir sur la culture algonquine.

Val-d'Or

Boutique Wachiya
145 av. Perreault
☎819-825-0434
Cette boutique d'artisanat amérindien possède un bel éventail d'objets culturels cris, pour tous les goûts et pour tous les budgets. Les «capteurs de rêves» et les mocassins qu'on y trouve sont particulièrement raffinés, et l'on peut même y dénicher des tisanes inuites.

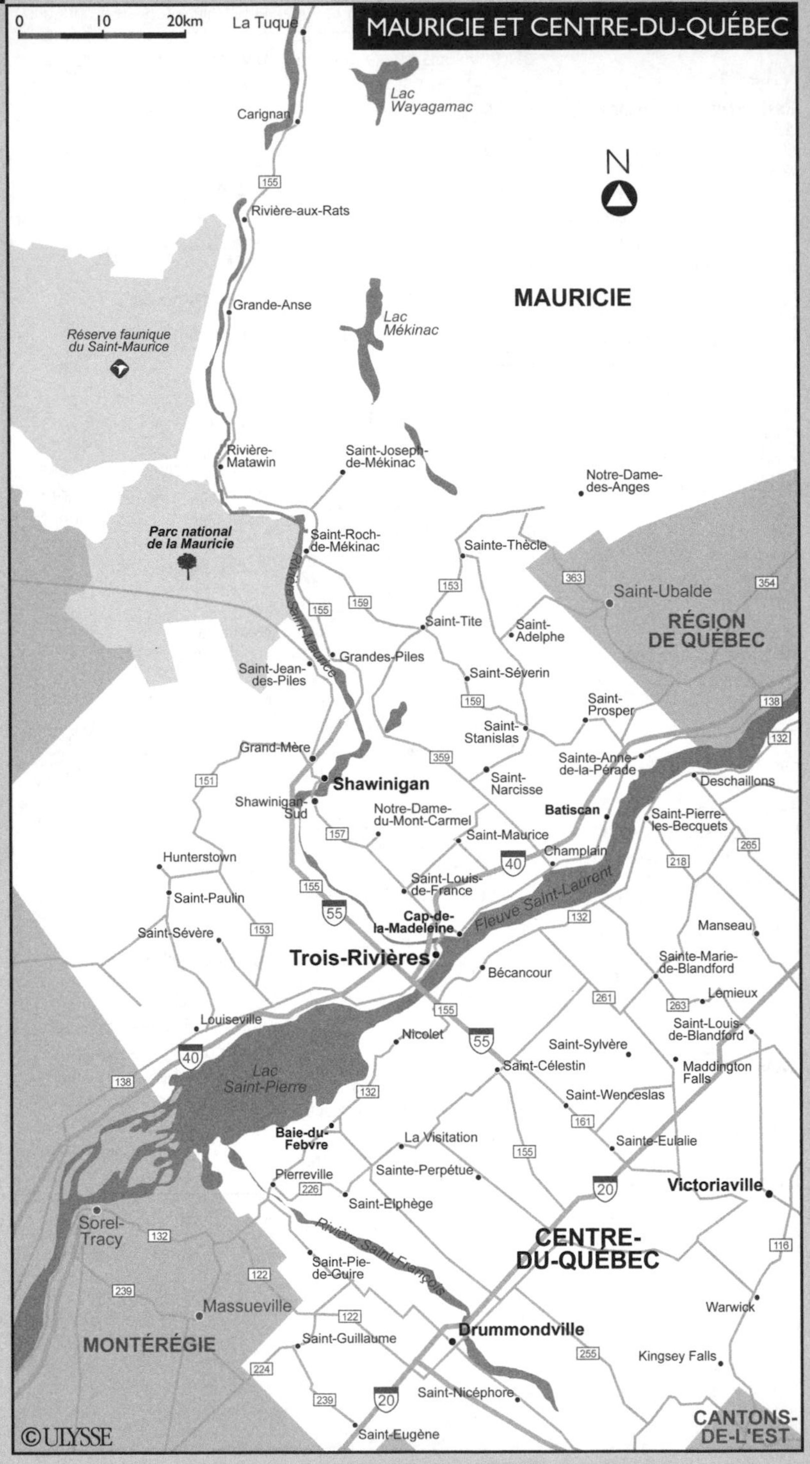
MAURICIE ET CENTRE-DU-QUÉBEC
0 10 20km
La Tuque
Carignan
Lac Wayagamac
N
155
Rivière-aux-Rats
MAURICIE
Grande-Anse
Lac Mékinac
Réserve faunique du Saint-Maurice
Rivière-Matawin
Saint-Joseph-de-Mékinac
Notre-Dame-des-Anges
Parc national de la Mauricie
Saint-Roch-de-Mékinac
Sainte-Thècle
Rivière Saint-Maurice
153
363
Saint-Ubalde
354
155
159
Saint-Tite
Saint-Adelphe
RÉGION DE QUÉBEC
Grandes-Piles
Saint-Jean-des-Piles
Saint-Séverin
159
Saint-Prosper
138
Saint-Stanislas
132
Grand-Mère
359
Sainte-Anne-de-la-Pérade
151
Shawinigan
Saint-Narcisse
Deschaillons
Shawinigan-Sud
Notre-Dame-du-Mont-Carmel
Batiscan
Saint-Pierre-les-Becquets
157
Saint-Maurice
Hunterstown
Champlain
40
218
265
Saint-Louis-de-France
155
Fleuve Saint-Laurent
Saint-Paulin
55
132
Manseau
Saint-Sévère
153
Cap-de-la-Madeleine
Trois-Rivières
Sainte-Marie-de-Blandford
Bécancour
261
263
Lemieux
155
Saint-Louis-de-Blandford
Louiseville
Nicolet
55
Saint-Sylvère
40
Saint-Célestin
Maddington Falls
138
Lac Saint-Pierre
132
Saint-Wenceslas
161
Baie-du-Febvre
La Visitation
Sainte-Eulalie
155
Sainte-Perpétue
Pierreville
20
Victoriaville
226
Saint-Elphège
Sorel-Tracy
132
CENTRE-DU-QUÉBEC
Rivière Saint-François
116
Saint-Pie-de-Guire
122
239
Massueville
Warwick
122
Drummondville
MONTÉRÉGIE
Saint-Guillaume
255
Kingsey Falls
224
239
20
Saint-Nicéphore
CANTONS-DE-L'EST
Saint-Eugène
©ULYSSE

Mauricie et Centre-du-Québec

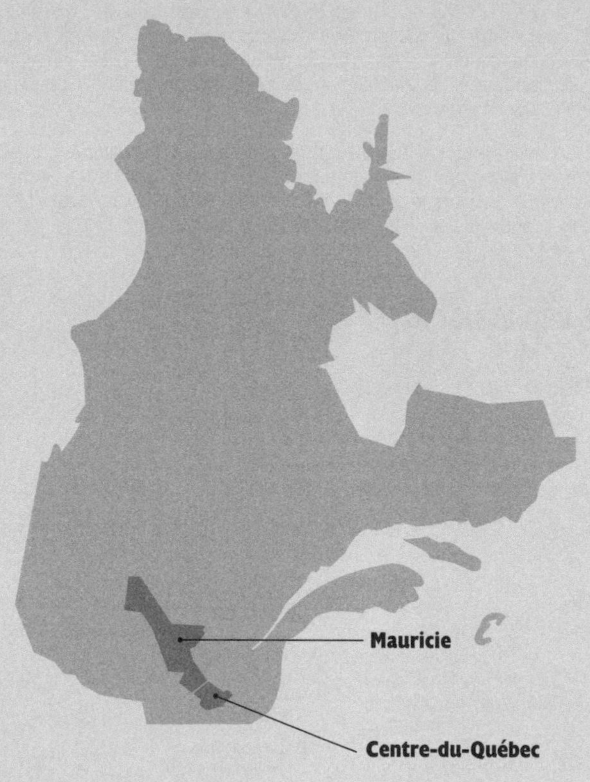

Axe nord-sud situé à mi-chemin entre Québec et Montréal, ces deux régions embrassent les trois formations morphologiques du territoire québécois: le Bouclier canadien, la plaine du Saint-Laurent et la chaîne des Appalaches. Trois-Rivières joue le rôle de pivot central de la Mauricie, sur la rive nord du fleuve. Seconde ville à avoir été fondée en Nouvelle-France (1634), Trois-Rivières fut d'abord un poste de traite des fourrures avant de devenir, avec l'inauguration en 1730 des Forges du Saint-Maurice, une ville à vocation industrielle.

En amont sur la rivière Saint-Maurice, la ville de Shawinigan est dotée de centrales hydroélectriques et d'usines de transformation. Plus au nord s'ouvre une vaste région sauvage de lacs, de rivières et de forêts, royaume de la chasse et de la pêche. On y découvre notamment le magnifique parc national de la Mauricie, où l'on peut pratiquer des activités de plein air, particulièrement le canot-camping.

Sur la rive sud du fleuve, dans la région du Centre-du-Québec, s'étendent des zones rurales ouvertes très tôt à la colonisation et dont le territoire conserve toujours le lotissement hérité de l'époque seigneuriale. L'extrême sud de cette région présente des paysages légèrement vallonnés qui annoncent le début de la chaîne des Appalaches.

Accès et déplacements

■ En voiture

Mauricie

De Montréal, empruntez l'autoroute Félix-Leclerc (40) puis l'autoroute 55 Sud, sur une très courte distance, avant de bifurquer sur la route 138 Est jusqu'à Trois-Rivières.

Centre-du-Québec

Le circuit proposé se concentre dans la plaine du Saint-Laurent, où se trouvent les principales villes du Centre-du-Québec. Ce circuit est facilement accessible au départ de Montréal par l'autoroute 20, du côté sud du fleuve Saint-Laurent à l'intérieur des terres.

■ En autocar (gares routières)

Mauricie

Trois-Rivières
275 rue St-Georges
☎819-374-2944

Grand-Mère
Dépanneur Couche-Tard
800 6e Avenue
☎819-533-5565

Shawinigan
1563 boul. St-Sacrement
☎819-539-5144

Centre-du-Québec

Victoriaville
475 boul. Jutras E.
☎819-752-5400

Drummondville
330 rue Heriot
☎819-477-2111

■ En train (gares ferroviaires)

Mauricie

Shawinigan
1560 ch. du CN
☎819-537-9007

Centre-du-Québec

Drummondville
263 rue Lindsay
☎819-472-5383

Renseignements utiles

■ Renseignements touristiques

Mauricie

Tourisme Mauricie
795 5e Rue, bureau 102
Shawinigan, QC G9N 1G2
☎819-536-3334 ou 800-567-7603
www.tourismemauricie.com

Office de tourisme et des congrès de Trois-Rivières
1457 rue Notre-Dame
Trois-Rivières, QC G9A 4X4
☎819-375-1122 ou 800-313-1123
www.tourismetroisrivieres.com

Centre-du-Québec

Tourisme Centre-du-Québec
20 boul. Carignan O.
Princeville, QC G6L 4M4
☎819-364-7177 ou 888-816-4007
www.tcdq.com

Tourisme Bois-Francs
231-A rue Notre-Dame E.
Victoriaville, QC G6P 4A2
☎819-758-9451 ou 888 758-9451
www.tourismeboisfrancs.com

Tourisme Drummond
1350 rue Michaud
Drummondville, QC J2C 2Z5
☎819-477-5529 ou 877-235-9569
www.tourisme-drummond.com

Attraits touristiques

Mauricie ★★

p 202 p 203 p 204 p 205

Trois-Rivières ★★ (126 900 hab.)

Implantée au confluent du fleuve et de la rivière Saint-Maurice, qui se divise en trois embranchements à son embouchure (d'où le nom donné à la ville), Trois-Rivières fut fondée par le sieur de Laviolette en 1634. Dès ses débuts, elle était entourée d'une palissade de pieux correspondant à l'arrondissement historique actuel.

Le **Musée québécois de culture populaire** ★★ *(8$, musée et prison 12$; sept à mai mar-dim 10h à 17h; juin à août tlj 10h à 18h; 200 rue Laviolette, ☎ 819-372-0406, www.culturepop.qc.ca)* met en valeur ce que la culture populaire produit, consomme et lègue: les objets, les environnements, les connaissances et le savoir-faire. Ainsi, en plus de l'exposition permanente qui offre une véritable incursion dans l'histoire des produits d'usage courant au Québec grâce à la réserve ouverte du musée, les visiteurs parcourent différentes expositions thématiques pour découvrir la culture des Québécois autrement. Attenante au musée, la **Vieille Prison de Trois-Rivières** permet de vivre une expérience unique en présentant la vie en prison telle qu'elle était dans les années 1960 et 1970. Une exposition d'autant plus authentique que les guides sont d'ex-détenus!

Le **Lieu historique national des Forges-du-Saint-Maurice** ★★ *(4$; visites commentées avec guides-interprètes, réservations requises pour groupes; mi-mai à début sept tlj 9h30 à 17h30; 10000 boul. des Forges, ☎ 819-378-5116, www.pc.gc.ca)*. En 1730, François Poulin de Francheville fut autorisé par Louis XV à exploiter les riches gisements de minerai de fer de sa seigneurie. La présence de pierre calcaire, d'un cours d'eau au débit rapide et d'un grand nombre d'arbres avec lesquels il était possible de faire du charbon de bois allait favoriser les opérations de la fonte. Originaires pour la plupart de Bourgogne et de Franche-Comté, les ouvriers de ce premier complexe sidérurgique canadien s'affairaient à couler des canons pour les vaisseaux du roi et à confectionner des poêles pour chauffer les maisons de Nouvelle-France.

À la Conquête, le complexe passe entre les mains du gouvernement colonial britannique, puis est cédé à des industriels qui l'exploitent jusqu'à sa fermeture définitive, en 1883. Il comprend alors la forge haute, la forge basse ainsi que la «grande maison» de 1737, qui loge le contremaître et autour de laquelle gravite tout un village ouvrier. À la suite de l'incendie de Trois-Rivières en 1908, les Trifluviens viennent y glaner des matériaux nécessaires à la reconstruction de leur ville, ne laissant en place que les fondations de la plupart des bâtiments. En 1973, le Service canadien des parcs acquiert le site, reconstruit la «grande maison» pour y créer un centre d'interprétation et en aménage un autre, très intéressant, à l'emplacement du haut fourneau. La visite commentée est intéressante car elle explique le mode de vie des forgerons à travers une belle exposition et un spectacle son et lumière. Puis elle se poursuit à l'extérieur, où l'on découvre le site et ce qui reste des installations.

Trois-Rivières accueille le **Festival international de la poésie** *(www.fiptr.com)* tous les automnes (voir p 205), ce qui lui a valu le titre de «capitale de la poésie du Québec». C'est la raison pour laquelle la ville a eu l'excellente idée d'instaurer un circuit pédestre qu'elle a baptisé **Promenade de la poésie**, avec quelque 300 plaques affichant des extraits de poèmes puisés à travers le répertoire de poètes provenant de tout le Québec. Le *guide de la Promenade de la poésie* est en vente à l'office du tourisme (voir p 196).

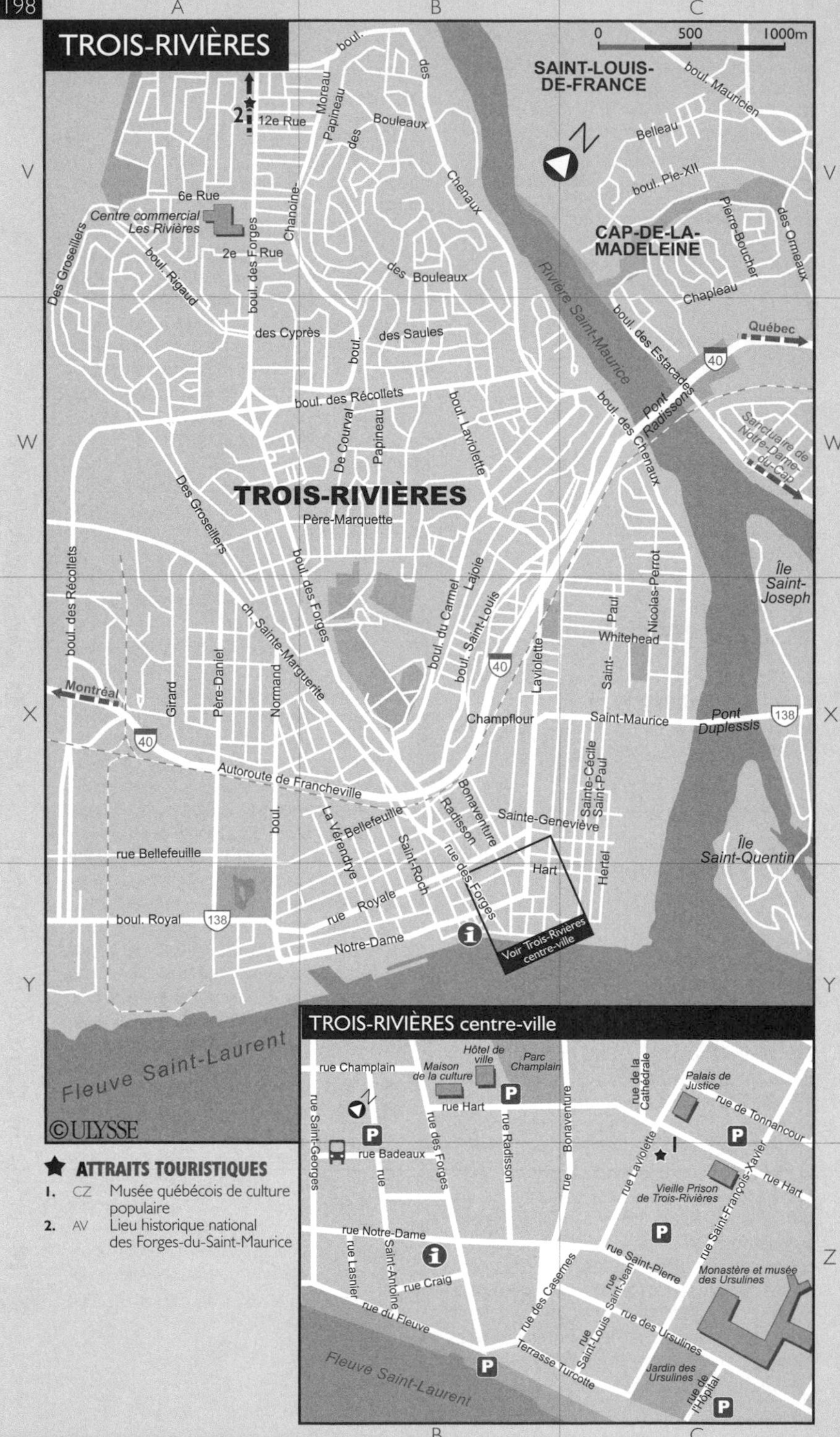
TROIS-RIVIÈRES
A
B
C
V
W
X
Y
Z
0
500
1000m
SAINT-LOUIS-DE-FRANCE
CAP-DE-LA-MADELEINE
TROIS-RIVIÈRES
Père-Marquette
Centre commercial Les Rivières
12e Rue
6e Rue
2e Rue
boul.
des
Moreau
Papineau
Bouleaux
Chanoine-
Chenaux
des Bouleaux
Des Groseilliers
boul. Rigaud
boul. des Forges
des Cyprès
des Saules
boul. des Récollets
De Courval
Papineau
boul. Laviolette
boul. Mauricien
Belleau
boul. Pie-XII
Pierre-Boucher
des Ormeaux
Chapleau
Rivière Saint-Maurice
boul. des Estacades
Québec
40
Pont Radisson
boul. des Chenaux
Sanctuaire de Notre-Dame-du-Cap
Île Saint-Joseph
Des Groseilliers
boul. des Forges
Lajoie
boul. du Carmel
boul. Saint-Louis
Laviolette
Saint-Paul
Nicolas-Perrot
Whitehead
boul. des Récollets
ch. Sainte-Marguerite
Montréal
Girard
Père-Daniel
Normand
Champflour
Saint-Maurice
Pont Duplessis
138
Autoroute de Francheville
Bonaventure
Radisson
Sainte-Cécile
Saint-Paul
Sainte-Geneviève
boul.
La Vérendrye
Bellefeuille
Saint-Roch
rue des Forges
Hart
Hertel
Île Saint-Quentin
rue Bellefeuille
boul. Royal
rue Royale
Notre-Dame
Voir Trois-Rivières centre-ville
Fleuve Saint-Laurent
©ULYSSE
TROIS-RIVIÈRES centre-ville
rue Champlain
Hôtel de ville
Parc Champlain
Maison de la culture
rue de la Cathédrale
Palais de Justice
rue de Tonnancour
rue Hart
rue Saint-Georges
rue des Forges
rue Radisson
rue Bonaventure
rue Laviolette
rue Badeaux
rue Saint-François-Xavier
rue Hart
Vieille Prison de Trois-Rivières
rue Notre-Dame
rue Lasnier
rue Saint-Antoine
rue Craig
rue des Casernes
rue Saint-Pierre
rue Saint-Jean
Monastère et musée des Ursulines
rue du Fleuve
rue Saint-Louis
rue des Ursulines
Terrasse Turcotte
Jardin des Ursulines
rue de l'Hôpital
Fleuve Saint-Laurent
ATTRAITS TOURISTIQUES
1. CZ Musée québécois de culture populaire
2. AV Lieu historique national des Forges-du-Saint-Maurice

Cap-de-la-Madeleine

Le Québec, terre catholique par excellence au nord du Mexique, compte plusieurs lieux de pèlerinage importants qui attirent chaque année des milliers de pèlerins du monde chrétien. Le **sanctuaire Notre-Dame-du-Cap** ★ ★ *(entrée libre; visites guidées pour groupes sur réservation; 626 rue Notre-Dame, ☎819-374-2441, www.sanctuaire-ndc.ca)*, placé sous la responsabilité des missionnaires oblats de Marie-Immaculée, est consacré à la dévotion mariale. De mai à octobre, par beau temps, les visiteurs peuvent participer à la marche symbolique aux flambeaux.

L'histoire de ce sanctuaire débute en 1879, lorsque l'on décide d'ériger une nouvelle église paroissiale à Cap-de-la-Madeleine. Nous sommes en mars, et il faut transporter des pierres depuis la rive sud du fleuve. Mais, cet hiver-là, contrairement à son habitude, le fleuve n'a pas encore gelé. À la suite des prières et des chapelets récités devant la statue de la Vierge offerte à la paroisse en 1854, un pont de glace se forme «miraculeusement» en travers du fleuve, permettant de transporter en une semaine les pierres nécessaires à la construction du nouvel édifice. Le curé Désilets décide alors de conserver la vieille église et de la transformer en un sanctuaire dédié à la Vierge Marie. Ce vieux sanctuaire, construit entre 1714 et 1717, est considéré comme l'une des plus anciennes églises au Canada.

Le pont de glace est aujourd'hui symbolisé par le **pont des Chapelets** (1924), visible dans le jardin du sanctuaire. Un chemin de croix, un calvaire, un Saint Sépulcre et un petit lac complètent ce jardin situé en bordure du fleuve. Au fond d'une mer d'asphalte se trouve la vaste **basilique Notre-Dame-du-Rosaire**, que l'on dirait tout droit sortie du décor d'un film à grand déploiement. Sa construction fut entreprise en 1955. Les vitraux représentent l'histoire du sanctuaire, l'histoire du Canada et enfin les mystères du Rosaire.

Batiscan

Le **Parc de la rivière Batiscan** ★ *(6$; début mai à mi-oct 9h à 21h; 200 ch. du Barrage, St-Narcisse, ☎418-328-3599, www.parcbatiscan.com)* est dédié à la préservation de la faune et de ses habitats. Il demeure toutefois un endroit fort agréable pour pratiquer maintes activités de plein air, comme la randonnée pédestre, la pêche, le vélo de montagne et le camping. Le parc dispose également de circuits d'interprétation écologique et historique. En son centre se trouve un des premiers grands ouvrages hydroélectriques du Québec: la centrale Saint-Narcisse. Cette centrale, qui produit toujours de l'électricité, fut bâtie en 1897. D'ailleurs, la Mauricie recèle plusieurs centrales hydroélectriques d'intérêt construites pour tirer profit des puissants courants des rivières de la région.

Shawinigan (51 400 hab.)

Première ville du Québec dotée d'un plan d'aménagement urbain dès sa fondation en 1901, Shawinigan est une création de la puissante compagnie d'électricité Shawinigan Water and Power Company, qui fournissait en énergie électrique l'ensemble de la ville de Montréal. L'agglomération au relief accidenté, dont le nom algonquin signifie «le portage sur la crête», a beaucoup souffert du ralentissement économique des années 1989-1993, qui a laissé des traces indélébiles dans la trame urbaine (usines abandonnées, bâtiments incendiés, terrains vagues, etc.) Il n'en demeure pas moins que Shawinigan recèle de multiples édifices du premier tiers du XXe siècle à l'architecture fort intéressante. Certaines artères résidentielles présentent un aspect proche de celui des banlieues anglaises de l'entre-deux-guerres.

Inaugurée au printemps 1997, la **Cité de l'énergie** ★ ★ *(16$; début juin à mi-juin et sept mar-dim 10h à 17h, mi-juin à août tlj 9h à 17h; 1000 av. Melville, ☎819-536-8516 ou 866-900-2483, www.citedelenergie.com)* promet d'en initier plus d'un, petits et grands, à l'histoire du développement industriel de la Mauricie et du Québec. La ville de Shawinigan se trouve au cœur de ce développement car elle a été choisie, dès le début du XXe siècle, par des alumineries et des compagnies productrices d'électricité à cause de la présence d'un fort courant sur la rivière Saint-Maurice et de la proximité de chutes hautes de 50 m. Vaste parc thématique, la Cité de l'énergie regroupe plusieurs attraits: l'Espace Shawinigan, deux centrales hydroélectriques, dont une encore en activité, la centrale Shawinigan 2, le Centre des sciences et une tour d'observation haute de 115 m qui offre, il va sans dire, une vue imprenable sur les environs, entre autres sur les bouillonnantes chutes de Shawinigan.

La visite de ces attraits, facilitée par le transport en trolleybus et en bateau, ainsi que le visionnement d'un spectacle multimédia permettent de voyager à travers les 100 ans d'histoire des diverses industries de la région (hydroélectricité, pâtes et papiers, aluminium, etc.) Suivez pas à pas l'ébauche des innovations qui ont fait avancer la science dans ces domaines. Dans le Centre des sciences, où sont regroupés divers services tels que restaurant et boutique, vous pouvez en outre voir des expositions interactives.

En 2003, la Cité de l'énergie et le Musée des beaux-arts du Canada se sont associés pour aménager, sur le magnifique site de l'**Ancienne-Aluminerie-de-Shawinigan**, l'**Espace Shawinigan** ★★ *(15$; fin juin à début sept mar-dim tlj 10h à 18h, début sept à fin sept mar-dim 10h à 17h; 1882 rue Cascade, ☎819-537-5300 ou 866-900-2483)* et y tenir de grandes expositions d'art contemporain d'envergure internationale. La qualité et le succès des dernières expositions sont de bon augure pour la vocation artistique de ce bâtiment de briques, dont les immenses salles aux très hauts plafonds se prêtent si bien aux arts visuels. Désigné lieu historique national, ce complexe, érigé au début des années 1900, constitue le plus ancien centre de production d'aluminium en Amérique du Nord. En 1986, la société Alcan qui l'exploitait a décidé de relocaliser ses opérations dans une nouvelle usine située dans le parc industriel de Shawinigan.

La vallée du Haut-Saint-Maurice

Le **Parc national de la Mauricie** ★★ *(7,80$/pers., 17,30$/famille; ☎819-538-3232, www.pc.gc.ca)* a été créé en 1970 afin de préserver un exemple de forêt boréale. Il constitue un site parfait pour s'adonner à diverses activités de plein air, comme le canot, la randonnée pédestre, le vélo de montagne, la raquette et le ski de fond. Ses forêts dissimulent plusieurs lacs et rivières de même que diverses richesses naturelles. Les visiteurs peuvent loger dans des gîtes de type dortoir tout au long de l'année. Les réservations se font au ☎819-537-4555.

À 500 m de l'entrée sud du parc, un peu avant Saint-Mathieu-du-Parc, se trouve le Site de partage et de diffusion de la culture amérindienne **Mokotakan** ★★ *(10$; mai à oct et déc à mars tlj 9h à 17h; 150 ch. St-François, Saint-Mathieu-du-Parc, ☎819-532-2600 ou 866-356-2600, www.mokotakan.com)*, où sont exposées certaines constructions et habitations de la plupart des 11 nations autochtones du Québec. Le nom *Mokotakan* veut dire «couteau croche», outil qui fut jadis indispensable dans la vie des Autochtones. Avec un des guides, vous en apprendrez beaucoup sur les modes de vie de ces communautés, leur culture et leur spiritualité. L'entreprise se veut aussi un pont utile à l'emploi pour les quelques Autochtones qui y travaillent en rotation. On y offre aussi plusieurs forfaits de traîneau à chiens, chasse et pêche, motoneige et autres sports d'hiver, en plus de proposer l'hébergement à l'Auberge refuge du Trappeur.

Activités de plein air

■ *Canot*

Le **parc national de la Mauricie** (voir plus haut) se prête particulièrement bien aux excursions en canot. Sillonné de lacs, de tout petits et de très grands, ainsi que de rivières, il est reconnu depuis longtemps par les amateurs de canot-camping. Laissez-vous glisser dans d'étroits chenaux qui vous entraînent d'un lac à l'autre sous une végétation luxuriante en compagnie d'oiseaux aquatiques peu farouches! Vous pouvez y faire la location d'embarcations *(25$/jour)* et vous tracer un itinéraire à votre mesure.

■ *Pêche sur la glace*

En hiver, la rivière Sainte-Anne, riche en «poulamons» (mieux connus sous le nom de «petits poissons des chenaux»), attire des milliers d'amateurs. Du mois de décembre au mois de février, elle se couvre de cabanes de pêcheurs. Il est possible de louer une cabane et le matériel de pêche au **Comité de gestion de la rivière Sainte-Anne** *(Ste-Anne-de-la-Pérade, ☎418-325-2475)*. Il en coûte environ 20$ par personne et par jour *(25$ par jour la fin de semaine)*; chaque cabane accueille au plus quatre personnes.

Centre-du-Québec ★

p 202 p 203 p 204 p 205

Victoriaville (41 300 hab.)

La **maison Suzor-Coté** *(on ne visite pas; 846 boul. des Bois-Francs S.)*. Le peintre paysagiste Marc-Aurèle de Foy Suzor-Coté, décédé en 1937, est né en 1869 dans cette humble maison, bâtie par son père 10 ans plus tôt. L'artiste, qui figure parmi les principaux peintres canadiens, a amorcé sa carrière par la décoration d'églises, entre autres celle d'Arthabaska. En 1891, il part pour Paris, où il étudie à l'École des beaux-arts. Premier Prix des académies Julian et Colarossi, il travaille à Paris avant de s'installer à Montréal en 1907. Mais à partir de cette date, il revient chaque année à Arthabaska, dans la maison paternelle, qu'il transforme graduellement en atelier. Ses scènes d'hiver impressionnistes et ses couchers de soleil rouges par temps chaud de juillet sont bien connus. La maison est toujours une résidence privée.

La création du **Lieu historique national de la Maison Wilfrid-Laurier** ★ *(4$; mi-mai à oct tlj 9h à 17h; nov à mai mar-ven 9h à 12h et 13h à 17h, sam-dim 13h à 17h; 16 rue Laurier O., ☎819-357-8655, www.museelaurier.com)* a permis de préserver l'ancienne demeure de celui qui fut premier ministre du Canada de 1896 à 1911. Premier Canadien français à occuper ce poste, Sir Wilfrid Laurier (1841-1919) est né à Saint-Lin, dans les Basses-Laurentides, mais s'est établi à Arthabaska aussitôt ses études de droit terminées. Sa maison d'Arthabaska fut convertie en musée à caractère politique par deux admirateurs dès 1929. Les pièces du rez-de-chaussée ont conservé leur mobilier victorien d'origine, alors que l'étage est en partie réservé à des expositions temporaires, en général fort intéressantes. Des toiles et des sculptures d'artistes québécois encouragés par le couple Laurier sont disséminées dans la maison. On remarquera notamment le portrait de Lady Laurier de Suzor-Coté et le buste de Sir Wilfrid Laurier par Alfred Laliberté.

Drummondville (68 800 hab.)

Drummondville a été fondée par Frederick George Heriot à la suite de la guerre canado-américaine de 1812. D'abord poste militaire sur la rivière Saint-François, l'endroit devient rapidement un centre industriel important grâce à l'implantation de moulins et de manufactures dans ses environs.

Le **Village Québécois d'Antan** ★★ *(19,95$; début juin à sept tlj 10h à 17h30, sept ven-dim 10h à 17h30; 1425 rue Montplaisir, ☎819-478-1441 ou 877-710-0267, www.villagequebecois.com)* retrace 100 ans d'histoire. Quelque 70 bâtiments de l'époque de la colonisation ont été reconstitués dans le but de recréer une atmosphère digne des années 1810-1910. Des artisans en costumes d'époque s'affairent à la fabrication de bougies et de ceintures fléchées ou à la cuisson du pain. Plusieurs productions historiques y ont été tournées.

Baie-du-Febvre

En 2000, le lac Saint-Pierre a été déclaré «réserve de la biosphère» par l'UNESCO. Il est donc protégé désormais par la **Réserve de la Biosphère du Lac Saint-Pierre** *(☎450-783-6466, www.biospherelac-st-pierre.qc.ca)*. Plus grande plaine d'inondation, plus importante halte migratoire de sauvagines, première halte migratoire printanière de l'oie des neiges du Saint-Laurent et plus importante héronnière en Amérique du Nord, le lac Saint-Pierre renferme le plus important archipel du fleuve, avec une centaine d'îles, le cinquième de tous les marais du Saint-Laurent et la moitié des milieux humides du fleuve. On peut y faire l'observation de plantes rares, de près de 300 espèces d'oiseaux, dont plus d'une centaine sont considérées comme nicheuses, et d'une douzaine d'espèces menacées.

Activités de plein air

■ *Parcours d'aventure en forêt*

Arbre en Arbre Drummondville *(26$; 526 rang Ste-Anne, Drummondville, ☎819-397-4544 ou 877-397-4544, www.arbreenarbre.com)* propose ses ponts, obstacles et tyroliennes dans les arbres, au gré de six parcours, tous ou presque donnant sur les rapides de la rivière Saint-François.

■ *Vélo*

Tourisme Centre-du-Québec *(☎888-816-4007, www.tcdq.com/velo)* entretient plus de 25 circuits pour un total de près de 1 000 km de pistes cyclables. L'organisme publie une carte qui comprend des descriptions des sentiers (piste cyclable, bande cyclable, chaussée désignée, etc.), des indications des pentes (sens des montées) et nombre de renseignements pratiques.

Le **Parc linéaire des Bois-Francs** *(33 Pie-X, Victoriaville, ☎819-758-6414)* est en fait une piste cyclable aménagée sur le tracé d'une ancienne voie ferrée, comme on en trouve de plus en plus au Québec. Celle-ci, longue de 77 km, permet de contempler les paysages de la belle région du Centre-du-Québec, depuis Tingwick jusqu'à Lyster.

Le **Circuit des Traditions de la MRC de Drummond** comporte 57,5 km balisés sur la Route Verte dont 25 km en terrain boisé, sur une ancienne emprise ferroviaire. Plusieurs espèces d'arbres rehaussent le plat relief du circuit. À ne pas manquer: les 7,5 km qui sillonnent la Forêt Drummond le long de la rivière Saint-François. Un bâtiment attenant à un grand stationnement a été converti en halte vélo *(Halte vélo La Plaine, sortie 179 de l'autoroute 20, 1985 boul. Foucault, Drummondville, ☎819-475-1164)*.

Hébergement

Mauricie

Trois-Rivières

Auberge de jeunesse La Flottille
$ bc/bp
497 rue Radisson
819-378-8010

L'auberge de jeunesse La Flottille est une jolie petite auberge située près de la vie nocturne de Trois-Rivières. Elle dispose d'une trentaine de places en dortoir ainsi que de quelques chambres privées. En hiver, elle reste ouverte, mais le nombre de lits y est restreint.

Hôtel Delta
$$$ @
1620 rue Notre-Dame
819-376-1991 ou 800-268-1133

Haute tour se dressant au centre-ville, l'Hôtel Delta est facilement identifiable. Il dispose de chambres spacieuses, pour loger confortablement les voyageurs, et de nombreuses installations sportives afin d'agrémenter leur séjour. Centre de congrès.

Grand-Mère

L'Auberge santé Lac des Neiges
$$-$$$$
bc/bp @
100 ch. du Lac-des-Neiges
819-533-4518 ou 800-757-4519
www.aubergesantelacdesneiges.qc.ca

Dès que l'on s'approche de l'Auberge santé Lac des Neiges, le stress du quotidien bat déjà en retraite. L'architecture moderne du bâtiment lové sur une presqu'île est atténuée par la présence de stuc blanc, de poutres et d'escaliers en bois, ce qui n'est pas sans rappeler le style baroque. La salle de séjour commune est particulièrement invitante avec ses nombreux canapés, ses fenêtres avec vue sur le lac et, surtout, son feu de foyer. D'ailleurs, plusieurs convives en robe de chambre s'y prélassent entre deux séances de soins. Le restaurant propose des tables d'hôte de cuisine française à la présentation raffinée.

Shawinigan

Auberge Escapade Inn
$$-$$$ @
3383 rue Garnier
819-539-6911 ou 800-461-6911
www.aubergeescapade.qc.ca

L'Auberge l'Escapade possède plusieurs personnalités. Ainsi peut-on y louer une chambre toute simple à prix économique ou une chambre de luxe, garnie de meubles de style. Entre les deux, les «intermédiaires», jolies et confortables, présentent un bon rapport qualité/prix.

Saint-Paulin

Auberge Le Baluchon
$$$-$$$$
@
3550 ch. des Trembles
819-268-2555 ou 800-789-5968
www.baluchon.com

L'Auberge Le Baluchon se présente comme une véritable réussite qui allie le tourisme et l'écologie. Son vaste domaine bénéficie de divers aménagements qui ont pour but de faire profiter les visiteurs des beautés de son environnement. Baladez-vous le long de la rivière ou dans les bois, à pied ou en skis de fond, ou encore descendez la rivière en kayak ou en canot: les activités ne sauraient ici vous manquer. Les chambres, au luxe sobre et confortable, sont réparties dans quatre bâtiments situés à proximité l'un de l'autre. Le spa est très bien équipé, et la fine cuisine de sa salle à manger est un pur plaisir gastronomique (voir p 203).

Pointe-du-Lac

Auberge du Lac Saint-Pierre
$$$ @
10911 rue Notre-Dame O.
819-377-5971 ou 888-377-5971
www.aubergelacst-pierre.com

L'Auberge du Lac Saint-Pierre est située à Pointe-du-Lac, qui, comme son nom l'indique, annonce la fin du lac Saint-Pierre. Ce «lac» est en fait un élargissement du fleuve Saint-Laurent qui, par ses caractéristiques propres aux marais, attire une faune et une flore particulières. Juchée sur un promontoire, l'auberge occupe un site idéal. Ce grand établissement abrite des chambres modernes et confortables. Certaines sont munies d'une mezzanine pour les lits, laissant ainsi tout l'espace voulu au salon, dans la pièce principale. La salle à manger sert une fine cuisine (voir p 203). Si vous vous sentez l'âme à la découverte, vous pouvez emprunter un vélo pour explorer les alentours.

Centre-du-Québec

Bécancour

Auberge Godefroy
$$$$
@
17575 boul. Bécancour
819-233-2200 ou 800-361-1620
www.aubergegodefroy.com

L'Auberge Godefroy est un imposant édifice aux multiples fenêtres. Son hall, tout aussi important, vous accueille en saison avec un bon feu de foyer. Les chambres sont spacieuses et offrent tout le confort qu'on attend d'un tel établissement. Équipé d'un spa, l'hôtel propose différents forfaits pour se faire dorloter. Laissez-vous aussi gâter dans la salle à manger (voir p 203)!

Victoriaville

Auberge Au fil des Saisons
$$-$$$
14 rue Laurier O.
☎819-357-7307
www.aufildessaisons.qc.ca
Que dire de l'ambiance presque parfaite de cette grande demeure victorienne affectueusement surnommée *La Vieille Dame*? Les propriétaires souhaitent faire de leur gîte un incontournable dans la région et y parviennent grâce à une foule de détails raffinés et une attention sans faille. Les chambres sont très grandes et décorées avec goût. Le petit déjeuner est excellent et est servi à la même grande table pour tous les convives. En belle saison, les hôtes proposent un forfait «Théâtre et table champêtre», l'occasion rêvée de déguster les produits frais de la région. En tout point idéal pour un séjour radieux!

Drummondville

À la Bonne Vôtre
$$ @
207 rue Lindsay
☎819-474-0008 ou 866-474-0008
www.alabonnevotre.ca
Cette petite auberge de ville, doublée d'un sympathique resto au rez-de-chaussée, est chaleureuse et propose ses chambres en formule gîte, avec le petit déjeuner inclus. Les chambres sont agréables et colorées quoique petites, et le lieu a beaucoup de charme... Un bain à remous à l'eau salée est aussi mis à la disposition des visiteurs.

Restaurants

Mauricie

Trois-Rivières

Le Bolvert Royale
$-$$
1556 rue Royale
☎819-373-6161
Le Bolvert Royale est un petit restaurant sans prétention où l'on peut manger de délicieux plats santé.

Bistro L'Ancêtre
$$
fermé lun
603 rue des Ursulines
☎819-373-7077
Ce petit bistro, issu d'une jeune initiative familiale, est situé au cœur du vieux Trois-Rivières, dans une belle maison ancestrale, avec ses recoins et quelques foyers. La splendide terrasse est parfaite pour les chaudes journées d'été. Le menu est simple mais très agréable.

Le Lupin
$$$
fermé lun
376 rue St-Georges
☎819-370-4740
Installé dans une coquette maison ancestrale, le restaurant Le Lupin sert sans doute l'une des meilleures cuisines des environs. En plus de faire d'excellentes crêpes bretonnes, il propose des plats de gibier et de perchaude, considérés comme de grandes spécialités de la région. De plus, la facture est toujours moins salée grâce à la formule «apportez votre vin».

Saint-Paulin

Éco-café Au bout du monde
$$$-$$$$
Auberge Le Baluchon
3550 ch. des Trembles
☎819-268-2555 ou 800-789-5968
La table de l'**Auberge Le Baluchon** (voir p 202) propose une fine cuisine française et du terroir québécois ainsi qu'un menu santé qui saura vous régaler. L'objectif avoué est de faire découvrir aux convives les produits locaux et biologiques de la Mauricie et de Lanaudière. Le tout dans une salle à manger au décor apaisant, avec vue sur la rivière, et située sur un magnifique domaine.

Pointe-du-Lac

Auberge du Lac Saint-Pierre
$$$-$$$$
10911 rue Notre-Dame O.
☎819-377-5971 ou 888-377-5971
Si vous allez manger à l'**Auberge du Lac Saint-Pierre** (voir p 202), vous pouvez, pour vous mettre en appétit, vous offrir une petite promenade sur la grève ou un apéro à la terrasse avec vue sur le fleuve. La salle à manger offre un décor moderne quelque peu froid, mais la présentation des plats, quant à elle, n'a rien de fade et leur goût encore moins. Le menu de cuisine française et québécoise propose truite, saumon, agneau, faisan... tous finement apprêtés. Réservations requises.

Centre-du-Québec

Bécancour

Auberge Godefroy
$$$-$$$$
17575 boul. Bécancour
☎819-233-2200 ou 800-361-1620
La salle à manger de l'**Auberge Godefroy** (voir p 202) est spacieuse et offre une vue sur le

fleuve. On y sert une délicieuse cuisine française qui oscille entre les classiques et les créations originales à base de produits de la région. Les desserts sont succulents!

Victoriaville

Cactus Resto-bar
$$
139 boul. des Bois-Francs S.
☎819-758-5311
Au Cactus, l'ambiance est chaleureuse en raison des teintes orangées, des briques et des boiseries, créant un cadre légèrement intimiste malgré la grande fréquentation des lieux. De bons plats mexicains, servis en portions généreuses, attirent une clientèle variée. Comme plusieurs établissements à Victoriaville, ce restaurant se métamorphose en un lieu nocturne. Une table de billard complète bien l'atmosphère détendue.

Le Pays d'Oc
$$$
304 rue Notre-Dame E.
☎819-795-3111
Originaires du sud de la France, les propriétaires de ce restaurant du centre-ville concoctent une cuisine simple mais originale. Belle ambiance et très grande terrasse à l'avant. À ne pas manquer, la spécialité de l'établissement: L'Âge de pierre, une pièce de bœuf AAA que vous faites cuire vous-même sur une pierre de lave brûlante. Un régal!

Drummondville

Crêperie bretonne
$$-$$$
131 rue St-Georges
☎819-477-9148
Installée dans la maison Mitchell, la Crêperie bretonne constitue un attrait en soi. En effet, cette maison victorienne a été restaurée par sa propriétaire d'origine bretonne qui a apporté autant de soins à sa rénovation qu'elle en accorde à la préparation de ses délicieuses crêpes. Une atmosphère feutrée est créée par le décor de classe qui combine papier peint original à des innovations de bon goût. On peut d'ailleurs consulter des documents portant sur les influences architecturales et des dossiers photographiques traçant l'histoire de la restauration de la maison. Et que dire des crêpes? Elles sont tout simplement exquises. Plusieurs menus sont proposés afin de vous en faire explorer les différentes saveurs. Soulignons plus particulièrement la crêpe de sarrasin aux fruits de mer et sauce cognac, absolument délicieuse. Note santé: les crêpes sont faites à partir de farines biologiques.

Sorties

■ Bars et boîtes de nuit

Trois-Rivières

La réputation du centre-ville de Trois-Rivières comme lieu culturel n'est plus à faire, et une simple balade suffit pour se laisser envoûter par la vie nocturne. Et cela est vrai particulièrement en été, lorsque les terrasses bondées débordent dans la rue. Pour de plus amples renseignements, consultez le journal ***Voir***, édition de Trois-Rivières, distribué gratuitement toutes les semaines dans plusieurs commerces de la région.

Café bar Le Zénob
171 rue Bonaventure
☎819-378-9925
Les chaudes soirées d'été se passent agréablement et avec beaucoup d'animation sous les grands arbres de la terrasse du Zénob. Ce café-bar accueille une bonne part de la population artistique locale, et s'y succèdent expositions et événements artistiques.

Café Galerie l'Embuscade
1571 rue Badeaux
☎819-374-0652
Le Café Galerie l'Embuscade est un lieu de rencontre très populaire où artistes, étudiants et autres se donnent rendez-vous avec plaisir pour siroter une bière ou déguster un léger repas. L'établissement sert aussi de galerie d'art pour permettre à de nombreux créateurs de faire connaître leurs talents. On présente sur la terrasse, en période estivale, des événements artistiques tels que de la «peinture en direct» et des spectacles de groupes locaux.

Shawinigan

Brasserie artisanale Le Trou du Diable
412 rue Willow
☎819-537-9151
www.troududiable.com
Une microbrasserie qui propose son pub et ses bières de grande qualité. On y tient aussi des soirées à thème, comme celle de la «bière philosophale», où se rejoignent penseurs, du dimanche ou pas, qui refont le monde... Sympathique.

■ Fêtes et festivals

Mai

Le **Festival international de musique actuelle de Victoriaville** *(☎ 819-752-7912, www.fimav.qc.ca)* a lieu chaque année à la mi-mai (le festival fait relâche en 2009 mais sera de retour en 2010). Vous pourrez y entendre les ténors de la musique contemporaine. En fait, ce festival commence là où les autres se terminent, c'est-à-dire au seuil de l'exploration des nouvelles formes musicales. Évidemment, cet événement ne plaira pas à tous, mais les mélomanes aventureux pourront y explorer d'autres avenues vers lesquelles la musique se dirige.

Juillet

C'est à la fin du mois de juillet que se tient habituellement le **Grand Prix de Trois-Rivières** *(billetterie ☎ 819-370-4787 ou 866-416-9797, www.gp3r.com)* dans les rues de la ville. Il s'agit entre autres de courses automobiles de formule Atlantique et Nascar. Des pilotes aujourd'hui réputés, notamment Jacques Villeneuve, y ont déjà participé.

Pendant la deuxième semaine de juillet se déroule le **Mondial des Cultures** *(☎ 819-472-1184 ou 800-265-5412, www.mondialdescultures.com)*. Cet événement est organisé dans le but de favoriser un échange entre les différentes traditions et cultures du monde.

Octobre

Chaque année, au début d'octobre, Trois-Rivières est le site d'un festival aussi original que populaire. Le **Festival international de la poésie** *(☎ 819-379-9813, www.fiptr.com)*, par ses multiples activités, aide à faire connaître cet art qui reste trop souvent l'apanage de groupes restreints. Lectures publiques dans les restaurants et les bars de la ville, entrevues et ateliers de création sont parmi les activités de ce festival qui attire autant les poètes que les amateurs de partout.

Achats

■ Alimentation

Trois-Rivières

Nys Pâtissier
1449 rue Notre Dame
☎ 819-691-9080

Remplie de petites gâteries pour vos envies salées ou sucrées, cette pâtisserie artisanale constitue un arrêt de choix pour faire des provisions pour un pique-nique.

Bécancour

Fromagerie L'Ancêtre
1615 boul. Port-Royal
☎ 819-233-9157

La Fromagerie L'Ancêtre, à la fois boutique et restaurant, vous propose de délicieux produits laitiers maison, entre autres des fromages, différents beurres et de la crème glacée (en été). Tous fabriqués selon des procédés biologiques, les produits vous sont servis en dégustation accompagnés de vins ou de bières artisanales.

■ Artisanat

Bécancour

Chèvrerie et Boutique l'Angélaine
12285 boul. Bécancour (route 132)
☎ 819-222-5702 ou 877-444-5702
www.langelaine.com

Spécialisée dans l'élevage de chèvres angoras, la Chèvrerie l'Angélaine fabrique des tricots au moyen d'une fibre naturelle très prisée des connaisseurs: le mohair. La collection se compose d'une vaste gamme de chandails, de vestes, de châles, de manteaux et d'accessoires de mode.

VILLE DE QUÉBEC centre

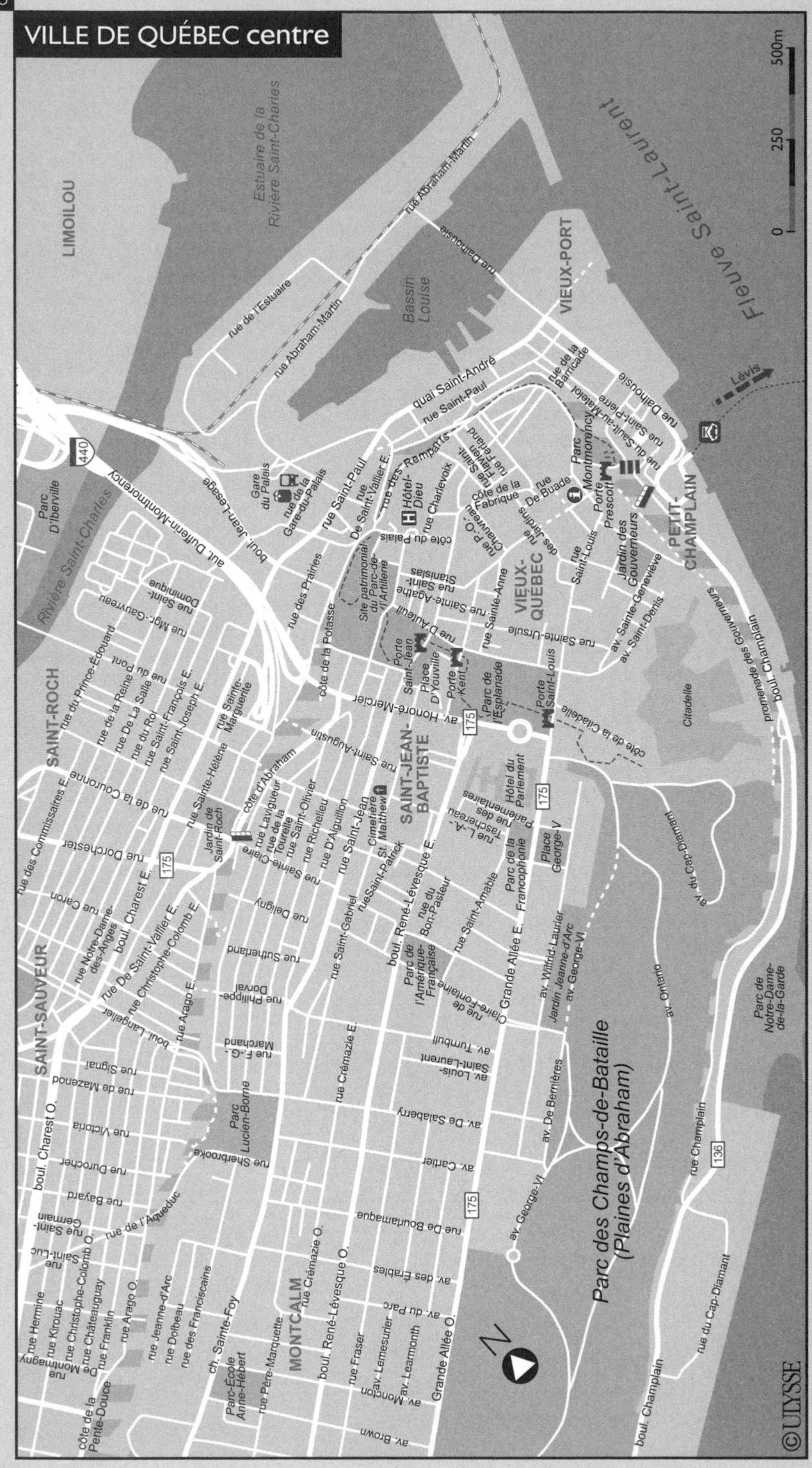

La ville de Québec et sa région

Le Vieux-Québec
Du Petit-Champlain au Vieux-Port
Autour de la Grande Allée
Le faubourg Saint-Jean-Baptiste
La côte de Beaupré
L'île d'Orléans
Le chemin du Roy
La vallée de la Jacques-Cartier

La beauté de son site et l'étonnante richesse de son patrimoine font de la **ville de Québec** ★★★ une capitale nationale exceptionnelle. La Haute-Ville de Québec occupe un promontoire haut de plus de 98 m, le cap Diamant, qui surplombe le fleuve Saint-Laurent.

Cet emplacement joua un rôle stratégique important dans le système défensif de la Nouvelle-France. À cet endroit, le fleuve se resserre pour ne plus faire qu'un kilomètre de largeur. Ce resserrement est d'ailleurs à l'origine du nom de la ville, puisque que le mot algonquin *Kebec* signifie «là où le fleuve se rétrécit». Juchée au sommet du cap Diamant, la ville se prête donc très tôt à des travaux de fortification importants qui en font le «Gibraltar d'Amérique».

Mais cette place forte n'est pas parvenue à repousser les forces britanniques, qui vont finalement s'emparer de la ville au cours de la bataille des plaines d'Abraham. Or même après avoir été conquise, la colonie française a réussi à protéger son identité culturelle. Bien à l'abri à l'intérieur de son enceinte, le cœur de Québec a continué à battre, et la ville est devenue le centre de la francophonie en Amérique.

En 1985, afin de protéger et de mieux faire connaître les trésors culturels que renferme la ville de Québec, la seule ville fortifiée de l'Amérique du Nord, l'Organisation des Nations Unies pour l'éducation, la science et la culture (UNESCO) déclara l'arrondissement historique de Québec «joyau du patrimoine mondial», une première sur le continent.

Par ailleurs, la grande région de Québec constitue la première zone de peuplement rural dans la vallée du Saint-Laurent. Il est donc normal d'y retrouver les vestiges des premières seigneuries concédées en Nouvelle-France et d'y éprouver, plus que partout ailleurs dans la campagne québécoise, le sentiment de l'histoire et du passage du temps. Les fermes s'y révèlent les plus anciennes du Québec, et dans leurs maisons vécurent les ancêtres des familles dont la nombreuse progéniture allait essaimer à travers toute l'Amérique au cours des siècles suivants.

Accès et déplacements

■ En avion

La ville de Québec est desservie par l'**aéroport international Jean-Lesage** (voir p 41).

■ En voiture

Pour vous rendre à Québec au départ de Montréal, vous pouvez emprunter l'autoroute Jean-Lesage (20 Est) jusqu'au pont Pierre-Laporte; une fois sur la rive nord du fleuve Saint-Laurent, prenez le boulevard Laurier, qui change de nom pour s'appeler successivement «chemin Saint-Louis» puis «Grande Allée»; cette voie vous mènera directement à la Haute-Ville. Vous pouvez aussi arriver par l'autoroute Félix-Leclerc (40 Est), que vous devez suivre jusqu'à Sainte-Foy; de là, les indications vers le boulevard Charest Est vous conduiront au centre-ville. Pour monter à la Haute-Ville, il suffit de prendre la rue Dorchester puis la côte d'Abraham.

Pour atteindre la côte de Beaupré au départ de Québec, empruntez l'autoroute Dufferin-Montmorency (440) en direction de Beauport (sortie 24) puis la rue d'Estimauville. Tournez à droite dans le chemin Royal, qui devient par la suite l'avenue Royale (route 360) et que vous suivrez tout au long du circuit.

Pour vous rendre à l'île d'Orléans, empruntez l'autoroute Dufferin-Montmorency (440) en direction du pont de l'Île. Traversez le fleuve et prenez à droite la route 368, aussi appelé «chemin Royal», qui permet de faire le tour de l'île d'Orléans.

Pour parcourir le chemin du Roy, empruntez la Grande Allée vers l'ouest, qui prend ensuite le nom de «chemin Saint-Louis». Celui-ci se détache de la route principale sur la gauche devant la villa Bagatelle à Sillery. Après avoir suivi le chemin Saint-Louis jusqu'à Cap-Rouge, vous prendrez la route 138, que vous suivrez pour le reste du circuit.

Finalement, pour explorer la vallée de la Jacques-Cartier, empruntez la côte d'Abraham qui tourne dans la rue de la Couronne, puis rejoignez la route 175, que vous suivrez jusqu'à la sortie 150. Prenez à droite la 80e Rue Ouest (route 369), qui conduit au cœur du Trait-Carré de Charlesbourg. Ou continuez par l'autoroute 73, qui vous permettra de poursuivre le circuit et de vous rendre jusqu'au parc national de la Jacques-Cartier.

Location de voitures

Avis
Aéroport Jean-Lesage
☎418-872-2861 ou 800-331-1212
www.avis.com

Budget
29 côte du Palais
☎800-268-8970
www.budget.ca

Enterprise
690 boul. René-Lévesque E.
☎800-261-7331
www.enterprise.com

Hertz
Aéroport Jean-Lesage
☎418-871-1571 ou 800-263-0678
www.hertz.ca

■ En autocar (gares routières)

La gare d'autocars de Québec est située dans la gare du Palais. Des liaisons entre Québec et Montréal sont proposées tous les jours à la demie de l'heure, de 5h30 à 22h30, sauf le dimanche, de 6h30 à 22h30.

Gare d'autocars de Québec
Gare du Palais
320 rue Abraham-Martin
☎418-525-3000

Sainte-Anne-de-Beaupré
dépanneur Olco
9272 boul. Ste-Anne
☎418-827-3621

Sainte-Foy
3001 ch. des Quatre-Bourgeois
☎418-650-0087

■ En train (gares ferroviaires)

La liaison Montréal-Québec de **VIA Rail** *(☎888-842-7245, www.viarail.com)* propose trois ou quatre départs par jour dans les deux sens, et le trajet dure environ 3h.

Gare du Palais
450 rue de la Gare-du-Palais

Gare de Sainte-Foy
3255 ch. de la Gare, angle ch. St-Louis

■ En traversier

Même si vous n'avez pas l'intention d'aller sur la rive sud du Saint-Laurent, du côté de Lévis, offrez-vous un aller-retour à bord du traversier. Situé juste en face de Place-Royale, le quai d'embarquement est facile à repérer. Au retour, en partant de Lévis, vous serez impressionné par le magnifique panorama de Québec. Coût pour un aller simple: 2,65$ pour un passager adulte, 5,95$ par voiture avec un conducteur et 10,35$ (avec au plus six passagers). Les horaires variant d'une saison à l'autre, il est préférable de se renseigner directement auprès de la Société des traversiers du Québec.

Société des traversiers du Québec
☎418-643-8420 ou 877-787-7483
www.traversiers.gouv.qc.ca

Gare fluviale de Québec
10 rue des Traversiers

Gare fluviale de Lévis
5995 rue St-Laurent

■ En transport en commun

Il est facile de visiter Québec en ayant recours au transport en commun du **Réseau de transport de la Capitale (RTC)** *(☎418-627-2511, www.rtcquebec.ca)*, car la ville est pourvue d'un réseau de lignes d'autobus qui couvre bien l'ensemble du territoire. Le service **Métrobus**, quant à lui, propose des autobus qui partent de Beauport ou de Charlesbourg et qui se rendent jusqu'à Sainte-Foy et vice-versa, en passant près du Vieux-Québec, de la rue Saint-Jean, de l'avenue Cartier, à travers le campus de l'Université Laval, en face des grands centres commerciaux et près de la gare d'autocars de Sainte-Foy. Les Métrobus portent les n°s 800 ou 801 et sont rapides puisqu'ils bénéficient de voies réservées, et ils s'arrêtent moins souvent que les autres autobus. De plus, les Métrobus passent à une fréquence d'environ 10 min.

Un laissez-passer RTC mensuel permet d'utiliser ce réseau de transport public au prix de 66,35$ (en vente au début de chaque mois). Il est également possible d'acheter des billets à 2,30$ chacun ou d'opter pour payer 2,50$ en monnaie exacte à chaque voyage. Il existe aussi un laissez-passer d'un jour proposé au coût de 5,95$. **Notez que les chauffeurs d'autobus ne vendent pas de billets et ne font pas de monnaie. Les points de vente des titres de transport sont nombreux; plusieurs dépanneurs en font partie.**

■ En taxi

Taxi Co-op
☎418-525-5191

Taxi Québec
☎418-525-8123

Renseignements utiles

■ Renseignements touristiques

Centre Infotouriste de Québec
12 rue Ste-Anne (en face du Château Frontenac)
☎877-266-5687
On y trouve de l'information détaillée avec nombre de documents à l'appui (cartes routières, dépliants, guides d'hébergement) sur toutes les régions touristiques du Québec.

Office du tourisme de Québec
399 rue St-Joseph E.
Québec, QC G1K 8E2
☎418-641-6654
www.regiondequebec.com

Tourisme Côte de Beaupré
bureau saisonnier (juin à septembre)
3 rue de la Seigneurie
Château-Richer
☎418-824-3439 ou 877-224-3439
☎418-827-5256 (hors saison)

Tourisme Île d'Orléans
490 côte du Pont
Saint-Pierre-de-l'Île-d'Orléans, QC G0A 4E0
☎418-828-9411
www.iledorleans.com

Tourisme Portneuf
12 rue des Pins
Deschambault-Grondines, QC G0A 1S0
☎418-286-3002 ou 800-409-2012
www.portneuf.com

Tourisme Jacques-Cartier
60 rue St-Patrick
Shannon, QC G0A 4N0
☎418-844-2358 ou 877-844-2358
www.jacques-cartier.com

■ Visites guidées

Société historique de Québec
1070 rue De La Chevrotière
☎418-692-0556
www.societehistoriquedequebec.qc.ca
La Société historique de Québec propose des visites guidées sous différents thèmes. Ces visites vous font découvrir plusieurs aspects historiques et patrimoniaux de Québec.

Les Tours Voir Québec
12 rue Ste-Anne, Vieux-Québec
☎418-694-2001 ou 866-694-2001
www.toursvoirquebec.com
Les Tours Voir Québec proposent des promenades qui permettent de revivre les faits historiques et les petites anecdotes qui ont transformé la ville. On y organise aussi des visites en autocar dans la ville et dans les environs.

Attraits touristiques

Le Vieux-Québec ★★★

p 230 p 233 p 238 p 239

La vieille ville est divisée en deux parties par le cap Diamant. La partie qui s'étend entre le fleuve et la falaise fait l'objet du prochain circuit (voir p 215). La section emmurée sur le cap est celle que l'on appelle affectueusement le «Vieux-Québec». Cité administrative et institutionnelle, elle se pare de couvents, de chapelles et de bâtiments publics dont la construction remonte parfois au XVIIe siècle. Elle est enserrée dans ses murailles dominées par la Citadelle, qui lui confèrent le statut de place forte et qui, pendant longtemps, ont contenu son développement, favorisant une densité élevée de l'habitat bourgeois et aristocratique. Enfin, l'urbanisme pittoresque du XIXe siècle a contribué à lui donner son image actuelle par la construction d'édifices, comme le Château Frontenac, ou par l'aménagement d'espaces publics, telle la terrasse Dufferin, de style Belle Époque.

Au **Lieu historique national des Fortifications-de-Québec** ★★ *(3,95$; mai à oct tlj 10h à 17h, nov à avr sur réservation; 100 rue St-Louis, ☎418-648-7016 ou 888-773-8888, www.pc.gc.ca/fortifications)*, on peut voir des maquettes et des cartes qui retracent l'évolution du système défensif de Québec au centre d'interprétation et visiter la **poudrière de l'Esplanade**. On peut même participer à des randonnées guidées sur les murs de la ville *(9,90$)*. Deux visites avec guide-interprète sont proposées: *Québec, ville fortifiée* et *Québec, ville défensive*, d'une durée de 1h30 chacune. Il est en effet possible de se balader au sommet des murs, où sont disposés des panneaux d'interprétation relatant l'histoire des fortifications. On y accède par les escaliers attenants aux portes de la ville.

Habitués que l'on est de marcher sur des surfaces revêtues, il est amusant de sentir sous ses pas les planches de bois de la **terrasse Dufferin** ★★★. Cette large promenade fut créée en 1879 à l'instigation du gouverneur général du Canada, Lord Dufferin. Charles Baillairgé en a dessiné les kiosques et les lampadaires de fonte en s'inspirant du mobilier urbain installé à Paris sous Napoléon III. La terrasse est l'un des principaux attraits de la ville et un lieu de rendez-vous de la jeunesse québécoise. Elle offre un panorama superbe sur le fleuve et sa rive sud et sur l'île d'Orléans. En hiver, une longue glissoire (voir

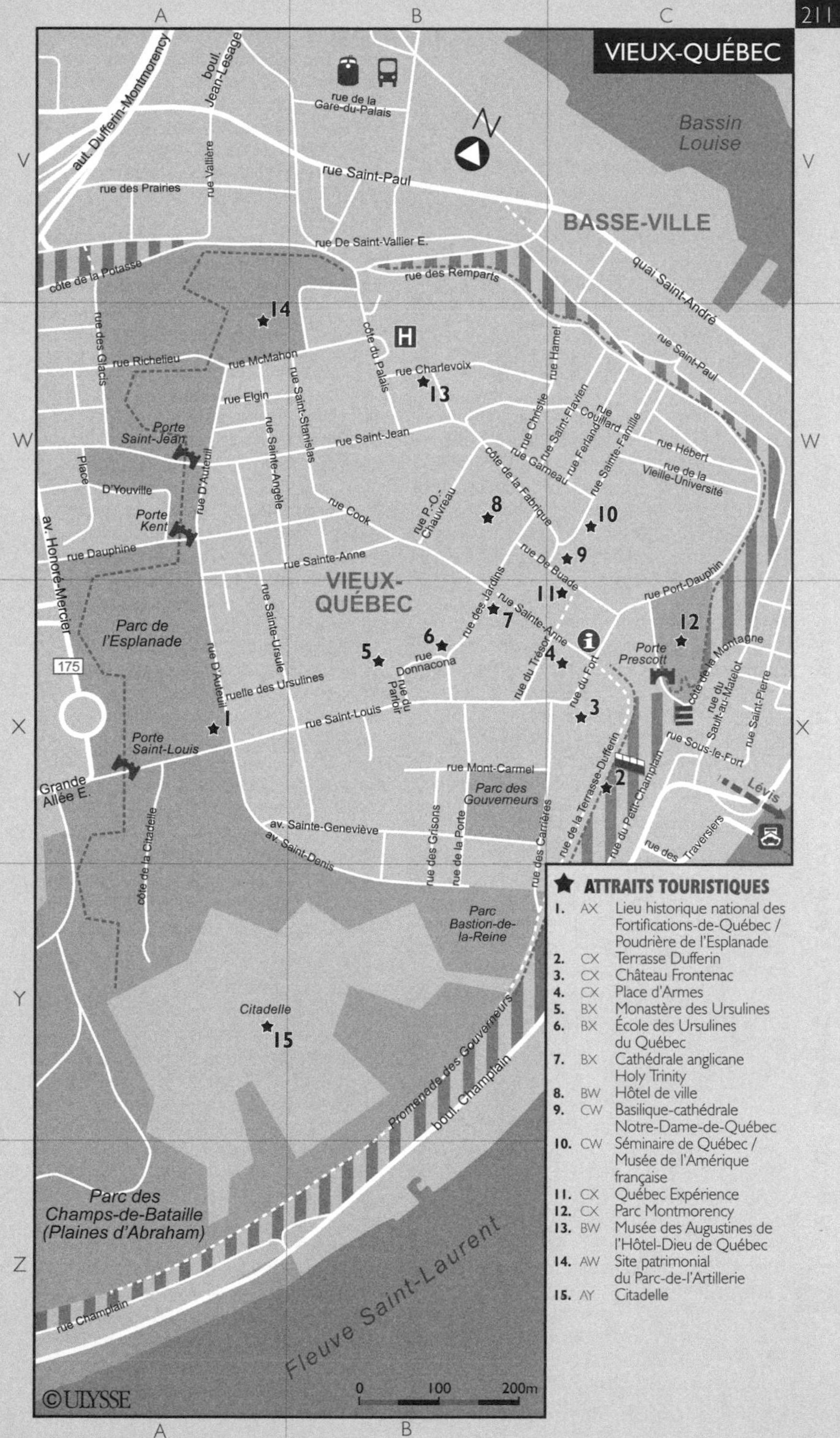
VIEUX-QUÉBEC
A
B
C
V
W
X
Y
Z
Bassin Louise
BASSE-VILLE
VIEUX-QUÉBEC
aut. Dufferin-Montmorency
boul. Jean-Lesage
rue de la Gare-du-Palais
rue Saint-Paul
rue des Prairies
rue Vallière
rue De Saint-Vallier E.
côte de la Potasse
rue des Remparts
quai Saint-André
rue Saint-Paul
rue des Glacis
rue Richelieu
rue McMahon
côte du Palais
rue Charlevoix
rue Hamel
rue Elgin
rue Saint-Stanislas
rue Sainte-Angèle
rue Saint-Jean
Porte Saint-Jean
Place D'Youville
rue D'Auteuil
Porte Kent
rue Dauphine
av. Honoré-Mercier
rue Cook
rue Sainte-Anne
rue P.-O.-Chauveau
côte de la Fabrique
rue Christie
rue Saint-Flavien
rue Couillard
rue Garneau
rue Ferland
rue Sainte-Famille
rue Hébert
rue de la Vieille-Université
rue De Buade
rue Port-Dauphin
rue des Jardins
rue Sainte-Anne
rue du Trésor
rue du Fort
Porte Prescott
côte de la Montagne
rue du Sault-au-Matelot
rue Saint-Pierre
Parc de l'Esplanade
175
rue Sainte-Ursule
ruelle des Ursulines
rue Donnacona
rue du Parloir
rue Saint-Louis
Porte Saint-Louis
Grande Allée E.
rue Mont-Carmel
Parc des Gouverneurs
rue de la Terrasse-Dufferin
rue du Petit-Champlain
rue Sous-le-Fort
Lévis
rue des Traversiers
côte de la Citadelle
av. Sainte-Geneviève
av. Saint-Denis
rue des Grisons
rue de la Porte
rue des Carrières
Parc Bastion-de-la-Reine
Citadelle
Promenade des Gouverneurs
boul. Champlain
Parc des Champs-de-Bataille (Plaines d'Abraham)
rue Champlain
Fleuve Saint-Laurent
0
100
200m
©ULYSSE
ATTRAITS TOURISTIQUES
1. AX Lieu historique national des Fortifications-de-Québec / Poudrière de l'Esplanade
2. CX Terrasse Dufferin
3. CX Château Frontenac
4. CX Place d'Armes
5. BX Monastère des Ursulines
6. BX École des Ursulines du Québec
7. BX Cathédrale anglicane Holy Trinity
8. BW Hôtel de ville
9. CW Basilique-cathédrale Notre-Dame-de-Québec
10. CW Séminaire de Québec / Musée de l'Amérique française
11. CX Québec Expérience
12. CX Parc Montmorency
13. BW Musée des Augustines de l'Hôtel-Dieu de Québec
14. AW Site patrimonial du Parc-de-l'Artillerie
15. AY Citadelle

p 228), réservée aux amateurs de toboggan, est installée dans sa portion ouest.

La vocation touristique de Québec s'affirme dès la première moitié du XIXe siècle. Ville romantique par excellence, elle attire très tôt de nombreux visiteurs américains désireux d'y retrouver un peu de l'Europe. En 1890, la compagnie ferroviaire du Canadien Pacifique, dirigée par William Cornelius Van Horne, décide d'implanter un réseau d'hôtels prestigieux à travers le Canada. Le premier de ces établissements voit le jour à Québec. On le nomme **Château Frontenac** ★★★ *(1 rue des Carrières)* en l'honneur de l'un des plus célèbres gouverneurs de la Nouvelle-France, Louis de Buade, comte de Frontenac (1622-1698).

Terrain d'exercice pour les militaires jusqu'à la construction de la Citadelle, la **place d'Armes** ★ devient un square d'agrément en 1832. En 1916, on y élève le monument de la Foi pour commémorer le tricentenaire de l'arrivée des Récollets à Québec. David Ouellet est l'auteur de la base néogothique soutenant la statue dessinée par l'abbé Adolphe Garneau.

À l'angle de la rue Donnacona et de la petite rue du Parloir, vous trouverez l'entrée du **monastère des Ursulines** ★★★ *(18 rue Donnacona)*. En 1535, Angèle Merici fonde à Brescia, en Italie, la communauté des Ursulines. Après son installation en France, celle-ci devient un ordre cloîtré, voué à l'enseignement (1620). Grâce à une bienfaitrice, Madame de la Peltrie, les Ursulines débarquent à Québec en 1639 et fondent dès 1641 leur monastère et leur couvent, où des générations de jeunes filles recevront une éducation exemplaire. L'**École des Ursulines du Québec** *(4 rue du Parloir)* est aujourd'hui la plus ancienne maison d'enseignement pour filles en Amérique du Nord toujours en activité. On ne peut voir qu'une partie des vastes installations où vivent encore quelques dizaines de religieuses. Ainsi, seuls le musée et la chapelle demeurent accessibles au public.

À la suite de la Conquête, un petit groupe d'administrateurs et de militaires britanniques s'installe à Québec. Les conquérants désirent marquer leur présence par la construction de bâtiments prestigieux à l'image de l'Angleterre, mais leur nombre insuffisant retardera la réalisation de projets majeurs jusqu'au début du XIXe siècle, alors que l'on entreprend l'édification de la **cathédrale anglicane Holy Trinity** ★★ *(entrée libre; mi-mai à mi-oct tlj 10h à 17h, reste de l'année dim 10h à 14h; visites commentées mi-mai à mi-oct tlj; 31 rue des Jardins, ☎418-692-2193, www.cathedral.ca)* selon les plans de deux ingénieurs militaires qui s'inspirèrent de l'église St. Martin in the Fields à Londres. L'édifice palladien, achevé en 1804, modifiera la silhouette de la ville, dont l'image française était jusque-là demeurée intacte. Il s'agit de la première cathédrale anglicane érigée hors des îles Britanniques et d'un bel exemple d'architecture coloniale anglaise, à la fois gracieuse et simple. La pente du toit fut exhaussée en 1815 afin de permettre un meilleur écoulement de la neige.

La **place de l'Hôtel-de-Ville** ★ occupe depuis 1900 l'emplacement du marché Notre-Dame, créé au XVIIIe siècle. Un monument en l'honneur du cardinal Taschereau, œuvre du Français André Vermare (1923), en agrémente le flanc ouest.

La composition de l'**hôtel de ville** *(2 rue des Jardins)*, influencée par le courant néoroman américain, surprend dans une ville où les traditions françaises et britanniques ont toujours prévalu dans la construction d'édifices publics. George-Émile Tanguay en a réalisé les plans en 1895, à la suite d'un difficile concours où aucun des projets primés ne reçut un appui majoritaire des conseillers et du maire. On ne peut que regretter la disparition du collège des Jésuites de 1666, qui occupait auparavant le même emplacement.

À l'autre extrémité de la place de l'Hôtel-de-Ville, la **basilique-cathédrale Notre-Dame-de-Québec** ★★★ *(2$; visites guidées de la cathédrale et de sa crypte; 20 rue De Buade, ☎418-694-0665, www.patrimoine-religieux.com)* est un livre ouvert sur les difficultés qu'éprouvèrent les bâtisseurs de la Nouvelle-France et sur la détermination des Québécois à travers les pires épreuves. On pourrait presque parler d'architecture organique, tant la forme définitive du bâtiment est le résultat de multiples campagnes de construction et de tragédies qui laissèrent l'édifice en ruine à deux reprises.

La première église à occuper le site fut érigée en 1633 à l'instigation de Samuel de Champlain, lui-même inhumé à proximité quatre ans plus tard. Ce temple de bois est remplacé en 1647 par l'église Notre-Dame-de-la-Paix, bâtiment de pierres en croix latine, qui servira de modèle pour les paroisses rurales des alentours. Puis en 1674, Québec accueille l'évêché de la Nouvelle-France. Mgr François de Laval (1623-1708), premier évêque, choisit la petite église comme siège épiscopal, tout en souhaitant une reconstruction digne du vaste territoire couvert par son ministère. Or, seule la base de la tour ouest subsiste de cette époque. En 1742, l'évêché fait reconstruire le lieu de culte en lui donnant son plan actuel, composé d'une longue nef éclairée par le haut et encadrée de bas-côtés à arcades. La cathédrale de Québec se rapproche alors des églises urbaines érigées à travers la France à la même époque.

La rue du Trésor

Le nom de la rue du Trésor serait étroitement lié à la Compagnie des Cent-Associés, qui administra la Nouvelle-France entre 1627 et 1663 tout en exerçant le monopole du commerce. Les avoirs de la compagnie auraient alors été désignés de «Trésor». À l'époque, le bureau de la compagnie était situé rue Sainte-Anne, près de l'endroit où se dresse aujourd'hui la cathédrale anglicane Holy Trinity. Pour s'y rendre, il fallait emprunter un petit chemin qui deviendra en 1689 la «rue du Trésor». Galerie d'art à ciel ouvert depuis une quarantaine d'années, elle est aujourd'hui l'un des lieux les plus fréquentés de la ville de Québec.

Pénétrez dans la cour intérieure du **Séminaire de Québec** ★★★ *(1 côte de la Fabrique, ☎418-692-3981)* par la porte cochère (décorée aux armes de l'institution), qui fait face à la grille d'entrée, afin de mieux voir ce complexe religieux qui constituait au XVIIe siècle un havre de civilisation au milieu d'une contrée rude et hostile.

Le Séminaire fut fondé en 1663 par Mgr François de Laval à l'instigation du Séminaire des Missions étrangères de Paris, auquel il a été affilié jusqu'en 1763. On en fit le centre névralgique du clergé dans toute la colonie, puisqu'en plus d'y former les futurs prêtres on y administrait les fonds des paroisses et y répartissait les cures. Colbert, ministre de Louis XIV, obligea en outre la direction du Séminaire à fonder un petit séminaire voué à l'évangélisation et à l'éducation des Amérindiens. Après la Conquête, le Séminaire devient aussi un collège classique, à la suite de l'interdiction qui frappe les Jésuites, et loge pendant un certain temps l'évêque dépourvu de son palais, détruit par les bombardements. En 1852, le Séminaire met sur pied l'Université Laval, dont le campus est aujourd'hui établi principalement à Sainte-Foy, en faisant la première université de langue française en Amérique. Le vaste ensemble de bâtiments du Séminaire comprend actuellement la résidence des prêtres du côté du fleuve, un collège privé pour garçons et filles, l'École d'architecture de l'Université Laval, de même que le Musée de l'Amérique française (voir ci-dessous).

Affligé par les incendies et les bombardements, le Séminaire que l'on peut contempler de nos jours est le résultat de multiples chantiers. En face de la porte cochère, on aperçoit l'aile de la Procure, avec son cadran solaire, dont les caves voûtées ont servi de refuge à la population de Québec lors de l'attaque de l'amiral Phipps en 1690. On y trouve également la chapelle personnelle de Mgr Briand (1785), décorée de branches d'olivier sculptées. La belle aile des Parloirs de 1696 fait équerre avec la précédente, sur la droite. L'emploi de la fenêtre à arc segmentaire autour de cette cour carrée, extrêmement rare sous le Régime français, traduit une architecture directement empruntée aux modèles français, avant que ne survienne une nécessaire adaptation au contexte québécois.

Dirigez-vous vers le Musée de l'Amérique française, d'où partent les visites guidées du Séminaire. La chapelle extérieure du Séminaire, qui date de 1890, a d'ailleurs été rebaptisée la «chapelle du Musée de l'Amérique française». Elle a remplacé celle de 1752, incendiée en 1888. Pour éviter un nouveau sinistre, l'intérieur, semblable à celui de l'église de la Trinité, à Paris, fut recouvert de zinc et de fer blanc, peints en trompe-l'œil. On y trouve la plus importante collection de reliques en Amérique du Nord, au sein de laquelle figurent des reliques de saint Anselme et de saint Augustin, des martyrs du Tonkin, de saint Charles Borromée et de saint Ignace de Loyola. Certaines sont authentiques et d'une taille appréciable, d'autres sont incertaines et minuscules. Une chapelle funéraire, au milieu de laquelle trône un gisant contenant les restes de Mgr de Laval, premier évêque de l'Amérique du Nord, donne sur le bas-côté gauche.

Le **Musée de l'Amérique française** ★★ *(6$, mar gratuit sauf en été; fin juin à début sept tlj 9h30 à 17h, début sept à fin juin mar-dim 10h à 17h; 2 côte de la Fabrique, ☎418-692-2843 ou 866-710-8031, www.mcq.org)* se consacre à l'histoire des peuples francophones en Amérique du Nord. Deux expositions permanentes sont proposées aux visiteurs: *L'Œuvre du Séminaire de Québec*, qui évoque l'apport économique et social des prêtres dans la société québécoise; et *Amérique française*, dédiée aux sept communautés de l'Amérique nées de l'immigration française: les Québécois, les Acadiens, les Franco-Ontariens, les francophones de l'Ouest, les Métis, les Cajuns de la Louisiane et les francophones de la Nouvelle-Angleterre. Plusieurs expositions temporaires se tiennent aussi au musée.

Québec Expérience *(7,50$; mi-mai à mi-oct tlj 10h à 22h, mi-oct à mi-mai tlj 10h à 17h; Les Promenades du Vieux-Québec, 8 rue du Trésor, 2e étage, ☎418-694-4000, www.quebecexperience.com)* est un spectacle à grand déploiement sur l'histoire de la ville de Québec. Projeté en trois dimensions, ce spectacle multimédia animé vous fera voyager à travers le temps et revivre les grands moments qui ont marqué la ville, et ce, en compagnie des personnages légendaires qui l'ont sillonnée. Une belle façon d'en apprendre plus, particulièrement appréciée des jeunes. Les spectacles, en français ou en anglais, durent 35 min.

Lors du rabaissement des murs de la ville, le long de la rue des Remparts, le gouverneur général du Canada, Lord Dufferin, découvrit les superbes vues dont on bénéficie depuis ce promontoire et décida, en 1875, d'y aménager le **parc Montmorency** ★. Par la suite, deux monuments y furent érigés, le premier en l'honneur de George-Étienne Cartier, premier ministre du Canada-Uni et l'un des pères de la Confédération canadienne, le second à la mémoire de Louis Hébert, de Guillaume Couillard et de Marie Rollet, premiers agriculteurs de la Nouvelle-France, arrivés en 1617 et à qui le fief du Sault-au-Matelot, situé sur l'emplacement du Séminaire, fut concédé dès 1623. Le sculpteur montréalais Alfred Laliberté est l'auteur des belles statues de bronze.

Le **Musée des Augustines de l'Hôtel-Dieu de Québec** ★ *(entrée libre, 3$/pers. pour les groupes; mar-sam 9h30 à 12h et 13h30 à 17h, dim 13h30 à 17h; 32 rue Charlevoix, ☎418-692-2492)* retrace l'histoire de la communauté des Augustines en Nouvelle-France à travers des pièces de mobilier, des toiles et des instruments médicaux. On peut y voir le coffre qui contenait les maigres bagages des fondatrices (avant 1639) ainsi que des pièces provenant du château Saint-Louis, demeure des gouverneurs sous le Régime français (portraits de Louis XIV et du cardinal de Richelieu). La visite du musée donne accès sur demande à la chapelle et aux caves voûtées. La dépouille de la bienheureuse Marie-Catherine de Saint-Augustin, fondatrice de la communauté en Nouvelle-France, repose dans une chapelle attenante où se trouve également un beau reliquaire doré de style Louis XIV, sculpté en 1717 par Pierre-Noël Levasseur.

Le **Site patrimonial du Parc-de-l'Artillerie** ★★ *(4$; début avr à mi-oct tlj 10h à 17h, mi-oct à fin mars sur réservation; 2 rue D'Auteuil, ☎418-648-4205 ou 888-773-8888, www.pc.gc.ca)* occupe une partie d'un vaste site à vocation militaire situé en bordure des murs de la ville. Le centre d'interprétation loge dans l'ancienne fonderie de l'Arsenal, où l'on a fabriqué des munitions jusqu'en 1964. On peut y voir une fascinante maquette de Québec exécutée de 1795 à 1810 par l'ingénieur militaire Jean-Baptiste Duberger aux fins de planification tactique. Expédiée en Angleterre en 1813, elle est de retour à Québec. La maquette est une source d'information sans pareille sur l'état de la ville dans les années qui ont suivi la Conquête.

La visite nous amène à la redoute Dauphine, un beau bâtiment fortifié, revêtu d'un crépi blanc et situé à proximité de la rue McMahon. En 1712, l'ingénieur militaire Dubois Berthelot de Beaucours trace les plans de la redoute, qui sera achevée par Chaussegros de Léry en 1747. Une redoute est un ouvrage de fortification autonome qui sert en cas de repli des troupes. Jamais véritablement utilisée à cette fin, elle sera plutôt à l'origine de la vocation de casernement du secteur. En effet, on retrouve derrière la redoute un ensemble de casernes érigées par l'Armée britannique au XIXe siècle, auquel s'ajoute une cartoucherie, aujourd'hui fermée. La visite *(juil et août seulement)* du mess des officiers (1820), reconverti en un centre d'initiation au patrimoine, termine le parcours. Toujours durant cette période estivale, vous pouvez assister en après-midi à une démonstration de tir à la poudre noire. Des guides en costumes d'époque, un caporal et un soldat animent bruyamment cette activité. On peut participer à une visite commentée par des guides ou faire la visite de façon autonome aidé d'un audioguide.

La **Citadelle** ★★★ *(à l'extrémité de la côte de la Citadelle, www.lacitadelle.qc.ca)* représente trois siècles d'histoire militaire en Amérique du Nord. Depuis 1920, elle est le siège du Royal 22e Régiment de l'Armée canadienne, qui s'est distingué par sa bravoure au cours de la Seconde Guerre mondiale. On y trouve quelque 25 bâtiments distribués sur le pourtour de l'enceinte, dont le mess des officiers, l'hôpital, la prison et la résidence officielle du gouverneur général du Canada, sans oublier le premier observatoire astronomique du pays. L'histoire de la Citadelle débute en 1693, alors que l'ingénieur Dubois Berthelot de Beaucours fait ériger la redoute du cap Diamant au point culminant du système défensif de Québec, quelque 100 m au-dessus du niveau du fleuve. Cet ouvrage solide se trouve de nos jours contenu à l'intérieur du bastion du Roi.

Tout au long du XVIIIe siècle, les ingénieurs français, puis britanniques, élaboreront des projets de citadelle qui demeureront sans suite. L'aménagement d'une poudrière par Chaussegros de Léry en 1750, bâtiment qui abrite maintenant le Musée du Royal 22e Régiment, et le terrassement temporaire à l'ouest (1783) sont les seuls travaux d'envergure effectués pendant cette période. La citadelle, telle qu'elle apparaît au visiteur, est une œuvre du colonel Elias Walker Durnford et fut édifiée entre 1820 et 1832. Même si la ville de Québec est surnommée «le Gibraltar d'Amérique» en raison de la présence de la Citadelle, l'ouvrage, conçu selon les principes élaborés par Vauban au XVIIe siècle, n'a jamais eu à essuyer le tir d'un seul canon, mais fut pendant longtemps un élément dissuasif important.

Du Petit-Champlain au Vieux-Port ★★★

p 231 p 234 p 238 p 239

La partie basse de la vieille ville, commerçante et portuaire, est une étroite bande de terre en forme de *U* coincée entre les eaux du fleuve Saint-Laurent et l'escarpement du cap Diamant. Elle constitue le berceau de la Nouvelle-France puisque c'est sur le site de la place Royale que Samuel de Champlain (1567-1635) choisit en 1608 d'ériger son «Abitation», à l'origine de la ville de Québec. À l'été de 1759, elle est aux trois quarts détruite par les bombardements anglais. Il faudra 20 ans pour réparer et reconstruire les maisons.

Au XIXe siècle, de multiples remblais élargissent la Basse-Ville et permettent de relier par des rues les secteurs de Place-Royale et du palais de l'Intendant. Le déclin des activités portuaires, au début du XXe siècle, a provoqué l'abandon graduel de Place-Royale, que l'on a entrepris de restaurer en 1959. Le quartier du Petit-Champlain, avec sa rue du même nom, a quant à lui été récupéré par des artisans qui y ont ouvert leurs ateliers.

Vous aurez sans doute besoin de plusieurs minutes pour admirer les nombreux détails que recèle la belle **fresque du Petit-Champlain** *(102 rue du Petit-Champlain)*. Quelque 35 personnages, connus ou anonymes, qui ont façonné l'histoire du Québec, et plus particulièrement de Québec et du quartier du Petit-Champlain, sont mis en scène dans six pièces, du rez-de-chaussée au grenier, faisant revivre des lieux différents de leur vie quotidienne tels que des ateliers d'artisans ou une auberge. Comme si les murs de la maison que vous avez sous les yeux s'étaient soudain ouverts sur des pans de l'histoire!

Le secteur de **Place-Royale** ★★★, le plus européen de tous les quartiers d'Amérique du Nord, rappelle un village du nord-ouest de la France. Le lieu est lourd de symboles puisque c'est ici que Québec a été fondée en 1608. Après de multiples tentatives infructueuses, ce fut le véritable point de départ de l'aventure française en Amérique. Sous le Régime français, le site représentait le seul secteur densément peuplé d'une colonie vaste et sauvage, et c'est aujourd'hui la plus importante concentration de bâtiments des XVIIe et XVIIIe siècles en Amérique au nord du Mexique.

La place Royale même est inaugurée en 1673 par le gouverneur Frontenac, qui en fait une place de marché. Celle-ci occupe l'emplacement du jardin de l'«Abitation» de Champlain, sorte de château fort incendié en 1682 au même moment que toute la Basse-Ville. En 1686, l'intendant Jean Bochart de Champigny fait ériger, au centre de la place, un **buste en bronze de Louis XIV**, conférant de la sorte au lieu le titre de place Royale. Le buste disparaît sans laisser de traces après 1700. En 1928, François Bokanowski, ministre français du Commerce et des Communications, offre au Québécois Athanase David une réplique en bronze du buste en marbre de Louis XIV se trouvant dans la Galerie de Diane, à Versailles, afin de remplacer la statue disparue. L'œuvre du fondeur Alexis Rudier ne fut installée qu'en 1931, car on craignait par ce geste d'insulter l'Angleterre!

La rue des Pains-Bénits

Si vous visitez Québec durant la période des Fêtes, pourquoi ne pas faire un petit tour du côté de Place-Royale, particulièrement le 3 janvier. C'est durant ce jour que l'on célèbre la fête de sainte Geneviève, patronne de la chapelle qui fut un temps accolée à l'église Notre-Dame-des-Victoires. D'ailleurs, on raconte que, lors du siège de Paris par les Francs, la courageuse sainte Geneviève s'assurait de bien nourrir les assiégés. Pour souligner l'événement, chaque année depuis les débuts de la colonisation, on distribue des petits pains bénits aux citoyens. La petite rue qui longe le côté est de l'église porte d'ailleurs le nom de rue des Pains-Bénits! En dégustant le vôtre, allez jeter un coup d'œil sur la crèche exposée à l'intérieur de l'église.

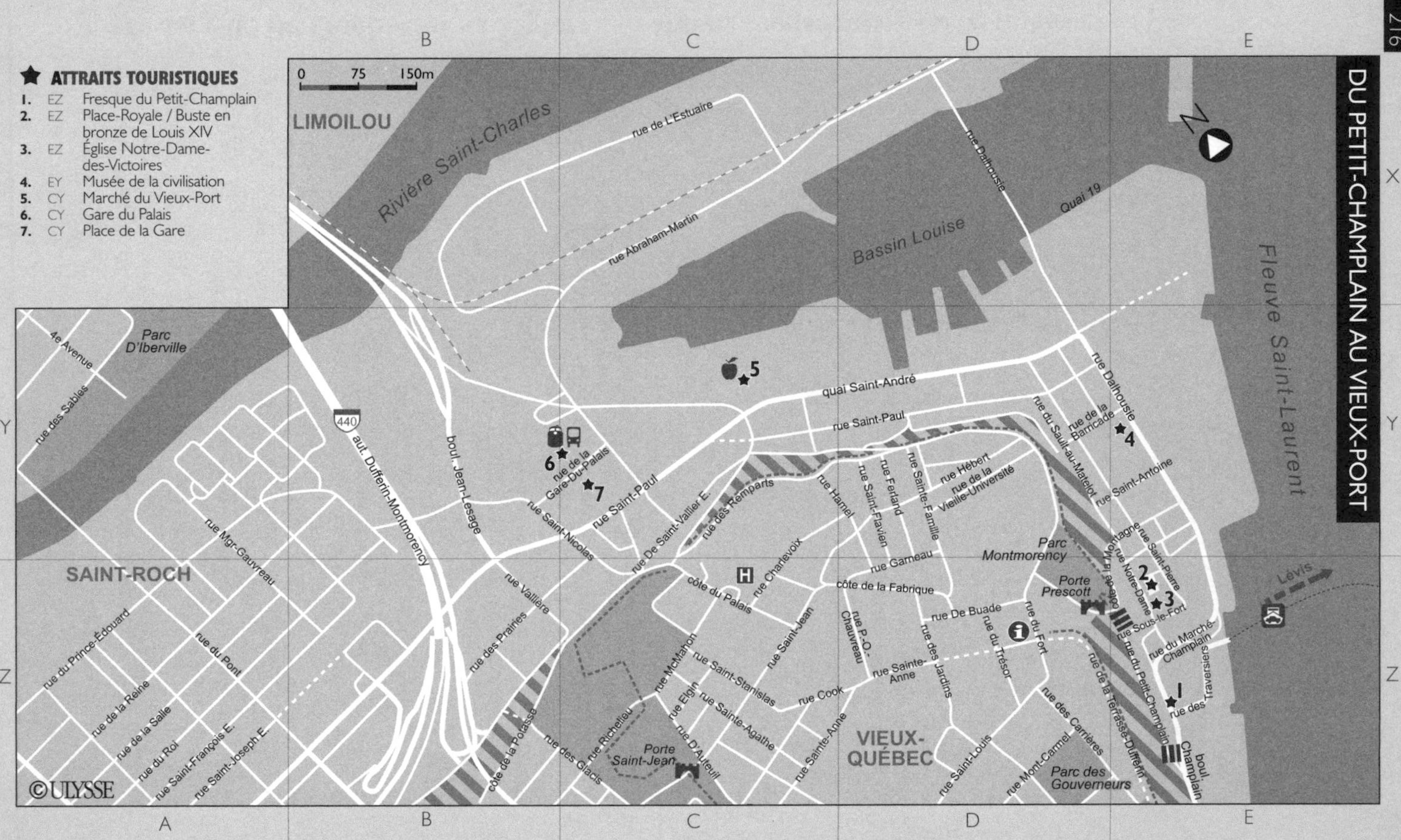
DU PETIT-CHAMPLAIN AU VIEUX-PORT
ATTRAITS TOURISTIQUES
1. EZ Fresque du Petit-Champlain
2. EZ Place-Royale / Buste en bronze de Louis XIV
3. EZ Église Notre-Dame-des-Victoires
4. EY Musée de la civilisation
5. CY Marché du Vieux-Port
6. CY Gare du Palais
7. CY Place de la Gare
0 75 150m
LIMOILOU
Rivière Saint-Charles
rue de L'Estuaire
rue Abraham-Martin
Bassin Louise
rue Dalhousie
Quai 19
Fleuve Saint-Laurent
Parc D'Iberville
4e Avenue
rue des Sables
440
aut. Dufferin-Montmorency
boul. Jean-Lesage
quai Saint-André
rue Saint-Paul
rue de la Gare-Du-Palais
rue Saint-Nicolas
rue De Saint-Vallier E.
rue des Remparts
rue Hamel
rue Saint-Flavien
rue Ferland
rue Sainte-Famille
rue Hébert
rue de la Vieille-Université
rue du Sault-au-Matelot
rue de la Barricade
rue Saint-Antoine
rue Saint-Pierre
rue Notre-Dame
côte de la Montagne
rue Sous-le-Fort
rue du Marché-Champlain
rue des Traversiers
rue du Petit-Champlain
rue de la Terrasse-Dufferin
boul. Champlain
Lévis
Parc Montmorency
Porte Prescott
rue Garneau
côte de la Fabrique
rue De Buade
rue du Fort
rue du Trésor
rue des Jardins
rue P.-O.-Chauvreau
rue Sainte-Anne
rue Cook
rue Saint-Jean
rue Charlevoix
côte du Palais
rue McMahon
rue Saint-Stanislas
rue Elgin
rue Sainte-Agathe
rue D'Auteuil
Porte Saint-Jean
rue Richelieu
rue des Glacis
côte de la Potasse
rue des Prairies
rue Vallière
SAINT-ROCH
rue Mgr-Gauvreau
rue du Prince-Édouard
rue du Pont
rue de la Reine
rue de la Salle
rue du Roi
rue Saint-François E.
rue Saint-Joseph E.
VIEUX-QUÉBEC
rue Saint-Louis
rue Mont-Carmel
rue des Carrières
Parc des Gouverneurs
©ULYSSE

L'**église Notre-Dame-des-Victoires** ★★ *(entrée libre; début mai à mi-oct tlj 9h à 17h; fermé au public lors des mariages, des baptêmes et des funérailles; 32 rue Sous-le-Fort, ☎418-692-1650)*, cette petite église sans prétention, est la plus ancienne qui subsiste au Canada. Sa construction a été entreprise en 1688 selon les plans de Claude Baillif sur l'emplacement de l'«Abitation» de Champlain, dont elle a intégré une partie des murs. D'ailleurs, sur le sol à côté de l'église, on a marqué de granit noir l'emplacement des vestiges des fondations de la seconde Abitation de Champlain, découverts en 1976.

D'abord placée sous le vocable de l'Enfant-Jésus, l'église est rebaptisée «Notre-Dame-de-la-Victoire» à la suite de l'attaque infructueuse de l'amiral Phipps en face de Québec (1690), puis Notre-Dame-des-Victoires en rappel de la déconfiture de l'amiral Walker, dont la flotte fit naufrage à l'île aux Œufs lors d'une tempête en 1711. Les bombardements de la Conquête ne laisseront debout que les murs, ruinant du coup le beau décor intérieur des Levasseur. L'église est rétablie en 1766, mais ne sera achevée qu'avec la pose du clocher actuel en 1861.

Le **Musée de la civilisation** ★★ *(10$; mar, sauf en été, entrée libre; début sept à fin juin mar-dim 10h à 17h, fin juin à début sept tlj 9h30 à 18h30; 85 rue Dalhousie, ☎418-643-2158 ou 866-710-8031, www.mcq.org)*, inauguré en 1988, se veut une interprétation de l'architecture traditionnelle de Québec, à travers ses toitures et lucarnes stylisées et son campanile rappelant les clochers des environs. L'architecte Moshe Safdie, à qui l'on doit également le révolutionnaire Habitat 67 de Montréal et le Musée des beaux-arts du Canada, à Ottawa, a créé là un édifice sculptural, au milieu duquel trône un escalier extérieur, véritable monument en soi. Le hall central offre une vue charmante sur la maison Estèbe et son quai, tout en conservant une apparence contemporaine, renforcée par la sculpture d'Astri Reuch, intitulée *La Débâcle*.

Le Musée de la civilisation propose des expositions temporaires des plus variées. L'humour, le cirque et la chanson par exemple ont déjà fait l'objet de présentations des plus vivantes. On y accueille aussi des expositions venues raconter les grandes civilisations du monde.

Souvent critiqué pour son caractère trop nord-américain dans une ville à sensibilité tout européenne, le **Vieux-Port** ★ a d'abord été réaménagé par le gouvernement du Canada dans le cadre de l'événement maritime «Québec 1534-1984», puis à nouveau à l'occasion des festivités entourant le 400e anniversaire de la ville de Québec.

La plupart des marchés publics du Québec ont fermé leurs portes au début des années 1960, car ils étaient perçus comme des services obsolètes. Mais l'attrait des produits frais de la ferme et celui du contact avec le producteur sont demeurés, de même que la volonté de vivre en société dans des lieux publics. Aussi les marchés publics ont-ils réapparu timidement au début des années 1980. Le **marché du Vieux-Port** ★ *(angle rue St-Thomas et quai St-André)*, érigé en 1987, succède à deux marchés de la Basse-Ville, aujourd'hui disparus (marchés Finlay et Champlain). Il est agréable d'y flâner en été et de jouir des vues sur la marina du bassin Louise, accolée au marché.

Pendant plus de 50 ans, les citoyens de Québec ont réclamé qu'une gare prestigieuse soit construite pour desservir leur ville. Leur souhait sera finalement exaucé par le Canadien Pacifique en 1915. Érigée selon les plans de l'architecte new-yorkais Harry Edward Prindle dans le même style que le Château Frontenac, la superbe **gare du Palais** ★ donne au passager qui arrive à Québec un avant-goût de la ville romantique et pittoresque qui l'attend. Le hall, haut de 18 m, qui s'étire derrière la grande verrière de la façade, est baigné de lumière grâce aux puits en verre plombé de sa toiture. Ses murs sont recouverts de carreaux de faïence et de briques multicolores, conférant un aspect éclatant à l'ensemble.

En face, la **place de la Gare** ★ offre un petit espace de détente marqué par une impressionnante fontaine de Charles Daudelin.

Autour de la Grande Allée ★★

▲ p 231 ◍ p 235 ♪ p 238 ◘ p 239

La Grande Allée apparaît déjà sur les cartes du XVIIe siècle, mais son urbanisation survient dans la première moitié du XIXe siècle, alors que Québec s'étend en dehors de ses murs. D'abord route de campagne reliant Québec au chemin du Roy, qui conduit vers Montréal, la voie était à l'origine bordée de grandes propriétés agricoles appartenant à la noblesse et aux communautés religieuses du Régime français. À la suite de la Conquête, de nombreux terrains sont aménagés en domaines champêtres, au milieu desquels sont érigées des villas pour les marchands anglophones. Puis la ville néoclassique s'approprie le territoire, avant que la ville victorienne ne lui donne son cachet particulier.

L'**hôtel du Parlement** ★★★ *(entrée libre; visites guidées fin juin à début sept lun-ven 9h à 16h30,* *sam-dim 10h à 16h30; début sept à fin juin lun-ven 9h à 16h30; en raison des travaux parlementaires l'horaire est sujet à changement, il est donc préférable d'appeler la veille ou le matin même de la visite; angle av. Honoré-Mercier et Grande Allée E., ☎418-643-7239 ou 866-337-8837, www.assnat.qc.ca)* est mieux connu des habitants de Québec sous le nom d'**Assemblée nationale**; ce vaste édifice construit entre 1877 et 1886 est en effet le siège du gouvernement du Québec. Il arbore un fastueux décor néo-Renaissance qui se veut le reflet de la particularité ethnique du Québec dans le contexte nord-américain. Eugène-Étienne Taché (1836-1912), son architecte, s'est inspiré du palais du Louvre à la fois pour le décor et pour le plan, développé autour d'une cour carrée. Conçu à l'origine pour loger l'ensemble des ministères ainsi que les deux Chambres d'assemblée calquées sur le modèle du système parlementaire britannique, il s'inscrit de nos jours en tête d'un groupe d'immeubles gouvernementaux s'étirant de part et d'autre de la Grande Allée.

La façade principale aux nombreuses statues constitue une sorte de panthéon québécois. Les 22 bronzes de personnages marquants de la nation qui occupent les niches et les piédestaux ont été réalisés par des sculpteurs réputés tels que Louis-Philippe Hébert et Alfred Laliberté. Une élévation annotée de la façade, placée à proximité de l'allée centrale, permet d'identifier ces figures. Devant l'entrée principale, un bronze d'Hébert, intitulé *La halte dans la forêt*, qui représente une famille amérindienne, rend hommage aux premiers habitants du Québec. L'œuvre a été présentée à l'Exposition universelle de Paris en 1889. *Le pêcheur à la Nigog*, du même auteur, est disposé dans la niche de la fontaine. L'intérieur, véritable recueil iconographique de l'histoire du Québec, recèle de belles boiseries dorées, dans la tradition de l'architecture religieuse.

Dans le parc de l'hôtel du Parlement, il faut encore signaler la présence de trois monuments importants: celui à la mémoire d'Honoré Mercier, premier ministre de 1887 à 1891; celui de Maurice Duplessis, premier ministre à l'époque de la «grande noirceur» (1936-1939 et 1944-1959); celui représentant René Lévesque, qui occupe une place privilégiée dans le cœur des Québécois et qui fut premier ministre de 1976 à 1985. De plus, la **promenade des Premiers-Ministres** *(le long du boul. René-Lévesque E., entre l'av. Honoré-Mercier et la rue De La Chevrotière)* nous informe, à l'aide de panneaux d'interprétation, sur les premiers ministres qui ont marqué le Québec depuis 1867.

Signalons, devant l'hôtel du Parlement, la belle **place de l'Assemblée-Nationale ★** coupée en deux par l'élégante avenue Honoré-Mercier. Du côté des remparts, la place est animée par plusieurs événements tout au long de l'année.

Depuis le 3 juillet 2007, jour du 399e anniversaire de la ville de Québec, on peut admirer la magnifique **fontaine de Tourny ★★★** *(www.fontainedetourny.ca)* au centre de l'avenue Honoré-Mercier, qui forme un carrefour giratoire qui permet à la fois aux automobilistes et aux piétons d'en contempler la beauté. Cette œuvre magnifique comprend à sa base trois femmes et un homme qui incarnent fleuves et rivières, surmontés d'une vasque octogonale parée de poissons et d'éléments marins. De cette vasque surgit un groupe de quatre figures d'enfants qui représentent la pêche et la navigation. Enfin, une dernière vasque circulaire possède en son centre un vase orné. À la nuit tombée, la fontaine s'illumine pour notre plus grand plaisir. La plaque commémorative de la fontaine de Tourny est signée d'un texte de Marie Laberge, auteure à succès originaire de Québec.

Derrière l'austère façade de la maison mère des sœurs du Bon-Pasteur, communauté vouée à l'éducation des jeunes filles abandonnées ou délinquantes, se cache une souriante chapelle néobaroque conçue par Charles Baillairgé en 1866. Il s'agit de la **chapelle historique Bon-Pasteur ★★** *(on ne visite pas; 1080 rue De La Chevrotière)*. Haute et étroite, elle sert de cadre à un authentique tabernacle baroque de 1730, réalisé par Pierre-Noël Levasseur. Cette pièce maîtresse de la sculpture sur bois en Nouvelle-France est entourée de petits tableaux peints par les religieuses et disposés sur les pilastres.

Au cœur du splendide parc des Champs-de-Bataille (voir ci-dessous) a été érigé en 1933 le Musée de la province de Québec, aujourd'hui le **Musée national des beaux-arts du Québec ★★★** *(15$, entrée libre pour les expositions permanentes; début juin à début sept tlj 10h à 18h, mer jusqu'à 21h; début sept à début juin mar-dim 10h à 17h, mer jusqu'à 21h; parc des Champs-de-Bataille, ☎418-643-2150 ou 866-220-2150, www.mnba.qc.ca)*. Plafonds sculptés, colonnes surmontées de chapiteaux, matériaux nobles et formes élégantes, bref, l'architecture du musée ne manquera pas de vous impressionner.

L'espace muséal a été agrandi et rénové de 1989 à 1991. Il renferme à ce jour trois pavillons: le pavillon Gérard-Morisset, de style néoclassique, le pavillon Charles-Baillairgé, qui a abrité pendant près d'un siècle la prison de Québec, et le Grand Hall, un pavillon tout en transparence qui relie les deux autres et qui sert de lieu d'accueil pour

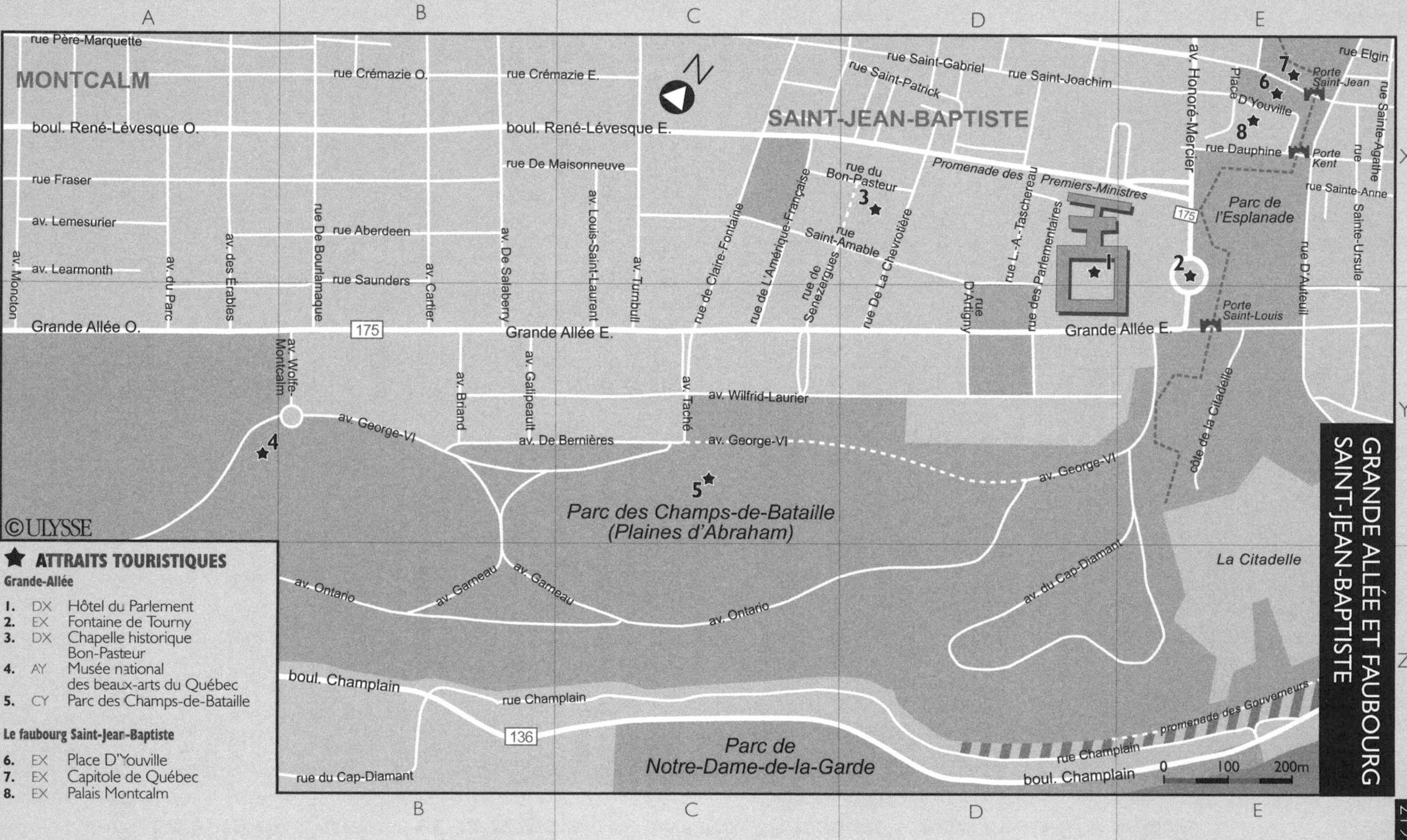

GRANDE ALLÉE ET FAUBOURG SAINT-JEAN-BAPTISTE
MONTCALM
SAINT-JEAN-BAPTISTE
Parc de l'Esplanade
La Citadelle
Parc des Champs-de-Bataille (Plaines d'Abraham)
Parc de Notre-Dame-de-la-Garde
Grande Allée O.
Grande Allée E.
boul. René-Lévesque O.
boul. René-Lévesque E.
boul. Champlain
rue Champlain
av. Honoré-Mercier
av. George-VI
av. Wolfe-Montcalm
av. Ontario
av. Garneau
av. du Cap-Diamant
Promenade des Premiers-Ministres
promenade des Gouverneurs
Porte Saint-Jean
Porte Kent
Porte Saint-Louis
©ULYSSE
ATTRAITS TOURISTIQUES
Grande-Allée
1. DX Hôtel du Parlement
2. EX Fontaine de Tourny
3. DX Chapelle historique Bon-Pasteur
4. AY Musée national des beaux-arts du Québec
5. CY Parc des Champs-de-Bataille
Le faubourg Saint-Jean-Baptiste
6. EX Place D'Youville
7. EX Capitole de Québec
8. EX Palais Montcalm

les visiteurs. Le musée s'illumine à la brunante pour révéler ses plus beaux éléments architecturaux.

La visite de cet important musée permet de se familiariser avec la peinture, la sculpture et l'orfèvrerie québécoise, depuis l'époque de la Nouvelle-France jusqu'à aujourd'hui. On y trouve près de 33 000 œuvres et objets d'art datant du XVIIe siècle à nos jours, dont seulement 2% sont actuellement exposés. Les visiteurs ont accès à 12 salles d'exposition, dont une consacrée en permanence à Jean Paul Riopelle, dans laquelle trône entre autres son imposante murale (42 m) intitulée *Hommage à Rosa Luxembourg*, et une autre entièrement dédiée à Alfred Pellan.

Le **parc des Champs-de-Bataille** ★★★ *(entrée libre; ☎ 418-648-4071)*, créé en 1908, commémore la bataille des plaines d'Abraham en plus de donner aux Québécois un espace vert incomparable. Dominant le fleuve Saint-Laurent, ce parc est à Québec ce que le parc du Mont-Royal est à Montréal ou ce que Central Park est à New York: une oasis de verdure urbaine. Il a une superficie de 101 ha, jusque-là occupés par un terrain d'exercice militaire, par les terres des ursulines ainsi que par quelques domaines champêtres. L'aménagement définitif du parc, selon les plans de l'architecte paysagiste Frederick Todd, s'est poursuivi pendant la crise des années 1930, procurant ainsi de l'emploi à des milliers de chômeurs de Québec. Les plaines constituent aujourd'hui un large espace vert sillonné de routes et de sentiers pour permettre hiver comme été des balades de toutes sortes. On y trouve aussi de beaux aménagements paysagers ainsi que des sites d'animation historique et culturelle, tel le **kiosque Edwin-Bélanger**, qui présente des spectacles en plein air.

Le faubourg Saint-Jean-Baptiste ★

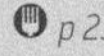

p 231 p 236

Depuis toujours un quartier vivant ponctué de salles de spectacle, de bars, de cafés, de bistros et de boutiques, le sympathique faubourg Saint-Jean-Baptiste, très animé de jour comme de nuit, est juché sur un coteau entre la Haute-Ville et la Basse-Ville. Si l'habitat rappelle celui de la vieille ville par l'abondance des toitures mansardées ou pentues, la trame orthogonale des rues est en revanche on ne peut plus nord-américaine. Malgré un terrible incendie en 1845, cet ancien faubourg de Québec a conservé plusieurs exemples de l'architecture de bois, interdite à l'intérieur des murs de la ville.

La **place D'Youville** ★, appelée communément «carré d'Youville» par les Québécois, est cet espace public à l'entrée de la vieille ville, qui était autrefois la plus importante place du marché de Québec. Elle constitue de nos jours un carrefour très fréquenté et un pôle culturel majeur. Un réaménagement à la fin des années 1980 lui a donné une large surface piétonne, agrémentée de quelques arbres et de bancs ainsi que d'un large kiosque qui sert de lieu de rendez-vous. L'emplacement du mur de contrescarpe, ouvrage avancé des fortifications nivelé au XIXe siècle, a été souligné par l'intégration de blocs de granit noir au revêtement de la place. Dès la fin du mois d'octobre, une portion de la place se recouvre de glace pour le grand plaisir des patineurs.

Inauguré en 1903 sous le nom d'Auditorium de Québec, et connu aujourd'hui comme le **Capitole de Québec** ★ *(972 rue St-Jean, www.lecapitole.com)*, ce théâtre constitue l'une des plus étonnantes réalisations de style Beaux-Arts au Canada. En 1927, le célèbre architecte de cinémas américain Thomas W. Lamb fit du théâtre un luxueux cinéma de 1 700 places. Rebaptisé le «Capitole de Québec», il continua tout de même à présenter des spectacles jusqu'à l'ouverture du Grand Théâtre, en 1971. Délaissé, le Capitole fut abandonné plusieurs années, avant d'être entièrement restauré en 1992 selon les plans de l'architecte Denis Saint-Louis. L'édifice comprend, de nos jours, la grande salle transformée en un vaste café-concert ainsi qu'un luxueux hôtel et un restaurant (voir p 236). Le Capitole a aussi fait l'acquisition du cinéma attenant, sur la devanture duquel trône une grande enseigne ronde. Ce cinéma a été converti en cabaret.

Le pavillon du marché Montcalm fut rasé en 1932 pour la construction du **Palais Montcalm** ★★ *(995 place D'Youville, ☎ 418-641-6040 ou 877-641-6040, www.palaismontcalm.ca)*. Autrefois un lieu privilégié des assemblées politiques et des manifestations en tout genre, le Palais Montcalm adopte une architecture dépouillée qui s'inspire à la fois du Renouveau classique et de l'Art déco. Depuis peu, le Palais a été réaménagé pour accueillir les mélomanes de tous les horizons musicaux dans une splendide salle de concerts: la salle Raoul-Jobin. Il accueille également l'orchestre de chambre de renommée internationale Les Violons du Roy. La façade arrière du palais a été ranimée par l'artiste québécois Florent Cousineau. Son œuvre, *Le fil rouge*, est formée de trois bas-reliefs de pierre traversés par une ligne lumineuse que l'on peut voir de la rue Dauphine.

La côte de Beaupré ★★

p 232 p 236

De Beauport à Saint-Joachim, la côte de Beaupré est traversée par le premier chemin du Roy de la colonie, aménagé au XVIIe siècle et le long duquel s'agglutinent les maisons typiques de la côte, avec leur rez-de-chaussée surélevé et revêtu de stuc, leur longue galerie de bois et leurs encadrements de fenêtres en dentelle. Depuis 1960 cependant, la banlieue a progressivement envahi la côte, amenuisant quelque peu la belle homogénéité du lieu. Mais le chemin du Roy (le chemin Royal et l'avenue Royale) reste tout à fait agréable à parcourir. Courant dans la plaine du Saint-Laurent jusqu'au cap Tourmente, il offre des vues magnifiques sur le fleuve et l'île d'Orléans.

Beauport ★

Le **manoir Montmorency** ★ *(2490 av. Royale, ☎418-663-3330)*, une grande maison blanche, a été construit en 1780 pour le gouverneur britannique Sir John Haldimand. Cette maison est parvenue à la célébrité en devenant, à la fin du XVIIIe siècle, la résidence du duc de Kent, fils de George III et père de la reine Victoria. Le manoir, qui abritait un établissement hôtelier, a été gravement endommagé lors d'un incendie en mai 1993, mais fut reconstruit selon les plans d'origine. Aujourd'hui, on y retrouve un centre d'interprétation, quelques boutiques et un restaurant d'où l'on bénéficie de vues exceptionnelles sur la chute Montmorency, le fleuve et l'île d'Orléans. La petite chapelle Sainte-Marie et les jardins qui entourent l'hôtel sont ouverts au public. Le manoir est niché dans le **parc de la Chute-Montmorency** ★★ *(entrée libre; stationnement 9,25$, téléphérique: aller-retour 10,50$; accessible toute l'année, vérifiez les heures d'ouverture des stationnements; ☎418-663-3330, www.sepaq.com/chute montmorency)*, aménagé afin de permettre l'observation du spectacle grandiose de la chute du même nom.

La rivière Montmorency, qui prend sa source dans les Laurentides, coule paisiblement en direction du fleuve, jusqu'à ce qu'elle atteigne une dénivellation soudaine de 83 m qui la projette dans le vide, ce qui donne lieu à l'un des phénomènes naturels les plus impressionnants du Québec. Une fois et demie plus élevée que les chutes du Niagara, la **chute Montmorency** ★★ a un débit qui atteint les 125 000 litres d'eau par seconde lors des crues printanières. Samuel de Champlain, fondateur de Québec, avait été impressionné par cette chute à laquelle il a donné le nom du vice-roi de la Nouvelle-France, Henri II, duc de Montmorency.

Il est possible de faire le tour de la chute: à partir du manoir Montmorency, empruntez la charmante promenade de la falaise, où se trouve le belvédère de la Baronne, qui donne une vue en plongée sur la chute. Cette courte randonnée conduit au pont «Au-dessus de la chute» et au pont «Au-dessus de la faille». Il va sans dire que les panoramas qui y sont offerts sont tout à fait extraordinaires. En hiver, la vapeur d'eau cristallisée par le gel forme des cônes de glace dénommés «pains de sucre», que les plus audacieux peuvent escalader.

Château-Richer ★

Le **Centre d'interprétation de la Côte-de-Beaupré** ★ *(6$; tlj 9h30 à 16h30; 7976 av. Royale, ☎418-824-3677, www.histoire-cotedebeaupre.org)* a emménagé au centre du village de Château-Richer, dans une ancienne école. Le centre présente une exposition renouvelée portant sur l'histoire et la géographie de la Côte-de-Beaupré, ainsi que des expositions temporaires.

Sainte-Anne-de-Beaupré ★

Cette ville tout en longueur est l'un des principaux lieux de pèlerinage en Amérique du Nord. Dès 1658, une première église catholique y fut dédiée à sainte Anne, à la suite du sauvetage de marins bretons qui avaient prié la mère de Marie afin d'éviter la noyade lors d'une tempête sur le fleuve Saint-Laurent. Les pèlerins affluèrent bientôt en grand nombre. À la seconde église, construite en pierres vers 1676, on a substitué en 1872 un vaste lieu de culte, détruit par un incendie en 1922. C'est alors que fut entreprise la construction de la basilique actuelle au centre d'un véritable complexe de chapelles, de monastères et d'équipements aussi divers qu'insolites, tel le Bureau des bénédictions ou le Cyclorama. Chaque année, Sainte-Anne-de-Beaupré accueille plus d'un million de pèlerins qui fréquentent les hôtelleries et les nombreuses boutiques de souvenirs, au goût parfois douteux, qui bordent l'avenue Royale.

La **basilique Sainte-Anne-de-Beaupré** ★★★ *(début juin à mi-oct tlj 6h à 21h, horaire variable le reste de l'année; 10018 av. Royale, ☎418-827-3781, www.ssadb.qc.ca)*, qui surgit du paysage de petits bâtiments de bois et d'aluminium colorés qui bordent la route sinueuse, étonne par ses dimensions importantes, mais aussi par l'activité fébrile qui y règne tout l'été. L'église, dont le revêtement de granit prend des teintes variées selon la lumière ambiante, a été dessinée dans le style néoroman français. Ses flèches s'élèvent à 91 m dans le ciel de la côte de Beaupré, alors que sa nef s'étend sur 129 m de longueur et sur plus de 60 m de largeur aux transepts.

L'intérieur est divisé en cinq vaisseaux, supportés par de lourdes colonnes au chapiteau abondamment sculpté. La voûte de la nef principale est décorée de mosaïques scintillantes racontant la vie de sainte Anne. Dans un beau reliquaire, à l'arrière-plan, on peut voir la Grande Relique, soit une partie du supposé avant-bras de sainte Anne provenant de la basilique Saint-Paul-Hors-les-Murs, à Rome. Enfin, il faut emprunter le déambulatoire, qui contourne le chœur, pour voir les 10 chapelles rayonnantes d'inspiration Art déco, qui ont été conçues au cours des années 1930. La basilique est ouverte toute l'année.

On s'est servi des matériaux récupérés lors de la démolition de l'église de 1676 pour ériger, en 1878, la **chapelle commémorative** ★ *(entrée libre; début mai à mi-oct tlj 8h à 17h; en bordure de l'av. Royale,* ☎*418-827-3781)*, dont le clocher date de 1696. Au pied de la chapelle, on peut s'abreuver à la fontaine de sainte Anne, aux vertus jugées curatives par certains.

La **Scala Santa** ★ *(entrée libre; début mai à mi-oct tlj 8h à 17h; à droite de la chapelle commémorative,* ☎*418-827-3781)*, étrange bâtiment en bois peint en jaune et blanc (1891), sert d'enveloppe à un escalier que les pèlerins gravissent à genoux en récitant des prières. Il s'agit d'une réplique du Saint-Escalier qu'emprunta le Christ en se rendant au prétoire de Ponce Pilate. Dans chacune des contremarches est inséré un souvenir de la Terre sainte.

Le **chemin de Croix** *(derrière la chapelle commémorative)* est situé à flanc de colline. Ses statues, grandeur nature, ont été coulées dans le bronze à Bar-le-Duc, en France.

Le **Cyclorama de Jérusalem** ★★ *(8$; début mai à fin oct tlj 9h à 18h; 8 rue Régina, à proximité du stationnement,* ☎*418-827-3101, www.cyclorama.com)*. Dans cet édifice circulaire, décoré à l'orientale dans un style plutôt kitsch, on peut voir un panorama à 360° de Jérusalem, *Le jour de la Crucifixion*, immense toile en trompe-l'œil de 14 m sur 110 m peinte à Munich vers 1880 par le Français Paul Philippoteaux et ses assistants. Ce spécialiste du panorama a exécuté là une œuvre remarquable de réalisme, qui fut d'abord exposée à Montréal, avant d'être déménagée à Sainte-Anne-de-Beaupré à la fin du XIXe siècle. Autrefois populaires, très peu de ces panoramas et cycloramas ont survécu jusqu'à nos jours.

Le **Musée de sainte Anne** ★ *(2$; début juin à début mai à mi-oct tlj 9h à 17h; 9803 boul. Ste-Anne,* ☎*418-827-3781, poste 2700)* se voue à l'art sacré qui honore la mère de la Vierge Marie. Ces œuvres sont d'une intéressante diversité. On y trouve des sculptures, des peintures, des mosaïques, des vitraux et des travaux d'orfèvrerie dédiés au culte de sainte Anne, ainsi que des écrits formulant une prière ou un remerciement pour une faveur obtenue. Y sont aussi expliqués des pans de l'histoire des pèlerinages à Sainte-Anne-de-Beaupré. Le tout est exposé sur deux niveaux, d'une façon agréable et aérée.

Beaupré

La **station touristique Mont-Sainte-Anne** ★ *(2000 boul. Beau-Pré,* ☎*418-827-4561, www.mont-sainte-anne.com)* englobe un territoire de 77 km² et un mont (le mont Sainte-Anne) d'une hauteur de 800 m qui compte parmi les plus beaux centres de ski alpin au Québec. Un tracé avait même été planifié et accepté par le Comité international olympique pour l'épreuve de descente des Jeux olympiques d'hiver 2002, dont la Ville de Québec a perdu l'organisation au profit de Salt Lake City. Pour héberger les visiteurs, quelques hôtels ont été construits. Par ailleurs, plusieurs autres activités de plein air peuvent y être pratiquées; le site possède notamment un réseau de plus de 200 km de pistes pour vélo de montagne ou de sentiers de ski de fond. Sur place, des comptoirs de location d'équipement sportif permettent à tous de s'adonner à ces activités vivifiantes.

Le **Canyon Sainte-Anne** ★ *(11$; début mai à fin juin tlj 9h à 16h30, fin juin à début sept tlj 9h à 17h30, début sept à fin oct tlj 9h à 16h30; 40 côte de la Miche ou 206 route 138,* ☎*418-827-4057, www.canyonste-anne.qc.ca)* est composé de torrents aux flots agités, d'une chute atteignant une hauteur de 74 m ainsi que d'une marmite d'un diamètre de 22 m, formée dans le roc par les tourbillons d'eau. Les visiteurs ont l'occasion de contempler cet impressionnant spectacle grâce aux belvédères et aux ponts suspendus installés sur les lieux, telle la passerelle qui conduit au fond de la gorge.

Cap-Tourmente ★★

Ce cap est le dernier soubresaut de la plaine du Saint-Laurent sur la rive nord, avant que le massif laurentien n'entre directement en contact avec le fleuve Saint-Laurent. Sa colonisation, qui commence dès le début du XVIIe siècle, est liée aux premières tentatives de peuplement de la Nouvelle-France. Samuel de Champlain, fondateur de Québec, y établit une ferme en 1626, dont les vestiges ont été mis au jour. Les terres du cap Tourmente sont ensuite acquises par le Séminaire de Québec, qui aménage au fil des ans une maison de repos pour les prêtres, une école, une colonie de vacances et, surtout, une vaste ferme qui doit subvenir aux besoins alimentaires de l'institution, en plus de lui procurer des revenus appréciables. À la suite de la Conquête, le Séminaire déplace le siège de sa seigneurie de Beaupré au cap Tourmente, laissant derrière les ruines du château Richer. Il fait construire, entre 1777 et 1781, le **Château Bellevue** ★, superbe bâtiment doté d'un portail néoclassique en pierres de taille. La chapelle Saint-Louis-de-Gonzague (1780) s'ajoute à l'ensemble, trop bien dissimulé dans les arbres.

La **réserve nationale de faune du Cap-Tourmente** ★★ *(6$; avr à oct tlj 8h30 à 17h, début jan à mars 8h30 à 16h, fermé le reste de l'année; 570 ch. du Cap-Tourmente, St-Joachim, ☎418-827-3776)* est un lieu pastoral et fertile dont les battures sont fréquentées chaque année par des nuées d'oies blanches (également connues sous le nom de «grandes oies des neiges»). Les oies s'y arrêtent pendant quelque temps, en automne et au printemps, afin de reprendre les forces nécessaires pour continuer leur voyage migratoire. La réserve dispose d'installations permettant l'observation de ces oiseaux. Au moins 250 autres espèces d'oiseaux et 45 espèces de mammifères y vivent. Sur place, des naturalistes répondent à vos questions. On peut également profiter des sentiers de randonnée pédestre.

L'île d'Orléans ★★

▲ p 232 ◍ p 237 ▣ p 239

Cette île de 32 km sur 5 km, située au milieu du fleuve Saint-Laurent et en aval de Québec, est synonyme de vieilles pierres. C'est en effet, de toutes les régions du Québec, l'endroit le plus évocateur de la vie rurale en Nouvelle-France. Lorsque Jacques Cartier l'aborde en 1535, elle est couverte de vignes sauvages, d'où son premier nom d'«île de Bacchus». Elle sera toutefois rebaptisée en hommage au duc d'Orléans quelque temps après. À l'exception de Sainte-Pétronille, les paroisses de l'île voient le jour au XVIIe siècle, entraînant une colonisation rapide de l'ensemble du territoire. En 1970, le gouvernement du Québec faisait de l'île d'Orléans un arrondissement historique, afin de la soustraire au développement effréné de la banlieue et, surtout, afin de mettre en valeur ses églises et maisons anciennes. Depuis 1936, l'île est reliée à la terre ferme par un pont suspendu. L'île d'Orléans est également connue pour être le pays de Félix Leclerc (1914-1988), le plus célèbre poète et chansonnier québécois.

Sainte-Pétronille ★

Paradoxalement, Sainte-Pétronille est à la fois le site du premier établissement français de l'île d'Orléans et sa plus récente paroisse. Dès 1648, une ferme y est établie qui accueillera également une mission huronne. Mais les attaques incessantes des Iroquois inciteront les colons à s'installer plus à l'est, en face de Sainte-Anne-de-Beaupré. Ce n'est qu'au milieu du XIXe siècle que Sainte-Pétronille voit le jour, grâce à la beauté de son site, qui attire de nombreux estivants. Les marchands anglophones de Québec s'y font construire de belles résidences secondaires. Plusieurs d'entre elles ont survécu aux outrages du temps et sont visibles en bordure de la route.

Saint-Jean-de-l'Île-d'Orléans ★★

Saint-Jean était, au milieu du XIXe siècle, le lieu de prédilection des pilotes du Saint-Laurent, qui guidaient les navires dans leur difficile cheminement à travers les courants et les rochers du fleuve. Certaines de leurs maisons subsistent le long du chemin Royal, témoignant du statut privilégié de ces marins, indispensables à la bonne marche de la navigation commerciale.

Saint-Jean abrite le plus important manoir du Régime français encore existant, le **manoir Mauvide-Genest** ★★ *(6$; mai à oct tlj 10h à 17h; 1451 ch. Royal, ☎418-829-2630, www.manoirmauvidegenest.com)*. Il a été construit en 1734 pour Jean Mauvide, chirurgien du roi, et son épouse, Marie-Anne Genest. Le beau bâtiment en pierres, revêtu d'un crépi blanc, adopte le style traditionnel de l'architecture normande. Le lieu est aujourd'hui un centre d'interprétation du régime seigneurial de la Nouvelle-France.

Saint-François-de-l'Île-d'Orléans ★

Le plus petit village de l'île d'Orléans a conservé plusieurs bâtiments de son passé. Certains d'entre eux sont cependant éloignés du chemin Royal et sont donc difficilement visibles depuis la route 368. La campagne environnante est charmante et offre quelques points de vue agréables sur le fleuve, Charlevoix et la côte de Beaupré.

Sur la pointe de l'île, une halte routière, avec une **tour d'observation** ★★, offre une vue remarquable vers le nord et l'est. On peut apercevoir les îles Madame et au Ruau, au milieu du Saint-Laurent, qui marquent la limite entre l'eau douce et l'eau salée du fleuve, le mont Sainte-Anne, couvert de pistes de ski, et dans le lointain, Charlevoix, sur la rive nord, ainsi que les seigneuries de la Côte-du-Sud, sur la rive sud.

Le **Parc des Bisons de l'île d'Orléans** ★★ *(adultes 13$, enfants 5$-9$; fin juin à début sept 10h à 17h; 156 ch. Royal,* ☎*418-829-1234, www.bison-quebec.com)*, unique en son genre, permet d'observer de près ces bêtes majestueuses que sont les bisons. À la fois un milieu naturel (trois lacs aménagés pour le canot, le kayak, le pédalo et le radeau pneumatique) et un ranch (pâturage de 120 ha), le Parc des Bisons compte le plus gros troupeau de bisons au Québec, avec plus de 400 têtes. Vous pourrez parcourir le parc à l'intérieur de votre propre véhicule sur un chemin de terre de 4 km avec panneaux d'interprétation aux abords des lacs. Un sentier pédestre (randonnée de 45 min aller-retour, également accessible aux fauteuils roulants) mène à un endroit surélevé d'où s'offre une vue panoramique sur les environs (le mont Sainte-Anne, le cap Tourmente, la Côte-du-Sud et le parc même).

Sainte-Famille ★

La doyenne des paroisses de l'île d'Orléans a été fondée en 1666 afin de regrouper, en face de Sainte-Anne-de-Beaupré, les colons jusque-là concentrés dans les environs de Sainte-Pétronille. Sainte-Famille recèle plusieurs témoins du Régime français, entre autres sa célèbre église, l'une des meilleures réalisations de l'architecture religieuse en Nouvelle-France et une des plus anciennes églises du Québec.

La belle **église Sainte-Famille** ★★ *(3915 ch. Royal)* a été construite entre 1743 et 1747, en remplacement de la première église de 1669. Flanqué de deux tours en façade, son unique clocher se trouvait étrangement au faîte du pignon. Au XIXe siècle, deux nouveaux clochers sont construits au sommet des deux tours, ce qui porte leur nombre à trois, un cas unique au Québec.

Saint-Pierre-de-l'Île-d'Orléans (2 000 hab.)

La plus populeuse et la plus urbanisée des paroisses de l'île a quelque peu perdu de son charme, avant que l'ensemble du site ne soit classé. Elle demeure néanmoins un lieu impor-

Félix Leclerc

Félix Leclerc, l'un des plus grands chansonniers et poètes québécois, est né en août 1914 à La Tuque, en Mauricie. Mais c'est de l'île d'Orléans, près de Québec, qu'il fit sa dernière demeure. Lui qui avait commencé sa carrière à la radio a toujours été un homme de paroles. Par ses chansons, ses poèmes et ses contes, il a su exprimer, de la plus belle des façons, le monde et les hommes.

Lauréat de plusieurs prix internationaux, il vécut une partie de sa vie à Paris, où il a interprété ses chansons «Le P'tit bonheur», «Moi mes souliers», etc., sur les plus grandes scènes. En plus de chanter, il a écrit de la poésie (*Calepin d'un flâneur, Chansons pour tes yeux*), des pièces de théâtre (*Qui est le père?, Dialogues d'hommes et de bêtes*), des contes (*Adagio, Allegro, Andante*), des romans (*Le fou de l'île, Pieds nus dans l'aube*). Il fonde des compagnies théâtrales, monte des séries radiophoniques, enregistre des disques, publie... Cet homme fougueux savait par-dessus tout s'émouvoir et émouvoir.

C'est en 1969, à son retour au Québec, qu'il bâtit sa maison à Saint-Pierre, sur l'île d'Orléans, où il s'installe avec sa famille. Cette île, qui l'avait ensorcelé lors d'un premier séjour en 1946, il a su l'explorer et en tirer son inspiration. Dans sa chanson «Le tour de l'île», il en dit: *L'île, c'est comme Chartres, c'est haut et propre, avec des nefs, avec des arcs, des corridors et des falaises.*

Dans cette île, il habita pendant près de 20 ans. Il s'est éteint le 8 août 1988, entouré de sa femme et de ses enfants, laissant, à eux et à tous les Québécois, un important héritage à chérir.

tant dans la mémoire collective des Québécois, car le chansonnier et poète Félix Leclerc (1914-1988) y a longtemps vécu. L'auteur du «P'tit Bonheur» a été le premier à faire connaître la chanson québécoise en Europe dans les années 1950. Il est inhumé dans le cimetière local.

L'**Espace Félix-Leclerc** ★★ *(5$ individuel ou 4$/personne en groupe; tlj 9h à 17h, fermé mi-déc à mi-fév; 682 ch. Royal, ☎418-828-1682, www.felixleclerc.com)* abrite une exposition permanente sur la vie et l'œuvre de Félix Leclerc, la reconstitution de son bureau de travail, une boîte à chansons, une boutique et un comptoir de restauration. À l'extérieur, vous pourrez profiter des sentiers et des vues sur le fleuve.

Le chemin du Roy ★★

p 233 p 237

Les villes et villages de ce circuit bordent le chemin du Roy, première route carrossable tracée entre Montréal et Québec à partir de 1734. Ce chemin, qui longe le fleuve Saint-Laurent (dont plusieurs tronçons subsistent en parallèle avec la route 138), est l'un des plus pittoresques du Canada avec ses belles maisons d'inspiration française, ses églises et ses moulins du XVIIIe siècle.

Sainte-Foy

Riche de plus de 3 500 spécimens, le **Parc Aquarium du Québec** ★★★ *(adultes 15,50$, enfants 5,50$-10,50$; mai à oct tlj 10h à 17h, oct à avr tlj 10h à 16h; 1675 av. des Hôtels, ☎418-659-5264 ou 888-659-5264, www.sepaq.com/paq)* étale sur 16 ha les écosystèmes du Saint-Laurent et des régions polaires. À l'extérieur, vous n'aurez qu'à suivre les circuits pour rencontrer diverses espèces de mammifères. Et vous parcourrez, à travers une vallée rocheuse, les rives du Saint-Laurent dans un décor naturalisé. Autre secteur à ne pas manquer: le monde polaire du Nord. Dans cet Arctique reconstitué, ours blancs et phoques du Groenland vous impressionneront.

Dans le bâtiment principal, vous serez transporté dans l'univers marin de la source du plateau laurentien aux eaux libres de l'Atlantique Nord. Les visiteurs pourront enfin s'infiltrer dans un immense bassin circulaire où se révélera à leurs yeux l'océan subarctique pacifique dans toute sa grandeur: le Grand Océan, dans lequel vous serez entouré de 350 000 litres d'eau où vivent 650 spécimens.

Neuville ★

La **rue des Érables** ★★ *(visites guidées en été; ☎418-286-3002)* se caractérise par une des plus importantes concentrations de maisons en pierres hors des grands centres. Cela s'explique, bien sûr, par l'abondance du matériau, mais aussi par la volonté des propriétaires d'illustrer les talents de constructeurs et de tailleurs de pierres de la main-d'œuvre locale. Au numéro 500, on peut voir le manoir érigé pour Édouard Larue, qui se porte acquéreur de la seigneurie de Neuville en 1828. Cette vaste «québécoise» est représentative de l'architecture rurale traditionnelle avec son carré de pierres surélevé et sa galerie qui court sur toute la longueur de la façade.

En 1696, les villageois entreprennent la construction toute simple de l'**église Saint-François-de-Sales** ★★ *(visites guidées; 644 rue des Érables, ☎418-286-3002)*, qui sera augmentée et modifiée au cours des siècles suivants, au point que les composantes du bâtiment initial disparaîtront presque toutes. L'intérieur comporte une pièce remarquable de l'art baroque en Nouvelle-France. Il s'agit d'un baldaquin en bois, commandé en 1695 pour la chapelle du palais épiscopal de Québec. En 1717, l'évêché échange le baldaquin contre du blé de Neuville afin de nourrir la population de la ville, alors en pleine disette.

Cap-Santé ★

Ce village agricole occupe un site admirable qui surplombe le fleuve Saint-Laurent. Faisant autrefois partie de la seigneurie de Portneuf, Cap-Santé se peuple lentement à partir de la fin du XVIIe siècle. S'il existe un village québécois typique, c'est peut-être celui-là...

Le chantier de l'**église de la Sainte-Famille** ★★ *(visites guidées de fin juin à début sept; ☎418-285-2311)* de Cap-Santé, qui s'étire de 1754 à 1764, est grandement perturbé par la Conquête. Ainsi, les matériaux amassés pour compléter l'édifice sont réquisitionnés pour la construction du fort Jacques-Cartier. Néanmoins, l'église, avec ses deux clochers et sa haute nef éclairée par deux rangées de fenêtres superposées, constitue une œuvre ambitieuse pour l'époque et peut être considérée comme la plus vaste église villageoise construite sous le Régime français. On remarquera, avant de pénétrer dans l'église, le beau cimetière boisé, à l'arrière, et le **presbytère**.

Deschambault ★★

La **maison Deschambault** *(128 ch. du Roy)* est visible au fond d'une longue allée bordée d'arbres.

Il s'agit d'une grande maison de pierres dotée de murs coupe-feu et probablement construite à la fin du XVIIIe siècle. En 1936, elle n'était plus que ruine. Le gouvernement du Québec, qui en était alors propriétaire, entreprit de la restaurer, démarche fort inhabituelle à cette époque, qui a vu disparaître plusieurs morceaux du patrimoine québécois. Le manoir abrite de nos jours une charmante auberge (voir p 233) ainsi qu'un restaurant de fine cuisine française (voir p 237).

Le **Vieux Presbytère** *(4$; mi-juin à fin sept tlj 9h30 à 17h30; 117 rue St-Joseph, ☎418-286-6891)* occupe un emplacement privilégié d'où l'on bénéficie d'un beau panorama sur le fleuve Saint-Laurent et sa rive sud. Le petit bâtiment, isolé au milieu d'une vaste pelouse, a été érigé à partir de 1815. En 1970, une association de résidants y installait un centre d'exposition d'art contemporain, ce qui témoigne de la vitalité de la communauté à l'égard de son patrimoine.

La vallée de la Jacques-Cartier ★

▲ p 233 ◉ p 237

Charlesbourg ★

En Nouvelle-France, les seigneuries prennent habituellement la forme de longs rectangles quadrillés que parcourent les montées et les côtes: le rang. La plupart d'entre elles sont également implantées perpendiculairement à un cours d'eau important. Charlesbourg est la seule véritable exception à ce système, et quelle exception! En 1665, les Jésuites, à la recherche de différents moyens pour peupler la colonie, tout en assurant sa prospérité et sa sécurité, développent sur leurs terres de la seigneurie de Notre-Dame-des-Anges un modèle d'urbanisme tout à fait original. Il s'agit d'un vaste carré, à l'intérieur duquel des lopins de terre distribués en étoile convergent vers le centre, où sont regroupées les habitations. Celles-ci font face à une place délimitée par un chemin appelé le «Trait-Carré» où se trouvent l'église, le cimetière et le pâturage communautaire. Ce plan radioconcentrique, qui assure alors une meilleure défense contre les Iroquois, est encore perceptible de nos jours dans le Vieux-Charlesbourg.

L'**église Saint-Charles-Borromée** ★★ *(135 80e Rue O.)* a révolutionné l'art de bâtir en milieu rural au Québec. Son architecture innove surtout par la disposition rigoureuse des ouvertures de la façade. En outre, l'église de Charlesbourg a l'avantage d'avoir été réalisée d'un trait et d'être demeurée intacte depuis. Rien n'est donc venu contrecarrer le projet original. La construction est entreprise en 1828, et le magnifique décor intérieur est mis en place à partir de 1833.

Wendake ★

Chassées de leurs terres ontariennes par les Iroquois au XVIIe siècle, 300 familles huronnes s'installent en divers lieux autour de Québec avant de se fixer définitivement, en 1700, à La Jeune-Lorette, aujourd'hui Wendake. Le visiteur sera charmé par le village aux rues sinueuses de cette réserve amérindienne sur les berges de la rivière Saint-Charles. En visitant ses musées et ses boutiques d'artisanat, il en apprendra beaucoup sur la culture des Hurons-Wendat, peuple sédentaire et pacifique.

L'**église Notre-Dame-de-Lorette** ★ *(140 boul. Bastien)*, l'église des Hurons-Wendat, terminée en 1730, rappelle les premières églises de Nouvelle-France. L'humble édifice, revêtu d'un crépi blanc, recèle des trésors insoupçonnés que l'on peut voir dans le chœur et dans la sacristie. Certains de ces objets ont été donnés à la communauté huronne par les Jésuites et proviennent de la première chapelle de L'Ancienne-Lorette (fin XVIIe siècle).

La **maison Aroüanne** *(entrée libre; début mai à fin sept tlj 9h à 16h, début oct à fin avr sur réservation; 10 rue Chef Alexandre Duchesneau, ☎418-845-1241)*, située à proximité de l'église, raconte la culture et les traditions huronnes en présentant des vêtements traditionnels et des objets usuels. On y tient également des expositions temporaires et des événements à caractère culturel.

Onhoüa Chetek8e ★ *(10$; nov à fin avr tlj 9h à 17h, fin avr à oct tlj 8h30 à 18h; 575 rue Stanislas-Koska, ☎418-842-4308, www.huron-wendat.qc.ca)* est une reconstitution d'un village huron tel qu'il en existait aux débuts de la colonisation. On y retrouve l'aménagement du village avec ses maisons longues en bois et ses palissades. Le site a pour but de faire découvrir aux visiteurs le mode de vie et d'organisation sociale de la nation huronne-wendat. Sur place, on peut goûter à divers mets amérindiens.

Sainte-Catherine-de-la-Jacques-Cartier

À 45 km de Québec, au bord du plus grand lac de la région, le lac Saint-Joseph, la **Station touristique Duchesnay** ★ *(143 route Duchesnay, ☎418-875-2122 ou 877-511-5885, www.sepaq.com)* permet de se familiariser avec la forêt laurentienne. Situé sur un territoire de 90 km^2, ce

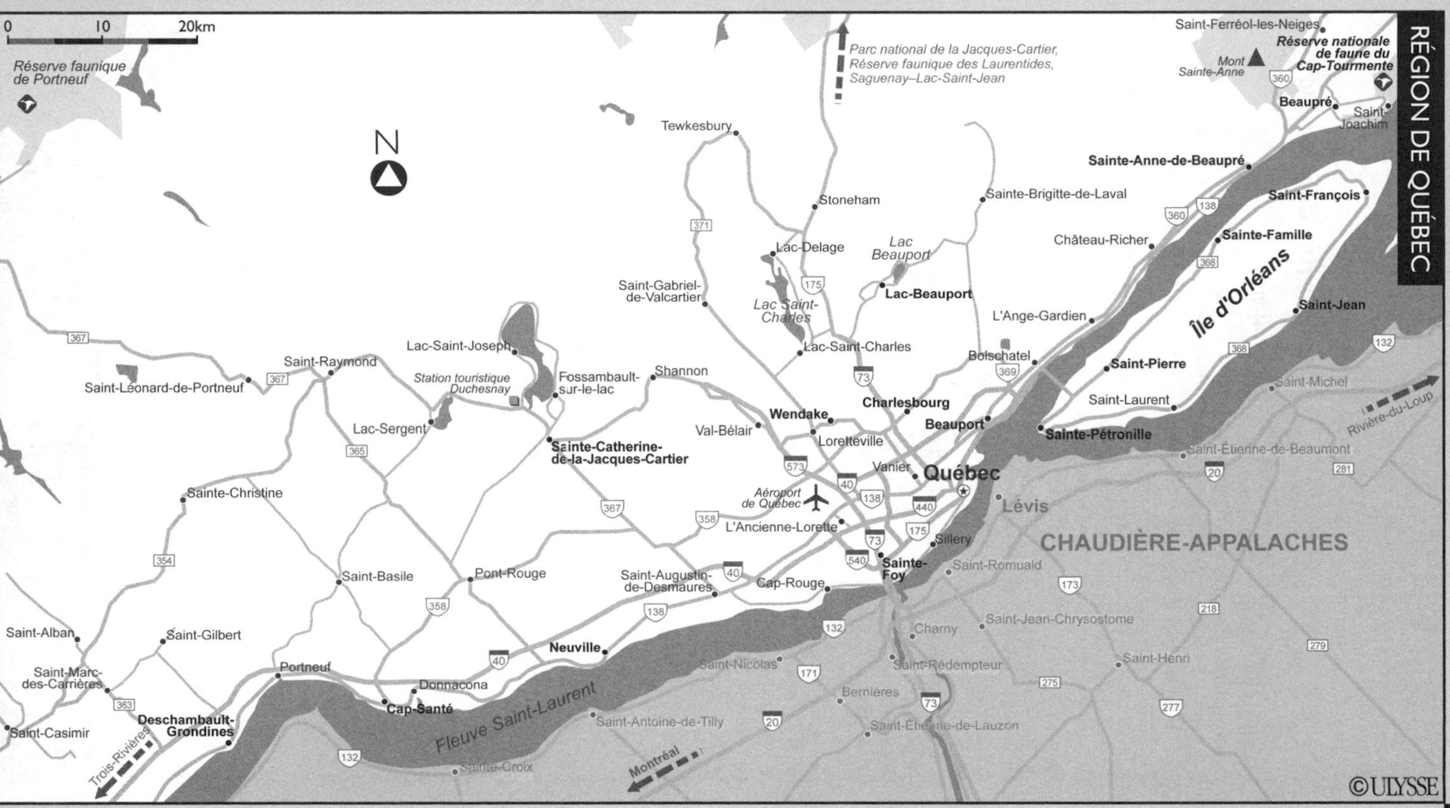
RÉGION DE QUÉBEC
0 10 20km
Réserve faunique de Portneuf
N
Parc national de la Jacques-Cartier, Réserve faunique des Laurentides, Saguenay–Lac-Saint-Jean
Saint-Ferréol-les-Neiges
Réserve nationale de faune du Cap-Tourmente
Mont Sainte-Anne
Beaupré
Saint-Joachim
Tewkesbury
Stoneham
Sainte-Anne-de-Beaupré
Saint-François
Sainte-Brigitte-de-Laval
Château-Richer
Sainte-Famille
Île d'Orléans
Lac-Delage
Lac Beauport
Lac-Beauport
Saint-Gabriel-de-Valcartier
Lac Saint-Charles
Saint-Jean
L'Ange-Gardien
Lac-Saint-Joseph
Lac-Saint-Charles
Boischatel
Saint-Pierre
Saint-Raymond
Saint-Léonard-de-Portneuf
Station touristique Duchesnay
Fossambault-sur-le-lac
Shannon
Saint-Michel
Rivière-du-Loup
Charlesbourg
Saint-Laurent
Wendake
Beauport
Sainte-Pétronille
Lac-Sergent
Val-Bélair
Loretteville
Saint-Étienne-de-Beaumont
Sainte-Catherine-de-la-Jacques-Cartier
Vanier
Québec
Aéroport de Québec
Lévis
Sainte-Christine
L'Ancienne-Lorette
Sillery
CHAUDIÈRE-APPALACHES
Sainte-Foy
Saint-Romuald
Saint-Basile
Pont-Rouge
Saint-Augustin-de-Desmaures
Cap-Rouge
Saint-Jean-Chrysostome
Charny
Saint-Alban
Saint-Gilbert
Neuville
Saint-Nicolas
Saint-Rédempteur
Saint-Henri
Saint-Marc-des-Carrières
Portneuf
Donnacona
Bernières
Cap-Santé
Fleuve Saint-Laurent
Deschambault-Grondines
Saint-Casimir
Saint-Antoine-de-Tilly
Saint-Étienne-de-Lauzon
Trois-Rivières
Montréal
Sainte-Croix
©ULYSSE

centre de recherche sur la faune et la flore de nos forêts fait partie des centres touristiques de la Sépaq. Reconnu depuis longtemps pour ses sentiers de ski de fond, il s'avère idéal pour pratiquer toutes sortes d'activités de plein air telles que la randonnée pédestre, grâce à ses 16 km de sentiers aménagés, les sports nautiques, etc. La piste cyclable Jacques-Cartier/Portneuf passe par Duchesnay. S'y trouve aussi un pavillon d'interprétation où ont lieu des activités d'éducation et de sensibilisation. De plus, les installations d'accueil ont été entièrement rénovées pour offrir aux visiteurs des lieux d'hébergement et de restauration très confortables.

Sur le site se trouve le célèbre **Hôtel de Glace Québec-Canada** ★ *(visites guidées 15$; tlj aux 30 min en français et aux heures en anglais 10h à 16h30; ☎877-505-0423, www.hoteldeglace.qc.ca; voir p 233)*, une époustouflante réalisation! Inspiré du modèle suédois original, l'hôtel de glace est le seul du genre en Amérique du Nord et figure sans contredit parmi les attractions incontournables du continent! Bien sûr, sa durée de vie est limitée (début janvier à fin mars), mais, chaque année, les bâtisseurs se remettent à la tâche pour ériger ce magnifique complexe à l'aide de plusieurs tonnes de glace et de neige. Et l'on ne se contente pas d'empiler des blocs de glace, on s'en sert aussi pour décorer! Le hall, par exemple, se voit surmonté d'un splendide lustre de glace. L'hôtel abrite une galerie d'art où les sculptures de neige et de glace rivalisent d'originalité, une salle d'exposition, un petit cinéma, une chapelle et un bar où l'on sert de la vodka dans des verres de glace! Émerveillement garanti!

Lac-Beauport

Le **parc national de la Jacques-Cartier** ★ ★ *(3,50$; route 175 N., ☎418-848-3169 en été ou en tout temps ☎800-665-6527, www.sepaq.com)*, qui se trouve enclavé dans la réserve faunique des Laurentides, à 40 km au nord de Québec, accueille toute l'année une foule de visiteurs. Il est sillonné par la rivière du même nom, laquelle serpente entre les collines escarpées qui lui méritent le nom de «vallée de la Jacques-Cartier». Le site, qui bénéficie d'un microclimat dû à cet encaissement de la rivière, est propice à la pratique de plusieurs activités de plein air. On y trouve une faune et une flore abondantes et diversifiées qu'il fait bon prendre le temps d'admirer. Les détours des sentiers bien aménagés réservent parfois des surprises, comme un orignal et son petit en train de se nourrir dans un marécage. Un centre d'accueil et d'interprétation permet de bien s'informer avant de se lancer à la découverte de toutes ces richesses. On y loue des emplacements de camping (voir p 233) et des chalets pour les groupes, le tout complété par diverses installations sportives (voir «Activités de plein air» ci-dessous).

Activités de plein air

■ Croisières

Les **Croisières AML** *(124 rue St-Pierre, Vieux-Port, ☎418-692-2634 ou 800-563-4643, www.croisieresaml.com)* proposent tout l'été des croisières qui vous feront voir Québec et les environs sous un autre angle. Cette compagnie maritime est propriétaire entre autres du ***Louis Jolliet*** *(départs à 11h30, 14h et 16h)*, dont le port d'attache est Québec. Les croisières de jour durent 1h30 et vous mènent jusqu'au pied de la chute Montmorency. Le soir, on vous propose des croisières jusqu'à la pointe de l'île d'Orléans, durant lesquelles vous pourrez dîner dans l'une des deux salles à manger du bateau. Ces croisières nocturnes, d'une durée de quelques heures, sont toujours animées par des musiciens, et l'on peut danser sur le pont du navire!

■ Glissade

Sur la terrasse Dufferin, derrière le Château Frontenac, est érigée, en hiver, une longue glissoire sur laquelle vous pouvez vous laisser descendre dans une traîne sauvage (toboggan). Vous pouvez vous procurer des billets dans le petit kiosque des **Glissades de la Terrasse** *(2$/descente; mi-déc à mi-mars tlj 11h à 23h; 52 rue St-Louis, Vieux-Québec, ☎418-694-9487, 418-829-9898)* avant d'entreprendre la montée jusqu'au haut de la glissoire. Une fois rendu, n'oubliez pas de jeter un coup d'œil autour de vous: la vue est magnifique!

Les collines des **plaines d'Abraham** se prêtent magnifiquement à la glissade en hiver. Habillez-vous chaudement et suivez les enfants tirant une traîne sauvage pour connaître les pentes les plus intéressantes!

■ Observation des oiseaux

Pour observer la faune ailée, l'un des meilleurs endroits de la région de Québec est sans contredit la **réserve nationale de faune du Cap-Tourmente** *(St-Joachim, ☎418-827-4591 ou 418-827-3776; voir p 223)*. Au printemps et en automne, le site est envahi par des milliers d'oies blanches en migration qui offrent un spectacle fascinant. La proximité de ces oiseaux et leur nombre soulèveront certes plusieurs questions auxquelles vous pourrez trouver réponse sur place. La réserve abrite en outre plusieurs autres espèces d'oiseaux que vous observerez à loisir grâce aux nichoirs et aux mangeoires qui les attirent été comme hiver.

■ *Patin à glace*

Sur la **terrasse Dufferin**, chaque hiver, on érige une patinoire qui permet de tournoyer au pied du Château Frontenac, avec vue sur le fleuve et ses glaces. On peut chausser ses patins dans le kiosque de la terrasse.

Par les belles journées d'hiver, la **place D'Youville** offre un spectacle féerique avec la neige qui la recouvre, la porte Saint-Jean givrée, Le Capitole illuminé, les décorations de Noël suspendues à ses lampadaires et les patineurs. En effet, le centre de la place se pare d'une petite patinoire qui reçoit les amateurs au son d'une musique d'ambiance. Si le courage vous manque pour embarquer dans la valse, vous pourrez toujours profiter du spectacle! Grâce à son système de réfrigération, la patinoire ouvre le plus tôt possible, soit vers la fin du mois d'octobre, et ferme le plus tard possible au printemps, pour permettre aux Québécois d'en profiter longtemps! Un vestiaire (apportez votre cadenas) où l'on trouve des toilettes permet aux gens de chausser leurs patins *(entrée libre; location et aiguisage de patins sur place; lun-jeu 12h à 22h, ven-dim 10h à 22h; ☎418-641-6256)*.

■ *Ski alpin*

La **station touristique Mont-Sainte-Anne** *(62$/jour, 29$/soir; ski de jour tlj 9h à 16h; ski de soirée fin déc et début jan 16h à 21h, fin fév à fin mars tlj 16h à 21h; 2000 boul. Beau-Pré, Beaupré, ☎418-827-4561, www.mont-sainte-anne.com)* est l'une des plus importantes stations de ski au Québec. Elle compte 65 pistes pouvant atteindre un dénivelé de 625 m. Il est possible d'y faire du ski de soirée car 17 pistes sont éclairées. Elle fait aussi le bonheur des amateurs de surf des neiges. Au lieu d'acheter un billet conventionnel, vous pouvez vous procurer un laissez-passer avec points valides pour deux ans et déduits à la remontée. Il est aussi possible de louer de l'équipement tout près, à la boutique Sports Alpins, située au pied des pentes *(37,40$/jour pour le ski ou la planche à neige; ☎418-826-3153)*.

■ *Ski de fond et raquette*

La **station touristique Mont-Sainte-Anne** *(20$; tlj 9h à 16h; 2000 boul. Beau-Pré, Beaupré, ☎418-827-4561 ou 888-827-4579, www.mont-sainte-anne.com)* est sillonnée par 300 km de sentiers de ski de fond bien entretenus et ponctués de refuges chauffés. Elle compte également quelque 50 km de sentiers aménagés pour la raquette, dont huit sentiers faciles et deux plus difficiles. La boutique Sports Alpins, située au pied des pentes loue de l'équipement de ski *(21$/jour; ☎418-826-3153)*.

La **Station touristique Duchesnay** *(10,85$; tlj 8h30 à 16h; Ste-Catherine-de-la-Jacques-Cartier, ☎418-875-2122 ou 877-511-5885, www.sepaq.com)* est très populaire, l'hiver venu, auprès des fondeurs de la région. Dans une vaste et riche forêt, on parcourt 150 km de sentiers bien entretenus en compagnie des petites mésanges et d'autres oiseaux qui n'ont pas peur du froid!

■ *Vélo*

La ville de Québec travaille depuis quelques années au développement de son infrastructure cyclable. Aujourd'hui, plus d'une centaine de kilomètres de pistes cyclables parcourent la ville et ses environs. Consultez le guide *Le Québec cyclable* des Guides de voyage Ulysse pour obtenir des cartes de ces pistes.

Plusieurs pistes cyclables existent depuis nombre d'années, comme celle qui se rend à Beauport ou celle qui longe une partie de la rivière Saint-Charles. Il y a aussi nombre de pistes balisées ou de voies partagées qui font de la ville de Québec et des communautés avoisinantes des endroits agréables à découvrir en bicyclette.

L'association Promo-Vélo peut fournir de nombreuses informations sur différents types de randonnées dans la région. De plus, cet organisme publie une carte des parcours cyclables de la région de Québec.

Promo-Vélo
C.P. 700, succ. Haute-Ville
Québec, QC, G1R 4S9
☎418-780-4356
www.promo-velo.org

Location de vélos

Cyclo Services
289 rue St-Paul
☎418-692-4052
www.cycloservices.net
Cyclo Services organise aussi des excursions dans la ville et ses environs.

Bicycles Falardeau
174 rue Richelieu, faubourg Saint-Jean-Baptiste
☎418-522-8685

Hébergement

Le Vieux-Québec

Auberge de la Paix

$ bc @

4$ de frais de literie si vous n'avez pas la vôtre la première nuit

31 rue Couillard

418-694-0735

www.aubergedelapaix.com

Derrière une belle façade blanche du Vieux-Québec, l'Auberge de la Paix offre une atmosphère propre aux auberges de jeunesse. Convivialité et découvertes priment dans cet établissement qui porte bien son nom. On y trouve 60 lits répartis dans 12 chambres pouvant accueillir de deux à huit personnes, ainsi qu'une cuisinette et un salon. En été, une jolie cour fleurit à l'arrière. Les enfants sont les bienvenus!

Auberge internationale de Québec

$$ bc/bp

19 rue Ste-Ursule

418-694-0755 ou 866-694-0950

www.cisq.org

L'Auberge internationale de Québec met à la disposition des jeunes 280 lits. Les chambres peuvent accueillir de 2 à 5 personnes et les dortoirs de 4 à 12 personnes.

Auberge Saint-Louis

$$-$$$ bc/bp

48 rue St-Louis

418-692-2424 ou 888-692-4105

www.aubergestlouis.ca

Située dans la trépidante rue Saint-Louis, l'auberge éponyme se présente comme un petit hôtel convenable et bien tenu. Le prix des chambres aux tons neutres et chaleureux varie, les moins chères n'ayant pas de salle de bain privée.

Marquise de Bassano

$$-$$$ bc/bp @

15 rue des Grisons

418-692-0316 ou 877-692-0316

www.marquisedebassano.com

Le Vieux-Québec a abrité, au cours de son histoire, des personnages hauts en couleur. À l'angle de la rue des Grisons et de l'avenue Sainte-Geneviève s'élève une petite maison victorienne qui, dit-on, fut bâtie pour l'un d'entre eux. Les sombres boiseries qui ornent l'intérieur préservent encore, assurément, les secrets de la marquise de Bassano. Aujourd'hui transformée en gîte touristique, la maison est des plus accueillantes avec ses chambres coquettes et son salon égayé d'un piano et d'un foyer. Au petit déjeuner, vos hôtes se feront un plaisir d'animer la discussion! Stationnement.

Auberge La Chouette

$$-$$$

71 rue D'Auteuil

418-694-0232

www.aubergelachouette.com

Occupant deux étages au-dessus du restaurant Apsara, les 10 chambres de l'Auberge La Chouette sont toutes simplement décorées et meublées d'antiquités. La famille d'origine vietnamienne qui gère le restaurant et l'auberge vous accueille avec le sourire.

Hôtel Clarendon

$$$$

57 rue Ste-Anne

418-692-2480 ou 888-222-3304

www.dufour.ca

Construit en 1870, l'Hôtel Clarendon est sans conteste le plus ancien hôtel de Québec. Il appartient au Groupe Dufour, qui a fait son beurre des croisières aux baleines. Quoique l'extérieur du bâtiment soit d'aspect très simple, sa décoration intérieure, de style Art déco, se révèle gracieuse. Le hall est d'ailleurs fort beau. Les chambres sont spacieuses et confortables à souhait. Il s'agit d'une excellente adresse dans la vieille ville.

Manoir Victoria

$$$$-$$$$$ @

44 côte du Palais

418-692-1030 ou 800-463-6283

www.manoir-victoria.com

Le Manoir Victoria, un grand hôtel de 156 chambres niché dans la côte du Palais, présente un décor résolument de style victorien dont le chic vous assure un bon confort. Son hall, en haut d'un long escalier, est accueillant, et s'y trouvent un bar et deux salles à manger, La Table du Manoir et **Le Saint-James** (voir p 234). On y loue des suites bien équipées. Plusieurs forfaits culturels et sportifs y sont proposés.

Fairmont Le Château Frontenac

$$$$$ @

1 rue des Carrières

418-692-3861 ou 866-540-4460

www.fairmont.com/frontenac

Se dressant fièrement dans le Vieux-Québec, sur le célèbre cap Diamant qui surplombe le fleuve Saint-Laurent, le **Château Frontenac** (voir p 212) est sans doute le bâtiment le plus populaire et le plus photographié de la ville de Québec. Pénétrez dans son hall élégant aux couleurs chaudes et orné de boiseries, et laissez-vous entraîner aux confins de l'histoire. Le Château Frontenac, initialement construit en 1893, fut en effet l'hôte de plusieurs événements historiques d'importance. Partout le décor est d'une richesse classique et raffinée, réellement digne des palaces. Son restaurant peut aussi vous faire goûter la vie de château (voir **Le Champlain**, p 234). Le luxe des chambres procure aux visiteurs le meilleur confort possible. Les dimensions et les avantages des 618 chambres varient beaucoup, mais toutes sont agréables. Certaines, du côté du fleuve, possèdent de beaux oriels qui dévoilent, il va sans dire, une vue magnifique.

Du Petit-Champlain au Vieux-Port

Hôtel Belley
$$-$$$ ≡ @
249 rue St-Paul
☎418-692-1694 ou 888-692-1694
www.oricom.ca/belley
Le sympathique Hôtel Belley est situé près du Vieux-Port, non loin de la place du Marché-du-Vieux-Port, dans un bel édifice qui abrite une auberge depuis 1877. Il se présente de fait comme un petit hôtel particulier auquel on s'attache facilement! S'y trouvent huit chambres douillettes, décorées avec simplicité et arborant qui un mur de briques, qui des poutres en bois et des lucarnes. Elles sont situées au-dessus de la Taverne Belley, qui fait office de bar et sert, dans deux belles salles du rez-de-chaussée, des petits déjeuners et des déjeuners appréciés par les gens du quartier. Dans une autre maison située tout près, on a aménagé des studios confortables à souhait et joliment décorés. On les loue à la nuitée, à la semaine ou au mois.

Le Priori
$$$$ ≡ @
15 rue du Sault-au-Matelot
☎418-692-3992 ou 800-351-3992
www.hotellepriori.com
Dans la Basse-Ville, dans une rue paisible, se trouve Le Priori. L'hôtel est installé dans une maison ancienne qui a été rénovée avec minutie. La décoration marie harmonieusement les murs d'une autre époque au mobilier très moderne. L'aménagement est fort original, et même l'ascenseur est innovateur.

Auberge Saint-Antoine
$$$$$ ≡ @
8 rue St-Antoine
☎418-692-2211 ou 888-692-2211
www.saint-antoine.com
L'Auberge Saint-Antoine est située près du Musée de la civilisation. Cette superbe auberge occupe deux bâtiments. Les chambres plus anciennes sont époustouflantes, toutes décorées sur un thème différent. Chacune a un charme bien à elle. L'hôtel compte 64 nouvelles chambres plus modernes et un restaurant déjà fameux, le Panache.

Autour de la Grande Allée

B&B Café Krieghoff
$$-$$$ ≡ @
1091 av. Cartier
☎418-522-3711
www.cafekrieghoff.qc.ca
Au B&B Café Krieghoff, on a eu une idée originale pour accueillir les voyageurs selon la formule des gîtes touristiques. Ce qu'il y a d'original, c'est que le petit déjeuner est servi dans la salle du café même (voir p 235), ce qui vous garantit d'un coup une bonne bouffe et une bonne ambiance! Le personnel chaleureux se fera d'ailleurs un plaisir de vous mettre à l'aise dans cette atmosphère presque familiale. Les six chambres, nichées au-dessus du restaurant, sont simples et propres. Elles ont chacune accès à une salle de bain privée (même si elle ne communique pas avec la chambre) et partagent entre elles un petit salon et un balcon avec vue sur l'animation de l'avenue Cartier.

Auberge du Quartier
$$$ ≡ @
170 Grande Allée O.
☎418-525-9726 ou 800-782-9441
www.aubergeduquartier.com
Vous recherchez une mignonne petite auberge de quartier? Campée face à l'imposante église Saint-Dominique, donc à 5 min des plaines et du Musée national des beaux-arts du Québec, l'Auberge du Quartier saura vous plaire. Cette grande maison lumineuse renferme une quinzaine de chambres propres, coquettes et modernes, réparties sur trois étages, dont une suite sous les combles. On a ajouté une charmante terrasse sur le toit. L'accueil est fort sympathique.

Hôtel Loews Le Concorde
$$$-$$$$ ≡ ♿
1225 cours du Général-De Montcalm
☎418-647-2222 ou 800-463-5256
www.loewshotels.com
Se dressant aux abords du Vieux-Québec, l'Hôtel Loews Le Concorde dispose de chambres spacieuses et confortables offrant une vue magnifique sur tout Québec. Au sommet de la tour se trouve un restaurant tournant (voir **L'Astral**, p 236).

Le faubourg Saint-Jean-Baptiste

Chez Pierre
$$-$$$ ≡ @
636 rue D'Aiguillon
☎418-522-2173
www.chezpierre.qc.ca
Chez Pierre est un gîte touristique comptant trois chambres. Deux d'entre elles sont situées à l'étage et offrent tout le charme des appartements du faubourg Saint-Jean-Baptiste, tandis que le rez-de-chaussée propose un petit studio comprenant une cuisinette. Pierre, votre hôte, est un artiste peintre dont les larges toiles colorées égaient la maison. Il vous sert, le matin venu, un copieux petit déjeuner.

Hôtel du Capitole
$$$$$ ≡ @
972 rue St-Jean
☎418-694-4040 ou 800-363-4040
www.lecapitole.com
Adjacent au magnifique théâtre du même nom, l'Hôtel du Capitole occupe les pièces qui ceinturent le bâtiment. Sa petite entrée, cachée dans

l'imposante structure, se fait fort discrète. Le décor de cet hôtel n'a rien de luxueux, mais il est amusant. Ainsi, le mobilier des chambres rappelle un décor de théâtre. À l'entrée, on aperçoit le **Ristorante Il Teatro** (voir p 236).

La côte de Beaupré

Château-Richer

Auberge du Petit-Pré
$$
7126 av. Royale
418-824-3852
www.aubergedupetitpre.com

L'Auberge du Petit-Pré est aménagée dans une maison du XVIIIe siècle. Ici, vous aurez droit à un accueil des plus attentionnés. Ses quatre chambres sont douillettes et décorées avec goût. On y trouve une verrière, ouverte durant les beaux jours, deux salons, l'un avec téléviseur et l'autre avec foyer. Le petit déjeuner est généreux et finement préparé. L'aubergiste cuisinier pourra d'ailleurs, s'il est prévenu d'avance, vous concocter, pour le dîner, l'un de ses délicieux repas dont l'arôme envahira la maison, ajoutant ainsi à la chaleur de l'endroit.

Auberge du Sault-à-la-Puce
$$-$$$$
8365 av. Royale
418-824-5659 ou 866-424-5659
http://home.total.net/~alapuce

Marie-Thérèse Rousseau et Michel Panis ont quitté la ville pour s'installer sur la côte de Beaupré, dans une belle demeure du XIXe siècle coiffée d'un toit en mansarde. Ils ont baptisé l'endroit «l'Auberge du Sault-à-la-Puce», car l'établissement est voisin d'une petite rivière ponctuée de minuscules rapides. Les hôtes peuvent se prélasser sur sa véranda victorienne, équipée de meubles de jardin, tout en écoutant le doux clapotis de l'eau. Les cinq chambres que compte l'auberge sont dotées d'élégants lits de cuivre qui offrent un contraste intéressant avec les boiseries rustiques des murs. Elles possèdent toutes leur propre salle de bain, mais, dans certaines d'entre elles, l'habituelle baignoire a été remplacée par une simple douche, question de pouvoir composer avec l'espace disponible. Excellente table (voir p 236).

Beaupré

Château Mont-Sainte-Anne
$$-$$$
500 boul. Beau-Pré
418-827-5211 ou 800-463-4467
www.chateaumsa.ca

Le Château Mont-Sainte-Anne est situé au bas des pentes de ski; on ne pourrait être plus près du mont. Les chambres sont spacieuses, mais, du fait des meubles usés et du décor banal, elles semblent austères. Elles sont munies d'une cuisinette; toutefois, pour s'en servir, il faut compter un supplément de 10$. On y trouve un spa.

Hôtel Val des Neiges
$$-$$$
201 Val des Neiges
418-827-5711 ou 888-222-3305
www.dufour.ca

Autour du mont Sainte-Anne, plusieurs chalets ont été construits. L'hôtel Val des Neiges côtoie ainsi les résidences des vacanciers. Il dispose de chambres au décor rustique qui sont assez jolies. S'y ajoutent de petits appartements bien équipés. On y propose des forfaits croisière.

La Camarine
$$-$$$
10947 boul. Ste-Anne
418-827-5703 ou 800-567-3939
www.camarine.com

La Camarine se dresse en face du fleuve Saint-Laurent. Cette mignonne petite auberge de qualité supérieure loue une trentaine de chambres. Le décor allie harmonieusement l'aspect rustique de la maison avec un mobilier de bois aux lignes modernes. L'endroit est charmant.

L'île d'Orléans

Sur l'île d'Orléans, on dénombre près d'une cinquantaine de gîtes touristiques! On peut s'en procurer la liste au bureau d'information touristique. On y trouve aussi quelques auberges dont la réputation n'est plus à faire, de même qu'un camping. Vous avez donc toutes les possibilités de faire durer le plaisir d'un séjour dans cette île ensorceleuse.

Saint-Laurent-de-l'Île-d'Orléans

Le Canard Huppé
$$$-$$$$
2198 ch. Royal
418-828-2292 ou 800-838-2292
www.canard-huppe.com

L'auberge Le Canard Huppé a acquis une très bonne réputation. Ses chambres, propres et confortables, offrent un décor champêtre parsemé de canards de bois. La table du restaurant est tout aussi réputée et agréable (voir p 237). L'accueil est attentionné, et, puisque l'établissement est situé sur l'île d'Orléans, il s'entoure de beaux paysages.

Sainte-Famille

Gîte Au Toit Bleu
$$-$$$ bc/bp @
3879 ch. Royal
418-829-1078

D'ambiance tout à fait bohème, la belle et vieille maison au toit bleu qui abrite le gîte éponyme est remplie d'objets du monde entier, recueillis au fil de ses voyages par la propriétaire des lieux. On s'y sent tout de suite à l'aise. Le petit déjeuner, toujours végétarien, est créé au fil de l'inspiration du moment, et le grand terrain mène jusqu'au fleuve. Cinq chambres.

Saint-Pierre-de-l'Île-d'Orléans

Le Vieux Presbytère
$$-$$$
1247 av. Monseigneur-D'Esgly
418-828-9723 ou 888-828-9723
www.presbytere.com

L'auberge Le Vieux Presbytère est aménagée de fait dans un ancien presbytère juste derrière l'église du village. Ici règnent la pierre et le bois. Les plafonds bas traversés de larges poutres, les fenêtres à large encadrement, les antiquités telles que les catalognes et les tapis tressés, vous transporteront à l'époque de la Nouvelle-France. La salle à manger (voir p 237) et le salon sont invitants. Il s'agit d'un endroit tranquille au charme rustique.

Le chemin du Roy

Deschambault

Maison Deschambault
$$$
128 ch. du Roy
418-286-3386
www.quebecweb.com/deschambault

La Maison Deschambault propose cinq chambres de grand confort, décorées de motifs fleuris dans des tons pastel. On y trouve aussi un petit bar, une salle à manger servant une fine cuisine (voir p 237) ainsi que des services de massothérapie. Le tout dans le cadre enchanteur d'une ancienne gentilhommière dans un site paisible invitant à la détente.

La vallée de la Jacques-Cartier

Sainte-Catherine-de-la-Jacques-Cartier

Station touristique Duchesnay
$$$-$$$$ (en auberge)
143 route Duchesnay
418-875-2122 ou 877-511-5885
www.sepaq.com

Au cœur d'une forêt couvant 90 km² au bord du grand lac Saint-Joseph, outre l'auberge de 48 chambres, plusieurs pavillons, villas et chalets en bois ont été rénovés pour accueillir les visiteurs. Plusieurs formules sont disponibles, le tout sous le signe de la nature et du confort. Si vous louez un chalet en famille, pour profiter du lac et des sentiers pédestres, ou une chambre en amoureux, pour sillonner les nombreuses pistes de ski de fond, vous risquez fort de tomber sous le charme des lieux. On y propose aussi un service de spa scandinave.

Hôtel de Glace Québec-Canada
$$$$$
143 route Duchesnay, Pavillon l'Aigle
418-875-4522 ou 877-505-0423
www.hoteldeglace.qc.ca

Vous n'oseriez pas prendre son nom au pied de la lettre, et pourtant il s'agit bel et bien d'un hôtel de glace (voir p 228)! Eh oui, entièrement bâti à même des milliers de tonnes de glace et de neige. Grâce à l'isolation naturelle que procure la glace, il fait toujours entre −2°C et −6°C à l'intérieur des murs. On dort donc tout de même assez confortablement dans les 36 chambres, bien emmitouflé dans un épais sac de couchage étendu sur des peaux de chevreuil. Si vous êtes un novice en camping d'hiver, rassurez-vous car vous serez très bien encadré par une équipe disponible jour et nuit. Notez aussi que les salles de bain communes sont chauffées et que le petit déjeuner et le dîner se prennent dans un chalet chauffé! Une expérience inoubliable!

Saint-Raymond

Auberge La Bastide
$$$
567 rue St-Joseph
418-337-3796 ou 877-337-3796
www.bastide.ca

Les sept chambres de cette auberge sont chaleureuses, tout comme l'accueil, d'ailleurs. Ce petit établissement représente une étape incontournable si vous êtes de passage dans la région. Splendide terrain, petits déjeuners créatifs et oreillers moelleux sont au rendez-vous. De plus, la table est excellente (voir p 237). Une heureuse adresse en tous points.

Restaurants

Le Vieux-Québec

Chez Temporel
$
25 rue Couillard
418-694-1813

Chez Temporel, on déguste une cuisine entièrement préparée sur place. Que vous choisissiez un croissant au beurre, un croque-monsieur, une salade ou le plat du jour, vous êtes assuré que ce sera bon et frais. On y trouve en prime un des meilleurs espressos en ville! Ouvert tôt le matin jusque tard dans la soirée.

Le Casse-Crêpe Breton
$
1136 rue St-Jean
418-692-0438

Le Casse-Crêpe Breton attire les foules. Dans un décor de promiscuité, la clientèle continue de faire la queue à sa porte pour goûter l'une de ses délicieuses crêpes-repas.

Préparées sous vos yeux, elles sont garnies de vos ingrédients préférés. Avec ses hautes banquettes et ses murs de pierres, l'établissement offre une ambiance chaleureuse.

Café de la Paix
$$-$$$
44 rue des Jardins
☎418-692-1430
Rue des Jardins, dans une salle tout en longueur, quelques marches plus bas que le trottoir, se trouve le Café de la Paix. Ce restaurant ouvert depuis de nombreuses années a acquis une solide réputation auprès des gens de Québec. On y présente une cuisine française classique dignement concoctée où se côtoient cuisses de grenouille à la provençale, bœuf Wellington, lapin de ferme à la moutarde, carré d'agneau et une bouillabaisse à partager.

Élysée Mandarin
$$-$$$
65 rue D'Auteuil
☎418-692-0909
L'Élysée Mandarin propose une fine cuisine sichuanaise, cantonaise et pékinoise dans un décor rehaussé d'un petit jardin intérieur et de sculptures et vases chinois. Les plats sont toujours succulents, et le service, dans ce restaurant qui a aussi élu domicile à Paris, est des plus courtois. Si vous faites partie d'un groupe, essayez le menu dégustation: il serait dommage de ne pas goûter le plus de mets possible!

Le Saint-James
$$-$$$
Manoir Victoria
1110 rue St-Jean
☎418-692-1030
Le Saint-James est la formule «bistro décontracté» du **Manoir Victoria** (voir p 230), mais il dispose de sa propre entrée, rue Saint-Jean. Son décor rappelle justement celui de bon nombre de bistros parisiens avec tableaux noirs, long comptoir et carrelage en damier. Sachez que vous pouvez combiner un large choix de pâtes avec différentes sauces. On y propose aussi des steaks, des sandwichs et une intéressante table d'hôte.

Le Charles Baillargé
$$-$$$$
Hôtel Clarendon
57 rue Ste-Anne
☎418-692-2480
Le Charles Baillargé est aménagé au rez-de-chaussée du très bel **Hôtel Clarendon** (voir p 230). Une clientèle distinguée vient y savourer une cuisine française et québécoise d'une grande qualité tout en profitant d'un décor chaleureux fort agréable.

Café d'Europe
$$$
27 rue Ste-Angèle
☎418-692-3835
Le Café d'Europe présente un décor sobre et un peu vieillot. L'exiguïté des lieux et l'achalandage durant certains jours peuvent rendre le lieu assez bruyant. Le service s'avère courtois et personnalisé. Fine cuisine européenne, traditionnelle dans sa présentation, raffinée dans ses sauces et généreuse dans ses portions. Service de flambées impeccable et sauces onctueuses au goût relevé qui rendent le tout inoubliable pour les papilles.

Aux Anciens Canadiens
$$$-$$$$
34 rue St-Louis
☎418-692-1627
Situé dans la plus ancienne maison de Québec, la maison Jacquet, le restaurant Aux Anciens Canadiens propose les spécialités traditionnelles du Québec et se spécialise aussi dans les viandes de gibier. On peut se laisser tenter par l'Assiette du Pays (traditionnel) ou l'Assiette des trois mignons (gibiers), les fèves au lard, la tarte au sirop d'érable et la tarte aux bleuets, selon la saison.

Le Saint-Amour
$$$-$$$$
48 rue Ste-Ursule
☎418-694-0667
Le Saint-Amour est, depuis plusieurs années déjà, l'un des meilleurs restaurants de Québec. Le copropriétaire Jean-Luc Boulay a cédé sa place de chef à son fils Frédéric, qui élabore une succulente cuisine créative qui ravit aussi bien la vue que le goût. Le chef pâtissier, Éric Lessard, confectionne des desserts absolument divins. Une vraie expérience gastronomique! De plus, les trois salles à manger sont magnifiques, confortables et chaleureuses. L'une est égayée par une verrière, ouverte à longueur d'année et décorée de plantes et de fleurs de toutes sortes. On peut aussi rêver devant la splendide cave à vin du Saint-Amour, qui compte plus de 10 000 bouteilles. Service de voiturier.

Le Champlain
$$$$
Château Frontenac
1 rue des Carrières
☎418-266-3905
Le Champlain est le grand restaurant du Château Frontenac. Son décor est, il va de soi, des plus luxueux et sied bien au faste de l'hôtel. La fine cuisine française du Champlain est, elle aussi, fidèle à la renommée du Château. Le chef Robert Gagnon tente toutefois d'ajouter une touche originale à cette cuisine classique. Un service impeccable est offert par des serveurs en livrée d'époque.

Du Petit-Champlain au Vieux-Port

Buffet de l'Antiquaire
$
95 rue St-Paul
☎418-692-2661
Le Buffet de l'Antiquaire est un sympathique casse-croûte

qui sert une cuisine familiale. Comme son nom le souligne, il est situé au cœur de la rue des antiquaires (et des galeries d'art) et peut donc vous offrir une petite halte si vous courez les trésors! Il est un des premiers restaurants de la ville à ouvrir ses portes le matin, soit dès 6h.

Le Vendôme
$$-$$$
36 côte de la Montagne
☎418-692-0557

Le Vendôme a ouvert ses portes dans les années 1950. Naturellement, on y mange des classiques de la cuisine de l'Hexagone tels que chateaubriand, ris de veau, entrecôte, sole meunière et carré d'agneau dans un décor intimiste. La cave comporte plus de 3 000 bouteilles, principalement en provenance de la France, mais on y trouve quelques rouges d'Espagne, sans doute pour accompagner la paella en table d'hôte.

L'Échaudé
$$$
73 rue du Sault-au-Matelot
☎418-692-1299

L'Échaudé, qui avoisine le Musée de la civilisation de Québec, est un attrayant restaurant où l'on a opté pour un cadre Art déco et une ambiance détendue. Fine cuisine composée au jour le jour au gré des arrivages du marché, et délicieuse à souhait.

Toast
$$$
Le Priori
17 rue du Sault-au-Matelot
☎418-692-1334

Aménagé dans le très bel édifice de pierres de l'hôtel **Le Priori** (voir p 231), le Toast se démarque depuis l'extérieur par un bel agencement d'éclairage rouge. À l'intérieur, le secret de la décoration réside dans la fusion des murs de pierres et des néons. La cuisine est classique, mais elle s'inspire des parfums d'ailleurs. Terrasse estivale à l'arrière.

Le Café du Monde
$$$-$$$$
84 rue Dalhousie
☎418-692-4455

Dans cette grande brasserie à la parisienne, on prépare des plats typiques du genre tels que le confit de canard, le tartare, la bavette, le boudin et, bien sûr, les moules. Les brunchs de fin de semaine ne laissent pas leur place non plus, avec leurs apéros adaptés, leurs œufs bénédictine et leurs crêpes. Le décor clair invite à la détente et à la discussion avec son plancher carrelé de noir et blanc, ses banquettes de cuir, ses grandes fenêtres donnant sur le fleuve et son long bar orné d'une imposante machine à café en cuivre. Les serveurs, habillés d'un long tablier blanc, sont attentionnés.

Laurie Raphaël
$$$$
117 rue Dalhousie
☎418-692-4555

Le chef et copropriétaire du Laurie Raphaël, Daniel Vézina, a obtenu, entre autres récompenses, le prix Renaud-Cyr 2001 pour son apport au développement de la gastronomie régionale. Il a aussi publié deux livres de recettes alléchantes. Pour composer ses délices, le chef s'inspire de toutes les cuisines du monde et apprête les produits du terroir pour nous proposer, avec audace, une expérience culinaire dont on se souvient longtemps. Au menu de cette cuisine évolutive figurent du foie gras, des huîtres, du flétan et du thon, ainsi que du cerf et du cochonnet. Donc pas besoin de vous préciser qu'au Laurie Raphaël on mange bien!

Autour de la Grande Allée

Café Krieghoff
$-$$
1089 av. Cartier
☎418-522-3711

Le Café Krieghoff, du nom du peintre d'origine hollandaise dont la demeure historique s'élève au bout de l'avenue Cartier, loge dans une maison ancienne de la même artère. On y propose une cuisine légère (quiches, salades, etc.) de qualité ainsi qu'un bon menu du jour et une table d'hôte plus élaborée. Vous pouvez accompagner le tout d'un excellent espresso. Son atmosphère conviviale et détendue évoque les cafés d'Europe du Nord. En été, ses deux terrasses sont souvent bondées. Ne manquez pas les bons petits déjeuners incluant des œufs bénédictine.

Le Parlementaire
$-$$
Hôtel du Parlement
1045 rue des Parlementaires
porte 3
☎418-643-6640

Les visiteurs qui souhaitent côtoyer les membres de l'Assemblée nationale peuvent aller déjeuner au restaurant de l'hôtel du Parlement, Le Parlementaire. Le menu propose des mets québécois. Le lieu est souvent bondé, surtout le midi, mais on y mange bien. Ouvert seulement pour le petit déjeuner et le déjeuner. Fermé la fin de semaine.

Oh! Pino
$$-$$$
1019 av. Cartier
☎418-525-3535

Voici la preuve qu'il n'est pas nécessaire de jeter de la poudre aux yeux pour se distinguer. Malgré une apparente sobriété, l'originalité du Oh! Pino émane de mille petits détails, entre autres son nom qui vient simplement de la carte des vins (elle propose une intéressante sélection de pinots en provenance de plusieurs continents).

De petites surprises, il y en a jusque dans votre assiette, colorée au gré des fantaisies du chef. Tartares, fruits de mer, boudin noir et entrecôte se côtoient sur le menu.

L'Astral
$$$
Hôtel Loews Le Concorde
1225 cours du Général-De Montcalm
☎418-647-2222

Juché au sommet d'un des plus grands hôtels de Québec (voir **Hôtel Loews Le Concorde**, p 231), le restaurant tournant L'Astral propose, en plus d'une cuisine française raffinée, une vue imprenable sur le fleuve, les plaines d'Abraham, les Laurentides et la ville. Le tour complet s'effectue en 1h. Son brunch copieux du dimanche vaut le déplacement.

Le Graffiti
$$$
1191 av. Cartier
☎418-529-4949

Au fil des années, Le Graffiti a su conserver, en plus de ses belles poutres de bois naturel et ses murs de briques, son ambiance chaleureuse. Cela surprend, dans un environnement si moderne, de se sentir à la fois enveloppé par ce bel intérieur et, grâce à une magnifique terrasse, ouvert sur le monde extérieur. Sa fine cuisine a des accents français et italien. Le dimanche, un brunch est proposé dès 9h30.

Le faubourg Saint-Jean-Baptiste

Le Bonnet d'Âne
$$
298 rue St-Jean
☎418-647-3031

C'est l'enfance de l'art d'être original avec une idée comme celle du Bonnet d'Âne. Le thème de la petite école colore le menu, aussi diversifié que les matières scolaires qui donnent leur nom aux plats. Hamburgers, pizzas et petits plats servis dans de belles grandes assiettes régaleront grands et petits. Le décor se prête aussi au jeu avec ses multiples objets évocateurs et ses belles boiseries chaleureuses. Jolie terrasse en été.

Le Hobbit Bistro
$$$
700 rue St-Jean
☎418-647-2677

Le Hobbit est installé depuis de nombreuses années dans une maison ancienne du faubourg Saint-Jean-Baptiste. Ses murs de pierres et ses grandes fenêtres qui s'ouvrent sur l'animation de la rue Saint-Jean attirent toujours autant les gens. Aujourd'hui, Le Hobbit fait bistro avec une carte aux allures classiques du genre sans grande surprise.

Ristorante Il Teatro
$$$
Capitole de Québec
972 rue St-Jean
☎418-694-9996

Dans le magnifique **Capitole de Québec** (voir p 220), Il Teatro sert une fine cuisine italienne. Dans une belle salle au fond de laquelle s'étale un long bar et autour de laquelle miroitent de grandes fenêtres, cette délicieuse cuisine vous sera servie avec courtoisie. En été, on aménage une terrasse protégée du va-et-vient des passants de la place D'Youville. Service de voiturier.

La côte de Beaupré

Beauport

Le Gril-Terrasse du Manoir
$$-$$$
mai à oct
Manoir Montmorency
2490 av. Royale
☎418-663-3330

Planté en haut de la chute Montmorency, le **Manoir Montmorency** (voir p 221) bénéficie d'un site superbe. Depuis sa salle à manger et sa terrasse, on a une vue absolument magnifique sur la chute ainsi que sur le fleuve et l'île d'Orléans, en face. Vous pourrez y savourer viande, volaille et poisson cuits sur le gril. Une belle expérience pour la vue et pour le goût! Sur présentation de votre reçu d'addition ou en mentionnant votre réservation, vous éviterez de payer les frais d'entrée et de stationnement du parc de la Chute-Montmorency, où se trouve le manoir.

Château-Richer

Auberge du Sault-à-la-Puce
$$$$
8365 av. Royale
☎824-5659

Le chef de l'Auberge du Sault-à-la-Puce prépare avec soin chacun des plats qu'il concocte et y intègre les fruits et les légumes de son jardin. Il met également à l'honneur les produits locaux, comme les viandes et les volailles des villages voisins. L'établissement, qui compte aussi cinq chambres d'hôte (voir p 232), propose une carte restreinte comprenant trois ou quatre plats d'inspiration française ou italienne.

Beaupré

La Camarine
$$$
10947 boul. Ste-Anne
☎418-827-5703

L'auberge La Camarine abrite un excellent restaurant où l'on sert une nouvelle cuisine québécoise. La salle à manger est un lieu paisible au décor très simple. Toute votre attention sera portée sur les petits plats originaux que l'on vous présentera. Au sous-sol de l'auberge se trouve un autre petit restaurant, le sympathique **Bistro**, qui propose un menu semblable à la grande tablée. Pourvu d'un foyer, ce lieu chaleureux est particulièrement apprécié après une journée de ski. En fin de soirée, on peut s'y rendre pour prendre un verre.

L'île d'Orléans

Saint-Laurent-de-l'Île-d'Orléans

Le Canard Huppé
$$$-$$$$
2198 ch. Royal
☎418-828-2292
La salle à manger du **Canard Huppé** (voir p 232) sert une nouvelle cuisine régionale. Apprêtés à partir des produits frais qui abondent dans la région et des spécialités de l'île comme le canard, la truite et les produits de l'érable, ses petits plats sauront ravir les plus exigeants. L'endroit est un peu sombre puisque la couleur vert forêt y prédomine, mais le décor se veut champêtre et est somme toute agréable. Réservations requises.

Saint-Jean-de-l'Île-d'Orléans

Restaurant Au Goût d'Autrefois
$$$
4311 ch. Royal
☎418-829-0236
www.restodumanoir.com
Le chef Bolduc y sert une cuisine d'inspiration Nouvelle-France fusionnée à la tradition amérindienne, et les produits du terroir sont en vedette. Tous les plats rivalisent de créativité et d'une savoureuse audace. Un incontournable.

Saint-Pierre-de-l'Île-d'Orléans

Le Vieux Presbytère
$$$-$$$$
1247 av. Mgr-d'Esgly
☎418-828-9723 ou 888-828-9723
La table du **Vieux Presbytère** (voir p 233) se spécialise dans les viandes de pintade, d'autruche et, surtout, de caribou. Le restaurant apprête ces viandes et autres plats de délicieuse façon. La coquette salle à manger de ce bâtiment historique est accueillante et offre une belle vue sur le fleuve, particulièrement à travers la verrière.

Le chemin du Roy

Sainte-Foy

Michelangelo
$$$-$$$$
3111 ch. St-Louis
☎418-651-6262
www.restomichelangelo.com
Le Michelangelo sert une fine cuisine italienne qui ravit le palais autant que l'odorat. Sa salle à manger au décor Art déco, bien qu'achalandée, reste intime et chaleureuse. Le service attentionné et courtois ajoute aux délices de la table. Très bonne carte des vins.

La Fenouillière
$$$$
3100 ch. St-Louis
☎418-653-3886
www.fenouilliere.com
À La Fenouillière, le menu de cuisine française raffinée et créative vous promet de succulentes expériences. Qui plus est, le restaurant s'enorgueillit de posséder l'une des meilleures caves à vins de Québec. Le tout dans un décor sobre et confortable.

Deschambault

Maison Deschambault
$$$
128 ch. du Roy
☎418-286-3386
L'auberge qu'est la **Maison Deschambault** (voir p 233) est dotée d'un restaurant réputé pour l'excellence de son menu mettant en valeur la fine cuisine française et certaines des spécialités de la région. Ce restaurant bénéficie d'un cadre tout à fait enchanteur (voir p 225).

La vallée de la Jacques-Cartier

Wendake

Nek8arre
$$-$$$
9h à 17h et soir sur réservation
575 rue Stanislas-Kosca
☎418-842-4308
Au village huron **Onhoüa Chetek8e** (voir p 226) se trouve un agréable restaurant dont le nom amérindien signifie «le chaudron est cuit». Nek8arre nous initie à la cuisine traditionnelle des Hurons-Wendat. De bons plats tels que truite à l'argile, brochette de caribou ou chevreuil aux champignons, accompagnés de maïs et de riz sauvage, figurent au menu. Les tables en bois ont été incrustées de petits textes expliquant les habitudes alimentaires des Amérindiens. Plusieurs objets disséminés çà et là viennent piquer notre curiosité, mais heureusement les serveuses sont un peu «ethnologues» et peuvent aussi apaiser notre soif de savoir. Le tout dans une douce ambiance. Il est possible d'éviter de payer le droit d'entrée au village huron si l'on désire se rendre uniquement au restaurant.

Saint-Raymond

Restaurant Les Secrets d'Alice
$$-$$$
567 rue St-Joseph
☎418-337-3796 ou 877-337-3796
Pascal Cothet, le chef propriétaire de l'**Auberge La Bastide** (voir p 233), a publié un livre de ses recettes, toutes plus créatives les unes que les autres. En effet, le menu du soir, dit «du Terroir», composé de wapiti, de sanglier ou de pintade, est tout simplement irrésistible. Une valeur exceptionnelle compte tenu du prix.

Sorties

Vous trouverez, dans plusieurs boutiques, restaurants et bars de Québec, deux publications gratuites qui traitent de la vie culturelle le ***Québec Scope Magazine*** et l'hebdomadaire ***Voir***.

■ Activités culturelles

Salles de spectacle

L'**Orchestre symphonique de Québec** *(www.osq.qc.ca)*, le plus ancien du Canada, se produit régulièrement au **Grand Théâtre de Québec** *(269 boul. René-Lévesque E., ☎418-643-8131, www.grandtheatre.qc.ca)*. C'est aussi là que l'on peut voir et entendre l'**Opéra de Québec** *(www.operadequebec.qc.ca)*.

Le Capitole de Québec
972 rue St-Jean
☎418-694-4444
www.lecapitole.com
Ce théâtre avait été inauguré une première fois en 1903; en 1992, il a retrouvé son aspect d'époque.

Théâtre Petit Champlain
68-78 rue du Petit-Champlain
☎418-692-2631
www.theatrepetitchamplain.com
Dans cet établissement, on assiste à d'excellents spectacles intimistes.

Palais Montcalm
995 place D'Youville
☎418-641-6040 ou 877-641-6040
www.palaismontcalm.ca
On se donne rendez-vous à la salle Raoul-Jobin du Palais Montcalm pour des concerts classiques et des spectacles variés.

Théâtre

Théâtre du Trident
Grand Théâtre de Québec
269 boul. René-Lévesque E.
☎418-643-8131ou 877-643-8131
www.letrident.com
Le Théâtre du Trident est une véritable institution à Québec. Il présente, en plus du répertoire classique, des pièces d'auteurs contemporains.

■ Bars et boîtes de nuit

Le Vieux-Québec

Le Chantauteuil
1001 rue St-Jean
☎418-692-2030
Situé au pied de la côte de la rue D'Auteuil, Le Chantauteuil est un bar sympathique. Les clients y discutent pendant des heures, assis sur une banquette autour d'une bouteille de vin ou d'un verre de bière.

L'Emprise
Hôtel Clarendon
57 rue Ste-Anne
☎418-692-2480
Le plus ancien hôtel de Québec abrite L'Emprise. Ce bar de style classique est l'endroit de prédilection pour ceux qui veulent se retrouver dans une ambiance feutrée. Au centre de la salle se trouvent un magnifique piano à queue noir et un long bar en *L*. Calé dans ses fauteuils confortables, on peut régulièrement y écouter des spectacles intimistes, selon la formule piano-bar.

Du Petit-Champlain au Vieux-Port

Le Pape Georges
8 rue du Cul-de-Sac
☎418-692-1320
Le Pape Georges est un sympathique bistro à vins. Installé sous les voûtes d'une maison ancienne du Petit-Champlain, il propose un large choix de vins à déguster et des accompagnements tels qu'assiette de fromages et charcuteries. L'atmosphère est chaleureuse, surtout lorsque réchauffée par des musiciens qui envoûtent la salle au son de folk et de blues.

L'Oncle Antoine
29 rue St-Pierre
☎418-694-9176
L'Oncle Antoine niche sous des voûtes non loin de la place Royale. Avec son cadre entièrement de pierres et ses longues bougies blanches enfoncées dans des bouteilles sur les tables en bois, on se croirait revenu au Moyen Âge. En hiver, on réchauffe le lieu avec un bon feu de foyer.

Autour de la Grande Allée

Jules et Jim
1060 av. Cartier
☎418-524-9570
Le petit Jules et Jim est établi sur l'avenue Cartier depuis de nombreuses années. Il offre une douce atmosphère avec ses banquettes et ses tables basses qui évoquent le Paris des années 1920.

Maurice
575 Grande Allée E.
☎418-647-2000
La discothèque Maurice ne ressemble à rien d'autre en ville. Le décor est absolument original, à tel point qu'il est difficile de le qualifier. Partout des recoins avec des sofas comme autant de salons. Les portiers prennent un malin plaisir à trier la clientèle sur le volet. Cette dernière est bigarrée, belle et âgée de 20 à 35 ans. Pour un changement d'ambiance, le complexe renferme également le **Charlotte Lounge** et le salon de cigares **Société Cigare**. Certaines soirées ont des accents latinos. Droit d'entrée exigé.

Turf Pub
1179 av. Cartier
☎418-522-9955
Sur l'animée avenue Cartier, le Turf Pub fait danser une clientèle dans la trentaine et plus. On y offre un bon choix de bières importées. Pour bien entamer ou continuer la soirée, le menu propose une cuisine de pub très satisfaisant.

■ Fêtes et festivals

Février

Le **Carnaval de Québec** *(☎866-422-7628)* a lieu tous les ans durant les deux premières semaines de février. Il est

l'occasion pour les résidants de Québec et les visiteurs de fêter les beautés de l'hiver. Ainsi, plusieurs activités sont organisées tout au long de ces semaines. Parmi les plus populaires, mentionnons le défilé de nuit, la traversée du fleuve en canot à glace et le concours de sculptures de glace et de neige.

Juillet

Le **Festival d'été de Québec** *(☎418-523-4540 ou 888-992-5200, www.infofestival.com)* se tient pendant 10 jours au début de juillet. La ville s'égaie alors de musique et de chansons, de danse et d'animation, tous offerts par des artistes des quatre coins du monde. Les spectacles en plein air sont particulièrement appréciés. La plupart des spectacles en salles sont payants, ceux présentés en plein air étant gratuits.

Août

Au début du mois d'août, Québec se souvient des premiers temps de la colonie à l'occasion des **Fêtes de la Nouvelle-France** *(☎418-694-3311 ou 866-391-3383, www.nouvellefrance.qc.ca)*. Personnages en costumes d'époque, reconstitution d'un marché sur la place Royale et activités nombreuses marquent ces quelques jours de fête.

Achats

■ Grandes artères commerciales

La jolie **rue Saint-Jean**, à l'intérieur comme à l'extérieur des fortifications, est toujours très fréquentée durant les quatre saisons. Elle présente des boutiques diversifiées.

L'**avenue Cartier**, joliment aménagée et éclairée, constitue une halte magasinage agréable et débouche dans la Grande Allée.

La **rue Saint-Paul**, dans le quartier du Vieux-Port, est réputée être l'hôte de plusieurs antiquaires et pour abriter des galeries d'art intéressantes. La **rue du Petit-Champlain**, dans le mignon quartier éponyme, est le rendez-vous des arts traditionnels.

■ Art et artisanat

Ateliers La Pomme
47 rue Sous-le-Fort
☎418-692-2875
Les Ateliers La Pomme, où l'on confectionne des articles et des vêtements de cuir, sont l'un des plus anciens regroupements d'ateliers d'artisans du quartier du Petit-Champlain. Les divers cuirs employés et leurs différentes couleurs rehaussent l'originalité et la qualité des vêtements: du manteau à la jupe en passant par les chapeaux et les mitaines.

Boutique Métiers d'art
29 rue Notre-Dame
☎418-694-0267
La Boutique Métiers d'art regroupe toute une gamme d'objets fabriqués par des artisans québécois. Aménagée dans un beau local donnant sur la place Royale, la boutique regorge de beaux objets aussi divers que des céramiques et des bijoux.

Boutique du Musée de la civilisation
85 rue Dalhousie
☎418-643-2158
À l'intérieur du Musée de la civilisation se trouve une petite boutique pleine à craquer de beaux objets d'artisanat provenant de tous les pays. Il y a vraiment de belles trouvailles à faire ici, et ce, dans toutes les gammes de prix.

Boutique du Musée national des beaux-arts du Québec
parc des Champs-de-Bataille
☎418-644-1036
La boutique du Musée national des beaux-arts du Québec propose une belle collection d'objets et de reproduction d'œuvres d'art.

Sur l'**île d'Orléans**, vous trouverez quelques boutiques d'artisanat ainsi que des antiquaires et des ateliers d'ébénisterie. On déniche entre autres, dans l'église de Saint-Pierre, la **Corporation des artisans de l'île** *(☎418-828-9824)*. Une demi-douzaine de galeries d'art parsèment aussi l'île, une bonne quantité se trouvant dans le village de Saint-Jean.

■ Librairies

Le faubourg Saint-Jean-Baptiste foisonne de bonnes librairies de livres d'occasion. Aux adresses suivantes, vous trouverez aussi de bons conseils.

Librairie Générale Française
10 côte de la Fabrique
☎418-692-2442
Littérature, essais.

Pantoute
1100 rue St-Jean
☎418-694-9748
Littérature, essais, bandes dessinées.

Librairie du Nouveau-Monde
103 rue St-Pierre
☎418-694-9475
Éditions québécoises.

La Bouquinerie de Cartier
1120 av. Cartier
☎418-525-6767
Romans, livres pratiques.

Librairie du Musée national des beaux-arts du Québec
parc des Champs-de-Bataille
☎418-644-6460
Beaux livres, livres sur l'art.

CHAUDIÈRE-APPALACHES

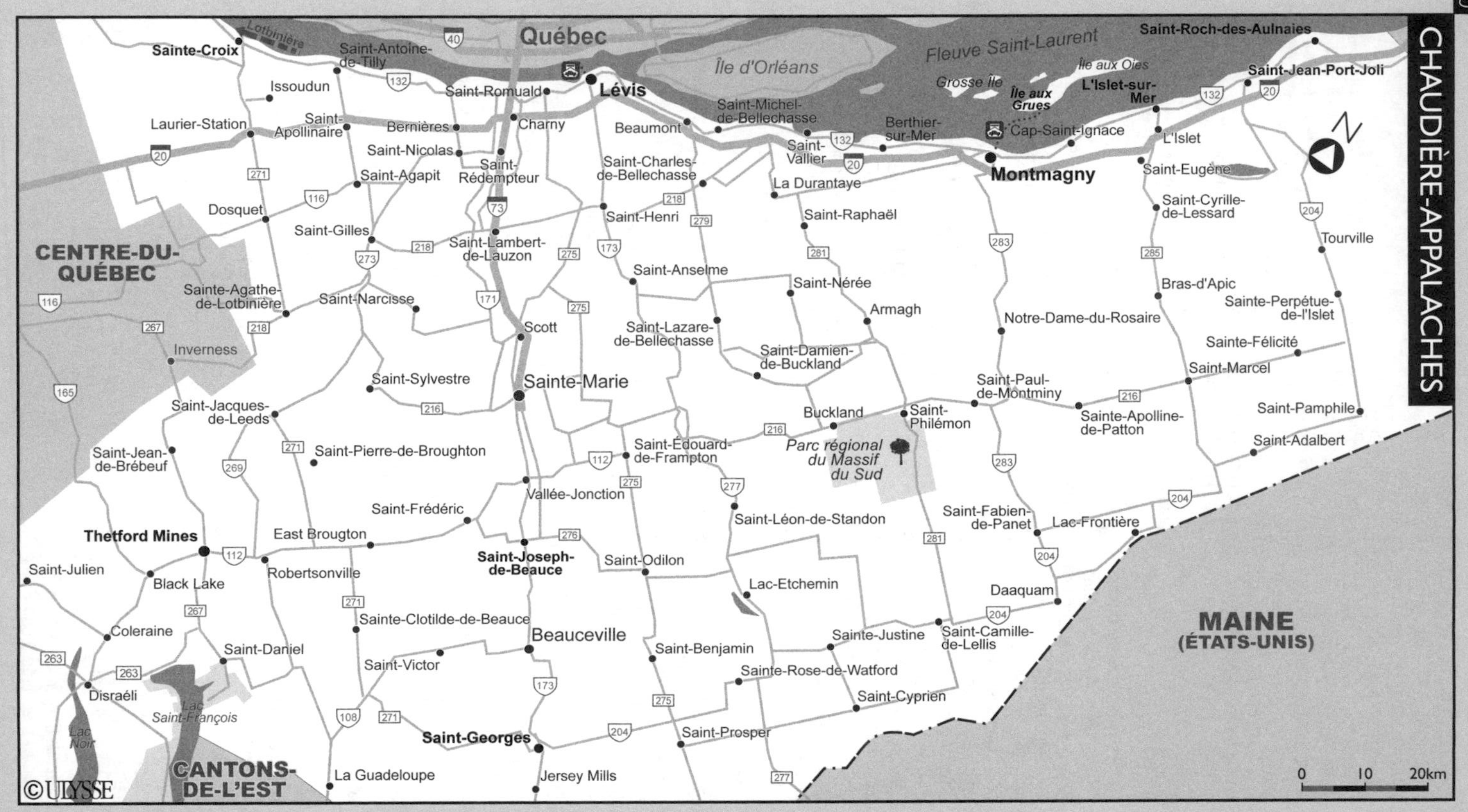

Chaudière-Appalaches

De charmantes villes au caractère géographique très distinct se regroupent dans la région de Chaudière-Appalaches. Sur la rive sud du Saint-Laurent, face à Québec, cette région s'ouvre sur une vaste plaine fertile avant de lentement grimper vers les contreforts des Appalaches jusqu'à la frontière américaine. On peut y visiter d'agréables petites bourgades, faire une halte à Saint-Jean-Port-Joli, important centre d'artisanat québécois, ou prendre le large, à la découverte de l'archipel de L'Isle-aux-Grues.

Plus au sud se déploie, sur les berges de la rivière Chaudière, la très pittoresque Beauce. Ici, le paysage est constitué d'harmonieuses collines verdoyantes où prospèrent de nombreuses fermes depuis des siècles. La Beauce possède par ailleurs la plus grande concentration d'érablières au Québec, faisant de cette région un véritable royaume de la «cabane à sucre». Le printemps venu, alors que coule la sève des érables, on y vit à l'heure des «parties de sucre».

Un peu plus à l'ouest de la rivière Chaudière, dans la région de Thetford Mines, le «pays de l'amiante» présente un paysage diversifié, jalonné d'impressionnantes mines à ciel ouvert.

Accès et déplacements

■ En voiture

Les villages à visiter dans cette région se trouvent soit le long de la route 132, qui longe le fleuve sur sa rive sud, soit le long des routes 73 et 173, qui filent vers les Appalaches, au sud, laissant le fleuve derrière elles. Pour se rendre à Thetford Mines, il faut prendre la route 112 à partir de l'autoroute 73.

■ En autocar (gares routières)

Lévis
5401 boul. de la Rive-Sud
☎418-837-5805

Montmagny
Station-service Irving
20 boul. Taché E.
☎418-248-1850

Saint-Jean-Port-Joli
Épicerie Pelletier
10 av. De Gaspé E.
☎418-598-6808

Saint-Georges
11655 promenade Chaudière
☎418-228-4040

Thetford Mines
127 rue St-Alphonse O.
☎418-335-5120

■ En train (gare ferroviaire)

Montmagny
4 rue de la Station
☎888-842-7245

■ En traversier

Le traversier *(2,50$ piéton ou cycliste, voiture 6$ et plus selon le nombre de passagers; ☎418-644-3704 à Québec, 418-837-2408 à Lévis, www.traversiers.gouv.qc.ca)* reliant Québec à Lévis permet d'arriver à destination en seulement 10 min. L'horaire varie grandement d'une saison à l'autre, mais les liaisons sont très fréquentes.

Le traversier pour l'île aux Grues, le ***Grue-des-Îles*** *(gratuit; ☎418-248-9196 à Montmagny, ☎418-248-1735 à L'Isle-aux-Grues, www.traversiers.gouv.qc.ca)*, part du quai de Montmagny et s'y rend en une vingtaine de minutes. La fréquence (mai à nov seulement) varie selon les marées.

Renseignements utiles

■ Renseignements touristiques

Association touristique Chaudière-Appalaches
800 autoroute Jean-Lesage
St-Nicolas, QC G7A 1C9
☎418-831-4411 ou 888-831-4411
www.chaudiereappalaches.com

Lévis
5995 rue St-Laurent
☎418-838-6026
www.tourismelevis.com

Lotbinière
6375 rue Garneau, bureau 102
Sainte-Croix
☎418-926-2205
www.tourismelotbiniere.com

Montmagny
45 av. du Quai
☎418-248-9196 ou 800-463-5643
www.cotedusud.ca

Saint-Jean-Port-Joli
20 route 132 O.
☎418-598-3747
www.saintjeanportjoli.com

Saint-Georges
11700 boul. Lacroix
☎418-227-4642 ou 877-923-2823
www.destinationbeauce.com

Thetford Mines
2600 boul. Frontenac
☎418-423-3333 ou 877-335-7141
www.tourisme-amiante.com

Attraits touristiques

Les seigneuries de la Côte-du-Sud ★★

p 249 p 250 p 251 p 251

Lotbinière ★

La seigneurie de Lotbinière est un des rares domaines à être demeuré entre les mains de la même famille depuis sa concession, en 1672, à René-Louis Chartier de Lotbinière. Même s'il n'habite pas les lieux car il siège au Conseil souverain, René-Louis voit alors au développement de ses terres et du bourg de Lotbinière, qui devient vite un des plus importants villages de la région. Le cœur de Lotbinière, qui recèle plusieurs maisons anciennes en pierres et en bois, est de nos jours protégé par le gouvernement du Québec.

La monumentale **église Saint-Louis** ★★ *(7510 rue Marie-Victorin)*, disposée parallèlement au Saint-Laurent, compose avec le presbytère et l'ancien couvent un ensemble institutionnel admirable sur un site offrant de belles vues sur le fleuve. L'église actuelle est le quatrième lieu de culte catholique érigé dans les limites de la seigneurie de Lotbinière. Sa construction fut entreprise en 1818. Les flèches, de même que le couronnement de la façade, sont cependant le résultat de modifications apportées en 1888. La polychromie de l'édifice (blanc pour les murs, bleu pour les clochers et rouge pour la toiture) crée un effet «tricolore» étonnant.

Sainte-Croix

Le **Domaine Joly-De Lotbinière** ★★ *(13,50$; début mai à oct tlj 10h à 17h; route de Pointe-Platon, ☎418-926-2462, www.domainejoly.com)* fait partie de l'Association des jardins du Québec. On s'y rend avant tout pour son site superbe en bordure du Saint-Laurent. Il faut emprunter les sentiers pédestres qui conduisent vers la plage pour contempler le fleuve, les falaises d'ardoise et l'autre rive, sur laquelle on aperçoit l'église de Cap-Santé. De nombreux arbres centenaires d'espèces rares, plusieurs aménagements floraux et un jardin d'oiseaux ainsi que divers pavillons ornent le parc du domaine. Dans un de ceux-ci, on a aménagé une boutique-café près d'une terrasse.

Le manoir, érigé en 1840, présente l'aspect d'une villa entourée de galeries dominant le fleuve. L'intérieur accueille une petite exposition qui nous renseigne sur la famille du marquis de Lotbinière. On y apprend entre autres que le fils de Pierre-Gustave Joly, Henri-Gustave, est né à Épernay (France), qu'il a été premier ministre du Québec en 1878-1879, puis ministre du Revenu au gouvernement fédéral et, enfin, lieutenant-gouverneur de la Colombie-Britannique. Le Domaine Joly-De Lotbinière fut pris en charge par le gouvernement du Québec en 1967, lorsque le dernier seigneur, Edmond Joly de Lotbinière, a dû quitter les lieux.

Lévis ★★ (131 200 hab.)

La ville de Lévis s'est développée rapidement dans la seconde moitié du XIXe siècle, avec la venue du chemin de fer (1854) et l'implantation de chantiers navals qui s'alimentaient en bois auprès des scieries des familles Price et Hamilton. L'absence de voies ferrées sur la rive nord du fleuve Saint-Laurent à cette époque amène en outre un déplacement partiel des activités portuaires de Québec vers Lévis. D'abord baptisée «Ville d'Aubigny», Lévis acquiert son nom actuel en 1861, lorsque l'on décide d'honorer la mémoire du chevalier François de Lévis, vainqueur des Britanniques lors de la bataille de Sainte-Foy en 1760. La ville haute, institutionnelle et bourgeoise, offre des points de vue intéressants sur le Vieux-Québec, de l'autre côté du fleuve, alors que la ville basse, très étroite, accueille le traversier qui relie Lévis à la capitale québécoise.

La **terrasse de Lévis** ★★ *(rue William-Tremblay)*, aménagée pendant la crise de 1929, offre des points de vue spectaculaires, tant sur Québec que sur le centre de Lévis. On distingue notamment, dans le Vieux-Québec, le secteur de Place-Royale, au bord du fleuve, que surplombent le Château Frontenac et la Haute-Ville, où quelques gratte-ciel modernes se profilent à l'arrière, le plus élevé étant l'édifice gouvernemental Marie-Guyart.

La **Maison Alphonse-Desjardins** *(entrée libre; lun-ven 10h à 12h et 13h à 16h30, sam-dim 12h à 17h; 6 rue du Mont-Marie, ☎418-835-2090 ou 866-835-2090)*. Alphonse Desjardins (1854-1920) était un homme entêté. Désireux de faire progresser le peuple canadien-français, il s'est battu pendant de nombreuses années pour que soit acceptée l'idée des caisses populaires, ces institutions financières coopératives contrôlées par leurs membres, donc par tous les petits épargnants qui y ouvrent un compte. Aujourd'hui, Desjardins est le plus grand groupe coopératif au Canada.

La maison néogothique habitée par les Desjardins pendant près de 50 ans, dans laquelle a débuté la caisse populaire de Lévis, a été construite en 1882. Admirablement bien restaurée lors de son centenaire, elle a par la suite été transformée en un centre d'interprétation relatant la carrière et l'œuvre de Desjardins. On y présente un documentaire de même qu'une reconstitution de certaines pièces de la maison. La société historique Alphonse-Desjardins occupe, quant à elle, le premier étage.

Le **Lieu historique national des Forts-de-Lévis** ★ *(4$; début mai à sept tlj 10h à 17h, sept sam-dim 13h à 16h; 41 ch. du Gouvernement, ☎418-835-5182 ou 888-773-8888, www.pc.gc.ca/levis)*. Craignant une attaque surprise des Américains à la fin de la guerre de Sécession, les gouvernements britannique puis canadien font ériger à Lévis, entre 1865 et 1872, une série de trois forts détachés, intégrés au système défensif de Québec. Seul le Fort-Numéro-Un est resté intact. Fait de terre et de pierres, il illustre l'évolution des ouvrages fortifiés au XIXe siècle, alors que les techniques de guerre progressent rapidement. On peut y voir notamment le canon rayé, pièce d'artillerie imposante, les casemates voûtées et les caponnières, ouvrage de maçonnerie destiné à protéger le fossé extérieur. Une exposition raconte l'histoire du fort. Du sommet de la muraille, on bénéficie d'une belle vue sur Québec et l'île d'Orléans. On peut aussi profiter du terrain pour se balader et des aires de pique-nique pour se restaurer.

Montmagny (11 700 hab.)

Le **Centre éducatif des migrations** ★ *(6$; juin à oct tlj 10h à 17h; 53 rue du Bassin-Nord, ☎418-248-4565)* est situé sur le terrain de camping de la Pointe-aux-Oies; ce musée est aussi un centre d'interprétation de la sauvagine (également

Alphonse Desjardins

Alphonse Desjardins est né à Lévis en 1854. C'est là que, 46 ans plus tard, il fonde la caisse populaire de Lévis, première de l'important mouvement que représente aujourd'hui le Mouvement des Caisses populaires Desjardins.

L'idée d'un outil d'épargne qui serait plus près des petits épargnants lui est venue en constatant les injustices créées par le système de prêt alors en vigueur. Les banques populaires existent déjà en Europe. C'est en adaptant leur mode de fonctionnement à la réalité québécoise que Desjardins arrive à concrétiser son idée d'une coopérative où la solidarité humaine profiterait à tous les membres.

Pendant les premières années de sa nouvelle société d'épargne et de crédit, les membres viennent déposer leur pécule directement à la maison de la famille Desjardins, rue du Mont-Marie, où Alphonse, ou en son absence sa femme Dorimène, les conseille et enregistre leur dépôt.

En mars 1906, alors que seulement six caisses populaires sont fondées, le gouvernement du Québec adopte la Loi des syndicats coopératifs. Dès lors, Desjardins fait le tour du Québec pendant plusieurs années pour initier les volontaires à son idée. En 1909, 22 caisses populaires sont actives au Québec, et en 1912 on inaugure la centième. Elles fonctionneront toutes de manière indépendante, mais toujours sous la conduite du fondateur.

À la fin de sa vie, en 1920, Alphonse Desjardins est toujours aussi impliqué auprès des caisses populaires. Lui qui fondait tant d'espoir sur l'entraide humaine s'éteint au milieu des siens, laissant derrière lui un mouvement coopératif qui regroupe aujourd'hui plus de 5 millions de membres, près de 550 caisses et un actif de plus de 125 milliards de dollars!

appelée «oie blanche» ou «oie des neiges») où sont présentés des films (*Le Voisins des nuages* et *Lumière des oiseaux*, entre autres), des expositions, des conférences et des spectacles.

L'excursion au **Lieu historique national de la Grosse-Île-et-le-Mémorial-des-Irlandais ★ ★** *(visite libre ou guidée, mai à oct; service de restauration disponible sur place; il est conseillé de prévoir un pique-nique sur la grève, tables de pique-nique à la disposition des visiteurs; ☎418-234-8841 ou 888-773-8888, www.pc.gc.ca/grosseile)* est un retour dans le passé douloureux de l'immigration en Amérique. Fuyant les épidémies et la famine, les émigrants irlandais furent particulièrement nombreux à venir au Canada au cours des années 1830-1850. Afin de limiter la propagation du choléra et du typhus dans le Nouveau Monde, les autorités décidèrent d'obliger les passagers des transatlantiques à subir une quarantaine avant de débarquer dans le port de Québec. La Grosse Île s'impose alors comme un choix logique, étant donné sa position rapprochée et son éloignement des côtes. C'est sur cette «île de la Quarantaine» que chacun des immigrants était scruté à la loupe. Les passagers en bonne santé résidaient dans des «hôtels» dont le degré de luxe était lié à la classe qu'ils avaient choisie pour voyager sur les navires. Les malades étaient aussitôt hospitalisés.

La visite de la Grosse Île, dont une partie se fait dans un petit train motorisé, vous entraîne donc autour de l'île, de ses beautés naturelles et de ses installations. Sur la trentaine de bâtiments encore debout, quelques-uns sont ouverts aux visiteurs: le bâtiment de désinfection donne un bon aperçu de la technologie canadienne à la fin du XIXe siècle, sans oublier l'intérieur du lazaret, seul témoin de l'épidémie de typhus de 1847. Ces témoins précieux racontent on ne peut plus clairement une page de l'histoire du continent.

L'île aux Grues ★ ★

L'**île aux Grues** *(Corporation du développement touristique de l'Isle-aux-Grues: ☎418-241-5117, www.isle-aux-grues.com)*, seule île de l'archipel de L'Isle-aux-Grues habitée toute l'année, offre aux visiteurs un magnifique cadre champêtre ouvert sur le fleuve. C'est le lieu idéal pour l'observation des oies blanches au printemps, pour la chasse en automne et pour la balade en été. En hiver, l'île est prisonnière des glaces, et les habitants doivent alors utiliser l'avion pour avoir accès au continent. Quelques gîtes touristiques parsèment cette île longue de 10 km et vouée à l'agriculture. S'y promener à bicyclette, au milieu des champs de blé dorés et le long du fleuve, est des plus agréables. On peut aussi y accéder en voiture au moyen du traversier le ***Grue-des-Îles*** (voir p 242). Au centre de l'île se dresse le hameau de **Saint-Antoine-de-l'Isle-aux-Grues**, avec sa petite église et ses jolies maisons. On y trouve une boutique d'artisanat, une fromagerie qui produit, avec du lait des vaches de l'île, de délicieux fromages, ainsi qu'un tout petit musée où sont racontées les vieilles traditions qui animaient ou animent toujours la vie des insulaires. À l'est, on aperçoit le **manoir seigneurial McPherson Lemoyne**, reconstruit pour Louis Liénard Villemonde de Beaujeu à la suite du saccage de l'île par l'armée britannique en 1759. L'historien James McPherson Lemoyne a fait de cette invitante demeure, précédée d'une longue galerie, sa résidence d'été à la fin du XIXe siècle. Le peintre Jean Paul Riopelle, qui en a fait son havre pendant plusieurs années, y est décédé en 2002. En haute saison, un petit kiosque d'information touristique vous accueille au bout du quai.

L'Islet-sur-Mer ★

Du parvis de l'**église Notre-Dame-de-Bonsecours ★ ★** *(15 ch. des Pionniers E., route 132)*, on sent le vent du large, puissant et doux à la fois, et l'on peut bien mesurer l'immensité du fleuve tout proche. L'église actuelle, entreprise en 1768, est un vaste édifice en pierres sans transept. L'intérieur a été réalisé entre 1782 et 1787. Contrairement aux églises antérieures, le retable épouse complètement la forme du chœur en hémicycle. Le plafond plat, découpé en caissons, est un ajout du XIXe siècle, tout comme les flèches des clochers, refaites en 1882. Au-dessus du tabernacle qui provient de la première église (1728), on remarquera *L'Annonciation* de l'abbé Aide-Créquy, peint en 1776. Sur la gauche, des portes vitrées s'ouvrent sur l'ancienne chapelle des congréganistes, rattachée à l'église en 1853, où l'on organise parfois des expositions estivales à caractère religieux.

Le **Musée maritime du Québec ★ ★** *(9$; fin mai à fin juin et début sept à début oct tlj 10h à 17h, fin juin à début sept tlj 9h à 18h, début oct à fin mai lun-ven 10h à 16h sur réservation; 55 ch. des Pionniers E., ☎418-247-5001, www.mmq.qc.ca)* a pour mission la sauvegarde, l'étude et la mise en valeur du patrimoine maritime du fleuve Saint-Laurent. Au moyen d'une très belle exposition sur les marins québécois qui ont marqué le fleuve, d'un parc d'interprétation de la mer, d'une chalouperie, de centaines d'objets et de deux véritables navires, le visiteur est plongé dans l'histoire du fleuve Saint-Laurent du XVIIe siècle à nos jours. L'institution, fondée par l'Association des marins du Saint-Laurent, est installée dans l'ancien couvent de L'Islet-sur-Mer (1877) et rend hommage à l'un de ses plus illustres citoyens, le capitaine J.-E. Bernier (1852-1934), qui fut l'un des premiers à explorer l'Arctique, assurant de la sorte la souveraineté du Canada sur ces territoires septentrionaux.

Saint-Jean-Port-Joli ★

Saint-Jean-Port-Joli est devenu synonyme d'artisanat et de sculpture sur bois grâce à la famille Bourgault, qui, au début du XXe siècle, en a fait sa raison de vivre. La route 132 est bordée, à l'arrivée, d'une formidable concentration de boutiques où l'on peut acheter un «grand-père fumant la pipe» ou une «paysanne qui tricote». Outre cet artisanat plus vivant que jamais, le village est connu pour son église ainsi que pour le roman *Les Anciens Canadiens*, écrit au manoir seigneurial par Philippe Aubert de Gaspé.

L'**église Saint-Jean-Baptiste** ★★ *(2 av. De Gaspé O.)*. Cette coquette église, construite entre 1779 et 1781, se reconnaît à son toit rouge vermillon, coiffé de deux clochers dont l'emplacement (l'un à l'avant et l'autre à l'arrière, au début de l'abside) est tout à fait inusité dans l'architecture québécoise. Autre élément particulier, les chapelles des transepts, à peine suggérés, ne sont que les timides réponses des paroissiens aux exigences d'un évêque, visiblement non partagées. L'église présente un exceptionnel intérieur en bois sculpté et doré, qui aura probablement joué un rôle dans la popularité de cette forme d'art à Saint-Jean-Port-Joli, même s'il constitue une œuvre exécutée par divers artistes du Québec, bien antérieure aux sculptures de la famille Bourgault.

Au centre du village se trouve le **parc des Trois-Bérets**, qui accueille l'exposition **Sculptures en Jardin** ★★ du début de juillet à la fin de septembre. On y retrouve les meilleures œuvres des éditions récentes de l'**Internationale de la Sculpture de Saint-Jean-Port-Joli** (voir p 251). Plus d'une centaine d'œuvres y sont exposées, et plusieurs, dont le bois a vieilli après quelques années, sont fascinantes. L'emplacement, en bordure du fleuve, offre un contexte visuel saisissant, et le parc comporte quelques aires de pique-nique.

Le **Musée de la mémoire vivante** ★ *(6$; fin juin à début sept tlj 9h à 17h30, début sept à fin juin mar-dim 10h à 17h; 710 av. de Gaspé O., ☎418-358-0518, www.memoirevivante.org)* loge dans le manoir seigneurial (reconstitué en 2007-2008) de Philippe Aubert de Gaspé (1786-1871), auteur du célèbre roman *Les anciens Canadiens* et de *Mémoires*. De toute beauté, le site Philippe-Aubert-de-Gaspé recèle, en plus du manoir actuel, plusieurs attraits historiques, tels le fournil, avec four à pain et puits, les vestiges du manoir seigneurial datant de 1763, un cellier d'avant la Conquête ainsi qu'un caveau à légumes du XIXe siècle. Des sentiers courant jusqu'aux berges du fleuve et un promontoire offrant une vue exceptionnelle permettent aux promeneurs d'admirer l'ensemble des aménagements d'époque, sans oublier la flore indigène des lieux. À l'intérieur du manoir, les expositions mettent en lumière plusieurs pans de la société québécoise. *Souvenirs de table* offre un panorama des habitudes alimentaires des Québécois d'hier et d'aujourd'hui; *Saint-Jean-Port-Joli, une histoire d'amour* décrit les origines de la villégiature et de l'artisanat du village; *Poterie et faïence du régime français jusqu'au XXe siècle* présente une magnifique collection d'objets comptant des pièces uniques; et *Monsieur Philippe, nos hommages* honore la mémoire du seigneur de Saint-Jean-Port-Joli, qui a légué les us et coutumes de son époque par ses écrits.

Saint-Roch-des-Aulnaies ★★

La **Seigneurie des Aulnaies** ★★ *(9,50$; mi-juin à début sept tlj 9h à 18h; début juin à mi-juin et début sept à mi-oct, sam-dim 10h à 16h; 525 ch. de la Seigneurie, ☎418-354-2800 ou 877-354-2800, www.laseigneuriedesaulnaies.qc.ca)*. Le domaine des Dionne a été transformé en un captivant centre d'interprétation du régime seigneurial. Le visiteur est d'abord accueilli dans l'ancienne maison du meunier, reconvertie en boutique et en café. On y sert entre autres des galettes et des muffins à base de farine provenant du moulin voisin, vaste bâtiment en pierres reconstruit en 1842 sur l'emplacement d'un moulin plus ancien. Des visites guidées du moulin en activité permettent de comprendre le fonctionnement complexe de son engrenage, qui dépend de la force motrice de la rivière Ferrée. Sa roue principale d'origine est la plus grande du Québec.

Activités de plein air

■ *Vélo*

Les routes qui bordent le fleuve offrent aux cyclistes un spectacle d'une pure splendeur. Plusieurs circuits et parcours sont disponibles à l'adresse suivante: *www.velochaudiereappalaches.com*.

Le sirop d'érable

Lors de l'arrivée des premiers colons en Amérique, la tradition du sirop d'érable était bien établie à travers les différentes cultures autochtones. Il est en fait impossible de retracer exactement la découverte du sirop d'érable par les Amérindiens. Les Iroquois ont cependant une légende expliquant la venue du doux sirop. Ils racontent que Woksis, le Grand Chef, partait chasser un matin de printemps. Il prit donc son tomahawk à même l'arbre où il l'avait planté la veille. La nuit avait été froide, mais la journée s'annonçait douce. Ainsi, de la fente faite dans l'arbre, un érable, se mit à couler de la sève. Celle-ci coula dans un seau qui, par hasard, se trouvait sous le trou.

À l'heure de préparer le repas du soir, la squaw de Woksis eut besoin d'eau. Elle vit le seau rempli de sève et pensa que cela lui éviterait un voyage à la rivière. Elle était une femme intelligente et consciencieuse qui méprisait le gaspillage. Elle goûta l'eau et la trouva un peu sucrée, mais tout de même bonne. Elle l'utilisa pour préparer son repas.

À son retour, Woksis sentit l'arôme sucré de l'érable et sut de très loin que quelque chose de spécialement bon était en train de cuire. La sève était devenue un sirop et rendit leur repas exquis. C'est ainsi, comme le dit la légende, que naquit cette douce tradition.

Aujourd'hui, la production acéricole, grâce à la technologie, se fait de façon plus ou moins artisanale, selon les cultivateurs. La saison des sucres a lieu au printemps, lorsque les températures nocturnes sont encore au-dessous de zéro et que les journées sont douces, ce qui permet à la sève de monter, et en plus grande quantité.

L'île aux Grues se prête magnifiquement à la balade à vélo. Ses petites routes plates qui longent le fleuve ou de grands champs de blé ont des vues à couper le souffle!

La Beauce ★

▲ p 249 ◑ p 251

Saint-Joseph-de-Beauce ★

À Saint-Joseph, une plaque *(347 av. du Palais)* commémore la «route du Président-Kennedy», rebaptisée ainsi en 1970. Cette importante voie de pénétration a connu des débuts modestes, lorsque l'on demanda en 1737 aux premiers seigneurs de la Beauce de tracer un sentier pour relier les terres nouvellement défrichées à Lévis, sur la rive sud du fleuve Saint-Laurent en face de Québec. En 1758, cette première voie fut remplacée par la route Justinienne, plus large et plus droite. Ce n'est qu'en 1830 que la route traversa la frontière pour se rendre jusqu'à Jackman, dans l'État du Maine.

La ville de Saint-Joseph est reconnue pour son ensemble institutionnel fort bien conservé de la fin du XIXe siècle. Celui-ci est établi sur un coteau à une bonne distance de la rivière Chaudière; il est donc à l'abri des inondations. Seuls quelques aménagements légers (terrains de jeu, aires de pique-nique) bordent aujourd'hui la rivière.

Saint-Georges (29 900 hab.)

Divisée en Saint-Georges-Ouest et Saint-Georges-Est, de part et d'autre de la rivière Chaudière, la capitale industrielle de la Beauce rappelle les «villes de manufactures» de la Nouvelle-Angleterre. Le marchand d'origine allemande Johann George Pfozer (1752-1848) est considéré comme le véritable père de Saint-Georges, ayant tiré profit de l'ouverture de la route Lévis-Jackman en 1830 pour y faire naître une industrie forestière. Au début du XXe siècle, des filatures (Dionne Spinning Mill) et des manufactures de chaussures se sont installées dans la région, favorisant une augmentation importante de la population. Saint-Georges est de nos jours une ville tentaculaire dont la périphérie est quelque peu rébarbative, mais dont le centre recèle quelques trésors.

L'**église Saint-Georges** ★★ *(1re Avenue, St-Georges O.)* est juchée sur un promontoire dominant la rivière Chaudière. Sa construction a été entreprise en 1900. L'art de la Belle Époque y trouve ses lettres de noblesse, que ce soit à l'examen de la flèche de son clocher central culminant à 75 m ou dans son magnifique intérieur à trois niveaux, abondamment sculpté et doré. Devant l'église trône la statue de *Saint Georges terrassant le dragon*. L'original de Louis Jobin, réalisé en bois recouvert de métal (1909), est exposé au **Musée national des beaux-arts du Québec** (voir p 218), à Québec. La statue visible à l'extérieur est une copie en fibre de verre qui remplace le modèle devenu trop fragile.

››› Au départ de Saint-Georges, suivez la route 173 Sud jusqu'à Jersey Mills, où vous bifurquerez à droite sur la route 204 pour longer la rivière Chaudière jusqu'à Saint-Martin. Suivez la route 269 vers le nord en direction de Saint-Méthode-de-Frontenac. À Robertsonville, prenez à gauche la route 112 pour une visite du «pays de l'amiante», minerai apprécié pour ses propriétés isolantes et sa résistance thermique, mais entouré d'une vive controverse.

Thetford Mines (25 850 hab.)

La découverte d'amiante dans la région en 1876, cet étrange minerai filamenteux et blanchâtre, allait permettre le développement d'une portion du Québec jusque-là considérée comme fort éloignée. Les grandes entreprises américaines et canadiennes qui ont exploité les mines d'Asbestos, de Black Lake et de Thetford Mines, jusqu'à leur nationalisation au début des années 1980, ont érigé des empires industriels qui ont hissé le Québec au premier rang des producteurs mondiaux d'amiante.

Souvent dépeinte comme un milieu désolant, où les gens vivent misérablement entre des montagnes de débris noirs (les terrils) provenant des immenses carrières à ciel ouvert, la région a servi de cadre au film *Mon oncle Antoine* de Claude Jutra. Cette grisaille ne manque toutefois pas d'exotisme pour le visiteur qui désire explorer l'Amérique industrielle et connaître les méthodes d'extraction de même que les diverses utilisations de l'amiante dans la recherche et dans l'aérospatiale.

Les **visites minières** ★★ *(www.tourisme-amiante.com)* offrent une occasion unique de visiter une mine d'amiante en pleine exploitation. Deux types de visites sont proposées. Les visites de la **mine à ciel ouvert** *(18$ incluant l'entrée au Musée minéralogique; fin juin à début sept sur réservation; départs au musée, ☎418-423-3333 ou 877-335-7141)* permettent de descendre dans les puits d'une profondeur de 354 m et de voir les sites d'extraction, d'ensachage et d'expédition, ainsi que les immenses camions et pelles utilisés pour extraire le minerai de la terre. Les visites d'une **galerie souterraine de la mine Bell** *(46$ incluant l'entrée au Musée minéralogique; sur réservation; fin juin à début sept, lun-mar et ven-dim 9h à 12h; âge minimal 14 ans; départs au musée, ☎418-423-3333 ou 877-335-7141)*, quant à elles, vous emmènent à 316 m de profondeur pour vous faire découvrir les différentes facettes du travail de mineur. L'habillement requis est fourni, mais les participants doivent pouvoir se déplacer de façon autonome et être à l'aise dans les endroits clos.

Activités de plein air

■ *Vélo*

À **Saint-Georges** commence une belle et longue piste cyclable qui parcourt les rives ouest et est de la rivière Chaudière, des chutes de la Chaudière jusqu'à Saint-Georges. Cette piste vous dévoilera les beautés des petits coins cachés de la Beauce, qui valent à coup sûr le coup de pédales!

Hébergement

Les seigneuries de la Côte-du-Sud

Saint-Antoine-de-Tilly

Manoir de Tilly
$$$-$$$$
3854 ch. de Tilly
418-886-2407 ou 888-862-6647
www.manoirdetilly.com

Le manoir de Tilly est une ancienne résidence datant de 1786. Les chambres ne sont toutefois pas aménagées dans la partie historique, mais dans une aile moderne qui offre cependant tout le confort et la tranquillité voulus. Elles sont toutes munies d'un foyer et offrent une belle vue. L'accueil est empressé, et la salle à manger propose une fine cuisine de qualité (voir p 250). L'auberge possède aussi un spa et des salles de réunion.

Lévis

Au Gré du Vent B&B
$$-$$$ @
2 rue Fraser
418-838-9020 ou 866-838-9070
www.au-gre-du-vent.com

En plein centre du vieux Lévis se trouve ce grand gîte touristique hautement coté. Il propose cinq chambres très chaleureuses et confortables, à quelques pas d'une vue imprenable sur le fleuve et sur le Vieux-Québec. Une piscine, une salle de séjour au grenier et des meubles d'un peu partout au Québec et de toutes les époques complètent le tableau.

Montmagny

Auberge La Belle Époque
$$-$$$ @
100 rue St-Jean-Baptiste E.
418-248-3373
www.epoque.qc.ca

L'ambiance cossue et chaleureuse de La Belle Époque laisse un excellent souvenir au visiteur. Le mobilier fait de main de maître, allié au charme de cette maison de 1850, garantit un bon confort.

Manoir des Érables
$$$-$$$$ @
220 boul. Taché E.
418-248-0100 ou 800-563-0200
www.manoirdeserables.com

Le Manoir des Érables est aménagé dans un ancien logis seigneurial à l'anglaise, le manoir Couillard de L'Espinay. L'opulence de sa décoration d'époque et son accueil courtois et chaleureux vous assurent un séjour de roi. Les chambres sont belles et confortables, et plusieurs d'entre elles ont un foyer. Au rez-de-chaussée se trouve un agréable salon de cigares orné de multiples trophées de chasse où l'on propose une grande variété de scotchs et de cigares. Vous pourrez, de plus, profiter de la salle à manger (voir p 250) ou du bistro, qui servent tous deux une excellente cuisine. On loue aussi des chambres de motel, situées un peu à l'écart sous les érables, et quelques chambres dans un pavillon tout aussi invitant que le manoir même.

Saint-Eugène-de-L'Islet

Auberge des Glacis
$$-$$$
46 route de la Tortue
418-247-7486 ou 877-245-2247
www.aubergedesglacis.com

Installée dans un ancien moulin seigneurial au bout d'une petite route bordée d'arbres, l'Auberge des Glacis a un charme bien particulier. Les chambres sont confortables et possèdent toutes une décoration bien à elles. La salle à manger sert une délicieuse cuisine française (voir p 250). Le tout a conservé les beaux atours du moulin, comme ses fenêtres de bois à large encadrement et ses murs de pierres. Le site est lui aussi des plus agréables; on y trouve un lac, des sentiers aménagés pour l'observation des oiseaux, une petite terrasse et, bien sûr (moulin oblige), une rivière. L'endroit est exceptionnellement tranquille et de bon goût.

Saint-Jean-Port-Joli

Maison de L'Ermitage
$$ @
56 rue de l'Ermitage
418-598-7553
www.maisonermitage.com

Dans une vieille maison rouge et blanche à quatre tours d'angle et entourée d'une galerie avec vue sur le fleuve, le gîte de la Maison de L'Ermitage vous propose cinq chambres douillettes et un bon petit déjeuner. On pourra y profiter de nombreux petits coins ensoleillés, aménagés pour la lecture ou la détente, ainsi que du terrain qui descend jusqu'au fleuve.

La Beauce

Saint-Georges

Auberge Benedict-Arnold
$$-$$$ @
18255 boul. Lacroix
418-228-5558 ou 800-463-5057
www.aubergearnold.qc.ca

Installée près de la frontière canado-américaine, l'Auberge Benedict-Arnold est une étape reconnue depuis bien des générations. Elle compte plus de 50 chambres, mais elles sont toutes aménagées avec le souci de respecter l'intimité des gens. On y loue aussi des chambres de motel. Deux salles à manger proposent une bonne cuisine (voir p 251). L'accueil est des plus courtois.

Restaurants

Les seigneuries de la Côte-du-Sud

Saint-Antoine-de-Tilly

Manoir de Tilly
$$$$
3854 ch. de Tilly
☎418-886-2407 ou 888-862-6647

La table du **Manoir de Tilly** (voir p 249) vous propose une cuisine française raffinée, mariée à des produits d'ici, tels l'agneau et le canard, ou à des mets plus inusités, comme l'autruche et le daim. Dans la salle à manger, il est difficile de s'imaginer qu'on se trouve à l'intérieur d'un bâtiment historique. L'endroit est toutefois agréable, et vous pourrez y déguster des plats finement apprêtés et présentés, tout en ayant les yeux rivés sur la vue qui s'offre derrière les grandes fenêtres du mur nord.

Lévis

L'Escalier
$$
6120 rue St-Laurent
☎418-835-1865

De biais avec la traverse Lévis-Québec, ce sympathique petit restaurant accueille depuis longtemps ses clients avec la vue de la forteresse de Québec et du Château Frontenac. Il tire son nom de l'abrupt escalier adjacent reliant le Vieux-Lévis au bord du fleuve. Tant la terrasse que la salle intérieure sont joliment décorées, et l'endroit est particulièrement agréable dans la belle lueur du soleil couchant. Parmi les spécialités de la maison, l'escalope de veau à la sauce au fromage bleu vaut certainement le détour.

Beaumont

Moulin de Beaumont
$
fin juin à fin août
2 route du Fleuve
☎418-833-1867

Au Moulin de Beaumont se trouve un sympathique petit café offrant une belle vue sur le fleuve et le moulin. On y mange de bons petits plats tels que croque-monsieur et pâté de viande, servis avec le délicieux pain maison (à base de farine du moulin). On peut d'ailleurs faire provision de ce pain à la boulangerie attenante au café.

Montmagny

La Belle Époque
$$-$$$
100 rue St-Jean-Baptiste E.
☎418-248-3373

L'**Auberge La Belle Époque** (voir p 249) bénéficie d'une terrasse ombragée et d'une salle à manger joliment décorée. On y propose une table d'hôte inspirée de la cuisine française et offrant un bon rapport qualité/prix.

Manoir des Érables
$$$$
220 boul. Taché E.
☎418-248-0100 ou 800-563-0200

À la table du **Manoir des Érables** (voir p 249), le poisson et le gibier sont à l'honneur. L'oie, l'esturgeon, la lotte, l'agneau ou le faisan sont ici mijotés selon la pure tradition française. Servis dans la magnifique salle à manger de l'auberge, ces produits de la région sauront vous enchanter. En automne et en hiver, un feu de foyer réchauffe les convives. Il s'agit d'une des meilleures tables de la région.

Île aux Grues

Sur l'île aux Grues, vous pourrez vous restaurer au bon petit casse-croûte situé près du quai ou à la table de l'une des auberges de l'île. Du côté ouest, on trouve un grand bateau échoué dont la coque proclame: *Oh! que ma quille éclate Oh! que j'aille à la mer*. Depuis 1969, le **Bateau Ivre** (***$$**; mai à début sept; 118 ch. Basse-Ville, ☎418-248-0129*) restaure et divertit autant les insulaires que les visiteurs. On y sert une cuisine familiale honnête, et les soirées sont parfois animées par un petit orchestre. Le tout, à l'intérieur d'un bateau resté tel qu'il était lorsqu'il naviguait et qui offre, il va sans dire, une belle vue sur le fleuve!

L'Islet-sur-Mer

La Salicorne Café
$-$$
fermé lun
16 ch. des Pionniers
☎418-247-1244

Initiative locale en plein cœur du village, ce petit café propose un menu simple mais de bon goût. Tous les plats se composent de produits locaux, et le service est jeune et sympathique. De plus, une étonnante sélection de thés et d'épices est proposée du côté boutique. La salle à manger est conviviale et fait vieillotte avec ses murs de lattes peintes.

Saint-Eugène-de-l'Islet

Auberge des Glacis
$$$$
46 route de la Tortue
☎418-247-7486 ou 877-245-2247

À l'**Auberge des Glacis** (voir p 249), vous avez rendez-vous avec une fine cuisine française, agrémentée de délicieux produits du terroir de la région, qui risque bien de faire partie de vos meilleurs souvenirs gastronomiques! La salle à manger, aménagée dans un moulin historique, est lumineuse et agréable. Vous pourrez y déguster des plats de viande ou de poisson tout aussi beaux que bons. Le midi, on peut aussi prendre un repas plus léger sur la terrasse, au bord de la rivière. Brunch à volonté les samedis et dimanches.

Saint-Jean-Port-Joli

Boulangerie Sibuet
$
306 rue de l'Église
☎418-598-7890
Le propriétaire de cette jolie boulangerie aux couleurs chaudes vient d'une véritable famille française d'artisans-boulangers. C'est une chance pour Saint-Jean-Port-Joli qu'il y ait exporté son art du vrai bon pain. Or, on n'y sert pas que d'excellents pains et de succulentes viennoiseries: le midi, un choix de délicieux duos soupes-sandwichs aux portions généreuses est proposé. Une excellente adresse.

La Beauce

Saint-Georges

À l'**Auberge Benedict-Arnold** (voir p 249), les deux salles à manger affichent le même menu et proposent une bonne table d'hôte où figurent bœuf, volaille et poisson. La salle de l'**Érablière** *($$$; 18255 boul. Lacroix, ☎418-228-5558 ou 800-463-5057)* est agréable et plus sophistiquée, tandis qu'à l'**Entrecôte** *($$$)* on mange dans une salle aux murs de pierres et à l'ambiance bistro.

La Table du Père Nature
$$$
10735 1re Avenue
☎418-227-0888
La Table du Père Nature est certes l'un des meilleurs restaurants en ville. On y sert une cuisine française d'inspiration nouvelle, apprêtée avec art et raffinement. La simple lecture du menu saura vous mettre en appétit. On y propose à l'occasion des plats de gibier.

Sorties

Activités culturelles

Lévis

L'Anglicane
33 rue Wolfe
☎418-838-6000
www.diffusionculturelledelevis.ca
À Lévis, L'Anglicane est une salle de spectacle d'environ 200 places aménagée dans une ancienne église... anglicane. Datant de la fin du XIXe siècle, elle offre une acoustique particulièrement bonne qui donne aux concerts un côté intimiste des plus agréables. On y présente des artistes de tous milieux. Devant l'église, un arbre gigantesque pousse comme une fleur en éclosion, ajoutant au pittoresque de l'endroit!

Bars et boîtes de nuit

Montmagny

O' Pub du Doc
135 rue St-Jean-Baptiste E.
☎418-248-4088
O' Pub du Doc est un endroit sympathique où vous pourrez siroter une bière tranquillement en discutant entre amis. La terrasse, très achalandée en période estivale, est le rendez-vous de la jeunesse magnymontoise.

Saint-Jean-Port-Joli

Café La Coureuse des Grèves
300 route de l'Église
☎418-598-9111
À l'étage du Café La Coureuse des Grèves se trouve un petit bar sous les combles, au mobilier de cuir et de bois. On peut y profiter d'un joli «balcon-terrasse» entouré d'arbres.

Fêtes et festivals

Juillet

Chaque année, à la fin du mois de juillet, Saint-Jean-Port-Joli accueille un grand rassemblement de sculpteurs venus de partout dans le monde. L'**Internationale de la Sculpture de Saint-Jean-Port-Joli** *(☎418-598-7288, www.internationale-sculpture.com)* est un événement qui fait beaucoup de bruit et qui anime la ville de la plus belle des façons. Des artistes reconnus créent des œuvres sous vos yeux, dont certaines seront ensuite exposées tout l'été pour permettre à tous de les admirer.

Octobre

Chaque automne, les oies blanches quittent les régions nordiques où elles ont passé l'été et donné naissance à leur progéniture, pour se diriger vers le sud où les températures sont plus clémentes. En chemin, elles font halte sur les rives du fleuve Saint-Laurent, surtout à certains endroits leur offrant une nourriture abondante, comme les battures de Montmagny. C'est donc l'occasion pour la ville de célébrer le **Festival de l'oie blanche** *(deux semaines en octobre; ☎418-248-3954, www.festivaldeloie.qc.ca)* en offrant toutes sortes d'activités liées à l'observation de ce bel oiseau migrateur et de sa migration.

Achats

Art et artisanat

Saint-Jean-Port-Joli

Saint-Jean-Port-Joli étant reconnue pour son artisanat, de nombreuses petites boutiques proposent les produits des artisans de la région. Si fouiner

dans ce genre de commerce est une activité qui vous plaît, vous aurez certes ici de quoi vous amuser. On y trouve de plus quelques boutiques de brocanteurs où l'on peut dénicher des trésors. Vous verrez plusieurs de ces adresses le long de la route 132; en voici quelques-unes.

Entr'Art *(812 av. De Gaspé O., ☎ 418-598-9841, www.galerieentrart.com)*, qui sert à la fois de galerie et de boutique, dispose d'une bonne sélection de sculptures, de peintures et de vitraux.

Il ne faut pas hésiter à s'arrêter au bord de la route 132 entre L'Islet et Saint-Jean-Port-Joli pour aller voir la trentaine de très belles **Sculptures en Jardin** *(768 av. De Gaspé O., ☎ 418-598-6005)*. Galerie d'art en plein air aménagée par Roger-André Bourgault et Johanne de Kinder sur le bord du fleuve, ce jardin de sculptures est accessible toute l'année. En plus de l'atelier du sculpteur, la maison abrite aussi une boutique d'artisanat dont les produits ont été spécialement choisis par la patronne pour leur originalité. De juillet à septembre, ne manquez pas les *Nocturnes*.

Bas-Saint-Laurent, Gaspésie et Îles de la Madeleine

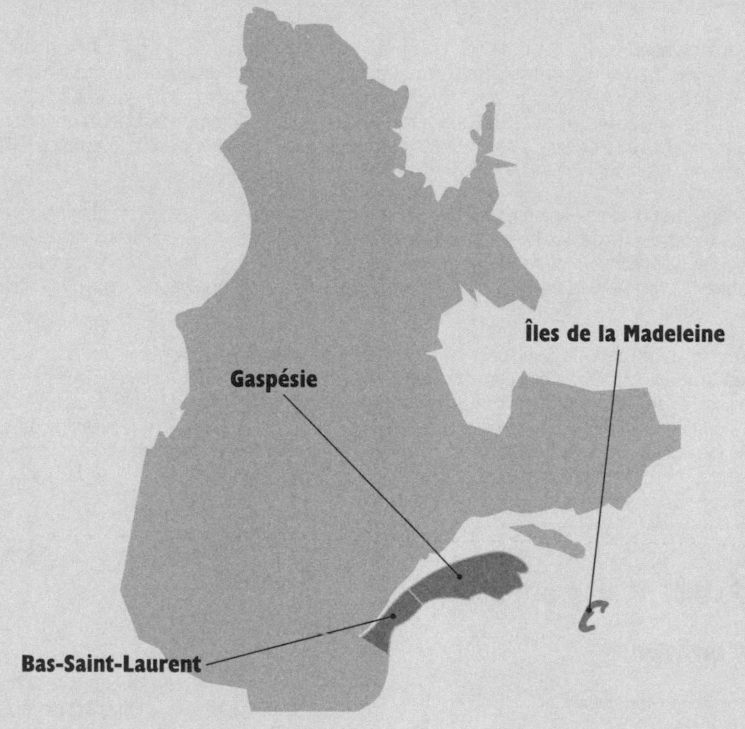

Très pittoresque, le Bas-Saint-Laurent s'étire le long du fleuve, depuis la petite ville de La Pocatière jusqu'à Sainte-Luce, et s'étend jusqu'aux frontières avec les États-Unis et le Nouveau-Brunswick. En plus de sa zone riveraine, aux terres très propices à l'agriculture, il comprend également une grande région agroforestière, aux paysages légèrement vallonnés et riches de nombreux lacs et cours d'eau.

Terre mythique à l'extrémité est du Québec, la Gaspésie fait partie des rêves de ceux qui caressent, souvent longtemps à l'avance, le projet d'en faire enfin le «tour». Ou encore de traverser ses splendides paysages côtiers, là où les monts Chic-Chocs plongent abruptement dans les eaux froides du fleuve Saint-Laurent; de se rendre, bien sûr, jusqu'au fameux rocher Percé; de prendre le large pour l'île Bonaventure et de visiter l'extraordinaire parc national Forillon; enfin de lentement revenir en longeant la baie des Chaleurs et en sillonnant l'arrière-pays par la vallée de la Matapédia.

Dans ce beau «coin» du Québec, aux paysages si pittoresques, des gens fascinants et accueillants tirent encore leur subsistance, en grande partie, des produits de la mer. La grande majorité des 95 000 Gaspésiens habitent de petits villages côtiers, laissant le centre de la péninsule recouvert d'une riche forêt boréale. Le plus haut sommet du Québec méridional, le mont Jacques-Carier, se trouve dans cette partie de la chaîne des Appalaches que l'on nomme «les monts Chic-Chocs».

Gaspé, mot d'origine amérindienne, est «le bout du monde» pour les Micmacs qui habitent ces terres depuis des millénaires. Malgré son isolement, la péninsule a su attirer au cours des siècles des pêcheurs de maintes origines, particulièrement des Acadiens, chassés de leurs terres par les Anglais en 1755. On y trouve maintenant une population à forte majorité de langue française.

Émergeant du golfe du Saint-Laurent à plus de 200 km des côtes de la péninsule gaspésienne, les îles de la Madeleine séduisent. Balayé par les vents du large, cet archipel d'une douzaine d'îles devient une destination coup de cœur pour tous les voyageurs qui le découvre. Ici, le blond des dunes et des longues plages sauvages se marie au rouge des falaises de grès et au bleu de la mer. Quelques jolies bourgades, aux maisons souvent peintes de vives couleurs, caractérisent le paysage madelinot. Comme vous le diront les Madelinots, *«Aux Îles, c'n'est pas pareil!»*. On ne repart pas des Îles indifférent. On y revient!

Accès et déplacements

■ En avion

Îles de la Madeleine

Air Canada Jazz
☎888-247-2262
www.aircanada.com

Pascan Aviation
☎888-313-8777
www.pascan.com

Ces deux compagnies proposent des vols quotidiens vers les Îles au départ de Québec ou de Montréal. La plupart des vols faisant escale à Québec ou à Gaspé selon le cas, il faut compter environ 4h pour le voyage.

■ En voiture

Bas-Saint-Laurent et Gaspésie

Pour accéder au Bas-Saint-Laurent et à la Gaspésie, quittez l'autoroute 20 et prenez la route 132 Est, qui, après avoir longé la rive sud du fleuve, fait le tour de la péninsule gaspésienne.

Îles de la Madeleine

Environ 1 420 km de route séparent Montréal de Souris (Île-du-Prince-Édouard), d'où le traversier mène à Cap-aux-Meules en 5h. Voici deux façons de se rendre à Souris:

1. La **route 185** dans le Bas-Saint-Laurent (à partir de Rivière-du-Loup) est la plus rapide: à partir de Rivière-du-Loup, il faut prendre la route 185 vers Dégelis, qui devient l'autoroute 2 (Transcanadienne Est) au Nouveau-Brunswick. On passe par Edmundston, Fredericton puis Moncton, d'où l'on prend l'autoroute 15 jusqu'à

Shediac et, plus loin, la route 16 qui mène au pont de la Confédération.

2. La **route 132** à travers la vallée de la Matapédia (Gaspésie) est la plus jolie: de Rivière-du-Loup, il faut prendre la route 132 jusqu'à Pointe-à-la-Croix. Après avoir traversé le pont de Pointe-à-la-Croix, on se retrouve sur la route 11, au Nouveau-Brunswick. On la suit de Campbellton jusqu'à Bathurst, puis on prend la route 8 jusqu'à Miramichi, de nouveau la route 11 jusqu'à Shediac, et enfin les routes 15 et 16 vers le pont de la Confédération.

Ces parcours mènent tous deux au bout de la route 16, où se trouve le **pont de la Confédération** *(voiture 41,50$ aller-retour, payable au retour; il est interdit aux piétons et aux cyclistes d'y circuler, mais un service de navette est offert)*, qui conduit à l'Île-du-Prince-Édouard. Pour atteindre Souris, d'où le traversier N.M. *Madeleine* part vers les Îles (voir p 256), il faut alors suivre la route 1 de Borden à Charlottetown, puis la route 2.

■ En autocar (gares routières)

Bas-Saint-Laurent

Rivière-du-Loup
Station-service Pétro-Canada
83 boul. Cartier
☎418-862-4884

Rimouski
Terminus Orléans Express
90 rue Léonidas
☎418-723-4923

Gaspésie

Matane
Station-service Irving
521 av. du Phare E.
☎418-562-4085

Sainte-Anne-des-Monts
Station-service Pétro-Canada
90 boul. Ste-Anne
☎418-763-9176

Gaspé
Motel Adams
20 rue Adams
☎418-368-1888

L'Anse-à-Beaufils
Station-service Ultramar
896 route 132
☎418-782-5417

Bonaventure
Station-service Ultramar
127 route 132
☎418-534-2777

Carleton-sur-Mer
Restaurant Le Héron
561 boul. Perron
☎418-364-7000

Amqui
Station-service Shell
219 boul. St-Benoît E.
☎418-629-6767

■ En train (gares ferroviaires)

Bas-Saint-Laurent

Rivière-du-Loup
615 rue Lafontaine
☎418-867-1525 ou 888-842-7245

Rimouski
57 de l'Évêché E.
☎418-722-4737 ou 888-842-7245

Trois-Pistoles
231 rue de la Gare
☎418-851-2881 ou 888-842-7245

Gaspésie

Gaspé
8 boul. Marina
☎418-368-4313 ou 888-842-7245

Percé
44 rue de L'Anse-à-Beaufils
☎418 782-2747 ou 888-842-7245

Bonaventure
rue de la Gare, près de l'av. Grand-Pré
☎418-534-3517 ou 888-842-7245

Carleton-sur-Mer
rue de la Gare
☎418-364-7734 ou 888-842-7245

Matapédia
10 rue MacDonnell
☎418-865-2327 ou 888-842-7245

■ En traversier

Bas-Saint-Laurent

Rivière-du-Loup à Saint-Siméon
adultes 14,50$, vélos 5,40$, voitures 36,60$
toute l'année
durée: 1h
☎418-862-5094 (de Rivière-du-Loup ou de Saint-Siméon)
☎514-989-4425 (de Montréal)
www.travrdlstsim.com

Le traversier relie Rivière-du-Loup à Saint-Siméon, dans la région de Charlevoix.

L'Isle-Verte à Notre-Dame-des-Sept-Douleurs
adultes 6$, vélos 7$, voitures 41$
mai à nov
durée: 30 min
☎418-898-2843
www.inter-rives.qc.ca
Le traversier *La Richardière* quitte la municipalité de L'Isle-Verte, sur la rive du Saint-Laurent, pour se rendre à Notre-Dame-des-Sept-Douleurs, sur l'île Verte. Si vous n'avez pas de voiture, vous pouvez vous embarquer sur un bateau-taxi *(6-8; ☎418-898-2199)*.

Gaspésie

Baie-Comeau à Matane
adultes 13,45$, voitures 39,45$, motos 23,65$
durée: 2h20
☎418-562-2500 ou 877-562-6560
www.traversiers.gouv.qc.ca
L'horaire des traversiers varie d'une année à l'autre; renseignez-vous avant de planifier un voyage. Réservez à l'avance en saison estivale.

Godbout à Matane
adultes 13,45$, voitures 39,45$, motos 23,65$
durée: 2h10
☎418-562-2500 ou 877-562-6560
www.traversiers.gouv.qc.ca
Réservez à l'avance en saison estivale.

Îles de la Madeleine

C'est le groupe CTMA qui assure la liaison entre Souris et les Îles de la Madeleine. Il est en tout temps fortement conseillé de réserver, surtout en haute saison (début juillet à fin août). Sinon, mieux vaut arriver au quai plusieurs heures avant le départ.

Traversier N.M. *Madeleine*
43,25$/personne, plus 80,50$/voiture, 28$/moto et 10,25$/vélo
1er avr au 31 jan
☎418-986-3278 ou 888-986-3278
www.ctma.ca

■ En bateau

Îles de la Madeleine

CTMA Vacancier
☎418-986-3278 ou 888-986-3278
www.ctma.ca
CTMA Vacancier propose une croisière thématique hebdomadaire au départ de Montréal. Les tarifs varient selon le forfait choisi (type de cabine, avec ou sans salle de bain, etc.).

Renseignements utiles

■ Renseignements touristiques

Bas-Saint-Laurent

Tourisme Bas-Saint-Laurent
148 rue Fraser
Rivière-du-Loup, QC G5R 1C8
☎418-867-1272 ou 800-563-5268
www.tourismebas-st-laurent.com

Tourisme Rivière-du-Loup
189 rue Hôtel-de-Ville
☎418-862-1981 ou 888-825-1981
www.tourismeriviereduloup.ca

Corporation de Développement Touristique Bic/Saint-Fabien
33 route 132 O.
Saint-Fabien
☎418-869-3333
www.parcdubic.com

Tourisme Rimouski
50 rue St-Germain O.
☎418-723-2322 ou 800-746-6875
www.tourisme-rimouski.org

Gaspésie

Tourisme Gaspésie
357 route de la Mer
Sainte-Flavie, QC G0J 2L0
☎418-775-2223 ou 800-463-0323
www.tourisme-gaspesie.com

Matane
968 av. du Phare O.
☎418-562-1065
www.ville.matane.qc.ca

Gaspé
27 boul. York E.
☎418-368-6335
www.tourismegaspe.org

Percé
142 route 132 O.
☎418-782-5448
www.perce.info

Îles de la Madeleine

Tourisme Îles de la Madeleine
fin juin à fin août tlj 7h à 21h, sept tlj 9h à 20h, reste de l'année tlj 9h à 17h
128 ch. Principal
Cap-aux-Meules, QC G4T 1C5
☎418-986-2245 ou 877-624-4437
www.tourismeilesdelamadeleine.com

Attraits touristiques

Bas-Saint-Laurent ★★

p 268 p 272 p 275 p 275

Kamouraska ★★

Le 31 janvier 1839, le jeune seigneur de Kamouraska, Achille Taché, est assassiné par un «ami», le docteur Holmes de Sorel. L'épouse du seigneur, Joséphine-Éléonore d'Estimauville, avait comploté avec son amant médecin afin de supprimer un mari devenu gênant, pour ensuite s'enfuir vers de lointaines contrées. Ce fait divers a inspiré Anne Hébert pour son roman *Kamouraska*, porté à l'écran par Claude Jutra.

Le village où s'est déroulé le drame qui devait le rendre célèbre fut pendant longtemps le poste le plus avancé de la Côte-du-Sud. Son nom d'origine algonquine, qui signifie «il y a des joncs au bord de l'eau», est depuis toujours associé au pittoresque de la campagne québécoise. À l'arrivée, une plaine côtière sert de préambule au spectacle étonnant de l'agglomération, répartie sur une série de monticules rocailleux (monadnocks), témoins de la force des formations géologiques dans la région.

Rivière-du-Loup ★ (18 900 hab.)

On la dirait voguant sur une mer déchaînée, tant sa topographie de collines disposées à intervalles réguliers, de part et d'autre de l'embouchure de la rivière du Loup, fait valser ses habitants de bas en haut et de haut en bas.

Le **manoir Seigneurial Fraser** ★ *(5$; mi-juin à mi-oct tlj 10h à 17h; 32 rue Fraser, ☎418-867-3906, www.manoirfraser.com)*, érigé en 1830 pour Timothy Donohue, est devenu la résidence seigneuriale de la famille Fraser à partir de 1835. Restauré avec l'aide de la population locale, le manoir offre aujourd'hui, en plus des visites commentées, une projection vidéo sur l'histoire du lieu, une boutique, un salon de thé et de beaux jardins.

L'**église Saint-Patrice** ★ *(121 rue Lafontaine)* fut reconstruite en 1883 sur le site de l'église de 1855. L'intérieur recèle quelques trésors qui méritent une visite, notamment un chemin de croix de Charles Huot, des verrières de la compagnie Castle (1901) et des statues de Louis Jobin. La rue de la Cour, en face de l'église, mène au **palais de justice** *(33 rue de la Cour)*, érigé en 1882. Plusieurs juges et avocats se sont fait construire de belles maisons le long des rues ombragées du voisinage.

Le **Musée du Bas-Saint-Laurent** ★ *(5$; mi-juin à sept tlj 9h à 18h, sept à mi-oct tlj 9h à 17h, nov à mai mer-dim 13h à 17h; 300 rue St-Pierre, ☎418-862-7547, www.mbsl.qc.ca)* présente des expositions d'art contemporain (œuvres de Riopelle, Lemieux, Tousignant, Gauvreau, etc.) très intéressantes, de même que des collections d'objets usuels, semblables à celles des musées de La Pocatière et de Kamouraska. Le bâtiment qui abrite le musée est lui-même une réalisation d'architecture moderne «brutaliste» en béton.

L'Isle-Verte ★

Le village de l'Isle-Verte a conservé plusieurs témoins de son passé glorieux, alors qu'il était un centre de services important pour le Bas-Saint-Laurent. Le calme des environs reflète, quant à lui, un mode de vie ancestral, rythmé par les marées.

L'**île Verte** ★★ *(15$ pour l'accès au phare, à l'école et au Musée du squelette, ne comprend pas le transport sur l'île; fin juin à mi-sept tlj 9h à 12h et 13h à 17h, hors saison sur réservation; route du Phare, ☎418-898-2730, www.ileverte.net)*. La quarantaine d'habitants que compte cette île, pourtant longue de 12 km, vivent pour la plupart dans la petite municipalité de Notre-Dame-des-Sept-Douleurs. L'isolement et les vents qui la balaient constamment ont eu raison de plus d'un colon. Cependant, l'île fut abordée très tôt, d'abord par les pêcheurs basques (l'île aux Basques se trouve à proximité), puis par les missionnaires français, qui fraternisèrent avec les Malécites, lesquels s'y rendaient chaque année pour commercer et pêcher.

Vers 1920, l'île a connu un boom économique grâce à la récolte du «foin de mer», sorte de mousse marine que l'on faisait sécher pour ensuite s'en servir comme matériel de rembourrage de matelas et de sièges de voitures.

La faune et la flore de l'île attirent de nos jours les visiteurs de partout, qui peuvent alors observer le salage de l'esturgeon et du hareng dans de petits fumoirs, goûter l'agneau des prés salés, observer les bélugas blancs et les baleines bleues, et photographier les sauvagines, les canards noirs ou les hérons. Le **phare** (1809), situé sur la pointe est de l'île, est le plus ancien du fleuve Saint-Laurent. De 1827 à 1964, sa garde fut assurée pendant 137 ans par quatre générations de la famille Lindsay. De son sommet, on ressent une impression d'espace infini.

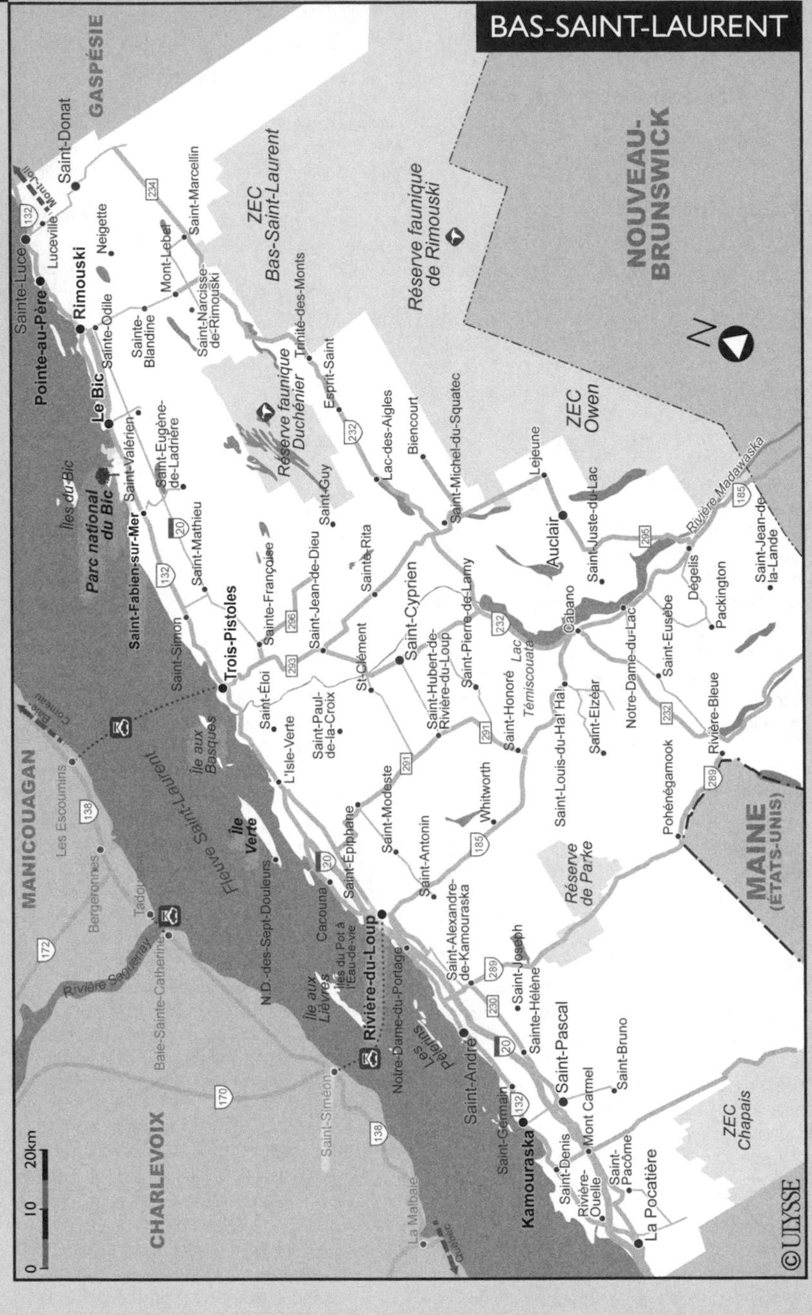
BAS-SAINT-LAURENT
GASPÉSIE
NOUVEAU-BRUNSWICK
MAINE (ÉTATS-UNIS)
MANICOUAGAN
CHARLEVOIX
ZEC Bas-Saint-Laurent
Réserve faunique de Rimouski
Réserve faunique Duchénier
ZEC Owen
Réserve de Parke
ZEC Chapais
Parc national du Bic
Îles du Bic
Île aux Basques
Île Verte
Île aux Lièvres
Îles du Pot à l'Eau-de-vie
Les Pèlerins
Fleuve Saint-Laurent
Rivière Saguenay
Rivière Madawaska
Lac Témiscouata
Mont-Joli
Saint-Donat
Luceville
Sainte-Luce
Pointe-au-Père
Rimouski
Neigette
Saint-Marcellin
Mont-Lebel
Saint-Narcisse-de-Rimouski
Sainte-Odile
Sainte-Blandine
Le Bic
Saint-Valérien
Saint-Eugène-de-Ladrière
Trinité-des-Monts
Esprit-Saint
Lac-des-Aigles
Biencourt
Saint-Michel-du-Squatec
Lejeune
Saint-Guy
Saint-Fabien-sur-Mer
Saint-Mathieu
Saint-Simon
Trois-Pistoles
Sainte-Françoise
Saint-Jean-de-Dieu
Sainte-Rita
Saint-Cyprien
Saint-Pierre-de-Lamy
Auclair
Saint-Juste-du-Lac
Cabano
Notre-Dame-du-Lac
Saint-Eusèbe
Dégelis
Packington
Saint-Jean-de-la-Lande
Saint-Éloi
Saint-Paul-de-la-Croix
St-Clément
Saint-Hubert-de-Rivière-du-Loup
Saint-Honoré
Saint-Louis-du-Ha! Ha!
Saint-Elzéar
Rivière-Bleue
Pohénégamook
L'Isle-Verte
Saint-Épiphane
Saint-Modeste
Whitworth
Saint-Antonin
Saint-Alexandre-de-Kamouraska
N.D.-des-Sept-Douleurs
Cacouna
Rivière-du-Loup
Notre-Dame-du-Portage
Saint-Joseph
Sainte-Hélène
Saint-André
Saint-Pascal
Saint-Bruno
Saint-Germain
Mont Carmel
Kamouraska
Saint-Denis
Saint-Pacôme
Rivière-Ouelle
La Pocatière
Les Escoumins
Bergeronnes
Tadoussac
Baie-Sainte-Catherine
Saint-Siméon
La Malbaie
Baie-Comeau
Québec
132
234
232
20
296
293
291
185
295
289
230
138
172
170
N
0
10
20km
© ULYSSE

Trois-Pistoles

On raconte qu'un marin français, de passage dans la région au XVIIe siècle, échappa son gobelet d'argent, d'une valeur de trois pistoles, dans la rivière toute proche, donnant du coup un nom très pittoresque à celle-ci et, plus tard, à cette petite ville industrielle du Bas-Saint-Laurent dominée par une église colossale.

La taille et l'opulence de l'**église Notre-Dame-des-Neiges** ★★ *(fin juin à début sept tlj; 30 rue Notre-Dame E., ☎418-851-4949)*, coiffée de trois clochers recouverts de tôle argentée, sont plutôt impressionnantes pour une église paroissiale.

Des excursions à l'**île aux Basques** ★★ *(consultez le site Internet pour de l'information sur les tarifs et les activités courantes; sur réservation seulement; marina de Trois-Pistoles, ☎418-851-1202, www.provancher.qc.ca)* sont proposées par la Société Provancher d'histoire naturelle du Canada, qui assure la sauvegarde de cette réserve ornithologique. Les amateurs de faune ailée y trouveront leur compte, tout comme les fervents d'archéologie, puisqu'on a découvert les installations des pêcheurs basques qui venaient ici chaque année pour la chasse à la baleine bien avant que Jacques Cartier n'y mette les pieds. Des vestiges des fours, destinés à faire fondre la graisse de baleine, sont d'ailleurs visibles sur la grève. On peut y pratiquer la randonnée pédestre sur des sentiers avec points d'observation.

Saint-Fabien-sur-Mer et Le Bic ★★

Le paysage devient tout à coup plus tourmenté et plus rude, donnant au visiteur un avant-goût de la Gaspésie, plus à l'est. À Saint-Fabien-sur-Mer, les cottages forment une bande étroite coincée entre la plage et une falaise haute de 200 m.

Au village de Saint-Fabien, situé à l'intérieur des terres, on peut voir une grange octogonale érigée vers 1888 et déclarée monument historique en 2006. Ce type de bâtiment de ferme importé des États-Unis, relativement peu pratique quoique original, n'a connu qu'une diffusion limitée au Québec.

Le **parc national du Bic** ★★ *(3,50$; fermé aux voitures en hiver; Le Bic, ☎418-736-5035 ou 800-665-6527, www.sepaq.com ou www.parcdubic.com)* couvre 33 km² et se compose d'un enchevêtrement d'anses, de presqu'îles, de promontoires, de collines, d'escarpements et de marais, ainsi que de baies profondes dissimulant tous une faune et une flore des plus diversifiées. Ce parc côtier se prête bien à la randonnée pédestre (26 km de sentiers), au ski de fond de même qu'au vélo de montagne et dispose d'un centre d'interprétation *(juin à mi-oct tlj 9h à 17h)*.

Rimouski ★ (42 650 hab.)

Le développement de la seigneurie de Rimouski (mot d'origine micmaque qui signifie «le pays de l'orignal») fut laborieusement entrepris par le marchand René Lepage, originaire d'Auxerre en France, dès la fin du XVIIe siècle, constituant de la sorte le point le plus avancé de la colonisation dans le golfe du Saint-Laurent sous le Régime français.

En 1919, la ville devient un important centre de transformation du bois grâce à l'ouverture d'une usine de la compagnie Price. Aujourd'hui, Rimouski est considérée comme le centre administratif de l'Est du Québec et se targue d'être à la fine pointe de la culture et des arts.

Le **canyon des Portes de l'Enfer** ★★ *(7,50$; fin juin à début sept tlj 8h30 à 18h30; mi-mai à fin juin et début sept à mi-oct tlj 9h à 17h; 1280 ch. Duchénier, St-Narcisse-de-Rimouski, faites 5,6 km sur une route de terre, ☎418-735-6063, www.canyonportesenfer.qc.ca)* offre un spectacle naturel fascinant. Amorcées par la chute Grand Saut (18 m), les Portes s'étendent sur près de 5 km et encaissent la rivière Rimouski avec des falaises atteignant parfois une hauteur de 90 m. Location de bicyclettes.

Pointe-au-Père

C'est en face de Pointe-au-Père, dans la nuit du 23 mai 1914, que l'*Empress of Ireland* fit naufrage, faisant 1 012 victimes. Ce paquebot de la Canadien Pacifique assurait la liaison entre la ville de Québec et l'Angleterre. Sur la vieille route en bord de mer, on retrouve le **monument à l'*Empress of Ireland***, qui marque le lieu de sépulture de quelques-unes des nombreuses victimes. La tragédie fut causée par les brumes épaisses qui recouvrent parfois le fleuve et qui provoquèrent la collision fatale entre le paquebot et un charbonnier.

Le **Site historique maritime de la Pointe-au-Père** comprend le **Musée de la Mer** et le **Lieu historique national du Phare-de-Pointe-au-Père** ★★ *(11$; début juin à fin août 9h à 18h, début sept à mi-oct 9h à 17h; hors saison sur réservation; 1034 rue du Phare O., ☎418-724-6214, www.shmp.qc.ca)*. Le Musée de la Mer présente une belle collection d'objets récupérés dans l'épave de l'*Empress of Ireland* et raconte la tragédie de manière détaillée. Une projection holographique y est aussi proposée, recréant ainsi la tragédie du naufrage. Le phare, situé à proximité, peut être visité. Un sous-marin canadien, l'*Onondaga*, est exposé sur le site. On présente la vie à bord de ce type de navire très particulier, mais aussi on explique les différentes technologies, tant au niveau de la propulsion que des instruments de navigation et de la sécurité.

Activités de plein air

■ Croisières et observation des baleines

Diverses croisières et excursions sont organisées par la société **Duvetnor** *(début juin à mi-sept tlj; 200 rue Hayward, Rivière-du-Loup, réservations, ☎ 418-867-1660, www.duvetnor.com)*. Vous pourrez visiter les îles du Bas-Saint-Laurent et voir des guillemots à miroir, des eiders à duvet et de petits pingouins. Les départs se font à la marina de Rivière-du-Loup. Les excursions durent de 1h30 à 4h selon la destination choisie et peuvent même s'étendre sur plusieurs jours pour les plus passionnés. Vous pouvez séjourner au **Phare du Pot à l'Eau-de-Vie** (voir p 269), en plein milieu du fleuve Saint-Laurent.

Les **Croisières AML** *(60$; mi-juin à mi-oct 9h à 13h, jusqu'à 15h30 en haute saison; sortie 507 de l'autoroute 20, 200 rue Hayward, Rivière-du-Loup, réservations ☎ 800-563-4643, www.croisieresaml.com)* vous emmènent voir les bélugas à bord du *Cavalier des Mers*. Vous découvrirez le béluga, le petit rorqual et peut-être même la baleine bleue. N'oubliez pas d'apporter des vêtements chauds. La croisière dure environ 3h30.

Aquatour *(35$ pour la croisière d'interprétation; mi-mai à mi-oct, tlj selon les marées; route 132, St-Fabien-sur-Mer, ☎ 418-732-1898, www.aquatour.ca)* vous fait découvrir le panorama grandiose de la région de Saint-Fabien et du parc national du Bic, en canot pneumatique ou en kayak. Les guides-interprètes sauront vous intéresser aux mammifères et aux oiseaux marins. Le capitaine, pour sa part, vous parlera des épaves, des sites géographiques et de leurs légendes.

■ Vélo

Le **parc national du Bic** *(route 132, à 21 km à l'ouest du centre-ville de Rimouski, Le Bic, ☎ 418-736-5035)* est sans contredit le plus bel endroit de la région pour faire du vélo de montagne. Vous y trouverez 15 km de sentiers aménagés. Malheureusement, il n'est pas possible de gravir le pic Champlain à vélo. Vous pouvez cependant vous rendre jusqu'au sommet du pic à pied afin de contempler le coucher du soleil.

Gaspésie ★★

p 269 p 273 p 275 p 276

Grand-Métis ★

Grand-Métis bénéficie d'un microclimat qui attirait autrefois les estivants fortunés. L'horticultrice Elsie Reford a ainsi pu y créer un jardin à l'anglaise où poussent plusieurs espèces d'arbres et de fleurs, introuvables ailleurs à cette latitude en Amérique, et qui constitue de nos jours le principal attrait de la région. Les Malécites ont baptisé l'endroit *Mitis*, qui signifie «petit peuplier», appellation qui s'est transformée en «Métis» avec les années.

Les **Jardins de Métis** ★★★ *(16$; début juil à fin août tlj 8h30 à 18h30, juin, sept et oct tlj 8h30 à 17h; 200 route 132, ☎ 418-775-2222, www.jardinsmetis.com)* font partie des plus beaux jardins du Québec, et leur nom a fait le tour du monde. Il s'agit aussi d'un lieu historique national. En 1927, Elsie Stephen Meighen Reford entreprend de créer un jardin à l'anglaise sur son domaine, qu'elle entretiendra et augmentera jusqu'à sa mort, en 1954. Sept ans plus tard, le gouvernement du Québec se porte acquéreur du domaine et l'aménage pour l'ouvrir au public. Les Jardins de Métis ont été rachetés par le petit-fils de la fondatrice, Alexander Reford, qui leur a inculqué une énergie nouvelle grâce à des réalisations remarquables telles que le **Festival international de jardins** (voir p 275).

Les jardins sont divisés en plusieurs ensembles ornementaux distincts. On peut y voir aussi les réalisations du festival annuel et des œuvres d'art contemporaines. N'oubliez pas votre insectifuge car les moustiques sont plutôt voraces ici!

La **Villa Estevan** ★★ *(mi-juin à mi-oct tlj 9h à 17h; à l'intérieur des Jardins de Métis, ☎ 418-775-3165, www.jardinsmetis.com)* est une villa qui se dresse au milieu des Jardins de Métis. À l'étage, on y présente l'exposition permanente *La Villa Estevan: au coeur de la villégiature*, qui dresse un portrait de la vie d'Elsie et Robert Wilson Reford, horticulteurs, photographes et pêcheurs passionnés. On peut aussi s'y restaurer ou faire des achats à la boutique d'artisanat.

Matane (14 800 hab.)

Le principal attrait de Matane, mot d'origine micmaque qui signifie «vivier de castors», est sa gastronomie, fondée sur le saumon et sur les fameuses crevettes de Matane. La ville est le centre administratif de la région et son principal moteur économique grâce à la présence d'une

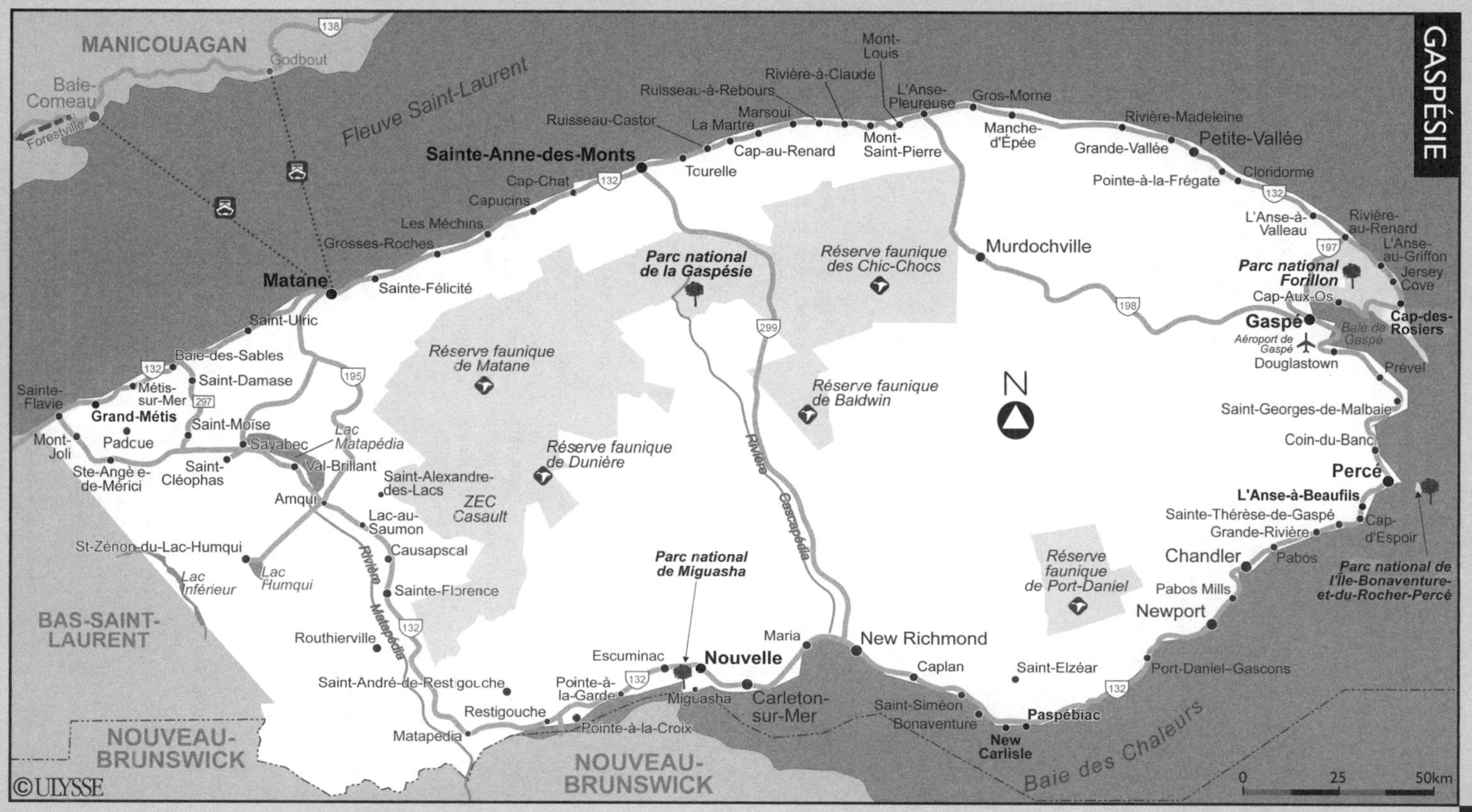
GASPÉSIE
N
0
25
50km
Fleuve Saint-Laurent
Baie des Chaleurs
MANICOUAGAN
BAS-SAINT-LAURENT
NOUVEAU-BRUNSWICK
NOUVEAU-BRUNSWICK
Baie-Comeau
Forestville
Godbout
Matane
Sainte-Flavie
Mont-Joli
Grand-Métis
Métis-sur-Mer
Baie-des-Sables
Saint-Ulric
Padoue
Ste-Angèle-de-Mérici
Saint-Damase
Saint-Moïse
Saint-Cléophas
Sayabec
Val-Brillant
Lac Matapédia
Amqui
Lac Humqui
Lac Inférieur
St-Zénon-du-Lac-Humqui
Lac-au-Saumon
Saint-Alexandre-des-Lacs
Causapscal
Sainte-Florence
Rivière Matapédia
Routhierville
Saint-André-de-Restigouche
Matapédia
Restigouche
Pointe-à-la-Garde
Pointe-à-la-Croix
Escuminac
Miguasha
Parc national de Miguasha
Nouvelle
Carleton-sur-Mer
Maria
New Richmond
Caplan
Saint-Siméon
Bonaventure
New Carlisle
Paspébiac
Saint-Elzéar
Port-Daniel–Gascons
Newport
Pabos Mills
Chandler
Pabos
Grande-Rivière
Sainte-Thérèse-de-Gaspé
L'Anse-à-Beaufils
Cap-d'Espoir
Percé
Parc national de l'Île-Bonaventure-et-du-Rocher-Percé
Coin-du-Banc
Saint-Georges-de-Malbaie
Prével
Douglastown
Aéroport de Gaspé
Gaspé
Baie de Gaspé
Cap-Aux-Os
Parc national Forillon
Cap-des-Rosiers
Jersey Cove
L'Anse-au-Griffon
Rivière-au-Renard
L'Anse-à-Valleau
Cloridorme
Petite-Vallée
Pointe-à-la-Frégate
Rivière-Madeleine
Grande-Vallée
Murdochville
Manche-d'Épée
Gros-Morne
L'Anse-Pleureuse
Mont-Louis
Mont-Saint-Pierre
Rivière-à-Claude
Cap-au-Renard
Marsoui
Ruisseau-à-Rebours
La Martre
Tourelle
Ruisseau-Castor
Sainte-Anne-des-Monts
Cap-Chat
Capucins
Les Méchins
Grosses-Roches
Sainte-Félicité
Réserve faunique des Chic-Chocs
Réserve faunique de Baldwin
Réserve faunique de Port-Daniel
Parc national de la Gaspésie
Rivière Cascapédia
Réserve faunique de Dunière
Réserve faunique de Matane
ZEC Casault
132
195
197
198
297
299
138
©ULYSSE

industrie diversifiée, axée à la fois sur la pêche, l'exploitation forestière, les cimenteries et le transport maritime. Les sous-marins allemands se rendirent jusqu'aux abords du quai de Matane pendant la Seconde Guerre mondiale.

Sainte-Anne-des-Monts ★

Une excursion qui vaut le détour conduit au cœur de la péninsule gaspésienne. À Sainte-Anne-des-Monts, empruntez la route 299, qui mène à l'entrée du **parc national de la Gaspésie** ★★★ *(3,50$; 1981 route du Parc, ☎418-763-7494 ou 800-665-6527, www.sepaq.com)*. Couvrant 800 km² et abritant une partie des célèbres monts Chic-Chocs, il fut créé en 1937 afin de sensibiliser les gens à la sauvegarde du territoire naturel gaspésien. Le parc est constitué de zones de préservation réservées à la protection des éléments naturels de la région et de la zone d'ambiance, formée d'un réseau de routes, de sentiers ainsi que de lieux d'hébergement. Les monts Chic-Chocs s'étendent sur plus de 90 km depuis Matane jusqu'au mont Albert. Les monts McGerrigle se dressent perpendiculairement aux Chic-Chocs et couvrent plus de 100 km². Les sentiers traversent trois paysages étagés en se rendant jusqu'aux sommets des quatre plus hauts monts de l'endroit, le **mont Jacques-Cartier**, le **mont Richardson**, le **mont Xalibu** et le **mont Albert**. C'est le seul endroit au Québec où l'on retrouve à la fois des cerfs de Virginie (dans la riche végétation de la première strate), des orignaux (dans la forêt boréale) et des caribous (dans la toundra, sur les sommets). Les amateurs de randonnée doivent s'enregistrer avant le départ.

Au centre du parc se trouve le **Gîte du Mont-Albert** (voir p 270). Il n'a de gîte que le nom, puisqu'il s'agit en fait d'une auberge très confortable réputée pour sa table, son architecture de bois délicate inspirée du Régime français et ses panoramas saisissants.

Cap-des-Rosiers ★

Le thème du **parc national du Canada Forillon** ★★★ *(7,80$; toute l'année, tlj; 122 boul. Gaspé, ☎418-368-5505 ou 888-773-8888, www.pc.gc.ca)* est «l'harmonie entre l'homme, la terre et la mer». La succession de forêts et de montagnes, sillonnées de sentiers et bordées de falaises le long du littoral, fait rêver plus d'un amateur de plein air. Le parc abrite une faune assez diversifiée: renards, ours, orignaux, porcs-épics ainsi que d'autres mammifères y sont représentés en grand nombre. Plus de 200 espèces d'oiseaux y sont répertoriées, notamment le goéland argenté, le cormoran, le pinson, l'alouette et le fou de Bassan. À partir des sentiers du littoral, on peut apercevoir, selon les saisons, des baleines et des phoques. Il dissimule aussi différentes plantes rares qui aident à comprendre le passé du sol dans lequel elles poussent. On y retrouve donc non seulement des éléments naturels mais aussi des rappels de l'activité humaine. Dans ce vaste périmètre de 245 km² se trouvaient autrefois quatre hameaux, dont les quelque 200 familles furent déplacées lors de la création de ce parc fédéral en 1970. Cette expropriation ne s'est d'ailleurs pas faite sans heurt. Les bâtiments les plus intéressants sur le plan ethnographique furent conservés et restaurés: une dizaine de **maisons de Grande-Grave**, le **phare de Cap-Gaspé**, l'ancienne **église protestante de Petit-Gaspé** et le **fort Péninsule**, partie du système défensif mis en place lors de la Seconde Guerre mondiale pour protéger le Canada contre les incursions des sous-marins allemands.

Gaspé ★ (14 750 hab.)

C'est ici que, le 24 juillet 1534, Jacques Cartier prend possession du Canada au nom du roi de France, François Ier. Il faut cependant attendre le début du XVIIIe siècle avant que ne soit implanté le premier poste de pêche à Gaspé, et la fin du même siècle pour voir apparaître un véritable village à cet endroit. Tout au long du XIXe siècle, Gaspé vit au rythme des grandes entreprises de pêche des marchands jersiais, qui règlent la vie d'une population de pêcheurs canadiens-français et acadiens démunie et peu éduquée. Au cours de la Seconde Guerre mondiale, Gaspé s'est préparée à devenir la base principale de la Royal Navy, en cas d'invasion de la Grande-Bretagne par les Allemands, ce qui explique la présence des quelques infrastructures militaires imposantes aménagées à cette fin sur le pourtour de la baie. La ville de Gaspé forme un long et étroit ruban qui épouse les contours de la baie du même nom.

Le **Musée de la Gaspésie** ★★ *(7$; début juin à fin oct lun-ven 8h30 à 12h, 13h à 16h30, début nov à mai lun-ven 8h30 à 12h, 13h à 16h30; 80 boul. Gaspé, ☎418-368-1534, www.museedelagaspesie.ca)* fut érigé en 1977, à l'initiative de la société historique locale, sur la pointe Jacques-Cartier dominant la baie de Gaspé. Il s'agit d'un musée d'histoire et de traditions populaires où l'on présente une exposition permanente sur la Gaspésie. Au moment de mettre sous presse, le musée subissait une cure de rajeunissement et d'importants travaux d'agrandissement. Réouverture prévue pour juin 2009. Consultez le site Internet du musée pour de plus amples renseignements.

Le **Site d'interprétation de la culture micmac de Gespeg** ★ *(8$; juin à sept tlj 9h à 17h; 783 boul. Pointe-Navarre, ☎418-368-7568 ou 866-870-6005)* retrace les origines et les différents outils et habitats de la nation micmaque. Un petit musée est proposé, mais ce qui retient surtout l'attention est le site extérieur, beaucoup plus intéressant car il permet d'être témoin du savoir-faire des Autochtones dans la fabrication des différents outils de piégeage d'animaux et de préparation de la nourriture, en plus de voir de véritables huttes amérindiennes.

Percé ★★

Célèbre centre de tourisme depuis les années 1930, Percé occupe un site admirable, malheureusement quelque peu altéré par une industrie hôtelière débridée. Le décor naturel grandiose présente plusieurs phénomènes naturels différents dans un périmètre restreint, le principal étant le célèbre rocher Percé, qui est au Québec ce que le Pain de Sucre de Rio est au Brésil. Depuis le début du XXe siècle, les artistes, charmés par la beauté des paysages et par le pittoresque de la population, viennent nombreux à Percé chaque été.

En arrivant à Percé, l'œil est attiré par le **rocher Percé** ★★★, véritable muraille longue de 400 m et haute de 88 m à sa pointe extrême. Son nom lui vient des ouvertures arrondies, entièrement naturelles, à la base de la paroi. Une seule des deux ouvertures subsiste depuis l'effondrement de la partie est du rocher au milieu du XIXe siècle. Le rocher est aujourd'hui protégé par le parc national de l'Île-Bonaventure-et-du-Rocher-Percé (voir ci-dessous).

Également protégée par le **parc national de l'Île-Bonaventure-et-du-Rocher-Percé** ★★ *(3,50$ transport vers l'île Bonaventure non inclus; début juin à mi-oct 9h à 17h; 4 rue du Quai, ☎418-782-2240 ou 800-665-6527, www.sepaq.com)*, l'**île Bonaventure** abrite d'importantes colonies d'oiseaux (plus de 250 000 oiseaux marins dont quelque 80 000 fous de Bassan) et renferme des maisons rustiques le long de ses nombreux sentiers de randonnée.

Sur le quai de Percé, plusieurs bateliers proposent de vous emmener jusqu'à l'île Bonaventure. Les départs se font fréquemment de 8h à 17h en haute saison. La traversée comporte souvent une courte excursion autour de l'île et du Rocher pour vous permettre de bien en observer les beautés. La plupart des entreprises vous laissent passer le temps que vous voulez sur l'île et revenir avec un de leurs bateaux qui font régulièrement l'aller-retour.

L'Anse-à-Beaufils

Le **Magasin Général Historique Authentique 1928** ★★★ *(7$; mi-juin à fin sept tlj 10h à 17h; 32 rue à Bonfils, ☎418-782-2225 ou 418-782-5286, www.magasinhistorique.com)* propose une splendide incursion dans l'univers d'un magasin général des années 1920 au Québec. Ce lieu vaut réellement le détour, et la manière si dynamique de présenter les divers éléments, qui comprend quelques savoureuses mises en situation, rend la visite tout à fait captivante.

Paspébiac

Le **Site historique du Banc-de-Paspébiac** ★★ *(7$; mi-juin à fin sept tlj 9h à 17h; 3e Rue, route du Quai, ☎418-752-6229, www.shbp.ca)*. Un «banc» est une langue de sable et de gravier (propice au séchage du poisson). Voisin d'un port naturel profond et bien protégé, le banc de Paspébiac se prêtait admirablement bien au développement d'une véritable industrie de la pêche. En 1964, il subsistait encore sur le banc quelque 70 bâtiments des entreprises Robin et LeBoutillier. Cette année-là, un incendie en détruisit cependant la majeure partie. Seuls 11 bâtiments sont parvenus jusqu'à nous; ils ont été soigneusement restaurés et sont ouverts au public.

La plupart des bâtiments subsistants ont été construits dans la première moitié du XIXe siècle. On peut notamment voir l'ancienne charpenterie, la forge, les cuisines, le bureau de l'entreprise Robin et une poudrière, de même que le «B.B.» (LeBoutillier and Brothers) de 1850, cette structure destinée à l'entreposage de la morue dont le haut toit pointu domine les installations. On présente, dans certains des bâtiments, des expositions thématiques consacrées aux constructions navales, au commerce international du poisson et à l'histoire des compagnies de Jersey. Une boutique et un restaurant où l'on sert des mets typiques s'ajoutent à l'ensemble.

New Carlisle ★

La région de New Carlisle fut colonisée par des loyalistes américains qui s'y fixèrent à la suite de la signature du traité de Versailles, qui reconnaissait l'indépendance des États-Unis en 1783. Le coquet village, doté de quelques églises de diverses dénominations, n'est pas sans rappeler ceux de la Nouvelle-Angleterre. Il faut absolument voir les trois **églises protestantes** ★, fierté des gens de New Carlisle. Ces temples sont distribués le long de la route 132, qui devient la «rue Principale» au centre du village.

La **maison natale de René Lévesque** (1922-1987) *(on ne visite pas; 16 Mount Sorel)*, premier ministre du Québec de 1976 à 1985, grand responsable de la nationalisation de l'électricité et fondateur du Parti québécois, témoigne des brassages de population dans la région au XIXe siècle, alors que New Carlisle était le centre administratif de la baie des Chaleurs.

Nouvelle

Le **parc national de Miguasha** ★★ *(3,50$, accès au parc plus musée 11,75$; début juin à début sept tlj 9h à 18h, début sept à mi-oct 9h à 17h, hors saison lun-ven 8h30 à 12h et 13h à 16h30; 231 route Miguasha O., ☎418-794-2475 ou 800-665-6527, www.sepaq.com)* intéressera les amateurs de paléontologie mais aussi tous les visiteurs, car il s'agit d'un important site fossilifère, d'ailleurs reconnu depuis 1999 par l'UNESCO comme faisant partie du Patrimoine mondial. Le **Musée d'histoire naturelle** du parc expose les fossiles découverts dans les falaises environnantes qui constituaient le fond d'une lagune il y a 370 millions d'années. Les visites guidées s'avèrent passionnantes.

Activités de plein air

■ *Croisières et observation des baleines*

Les **Croisières Baie de Gaspé** *(45$; 64 boul. de la Montagne, Gaspé, ☎418-892-5500 ou 866-617-5500, www.baleines-forillon.com)* proposent, à bord du *Narval III*, des croisières d'observation des baleines dans les eaux qui baignent le parc Forillon. Ouvrez l'œil, car vous pourriez aussi voir des phoques et des dauphins!

Des excursions d'observation des baleines sont également organisées par **Observation Littoral Percé** *(45$ pour une durée de 2h30 à 3h; juin à oct; près de l'hôtel Normandie, 240 route 132, Percé, ☎418-782-5359)*. Pendant ces excursions, vous aurez l'occasion de voir des baleines et, avec un peu de chance, des dauphins à flancs blancs. Il est préférable de ne pas s'attendre à voir des queues de baleine comme sur les photographies des magazines; on ne voit généralement que le dos de la baleine, et celle-ci est souvent loin. Des lois sévères régissent d'ailleurs les organisateurs d'excursions, et de lourdes amendes leur sont imposées lorsqu'ils ne tiennent pas leurs distances. Les départs se font tôt le matin; l'excursion dure toute la matinée. N'oubliez pas de vous munir de vêtements chauds et d'un bon coupe-vent.

■ *Observation des oiseaux*

Le **parc national de l'Île-Bonaventure-et-du-Rocher-Percé** (voir p 263), un site naturel visant à préserver les lieux de nidification des cormorans et des fous de Bassan sur l'île de Bonaventure, est un paradis pour les amateurs d'ornithologie.

Îles de la Madeleine ★★

p 271 p 274 p 275 p 275

Île du Cap aux Meules ★

Le village de **Cap-aux-Meules** est la seule agglomération urbaine des Îles. En plus des traversiers menant à Souris et à l'île d'Entrée, le port de Cap-aux-Meules accueille des bateaux de pêche de même que des voiliers de passage aux Îles. Vous pouvez gravir le cap qui surplombe le port grâce à un escalier qui conduit à un belvédère.

Au sud de Cap-Aux-Meules, en suivant le **chemin Gros-Cap** ★★, vous longerez la baie de Plaisance et découvrirez des paysages splendides. Si vous avez un peu de temps, allez au restaurant La Factrie des **Pêcheries Gros-Cap** *(521 ch. Gros-Cap, Cap-aux-Meules, ☎418-986-2710)*, d'où vous pourrez observer, à travers une baie vitrée, les préposés à la transformation du poisson qui s'affairent dans l'usine.

La splendide **église Saint-Pierre de La Vernière** ★ *(1329 ch. de La Vernière, L'Étang-du-Nord, ☎418-986-2410)* fut classée monument historique en 1992 et demeure l'une des plus imposantes églises de bois en Amérique du Nord.

En grimpant sur la **Butte du Vent** ★★★ *(Fatima)*, vous pourrez admirer un panorama saisissant de l'archipel et du golfe du Saint-Laurent.

Le **site de La Côte** ★★ *(499 ch. Boisville O., L'Étang-du-Nord, ☎418-986-5085)* fait face à l'anse de l'Étang du Nord et à son joli petit port de pêche. Le site est soigneusement aménagé et accueille, par beau temps, bon nombre de visiteurs venus pour pique-niquer ou flâner sur le quai.

Le **sentier de l'Anse de l'Étang-du-Nord**, qui longe les falaises sur 1 km et mène au phare de l'Étang-du-Nord, sur le cap Hérissé, débute au site de La Côte. Du haut de ces escarpements rocheux, vous contemplerez l'impressionnant spectacle de la mer se fracassant sans relâche sur les côtes madeliniennes.

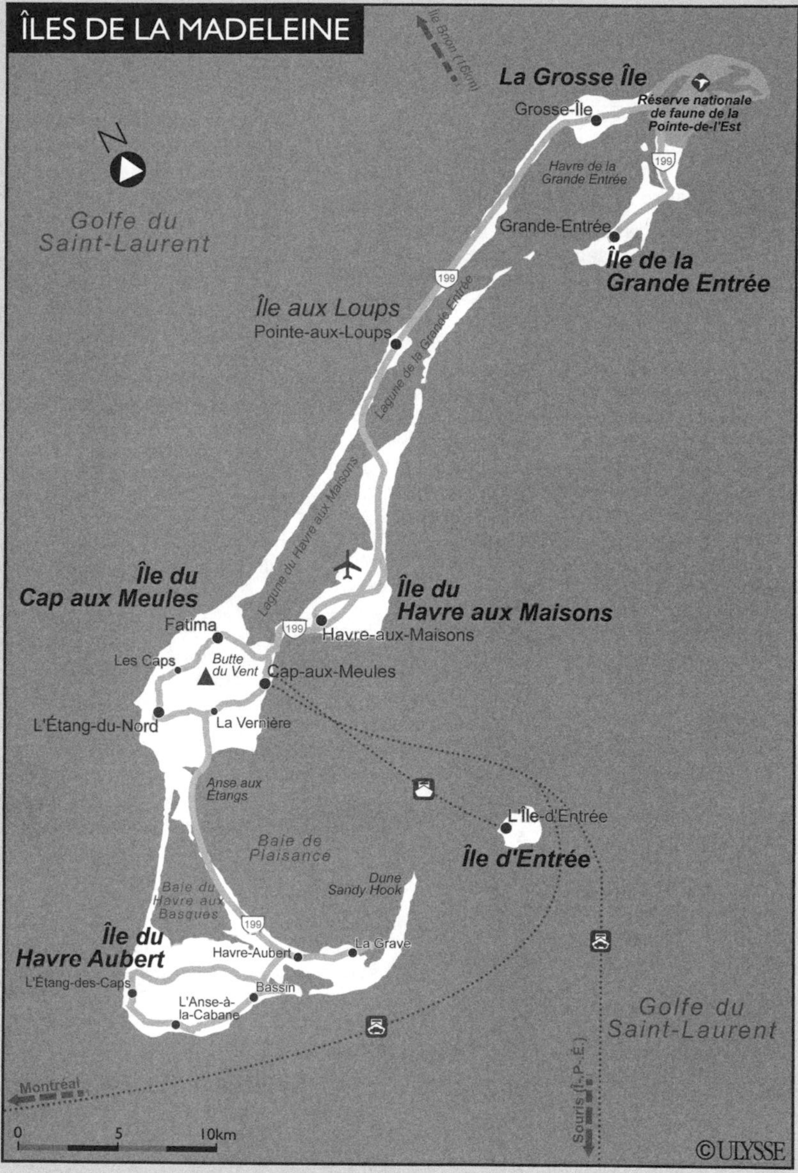
ÎLES DE LA MADELEINE
Île Brion (16km)
La Grosse Île
Grosse-Île
Réserve nationale de faune de la Pointe-de-l'Est
Havre de la Grande Entrée
199
Golfe du Saint-Laurent
Grande-Entrée
Île de la Grande Entrée
Île aux Loups
Pointe-aux-Loups
Lagune de la Grande Entrée
Lagune du Havre aux Maisons
Île du Cap aux Meules
Île du Havre aux Maisons
Fatima
Havre-aux-Maisons
Les Caps
Butte du Vent
Cap-aux-Meules
L'Étang-du-Nord
La Vernière
Anse aux Étangs
L'Île-d'Entrée
Baie de Plaisance
Île d'Entrée
Dune Sandy Hook
Baie du Havre aux Basques
Île du Havre Aubert
Havre-Aubert
La Grave
L'Étang-des-Caps
Bassin
L'Anse-à-la-Cabane
Golfe du Saint-Laurent
Montréal
Souris (Î.-P.-É.)
0
5
10km
©ULYSSE

Quelques kilomètres plus loin, les magnifiques **falaises de la Belle Anse ★★★** offrent aussi une vue imprenable sur la mer. Accessible par le chemin Belle-Anse, le site est particulièrement séduisant en fin de journée pour le spectacle du soleil couchant.

Île du Havre Aubert ★★★

L'île du Havre Aubert a su garder un charme bien pittoresque. C'est ici que débuta le véritable peuplement permanent de l'archipel, avec l'arrivée de quelques familles acadiennes au début des années 1760.

La localité de **Havre-Aubert** est le premier arrêt sur cette île. Son attrait majeur est sans conteste le **Site historique de La Grave ★★★**, petit quartier d'art et d'artisanat qui s'est développé sur la grève où jadis pêcheurs et marchands se donnaient rendez-vous pour le débarquement des prises.

La Grave tire son charme de ses bâtiments traditionnels revêtus de bardeaux de cèdre qui abritaient des magasins, des entrepôts et des salines. Boutiques et cafés s'y succèdent, et vous y passerez, même pendant les jours de pluie, d'excellents moments.

Premier arrêt sur le site de La Grave, l'**Économusée du sable ★★** *(tlj 10h à 21h, début sept à fin juin lun-sam 10h à 17h30; 907 route 199, Havre-Aubert, ☎ 418-937-2917, www.artisansdusable.com)* permet de comprendre comment les Artisans du sable arrivent à sculpter et façonner cette matière jusqu'à en faire des œuvres uniques plus remarquables les unes que les autres.

Si vous désirez explorer le monde fascinant de la vie marine, la visite de l'**Aquarium des Îles ★** *(5$; juin à août tlj 10h à 18h, sept tlj 10h à 17h; 982 route 199, Havre-Aubert, ☎ 418-937-2277, www.ilesdelamadeleine.com/aquarium)* s'impose. Vous aurez alors tout le loisir d'observer un grand nombre d'espèces marines locales offertes par les pêcheurs, notamment des phoques du Groenland. Activités de jour pour les enfants (sur réservation) et bassin tactile.

L'exposition permanente *Laboureurs du Golfe* du **Musée de la Mer ★** *(5$; mi-juin à mi-sept lun-ven 9h à 18h, sam-dim 10h à 18h; 1023 route 199, Havre-Aubert, ☎ 418-937-5711)* retrace l'histoire du peuplement des Îles et de la relation unissant le destin des Madelinots à la mer. Toute l'année, des expositions temporaires s'y succèdent.

En quittant La Grave, suivez le chemin du Sable jusqu'à la **dune du Havre-Aubert ★★★**, que les Madelinots nomment communément la **dune Sandy Hook** ou la **dune du Bout du banc**. Vous devrez marcher pendant 2h30 pour en atteindre l'extrémité (12 km), mais vos efforts seront récompensés puisque vous aurez l'impression d'arriver au bout du monde.

En suivant la route qui longe la mer et mène à **Bassin**, vous jouirez d'une superbe vue sur le golfe du Saint-Laurent. Vous passerez devant l'**église de Bassin** et son **presbytère**, le plus ancien ensemble architectural église-presbytère de l'archipel. Notez le toit et les clochers de l'église. Vous apercevrez ensuite le **phare de l'Anse-à-la-Cabane ★★★** *(ch. du Phare, Bassin)*, érigé dans un décor saisissant d'où l'on peut admirer l'anse, le port de pêche et le littoral.

Île du Havre aux Maisons ★★★

L'île du Havre aux Maisons, très dénudée, est l'une des plus mignonnes de l'archipel. Sur ses buttes et vallons verdoyants se sont déposées, çà et là, de jolies maisons le long de routes sinueuses. Portant le même nom que l'île, le village de **Havre-aux-Maisons** est sa principale agglomération.

Prenez le chemin de la Pointe-Basse jusqu'au **phare du Cap Alright ★★★**. Remarquez l'imposant escarpement rocheux où se mêlent l'argile, le calcaire et le gypse. L'érosion, véritable menace pour l'archipel, a forcé la fermeture de la route à cet endroit. Il vous faudra donc emprunter le chemin des Buttes puis le **chemin des Montants ★★★** pour apprécier l'un des plus beaux panoramas de l'île du Havre aux Maisons.

La Grosse Île

Les côtes particulièrement accidentées de la Grosse Île furent la cause de bien des naufrages, et nombre de rescapés durent s'y arrêter. C'est ainsi que des descendants écossais s'y établirent, et quelque 500 anglophones y habitent toujours aujourd'hui.

La **réserve nationale de faune de la Pointe-de-l'Est ★★** présente une végétation dunaire unique. Si vous vous y rendez pour observer sa riche faune ailée, comme le pluvier siffleur (espèce menacée), le canard pilet, le martin-pêcheur d'Amérique, le macareux moine et l'alouette cornue, prenez garde de ne pas endommager les lieux de nidification (ils sont indiqués). Deux sentiers d'interprétation, accessibles gratuitement par deux entrées sur la route 199 après le village de Grosse-Île, permettent de parcourir la réserve.

Plus loin, vous trouverez l'une des plus belles plages des Îles, la **plage de la Grande**

Blanchons

Symbole de l'écotourisme aux Îles de la Madeleine, le blanchon est le petit du phoque du Groenland, le «loup marin» pour les gens des Îles. En effet, le phoque du Groenland vient mettre bas sur les banquises des Îles durant les premières semaines de mars, après un long périple le long des côtes du Labrador et dans le golfe du Saint-Laurent. Près de trois millions de phoques font ce voyage chaque année et remontent, après le sevrage, dans l'Arctique, où ils passent la majeure partie de leur vie.

Les phoques arrivent aux Îles en janvier après avoir suivi les côtes du Labrador pendant environ quatre mois. Ils demeurent dans le golfe deux ou trois mois, au cours desquels ils augmentent leur masse en matières grasses. Le mois de mars voit naître par milliers ces petites boules de fourrure, qui attendrirent le monde entier dans les années 1970, alors que les groupes écologiques manifestaient contre leur chasse. Les blanchons doivent attendre un mois et demi avant leur premier plongeon, ce qui nous permet de les observer facilement. Durant cette période, les blanchons connaissent une croissance hors du commun. Au cours des 12 jours d'allaitement, ils triplent leur poids, le lait maternel étant cinq fois plus riche que le lait de vache.

Les blanchons ne sont plus menacés par la chasse, mais les phoques sont toujours chassés. Ceux-ci constituent de redoutables prédateurs pour les bancs de poissons et abîment les filets de pêche remplis de belles prises. D'ailleurs, plusieurs pêcheurs les tiennent même responsables de la diminution des stocks de poissons. Ainsi, les Madelinots et les Terre-Neuviens en tuent presque 50 000 annuellement. Malgré tout, le phoque du Groenland est loin d'être en voie de disparition. À la suite des pressions des pêcheurs, le gouvernement fédéral a relancé la chasse au phoque en établissant les quotas annuels (270 000 prises pour l'année 2007).

La viande de «loup marin» est une viande brune fort appréciée. Vous en trouverez en conserve dans plusieurs coopératives d'alimentation des Îles.

Échouerie ★★★, qui semble s'étendre vers l'infini. La plage compte le seul stationnement payant de l'archipel, ainsi que des toilettes et des douches. Puis, poussez votre randonnée jusqu'à la pointe **Old Harry** ★★ et son pittoresque quai en bois.

Île de la Grande Entrée ★★★

Tout au bout de la route 199, vous arriverez au bourg principal de l'île, **Grande-Entrée**. Allez vous promener sur le quai de ce port très fréquenté durant la saison de pêche, d'où partent une centaine de bateaux multicolores.

Empruntez le chemin du Bassin Ouest, où vous pourrez faire une randonnée facile d'environ 2 km qui vaut absolument le détour. Elle mène à l'**île Boudreau** ★★★, un joyau naturel qui cache des veines d'argile et qui abrite une colonie de phoques.

En revenant sur la route 199, ne manquez pas de visiter le **Centre d'interprétation du phoque** ★ *(7,50$; juin à sept tlj 10h à 18h; 377 route 199, Grande-Entrée, ☎418-985-2833, www.ilesdelamadeleine.com/cip)*, pour en connaître davantage sur les habitudes de vie de ce mammifère et l'importance de cette chasse aux Îles.

Île d'Entrée ★★★

Cette petite communauté anglophone, qui vit presque exclusivement de la pêche, compte quelque 100 résidants, tous de descendance écossaise ou irlandaise. Ses paysages champêtres et ses chevaux sauvages lui donnent tout son charme. Allez goûter l'incroyable sérénité qui règne sur cet îlot vallonné. Du port, en suivant les chemins Main et Post Office puis en empruntant le sentier Ivan Quinn, vous gravirez le plus haut sommet des Îles, **Big Hill** (174 m), d'où vous pourrez contempler l'archipel d'un bout à l'autre. Par temps clair, il vous sera même possible d'apercevoir l'île du Cap-Breton au large.

Activités de plein air

Cerf-volant de traction

L'entreprise récréotouristique **Aérosport Carrefour d'Aventures** *(juin à oct tlj 8h30 à 18h; 1390 ch. de La Vernière, L'Étang-du-Nord, ☎418-986-6677 ou 866-986-6677, www.aerosport.ca)* propose des initiations au cerf-volant de traction *(59$/2h)*, au surf cerf-volant ou *kitesurf (250$/3h)* et au *buggy* ou *kite buggy (79$/2h)*. Du 1er au 15 mars, ça se passe sur la neige!

Sorties en mer et observation des phoques

Les **Excursions de la Lagune** *(27$; juin à sept, départs tlj à 9h, 11h et 14h; quai de la Pointe, route 199, Havre-aux-Maisons, ☎418-969-4550)* font des sorties à bord d'un bateau à fond vitré. L'excursion permet d'aller à la rencontre des phoques, en plus d'assister à des démonstrations de pêche au homard et de culture de pétoncles et de moules.

Vélo

Le vélo est une belle façon de visiter les Îles si le vent est tranquille... La Route verte permet de sillonner l'archipel tout en contemplant de beaux points de vue, mais elle emprunte fréquemment la route principale (route 199) et les accotements ne sont pas tous asphaltés.

Trois parcours panoramiques sont proposés aux amateurs de vélo: le Tour de l'île du Cap aux Meules (25 km), le Tour de la Pointe-Basse (8 km), sur l'île du Havre aux Maisons, et le Tour de la montagne (20 km), sur l'île du Havre Aubert. Une carte des pistes cyclables des Îles est publiée par Tourisme Îles de la Madeleine et disponible sur leur site Internet *(www.tourismeilesdelamadeleine.com)*. Notez que les sentiers pédestres du littoral de Cap-aux-Meules, de l'île Boudreau et de l'anse à l'Étang-du-Nord sont également aménagés pour les cyclistes.

Location de vélos

Le Pédalier
545 ch. Principal
Cap-aux-Meules
☎418-986-2965
www.lepedalier.com
Tous les vélos sont munis d'un porte-bagages. Comptez 6$/h, 24$/jour ou 90$/semaine, casque et cadenas inclus.

Hébergement

Bas-Saint-Laurent

Kamouraska

La Grand Voile
$$$
168 av. Morel (route 132)
☎418-492-2539
www.lagrandvoile.ca
L'auberge La Grand Voile est aménagée dans une magnifique maison dont le style rappelle un presbytère. Ses cinq chambres sont splendidement décorées et ont chacune une salle de bain privée ainsi qu'un grand balcon avec une vue sur le fleuve à couper le souffle. L'établissement propose aussi un petit spa, une véranda ensoleillée et des petits déjeuners créatifs et très copieux. Une magnifique adresse.

Saint-André

La Solaillerie
$$$ @
112 rue Principale
☎418-493-2914
www.aubergelasolaillerie.com
Grande maison de la fin du XIXe siècle, l'auberge La Solaillerie présente une magnifique façade blanche qui est cintrée, à l'étage, d'une large galerie. À l'intérieur, un riche décor évoquant l'époque d'origine de la demeure confère à l'auberge une ambiance chaleureuse. Les cinq chambres sont douillettes et confortables, décorées avec goût dans le respect de la tradition des vieilles auberges où l'on entend les planchers craquer! La construction d'un pavillon a ajouté à l'auberge six chambres modernes, plus intimes et chaleureusement décorées. Sa table réserve de belles surprises aux fins gourmets (voir p 272).

Rivière-du-Loup

Auberge de Jeunesse Internationale
$
46 boul. de l'Hôtel-de-Ville
☎418-862-7566
www.aubergerdl.ca
L'Auberge de Jeunesse Internationale de Rivière-du-Loup se présente comme le lieu d'hébergement le moins coûteux en ville. Les dortoirs sont simples mais propres.

Auberge de la Pointe
$$-$$$
@
fermé nov à avr
10 boul. Cartier
☎418-862-3514 ou 800-463-1222
www.aubergedelapointe.com
En bordure du fleuve Saint-Laurent, l'Auberge de la Pointe se dresse sur un site exceptionnel et propose, outre des chambres confortables, des soins d'hydrothérapie, d'algothérapie ainsi que de massothérapie. Depuis les bel-

védères, vous pourrez admirer de superbes couchers de soleil. On y trouve même un théâtre d'été.

Îles du Pot à l'Eau-de-Vie

Phare du Pot à l'Eau-de-Vie
$$$$/pers. pc bc
Duvetnor: 200 rue Hayward
Rivière-du-Loup
☎418-867-1660 ou 877-867-1660
www.duvetnor.com

Sur une petite île au milieu du fleuve Saint-Laurent, le Phare du Pot à l'Eau-de-Vie expose à tous vents sa façade blanche et son toit rouge. Propriété de Duvetnor, organisme sans but lucratif voué à la protection des écosystèmes locaux, l'archipel du Pot à l'Eau-de-Vie fourmille d'oiseaux marins que vous pouvez admirer à loisir lors d'un séjour au phare. Duvetnor propose plusieurs forfaits, entre autres comprenant l'hébergement, les repas ainsi qu'une croisière sur le fleuve en compagnie d'un guide naturaliste. Le phare, plus que centenaire, a été restauré avec soin. On y trouve trois chambres douillettes dont le décor conserve l'atmosphère historique de l'endroit. Les repas sont délicieux. Si vous avez envie d'un séjour empreint de sérénité, voilà l'endroit tout indiqué.

Le Bic

Auberge du Mange Grenouille
$$-$$$ bc/bp @
148 rue Ste-Cécile
☎418-736-5656
www.aubergedumangegrenouille.qc.ca

D'un romantisme fou, l'Auberge du Mange Grenouille, beaucoup plus grande qu'elle ne le paraît au premier abord, comporte plusieurs unités décorées selon des thématiques différentes. Sensuellement débridées, elles proposent pour la plupart un très grand lit, une salle de bain complète et, surtout, une décoration et un aménagement follement originaux et exotiques. Les chambres côté jardin sont hautement recommandées: un de leurs murs consiste en une verrière donnant sur un petit jardin et plus loin sur le fleuve. Bain à remous, accès à Internet sans fil et toutes les petites attentions qu'on peut imaginer. Les propriétaires sont très sympathiques, le salon est chaleureux à souhait, et l'ambiance rappelle un vieux théâtre des années 1920... Une des plus belles adresses de la région, sinon du Québec! Incontournable.

Rimouski

Hôtel Rimouski
$$-$$$
225 boul. René-Lepage E.
☎418-725-5000 ou 800-463-0755
www.hotelrimouski.com

L'Hôtel Rimouski est d'un chic assez particulier; son grand escalier et sa longue piscine dans le hall en charmeront plus d'un. Les moins de 18 ans partageant la chambre de leurs parents peuvent y séjourner gratuitement.

Pointe-au-Père

Auberge La Marée Douce
$$$ @
1329 boul. Ste-Anne
☎418-722-0822
www.aubergelamareedouce.com

L'Auberge La Marée Douce se dresse en bordure du fleuve à Pointe-au-Père, près du Site historique maritime de la Pointe-au-Père. Aménagée dans un bâtiment datant de 1860, elle renferme des chambres confortables, toutes décorées de façon différente. Elle compte aussi quelques chambres dans un pavillon moderne et offre l'accès à une plage.

Gaspésie

Matane

Auberge La Seigneurie
$$ bc/bp @
621 av. St-Jérôme
☎418-562-0021 ou 877-783-4466
www.aubergelaseigneurie.com

Lieu idéal pour se reposer au confluent du fleuve et de la rivière Matane, l'Auberge La Seigneurie, érigée sur l'ancien site de la seigneurie Fraser, propose des chambres confortables.

Hôtel-Motel Belle Plage
$$ @
1310 rue de Matane-sur-Mer
☎418-562-2323 ou 888-244-2323
www.hotelbelleplage.com

Situé en bordure du fleuve, l'hôtel-Motel Belle Plage propose des chambres simples dans un décor un peu vieillot. Louez l'une des chambres de l'hôtel plutôt que du motel car elles sont plus jolies. L'hôtel dispose d'un fumoir à poisson, et leur saumon fumé est tout simplement irrésistible...

Réserve faunique de Matane

Auberge de montagne des Chic-Chocs
$$$$$ pc
fermé de début avr à mi-juin et de mi-oct à la fin déc
à 55 km au sud de Cap-Chat
☎800-665-3091 (pour réservation)
www.sepaq.com

Sans contredit un incontournable dans la région, l'Auberge de montagne des Chic-Chocs est située à plus de 600 m d'altitude au cœur d'une nature sauvage. Inaugurée en 2006, l'auberge accueille les visiteurs venus profiter des nombreuses activités de plein air offertes dans la réserve. Misant sur l'intimité, elle ne compte que 18 chambres ainsi qu'un salon commun avec foyer, un sauna, un bain à remous extérieur et une salle à manger. L'auberge met à la disposition des visi-

teurs une équipe de guides qui ont le mandat d'encadrer les activités de plein air et de faire découvrir le magnifique territoire de la réserve. Le bureau d'accueil et de départ de la navette pour l'auberge (vous ne pouvez pas vous y rendre par vos propres moyens) se trouve en bordure de la route 132, 1 km après l'église, à Cap-Chat.

Sainte-Anne-des-Monts

Auberge Internationale Sainte-Anne-des-Monts
$ bc @
295 1re Avenue E.
☎418-763-7123
www.aubergesgaspesie.com
Adresse prisée des baroudeurs à la recherche d'un gîte économique dans une ambiance relâchée. Accès à Internet, sauna nordique et laverie.

Parc national de la Gaspésie

Dans le parc national de la Gaspésie *(☎ 866-727-2427 ou 800-665-6527, www.sepaq.com)*, différents emplacements de **camping** *(**$**; mi-juin à fin sept)* sont mis à votre disposition. On y trouve aussi une vingtaine de **chalets** *(**$$-$$$**)* pouvant accueillir deux, quatre, six ou huit personnes. Si vous prévoyez faire de la randonnée pédestre sur les flancs des monts Albert ou Jacques-Cartier, il est préférable de louer l'un des chalets du Gîte du Mont-Albert. Les autres chalets sont situés plus loin des sentiers, soit près du lac Cascapédia.

Gîte du Mont-Albert
$$$$
$$$$$ petit déjeuner et dîner inclus
☎418-763-2288 ou 866-727-2427
www.sepaq.com
Situé dans le **parc national de la Gaspésie** (voir p 262), le Gîte du Mont-Albert offre un panorama splendide. Comme l'auberge est construite en forme de fer à cheval, chacune des 48 chambres offre, en plus d'un bon confort, une vue imprenable sur les monts Albert et McGerrigle. Location de chalets.

Parc national Forillon

Vous trouverez trois campings dans le parc, en plus du **camping de groupe de Petit-Gaspé** *(**$**; ☎ 418-892-5911 en été, ☎ 418-368-5505 le reste de l'année)*, pour les groupes de 10 personnes et plus, ouvert toute l'année. Pour réserver un emplacement, composez, à partir de la mi-mars, le ☎877-737-3783 *(www.pccamping.ca)*. Notez que seulement 50% des quelque 350 emplacements du parc sont disponibles sur réservation; le reste suit le principe du premier arrivé, premier servi. Des yourtes et des refuges sont également offerts en location dans le parc par l'entremise du concessionnaire **Les Petites Maisons du Parc** *(☎418-892-5873 ou 866-892-5873, www.gesmat.ca)*.

Gaspé

Motel Adams
$$ ≡ @
20 rue Adams
☎418-368-2244 ou 800-463-4242
www.moteladams.com
Situé au centre-ville, le Motel Adams propose des chambres agréables, spacieuses et très propres.

Auberge L'Ancêtre
$$$ ≡ @
55 boul. York E.
☎418-368-4358 ou 888-368-4358
www.aubergeancetre.com
L'Auberge l'Ancêtre est aménagée dans une jolie maison datant de 1837, ce qui en fait l'une des plus anciennes maisons de la péninsule. Cinq chambres avec salle de bain privée sont proposées, et l'auberge est décorée avec goût et un souci de conservation. Le petit déjeuner maison est copieux, et les propriétaires sont fort sympathiques.

Percé

Auberge de jeunesse La Maison Rouge
$
125 route 132 O.
☎418-782-2227
www.lamaisonrouge.ca
Quelques dortoirs et des chambres privées se partagent cette belle maison d'antan selon la formule de l'auberge de jeunesse. Une belle terrasse, une cuisine commune et l'accès à Internet sont aussi mis à la disposition de la clientèle. En été, le dortoir niche dans la grange à l'arrière. La vue est magnifique.

Auberge du Gargantua
$$
juin à sept
222 route des Failles
☎418-782-2852
Depuis une trentaine d'années qu'elle domine Percé du haut de son promontoire, l'Auberge du Gargantua n'a plus besoin de présentation pour les habitués de la péninsule gaspésienne. Sa table (voir p 274) fait partie des meilleures de la région. Le site et la vue qu'elle offre laisseront dans votre mémoire un souvenir impérissable. Le décor des petites chambres de motel est simple, mais elles sont

confortables. Un petit camping adjacent est aussi proposé.

Hôtel La Normandie
$$$-$$$$
221 route 132
418-782-2112 ou 800-463-0820
www.normandieperce.com
L'Hôtel La Normandie a acquis une excellente réputation à Percé. Cet établissement de luxe est complet plus souvent qu'à son tour durant la haute saison; du restaurant et des chambres, vous pouvez admirer le célèbre rocher Percé.

Paspébiac

Auberge du Parc
$$$
début fév à fin nov
68 boul. Gérard-D.-Lévesque O.
418-752-3355 ou 800-463-0890
www.aubergeduparc.com
L'Auberge du Parc est installée dans un manoir qui fut érigé par l'entreprise Robin au XIXe siècle, au centre d'un bois, dans un cadre parfait pour la détente. Bains thermomasseurs, enveloppements d'algues, massages thérapeutiques, pressothérapie, ainsi qu'une piscine d'eau de mer agrémenteront votre séjour.

Carleton-sur-Mer

Aqua-Mer Thalasso
$$-$$$
début mai à début nov
868 boul. Perron
418-364-7055 ou 800-463-0867
www.aquamer.ca
Aqua-Mer Thalasso, situé dans un cadre enchanteur, est un centre de thalassothérapie. On y propose plusieurs forfaits-traitements d'une semaine, dont une cure de remise en forme qui comprend cinq traitements par jour.

Pointe-à-la-Croix

Gîte et camping La Maison Verte du Parc Gaspésien
$ *(camping)*
$$ *(gîte)*
216 ch. de la Petite-Rivière-du-Loup
418-788-2342 ou 866-788-2342
Le gîte est aménagé dans une grande maison verte en bois. Les cinq chambres sont très sympathiques et confortables, et les deux unités qui se trouvent au sous-sol peuvent être jumelées pour devenir un petit appartement avec salon privé. Un grand terrain de camping est aussi proposé à l'arrière, où plusieurs emplacements sont situés en pleine forêt. De Pointe-à-la-Croix, nous sommes à deux minutes du Nouveau-Brunswick.

Îles de la Madeleine

Île du Cap aux Meules

Auberge chez Sam
$
1767 ch. de l'Étang-du-Nord
L'Étang-du-Nord
418-986-5780
En entrant dans la jolie maison de bois de l'Auberge chez Sam, on est tout de suite frappé par la gentillesse de l'accueil. On est ensuite ravi de découvrir les chambres, cinq au total, toutes mignonnes et bien tenues.

La Maison du Cap-Vert
$$
202 ch. L.-Aucoin
Fatima
418-986-5331
www.maisonducapvert.ca
L'auberge familiale La Maison du Cap-Vert propose cinq chambres tout à fait charmantes, dotées de lits douillets, le tout dans une ambiance marine. Avec le délicieux petit déjeuner offert à volonté tous les matins, cet établissement représente sans contredit une valeur sûre.

Château Madelinot
$$$
323 route 199
Cap-aux-Meules
418-986-3695 ou 800-661-4537
Vous serez peut-être d'abord surpris d'apercevoir ce grand bâtiment qui tient lieu de Château Madelinot. Mais le confort des chambres et la vue superbe de la mer tendent à faire oublier cette première image, et l'on y offre une foule de services et d'installations: piscine, sauna, en plus de différents forfaits.

Île du Havre Aubert

Auberge Havre sur Mer
$$-$$$$
mai à mi-oct
1197 ch. du Bassin
Bassin
418-937-5675
www.havresurmer.com
L'Auberge Havre sur Mer est perchée au bord d'une falaise sur un site magnifique. Les chambres, qui donnent sur une terrasse commune d'où chacun des occupants peut profiter de la belle vue, attirent bon nombre de visiteurs amoureux des Îles et du calme. Sauna, spa et massages.

Île du Havre aux Maisons

Auberge de la Petite Baie
$$
187 route 199
Havre-aux-Maisons
418-969-4073
Pour un accueil chaleureux, rendez-vous à l'Auberge de la Petite Baie, où vous trouverez quatre chambres meublées avec goût. Charmant restaurant au rez-de-chaussée.

Domaine du Vieux Couvent
$$$$-$$$$$
292 route 199
Havre-aux-Maisons
418-969-2233
www.domaineduvieuxcouvent.com
Le Domaine du Vieux Couvent vous offre calme, confort et une vue imprenable sur la mer. Couettes en duvet d'oie, ser-

vice de repas aux chambres et Internet haute vitesse. Voisin et appartenant également au domaine, le Presbytère propose de petits appartements pouvant accueillir jusqu'à six personnes chacun. Incomparable.

Île de la Grande Entrée

La Salicorne
$-$$$ ♨ ♿
377 route 199
Grande-Entrée
☎418-985-2833 ou 888-537-4537
www.salicorne.ca

La Salicorne est à la fois une auberge et un camp de vacances familial et un lieu de détente. Il propose l'hébergement dans de belles grandes chambres confortables, avec forfaits d'au moins trois jours en pension complète. Les repas sont variés et savoureux. Son camping compte 23 emplacements, et un dortoir est mis à la disposition des visiteurs pour les jours de pluie.

Restaurants

Bas-Saint-Laurent

Saint-André

La Solaillerie
$$$-$$$$
112 rue Principale
☎418-493-2914

La salle à manger de l'auberge **La Solaillerie** (voir p 268) est décorée avec soin pour mettre en valeur le cachet historique de la vieille demeure qui l'abrite. Vous pourrez donc vous y attabler dans un décor chaleureux pour déguster une fine cuisine préparée et servie avec soin par les propriétaires. D'inspiration française, cette cuisine est apprêtée selon l'inspiration du chef à partir des produits frais de la région tels que cailles, agneau et saumon frais ou fumé. Réservations requises.

Rivière-du-Loup

La Terrasse
$$-$$$
171 rue Fraser
☎418-862-6927
www.hotellevesque.com

Tous les dimanches soir, le restaurant de l'Hôtel Lévesque propose un copieux et délicieux buffet italien; le reste de la semaine, la cuisine mitonne de savoureux plats d'inspiration régionale. N'oubliez pas de goûter au saumon préparé dans les fumoirs de l'hôtel selon une méthode ancestrale. Menu pour enfants.

Le Saint-Patrice
$$$
169 rue Fraser
☎418-862-9895
www.restaurantlestpatrice.ca

Le Saint-Patrice est sans doute l'une des meilleures tables du Bas-Saint-Laurent où le poisson, les fruits de mer, le lapin et l'agneau dominent le menu. À la même adresse, **Le Novello** *(**$$**)* sert des pâtes et une fine pizza dans une ambiance bistro, **La Romance** *(**$$$**)* se spécialise dans les fondues, et le **Baby Boomer** *(**$$**)* s'inspire des années 1950 pour offrir une ambiance plutôt familiale.

Trois-Pistoles

Le Michalie
$$$
55 rue Notre-Dame E.
☎418-851-4011

Le Michalie, un petit restaurant coquet, propose une cuisine régionale des plus appréciées ainsi que les délices de la gastronomie italienne.

Le Bic

Auberge du Mange Grenouille
$$$-$$$$
148 rue Ste-Cécile
☎418-736-5656
www.aubergedumangegrenouille.qc.ca

Reconnu comme une des meilleures tables régionales, le restaurant de l'**Auberge du Mange Grenouille** (voir p 269) a emménagé dans un ancien magasin général, garni de vieux meubles soigneusement choisis afin d'agrémenter les lieux. Le menu, proposé à la carte, en table d'hôte ou selon le principe «Slowfood» (menu dégustation à six services pouvant s'échelonner sur 2h à 3h), est créatif à l'extrême et d'une qualité irréprochable. Tous les jours, on propose un choix de cinq ou six tables d'hôte, composées de plats de gibier, de poisson, de volaille et d'agneau, dont une grande partie met à l'honneur les produits régionaux. La salle à manger, romantique à souhait, est doucement éclairée et chargée d'objets décoratifs. Même quand le restaurant est plein, chaque table conserve son intimité. La carte des vins est magnifique. Un incontournable dans la région, sinon au Québec.

Rimouski

Le Crêpe-Chignon
$$
140 av. de la Cathédrale
☎418-724-0400
www.crepechignon.com

Jeune initiative locale en plein centre-ville, le Crêpe-Chignon se spécialise dans l'univers de la crêpe: salée, sucrée ou les deux à la fois! Ambiance branchée et éclectique très réussie. Le service est sympathique. Belle terrasse en été.

Café-bistro Le Saint-Louis
$$-$$$
97 rue St-Louis
☎418-723-7979
Le Café-bistro Le Saint-Louis possède tous les airs et les arômes de ses cousins parisiens. Vous y trouverez une grande sélection de bières importées et de microbrasseries. Les mets du menu sont délicieux et servis dans une ambiance agréable. Spectacles de blues à l'occasion.

Gaspésie

Grand-Métis

Café-jardin
$-$$
Jardins de Métis
200 route 132
☎418-775-2221
www.jardinsmetis.com
Le Café-jardin des **Jardins de Métis** (p 260) propose des soupes, des salades, des sandwichs et quelques plats élaborés à partir de produits du terroir.

Matane

Le Vieux Rafiot
$$-$$$
1415 av. du Phare O., en bordure de la route 132
☎418-562-8080
Le restaurant Le Vieux Rafiot attire beaucoup de visiteurs grâce à sa grande salle à manger, divisée en trois parties par des cloisons percées de hublots et ornée de tableaux d'artistes locaux. En plus de présenter une décoration originale, il propose des plats variés, pour la plupart très bons. Le service peut à l'occasion décevoir.

Réserve faunique de Matane

Auberge de montagne des Chic-Chocs
repas compris dans le prix de l'hébergement
La table de l'**Auberge de montagne des Chic-Chocs** (voir p 269) est composée de mets simples, raffinés et en accord avec les lieux, c'est-à-dire santé! Le poisson, le canard, le caribou, l'orignal et le cerf de Virginie sont généralement mis à l'honneur. Il est aussi possible de demander une boîte à lunch pour votre journée en forêt.

Parc national de la Gaspésie

Gîte du Mont-Albert
$$$$
☎418-763-2288
Au Gîte du Mont-Albert, il faut absolument vous laisser tenter par les fruits de mer, préparés de façon inventive. Durant le mois de septembre, on y célèbre le Festival du gibier. Vous aurez alors l'occasion de goûter des viandes aussi peu communes que celles de pintade, de bison et de perdrix.

Gaspé

Brûlerie du Café des Artistes
$$-$$$
101 rue de la Reine
☎418-368-3366
Les propriétaires de la Brûlerie du Café des Artistes, eux-mêmes artistes, proposent un concept tout à fait sympa. Dans ce centre d'art aux poutres apparentes, vous pourrez, à votre aise, prendre le temps de vous offrir un bon repas en table d'hôte, pour ensuite aller admirer les œuvres de divers artistes. Les glaces et les sorbets maison sont excellents. Café équitable.

Maison William Wakeham
$$-$$$$
186 rue de la Reine
☎418-368-5537
www.maisonwakeham.ca
La table de la Maison William Wakeham est probablement la meilleure de Gaspé. Le menu est inventif et la carte des vins impressionnante, le tout à un prix très intéressant. Le restaurant est ouvert le midi et le soir.

Percé

La Maison du Pêcheur
$$$-$$$$
début juin à mi-oct
155 place du Quai
☎418-782-5331 ou 418-782-5326
La Maison du Pêcheur se trouve en plein centre du village. Elle regroupe deux restaurants en un. Le rez-de-chaussée abrite le Café de l'Atlantique donnant sur la mer, qui sert le petit déjeuner, tandis que l'étage est aménagé pour le dîner. Les prix sont un peu élevés, mais tout y est de première qualité.

La Normandie
$$$-$$$$
juin à oct
221 route 132 O.
☎418-782-2112
www.normandieperce.com
Considérée par plusieurs comme l'une des meilleures tables de Percé, La Normandie propose des mets savoureux dans un lieu tout à fait charmant. On dit beaucoup de bien du feuilleté de homard au champagne. Un grand choix de vins est proposé ici.

Auberge du Gargantua
$$$$
juin à sept
222 rue des Failles
☎418-782-2852
L'**Auberge du Gargantua** (voir p 270) offre un décor qui rappelle la vieille France campagnarde, d'où sont issus les propriétaires. De la salle à manger, on a une vue superbe sur les montagnes environnantes, et il serait sage d'arriver assez tôt pour en bénéficier. Les plats sont tous gargantuesques et savoureux, incluant généralement une entrée de bigorneaux, une assiette de crudités puis un potage. Enfin, on choisit son plat principal sur une longue liste affichant aussi bien du saumon et du crabe des neiges que du gibier.

Bonaventure

Café Acadien
$$-$$$
fin juin à début sept
168 rue Beaubassin
☎418-534-4276
Le Café Acadien sert de bons petits plats dans un cadre charmant. Cet établissement est très populaire auprès des résidants et des touristes, ce qui explique peut-être les prix un peu élevés.

Carleton-sur-Mer

Le Marin d'Eau Douce
$$-$$$
215 route du Quai
☎418-364-7602
www.marindeaudouce.com
Le chef d'origine marocaine du Marin d'Eau Douce concocte dans sa cuisine des petits plats de fine cuisine européenne, mais aussi exotique, comme des tajines de poisson et d'autres mets du Maghreb à base d'agneau. Le lieu est charmant et très chaleureux.

Îles de la Madeleine

Île du Cap aux Meules

Les Pas Perdus
$$-$$$
169 route 199
Cap-aux-Meules
☎418-986-5151
www.pasperdus.com
Bistro-Dodo-C@fé... Deux établissements, quatre vocations, l'adresse branchée des Îles. Que ce soit au restaurant/auberge ou au bar/salle de spectacle (voir p 275), c'est le lieu où faire des rencontres au détour d'un café ou d'une bière des Îles. Bonne table: goûtez le hamburger au requin ou la poutine au Pied-de-Vent. Six chambres à louer à l'étage.

La Table des Roy
$$$$
juin à sept, fermé dim
1188 route 199
L'Étang-du-Nord
☎418-986-3004
www.latabledesroy.com
La Table des Roy propose une cuisine raffinée dans un cadre d'une élégance unique aux Îles. Haute gastronomie du terroir agrémentée de fleurs et de plantes comestibles de la région. Réservations requises.

Île du Havre Aubert

Café de La Grave
$-$$
mai à oct
969 route 199
La Grave, Havre-Aubert
☎418-937-5765
Laissez-vous envoûter par l'atmosphère unique de cet ancien magasin général où l'on passe des veillées à fredonner avec les habitués. On y va aussi bien en journée qu'en soirée pour boire une bière ou un café, ou encore pour déguster une bonne chaudrée de palourdes ou un morceau de gâteau. Un incontournable!

Bistro du bout du monde
$$$$
mar-dim dès 17h
951 route 199
La Grave, Havre-Aubert
☎418-937-2000
www.bistroduboutdumonde.com
Réserver une table au Bistro du bout du monde, c'est entrer dans l'univers de la gastronomie. Ne vous laissez pas tromper par la simplicité du décor et du menu. Dans ce joyeux petit bistro ouvert sur la mer, la cuisine du jeune chef madelinot séduit les plus fins gourmets.

Île du Havre aux Maisons

Le Réfectoire
$$$
tlj 8h à 11 et 17h à 22h
Domaine du Vieux Couvent
292 route 199
☎418-969-2233
Le **Domaine du Vieux Couvent** (voir p 271) est une véritable institution aux Îles. Ce joyau patrimonial abrite aujourd'hui l'une des tables les plus courues de la région. Ici, la chef propose des mets inspirés de la mer (calmars au parmesan, requin mariné, bouillabaisse, moules), mais aussi de la terre, tel le sanglier d'élevage local. La sélection de vins est reconnue. Ambiance bistro conviviale et animée, agrémentée d'un magnifique solarium donnant sur la mer.

Sorties

Activités culturelles

Île du Cap aux Meules

Théâtre des Pas Perdus
185 route 199
Cap-aux-Meules
☎418-986-6002
Les groupes québécois de l'heure se succèdent sur la scène de la salle de spectacle des Pas Perdus. L'acoustique est excellente dans cette salle de style cabaret qui attire surtout la jeune génération.

Bars et boîtes de nuit

Rimouski

Sens Unique
160 av. de la Cathédrale
☎418-722-9400
Le Sens Unique offre une des atmosphères les plus chouettes à Rimouski avec sa musique et sa terrasse. La clientèle, très variée, se compose de gens âgés de 18 à 45 ans.

Sainte-Anne-des-Monts

Pub Chez Bass
170 1re Avenue O.
☎418-763-2613
www.aubergechezbass.com
Depuis de nombreuses années, Chez Bass est le repaire d'une clientèle éclectique tant locale que touristique. Bonne adresse pour discuter tout en prenant un verre. Un restaurant, une galerie d'art présentant les œuvres d'artistes locaux et des tables de billard se trouvent également sur place. Cinq chambres sont aussi disponibles pour la nuit.

Île du Cap aux Meules

Bar du Théâtre des Pas Perdus
185 route 199
Cap-aux-Meules
☎418-986-6002
Le Théâtre des Pas Perdus abrite un bar branché dont les planchers de bois et les canapés confèrent au lieu un charme unique et vous donnent envie d'y passer des heures. Bière des Îles, Internet sans fil et ordinateurs sur place. Ne manquez pas les lundis *jams*, ou mieux, apportez votre instrument si vous êtes musicien.

Fêtes et festivals

Juin

Organisé par les **Jardins de Métis** (voir p 260), le **Festival international de jardins** *(200 route 132, Grand-Métis, ☎418-775-2222, www.jardinsmetis.com)* a pour but la création de jardins contemporains. Plusieurs artistes internationaux de renom, dont les œuvres finales sont exposées tout l'été, y participent chaque année.

Août

Aux Îles de la Madeleine, le **Concours des châteaux de sable** a lieu sur la plage de la **dune du Havre-Aubert** (voir p 266). Des œuvres éphémères, souvent impressionnantes, surgissent en bord de mer et attirent les foules. Pour participer au concours, appelez au ☎418-986-6863.

Achats

Alimentation

Kamouraska

Boulangerie Niemand
été tlj 9h à 18h
82 av. Morel
☎418-492-1236
Située en face de l'église du village dans une superbe résidence de style victorien datant de 1900, cette boulangerie biologique fait des viennoiseries et des pains succulents, cuits sur la pierre. Ne serait-ce que pour profiter de la vue sur le fleuve qui inspire les artisans, une visite s'impose.

Île du Cap aux Meules

Boucherie spécialisée Côte à Côte
295 route 199
Cap-aux-Meules
☎418-986-3322
À la Boucherie spécialisée Côte à Côte, il faut rencontrer Réjean, le boucher, et lui laisser vous présenter ses terrines de «loup marin» et son «loup marin» fumé. Excellents plats cuisinés le midi. Épicerie fine.

Les Cochons Tout Ronds
290 ch. d'en Haut
Havre-Aubert
☎418-937-5444
www.cochonstoutronds.com
La charcuterie artisanale Les Cochons Tout Ronds propose de délicieux saucissons et pâtés.

Artisanat, brocante et souvenirs

Grand-Métis

La boutique des Ateliers Plein Soleil
Jardins de Métis
200 route 132
☎418-775-1729
www.economusees.com
En plus d'abriter un économusée du tissage, cette bou-

tique propose entre autres un assortiment de nappes, de napperons et de serviettes de table tissés à la main, des herbes salées, du miel de la région et même du ketchup maison.

Percé

En raison de la situation très centrale de la **Place du Quai**, vous ne pourrez pas la manquer. Regroupement de plus de 30 commerces, elle compte de nombreux restaurants, des boutiques d'artisanat, une laverie et un comptoir de la Société des alcools du Québec.

Île du Havre Aubert

Les Artisans du sable
tlj 10h à 21h
907 route 199
La Grave, Havre-Aubert
☎418-937-2917
www.artisansdusable.com

Ne manquez surtout pas cette boutique qui présente des pièces originales et uniques au monde. Une profusion de créations en sable pour offrir en cadeau ou pour se faire plaisir. À visiter aussi sur place, l'Économusée du sable.

Charlevoix et Saguenay–Lac-Saint-Jean

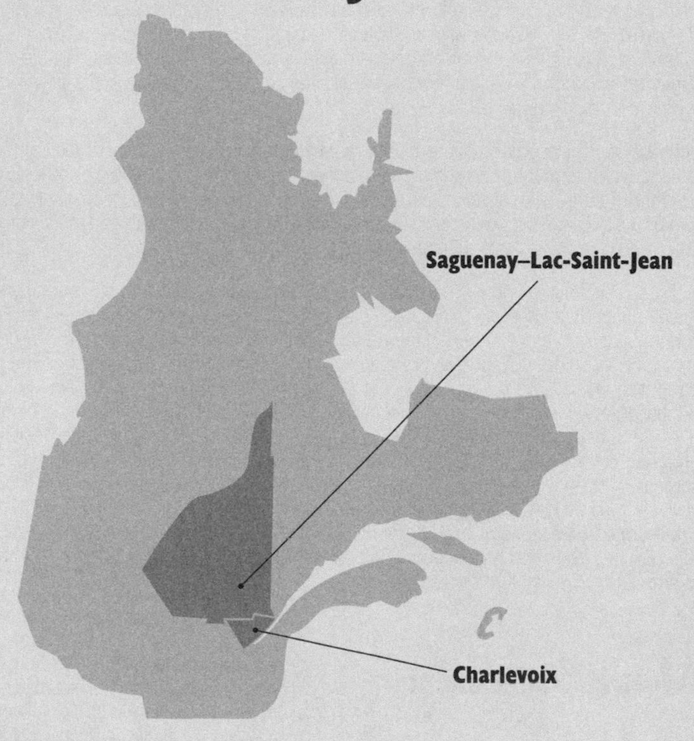

La singulière beauté des paysages de Charlevoix séduit les artistes depuis des générations. Depuis Petite-Rivière-Saint-François jusqu'à l'embouchure de la rivière Saguenay, la rencontre du fleuve et des montagnes a su y sculpter des paysages envoûtants et poétiques. Tout au long de la rive qu'agrémente un chapelet de vieux villages se succèdent d'étroites vallées et des montagnes plongeant abruptement dans les eaux salées du Saint-Laurent. En quittant le bord du fleuve, on pénètre alors dans un territoire sauvage au relief accidenté où la taïga se substitue parfois à la forêt boréale.

Les vieilles habitations et églises qui jalonnent le pays, tout comme le lotissement du territoire, hérité de l'époque seigneuriale, rappellent que Charlevoix fut l'une des premières régions de colonisation française.

À la richesse du patrimoine architectural et aux paysages exceptionnels s'allient une faune et une flore d'une éblouissante variété. Déclarée Réserve mondiale de la biosphère par l'UNESCO en 1988, la région de Charlevoix abrite des espèces animales et végétales uniques. Près des berges, à l'embouchure de la rivière Saguenay, des baleines de différentes espèces viennent se nourrir tout au long de l'été.

Profondément nichée dans l'hinterland, une partie du territoire est constituée d'un environnement ayant les propriétés de la taïga, ce qui est tout à fait remarquable à cette latitude, et abrite différentes espèces animales, entre autres le caribou et le grand loup d'Arctique. En ce qui a trait à la flore, mentionnons que Charlevoix est riche d'innombrables espèces inconnues des autres régions de l'est du Canada.

La rivière Saguenay prend sa source dans le lac Saint-Jean, une véritable mer intérieure de plus de 35 km de diamètre. Ce formidable plan d'eau et cette imposante rivière constituent en quelque sorte le pivot d'une superbe région touristique. Gagnant rapidement le fleuve Saint-Laurent, la rivière Saguenay traverse un paysage très accidenté où se dressent falaises et montagnes: le fjord du Saguenay, qui s'étend sur environ 100 km de Saint-Fulgence à Tadoussac et qui est l'un des fjords les plus méridionaux du monde. En croisière ou depuis les rives, on peut y admirer un défilé de splendides panoramas à la beauté sauvage. Jusqu'à la hauteur de la rivière Chicoutimi, le Saguenay est navigable et subit le rythme perpétuel des marées. Sa riche faune marine comprend, en été, des mammifères marins de différentes espèces. Au cœur de cette région, la ville de Saguenay est un endroit très animé et le principal centre urbain. Plus au nord, le lac Saint-Jean impressionne par sa superficie et la couleur de ses eaux. Les jolies plaines aux abords du lac sont très propices à l'agriculture et attirèrent les premiers colons au XIXe siècle.

Accès et déplacements

■ En voiture

Charlevoix

De Québec, empruntez la route 138, qui constitue le principal axe routier de Charlevoix. Il est cependant possible, et même souhaitable, de joindre ce circuit à celui de la **côte de Beaupré** (voir p 221), dans la région de Québec, qui suit plutôt la route 360 jusqu'à Beaupré. Après avoir traversé les étendues horizontales des battures du fleuve Saint-Laurent, la route 138 grimpe soudainement dans les montagnes de Charlevoix à l'endroit précis (cap Tourmente) où les Laurentides rejoignent le fleuve, refermant ainsi la vallée du Saint-Laurent à l'est – les Laurentides forment l'arrière-pays de la Côte-Nord, au-delà du Saguenay. Si l'on jette un regard derrière soi, on aperçoit alors, par temps clair, l'île d'Orléans sur la gauche et la ville de Québec dans le lointain.

Saguenay–Lac-Saint-Jean

De Québec, empruntez la route 138 Est jusqu'à Saint-Siméon. Prenez à gauche la route 170, qui traverse le village de Sagard avant d'atteindre le parc national du Saguenay. Cette même route permet de continuer jusqu'à Saguenay, où, après avoir traversé la rivière sur le pont de Chicoutimi, vous pourrez vous rendre à Sainte-Rose-du-Nord par la route 172. Il est possible et même souhaitable de faire précéder le circuit du Saguenay de celui de Charlevoix, plus au sud.

Le tour du lac Saint-Jean peut très bien s'effectuer à la suite d'une visite du Saguenay. Au départ de Saguenay, suivez la route 170 Ouest jusqu'à Saint-Bruno. Prenez à gauche la route d'Hébertville et poursuivez par la route 169, qui fait le tour du lac.

■ En autocar (gares routières)

Charlevoix

Saint-Siméon
Restaurant L'Horizon
775 rue St-Laurent
☎418-638-2671

Baie-Saint-Paul
Restaurant La grignote (centre commercial Le Village)
2 route de l'Équerre
☎418-435-6569

La Malbaie
Dépanneur Otis
46 rue Ste-Catherine
☎418-665-2264

Saguenay–Lac-Saint-Jean

Chicoutimi
Terminus Intercar
55 rue Racine E.
☎418-543-1403

Jonquière
Terminus Intercar
2249 rue St-Hubert
☎418-547-2167

Alma
Restaurant Coq-Rôti
430 rue du Sacré-Cœur
☎418-662-5441

■ En train (gares ferroviaires)

Saguenay–Lac-Saint-Jean

Jonquière
2439 rue St-Dominique
☎418-542-9676 ou 888-842-7245

Hébertville
15 rue St-Louis
☎418-343-3383 ou 888-842-7245

Chambord
78 rue de la Gare
☎418-342-6973 ou 888-842-7245

■ En traversier

Charlevoix

Saint-Siméon: le traversier *(adultes 14,90$, voitures 37,70$; avr à jan; ☎418-638-2856, www.travrdlstsim.com)* qui quitte Rivière-du-Loup et se rend à Saint-Siméon arrive à destination en 1h5.

Baie-Sainte-Catherine: un traversier *(gratuit; ☎418-235-4395, www.traversiers.gouv.qc.ca)* fait la navette entre Tadoussac et Baie-Sainte-Catherine, et permet d'arriver à destination en 10 min. Puisqu'il n'y a pas de pont sur la route 138 pour franchir la profonde rivière Saguenay, ce traversier fait office de lien obligé entre Charlevoix et la Côte-Nord.

Pour se rendre à l'**île aux Coudres**, il faut prendre le traversier *(gratuit; ☎418-438-2743, www.traversiers.gouv.qc.ca)* au quai de Saint-Joseph-de-la-Rive. Il faut prévoir une attente d'environ une demi-heure pendant les jours d'été. La traversée elle-même dure une quinzaine de minutes.

Renseignements utiles

■ Renseignements touristiques

Charlevoix

Tourisme Charlevoix
495 boul. de Comporté
La Malbaie, QC G5A 3G3
☎418-665-4454 ou 800-667-2276
www.tourisme-charlevoix.com

Bureau d'information touristique de Charlevoix
444 boul. Mgr-De Laval, route 138
Baie-Saint-Paul
☎418-435-4160

Bureau d'information touristique de Baie-Saint-Paul
6 rue St-Jean-Baptiste
☎800-667-2276

Saguenay–Lac-Saint-Jean

Tourisme Saguenay–Lac-Saint-Jean
455 rue Racine E., bureau 101
Saguenay, QC G7H 1T5
☎418-543-9778 ou 877-253-8387
www.saguenaylacsaintjean.qc.ca

Ville de Saguenay
www.ville.saguenay.qc.ca

Arrondissement de La Baie
3205 boul. de la Grande-Baie S.
☎418-697-5050 ou 800-263-2243

Arrondissement de Chicoutimi
295 rue Racine E.
☎418-698-3167 ou 800-463-6565

Arrondissement de Jonquière
2665 boul. du Royaume
☎418-548-4004 ou 800-561-9196

Alma
1682 av. du Pont N.
☎418-668-3611 ou 877-668-3611
www.tourismealma.com

Saint-Félicien
1209 boul. du Sacré-Cœur
☎418-679-9888
www.ville.stfelicien.qc.ca

Attraits touristiques

Charlevoix ★★★

p 288 p 291 p 293 p 294

Baie-Saint-Paul ★★ (7 400 hab.)

On découvre l'ensemble de Baie-Saint-Paul au détour de la route. Une longue pente mène au cœur de la ville qui conserve un air vieillot, ce qui rend agréable la promenade dans les rues Saint-Jean-Baptiste, Saint-Joseph et Sainte-Anne, bordées de petites maisons de bois au toit mansardé qui abritent de nos jours boutiques et cafés. L'endroit attire depuis longtemps des artistes paysagistes nord-américains séduits par les montagnes et la lumière particulière de Charlevoix. Aussi trouve-t-on à Baie-Saint-Paul une grande concentration de galeries et centres d'art où l'on peut voir et acheter des peintures et gravures canadiennes. Voir le **Circuit des galeries d'art**, p 294.

Le **Belvédère Baie-Saint-Paul** *(444 boul. Mgr-De Laval, route 138, ☎418-435-6275)*, une halte routière, offre un point de vue des plus spectaculaires qui permet d'embrasser en un coup d'œil la vallée de la rivière du Gouffre, Baie-Saint-Paul et l'île aux Coudres. Vous pouvez vous y informer sur les attraits touristiques, l'hébergement, les activités et services de plein air, la restauration et les particularités de Charlevoix.

Le musée-galerie qu'est le **Centre d'exposition de Baie-Saint-Paul** ★ *(4$; fin juin à fin août mar-dim 10h à 18h, début sept à fin juin mar-dim 10h à 17h; 23 rue Ambroise-Fafard, ☎418-435-3681, www.centredexpo-bsp.qc.ca)* accueille des expositions temporaires provenant du monde entier. Un symposium de peinture au cours duquel on peut voir des artistes à l'œuvre est organisé par le centre tous les mois d'août.

La **maison René-Richard** ★ *(galerie entrée libre, atelier 4$; fin juin à début sept lun-ven 8h à 17h30, sam-dim 9h à 19h; début sept à fin juin lun-ven 8h à 17h30, sam-dim 9h à 17h; 58 rue St-Jean-Baptiste, ☎418-435-5571, www.baiestpaul.com/maisonRR)*. Au début du XXe siècle, François-Xavier Cimon hérite de cette maison entourée d'un parc menant à la rivière du Gouffre. Le portraitiste Frederick Porter Vinton, qui se lie d'amitié avec la famille Cimon, fait aménager un atelier de peinture à proximité. Celui-ci sera plus tard utilisé par les Clarence Gagnon, A.Y. Jackson, Frank Johnston, Marc-Aurèle Fortin et Arthur Lismer, dont on peut aujourd'hui voir les œuvres dans les principaux musées canadiens. Enfin, en 1942, le peintre René Richard obtient le domaine par son mariage avec la fille Cimon. Depuis la mort de Richard en 1983, la propriété est ouverte au public et fait office de musée et de galerie d'art. La visite des lieux plonge le promeneur dans l'ambiance qui prévalait dans la région de Charlevoix au tournant des années 1940, alors qu'artistes et collectionneurs avertis, venus de New York ou de Chicago, fraternisaient pendant les vacances estivales.

La **Laiterie Charlevoix** ★ *(entrée libre; fin juin à début sept tlj 8h à 19h; début sept à fin juin lun-ven 8h à 17h30, sam-dim 9h à 17h; 1167 boul. Mgr-De Laval, ☎418-435-2184, www.fromagescharlevoix.com)*, fondée en 1948, a conservé le caractère artisanal des méthodes de fabrication du fromage cheddar. Elle abrite l'**Économusée du fromage**. Chaque jour, avant 11h, vous pouvez voir les fromagers en action et apprendre les rudiments de la fabrication du fromage ainsi que de son processus de maturation.

Saint-Urbain

Situé à l'extrémité est de la réserve faunique des Laurentides, le **parc national des Grands-Jardins** ★★ *(3,50$; mi-mai à fin juin et août à fin oct lun, mer et ven 8h à 22h, dim, mar, jeu et sam 8h à 18h; juil tlj 8h à 22h; centre de services Thomas-Fortin, route 381, Km 31; bureau: 4 rue Maisonneuve, Clermont, ☎418-439-1227 ou 800-665-6527, www.sepaq.com)*, d'une superficie de 310 km², est riche d'une faune et d'une flore de taïga et de toundra, tout à fait inusitées pour la région. Des randonnées pédestres, commentées par des naturalistes et visant à en faire découvrir les beautés naturelles, sont organisées tout au long de l'été. Parmi les promenades proposées, certaines permettent l'observation de caribous. En outre, la piste du Mont du lac des Cygnes

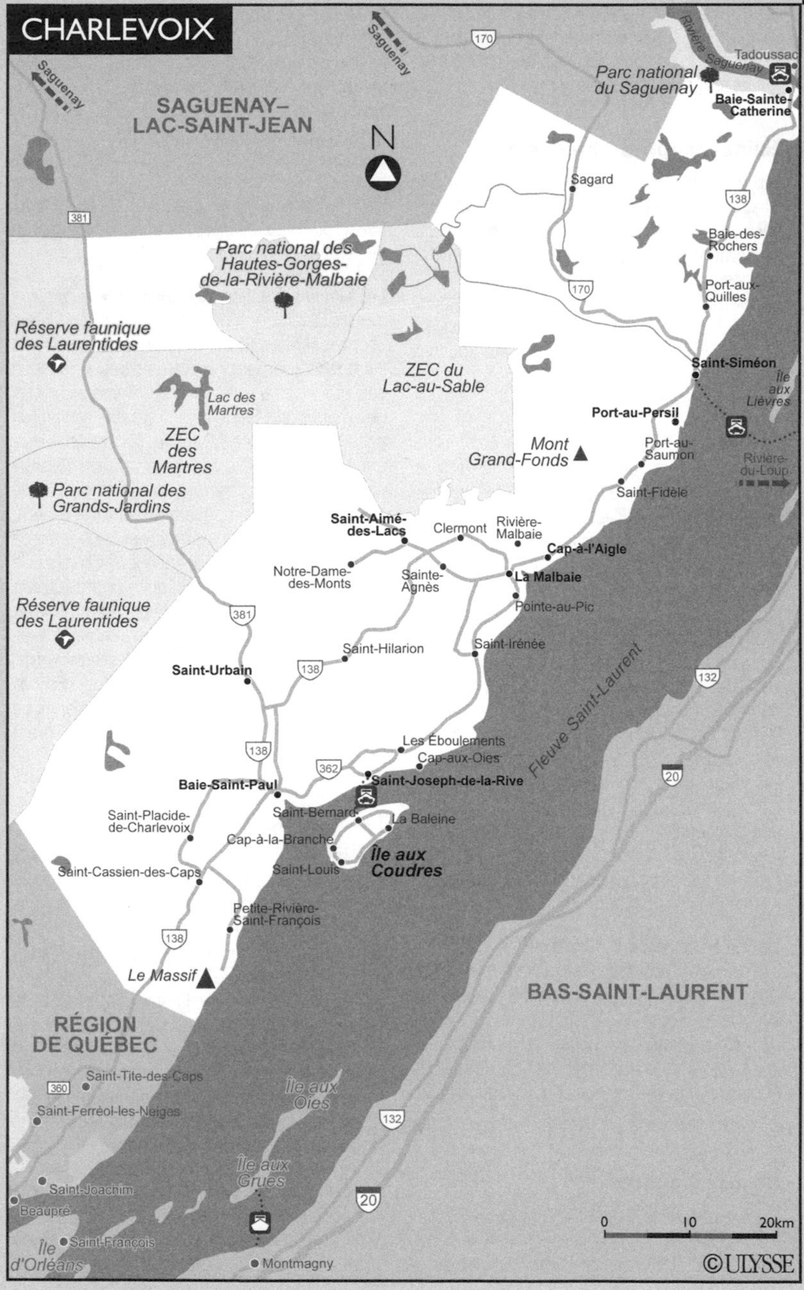
CHARLEVOIX
SAGUENAY–LAC-SAINT-JEAN
Saguenay
Parc national du Saguenay
Tadoussac
Baie-Sainte-Catherine
Sagard
Baie-des-Rochers
Port-aux-Quilles
Parc national des Hautes-Gorges-de-la-Rivière-Malbaie
Réserve faunique des Laurentides
ZEC du Lac-au-Sable
Lac des Martres
ZEC des Martres
Saint-Siméon
Île aux Lièvres
Port-au-Persil
Mont Grand-Fonds
Port-au-Saumon
Rivière-du-Loup
Saint-Fidèle
Parc national des Grands-Jardins
Saint-Aimé-des-Lacs
Clermont
Rivière-Malbaie
Cap-à-l'Aigle
Notre-Dame-des-Monts
Sainte-Agnès
La Malbaie
Pointe-au-Pic
Saint-Hilarion
Saint-Irénée
Saint-Urbain
Fleuve Saint-Laurent
Les Éboulements
Cap-aux-Oies
Saint-Joseph-de-la-Rive
Baie-Saint-Paul
Saint-Bernard
La Baleine
Saint-Placide-de-Charlevoix
Cap-à-la-Branche
Île aux Coudres
Saint-Cassien-des-Caps
Saint-Louis
Petite-Rivière-Saint-François
Le Massif
BAS-SAINT-LAURENT
RÉGION DE QUÉBEC
Saint-Tite-des-Caps
Saint-Ferréol-les-Neiges
Île aux Oies
Île aux Grues
Saint-Joachim
Beaupré
Saint-François
Île d'Orléans
Montmagny
0 10 20km
©ULYSSE

compte parmi les plus beaux sentiers au Québec. On peut également entreprendre des circuits de canot-camping. Des activités hivernales sont également proposées dans le parc.

Saint-Joseph-de-la-Rive ★

Situé en bordure du fleuve Saint-Laurent, le village de Saint-Joseph-de-la-Rive a longtemps vécu au rythme de la mer. Les goélettes qui parsèment le rivage en témoignent avec éloquence. Depuis quelques décennies toutefois, la villégiature et l'artisanat ont remplacé la pêche et les constructions navales. À l'est du quai, où s'amarre le traversier menant à l'île aux Coudres, une plage de sable fin invite à la baignade en eau salée (mais très froide...).

La **Papeterie Saint-Gilles** ★ *(entrée libre, visites guidées payantes pour les groupes; lun-ven 8h à 17h, sam-dim 9h à 17h; 304 rue Félix-Antoine-Savard, ☎418-635-2430 ou 866-635-2430, www.papeteriesaintgilles.com)* est un atelier de fabrication de papier artisanal fondé en 1966 par le prêtre-poète Félix-Antoine Savard (1896-1982), auteur de *Menaud maître-draveur*, avec l'aide de Mark Donohue, membre d'une célèbre dynastie de l'industrie papetière canadienne. Pendant la visite des lieux, qui se doublent de l'**Économusée du papier**, des guides expliquent les différentes étapes de la fabrication du papier selon les techniques du XVIIe siècle (défibrage, encuvage, tamisage, pressage, séchage et calandrage). Le papier de Saint-Gilles est reconnaissable à son grain épais et à ses fleurs ou feuilles d'arbre insérées dans chaque pièce. Il est possible de se procurer sur place divers ensembles de papier à lettres de qualité supérieure.

Le **Musée maritime de Charlevoix** ★★ *(5$; mi-mai à fin juin et début sept à mi-oct lun-ven 9h à 16h, sam-dim 11h à 16h; fin juin à début sept tlj 9h à 17h; 305 rue de l'Église, ☎418-635-1131 ou 635-2803, www.musee-maritime-charlevoix.com)*, installé sur le site d'un chantier naval, raconte la grande époque des fameuses goélettes. On peut visiter les bateaux sur place.

Île aux Coudres ★★

L'Isle-aux-Coudres constitue l'unique municipalité de l'île, formée à la suite de la fusion des villages de La Baleine, de Saint-Bernard et de Saint-Louis. Le traversier s'amarre au quai de Saint-Bernard, où commence la visite de l'île. C'est le meilleur endroit d'où contempler les montagnes de Charlevoix. On remarquera sur la grève un des derniers chantiers navals de l'île encore en activité.

Le **Musée Les Voitures d'Eau** ★ *(3,50$; fin mai à mi-juin et mi-sept à mi-oct sam-dim 10h à 17h, mi-juin à mi-juil et mi-août à mi-sept tlj 10h à 17h, mi-juil à mi-août tlj 9h30 à 18h; 1922 ch. des Coudriers, St-Louis, ☎418-438-2208 ou 800-463-2118, www.quebecweb.com/voitureau)* raconte l'aventure des goélettes, de leurs constructeurs et de leurs équipages. Il a été fondé en 1973 par le capitaine Éloi Perron, qui a récupéré la goélette *Mont-Saint-Louis*, laquelle peut d'ailleurs être visitée de la cale à la timonerie.

Les **Moulins de L'Isle-aux-Coudres** ★★ *(8$; mi-mai à début oct tlj 9h30 à 17h30; 36 ch. du Moulin, St-Louis, ☎418-438-2184, www.lesmoulinsiac.com)*. Il est extrêmement rare de retrouver moulin à eau et moulin à vent dans un même voisinage. Les moulins de Saint-Louis forment, en fait, un ensemble unique au Québec. Le moulin à eau, érigé en 1825, et le moulin à vent de 1836 se complètent, l'un prenant la relève de l'autre selon les conditions climatiques du moment. L'ensemble, qui comprend en outre une forge et une maison de meunier, a été restauré par le gouvernement du Québec, qui a profité du fait que les mécanismes étaient encore en parfait état de marche pour remettre les moulins au travail et en faire des centres d'interprétation des moulins à vent et à eau ainsi que l'**Économusée de la meunerie**. De plus, un meunier moud de nouveau le blé et le sarrasin, et du pain est cuit sur place dans un antique four à bois.

La Malbaie ★ (9 000 hab.)

Seul parmi les grands hôtels de Charlevoix à avoir survécu, le **Manoir Richelieu** ★★ *(181 rue Richelieu)* a vu le jour en 1899 sur la falaise de Pointe-au-Pic. Au premier hôtel de bois a succédé l'hôtel actuel (voir p 289) en béton, à l'épreuve du feu et des tremblements de terre. Nombre de personnalités y ont séjourné, de Charlie Chaplin au roi de Siam (aujourd'hui la Thaïlande), en passant par les richissimes Vanderbilt de New York. Même si l'on ne réside pas au Manoir, il est permis de parcourir discrètement son allée intérieure, bordée d'élégants salons, et de flâner dans ses jardins surplombant le fleuve Saint-Laurent.

Le **Casino de Charlevoix** *(183 rue Richelieu, ☎418-665-5300 ou 800-665-2274, www.casino-de-charlevoix.com)* est un casino à l'européenne voisin du Manoir Richelieu, agréablement aménagé et très fréquenté.

Saint-Aimé-des-Lacs

Une courte incursion à l'intérieur des terres par la route 138 Ouest au départ de La Malbaie permet de rejoindre Saint-Aimé-des-Lacs, qui donne accès au **parc national des Hautes-Gorges-de-la-Rivière-Malbaie** ★★★ *(3,50$; fin mai à mi-oct lun-ven 8h à 17h et sam-dim 8h à 19h; accès par la rue Principale qui traverse St-Aimé-des-Lacs; bureau: 4 rue Maisonneuve, Clermont, ☎418-439-1227 ou 800-665-6527, www.sepaq.com)*. D'une grande richesse écologique, ce parc s'étend sur quelque 225 km² et fut créé afin de protéger le site de l'exploitation commerciale. Il y a 800 millions d'années, une cassure terrestre forma de magnifiques gorges qui furent, par la suite, modelées par les glaciers. Les types de forêts couvrant la région sont en outre d'une incroyable diversité, allant des érablières à la toundra alpine. Le centre de location du parc propose des vélos de montagne et des canots afin de profiter des magnifiques sentiers et rivières du parc.

Cap-à-l'Aigle

Depuis le boulevard de Comporté, à La Malbaie, on aperçoit déjà au loin une noble maison de pierres, élevée sur les escarpements du cap à l'Aigle. Il s'agit de l'ancien manoir de la seigneurie de Malcolm Fraser, baptisée Mount Murray. Celle-ci faisait pendant, à l'est de la rivière Malbaie, à la seigneurie de John Nairne, établie à l'ouest du cours d'eau et baptisée simplement «Murray Bay», en l'honneur du gouverneur britannique de l'époque, James Murray. Cap-à-l'Aigle, dont la vocation touristique remonte au XVIIIe siècle, formait le cœur de la seigneurie de Mount Murray.

Le **manoir Fraser** ★ *(propriété privée; route 138)* a été construit pour le fils de Malcolm Fraser en 1827. Endommagé par un incendie en 1975, il a été restauré par la famille Cabot, propriétaire des titres de la seigneurie de Cap-à-l'Aigle depuis 1902.

Les Jardins du Cap-à-l'Aigle ★ *(entrée libre; 623 rue St-Raphaël, ☎418-665-6060, www.villagedeslilas.com)* consistent en de magnifiques arrangements floraux et paysagers. Une collection de plus de 45 espèces de lilas ainsi que de belles plates-bandes et promenades avec vue sur le fleuve composent le menu de ces jardins.

Port-au-Persil ★★

Ce charmant petit port doit sa notoriété à sa chute d'eau, à sa chapelle anglicane ainsi qu'à la route qui sillonne la montagne, dévoilant des paysages pittoresques d'une grande beauté.

Saint-Siméon

Le sympathique village de Saint-Siméon constitue la jonction des routes du Saguenay, de la Côte-Nord et de Charlevoix. Il est possible de rejoindre Rivière-du-Loup, sur la rive sud du Saint-Laurent, en prenant le traversier ici.

Baie-Sainte-Catherine ★

Cette petite municipalité est bornée par une baie à l'embouchure du Saguenay et dispose d'une jolie plage sablonneuse et de bon nombre de gîtes. On y prend le bateau pour se rendre à Tadoussac.

Activités de plein air

■ Croisières et observation des baleines

Au quai des villes de Baie-Sainte-Catherine et de Saint-Siméon, quelques entreprises organisent des excursions sur le fleuve.

On peut observer les baleines à bord de grands bateaux confortables qui peuvent accueillir jusqu'à 300 personnes ou d'embarcations pneumatiques très sécuritaires. L'entreprise **Croisières AML** *(59$; début mai à fin oct; départ aux quais de Tadoussac et de Baie-Sainte-Catherine, ☎418-692-1159 ou 800-563-4643, www.croisieresaml.com)* propose ce genre d'excursion qui dure en moyenne 3h.

Croisières Charlevoix *(54-60; début mai à fin oct; départ au quai de St-Siméon, ☎418-638-1483 ou 866-638-1483, www.baleines.ca)* propose une sortie sur le fleuve à bord de ce qui est probablement le meilleur navire d'observation sillonnant les eaux du parc marin du Saguenay–Saint-Laurent. Il s'agit d'un bateau écologique, qui utilise 25% moins de carburant et a remplacé l'hélice par une tuyère sans danger pour la faune marine. Il est par ailleurs le plus rapide et le plus silencieux. La vue à 360° permet d'observer tout ce qui se déroule tout autour, et le bateau n'est pas surchargé. De petits canots pneumatiques sont aussi disponibles pour ceux qui veulent voir de plus près les immenses cétacés!

■ Ski alpin

Le Massif *(55$; 1350 rue Principale, Petite-Rivière-St-François, ☎418-632-5876 ou 877-536-2774, www.lemassif.com)* est l'une des stations de ski les plus intéressantes du Québec. D'abord parce que Le Massif offre le dénivelé le plus haut de l'est du Canada, soit 770 m, ensuite parce qu'il reçoit chaque hiver des chutes de neige abondantes qui, ajoutées à la neige artificielle, créent des conditions idéales. Sans parler de la nature environnante! La montagne, qui se jette presque dans le fleuve, offre depuis son sommet une vue extraordinaire. Elle compte plus de 45 pistes pour tout type de skieurs.

Saguenay–Lac-Saint-Jean ★★

p 290 p 292 p 293 p 294

L'Anse-Saint-Jean ★★

Plus ancienne municipalité du Saguenay–Lac-Saint-Jean, L'Anse-Saint-Jean est l'un des plus beaux villages du Québec. En plus de quelques jolies maisons ancestrales, on peut y voir un joli pont couvert, baptisé **pont du Faubourg** et érigé en 1929. Il faut ensuite se rendre au **belvédère de l'Anse-de-Tabatière** ★★ *(passez le pont couvert et suivez les indications sur 6 km)*, qui offre un point de vue spectaculaire sur les falaises abruptes du fjord.

Rivière-Éternité ★

Avec un nom pareil, comment ne pas se laisser emporter par la poésie du Saguenay, d'autant plus que Rivière-Éternité constitue la porte d'entrée du parc national du Saguenay (voir ci-dessous), en plus de donner accès à l'un des secteurs du merveilleux **parc marin du Saguenay–Saint-Laurent** (voir p 299), où l'on peut observer les baleines dans leur habitat naturel.

Le **parc national du Saguenay** ★★★ *(3,50$; secteur Baie-Éternité, 91 ch. Notre-Dame, ☎800-665-6527, www.sepaq.com)* couvre une partie des berges de la rivière Saguenay. Il s'étend des rives de l'estuaire (situé dans la région touristique de Manicouagan) jusqu'à Sainte-Rose-du-Nord, où d'abruptes falaises se jettent dans la rivière, créant de magnifiques paysages. Des sentiers de randonnée pédestre, qui s'étendent sur une centaine de kilomètres, permettent de découvrir cette fascinante région. Parmi eux, mentionnons le petit sentier de 1,6 km, situé au bord du Saguenay, qui s'avère assez facile à parcourir, le sentier de la Statue, d'une longueur de 3,5 km, qui offre une ascension difficile, et le superbe sentier Les Caps, long de 25 km (de Baie-Éternité à L'Anse-Saint-Jean), pour lequel il faut compter trois jours de marche. Pour loger les visiteurs, des emplacements de camping et des refuges ont été aménagés. Sur la rive gauche du Saguenay se trouvent les deux autres secteurs du parc national du Saguenay: le secteur de La Baie-de-Tadoussac, Maison des Dunes, route 138 ou 172, Tadoussac et le secteur Baie-Sainte-Marguerite, route 172 E., Sacré-Cœur.

Saguenay ★ (144 250 hab.)

La ville de Saguenay, la plus importante de toute la région du Saguenay–Lac-Saint-Jean, est partagée entre sept arrondissements: La Baie, Chicoutimi, Laterrière, Jonquière, Lac-Kénogami, Shipshaw et Canton-Tremblay.

La Baie (Saguenay) ★

La Baie, qui s'est donné une vocation industrielle, occupe un site admirable au creux de la baie des Ha! Ha! Ce terme savoureux, qui désigne une «impasse» en vieux français, aurait été employé par les premiers explorateurs de la région qui, s'étant engagés dans la baie, croyaient avoir affaire à une rivière. Jusqu'à La Baie, la rivière Saguenay est sous l'emprise des marées d'eau salée, ce qui confère à l'agglomération un caractère maritime. La Baie possède d'ailleurs un important port de mer qu'il est possible de visiter.

La Société des Vingt-et-Un fut constituée à La Malbaie (Charlevoix) en 1837, dans le but secret de trouver de nouvelles terres agricoles, pour déplacer le trop-plein de colons canadiens-français des rives du fleuve Saint-Laurent. Sous le prétexte d'effectuer la coupe de bois pour le compte de la Compagnie de la Baie d'Hudson, elle fit défricher différentes anses du Saguenay, y installant hommes, femmes et enfants. Le 11 juin 1838, la goélette de Thomas Simard, qui transportait les premiers colons, mouilla dans la baie des Ha! Ha! Les hommes débarquèrent et construisirent, sous la gouverne d'Alexis Tremblay, une première cabane en bois de 4 m sur 6 m, donnant ainsi naissance à La Baie.

Le **Musée du Fjord** ★ *(10$; fin juin à début sept tlj 9h à 18h; reste de l'année mar-ven 9h à 16h30, sam-dim 13h à 17h; 3346 boul. de la Grande-Baie S., ☎418-697-5077 ou 866-697-5077, www.museedufjord.com)* a emménagé dans un magnifique complexe (le précédent avait été détruit lors du déluge de 1996) et présente des expositions à caractère scientifique et éducatif, mais aussi sur l'interprétation de l'histoire régionale et locale. Très intéressantes, les expositions sont bien montées et plairont tant aux adultes qu'aux enfants.

Chicoutimi (Saguenay) ★

D'origine innue, le mot *Chicoutimi* signifie «là jusqu'où c'est profond», une allusion aux eaux du Saguenay, navigables jusqu'à la hauteur de cette ancienne ville autonome. Lieu de rassemblements, de fêtes et d'échanges pour les tribus amérindiennes nomades pendant plus de 1 000 ans, Chicoutimi deviendra l'un des plus importants postes de traite des fourrures en Nouvelle-France à partir de 1676. Celui-ci demeurera en activité jusqu'au milieu du XIXe siècle, alors que les industriels Peter McLeod et William Price

SAGUENAY–LAC-SAINT-JEAN

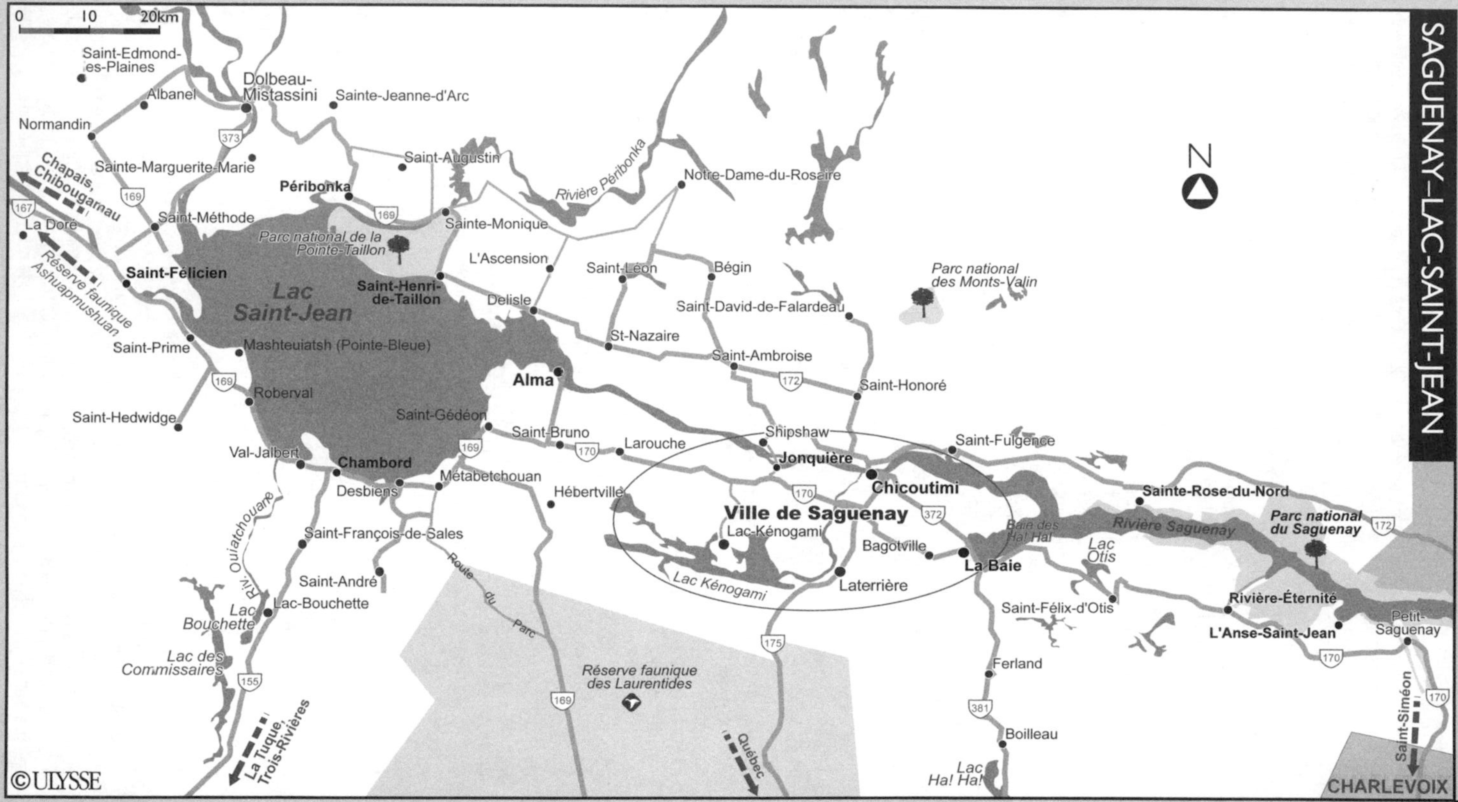

ouvrent en 1842 une scierie à proximité, permettant l'aménagement d'une véritable ville à cet endroit, favorisé par la présence de trois rivières au fort débit: les rivières du Moulin, Chicoutimi et Saguenay. Le centre de Chicoutimi est dominé par des édifices religieux et institutionnels. La rue Racine en est la principale artère commerciale. De la ville victorienne du XIXe siècle, il ne subsiste que bien peu de choses, la majeure partie de Chicoutimi ayant été détruite lors d'un violent incendie en 1912 et le reste ayant été «modernisé» ou banalisé au cours des 30 dernières années. Le long des rues, on retrouvera, sur les enseignes des magasins, des noms typiques du Saguenay, comme Tremblay ou Claveau, mais aussi des noms à consonance anglaise, comme Harvey et Blackburn, symboles d'un phénomène unique au Canada: l'assimilation de familles anglophones aux francophones.

La **Pulperie de Chicoutimi** ★★ *(10$; fin juin à début sept tlj 9h à 18h, le reste de l'année musée seulement mer-dim 10h à 16h; 300 rue Dubuc, ☎418-698-3100 ou 877-998-3100, www.pulperie.com)*. Au tournant du XXe siècle naissent quelques entreprises canadiennes-françaises d'envergure au Saguenay–Lac-Saint-Jean, les plus grosses étant les usines de pâte à papier de Val-Jalbert (Chambord) et de Chicoutimi. La pulperie de Chicoutimi fut fondée en 1896 par Dominique Guay et agrandie à plusieurs reprises par la puissante North American Pulp and Paper Company. L'entreprise fut pendant 20 ans le plus important fabricant de pâte à papier mécanique au Canada, fournissant les marchés français, américain et britannique. L'effondrement du prix de la pâte en 1921 et le krach de 1929 ont entraîné la fermeture de la pulperie, laissée à l'abandon jusqu'en 1980. Aujourd'hui, le site de la Pulperie, qui s'étend sur plus de 1 ha, constitue un immense parc en plein cœur de Chicoutimi. Un circuit d'interprétation ponctué de 12 stations en illustre l'histoire ancienne.

Jonquière (Saguenay)

En 1847, la Société des défricheurs du Saguenay obtient l'autorisation de s'implanter en bordure de la rivière aux Sables. Le nom de Jonquière est choisi en souvenir de l'un des gouverneurs de la Nouvelle-France, le marquis de Jonquière. Les débuts de cette ancienne ville autonome ont été marqués par l'histoire de Marguerite Belley, de La Malbaie, qui alla reconduire à dos de cheval trois de ses fils à Jonquière, pour éviter qu'ils ne soient tentés d'émigrer aux États-Unis. En 1870, tout le territoire compris entre Jonquière et Saint-Félicien, au Lac-Saint-Jean, fut détruit lors une conflagration majeure. La région prendra plus de 40 ans à s'en remettre. De nos jours, Jonquière est essentiellement moderne, dominée par son usine d'aluminium Rio Tinto Alcan. Cette entreprise multinationale possède plusieurs usines au Saguenay–Lac-Saint-Jean, remplaçant les fils Price et leur empire du bois comme principal employeur de la région. Les villes d'Arvida et de Kénogami avaient déjà fusionné avec Jonquière en 1975, formant à l'époque une agglomération suffisamment importante pour rivaliser avec Chicoutimi, toute proche. Jonquière est reconnue pour ses visites industrielles.

Ouverte en 1943, la **centrale hydroélectrique de Shipshaw** ★★ *(entrée libre; juin à août lun-ven 13h30 à 16h30; 1471 route du Pont, ☎418-699-1547; réservations requises)* est un bel exemple d'Art déco. Elle alimente en électricité les usines d'aluminium de la région.

Sainte-Rose-du-Nord ★

Charmant hameau fondé en 1942, Sainte-Rose-du-Nord a pourtant l'apparence d'un village plus ancien. Il est adossé aux escarpements rocheux du Saguenay, ce qui lui donne l'air irréel des villages de carton que l'on dispose au pied des arbres de Noël. On s'assurera d'entrer dans ses boutiques d'artisanat et de visiter l'**église Sainte-Rose-de-Lima**, dont l'intérieur est décoré sur le thème de la forêt, avec branches, racines et écorce de bouleau.

Le **Musée de la nature** *(5$; été tlj 9h à 20h30, reste de l'année tlj 8h45 à 18h30; 199 rue de la Montagne, ☎418-675-2348, www.museedelanature.com)* présente différents animaux empaillés et des spécimens de la flore de la région regroupés dans six salles aménagées avec originalité.

Chambord

Le **Village historique de Val-Jalbert** ★★ *(20$; début mai à fin mai sam-dim 10h à 16h30, fin mai à fin juin tlj 10h à 16h30, fin juin à début oct tlj 9h30 à 17h, groupes sur réservation; 95 rue St-Georges, route 169, ☎418-275-3132 ou 888-675-3132, www.sepaq.com)*. En 1901, l'industriel Damase Jalbert construit une usine de pulpe au pied de la chute de la rivière Ouiatchouane. L'entreprise prospère rapidement, au point de devenir la plus importante société industrielle entièrement placée sous contrôle canadien-français. En quelques années, une ville modèle voit le jour autour de l'usine. On y trouve un couvent, un moulin, un magasin général, un hôtel, des maisons, le tout réalisé selon un plan d'urbanisme précis. La chute du prix de la pulpe en 1921 et son remplacement par la pâte synthétique dans la fabrication du papier entraînent la fermeture de l'usine en 1927. Le village est alors complètement déserté par ses habitants. Le site demeure abandonné jusqu'à ce que le gouvernement du Québec en fasse une base de plein air, au milieu des années 1960. Aujourd'hui, Val-Jalbert est un centre touristique géré par la Société des établissements de plein air du Québec, la Sépaq.

Val-Jalbert est un riche morceau du patrimoine industriel nord-américain figé dans le temps. Le site a conservé en partie son aspect de village fantôme, alors que le reste a été soigneusement restauré pour loger certains services d'hébergement de même qu'un centre d'interprétation fort instructif. Il s'inscrit en outre dans un cadre naturel d'une grande beauté. Les visiteurs sont accueillis au stationnement par un guide qui leur fait faire le tour du village en autobus (optionnel) avant de les laisser flâner à leur guise entre les maisons en bois de type *boomtown*. Différents points d'observation, reliés par un téléphérique *(4$)*, ont été aménagés pour révéler pleinement le paysage. Un terrain de camping avoisine le village, et il est même possible de séjourner dans les anciennes maisons restaurées (voir p 290).

Saint-Félicien (10 450 hab.)

Le **Zoo sauvage de Saint-Félicien ★★** *(32$; mai, sept et oct tlj 9h à 17h, juin à août tlj 9h à 18h, fin juin à début août fermeture à 20h; en hiver, la partie pédestre est accessible du lundi au vendredi de 9h à 17h; 2230 boul. du Jardin, ☎418-679-0543 ou 800-667-5687, www.borealie.org)* abrite plus de 80 espèces animales de la Boréalie que vous pourrez observer dans leur habitat naturel. En effet, il tient sa particularité du fait que les animaux ne sont pas en cage. Ils circulent librement et ce sont plutôt les visiteurs qui font le tour du zoo dans un petit autobus grillagé. La reconstitution d'un camp de bûcherons, d'un campement innu, d'un poste de traite des fourrures et d'une ferme coloniale, avec des bâtiments authentiques regroupés sur le site, ajoute un élément historique à la visite de ce zoo non traditionnel.

Péribonka ★

Louis Hémon naît à Brest (France) en 1880. Après des études au lycée Louis-LeGrand à Paris, il obtient une licence en droit de la Sorbonne. En 1903, il s'installe à Londres, où il entame sa carrière d'écrivain. L'esprit aventurier d'Hémon le conduit au Canada. Il vit à Québec puis à Montréal, où il rencontre des investisseurs désireux de construire un chemin de fer dans la partie nord du Lac-Saint-Jean. Il se rend sur place pour faire du repérage, mais c'est davantage la vie quotidienne du pays qui l'intéresse. En juin 1912, il rencontre Samuel Bédard, qui l'invite chez lui, à Péribonka. Hémon participe alors aux travaux de la ferme et recueille secrètement dans un cahier ses impressions de voyage, qui donneront naissance à son chef-d'œuvre, le roman *Maria Chapdelaine*.

Hémon n'aura cependant pas le loisir de goûter à l'immense succès du roman. Le 8 juillet 1913, alors qu'il marche sur une voie ferrée près de Chapleau, en Ontario, il est frappé par un train. L'écrivain décède, quelques minutes plus tard, dans les bras de ses compagnons de voyage.

Maria Chapdelaine fut d'abord publié en feuilleton dans *Le Temps* de Paris, puis sous forme de roman chez Grasset, en 1916, avant d'être traduit dans plusieurs langues. Nul autre ouvrage ne fit autant connaître le Québec à l'étranger. Le roman fut même porté à l'écran à trois reprises, par Jean Duvivier en 1934 (avec Madeleine Renaud et Jean Gabin), par Marc Allégret en 1949 (avec Michèle Morgan dans le rôle-titre) et par Gilles Carle en 1983 (avec Carole Laure dans le rôle-titre). Péribonka est un coquet village qui sert de point de départ aux nageurs lors de la Traversée internationale du lac Saint-Jean.

Musée Louis-Hémon – Complexe touristique Maria-Chapdelaine ★★ *(5,50$; juin à sept tlj 9h à 17h, sept à juin mar-ven 9h à 16h; 700 route 169, ☎418-374-2177, www.museelh.destination.ca)*. La maison de Samuel Bédard et de son épouse, Laura née Bouchard, où a séjourné Louis Hémon durant l'été 1912, subsiste toujours en bordure de la route 169. Il s'agit d'un des trop rares exemples d'habitation de colons du Lac-Saint-Jean ayant survécu à l'amélioration du niveau de vie dans la région. La maison au confort minimal, qui a inspiré Hémon tout en donnant naissance au mythe de la «cabane au Canada», a été construite en 1903. Elle devient un musée dès 1938, ce qui permettra de conserver intact son mobilier, voire la disposition initiale de celui-ci à travers les humbles pièces d'habitation. Un grand bâtiment postmoderne a été érigé à proximité pour abriter les objets personnels de Louis Hémon, différents souvenirs liés aux villageois ayant inspiré l'œuvre d'Hémon, de même que des rappels du succès du roman *Maria Chapdelaine*.

Saint-Henri-de-Taillon

Le **parc national de la Pointe-Taillon ★** *(3,50$; 825 3e Rang O., ☎418-347-5371 ou 800-665-6527, www.sepaq.com)* se trouve sur la bande de terre qui est formée par la rivière Péribonka et qui avance dans le lac Saint-Jean. Le site est un endroit privilégié pour pratiquer divers sports nautiques tels que le canot et la voile. En outre, le parc possède de magnifiques plages de sable. Des pistes cyclables et des sentiers de randonnée pédestre permettent de se promener tout en découvrant les beautés des lieux.

Alma (30 350 hab.)

Dans la ville industrielle d'Alma, on trouve une vaste aluminerie et une papeterie entourées par des quartiers ouvriers et bourgeois. Le parc Falaise nous rappelle qu'Alma est jumelée, depuis 1969, à la ville de Falaise, en Normandie.

Initiative de la Société d'histoire du Lac-Saint-Jean, le **parc thématique L'Odyssée des Bâtisseurs** ★★ *(12$, mi-juin à début sept tlj 9h à 17h30; et début sept à fin sept tlj 9h à 16h30; 7$, début oct à mi-juin lun-ven 9h à 16h30; 1671 av. du Pont N., ☎418-668-2606 ou 866-668-2606, www.odysseedesbatisseurs.com)* présente, dans la Maison des Bâtisseurs, sa collection permanente et des expositions temporaires. Des circuits d'interprétation sillonnent tout autour le secteur historique de l'Isle-Maligne, que vous pouvez parcourir par le biais d'une visite guidée, en plus du Parcours des Bâtisseurs (belvédère et château d'eau avec présentation multimédia en haute saison), unique en son genre.

Activités de plein air

Croisières

Les **Croisières La Marjolaine** *(45$ et plus; boul. Saguenay E., port de Chicoutimi, ☎418-543-7630 ou 800-363-7248, www.croisieremarjolaine.com)* organisent différentes excursions en bateau sur le Saguenay. La promenade s'avère des plus agréables pour découvrir le spectacle fascinant du fjord. Une des excursions part de Chicoutimi et va jusqu'à Sainte-Rose-du-Nord. Le retour se fait en autocar, sauf aux mois de juin et de septembre (l'aller et le retour se font alors en bateau). La croisière dure toute la journée. On peut également partir de Sainte-Rose-du-Nord pour se rendre à Chicoutimi.

Pêche sur la glace

Le **parc national du Saguenay** (voir p 284) et la rivière Saguenay attirent une foule d'amateurs de pêche blanche. De décembre à la mi-mars, lorsque la rivière est gelée, elle se couvre de petites cabanes en bois colorées qui accueillent les pêcheurs. La rivière contient plusieurs espèces de poissons, entre autres le sébaste, la morue, le flétan du Groenland et l'éperlan. Vous pouvez louer du matériel de pêche dans le secteur de Baie-Éternité.

Hébergement

Charlevoix

Baie-Saint-Paul

Parc national des Grands-Jardins
$
Centre de services Thomas-Fortin, route 381
☎418-439-1227 ou 800-665-6527
www.sepaq.com

Le parc national des Grands-Jardins offre en location de petits chalets et des refuges par l'entremise de la Sépaq. Par ailleurs, le parc est réputé pour la pêche; donc, si vous voulez en louer un durant la période estivale, il est préférable de réserver bien à l'avance.

Le Genévrier
$ camping
$$$ chalet pour 1 à 4 pers.
1175 boul. Mgr-De Laval, route 138
☎418-435-6520 ou 877-435-6520
www.genevrier.com

Le Genévrier est un vaste complexe récréotouristique qui s'intègre magnifiquement à son milieu naturel. Les campeurs de toute tendance sont assurés d'y trouver chaussure à leur pied. On y dénombre 450 emplacements, principalement en terrain boisé, pour tous types de véhicules récréatifs et d'abris, des plus grosses autocaravanes jusqu'aux tentes des amateurs de camping sauvage. Plusieurs chalets sont proposés, dont une dizaine de chalets scandinaves en rondins tout équipés, modernes et confortables, situés au bord d'un lac ou d'une rivière. En été, on offre en location deux chalets de bois rond plus rustiques, tout équipés, avec literie et douche. Un programme étoffé d'activités sportives et de loisirs est proposé chaque jour. Sentiers pour la randonnée pédestre et le vélo de montagne le long d'une rivière.

Auberge La Pignoronde
$$ ≡ @
750 boul. Mgr-De Laval
☎418-435-5505 ou 888-554-6004
www.aubergelapignoronde.com

L'étrange bâtiment circulaire de l'Auberge La Pignoronde est d'aspect plutôt quelconque. Heureusement, le décor intérieur est des plus charmants. Ainsi, le hall pourvu d'un foyer s'avère fort accueillant. On y jouit d'une vue superbe en plongée sur la baie.

À La Chouette
$$-$$$ @
2 rue Leblanc
418-435-3217 ou 888-435-3217
www.giteetaubergedupassant.com/chouette

Située un peu à l'écart de la ville, la grande maison charmante qui abrite le gîte À La Chouette propose cinq chambres plus une suite complète, chacune décorée selon une saison. Comme il y a cinq chambres, les proprios ont contourné le problème en nommant la cinquième «L'été des Indiens», une saison par ailleurs toute québécoise! Toutes les unités disposent d'une salle de bain privée et offrent un excellent confort. Le petit déjeuner est original et composé de produits régionaux bios. Une belle ambiance règne dans cette maison ancestrale, très agréable et pas trop surchargée, en plus d'être sans prétention.

Auberge La Muse
$$-$$$ @
39 rue St-Jean-Baptiste
418-435-6839 ou 800-841-6839
www.lamuse.com

L'Auberge La Muse se trouve au centre de Baie-Saint-Paul. Elle est installée dans une maison d'époque pourvue d'un joli balcon et nichée sous de grands arbres ainsi que dans un ancien magasin général. Les chambres sont décorées dans un style victorien. Le buffet du petit déjeuner permet de goûter les spécialités maison qui font la réputation du restaurant (voir p 291).

Auberge La Maison Otis
$$$$-$$$$$
½p ≡ @
23 rue St-Jean-Baptiste
418-435-2255 ou 800-267-2254
www.maisonotis.com

Ancienne banque située au cœur de la ville, l'Auberge La Maison Otis conjugue une ambiance suave et un décor de bon goût à une table divine (voir p 291). L'ancienne section abrite de petites chambres douillettes, avec le lit en mezzanine, alors que, dans la section plus récente, les chambres sont grandes.

Île aux Coudres

Auberge La Coudrière et Motels
$$
2891 ch. des Coudriers
418-438-2838 ou 888-438-2882
www.aubergelacoudriere.com

L'Auberge La Coudrière et Motels propose des chambres confortables. Elle se trouve près du fleuve, donnant ainsi aux visiteurs l'occasion de faire de belles promenades.

Saint-Irénée

Hôtel Motel de la Plage
$$$ @
180 ch. Les Bains, route 362
418-452-8148 ou 877-452-8142
www.hotel-motel-charlevoix.com

L'Hôtel Motel de la Plage, un sympathique petit établissement tout neuf, propose une quinzaine de chambres confortables, toutes avec une belle vue sur le fleuve et une salle de bain privée. Peu cher.

La Malbaie

Auberge La Romance
$$$-$$$$ ≡ @
415 ch. des Falaises
418-665-4865
www.aubergelaromance.com

L'Auberge La Romance est effectivement orientée, de la cave au grenier, vers les séjours romantiques. Tout y a été prévu, dans les moindres détails, pour entourer les hôtes d'un nuage de douceur. La maison en bardeaux de cèdres abrite huit chambres décorées et meublées dans un style victorien très coloré. Chacune des chambres a un cachet qui lui est propre ainsi que certaines installations qui rehaussent son côté romantique, comme un foyer (au gaz ou au bois), un balcon, un lit à baldaquin, des fenêtres à carreaux ou une baignoire à remous.

Auberge des 3 Canards
$$$$-$$$$$
@
115 côte Bellevue
418-665-3761 ou 800-461-3761
www.auberge3canards.com

L'Auberge des 3 Canards offre une vue superbe sur toute la région et abrite neuf chambres chaleureusement décorées et munies de foyer, de tapis douillets et d'une baignoire à remous. Son motel est pourvu de chambres moins bien aménagées, mais offrant néanmoins une belle vue sur l'eau. Le restaurant est excellent (voir p 292).

Fairmont Le Manoir Richelieu
$$$$$
≡ @
181 rue Richelieu
418-665-3703 ou 888-610-7575
www.fairmont.com/fr/richelieu

Véritable institution hôtelière au Québec, le **Manoir Richelieu** (voir p 282) demeure un des centres de villégiature les plus recherchés et les plus appréciés du Québec. Doté de tourelles, de gâbles et d'un toit aigu, ce joyau architectural d'inspiration normande dispose de 405 chambres et suites. Plusieurs boutiques sont aménagées au rez-de-chaussée, de même qu'un lien souterrain avec le casino. L'un des trois restaurants du Manoir Richelieu, **Le Charlevoix** (voir p 292), fait le bonheur des gourmets.

Cap-à-l'Aigle (La Malbaie)

Auberge des Eaux Vives
$$-$$$ bc/bp @
39 rue de la Grève
888-565-4808
www.eauxvives.wordpress.com

Cette magnifique auberge de bois compte quatre belles chambres très originales. Son décor est singulier et tranche complètement avec le caractère champêtre que l'on retrouve habituellement dans la région de Charlevoix.

Grâce aux intérieurs d'inspiration asiatique, avec rideaux de bambous, tapis épais et lit rond, l'ambiance est de bon goût, raffinée et confortable. Comme on est à deux pas du fleuve, la vue est imprenable.

La Pinsonnière
$$$$-$$$$$
124 rue St-Raphaël
☎418-665-4431 ou 800-387-4431
www.lapinsonniere.com

Le luxueux hôtel La Pinsonnière, membre de l'association des Relais & Châteaux, repose sur un site enchanteur près du fleuve. Les chambres, chacune différente des autres, sont décorées avec goût. L'endroit est paisible et sa table courue (voir p 292), mais les tarifs demeurent plutôt élevés.

Saguenay–Lac-Saint-Jean

L'Anse-Saint-Jean

Auberge La Fjordelaise
$$-$$$ @
370 rue St-Jean-Baptiste
☎418-272-2560 ou 866-372-2560
www.fjordelaise.com

L'Auberge La Fjordelaise se trouve à la pointe du très beau village de L'Anse-Saint-Jean. Les lits sont d'un confort décadent (protège-matelas, couette et oreillers en duvet!...), les petits déjeuners sont excellents et copieux, le service est gentil et attentionné, la vue est belle... En somme, parfait et sympathique.

La Baie (Saguenay)

Auberge des 21
$$$ @
621 rue Mars
☎418-697-2121 ou 800-363-7298
www.aubergedes21.com

La coquette Auberge des 21 dispose, en plus d'une vue magnifique sur la baie des Ha! Ha!, de chambres confortables et d'un spa qui vous aidera à profiter au maximum de vos moments de détente. Un restaurant de fine cuisine est aussi proposé (voir p 292).

Chicoutimi (Saguenay)

Gîte La Maison du Séminaire
$$ bc/bp @
285 rue du Séminaire
☎418-543-4724
www.lamaisonduseminaire.com

Aménagé dans une maison ancestrale située au beau milieu de la ville, et tenu par de sympathiques propriétaires, ce gîte dispose de cinq chambres très accueillantes. Le petit déjeuner est sublime.

Jonquière (Saguenay)

Auberge des deux tours
$$ bc/bp
2522 rue St-Dominique
☎418-695-2022 ou 888 454-2022
www.aubergedeuxtours.qc.ca

En face de l'église, dans l'animée rue Saint-Dominique, se dresse une maison dont l'architecture ne passe pas inaperçue. Ses deux tours ont inspiré les propriétaires qui ont aménagé une auberge dans cette grande demeure dont les couloirs, les escaliers et les salles communes conservent le souvenir des anciens habitants. Les chambres, simples, sont revêtues de tons qui donnent de l'éclat. Les clients ont accès aux galeries et balcons pour prendre le frais en été.

Auberge Villa Pachon
$$$ @
1904 rue Perron
☎418-542-3568 ou 888-922-3568
www.aubergepachon.com

L'Auberge Villa Pachon est réputée pour son charme et pour son restaurant, **Chez Pachon** (voir p 293). On y trouve cinq chambres et une suite, aménagées dans une des plus belles résidences historiques de tout le Saguenay–Lac-Saint-Jean: la villa patrimoniale de Price Brothers.

Chambord

Le **camping** (*$; ☎418-275-3132 ou 888-675-3132, www.sepaq.com*) du **Village historique de Val-Jalbert** (voir p 286) est exceptionnel. Son vaste terrain offre de beaux emplacements naturels qui raviront les amateurs de camping rustique. Des **appartements**, des **chambres d'hôtel** ainsi que des **mini-chalets** (*$$-$$$ bc/bp; ☎418-275-3132 ou 888-675-3132, www.sepaq.com*) sont également disponibles sur le site.

Saint-Félicien

Gîte À Fleur d'Eau
$$-$$$ @
1016 boul. du Sacré-Cœur
☎418-679-0784

Situé au cœur de Saint-Félicien, le Gîte À Fleur d'Eau propose cinq chambres tout confort avec salle de bain privée, couettes et oreillers de duvet. Deux grandes terrasses avec vue extraordinaire sur la rivière en contrebas permettent aux clients de relaxer au retour d'une journée de vélo (le gîte se trouve directement sur la Véloroute des Bleuets), et tout cela au cœur de la ville. Les propriétaires sont sympathiques.

Péribonka

Auberge de l'Île-du-Repos
$-$$ @
105 ch. de l'Île-du-Repos
☎418-347-5649
www.iledurepos.com

L'Auberge de l'Île-du-Repos a acquis, au fil des ans, une belle réputation. Il s'agit d'une grande auberge de jeunesse qui se dresse seule sur son île au milieu de la rivière, et ce, dans un décor enchanteur. Elle offre une belle ambiance et un milieu propice aux échanges et aux activités de plein air. On y présente régulièrement des spectacles en tout genre.

Emplacements de camping disponibles. L'Auberge est fermée d'octobre à mai.

Alma

Almatoit Gîte
\$\$
755 rue Price O.
☎418-668-4125 ou 888-668-4125
www.almatoit.com
Niché dans une splendide maison ancestrale, le magnifique gîte Almatoit offre cinq chambres. Le terrain est splendide, la maison est chauffée par un foyer de masse (foyer dissipant sa chaleur dans toute la maison), et le propriétaire peut vous suggérer toutes sortes d'activités de plein air à pratiquer dans les environs. Un hangar est mis à la disposition des clients pour ranger leur vélo ou leur kayak. Petit déjeuner à base de produits régionaux bios.

Complexe Touristique de la Dam-en-Terre
\$\$-\$\$\$
1385 ch. de la Marina
☎418-668-3016 ou 888-289-3016
www.damenterre.qc.ca
Le Complexe Touristique de la Dam-en-Terre loue des chalets bien aménagés offrant une belle vue sur le lac Saint-Jean. Les personnes disposant d'une tente et d'un petit budget peuvent opter pour le camping.

Restaurants

Charlevoix

Baie-Saint-Paul

Au 51
\$\$
51 rue St-Jean-Baptiste
☎418-435-6469
Au 51 est un petit bistro du centre-ville qui propose un menu d'inspiration française composé essentiellement de plats de gibier, et ce, dans un cadre épuré et de très bon goût. Il est possible de commander des plats pour emporter, et s'y trouve aussi un comptoir de pâtisserie. Le service est accueillant et très sympathique. Une belle adresse en tous points.

Auberge La Muse
\$\$\$
39 rue St-Jean-Baptiste
☎418-435-6839 ou 800-841-6839
www.lamuse.com
La table de l'**Auberge La Muse** (voir p 289) propose une cuisine raffinée et originale concoctée à partir des produits du terroir. La salle à manger est joliment décorée, et ses fenêtres donnent sur le jardin. En été, la terrasse et le pavillon de jardin deviennent des lieux très agréables pour déguster cette cuisine délicieuse.

Le Mouton Noir
\$\$\$
fermé en nov, déc et jan, sauf du 20 déc au 6 jan
43 rue Ste-Anne
☎418-240-3030
Le Mouton Noir est l'une des révélations de Baie-Saint-Paul. Sa cuisine épouse les saisons et les nouveaux arrivages de produits régionaux frais. Le menu est inventif, et les plats sont aussi raffinés que bons. En été, une grande terrasse permet de manger à proximité de la rivière du Gouffre.

Auberge la Maison Otis
\$\$\$-\$\$\$\$
23 rue St-Jean-Baptiste
☎418-435-2255 ou 800-267-2254
Les qualificatifs les plus fins et les plus suaves s'appliquent à la cuisine de l'**Auberge la Maison Otis** (voir p 289), qui a développé un menu gastronomique évolué où les saveurs régionales prennent de nouveaux accents et suscitent de nouvelles compositions. Dans le décor invitant de la plus ancienne section de l'auberge, où se trouvait une banque auparavant, le convive est invité à une expérience culinaire réjouissante ainsi qu'à une soirée apaisante. Le service est impeccable. Bonne sélection de vins.

Les Éboulements

Les Saveurs Oubliées
\$\$\$\$
350 route 132
☎418-635-9888
www.agneausaveurscharlevoix.com
Le restaurant Les Saveurs Oubliées se veut un complément à la Ferme Éboulmontaise, où sont élevés des agneaux et où poussent divers légumes biologiques. Directement de la ferme à votre assiette! Dans une petite salle au décor champêtre, dégustez une fine cuisine élaborée par un chef d'expérience, Régis Hervé, à partir de ces produits de qualité supérieure auxquels d'autres produits régionaux viennent s'ajouter, et accompagnez ce repas d'une bonne bouteille que vous aurez apportée. Le nom de l'établissement évoque le désir du chef de remettre au goût du jour des recettes qui, autrefois, mijotaient longtemps, lentement, dans des cocottes en terre cuite, pour laisser se fondre toutes les saveurs... Vous pouvez aussi vous procurer de petites douceurs dans la boutique adjacente.

Saint-Irénée

La Flacatoune
\$\$
Hôtel Motel de la Plage
180 ch. Les Bains, route 362
☎418-452-8148 ou 877-452-8142
www.hotel-motel-charlevoix.com
Le sympathique restaurant La Flacatoune de l'**Hôtel Motel de la Plage** (voir p 289) détient une formule unique: la guinguette. Sous des airs de valse musette, cueillez votre assiette près du foyer central, choisissez le plat que vous désirez en consultant l'ardoise au centre et dirigez-vous vers les cuistots, auxquels

vous indiquez votre préférence et qui vous le concocteront sous vos yeux. Tous les produits sont locaux (la provenance des produits est même indiquée sur le napperon en papier), et le propriétaire fait brasser sa propre bière, qui a d'ailleurs remporté quelques prix: La Flacatoune. Le décor est charmant; si la salle consiste en une sorte de terrasse couverte, un foyer central réchauffe les lieux par temps plus frais. Ouvert en été seulement.

La Malbaie

Vices Versa
$$$-$$$$
216 rue St-Étienne
☎418-665-6869
www.vicesversa.com
Monsieur et Madame (Éric Bertrand et Danielle Guay, pour les nommer) sont tous les deux des chefs d'expérience, aussi leur menu comporte-t-il deux volets distincts (le vice et le versa) que vous pouvez agencer à votre goût. La cuisine est hautement créative et gastronomique tout en restant sans prétention. Comme ils le disent eux-mêmes: *Ici, ce n'est ni fusion, ni tendance, ni international, bref, c'est bon*. Un menu à plusieurs services dénommé «L'expérience gourmande» est aussi offert. Tous les produits sont par ailleurs québécois, comme par exemple le très rare omble chevalier, venu d'aussi loin que Puvirnituq, dans le Grand Nord québécois. L'ambiance est très chic et épurée. Un incontournable, et probablement la meilleure table d'une région qui en compte déjà plusieurs excellentes.

Auberge des 3 Canards
$$$$
115 côte Bellevue
☎418-665-3761 ou 800-461-3761
www.auberge3canards.com
Les maîtres-queux de l'**Auberge des 3 Canards** (voir p 289) ont toujours fait preuve d'audace et d'invention pour intégrer à leur cuisine raffinée des éléments du terroir ou des gibiers. Ils y ont toujours réussi avec brio, dotant «les 3 Canards» d'une réputation nationale enviable. Le service s'y démarque par sa cordialité de bon aloi et l'information qu'on y offre sur les plats servis. Bonne carte des vins.

Le Charlevoix
$$$$
Fairmont Le Manoir Richelieu
181 rue Richelieu
☎418-665-3703 ou 888-610-7575
www.fairmont.com/fr/richelieu
Le restaurant gastronomique du **Fairmont Le Manoir Richelieu** (voir p 289), Le Charlevoix, s'impose comme l'une des meilleures tables de la région. En plus de sa vue imprenable sur le fleuve, il propose un superbe menu du terroir composé de produits presque exclusivement régionaux. Un des seuls restaurants classés quatre diamants (CAA-AAA) au Québec.

Cap-à-l'Aigle (La Malbaie)

La Pinsonnière
$$$$
124 rue St-Raphaël
☎418-665-4431 ou 800-387-4431
www.lapinsonniere.com
La table de **La Pinsonnière** (voir p 290) a très longtemps été considérée comme le summum du raffinement gastronomique dans la région de Charlevoix. La Pinsonnière offre une carte gastronomique classique de très haut niveau, et les repas y sont une véritable expérience gustative qui demande qu'on leur consacre la soirée. La cave à vins demeure la plus riche de la région et l'une des meilleures au Québec.

Saguenay–Lac-Saint-Jean

La Baie (Saguenay)

Auberge de la Rivière Saguenay
$$$$
9122 ch. de la Batture
☎418-697-0222 ou 866-697-0222
www.aubergesaguenay.com
Le chef cuisinier de l'Auberge de la Rivière Saguenay a développé un menu axé sur les traditions autochtones, les mets régionaux et la cuisine internationale. Profitant d'une belle vue sur le fjord, cette auberge offre un site fort agréable.

Le Doyen
$$$$
Auberge des 21
621 rue Mars
☎418-697-2121 ou 800-363-7298
Le restaurant Le Doyen de l'**Auberge des 21** (voir p 290) propose un des meilleurs menus de la région, sur lequel figurent de savoureux plats de gibier. La salle à manger bénéficie d'une vue exceptionnelle s'étendant sur toute la baie des Ha! Ha!. Dirigé par un chef de renom, Marcel Bouchard, qui a remporté plusieurs prix régionaux, nationaux et internationaux, Le Doyen contribue tangiblement à l'évolution de la cuisine régionale et à son raffinement, jusqu'à lui valoir ses lettres de noblesse.

Chicoutimi (Saguenay)

Café Cambio
$-$$
405 rue Racine E.
☎418-549-7830
Au centre-ville, ce petit resto importateur-torréfacteur de café équitable propose un grand espace feutré et agréable, ainsi qu'un petit menu de type bistro. Tous les établissements conscientisés au commerce équitable de la région s'y approvisionnent en café.

Le Privilège
$$$$
1623 boul. St-Jean-Baptiste
☎418-698-6262
www.leprivilege.ca
Le Privilège fait partie des meilleures tables de la région. Dans le décor pittoresque d'une maison centenaire, tous vos sens sont mis à contribution par les mets et les présentations audacieuses de la chef-propriétaire Diane Tremblay. Elle fait une cuisine intuitive qui s'inspire des étals des marchés et qui est servie à un nombre limité de convives. L'ambiance et le service sont décontractés et amicaux. Réservations requises.

Jonquière (Saguenay)

Le Bergerac
$$$-$$$$
fermé dim-lun
3919 rue St-Jean
☎418-542-6263
L'une des meilleures tables de Jonquière, le restaurant Le Bergerac a développé une excellente carte de fine cuisine qu'il propose en menu du jour le midi ou en table d'hôte le soir.

Chez Pachon
$$$$
Auberge Villa Pachon
1904 rue Perron
☎418-542-3568 ou 888-922-3568
www.aubergepachon.com
Chez Pachon est le restaurant de l'**Auberge Villa Pachon** (voir p 290), aménagée dans la magnifique villa patrimoniale de Price Brothers, à l'environnement champêtre vraiment exceptionnel. Son chef, déjà renommé dans toute la région, présente une gastronomie teintée de traditions culinaires françaises et influencée par les saveurs régionales. Spécialités de cassoulet de Carcassonne, de confit et de foie de canard, de filet et de carré d'agneau, de ris de veau, et de plats de poisson et de fruits de mer. Le soir seulement, sur réservation.

Sainte-Rose-du-Nord

Café de la Poste
$
mai à oct
308 rue du Quai
☎418-675-1053
Situé à deux pas du quai d'où il est possible de contempler le fjord, le chaleureux Café de la Poste offre un décor intérieur avec boiseries, une terrasse enchanteresse ainsi qu'une ambiance familiale unique. En plus d'offrir une cuisine hors pair, les cuistots de cet ancien bureau de poste concoctent un savoureux pain artisanal, des boissons alcoolisées fruitées (cassis ou framboises) ainsi que de délicieuses pâtisseries. Le tout fait à la maison par les propriétaires eux-mêmes.

Saint-Félicien

Hôtel du Jardin
$$-$$$$
1400 boul. du Jardin
☎418-679-8422 ou 800-463-4927
www.hoteldujardin.com
Le restaurant de l'Hôtel du Jardin propose un menu de fine cuisine régionale qui plaît à tout coup.

Alma

Café Sofa
$-$$
La Boîte à Bleuets
25 rue St-Joseph S.
☎418-668-8448
www.boiteableuets.com
Le Café Sofa est un petit établissement qui sert d'excellents cafés équitables et de succulents petits déjeuners. Exposition d'œuvres d'art sur place et spectacles à l'occasion. Situé juste en face de la vieille église d'Alma. Zone d'accès Internet sans fil gratuit.

Sorties

■ Bars et boîtes de nuit

Baie-Saint-Paul

Saint-Pub
2 rue Racine, angle rue St-Jean-Baptiste
☎418-240-2332
www.microbrasserie.com
Fleuron de la Microbrasserie Charlevoix, le Saint-Pub est un sympathique restaurant qui sert une bonne cuisine de bistro. La microbrasserie y fait de bonnes bières qu'elle brasse pour tous les goûts. Dans la belle rue Saint-Jean-Baptiste, vous reconnaîtrez aisément son architecture originale et colorée, égayée d'une terrasse en été.

Jonquière (Saguenay)

Microbrasserie La Voie Maltée
2509 rue St-Dominique
☎418-542-4373
www.lavoiemaltee.com
La Voie Maltée est un magnifique pub qui brasse d'excellentes bières, notamment la Soutien-Gorge (!), une magnifique ale à l'anglaise. L'établissement est sympathique et organise fréquemment des spectacles de la relève musicale québécoise.

■ Casino

La Malbaie

Casino de Charlevoix
183 rue Richelieu
☎418-665-5300 ou 800-665-2274
www.casinosduquebec.com
Le Casino de Charlevoix, situé à La Malbaie, à côté du Manoir Richelieu, est un casino à l'européenne qui attire les foules. Une tenue vestimentaire appropriée est suggérée.

Fêtes et festivals

Juillet

Depuis 1955 à Roberval, la dernière semaine de juillet (neuf jours) est consacrée à la **Traversée internationale du lac Saint-Jean** *(☎418-275-2851, www.traversee.qc.ca)*. Les nageurs font 32 km en 8h entre Péribonka et Roberval, et les plus vaillants, toujours inscrits au marathon, s'offrent l'aller-retour (64 km) en 18 heures.

Août

Présenté durant tout le mois d'août au **Centre d'exposition de Baie-Saint-Paul** (voir p 280), le **Symposium international d'art contemporain de Baie-Saint-Paul** permet d'admirer les talents d'artistes du Québec, du Canada et d'ailleurs qui viennent créer sur place des œuvres sur un thème suggéré.

Septembre

À Baie-Saint-Paul, **Rêves d'automne** *(☎418-435-5875 ou 800-761-5150, www.revesautomne.qc.ca)* remporte un succès considérable chaque année durant la dernière semaine de septembre et la première d'octobre. Ce festival multidisciplinaire met tout en œuvre pour permettre au public d'apprécier pleinement les beautés de l'été indien dans la région de Charlevoix, avec toute une série de spectacles musicaux et théâtraux, en plus de suggestions gastronomiques irrésistibles.

Achats

Alimentation

Les Éboulements

Les Saveurs Oubliées
350 route 132
☎418-635-9888
www.agneausaveurscharlevoix.com

Adjacente au restaurant du même nom (voir p 291) et à la ferme, une petite boutique vend les créations (charcuteries, gelées, confitures, etc.) de Régis Hervé, élaborées à partir des produits frais de la région. Les visites de la ferme peuvent aussi se révéler très agréables.

Art et artisanat

Baie-Saint-Paul

Baie-Saint-Paul est particulièrement intéressante pour son **Circuit des galeries d'art**. On y retrouve de tout, chaque boutique ayant sa spécialité. Huiles, pastels, aquarelles, eaux-fortes..., tableaux de grands noms et artistes à la mode, originaux et reproductions, sculptures et poésie..., l'idéal quoi! C'est un plaisir de chaque instant que de flâner dans les rues Saint-Jean-Baptiste, Sainte-Anne ou ailleurs, et de s'arrêter dans toutes ces galeries où le personnel ne demande pas mieux que de parler art.

Bleuetières

Lac–Saint-Jean

Évidemment, au pays où il ne suffit que de trois bleuets pour faire une tarte (!), nous vous recommandons quelques adresses: **Bleuetière touristique** *(fin juil à début sept tlj 9h à16h30; s'informer au bureau touristique de Dolbeau-Mistassini: 400 boul. des Pères, ☎418-276-7646 ou 866-276-7646)* et **Bleuetière Saint-François-de-Sales** *(en saison tlj 8h à 18h, selon la température; ch. du Moulin, 15 km à l'ouest du village de St-François-de-Sales, ☎418-348-6670)*.

Côte-Nord

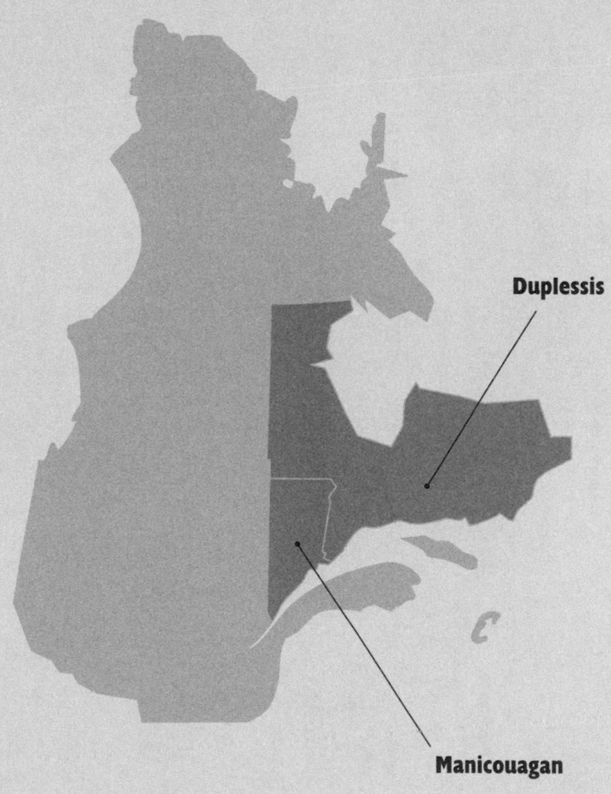
Duplessis
Manicouagan

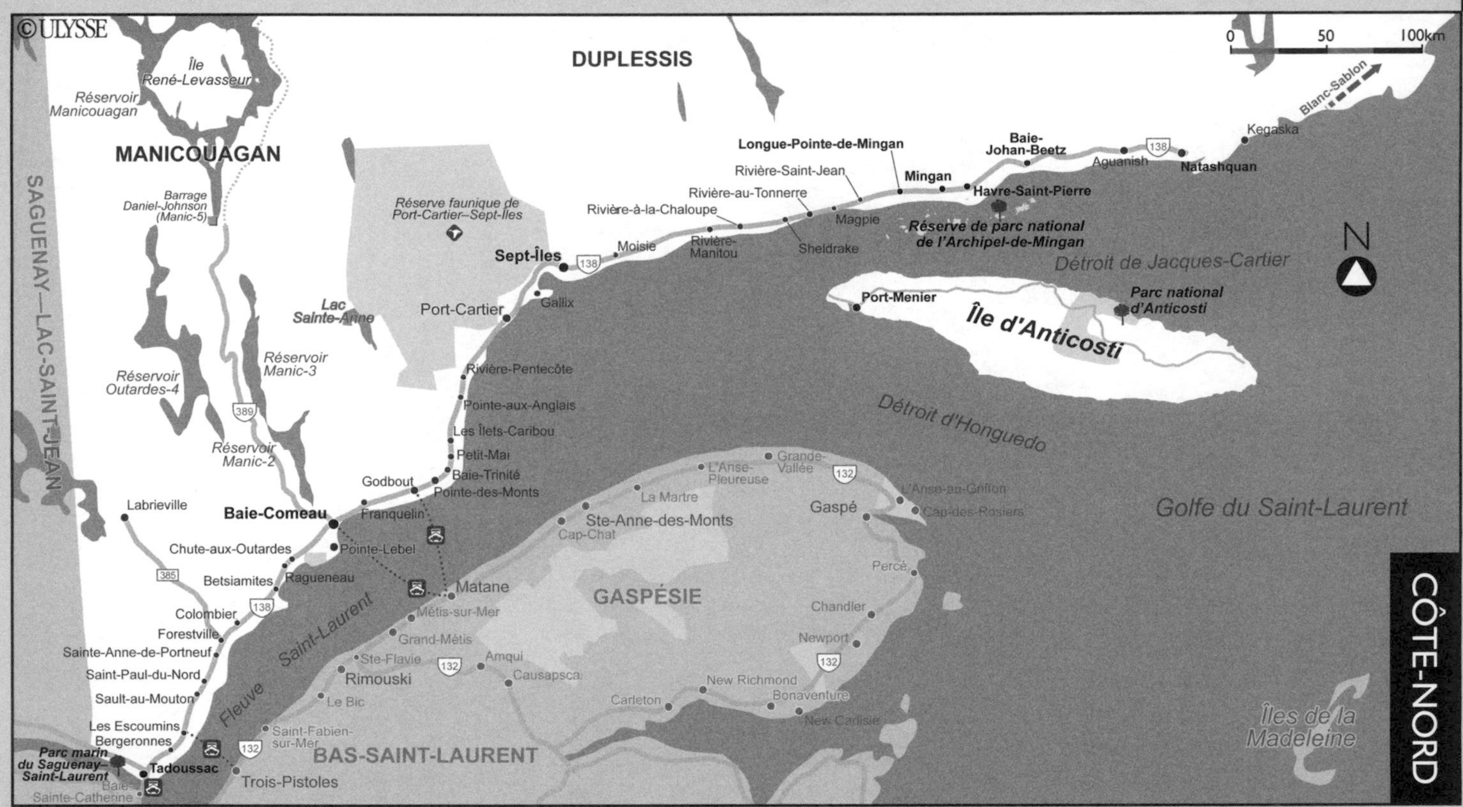

© ULYSSE
DUPLESSIS
MANICOUAGAN
Île René-Levasseur
Réservoir Manicouagan
Barrage Daniel-Johnson (Manic-5)
SAGUENAY—LAC-SAINT-JEAN
Réserve faunique de Port-Cartier–Sept-Îles
Lac Sainte-Anne
Réservoir Manic-3
Réservoir Outardes-4
Réservoir Manic-2
389
Labrieville
385
Sept-Îles
138
Moisie
Gallix
Port-Cartier
Rivière-Pentecôte
Pointe-aux-Anglais
Les Îlets-Caribou
Petit-Mai
Baie-Trinité
Pointe-des-Monts
Godbout
Franquelin
Baie-Comeau
Pointe-Lebel
Chute-aux-Outardes
Betsiamites
Ragueneau
Colombier
Forestville
Sainte-Anne-de-Portneuf
Saint-Paul-du-Nord
Sault-au-Mouton
Les Escoumins
Bergeronnes
Parc marin du Saguenay–Saint-Laurent
Tadoussac
Baie-Sainte-Catherine
Longue-Pointe-de-Mingan
Rivière-Saint-Jean
Rivière-au-Tonnerre
Rivière-à-la-Chaloupe
Rivière-Manitou
Magpie
Sheldrake
Mingan
Havre-Saint-Pierre
Baie-Johan-Beetz
Aguanish
Natashquan
Kegaska
Blanc-Sablon
0
50
100km
N
Réserve de parc national de l'Archipel-de-Mingan
Détroit de Jacques-Cartier
Port-Menier
Parc national d'Anticosti
Île d'Anticosti
Détroit d'Honguedo
Golfe du Saint-Laurent
Grande-Vallée
L'Anse-Pleureuse
La Martre
Ste-Anne-des-Monts
Cap-Chat
132
Gaspé
L'Anse-au-Griffon
Cap-des-Rosiers
Percé
GASPÉSIE
Matane
Métis-sur-Mer
Grand-Métis
Ste-Flavie
Amqui
Causapscal
Rimouski
Le Bic
Saint-Fabien-sur-Mer
Chandler
Newport
New Richmond
Carleton
Bonaventure
New Carlisle
Fleuve Saint-Laurent
BAS-SAINT-LAURENT
Trois-Pistoles
Îles de la Madeleine
CÔTE-NORD

L'immense Côte-Nord est subdivisée en deux régions touristiques distinctes: Manicouagan et Duplessis. Bordant le fleuve sur 300 km, la région de Manicouagan s'enfonce dans le plateau laurentien jusqu'au nord des monts Groulx et du réservoir Manicouagan. L'infinie contrée sauvage qu'est la région de Duplessis longe quant à elle le golfe du Saint-Laurent sur près d'un millier de kilomètres jusqu'au Labrador, et sa population, composée de francophones, d'anglophones et d'Innus, vit dispersée sur le littoral et dans quelques villes minières de l'arrière-pays.

Point de convergence des Inuits et de nations amérindiennes depuis des temps immémoriaux, grâce notamment à son réseau hydrographique tentaculaire et à ses importants territoires de chasse aux mammifères marins, la Côte-Nord était également connue des Européens avant même la découverte du Canada par Jacques Cartier en 1534. Dès le début du XVIe siècle, elle était fréquentée par les pêcheurs basques et bretons qui faisaient eux aussi la chasse aux cétacés: la précieuse graisse de baleine, fondue sur place dans de grands fours, servait à la fabrication de bougies et de pommades.

La présence humaine, bien que très ancienne, n'a cependant laissé que peu de traces sur la Côte-Nord avant le XXe siècle. De nos jours, les petits ports de pêche alternent avec les villes papetières et minières. Le tourisme, lié à l'observation des baleines, occupe une place de plus en plus grande dans l'économie de la région depuis que ces espèces sont protégées. La Côte-Nord est faite sur mesure pour les amateurs de grands espaces et de nature sauvage.

Accès et déplacements

■ En avion

La compagnie aérienne **Air Satellite** *(☎418-589-8923 ou 800-463-8512, www.air-satellite.com)* de Baie-Comeau propose des vols quotidiens en été ainsi que durant la période de Noël au départ de Rimouski, Sept-îles, Baie-Comeau, Havre-Saint-Pierre, Longue-Pointe-de-Mingan et de l'île d'Anticosti.

■ En voiture

De Beauport, dans la région de Québec, empruntez la route 138, qui longe la rive nord du fleuve Saint-Laurent. À Baie-Sainte-Catherine, un bateau (voir plus loin) vous fera traverser la rivière Saguenay pour vous déposer à Tadoussac. Pour poursuivre votre exploration de la Côte-Nord, continuez toujours par la route 138. Vous ne pouvez pas vous tromper: il n'y a qu'une seule route!

■ En autocar (gares routières)

La compagnie **Intercar** *(gare du Palais, Québec, ☎418-525-3000 ou 888-861-4592)* relie Québec à Havre-Saint-Pierre via toutes les villes principales le long de la rive nord du fleuve Saint-Laurent.

Tadoussac
Auberge de jeunesse de Tadoussac
158 rue du Bateau-Passeur
☎418-235-4372

Baie-Comeau
Terminus Intercar
212 boul. LaSalle
☎418-296-6921

Sept-Îles
Terminus Intercar
126 rue Mgr Blanche
☎418-962-2126

Havre-Saint-Pierre
Épicerie Jomphe
843 boul. de l'Escale
☎418-538-2033

■ En bateau

Sauf pour le traversier Baie-Sainte-Catherine–Tadoussac, il vaut mieux réserver un passage quelques jours à l'avance en été.

Baie-Sainte-Catherine–Tadoussac: le traversier *(gratuit; ☎418-235-4395, www.traversiers.gouv.qc.ca)* qui part de Baie-Sainte-Catherine et qui se rend à Tadoussac permet d'arriver à destination en seulement 10 min. L'horaire des traversées varie grandement d'une saison à l'autre; renseignez-vous avant de planifier un voyage.

Baie-Comeau–Matane/Godbout–Matane: les traversiers *(adultes 13,45$, voitures 31,45$, motos 23,65$; ☎418-568-7575 de Godbout, ☎418-294-8593 de Baie-Comeau, ☎418-562-2500 de Matane)* qui desservent les rives du Saint-Laurent entre la Côte-Nord et la Gaspésie font le trajet en moins de 2h30.

Le cargo mixte **N/M *Nordik Express*** du **Relais Nordik** *(le tarif est déterminé selon la destination; avr à jan; réservations requises; 149 rue Maltais, Sept-Îles, ☎418-723-8787 ou 800-463-0680, www.desgagnes.com)* quitte Sept-Îles pour atteindre Port-Menier (île d'Anticosti), Havre-Saint-Pierre, Natashquan, Kegaska, La Romaine, Harrington Harbour, Tête-à-la-Baleine, La Tabatière, Saint-Augustin et Blanc-Sablon. Comme il n'y a qu'un seul départ par semaine, renseignez-vous avant de planifier votre voyage.

Renseignements utiles

■ Renseignements touristiques et forfaits

Association touristique régionale de Manicouagan
337 boul. LaSalle, bureau 304
Baie-Comeau, QC G4Z 2Z1
☎418-294-2876 ou 888-463-5319
www.tourismemanicouagan.com

Association touristique régionale de Duplessis
312 av. Brochu
Sept-Îles, QC G4R 2W6
☎418-962-0808 ou 888-463-0808
www.tourismeduplessis.com

Maison du tourisme de Tadoussac
197 rue des Pionniers
Tadoussac, QC G0T 2A0
☎418-235-4744 ou 866-235-4744
www.tadoussac.com

Bureau d'information touristique de Baie-Comeau
3503 boul. Laflèche
Baie-Comeau, QC G5C 3W7
☎418-589-3610 ou 888-589-6497
www.ville.baie-comeau.qc.ca

Tourisme 50e parallèle–Port-Cartier
62 route 138, C.P. 406
Port-Cartier, QC G5B 2G9
☎418-766-4414 ou 888-766-6944
www.tourisme50parallele.com

Corporation touristique de Sept-Îles
1401 boul. Laure O.
Sept-Îles, QC G4R 4K1
☎418-962-1238 ou 888-880-1238
www.ville.sept-iles.qc.ca/tourisme

Bureau d'information touristique de Havre-Saint-Pierre
1010 promenade des Anciens
Havre-Saint-Pierre, QC G0P 1P0
☎418-538-2512 ou 538-2450
www.havresaintpierre.com

Sépaq Anticosti
C.P. 179
Port-Menier, QC G0G 2Y0
☎418-535-0156
www.sepaq.com
Sépaq Anticosti a mis de l'avant trois types de forfaits «Villégiature», abordables pour toutes les clientèles: une semaine en auberge (repas inclus); une semaine en chalet ou en camping (repas non inclus); deux nuits à l'auberge Port-Menier (repas inclus). À ces forfaits, vous pouvez ajouter deux options si vous le désirez: option Nord-Sud (pour découvrir l'île en séjournant trois jours du côté nord de l'île et quatre jours du côté sud ou vice-versa) et option Pêche (excursion de pêche à la truite ou au saumon). Les forfaits, «tout compris», comprennent notamment le transport par avion, l'hébergement et le véhicule.

Corporation de développement patrimonial, culturel et touristique de Natashquan (COPACTE)
24 ch. d'en Haut, C.P. 57
Natashquan, QC G0G 2E0
☎418-726-3054
www.copactenatashquan.net

Tourisme Basse-Côte-Nord
1550 boul. Camille-Marcoux
Blanc-Sablon, QC G0G 1W0
☎418-461-3515 ou 866-461-3515
www.tourismebassecotenord.com

Attraits touristiques

Manicouagan ★★

p 306 p 307 p 308 p 308

Tadoussac ★★

L'emplacement stratégique de Tadoussac, à l'embouchure du Saguenay, lui vaudra d'être choisi pour l'établissement du premier poste français de traite des fourrures en Amérique dès 1600, soit huit ans avant la fondation de la ville de Québec. Tadoussac est en fait le plus ancien site d'occupation européenne au nord du Mexique.

En 1615, les Récollets y implantent une mission d'évangélisation qui sera en activité jusqu'au milieu du XIXe siècle. Le village acquiert sa vocation touristique en 1864, lorsqu'on inaugure le premier grand hôtel Tadoussac, au bord du fleuve Saint-Laurent, afin de mieux loger les visiteurs, de plus en plus nombreux à venir profiter de l'air marin et des paysages grandioses de ces deux cours d'eau que sont le fleuve Saint-Laurent et la rivière Saguenay. Tadoussac est en outre un lieu privilégié pour l'observation des baleines. Bien qu'il ait un âge plus que respectable dans le contexte nord-américain, le village de Tadoussac donne une impression de précarité, comme si un fort vent pouvait un jour tout balayer sans laisser de traces... Néanmoins, le lieu est très vivant, surtout en été lorsque nombre d'estivants viennent y passer quelques jours et que les festivaliers s'y rendent pour assister au **Festival de la chanson de Tadoussac** (voir p 308).

Dominant le désordre du village, l'**Hôtel Tadoussac** ★ *(mi-avr à fin oct; 165 rue du Bord-de-l'Eau, ☎418-235-4421, www.hoteltadoussac.com)* est à cette communauté ce que le Château Frontenac est à Québec, soit son emblème et son point de repère dans les brumes hivernales. L'hôtel actuel, construit entre 1942 et 1949 pour la Canada Steamship Lines, succède au premier hôtel de 1864. Sa forme allongée et son revêtement à clins de bois, dont la blancheur contraste violemment avec sa toiture de tôle peinte en rouge, ne sont pas sans rappeler les hôtels de villégiature de la Nouvelle-Angleterre érigés dans la seconde moitié du XIXe siècle. D'ailleurs, cet hôtel servit de toile de fond au long métrage américain *Hotel New Hampshire* (1984). Cependant, le décor intérieur, composé de boiseries cirées et de meubles anciens, s'inspire davantage du terroir canadien-français.

Le **Centre d'interprétation des mammifères marins** ★ *(8$; mi-mai à mi-juin tlj 12h à 17h, mi-juin à fin sept tlj 9h à 20h, fin sept à mi-oct tlj 12h à 17h; 108 rue de la Cale-Sèche, ☎418-235-4701, www.gremm.org)* fut créé afin de faire connaître les mammifères marins qui viennent tous les ans se nourrir dans l'estuaire du Saint-Laurent. La majeure partie de l'exposition traite des baleines et tente de démythifier divers aspects de leur comportement. Le centre s'avère fort instructif. D'ailleurs, sur place, des naturalistes répondent à vos questions. En outre, on y trouve des squelettes d'animaux marins, des vidéos et un aquarium contenant divers poissons vivant dans le fleuve.

Dans la région de Manicouagan, le **parc national du Saguenay** ★ ★ ★ *(3,50$; secteur Baie-du-Moulin-à-Baude: 750 ch. Moulin-à-Baude, Tadoussac; secteur Baie-Sainte-Marguerite: 1121 route 172 N., Sacré-Cœur, ☎800-665-6527, www.sepaq.com)* s'étend sur la rive gauche de la rivière du même nom, de Tadoussac jusqu'en face de la baie des Ha! Ha!, sur l'autre rive où s'étend le troisième secteur du parc: le secteur Baie-Éternité, dans la région du Saguenay–Lac-Saint-Jean. Des sentiers de randonnée pédestre permettent de découvrir la végétation recouvrant ces abruptes falaises. D'ailleurs, au haut des falaises, il est intéressant de constater la présence d'une végétation rabougrie. On dénombre dans les secteurs de la rive gauche du Saguenay plusieurs sentiers, entre autres le sentier du Fjord, le sentier de la Colline de l'Anse à l'Eau et le sentier de la Pointe de l'Islet. Ce dernier offre une vue magnifique sur le fleuve Saint-Laurent.

Le territoire du **parc marin du Saguenay–Saint-Laurent** ★ ★ ★ *(182 rue de l'Église, Tadoussac, ☎418-235-4703 poste 0, www.parcmarin.qc.ca)*, entièrement constitué d'eau, couvre une section de l'estuaire du Saint-Laurent et du fjord du Saguenay. Il a été créé afin de protéger l'exceptionnelle vie aquatique qui y habite. Ce parc spécifique, créé selon des lois provinciale et fédérale, s'étend sur 1 138 km².

Le merveilleux fjord du Saguenay est l'un des fjords les plus méridionaux du monde. Creusé par les glaciers, il a une profondeur de 276 m près du cap Éternité (sur la rive droite du Saguenay) et de 10 m à peine à son embouchure. Cette configuration particulière, créée par l'amoncellement de matériaux charriés par les glaciers, a laissé un bassin où l'on retrouve la faune et la flore marines de l'Arctique. En effet, l'eau à la surface du Saguenay, dans les premiers 20 m, est douce et se trouve à une température variant entre 15°C et 18°C, alors que l'eau en profondeur est salée et se maintient autour de 1,5°C. Ce milieu, reliquat de la mer de Goldthwait, a conservé ses habitants, comme le requin arctique ou le béluga, qu'on retrouve aussi beaucoup plus au nord dans l'Arctique.

En outre, grâce à une oxygénation constante, y prolifèrent une multitude d'organismes vivants dont se nourrissent plusieurs mammifères marins, comme le petit rorqual, le rorqual commun et le rorqual bleu. Ce dernier pouvant atteindre 30 m, il constitue le plus grand mammifère du monde. Dans les eaux du parc, on peut également apercevoir des phoques et parfois des dauphins.

Très tôt les pêcheurs venus d'Europe tirèrent parti de ces richesses marines. Certaines espèces telles que la baleine franche furent malheureusement trop chassées. Aujourd'hui, on peut s'aventurer sur le fleuve pour contempler de plus près ces impressionnants animaux. Toutefois, afin de les protéger de certains abus, des règles strictes ont été édictées, et les bateaux ne peuvent pas les approcher de trop près. Le kayak de mer demeure le moyen de déplacement privilégié dans ce parc. Totalement écologique et très petit, il n'effraie pas les baleines, ce qui peut occasionner des rencontres mémorables!

Pointe-aux-Outardes

Au bout de la pointe se trouve le beau **Parc Nature de Pointe-aux-Outardes** ★ *(5$; début juin à mi-oct tlj 8h à 17h, début sept à fin oct 8h à 17h; 4 rue Labrie O., ☎418-567-4227, www.parcnature.com)*, qui donne sur le fleuve. Les visiteurs peuvent s'y rendre pour profiter de ses belles plages. Cependant, il est surtout connu comme un des plus importants sites de migration et de nidification du Québec. D'ailleurs, plus de 175 espèces d'oiseaux y ont déjà été observées. Le parc abrite des sentiers de randonnée, un marais salé, des dunes ainsi qu'une plantation de pins rouges.

Baie-Comeau (22 350 hab.)

Le colonel Robert McCormick, éditeur et rédacteur en chef du quotidien américain *The Chicago Tribune*, en avait assez de dépendre des compagnies papetières étrangères pour son approvisionnement en papier journal. Il a donc choisi de bâtir sa propre usine à papier à Baie-Comeau en 1936, donnant du coup naissance à la ville industrielle que l'on connaît aujourd'hui.

Le **Centre boréal du Saint-Laurent** ★★ *(3 rue Denonville, ☎418-296-0182 ou 877-296-0182, www.projetcentreboreal.com)*, un immense parc nature et d'aventure maritime, vise l'interprétation des traces spectaculaires laissées par la dernière glaciation sur les paysages de la Côte-Nord, que plus de 2 km d'épaisseur de glace recouvrait il y a 20 000 ans. Tout en observant ces paysages fabuleux et l'effet de la fonte des glaces sur l'augmentation du niveau de la mer, il est possible de pratiquer une foule d'activités de plein air, du kayak à la tyrolienne des mers, en passant par les *vias ferratas* et les sentiers de randonnée pédestre (voir p 302).

Les premiers barrages hydroélectriques du Québec furent construits par des entreprises privées, que ce soit pour l'usage de l'industrie ou pour l'éclairage des maisons. Certaines de ces entreprises détenaient le monopole de l'énergie électrique sur des régions entières, ce qui a amené le gouvernement québécois à nationaliser la plupart des compagnies d'électricité en 1964. Dès lors, Hydro-Québec a pris la relève et a entrepris un formidable programme d'expansion destiné à attirer les industries énergivores et à exporter une partie de la production d'électricité vers les États-Unis.

Les centrales Manic-2 et Manic-5 (barrage Daniel-Johnson) se dressent sur la rivière Manicouagan. Un parcours de 30 min de route, à travers des panoramas saisissants du rocheux Bouclier canadien, aboutit au premier barrage du complexe, soit **Manic-2** ★★ *(entrée libre; tlj fin juin à début sept, visites guidées de 90 min à 9h30, 11h30, 13h30 et 15h30; Km 21 de la route 389, ☎866-526-2642, www.hydroquebec.com)*. À l'époque, il était le plus grand barrage-poids à joints évidés au monde. La visite guidée du barrage vous entraînera à l'intérieur de l'imposante structure.

Sachez toutefois qu'un spectacle encore plus surprenant vous attend à 3h de route plus au nord: **Manic-5 et le barrage Daniel-Johnson** ★★★ *(entrée libre; tlj fin juin à début sept, visites guidées de 120 min à 9h30, 11h30, 13h30 et 15h30; Km 211 de la route 389; ☎866-526-2642, www.hydroquebec.com)*. Érigé en 1968, ce barrage porte le nom du premier ministre québécois qui mourut sur les lieux le matin de la cérémonie d'inauguration. Doté d'une arche centrale de 214 m, il constitue, avec ses 1 314 m de long, le plus grand barrage à voûtes multiples et à contreforts du monde. Il a pour but de régulariser l'alimentation en eau de toutes les centrales du complexe Manic-Outardes. La visite mène les curieux au pied du barrage et sur les collines environnantes, d'où l'on a une vue panoramique sur la vallée de la Manicouagan et le réservoir de 2 000 km². Une petite navette fait la liaison entre le centre-ville de Baie-Comeau et Manic-5 *(départ au restaurant L'Orange Bleue, 905 rue Bossé, ☎866-989-8877)*.

Activités de plein air

■ *Croisières et observation des baleines*

Au quai de la ville de Tadoussac, plusieurs entreprises organisent des excursions sur le fleuve.

On peut observer les baleines à bord de grands bateaux confortables pouvant accueillir jusqu'à 300 personnes ou d'embarcations pneumatiques très sécuritaires. Les **Croisières AML** *(59$; début mai à fin oct; 171 rue Bord-de-l'eau, Tadoussac, départ au quai de Tadoussac et de Baie-Sainte-Catherine, ☎418-692-1159 ou 800-563-4643, www.croisieresaml.com)* proposent ce genre d'excursion qui dure en moyenne 3h.

Le **Groupe Dufour** *(62$; mai à oct, 3 départs par jour, durée 2h30; 165 rue du Bord-de-l'Eau, Tadoussac, ☎418-235-4421 ou 800-463-5250, www.dufour.ca)* propose des excursions tout confort sur de grands bateaux, notamment le

Georges Dor et «La Manic»

La vie des travailleurs à l'œuvre sur les grands chantiers d'Hydro-Québec dans le nord du Québec n'est pas sans rappeler le temps où nos ancêtres passaient leurs hivers dans les camps de bûcherons, loin de leurs familles. Georges Dor, poète et chansonnier québécois des années 1960, illustra à merveille ce type de vie dans les régions éloignées avec sa célèbre chanson «La Manic», qui raconte l'histoire d'un jeune homme qui s'ennuie de son amoureuse alors qu'il travaille sur le chantier de la centrale Manic-5:

Si tu savais comme on s'ennuie à la Manic
Tu m'écrirais bien plus souvent à la Manicouagan
Parfois je pense à toi si fort
Je récrée ton âme et ton corps
Je te regarde et m'émerveille
Je me prolonge en toi
Comme le fleuve dans la mer
Et la fleur dans l'abeille

superbe catamaran *Famille Dufour I*. L'entreprise possède aussi quelques embarcations pneumatiques de grandes dimensions, performantes et pouvant se rendre plus proches de l'action. Interprétation par des naturalistes. Les croisières peuvent se rendre jusqu'à Québec par le fleuve Saint-Laurent et jusqu'à Chicoutimi par la rivière Saguenay. Différent forfaits sont offerts.

Pour découvrir le fleuve et son littoral avec des gens fort sympathiques, pensez aux **Croisières du Grand Héron** *(55$; début mai à fin oct, 4 à 6 départs par jour, durée 2h30; rue de la Marina, Ste-Anne-de-Portneuf, ☎418-587-6006 ou 888-463-6006, www.baleinebleue.ca)*. Les activités suggérées ont pour thèmes la découverte de la mer, l'interprétation du littoral, l'observation des oiseaux et des mammifères marins. On peut y contempler la faune, par exemple les baleines bleues, à différentes heures du jour et de la nuit. On peut également assister aux couchers et aux levers de soleil sur le fleuve.

Les sorties nocturnes permettent notamment d'observer un phénomène naturel unique, la bioluminescence du plancton, soit son émission naturelle de lumière. Chaque mouvement de l'eau fait réagir les millions de planctons qui émettent une lumière phosphorescente. On assiste alors à un spectacle incroyable, distinguant même les bancs de poissons qui fuient devant le bateau!

■ *Randonnée pédestre*

Les nombreux sentiers de courte et moyenne randonnée qui sillonnent le territoire de **Tadoussac** ont quelque chose de fantastique: ils traversent des écosystèmes radicalement différents les uns des autres.

Tadoussac est aussi le point de départ de l'un des sentiers de longue randonnée les plus remarquables du Québec: le **sentier du Fjord**, d'une beauté prenante. D'une longueur de 45 km et de difficulté intermédiaire, il débute près de la baie de Sainte-Marguerite *(☎418-235-4238, réservations pour le camping ☎877-272-5229, www.sepaq.com)*. Ce sentier spectaculaire offre une vue presque constante sur l'embouchure du Saguenay, les falaises, les caps, le fleuve et le village. On trouve un terrain de camping sauvage vers le neuvième kilomètre. Il est également possible de poursuivre la marche au-delà vers la Passe-Pierre, où est situé un autre terrain de camping, merveilleusement aménagé dans un lieu idyllique.

Tout près de Baie-Comeau, le **Camping de la Mer** *(72 rue Chouinard, Pointe-Lebel, ☎418-589-6576)* a aménagé 5 km de sentiers agréables et larges, puis en a dressé la carte. On peut également faire 30 km à pied sur la divine plage de la **péninsule Manicouagan** jusqu'à la pointe aux Outardes et son parc nature. La péninsule Manicouagan s'étend sur un territoire de 150 km² de sable fin recouverts de forêt, de champs en friche, de marais, de dunes et de plages.

Véritable paradis naturel, le **parc nature de Pointe-aux-Outardes** (voir p 300) protège et met en valeur un milieu naturel fascinant qui regroupe huit écosystèmes sur 1 km². Un circuit de randonnée pédestre de 6 km permet de découvrir cet environnement extraordinaire.

Le **Centre boréal du Saint-Laurent** *(3 rue Denonville, Baie-Comeau, ☎418-296-0182 ou 877-296-0182, www.projetcentreboreal.com)* propose trois circuits de randonnée pédestre qui offrent des paysages à couper le souffle.

Duplessis ★★

▲ p 306 ◍ p 308 ▣ p 308

Sept-Îles (25 250 hab.)

Le **Musée régional de la Côte-Nord** ★ *(4$; en été tlj 9h à 17h; reste de l'année mar-ven 10h à 12h et 13h à 17h, sam-dim 13h à 17h; 500 boul. Laure, ☎418-968-2070)*, construit en 1986, vise à la fois des objectifs anthropologiques et artistiques. Il présente certaines des 40 000 pièces provenant des fouilles archéologiques réalisées sur la Côte-Nord, quelques animaux naturalisés, des objets amérindiens ainsi que des œuvres d'artistes contemporains (peintures, sculptures, photographies) provenant de différentes régions du Québec.

Le **parc régional de l'Archipel des Sept Îles** ★★ est composé des îles Petite et Grande Boule, Dequen, Manowin, Corossol et Grande et Petite Basque. La crevette étant abondante aux alentours, la pêche demeure une activité populaire. Sur l'île Grande Basque, des sentiers d'interprétation de la nature et des emplacements de camping ont été aménagés. Pour participer à une croisière dans l'archipel, voir p 305.

Longue-Pointe-de-Mingan

Au **Centre d'accueil et d'interprétation de Longue-Pointe-de-Mingan** *(6$; mi-juin à début sept tlj 9h à 18h; 625 rue du Centre, ☎418-949-2126)*, vous pourrez poser toutes les questions qui vous chicotent, qu'elles soient d'ordre touristique ou scientifique. Des documents audiovisuels et des expositions vous y accueillent. Vous y trouverez de plus des spécialistes de la **Station de recherche des îles Mingan** *(entrée libre; horaire variable; ☎418-949-2845, www.rorqual.com)*, qui proposent des activités d'animation.

Mingan

Des Innus et des Blancs cohabitent dans ce village situé en face des îles de Mingan. On trouve à Mingan un important site de pêche au saumon.

L'**église de Mingan** *(15 rue de l'Église, au centre du village, ☎418-949-2272)* fut construite en 1918 par John Maloney, qui a inspiré à Gilles Vigneault le personnage de Jack Monoloy dans sa célèbre chanson «Jack Monoloy». L'église a été entièrement décorée par des artisans locaux.

Havre-Saint-Pierre ★ (3 300 hab.)

Petite ville pittoresque, Havre-Saint-Pierre a été fondée en 1857 par des pêcheurs madelinots (originaires des îles de la Madeleine, dans le golfe du Saint-Laurent). En 1948, à la suite de la découverte d'importants gisements d'ilménite (titane), à 43 km à l'intérieur des terres, son économie se voit transformée du jour au lendemain par la firme QIT-Fer-et-Titane. Havre-Saint-Pierre devient, dès lors, un centre industriel et portuaire très fréquenté. Depuis l'ouverture de la réserve de parc national de l'Archipel-de-Mingan en 1983, elle a également acquis une vocation touristique non négligeable. Havre-Saint-Pierre est un excellent point de départ pour l'exploration des îles de Mingan et de la grande île d'Anticosti.

Le **Centre culturel et d'interprétation de Havre-Saint-Pierre** ★ *(2$; mi-juin à mi-sept tlj 9h à 21h; 957 rue de la Berge, ☎418-538-2512)* est installé dans l'ancien magasin général de la famille Clarke, restauré avec talent. On y raconte l'histoire locale à travers une exposition et un diaporama.

Au **Centre d'accueil et d'interprétation de Havre-Saint-Pierre** *(mi-juin à fin août; 1010 promenade des Anciens, ☎418-538-3285)*, vous trouverez une exposition photographique ainsi que tous les renseignements voulus sur la faune, la flore et la géologie des îles. Vous pourrez aussi y louer un CD routier qui, le long du parcours entre Havre Saint-Pierre et Natashquan, vous explique le paysage et les légendes locales ou vous fait entendre des chansons traditionnelles de la région. Vous pourrez rapporter le CD à votre retour à Havre-Saint-Pierre ou le laisser à la **COPACTE** (voir p 305) de Natashquan.

Composée d'une série d'îles et d'îlots s'étendant sur 152 km, la **réserve de parc national de l'Archipel-de-Mingan** ★★ *(5,40$; 1340 rue de la Digue, ☎418-538-3285 ou 800-463-6769, www.pc.gc.ca)* recèle de formidables richesses naturelles. Sa particularité vient des falaises composées de calcaire stratifié fort tendre qui ont été façonnées par les vagues.

Ces formations proviennent de sédiments marins qui, aux environs de l'équateur, il y a de cela 250 millions d'années, furent propulsés au-dessus du niveau de la mer, avant d'être recouverts d'un manteau de glace de plusieurs kilomètres d'épaisseur; en fondant, les glaces dérivèrent, et c'est ainsi que les îles émergèrent de nouveau sur leur emplacement actuel, il y a 7 000 ans, formant d'impressionnants monolithes de pierre. Outre cet aspect fascinant, le climat et la mer ont favorisé le développement d'une flore rare et variée.

De plus, entre la mi-avril et la mi-août, quelque 35 000 couples d'oiseaux marins répartis en 12 espèces différentes peuvent y être observés. Parmi les espèces qu'on peut apercevoir, mentionnons le joli macareux moine, le fou de Bassan et la sterne arctique. Dans le fleuve, on note la présence de baleines telles que le petit rorqual et le rorqual bleu.

On trouve deux **centres d'accueil et d'interprétation**, un premier à Longue-Pointe-de-Mingan (voir p 302), et un second à Havre-Saint-Pierre (voir plus haut). Ils sont ouverts en été seulement. Il est possible de camper dans l'archipel de Mingan, et il existe également des sentiers de randonnée pédestre sur certaines îles.

En plus d'offrir des attraits naturels considérables, le parc recèle quelques vestiges d'une occupation humaine très ancienne remontant à plus de 4 000 ans. Les ancêtres des Innus du village de Mingan furent les premiers à visiter régulièrement cet endroit pour y faire la chasse aux phoques et pour y cueillir de petits fruits.

Mis à part les explorateurs vikings, dont les traces d'occupation ont été mises en valeur sur l'île de Terre-Neuve, les premiers Européens connus à mettre les pieds sur le sol canadien sont les baleiniers basques et bretons, lesquels ont laissé des témoignages de leur passage dans les îles de Mingan. Les archéologues ont notamment retrouvé les vestiges de leurs fours circulaires en pierres et en terre cuite rouge (XVIe siècle), destinés à faire fondre la graisse des cétacés avant de l'exporter vers l'Europe où elle servait principalement à la fabrication de bougies.

En 1679, les Français Louis Jolliet et Jacques de Lalande se portent acquéreurs de l'archipel, qu'ils transforment en un poste de traite des fourrures doublé d'une pêcherie pour la morue. Ces installations, détruites par les Anglais à la Conquête, n'ont jamais été reconstruites.

Île d'Anticosti ★★

La présence amérindienne sur l'île d'Anticosti remonte à la nuit des temps. Les Innus l'ont fréquentée de façon sporadique, le climat rigoureux de l'île ne leur permettant pas de s'y établir en permanence.

Ce sont des pêcheurs basques de passage qui l'ont baptisée «Anti Costa» en 1542, ce qui signifie en quelque sorte «anti-côte» ou bien: *Non! Après tout ce chemin parcouru à travers l'Atlantique, ce n'est pas encore la terre ferme!*

En 1679, Louis Jolliet obtient l'île en concession du roi de France en guise de remerciement pour ses expéditions révélatrices au centre du continent nord-américain. Bien que quelques colons s'installent alors sur l'île, son isolement et ses terres pauvres battues par les vents donnèrent un air de modestie à l'entreprise de Jolliet. Ses gens furent décimés par les troupes de l'amiral Phipps, au retour de l'attaque ratée sur Québec en 1690. La rage de la défaite fut augmentée lorsque la flotte britannique fit naufrage aux abords de l'île. Anticosti est crainte par les marins, car, depuis le XVIIe siècle, plus de 400 navires s'y sont échoués.

En 1895, l'île d'Anticosti devient le domaine exclusif d'Henri Menier, magnat du chocolat en France au XIXe siècle. Le «baron Cacao» fait transporter sur l'île des cerfs de Virginie et des renards roux afin de se constituer une réserve de chasse personnelle. Il voit, en outre, au développement de l'île en aménageant un premier village modèle à Baie-Sainte-Claire (aujourd'hui abandonné), puis un second à Port-Menier, qui constitue encore la principale agglomération de l'île.

Menier gouvernait l'île comme un monarque absolu régnant sur ses sujets. Il dota l'île d'une entreprise d'exploitation forestière de même que d'une flotte de pêche à la morue. En 1926, après une dizaine d'années difficiles dans l'industrie chocolatière, ses héritiers vendent Anticosti à un consortium de compagnies forestières canadiennes, appelé Wayagamack, qui y poursuivront leurs opérations de coupe de bois jusqu'en 1974, date à laquelle l'île est cédée au gouvernement du Québec pour en faire en partie une réserve faunique.

Port-Menier

Il s'agit du seul village habité de l'île. C'est ici qu'accoste le N/M *Nordik Express* du Relais Nordik une fois par semaine. La plupart des maisons ont été construites sous l'ère Menier, ce qui donne au village une certaine homogénéité architecturale.

Le long de la route de Baie-Sainte-Claire, on aperçoit les fondations du **château Menier** (1899), qui se présentait comme une extravagante villa de bois de style américain. Bâti à la fin du XIXe siècle pour assurer un grand confort à son entourage, le château renfermait un vitrail en forme de fleur de lys, des antiquités norvégiennes, des tapis orientaux et de la fine porcelaine. Avec la vente de l'île en 1926, le mobilier fut réparti entre les nouveaux propriétaires, ou tout simplement vendu.

Malheureusement, en 1954, faute de pouvoir l'entretenir adéquatement, les responsables de la Wayagamack mettent le feu à la superbe demeure de Menier, réduisant en cendres ce morceau de patrimoine irremplaçable. À **Baie-Sainte-Claire,** on peut voir les restes d'un four à chaux érigé en 1897, seul vestige de ce village à l'existence éphémère.

À l'**Écomusée d'Anticosti** ★ *(entrée libre; fin juin à fin août tlj 8h à 17h; ☎418-535-0250 ou 535-0311)*, on peut admirer des photographies prises à l'époque où Menier était propriétaire de l'île d'Anticosti.

Le **parc national d'Anticosti** ★★ *(Sépaq Anticosti, ☎information et réservation de forfaits: ☎418-535-0156, www.sepaq.com)* a été créé au centre de l'île d'Anticosti pour en protéger les plus beaux sites, entre autres la chute Vauréal, la grotte à la Patate, la baie de la Tour, le canyon de la rivière Observation, la rivière à saumons Jupiter et la rivière Chicotte.

Le parc d'Anticosti permet à chaque personne une utilisation rationnelle du territoire afin de s'adonner à son activité préférée. Plusieurs kilomètres de sentiers de randonnée sillonnent ce havre de verdure qui se prête bien à la marche, à la baignade ou à la pêche. L'île appartient au gouvernement du Québec depuis 1974, mais la randonnée pédestre récréative n'y est pratiquée que depuis 1986. Réputée pour ses cerfs de Virginie, elle offre également des panoramas à couper le souffle. En effet, plages immenses, chutes, grottes, escarpements et rivières composent son magnifique décor.

À 65 km de Port-Menier, vous trouverez la **chute Kalimazoo**. Un peu plus loin, vous arriverez à **Rivière-MacDonald**, nommée en mémoire d'un pêcheur de la Nouvelle-Écosse, Peter MacDonald, qui y vécut en ermite plusieurs années. La baie MacDonald constitue un superbe site entouré d'une longue plage de sable fin.

Continuez sur la route qui longe ces magnifiques plages, et vous croiserez plus loin la **pointe Carleton**, avec son phare datant de 1918. Non loin de la pointe, vous verrez l'épave de cet ancien dragueur de mines que fut le **M.V. *Wilcox***, échoué depuis juin 1954.

À quelque 12 km de la pointe Carleton, vous trouverez le chemin pour accéder à la **grotte à la Patate**. Si vous disposez d'un véhicule à quatre roues motrices, vous pourrez parcourir les 2 km suivants, mais vous devrez en faire deux autres à pied. Cette grotte, dont les galeries font près de 625 m de long, fut découverte en 1981 puis visitée par une équipe de géographes en 1982.

La **chute Vauréal** ★★ compte parmi les sites naturels les plus impressionnants de l'île d'Anticosti. Se jetant dans un canyon du haut d'une paroi de 70 m, elle offre un spectacle saisissant. Il est possible de faire une courte randonnée (1h) le long de la rivière, au creux du canyon, jusqu'à la base de la chute. Vous y découvrirez de magnifiques falaises de calcaire gris striées de schistes rouge et vert. En faisant encore 10 km sur la route principale, vous arriverez à l'embranchement donnant accès à la **baie de la Tour** ★★, qui se trouve 14 km plus loin. Cette baie longe une longue plage adossée à de superbes parois de calcaire.

Baie-Johan-Beetz ★

La **maison Johan-Beetz** ★ *(5$; fin juin à début sept tlj 10h à 12h30 et 13h30 à 16h; 15 rue Johan-Beetz, ☎418-648-0557 ou 877-393-0557, www.seigneuriedutriton.com/bjb)*. Johan Beetz est né en 1874 au château d'Oudenhouven, dans le Brabant (Belgique). Le chagrin causé par le décès de sa fiancée l'amène à vouloir partir pour le Congo. Un ami l'incite plutôt à émigrer au Canada. Passionné de chasse et de pêche, il visite la Côte-Nord, où il décide bientôt de s'installer.

En 1898, il épouse une Canadienne et construit cette coquette maison Second Empire. Beetz a peint de belles natures mortes sur les panneaux des portes intérieures. En 1903, il fait figure de pionnier en entreprenant l'élevage d'animaux à fourrure, dont les peaux sont vendues à la Maison Revillon de Paris.

Au cours de sa vie sur la Côte-Nord, Johan Beetz a contribué à améliorer la vie de ses voisins. Grâce à ses études universitaires, pendant lesquelles il apprit les rudiments de la médecine, il fut l'homme de science auquel les villageois faisaient confiance. Muni de livres et d'instruments de fortune, il réussit à soigner, tant bien que mal, les habitants de la Côte-Nord. Il réussit même à préserver le village de la grippe espagnole grâce à une quarantaine savamment contrôlée. Ainsi, si vous demandez aux aînés de vous parler de monsieur Beetz, vous n'entendrez que des éloges.

Le **refuge d'oiseaux de Watshishou** ★ *(à l'est du village)* abrite plusieurs colonies d'oiseaux aquatiques.

Natashquan ★★★

Charmant petit village de pêcheurs aux maisons de bois usé par le vent salé, Natashquan a vu naître le célèbre poète et chansonnier Gilles Vigneault en 1928. Plusieurs de ses chansons ont pour thème les gens et les paysages de la Côte-Nord. Vigneault vient périodiquement se ressourcer à Natashquan, où il possède toujours une maison. Natashquan, mot d'origine innue, signifie «l'endroit où l'on chasse l'ours». Le village voisin, Pointe-Parent, au-delà duquel la route 138 se termine, est surtout peuplé d'Innus.

Ce lieu éloigné comptant quelques centaines d'habitants est étrangement vivant, et plusieurs initiatives touristiques intéressantes s'y déroulent. De bons petits restos, de belles auberges, un paysage nordique hallucinant et une hospitalité exemplaire vous assurent un dépaysement hors de l'ordinaire. Afin de ne rien manquer de ce magnifique coin de pays, commencez votre visite à la **Corporation de développement patrimonial, culturel et touristique de Natashquan (COPACTE)** *(24 ch. d'en Haut, ☎418-726-3054 ou 866-726-3054, www.copactenatashquan.net)*. Vous pourrez vous procurer ici (ou le remettre, si vous l'avez emprunté à Havre-Saint-Pierre) le CD routier (voir p 302) qui fournit des renseignements le long du parcours entre Havre-Saint-Pierre et Natashquan.

La corporation loge dans la **Vieille École** ★, soit l'ancienne école de rang dans laquelle Gilles Vigneault a évolué étant petit. On y fait l'interprétation de certains des personnages les plus célèbres du poète-chanteur. Un guide sur place relate d'ailleurs quelques anecdotes impliquant M. Vigneault et plus généralement la vie à Natashquan.

Blanc-Sablon

Cette région isolée a pourtant été fréquentée, dès le XVIe siècle, par les pêcheurs basques et portugais, qui y ont établi des pêcheries où l'on faisait fondre la graisse des «loups marins» et où la morue était salée avant d'être expédiée en Europe. Les Vikings, dont le principal établissement a été retrouvé sur l'île de Terre-Neuve, toute proche, auraient peut-être implanté un village dans les environs de Blanc-Sablon vers l'an 1000. À Brador, le site du poste de Courtemanche (XVIIIe siècle) a été mis au jour.

Blanc-Sablon n'est qu'à environ 4 km de la frontière avec le Labrador, ce territoire subarctique dont une large portion est constituée de terres amputées au Québec et qui est, aujourd'hui, partie intégrante de la province de Terre-Neuve-et-Labrador. Une route y conduit directement en suivant le littoral. Cette province est aussi accessible par traversier au départ de Blanc-Sablon.

Activités de plein air

■ *Croisières et observation des baleines*

La **Tournée des îles** *(35$; 1010 promenade des Anciens, Havre-St-Pierre, ☎418-538-2547 ou 866-538-2547, www.tourismeduplessis.com/sites/tourneedesiles)* organise des excursions en bateau d'une durée de 3h dans l'archipel des Sept Îles. La croisière donne aussi l'occasion de prendre connaissance de la richesse marine du Saint-Laurent, qui compte plusieurs variétés de mammifères marins, en particulier des baleines. Elle se rend jusqu'à l'île Corossol, une importante réserve ornithologique.

Sur toute la Côte-Nord, la plus belle expérience que puisse vivre quiconque aime les baleines, c'est d'aller à la rencontre des rorquals à bosse en compagnie des biologistes de la **Station de recherche des îles Mingan** *(110$; 378 rue du Bord-de-la-Mer, Longue-Pointe-de-Mingan, ☎418-949-2845, www.rorqual.com)*. À bord de canots pneumatiques de 7 m à coque rigide, les observateurs participent à une journée de recherche qui consiste à identifier les animaux par les marques que l'on distingue sous la queue. On assiste parfois à des biopsies et on recueille des données qui serviront aux chercheurs. Il faut avoir le cœur solide toutefois, puisque les sorties, qui débutent par un rendez-vous matinal à 7h à la station de recherche, durent au moins 6h et, parfois, beaucoup plus longtemps, et ce, dans une mer houleuse.

Hébergement

Manicouagan

Tadoussac

Auberge internationale de Tadoussac
$ bc @
158 rue du Bateau-Passeur
418-235-4372
www.ajtadou.com
L'Auberge de jeunesse de Tadoussac comprend les maisons Majorique (édifice principal) et Alexis (située à proximité, au 389 rue des Pionniers). Vous y trouverez des lits en dortoir ou en chambre privée ainsi que des emplacements de camping (en été). Vous pourrez y profiter de repas communautaires à très bas prix. De plus, une foule d'activités de plein air y sont organisées, et des spectacles présentés presque chaque soir viennent animer les soirées estivales. Tout de même, le lieu peut être bruyant jusque tard dans la nuit. Plage.

La Galouïne
$$ bc @
mi-avr à mi-oct
251 rue des Pionniers
418-235-4380
www.lagalouine.com
Galouïne est un mot acadien désignant un vent de tempête. Rassurez-vous: vous serez tout de même bien à l'abri sous le toit de cet agréable petite auberge! Les couleurs chaudes et vives qui priment un peu partout, même à l'extérieur, ajoutent au charme de l'établissement. Deux chambres sont aménagées sous les combles, pour encore plus de cachet!

Hôtel Tadoussac
$$$$$ ≡
mi-avr à fin oct
165 rue du Bord-de-l'Eau
418-235-4421 ou 800-561-0718
www.hoteltadoussac.com
Face au fleuve dans un long bâtiment blanc évoquant vaguement un manoir de la fin du XIXe siècle, l'**Hôtel Tadoussac** (voir p 299) se distingue aisément par son toit rouge vif. Une verrière avoisine la salle à manger où l'on propose un menu «découverte» gastronomique.

Baie-Comeau

Auberge Le Petit Château
$$-$$$ ≡ @
2370 boul. Laflèche
418-295-3100
Quelle grande et magnifique résidence que cette auberge installée dans une oasis en pleine ville! L'Auberge Le Petit Château est un gîte accueillant même si elle privilégie une atmosphère simple et champêtre.

Hôtel Le Manoir
$$-$$$$ ≡ @
8 av. Cabot
418-296-3391 ou 866-796-3391
www.manoirbc.com
En bordure de l'eau s'allonge le beau bâtiment en pierres de l'Hôtel Le Manoir, qui propose des chambres spacieuses et lumineuses et s'avère un digne représentant d'une tradition hôtelière de bon goût. La décoration intérieure est magnifique, et la terrasse arrière donnant sur le fleuve vaut le déplacement. De belles œuvres d'art parsèment les couloirs, le salon et le bar. Service très attentionné. Plage.

Godbout

Gîte Aux Berges
$ bc
mai à mi-sept
180 rue Pascal-Comeau
418-568-7816
www.maisonnettes-chalets-quebec.com
Le Gîte Aux Berges demeure, à tout point de vue, l'un des meilleurs lieux d'hébergement de la Côte-Nord. Les chambres sont pourtant aménagées sans prétention, et l'établissement est loin d'être luxueux, mais la qualité et la chaleur de l'accueil et les services touristiques proposés font toute la différence. Vous trouverez ici un lieu de détente et de repos au cœur d'un village fascinant. On y fait aussi la location de chalets de bois rond situés près de l'auberge. Plage.

Duplessis

Sept-Îles

Camping de l'Île Grande Basque
$
mi-mai à mi-sept
Renseignements: Maison du tourisme de Sept-Îles
1401 boul. Laure O.
418-962-1238 ou 888-880-1238
Camper sur une île sauvage, dans la tranquillité de la nature, c'est le rêve de plusieurs citadins. Le camping rustique aménagé sur l'île Grande Basque rend ce rêve possible dans l'environnement superbe de la baie de Sept-Îles. Cette île étant la plus rapprochée de la rive, elle représente une belle étape pour les kayakistes et les canoteurs. Foyers, avec bois disponible sur place. Pas d'eau potable.

Gîte Les Tournesols
$$ bc @
388 av. Évangéline
418-968-1910
www.7tournesols.com
Situé dans un quartier résidentiel tranquille, ce petit gîte de trois chambres est coquet et bien confortable. L'accueil est chaleureux.

Hôtel Gouverneur Sept-Îles
$$$-$$$$ ≡ @
666 boul. Laure
418-962-7071 ou 888-910-1111
www.gouverneur.com
L'Hôtel Gouverneur Sept-Îles est situé sur un boulevard très passant, près d'un centre commercial. Il dispose de chambres modernes et confortables.

Havre-Saint-Pierre

Auberge de la Minganie
$ bc @
mai à oct
3980 route 138
☎418-538-1538
L'Auberge de la Minganie, une sympathique auberge de jeunesse, se trouve près de la ville, à côté de la réserve de parc national de l'Archipel-de-Mingan. Si vous arrivez en autocar, il faut demander au chauffeur d'arrêter devant l'auberge. On peut participer ici à plusieurs activités culturelles et de plein air.

Hôtel-Motel du Havre
$$-$$$ ≡ @
970 rue de l'Escale
☎418-538-2800 ou 888-797-2800
Il y a un établissement qu'on ne peut manquer de voir en entrant à Havre-Saint-Pierre, puisqu'il est situé à l'intersection de la route principale et de la rue de l'Escale, qui traverse le village et mène au quai. L'Hôtel-Motel du Havre est définitivement le grand hôtel de la ville. Accueil sympathique.

Île d'Anticosti

Pour connaître les différents forfaits hébergement offerts par Sépaq Anticosti, consultez la section «Renseignements touristiques», p 298.

Port-Menier

Auberge Port-Menier
$$$
rue des Menier
☎418-535-0122, 418-890-0863 ou 800-463-0863
www.sepaq.com
L'Auberge Port-Menier est une institution de longue date sur l'île. Dans un décor sommaire, l'auberge propose des chambres propres. Plusieurs circuits de visites guidées sont organisés à l'auberge. Le hall est décoré des quelques magnifiques reliefs sur bois provenant du Château Menier. Location de vélos.

Natashquan

Gîte et Chalets Paulette Landry
$-$$
78 rue du Pré
☎418-726-3206
Cet établissement offre une vue magnifique et met à la disposition des voyageurs une chambre en formule gîte et deux petits chalets situés à l'arrière de la propriété. Fort sympathique et peu cher.

Restaurants

Manicouagan

Tadoussac

Café Bohème
$
239 rue des Pionniers
☎418-235-1180
Blotti dans l'ancien magasin général, le Café Bohème offre effectivement un bel endroit pour vivre la bohème. Installé sur sa terrasse au cœur de l'animation du village, ou entre ses murs de bois parés de jolies photographies, on peut y flâner un moment en sirotant un espresso ou en avalant un sandwich, une salade et, surtout, un dessert!

Café du Fjord
$-$$
152 rue du Bateau-Passeur
☎418-235-4626
Le Café du Fjord est très populaire. À l'heure du dîner, on y propose un buffet de fruits de mer. L'endroit est animé en soirée, et des spectacles sont parfois présentés.

Chez Mathilde
$$$-$$$$
227 rue des Pionniers
☎418-235-4443
Jeune entreprise dynamique en plein cœur du village, Chez Mathilde propose un petit menu de fine gastronomie très créative, qui varie selon les arrivages. L'ambiance est épurée et agrémentée des toiles du peintre Simon Philippe Turcot. Le lieu dispose en plus d'un casse-croûte qui sert des hot-dogs européens et autres frites belges pour le repas du midi. Une glacerie est aussi attenante, ainsi qu'une boutique d'artisanat. Une belle adresse.

Baie-Comeau

L'Orange Bleue
$$
905 rue Bossé
☎418-589-8877
En plein centre-ville de Baie-Comeau, dans le secteur de Hauterive, se trouve ce sympathique café-resto-pub qui propose une cuisine internationale. L'ambiance est plutôt urbaine, une belle terrasse est attenante du côté jardin, et l'établissement est ouvert du matin aux petites heures de la nuit. Soupers thématiques et spectacles à l'occasion. Impressionnant choix de bières importées et de microbrasseries, dans une région où la bière de production industrielle domine généralement. Service jeune et dynamique.

Le Manoir
$$$
8 rue Cabot
☎418-296-3391 ou 866-796-3391
La renommée de la salle à manger de l'**Hôtel Le Manoir** (voir p 306) n'est plus à faire. Dans un décor extrêmement chaleureux et luxueux, une fine cuisine est élaborée, et l'on peut lui attribuer les qualificatifs les plus élogieux. Ce rendez-vous des gens d'affaires et des industriels peut également plaire à la clientèle touristique, qui appréciera le point de vue unique sur la baie et l'ambiance de vacances qui règne sur la terrasse. Remarquable choix de vins.

La Cache d'Amélie
$$$$
37 av. Marquette
☎418-296-3722
La Cache d'Amélie est le relais gastronomique par excellence

à Baie-Comeau. Dans le pittoresque ancien presbytère de la plus belle paroisse de la ville, vous aurez droit à une intimité heureuse qui prédispose admirablement aux fins plaisirs de la table. Cuisine française et régionale. Réservations requises.

Duplessis

Sept-Îles

Café du Port
$$-$$$
495 rue Brochu
☎418-962-9311
Le mignon Café du Port propose une bonne cuisine familiale simple et délicieuse. L'endroit est des plus sympathiques. Une zone d'accès à Internet sans fil est aussi disponible pour ceux qui ont leur ordinateur.

Pub Saint-Marc
$$-$$$
588 rue Brochu
☎418-962-7770
L'agréable Pub Saint-Marc est une référence à Sept-Îles. Dans un décor chaleureux, on y sert une quinzaine de bières pression, et le restaurant à l'étage propose un menu impressionnant et audacieux, à base de moules et de frites, de sandwichs italiens et de pâtes.

Havre-Saint-Pierre

Chez Julie
$-$$$$
1023 rue Dulcinée
☎418-538-3070
La réputation du restaurant Chez Julie n'est plus à faire, car ses excellents plats de fruits de mer en ont ravi plus d'un. Son décor, avec sièges en vinyle, ne parvient pas à refroidir l'ardeur des inconditionnels, qui y reviennent pour savourer la pizza aux fruits de mer et au saumon fumé. Ayez un bon appétit car certaines assiettes sont gargantuesques!

Île d'Anticosti

Port-Menier

Auberge Port-Menier
$$-$$$
☎418-535-0122
L'Auberge Port-Menier abrite une salle à manger qui propose une cuisine populaire de qualité.

Natashquan

Café-Bistro L'Échouerie
$$
☎418-726-3054 ou 866-726-3054
www.copactenatashquan.net
Projet écosocial et communautaire, ce petit resto situé sur la plage propose une cuisine internationale. On y vient surtout pour ses soirées animées par des conteurs, comédiens et chanteurs. Le lieu est magnifique et a littéralement les pieds dans l'eau!

Sorties

■ Bars et boîtes de nuit

Tadoussac

Café du Fjord
152 rue du Bateau-Passeur
☎418-235-4626
Surveillez la programmation du Café du Fjord. Des noms importants du rock, du jazz et du blues y passent de juin à la fin d'août. Les événements spéciaux s'y succèdent. On peut aussi y danser et prendre un verre.

■ Fêtes et festivals

Juin

À la mi-juin, le **Festival de la chanson de Tadoussac** *(☎ 866-861-4108, www.chansontadoussac.com)* se tient dans plusieurs bars du village. Dans un feu roulant de spectacles, des grands noms de la chanson partagent la vedette avec des artistes de la relève, ce qui donne des airs de véritable happening à ce petit village.

Achats

■ Artisanat et souvenirs

Tadoussac

Dans un village où l'on trouve absolument de tout comme souvenirs, la **Boutique Nima** *(231 rue des Pionniers, ☎418-235-4858)* propose des objets de qualité. Elle présente de superbes pièces d'art inuit et amérindien.

Attenante au restaurant **Chez Mathilde** (voir p 307), la **Boutique Vermeille** *(227 rue des Pionniers, ☎418-235-4443)* présente de l'artisanat textile et sculptural exclusivement québécois sinon local. On y trouve de belles pièces.

Sept-Îles

Les artisans et artistes régionaux vous proposent leurs produits à la **Boutique de souvenirs de la Terrasse du Vieux-Quai** *(en saison)* et dans **Les abris de la promenade du Vieux-Quai**, situés à l'extrémité ouest de la promenade du Vieux-Quai.

Les amateurs de produits artisanaux amérindiens trouveront un choix intéressant et typiquement innu à la boutique du **Musée régional de la Côte-Nord** (voir p 302).

Île d'Anticosti

Les Artisans d'Anticosti *(mi-juin à fin déc 8h à 18h; Port-Menier, ☎418-535-0270)* ont une superbe sélection de produits artisanaux et de vêtements de cuir de chevreuil (cerf de Virginie) ainsi que des bijoux en bois de cerf. T-shirts et cartes géographiques.

L'Ontario

Les Grands Lacs, ces formidables nappes d'eau douce bordées d'une nature généreuse et indomptée, forment la première image qui se présente à l'esprit quand on évoque l'Ontario. Puis ce sont les vastes champs fertiles, au bout desquels se dressent les maisons de ferme coquettement ornées d'un balcon, de volets et de fleurs. Enfin, il y a encore ces minuscules hameaux, pourtant constitués de splendides demeures qui veillent sur la région depuis parfois plus de 150 ans, ainsi que ces villes au patrimoine architectural inestimable, silencieux témoins de la prospérité de cette province, la plus riche du Canada.

L'Ontario rural a certes de quoi ravir les âmes romantiques en mal de tranquillité et des temps passés, mais cette province possède également un visage éminemment moderne et urbain: n'y trouve-t-on pas Toronto, la métropole canadienne, et Ottawa, la capitale fédérale?

Avec ses quelque 1 076 395 km² de territoire, la province de l'Ontario est la deuxième province canadienne en termes de superficie (derrière le Québec). Elle est bordée à l'est par le Québec, à l'ouest par le Manitoba, au nord par la baie d'Hudson et au sud par les États Unis. Une partie de sa frontière sud et sud-ouest est marquée par le 49ᵉ parallèle, l'autre partie étant délimitée par le fleuve Saint-Laurent et les lacs Ontario, Érié, Huron et Supérieur, ces lacs qui permettent un accès facile à tous les coins du territoire ontarien et qui furent à l'origine du peuplement de la province.

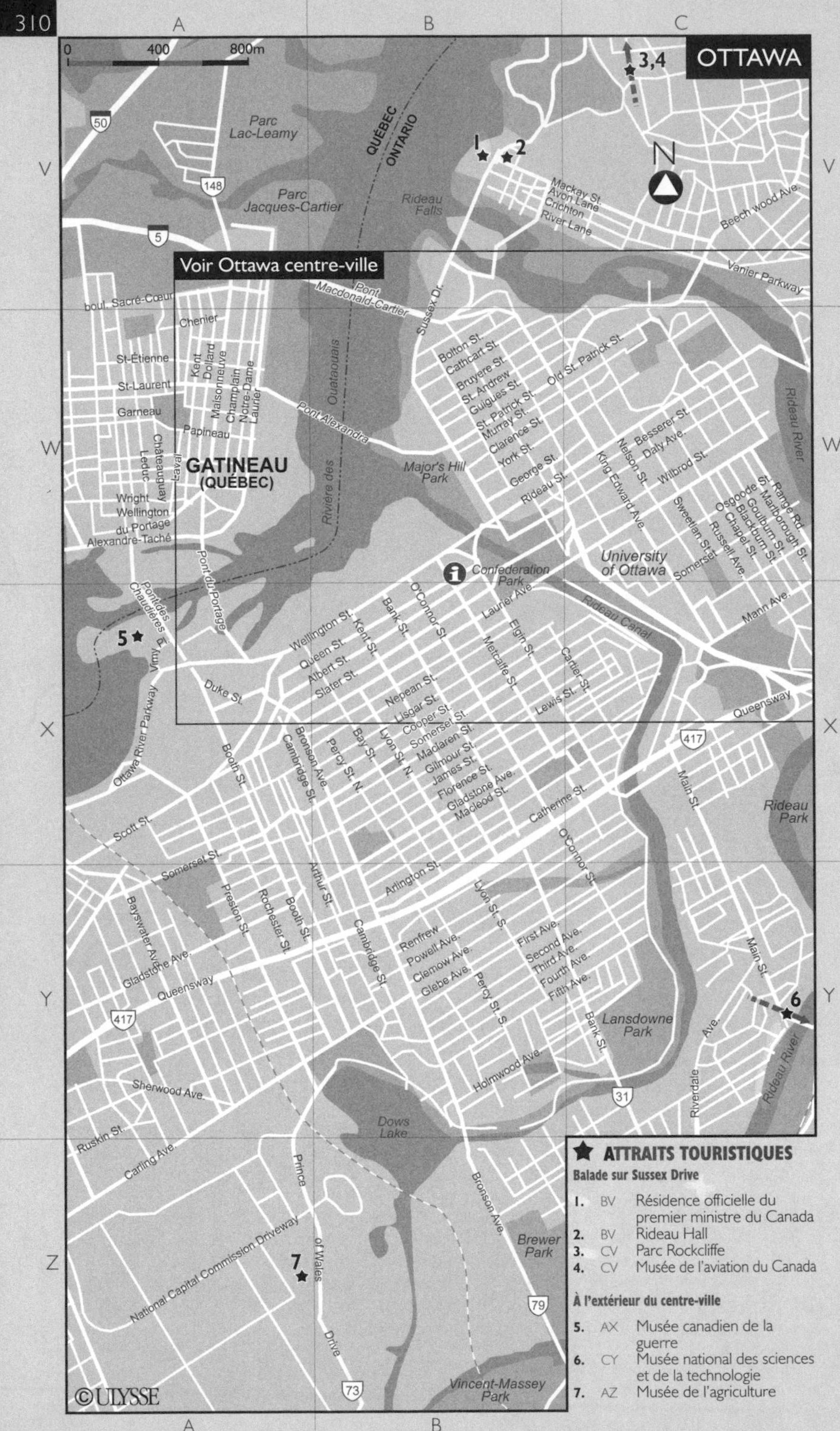
OTTAWA
0
400
800m
A
B
C
V
W
X
Y
Z
3,4
1
2
N
Parc Lac-Leamy
Parc Jacques-Cartier
QUÉBEC
ONTARIO
Rideau Falls
Mackay St.
Avon Lane
Crichton
River Lane
Beechwood Ave.
Vanier Parkway
Voir Ottawa centre-ville
Pont Macdonald-Cartier
Sussex Dr.
boul. Sacré-Cœur
Chenier
St-Étienne
St-Laurent
Garneau
Papineau
Kent
Dollard
Maisonneuve
Champlain
Notre-Dame
Laurier
Rivière des Outaouais
Pont Alexandra
Bolton St.
Cathcart St.
Bruyere St.
St. Andrew
Guigues St.
St. Patrick St.
Murray St.
Clarence St.
York St.
George St.
Rideau St.
Old St. Patrick St.
Besserer St.
Daly Ave.
Wilbrod St.
Nelson St.
King Edward Ave.
Rideau River
Major's Hill Park
GATINEAU (QUÉBEC)
Châteauguay
Leduc
Laval
Wright
Wellington
du Portage
Alexandre-Taché
Pont du Portage
Pont des Chaudières
Osgoode St.
Range Rd.
Marlborough St.
Goulburn St.
Blackburn St.
Chapel St.
Russell Ave.
Sweetland St.
Somerset
University of Ottawa
Confederation Park
Laurier Ave.
Mann Ave.
Rideau Canal
5
Vimy Pl.
Wellington St.
Queen St.
Albert St.
Slater St.
Kent St.
Bank St.
O'Connor St.
Metcalfe St.
Elgin St.
Cartier St.
Lewis St.
Duke St.
Nepean St.
Lisgar St.
Cooper St.
Somerset St.
Maclaren St.
Gilmour St.
James St.
Florence St.
Gladstone Ave.
Macleod St.
Queensway
417
Ottawa River Parkway
Booth St.
Bronson Ave.
Cambridge St.
Percy St. N.
Bay St.
Lyon St. N.
Catherine St.
Main St.
Rideau Park
Scott St.
Somerset St.
Arlington St.
O'Connor St.
Bayswater Ave.
Preston St.
Rochester St.
Booth St.
Arthur St.
Cambridge St.
Renfrew
Powell Ave.
Clemow Ave.
Glebe Ave.
Lyon St. S.
Percy St. S.
First Ave.
Second Ave.
Third Ave.
Fourth Ave.
Fifth Ave.
Gladstone Ave.
Queensway
6
Lansdowne Park
Bank St.
Holmwood Ave.
Riverdale Ave.
Rideau River
Sherwood Ave.
31
Dows Lake
Ruskin St.
Carling Ave.
Prince of Wales Drive
Bronson Ave.
Brewer Park
National Capital Commission Driveway
7
79
73
Vincent-Massey Park
©ULYSSE
ATTRAITS TOURISTIQUES
Balade sur Sussex Drive
1. BV Résidence officielle du premier ministre du Canada
2. BV Rideau Hall
3. CV Parc Rockcliffe
4. CV Musée de l'aviation du Canada
À l'extérieur du centre-ville
5. AX Musée canadien de la guerre
6. CY Musée national des sciences et de la technologie
7. AZ Musée de l'agriculture

Ottawa

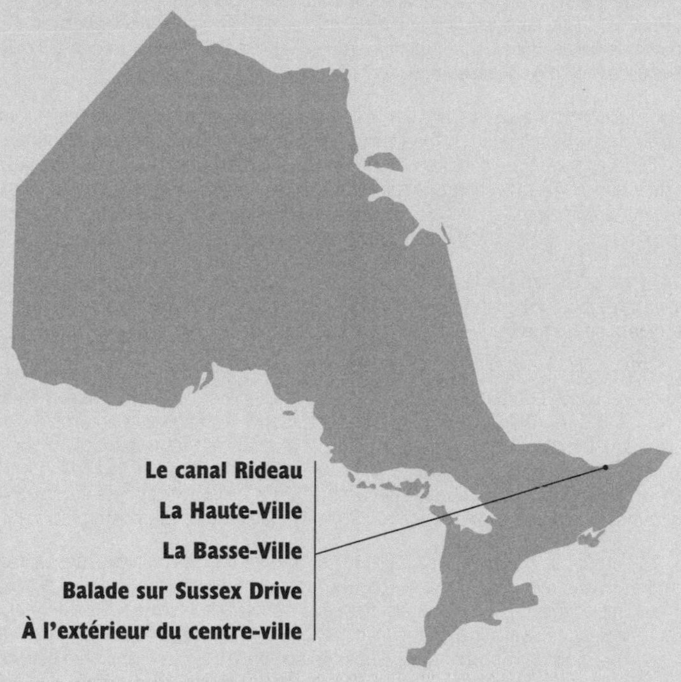
Le canal Rideau
La Haute-Ville
La Basse-Ville
Balade sur Sussex Drive
À l'extérieur du centre-ville

C'est la situation géographique, au bord de la rivière des Outaouais et à proximité de la chute des Chaudières, qui, la première, a séduit les explorateurs européens. Puis, ce lieu couvert d'une forêt sans fin est apparu stratégique aux autorités britanniques, qui ont choisi d'y creuser un canal et d'y ériger un hameau.

Au lendemain de la guerre de 1812, pendant laquelle les troupes britanniques installées au Canada se sont opposées aux troupes américaines, les autorités anglaises constatent la nécessité de mieux protéger la voie navigable du Saint-Laurent, entre Montréal et Kingston. La défense de cette voie n'est cependant pas de tout repos, car, sur une bonne distance, ce cours d'eau possède une berge au Canada et une autre aux États-Unis. On envisage par conséquent la construction d'un canal entre la rivière des Outaouais et Kingston, qui permettrait d'éviter de remonter le fleuve Saint-Laurent pour se rendre à Kingston. Cette stratégie militaire est à l'origine de la fondation d'**Ottawa** ★★★.

Un premier peuplement agricole dirigé par Philemon Wright s'était amorcé sur l'emplacement de l'actuelle ville de Gatineau, au Québec, sur la rive nord de la rivière des Outaouais, autour des années 1800. Les travaux de construction du canal Rideau débutent quant à eux en 1826; le lieutenant-colonel By en a la charge. Un petit hameau se développe alors, composé d'ouvriers amenés pour effectuer le canal et de dignitaires qui veillent à la bonne marche du projet. Il prend pour nom Bytown en l'honneur du lieutenant-colonel.

Il faut sept ans pour terminer le canal, et en 1832 un autre village est bâti au confluent des deux voies navigables (le canal et la rivière des Outaouais). Bytown s'épanouit essentiellement en raison de la dense forêt qui l'entoure, dont l'exploitation fait vivre nombre d'habitants.

Peu à peu, deux quartiers bien distincts se développent de chaque côté du canal, la Haute-Ville, du côté ouest, où les notables, anglais et protestants, se font construire de somptueuses demeures, et la Basse-Ville, du côté est, où s'établissent les habitants pauvres de la ville, essentiellement les communautés francophones et irlandaises, toutes deux catholiques. Les rivalités entre ces communautés sont nombreuses, et les premières années de Bytown sont tumultueuses, surtout dans les rues de la Basse-Ville. Petite ville ne comptant que quelques milliers d'âmes, Bytown connaît au cours du XIXe siècle de profondes transformations.

De 1841 à 1844, Kingston devient la capitale du Canada-Uni, mais la proximité des États-Unis fait craindre aux autorités d'éventuelles attaques. Aussi les autorités cherchent-elles à trouver un meilleur emplacement pour la capitale. Bien que les villes de Montréal, Toronto, Kingston et Québec essaient de se qualifier, plusieurs considèrent l'emplacement de Bytown attrayant. En fait, bien que d'aucuns affirment que cette ville soit grise et violente, nombre de facteurs la favorisent: elle est à la limite des anciens Bas-Canada et Haut-Canada, elle est composée de francophones et d'anglophones, en une proportion équivalente, et le gouvernement britannique y possède des terres parfaites pour la construction d'édifices gouvernementaux. En raison de ces avantages, l'emplacement de Bytown est privilégié comme siège du gouvernement. En 1857, le choix est fait, et Bytown, qui se nomme désormais Ottawa, devient la capitale du Canada-Uni. Au moment de la signature de l'Acte confédératif de 1867, Ottawa demeure la capitale, et elle a depuis gardé sa vocation.

L'industrie du bois, qui a fait vivre les habitants durant tout le XIXe siècle, décline dès le début du XXe siècle. Son statut de capitale nationale lui permet toutefois d'attirer les bureaux de la fonction publique fédérale, qui devient alors le principal employeur de la ville. Un plan d'urbanisation est également adopté au tournant du XXe siècle afin de l'embellir. C'est véritablement en 1937, alors que l'architecte et urbaniste français Jacques Greber est mandaté pour réaménager le centre-ville, qu'Ottawa se transforme et prend fière allure. Aujourd'hui, les magnifiques bâtiments de la colline du Parlement et les avenues, larges et bordées de splendides demeures victoriennes, témoignent de la réussite de cet aménagement qui a permis d'élever la capitale de quelque 810 000 habitants au rang des belles villes canadiennes.

Accès et déplacements

■ En avion

L'**aéroport international Macdonald-Cartier d'Ottawa** *(50 promenade de l'Aéroport, ☎613-248-2125, www.ottawa-airport.ca)* accueille plusieurs vols venant d'autres villes canadiennes ou d'autres pays. Il est situé à une vingtaine de minutes du centre-ville, et vous pourrez aisément vous y rendre en voiture. Nombre d'entreprises de location de voitures y sont représentées.

■ En voiture

Ottawa est facilement accessible du Québec et de tous les coins de l'Ontario, car elle est reliée par un excellent réseau d'autoroutes.

De Montréal, il suffit de suivre les autoroutes 40 puis 417 et de prendre la sortie Nicholas Street pour accéder au centre-ville.

De Toronto, vous pouvez opter de suivre la route 7, qui traverse Peterborough et se rend directement à Ottawa. Il est également possible de longer le fleuve Saint-Laurent en prenant l'autoroute 401 jusqu'à Prescott et, de là, d'emprunter la route 16 en direction d'Ottawa.

■ En autocar

L'autocar est le moyen le moins coûteux pour se rendre à Ottawa. En outre, le service, de Montréal et de Toronto, est à la fois rapide et ponctuel, et vous n'aurez aucun souci à vous faire quant aux heures de départ, les autocars faisant la navette plusieurs fois par jour.

De la **gare routière d'Ottawa** *(265 Catherine St., ☎613-238-5900)*, vous pouvez vous rendre au centre-ville en autobus (OC Transpo 4) ou en voiture par les rues Kent ou Bank.

■ En train

À Ottawa, la **gare ferroviaire** *(200 Tremblay Rd., ☎888-842-7245, www.viarail.ca)* se trouve près du centre-ville, à une dizaine de minutes en voiture, et elle est desservie par un bon réseau routier ainsi que par le transport en commun.

Pour vous y rendre en voiture, prenez l'autoroute 417 en direction est. La gare est située un peu après Riverside Promenade.

Si vous optez pour le transport en commun, prenez l'autobus 97 d'OC Transpo, qui part de la gare et mène au centre-ville, à deux pas de la colline du Parlement. Il en coûte alors 3$.

■ En transport en commun

La ville d'Ottawa est desservie par un bon réseau de lignes d'autobus. Où que vous alliez au centre de la capitale, vous pouvez vous y rendre en autobus. Vous obtiendrez aisément des renseignements concernant les différentes routes d'autobus en communiquant avec:

OC Transpo
1500 St. Laurent Blvd.
☎613-741-4390 ou 613-842-3600
www.octranspo.com

Le prix pour un adulte est de 3$ (ou 2$ en se procurant une lisière de billets); le prix pour un enfant de 6 ans à 11 ans est de 1,50$ (ou 1$ avec une lisière de billets); les enfants de moins de six ans ne paient pas.

Renseignements utiles

■ Renseignements touristiques

Un bureau de renseignements touristiques se trouve à deux pas de la colline du Parlement. Brochures, information, centrale de réservation de chambres d'hôtel... vous y trouverez tous les services dont vous pourriez avoir besoin.

Infocentre de la Capitale
début mai à début sept tlj 9h à 21h,
reste de l'année tlj 9h à 17h
90 Wellington St.
☎613-239-5000 ou 800-465-1867

En parcourant les sites Internet suivants, vous pouvez également vous procurer une foule de renseignements touristiques supplémentaires.

www.capcan.ca
www.ottawakiosk.com
www.tourismeottawa.ca
www.capitaleducanada.gc.ca

Attraits touristiques

Le canal Rideau ★

p 323 p 325

C'est en quelque sorte grâce au conflit entre les Britanniques et les Américains, en 1812, qu'Ottawa voit le jour; les autorités britanniques prennent alors conscience de la vulnérabilité de la voie navigable du Saint-Laurent, qui relie Montréal aux Grands Lacs. Aussi, une fois le conflit résolu, envisagent-elles des solutions pour pallier ce problème. La construction d'un canal reliant la rive sud de la rivière des Outaouais à Kingston apparaît comme la solution.

Aujourd'hui, le **Lieu historique national du Canal-Rideau** *(☎613-283-5170 ou 888-773-8888, www.pc.gc.ca)* protège cette superbe construction qui s'étend sur 202 km, d'Ottawa à Kingston. En raison notamment de sa conception, de son plan et de son état de conservation (le seul canal du XIXe siècle en Amérique du Nord encore en exploitation sur son tracé d'origine et dont plusieurs éléments d'origine sont encore intacts), il est inscrit depuis 2007 sur la liste du patrimoine mondial de l'UNESCO.

Le **canal Rideau** serpente toujours au cœur d'Ottawa, pour le grand plaisir des gens qui viennent sur ses berges afin d'y respirer une bouffée d'air frais tout au long de l'année. En été, ses rives se parent de parcs parsemés de tables de pique-nique, et une promenade piétonne et cyclable est mise à la disposition du public. En hiver, le canal, une fois gelé, se transforme en une vaste patinoire qui traverse la ville. Si l'expérience vous tente, sachez qu'en face du Centre national des Arts se trouve un petit pavillon où vous pourrez enfiler vos patins ou vous réchauffer.

Situé aux abords du canal Rideau, le **Musée Bytown** *(6$; fin juin à fin août tlj 10h à 17h, début avril à mi-mai et mi-oct à fin nov jeu-lun 10h à 14h, reste de l'année sur rendez-vous; 1 Canal Ln., ☎613-234-4570, www.bytownmuseum.com)* retrace les 100 premières années de l'histoire de la ville, du début de sa colonisation et la construction du canal en 1826 à l'époque prospère de l'industrie du bois d'œuvre. Café et boutique sur place.

Le **Centre national des Arts** *(53 Elgin St., entre la place de la Confédération et le canal Rideau, ☎613-947-7000, www.nac-cna.ca)* est bâti sur la rive ouest du canal, à l'emplacement même où se trouvait, au XIXe siècle, l'hôtel de ville, détruit par un incendie. Le centre, tel qu'on le voit aujourd'hui, fut érigé dans les années 1964-1967 par les architectes montréalais Affleck, Desbarats, Dimakopoulos, Lebensol et Sise. On y présente, tout au long de l'année, d'excellents concerts et pièces de théâtre (voir p 325). Au bord du canal Rideau, on a judicieusement tiré parti de son emplacement en aménageant d'agréables terrasses estivales.

La Haute-Ville ★★★

▲ *p 321* ● *p 323* ♪ *p 325* ▮ *p 326*

Dès les premières années de la fondation de Bytown, les belles terres situées sur la rive ouest du canal Rideau attirent les anglo-protestants nantis qui s'installent dans la ville. Quartier bourgeois de la ville s'il en est alors un, la Haute-Ville s'embellit au fil des ans, et quelques demeures nécessaires pour accueillir les familles des nouveaux venus sont construites. Elle connaît cependant son apogée autour des années 1860, alors qu'Ottawa est choisie comme capitale et que l'on érige, au sommet de Barrack Hill, colline appartenant à la Couronne britannique, les magnifiques bâtiments du Parlement fédéral qui la parent toujours. Il s'agit, en quelque sorte, du coup d'envoi de la métamorphose de la Haute-Ville, qui, en une cinquantaine d'années, voit ses larges avenues se garnir de beaux bâtiments victoriens.

La balade dans ce quartier d'Ottawa débute aux édifices du Parlement et vous mène à la découverte de quelques-uns des plus beaux bâtiments de la ville. Hormis la visite des édifices du Parlement, comptez une demi-journée pour la faire.

Les **édifices du Parlement** ★★★ *(renseignements sur les activités: ☎613-239-5000 ou 800-465-1867, www.parliamenthill.gc.ca)* dominent véritablement Ottawa. Au sommet de la colline du Parlement se dressent trois bâtiments répartis autour d'un jardin de 200 m². L'édifice du Centre abrite la Chambre des communes et le Sénat, où siège le gouvernement fédéral (voir p 316). Les deux autres bâtiments, dénommés «édifice de l'Est» et «édifice de l'Ouest», renferment différents bureaux administratifs.

C'est en 1857, alors qu'Ottawa est désignée comme capitale du Canada-Uni, que la construction de certains de ces splendides bâtiments apparaît nécessaire aux autorités de la ville, qui ne possèdent pas d'endroits pour accueillir les parlementaires. Lors d'un concours, ce sont les plans conçus par Thomas Fuller et Chilion Jones, qui proposent l'érection d'un bâtiment de style néogothique, qui sont retenus. Cependant, les délais pour l'élaboration de ces plans sont fort courts, et les travaux débutent avant que tous les problèmes que pose une construction de cette complexité ne soient résolus. Aussi, à peine un an plus tard, l'imposant budget de 250 000 livres sterling alloué est-il déjà dépassé. Les autorités sont alors accusées de mauvaise gestion des fonds publics, et les travaux doivent être interrompus. Trois ans s'écoulent avant que la Commission royale d'enquête, mandatée pour faire la lumière sur la question, ne recommande la reprise des travaux. En 1866, la première session s'y tient, même si la construction n'est pas encore achevée.

Si l'élaboration du bâtiment central ne s'est pas faite sans peine, le résultat a de quoi faire la

★ ATTRAITS TOURISTIQUES

Le canal Rideau

1. CY Lieu historique national du Canal-Rideau
2. BY Musée Bytown
3. BY Centre national des Arts

La Haute-Ville

4. BY Édifices du Parlement
5. AZ Cour suprême du Canada
6. AZ Bibliothèque et Archives Canada
7. BZ Musée de la monnaie
8. CZ Musée canadien de la nature

La Basse-Ville

9. BY Château Laurier
10. BY Basilique-cathédrale Notre-Dame
11. BX Musée des beaux-arts du Canada
12. BX Monnaie royale canadienne
13. BY Marché By
14. DY Lieu historique national Maison-Laurier

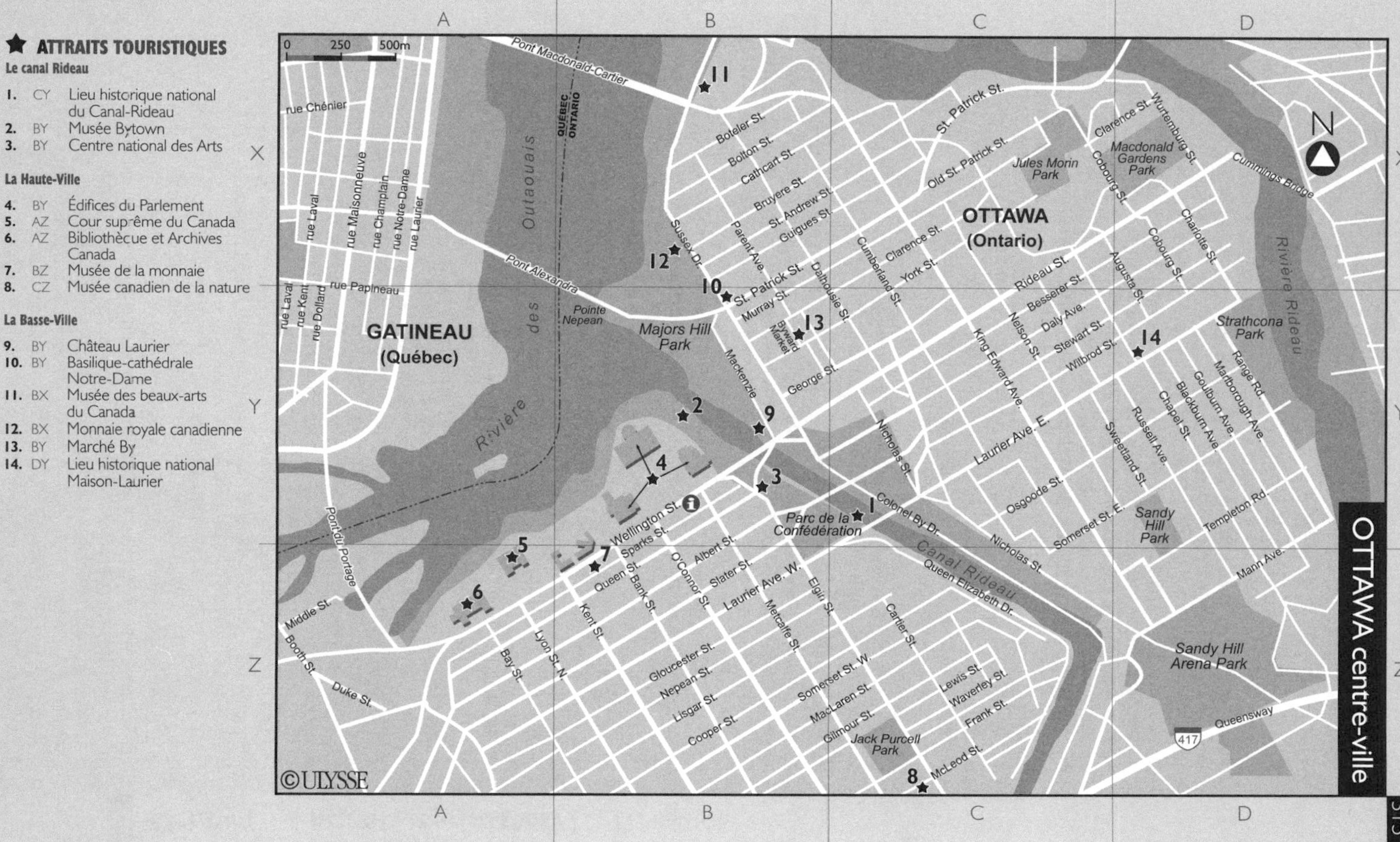

fierté des habitants d'Ottawa: trois splendides édifices de style néogothique dominent l'horizon de leur ville, qui jusque-là était essentiellement composée de modestes maisons de bois.

À peine 40 ans plus tard, le 3 février 1916, un terrible incendie se déclare dans le bâtiment central. Ce sont d'abord les locaux de la partie ouest puis ceux de la partie est qui brûlent. Le magnifique édifice est entièrement consumé par les flammes, à l'exception de la **bibliothèque du Parlement**, sauvée grâce à un commis qui eut la présence d'esprit de fermer les épaisses portes de fer la séparant du reste du bâtiment. Encore aujourd'hui, vous pouvez voir ce splendide bâtiment néogothique, comptant 16 côtés, et surmonté d'un toit de cuivre en lanterne. L'intérieur, richement décoré de boiseries en pin blanc, comprend une vaste salle de lecture éclairée par des fenêtres en ogive, qui ornent chacun de ses côtés, ainsi que de petites alcôves renfermant une partie des collections de la bibliothèque. Au centre se dresse une statue de marbre blanc de la reine Victoria, œuvre de Marshall Wood (1871).

Des visites guidées de l'**édifice du Centre** *(entrée libre; lorsque le Parlement ne siège pas: tlj 9h20 à 15h40; lorsque le Parlement siège: lun-jeu 9h20 à 12h50, ven 9h20 à 9h50 et 12h50 à 15h40, sam-dim 9h à 15h40)* sont organisées. Elles permettent de visiter l'intérieur de l'édifice, entre autres la partie ouest. On peut alors voir de plus près la Chambre des communes, où les députés élus au suffrage universel débattent et adoptent les lois fédérales. Du côté est de l'édifice, ces tours guidés s'attardent à la grande pièce abritant le Sénat, ou Chambre haute, dont les membres, nommés par le gouvernement, ont pour fonction d'étudier et de donner leur aval aux lois adoptées par la Chambre des communes.

Outre ces deux pièces, les visites guidées de l'édifice entraînent également les visiteurs à l'intérieur de la bibliothèque du Parlement ainsi que dans la tour de la Paix, où il est notamment possible de voir la chapelle du Souvenir, faite de marbre blanc.

L'édifice du Centre est, depuis les débuts, flanqué de deux autres bâtiments: les édifices de l'Est et de l'Ouest. Ils sont l'œuvre de Thomas Stent et d'Augustus Laver. L'**édifice de l'Est** *(juil à sept tlj 10h à 17h15)*, une belle composition aux élévations asymétriques, présente en façade des pierres taillées aux couleurs allant du crème au ocre et est enjolivé de tours, de cheminées, de pinacles, de fenêtres en ogive, de gargouilles et de diverses sculptures. À l'origine, il fut construit pour recevoir les Services civils du Canada; désormais, il renferme les bureaux des sénateurs et des membres du Parlement. Une visite guidée est offerte et vous fera voir entre autres quatre pièces restaurées comme on aurait pu les voir au XIXe siècle. S'y trouvent également le bureau du gouverneur général et la chambre du Conseil privé. L'**édifice de l'Ouest** n'abrite que des bureaux de députés; on ne peut pas le visiter.

La colline du Parlement est aussi la scène de nombreux événements, notamment la **relève de la garde** *(tlj 10h à 10h30 par beau temps)*, qui a lieu tous les jours de la fin juin à la fin août, alors que vous pourrez voir parader les soldats dans leurs costumes de cérémonie. Le spectacle son et lumière ***Le Canada... l'esprit d'un pays*** *(entrée libre; début juil à début sept tlj en soirée; ☎613-239-5000 ou 800-465-1867)*, qui raconte l'histoire du Canada, y est également présenté. Les visites guidées gratuites *(toute l'année)* de la colline parlementaire donnent l'occasion de se familiariser avec des pans de l'histoire canadienne, notamment avec les personnages marquants dont les statues ornent les lieux.

En suivant la rue Wellington en direction ouest, vous croiserez une autre institution canadienne: la **Cour suprême du Canada** ★ *(début mai à fin août tlj 9h à 17h; sept à avr lun-ven 9h à 17h visites guidées sur réservations; 301 Wellington St., ☎613-995-4330)*. Le bâtiment, de style Art déco, a été conçu par l'architecte Ernest Cormier, qui en entreprit la construction en 1939. Une seule modification a dû être apportée au plan d'origine, qui prévoyait un toit plat. Était-ce le département des Travaux publics qui favorisait le style château, ou peut-être était-ce dû à une exigence du premier ministre Mackenzie King? Toujours est-il que le toit fut modifié pour lui donner l'aspect actuel. Le vaste espace créé par l'intérieur de ce toit pointu est occupé par la bibliothèque.

Au bout de Wellington Street se trouvent les bâtiments de **Bibliothèque et Archives Canada** *(395 Wellington St., ☎613-996-5115)*, qui renferme une impressionnante collection de documents traitant du Canada ainsi que des publications canadiennes. L'ensemble abrite également les Archives nationales du Canada. Des expositions temporaires y sont présentées.

Les changements considérables que connaît Ottawa dans la seconde moitié du XIXe siècle se répercutent sur le développement des artères commerciales. Depuis les débuts de la ville, deux secteurs convoitent le titre de centre commercial: les environs du marché By, dans la Basse-Ville, et **Sparks Street**, dans la Haute-Ville. Pour arriver à ces fins, de gros efforts sont entrepris par les habitants et les commerçants de ce secteur pour embellir la rue Sparks. C'est ainsi que cette élégante artère, qui se pare d'édifices hauts de cinq ou six étages, est une des premières à être asphaltée, à être sillonnée par le tramway et à profiter de réverbères. On la dénomme alors la «Broadway» d'Ottawa. Sa vocation commerciale n'a jamais disparu, et elle se présente aujourd'hui comme une belle artère piétonne (entre les rues Kent et Elgin), fort agréable en été. En raison d'une foule de jolies boutiques qui la bordent, les promeneurs y viennent nombreux pour magasiner ou simplement faire du lèche-vitrine.

Rue Sparks, le **Musée de la monnaie** ★ *(entrée libre; été lun-sam 10h30 à 17h, dim 13h à 17h, reste de l'année mar-sam 10h30 à 17h, dim 13h à 17h; 245 Sparks St., ☎613-782-8914, www.museedelamonnaie.ca)*, se trouve à l'intérieur de la Banque du Canada; on y accède par la porte arrière. L'exposition du musée, répartie entre huit salles, retrace l'histoire de la création de la monnaie.

››› *Vous pouvez continuer votre promenade dans Sparks Street jusqu'à Elgin Street. Tournez à droite et rendez-vous à McLeod Street, où vous tournerez encore à droite pour rejoindre le Musée canadien de la nature.*

Depuis longtemps déjà, Ottawa possède son **Musée canadien de la nature** ★★ *(5$; début mai à début sept tlj 9h à 18h, mer-jeu jusqu'à 20h; sept à avr mar-dim 9h à 17h, jeu jusqu'à 20h; 240 McLeod St., angle Metcalfe St., ☎613-566-4700, www.nature.ca)*, un musée accessible à tous où sont abordés une grande variété de thèmes en lien avec la nature, comme la géologie et la formation de la planète, les mammifères et les oiseaux originaires du pays, le monde merveilleux des insectes et autres bestioles mal aimées. Chacune des salles offre son lot de découvertes, mais peut-être celle qui captive le plus l'imagination, des petits comme des grands, est la salle des dinosaures, où l'on peut admirer des squelettes (dont plusieurs composés d'un grand nombre de vrais fossiles) de ces animaux dont l'existence remonte à quelque 60 millions d'années. Les années ont passé, et l'on a ressenti le besoin de redonner du lustre au musée. C'est pourquoi, jusqu'en 2010, il est partiellement fermé, chacune de ses salles étant rénovée l'une après l'autre.

La Basse-Ville ★★★

▲ p 322 ● p 324 ◆ p 326 ■ p 327

Les terres de la rive est du canal, mal irriguées, n'avaient, dans les premiers temps de Bytown, rien pour attirer la convoitise des nouveaux venus. Des travaux d'irrigation, effectués autour des années 1827, les rendent plus enviables, et peu à peu elles se peuplent. Ce ne sont cependant pas les nantis qui s'y installent, mais plutôt les travailleurs qui trouvent à y loger à bon prix. Des ouvriers francophones et irlandais, catholiques pour la plupart, composent alors la grande majorité des habitants de ce quartier. Mais les conditions de vie sont difficiles; les escarmouches entre Irlandais et francophones, souvent en concurrence pour les mêmes emplois, sont fréquentes; aussi la vie dans ce quartier n'est-elle pas toujours rose. D'ailleurs, la Basse-Ville garde peu de traces de ces premières et difficiles années, car les bâtiments de cette époque, la plupart en bois, ont rarement résisté aux ans. Il en reste encore quelques-uns ici et là qui reflètent, pour la plupart, les origines francophones des habitants de ce quartier.

Laissé pour compte durant la seconde moitié du XIXe siècle, ce quartier n'a pas connu le boom de construction de la Haute-Ville. C'est pourquoi on y trouve très peu de bâtiments de style néogothique, en vogue pendant cette période. Au début du XXe siècle, Sussex Drive, qui borde l'extrémité ouest de ce quartier, s'embellit grâce à la construction de magnifiques bâtiments de style château. Puis, tout au long du siècle, d'autres bâtiments, dont le très beau Musée des beaux-arts, vont parfaire le visage de cette artère.

La rue Wellington enjambe le canal et devient, de ce côté, la rue Rideau, bordée de part et d'autre d'une foule de boutiques où vous pourrez aller magasiner.

Le premier bâtiment que vous croiserez, et que vous ne saurez manquer, est l'imposant **Château Laurier** ★★ *(1 Rideau St.)*, qui se dresse au bord du canal Rideau et qui compte, depuis son ouverture, parmi les plus prestigieux hôtels de la ville (voir «Fairmont Château Laurier» p 323). Ce sont les architectes Ross et MacFarland qui sont alors désignés, en 1908, pour concevoir l'édifice. À l'image des autres hôtels du Canadien Pacifique, ils favorisent le style château et construisent un élégant hôtel d'allure romantique, aux façades de pierres relativement dépouillées, et pourvu de toits pointus en cuivre, de tourelles et de lucarnes. Rien n'est omis pour faire de l'hôtel un établissement de grande classe, et la décoration intérieure est somptueuse. Vous pourrez encore l'admirer en pénétrant dans le hall. En 1912, le tout premier client à s'enregistrer est nul autre que sir Wilfrid Laurier, qui a favorisé la création du chemin de fer, et qui laissera son nom à l'établissement.

››› *Continuez sur Mackenzie Avenue et tournez à droite dans St. Patrick Street pour rejoindre Sussex Drive.*

En 1841 commencent les travaux de la **basilique-cathédrale Notre-Dame** ★ *(tlj 7h à 18h; 385 Sussex Dr.)*. À l'origine, l'église est construite afin de servir les catholiques de la Basse-Ville, aussi bien ceux parlant français que les Irlandais de langue anglaise. D'ailleurs, vous remarquerez, dans le chœur, la présence d'un *Saint Jean-Baptiste* et d'un *Saint Patrick*. Il s'agit de la plus vieille église de la ville; son magnifique chœur de bois merveilleusement ouvragé et les statues des prophètes et des évangélistes, œuvres de Louis-Philippe Hébert, y sont encore en parfaite condition.

››› *Poursuivez sur Sussex Drive.*

Le **Musée des beaux-arts du Canada** ★★★ *(9$ pour l'exposition permanente; mai à sept tlj 10h à 17h, jeu jusqu'à 20h; oct à avr mar-dim 10h à 17h, jeu jusqu'à 20h; 380 Sussex Dr., ☎613-990-1985, www.beaux-arts.ca)* propose un fabuleux voyage à travers l'histoire artistique du Canada et d'ailleurs grâce à une collection de 45 000 œuvres d'art dont 1 200 sont en montre.

Surplombant la rivière des Outaouais, l'édifice moderne de verre, de granit et de béton, chef-d'œuvre de l'architecte Moshe Safdie, est fort aisément identifiable en raison de son harmonieuse tour revêtue de triangles de verre évoquant la forme de la bibliothèque du Parlement, qui s'élève au loin.

Les premières salles du musée, au rez-de-chaussée, sont consacrées aux œuvres d'artistes canadiens et américains. Une quinzaine de ces salles retracent l'évolution des mouvements artistiques canadiens. Quelques-unes des plus belles toiles datant du XIXe siècle y sont exposées. Vous pourrez notamment y observer la toile d'Antoine Plamondon *Sœur Sainte-Alphonse*, considérée comme l'un des premiers chefs-d'œuvre canadiens. Une place est également faite aux artistes qui ont su se distinguer en créant des techniques picturales et en traitant de thèmes qui leur sont propres, entre autres l'artiste Emily Carr, de Colombie-Britannique (*Hutte indienne, Îles de la Reine-Charlotte*).

Vous pourrez également y contempler des toiles de grands peintres québécois du XXe siècle, notamment Alfred Pellan (*Sur la plage*), Jean Paul Riopelle (*Pavane*), Jean Paul Lemieux (*La visite*) et Paul-Émile Borduas (*Sous le vent de l'île*).

Le rez-de-chaussée comprend également les galeries d'art inuit, qui méritent une attention toute particulière. Comptant quelque 160 sculptures et 200 estampes, elles sont l'occasion d'admirer quelques chefs-d'œuvre de l'art inuit. Parmi ceux-ci, mentionnons le *Hibou enchanté* de Kenojuak et la très belle sculpture *Homme et femme assis avec enfant*.

Le musée abrite de plus une impressionnante collection d'œuvres américaines et européennes. La collection des toiles de grands maîtres est présentée par ordre chronologique, et, au fil de votre visite des salles, vous pourrez contempler quelques-unes des créations de peintres célèbres.

Le chapelet de salles du rez-de-chaussée entoure une galerie bien particulière qui abrite une œuvre inusitée: le bel intérieur de la **Chapelle du couvent Notre-Dame-du-Sacré-Cœur**. Elle fut dessinée par Georges Bouillon en 1887-1888. Lorsque l'on décida de détruire le couvent en 1972, la structure de la chapelle fut défaite pièce par pièce et conservée. Quelques années plus tard, une salle du Musée des beaux-arts fut toute spécialement conçue pour l'accueillir. Vous pourrez encore admirer le splendide chœur ainsi que les voûtes de bois en éventail et les colonnes de fonte.

››› *Si vous aimez les musées, vous pouvez continuer votre promenade sur Sussex Drive. Vous arriverez ainsi à la Monnaie royale canadienne.*

L'édifice qui abrite la **Monnaie royale canadienne** ★ *(5$/lun-ven, 3,50$/sam-dim; mi-mai à fin août lun-ven 9h à 19h, sam-dim 9h à 17h30; début sept à mi-mai tlj 9h à 17h; 320 Sussex Dr., ☎613-993-8990, www.mint.ca)* a été conçu par l'architecte David Ewart en 1905-1908. C'est ici qu'étaient autrefois frappées les pièces de monnaie canadienne. Aujourd'hui, seules les pièces de collection, en argent, en or ou en platine, y sont fabriquées. Vous pouvez assister à tout le processus de fabrication: la sélection et le découpage des métaux précieux, la frappe des pièces et le contrôle de la qualité. Il est préférable de faire la visite en semaine, car on peut alors voir (derrière de larges baies vitrées) les artisans à l'œuvre; des visites sont offertes la fin de semaine, mais alors il faut imaginer tout le processus.

››› *Revenez sur vos pas jusqu'à Clarence Street, où vous tournerez à gauche. Tournez à droite dans Byward Market Square, et vous arriverez au marché By.*

Place animée s'il en est une à Ottawa, le **marché By** ★★ *(autour de York St. et de George St.)*, ou **Byward Market** en anglais, constitue le centre névralgique du quartier, et ce, depuis les débuts de la ville. Cet agréable marché en plein air est toujours fréquenté par divers marchands venus y vendre fruits, légumes, fleurs et toutes sortes d'autres marchandises. Tout autour et dans les

Les Outaouais

Le nom de la ville d'Ottawa provient du nom des tribus de la famille des Algonquins qui s'étaient établies le long de l'actuelle vallée des Outaouais, les Outaouais, nom qui signifie «faire du commerce». Ces Amérindiens vivaient de l'agriculture, de la chasse, de la pêche et du commerce, la rivière des Outaouais leur servant déjà de voie de pénétration des terres. Leur économie, étroitement liée à celle d'autres nations autochtones, notamment les Hurons, qui vivaient au bord de la baie Georgienne, est grandement bouleversée avec l'arrivée des premiers Européens. La destruction de la Huronie en 1649 par les Iroquois les force à s'enfuir vers l'ouest. Ils ne reviendront s'établir en terre ontarienne qu'une vingtaine d'années plus tard, sur l'île Manitoulin et autour des Grands Lacs.

rues avoisinantes, plusieurs commerces, restaurants, bars et cafés, certains disposant d'une jolie terrasse en été, ont ouvert leurs portes.

››› *Quittez le marché By en empruntant York Street en direction est. Prenez à droite King Edward Avenue et à gauche Laurier Avenue.*

Lieu historique national Maison-Laurier ★ *(3,95$; avr à mi-mai lun-ven 9h à 17h; mi-mai à mi-oct tlj 9h à 17h; mi-oct à mars sur réservation; 335 Laurier Ave. E., ☎613-992-8142, www.pc.gc.ca).* La maison Laurier, une ravissante demeure construite en 1878, a appartenu à sir Wilfrid Laurier, qui fut élu premier ministre du Canada en 1896, année où son parti, le Parti libéral du Canada, la lui offrit. Laurier, premier francophone du Canada à accéder à cette haute fonction, fut au pouvoir jusqu'en 1911 et habita cette maison jusqu'à sa mort, en 1919. Par la suite, lady Laurier la donna au chef du Parti libéral, William Lyon Mackenzie King, qui succéda à son mari. À la mort de celui-ci, en 1950, la maison fut léguée au patrimoine canadien. Aujourd'hui, il est possible de la visiter, et vous pourrez y découvrir plusieurs salles décorées selon les goûts de Mackenzie King et aussi quelques autres pièces encore garnies des meubles de la famille Laurier.

Balade sur Sussex Drive ★★

Voir carte p 310

Passé le bâtiment de la Monnaie royale canadienne, Sussex Drive longe vers l'est la rivière des Outaouais; vous croiserez ensuite une succession de magnifiques résidences. Le nº 24 devrait retenir votre attention. Vous y apercevrez, entourée d'un beau jardin, une immense demeure de pierres: la **résidence officielle du premier ministre du Canada**. Construite en 1867 pour l'homme d'affaires Joseph Currier, elle devint la demeure des premiers ministres canadiens en 1949. Il est évidemment impossible de la visiter.

Non loin, votre attention sera attirée par une autre splendide résidence, **Rideau Hall** ★★ *(1 Sussex Dr., ☎613-993-8200, www.gg.ca)*, bordée d'un vaste et agréable **jardin** *(avr à mi-oct tlj 8h à 20h, mi-oct à mars tlj 8h à 17h)* de 40 ha. Il s'agit de la résidence officielle du gouverneur général, qui a pour fonction de représenter au Canada la reine d'Angleterre, Elizabeth II.

Les visiteurs sont admis dans le vaste et plaisant jardin qui entoure la demeure, et peuvent y fureter quelque temps. Durant l'été, il est également possible de prendre part à une **visite guidée** *(45 min; gratuit; sept à juin tlj 9h à 16h; réservations requises: ☎613-991-4422)* de la demeure, cinq pièces étant alors ouvertes au public.

En face de Rideau Hall s'étend une fort belle aire de verdure, le **parc Rockcliffe** ★. Ce jardin est particulièrement beau au printemps, alors qu'il se couvre de mille et une fleurs. Il dispose en outre de belvédères d'où vous aurez une très belle vue sur la rivière et, au loin, sur le Québec.

››› *Passé le parc, Sussex Drive prend le nom de Rockcliffe Drive.*

En pénétrant à l'intérieur du **Musée de l'aviation du Canada** ★★★ *(6$; mai à août tlj 9h à 17h, sept à avr mer-dim 10h à 17h; aéroport Rockcliffe, ☎613-993-2010, www.aviation.technomuses.ca)*, vous serez tout de suite saisi par l'atmosphère bien singulière qui émane de ce gigantesque bâtiment bien aménagé qui abrite une belle collection d'avions. Cette fascinante exposition fait bien prendre conscience de la fulgurante évolution de l'aviation en seulement une centaine d'années.

Huit thèmes y sont développés: l'ère des pionniers, la Première Guerre mondiale, le vol de brousse, les lignes aériennes, le plan d'entraînement du Commonwealth britannique, la Seconde Guerre mondiale, l'aéronavale et l'ère des réacteurs.

À l'extérieur du centre-ville

Voir carte p 310

››› *Du centre-ville, prenez vers l'ouest Wellington Street, qui devient l'Ottawa River Parkway à la hauteur pont du Portage. Passé le pont des Chaudières, vous arriverez à la place Vimy, où se trouve le Musée canadien de la guerre.*

Le **Musée canadien de la guerre** ★★ *(10$; mai à mi-oct tlj 9h à 18h; mi-oct à avr mar, mer et ven 9h à 17h, jeu 9h à 20h, sam et dim 9h30 à 17h; 1 place Vimy, ☎613-776-8600, www.museedelaguerre.ca)* se targue d'être la dernière-née des grandes institutions de la capitale. Inauguré en 2005, il présente l'histoire militaire du Canada, de l'époque précoloniale jusqu'à nos jours. D'entrée de jeu, le bâtiment moderne se veut une représentation des malheurs de la guerre: les murs dont les angles varient et la pente inégale du toit illustrent les brisures de la guerre. Mais il comporte aussi des signes positifs, comme ce gazon qui pousse en certains endroits du toit pour symboliser le retour de la vie après le combat. Les principaux conflits internes ainsi que les guerres auxquelles le Canada a participé y sont traités. Chacune des expositions souligne le rôle des militaires canadiens lors de ces crises. On met particulièrement l'accent sur la dimension humaine des conflits, en laissant la parole aux hommes et aux femmes qui y ont participé. En outre, des artéfacts de tout genre y sont exposés: armes, canons, chars d'assaut. L'exposition se démarque aussi par la qualité de ses présentations multimédias.

››› *Du centre-ville, prenez Rideau Street, qui, passé le pont Cummings, devient Montreal Road; vous croiserez ainsi St. Laurent Boulevard, qui mène au Musée national des sciences et de la technologie.*

Le **Musée national des sciences et de la technologie** ★★ *(7,50$; mai à août tlj 9h à 17h, sept à avril mar-dim 9h à 17h; 1867 St. Laurent Blvd., ☎613-991-3044, www.sciencetech.technomuses.ca)* représente une façon agréable d'aborder le monde des sciences et de la technologie, un univers qui, à première vue, pourrait sembler ennuyeux. La richesse de ce musée ne se fonde pas sur la mise en valeur d'une quelconque collection, mais sur une présentation interactive d'une foule de sujets variés. L'informatique est l'un des thèmes abordés. Quelque 500 ordinateurs sont exposés, permettant de prendre conscience du bond technologique gigantesque qui s'est opéré en une cinquantaine d'années. Une autre des expositions présentées, *Les technologies domestiques*, raconte l'évolution d'une multitude de petites choses de notre quotidien, entre autres les lampes, les toilettes ou les glacières, qui comptent parmi les innovations qui ont grandement contribué à l'amélioration de notre qualité de vie. D'autres thèmes tout aussi fascinants, comme le train, le canot ou le Canada dans l'espace, sont également traités. Grâce à une foule de jeux, de panneaux explicatifs et de maquettes de toutes sortes, les visiteurs parviennent à se familiariser et à mieux comprendre cet univers.

››› *Du centre-ville, prenez la Queen Elizabeth Drive, qui devient la Prince of Wales Drive.*

Les enfants seront ravis de visiter le **Musée de l'agriculture** ★★ *(6$; mars à oct tlj 9h à 17h; Prince of Wales Dr., ☎613-991-3044, www.agriculture.technomuses.ca)*, car ils y découvriront en fait une ferme expérimentale comprenant des étables où sont gardés nombre d'animaux de la ferme, comme des vaches, des cochons, des moutons, des chèvres et des lapins, qu'ils auront tout le loisir d'observer de près. On peut entre autres y voir des veaux de quelques jours à peine, ou encore s'amuser à distinguer les différentes races bovines. Une foule de renseignements concernent en outre l'exploitation d'une ferme et les animaux qui y sont élevés. À l'extérieur se trouvent des enclos où l'on peut regarder s'ébattre notamment des vaches et des moutons. Diverses activités sont organisées pour permettre, aux petits comme aux grands, de se familiariser avec la vie à la ferme. De beaux moments garantis!

Activités de plein air

■ Patin à glace

Qui n'a pas rêvé de chausser ses patins pour filer sur la glace, sans obstacle, et ce, sur 8 km? Tous les hivers, le **canal Rideau** *(pour connaître l'état de la glace: ☎613-239-5264)*, une fois gelé, se transforme en une vaste patinoire, la glace étant déblayée et entretenue pour le grand plaisir des patineurs de tout âge. Afin d'attirer les visiteurs, à quelques pas du Centre national des Arts, une cabane chauffée est mise à leur disposition afin qu'ils puissent chausser leurs patins à l'abri du froid. On y loue également des patins. Le **lac Dow**, un élargissement du canal, dispose également d'un pavillon chauffé où les sportifs peuvent mettre leurs patins, se réchauffer et prendre une bouchée.

■ *Randonnée pédestre*

Le long du canal Rideau, une belle promenade est aménagée, que vous pourrez aisément suivre. Il s'agit des premiers mètres du **Rideau Trail** qui compte quelque 400 km. Ce sentier franchit les terres vallonnées et les forêts de l'Est ontarien, aux limites du Bouclier canadien, et mène d'Ottawa à Kingston. Par endroits, des sentiers parallèles sont accessibles. Vous pouvez vous procurer la carte du Rideau Trail à l'adresse suivante:

Rideau Trail Association
P. O. Box 15
Kingston, ON K7L 4V6
☎613-545-0823
www.rideautrail.org

■ *Vélo*

La région d'Ottawa compte pas moins de 150 km de voies cyclables agréables. Que vous optiez pour une balade le long du canal Rideau, sur sur Rockcliffe Drive ou au bord de la rivière des Outaouais, vous profiterez de plaisants paysages, de calme et, surtout, de pistes bien aménagées.

Le dimanche matin, de la fin de mai au début de septembre, les cyclistes sont particulièrement choyés, plus de 50 km de routes étant interdites aux voitures au cours des vélos-dimanches Alcatel-Lucent. Vous pouvez obtenir une carte des sentiers à l'**Infocentre de la Capitale** (voir p 313) ou en visitant le site Internet *www.capcan.ca*.

Location de vélos

Pavillon du lac Dow
1001 Queen Elizabeth Dr.
☎613-232-1001

Hébergement

La Haute-Ville

Albert House
$$$
478 Albert St.
☎613-236-4479 ou 800-267-1982
www.albertinn.com
Juste à côté du Doral Inn (voir ci-dessous), se trouve une belle demeure datant du XIXe siècle, l'Albert House. Joliment rénovée, elle n'abrite que 17 chambres coquettes, un nombre suffisant pour conserver une agréable atmosphère d'auberge familiale. Il n'y a en outre rien à redire quant aux chambres, toutes tenues avec soin.

Doral Inn
$$$ @
468 Albert St.
☎613-230-8055 ou 800-263-6725
www.doralinn.com
Il est possible de loger non loin des édifices du Parlement, rue Albert, qui, en cette partie d'Ottawa, se transforme, les commerces et le brouhaha du centre faisant place à un quartier résidentiel tranquille (certains pourront lui reprocher cette absence quasi totale de commerces). C'est là que vous dénicherez le Doral Inn, une jolie maison victorienne qui renferme une quarantaine de chambres. En pénétrant dans le hall, vous apercevrez deux petits salons décorés de brocantes qui leur donnent un aspect vieillot (qui plaira à certains). Les chambres sont quant à elles simplement meublées et offrent un confort acceptable pour le prix. Toutes sont pourvues d'une salle de bain privée, certaines disposant aussi d'un réfrigérateur et d'un four à micro-ondes. Il est possible de louer les chambres à la journée, à la semaine ou au mois.

Albert at Bay
$$$-$$$$ @
435 Albert St.
☎613-238-8858 ou 800-267-6644
www.albertatbay.com
De l'extérieur, l'Albert at Bay n'a l'air de rien: un édifice d'allure banale qui ressemble plus à un immeuble d'appartements ayant connu de plus belles années qu'à un hôtel. En fait, on opte pour cette adresse non pour son charme, mais pour des raisons pratiques. Toutes les suites comprennent une chambre, un salon, un coin dînette et une cuisinette entièrement équipée. En plus de loger dans un véritable appartement, vous profiterez des avantages qu'on trouve dans les hôtels, comme l'entretien ménager quotidien et un centre de conditionnement physique.

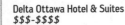

Delta Ottawa Hotel & Suites
$$$-$$$$
361 Queen St.
☎613-238-6000 ou 877-814-7706
www.deltahotels.com

En pénétrant dans le hall du Delta Ottawa Hotel & Suites, vous serez à même de constater les efforts qui ont été entrepris pour créer une atmosphère plus intime que celle trop souvent rencontrée dans les établissements membres des grandes chaînes hôtelières. Vaste, cette pièce est inondée de lumière grâce à son plafond de verre. Elle est agrémentée en outre de grands ficus, de fauteuils acajou et d'un foyer où brûle un bon feu durant les jours d'hiver. On a aussi cherché à briser la monotonie de la sempiternelle froide réception cachée derrière son long comptoir, le personnel étant installé derrière plusieurs petits îlots, ce qui rend l'accueil plus convivial. Les chambres, de bonne taille, et garnies de jolis meubles acajou, répondent également aux attentes des voyageurs les plus difficiles. Certaines chambres comportent un four à micro-ondes. Enfin, même les enfants y logeront avec ravissement, car la piscine comporte une longue glissade d'eau.

Lord Elgin Hotel
$$$-$$$$ @
100 Elgin St.
☎613-235-3333 ou 800-267-4298
www.lordelginhotel.ca

Le Lord Elgin fait partie des institutions d'Ottawa qui ont su garder leur prestance au fil des années. Cet hôtel, qui a profité d'une rénovation majeure il y a quelques années, peut se targuer de compter parmi les plus beaux établissements de la ville. Deux ailes ont été ajoutées afin d'en augmenter le nombre de chambres. Une piscine intérieure et une salle d'exercices ont en outre été aménagées pour répondre aux besoins de certains voyageurs. Les travaux ont donné l'occasion de revoir la décoration de plusieurs des chambres. À quelques minutes à pied du Parlement et en face du canal Rideau, le Lord Elgin compte maintenant parmi les établissements les plus agréables de la capitale.

Sheraton Ottawa Hotel
$$$-$$$$ @
150 Albert St.
☎613-238-1500 ou 800-325-3535
www.starwoodhotels.com

Pour certaines personnes, le grand style d'un établissement passe nécessairement par l'âge de l'édifice, la beauté des antiquités et l'élégance de la décoration, alors que d'autres préfèrent les hôtels à la décoration moderne répondant parfaitement aux moindres exigences des voyageurs. Si vous comptez parmi ces gens, vous apprécierez le Sheraton, qui a tous les atouts de la modernité: salles de conférences, grandes chambres pourvues d'un bureau, de téléphones avec boîte vocale et de sèche-cheveux, de même que d'un centre de remise en forme avec piscine, sauna et bain à remous.

La Basse-Ville

Pour vous loger à bon prix en été, vous pouvez louer l'une des chambres au confort sommaire mais correct des résidences étudiantes de l'**Université d'Ottawa** (*$; 85 University St., ☎613-562-5771, www.uottawa.ca*).

Auberge internationale d'Ottawa
$ bc/bp @
75 Nicholas St.
☎613-235-2595 ou 866-299-1478
www.hihostels.ca

Tout à côté du Centre Rideau, au cœur de l'action, vous apercevrez un imposant bâtiment qui abritait jadis la prison de la ville. Entièrement réaménagé, il renferme l'Auberge internationale d'Ottawa. Outre des dortoirs et trois chambres, l'auberge comprend une cuisine commune tout équipée.

Auberge King Edward B&B
$$-$$$ bc/bp
525 King Edward Ave.
☎613-565-6700 ou 800-841-8786

L'Auberge King Edward B&B est installée dans une fort belle maison datant du début du XIXe siècle, et, pour s'harmoniser avec l'âge du bâtiment, toutes les pièces sont garnies d'antiquités et d'une foule de bibelots anciens. Cette décoration quelque peu surchargée a un charme indéniable et parvient à conférer à l'établissement une atmosphère de calme et de bien-être. Elle compte deux coquets salons ainsi que trois chambres (une avec salle de bain privée) fort bien tenues.

L'Auberge du marché
$$-$$$ bc/bp
87 Guigues St.
☎613-241-6610 ou 800-465-0079
www.aubergedumarche.ca

Datant du début du XXe siècle mais entièrement rénovée, la petite maison qui abrite L'Auberge du marché est charmante. On y trouve trois chambres à l'étage qui se partagent une salle de bain, ainsi qu'une suite au rez-de-chaussée, avec salle de bain privée, cuisine complète, petit salon indépendant avec canapé-lit et télé câblée. Le petit déjeuner varie chaque jour, mais il demeure toujours copieux et raffiné. Enfin, les clients bénéficient d'une entrée privée pour aller et venir à leur guise, et découvrir ainsi les nombreux attraits touristiques du voisinage.

Novotel
$$$-$$$$ @
33 Nicholas St.
☎613-230-3033 ou 800-664-6835
www.novotelottawa.com

Avec son hall bleu foncé, décoré d'acier et de bois, le Novotel se démarque des hôtels victoriens de la ville. Cette modernité n'est pas sans finesse, même si certains la qualifieront de froide. Cette froideur ne persiste cependant pas dans les chambres, dont la décoration s'avère un peu plus chaleureuse, alors que les couleurs foncés habillent agréablement ces pièces spacieuses, qui ont toutes le privilège de profiter d'une salle de bain assez grande.

Westin
$$$$-$$$$$
11 Colonel By Dr.
☎613-560-7000
www.starwoodhotels.com
L'hôtel Westin possède probablement l'emplacement le plus enviable à Ottawa: en face du canal Rideau, de l'autre côté du Centre national des Arts et en plein cœur de l'activité d'Ottawa. De plus, il fait partie d'un complexe qui englobe le Centre Rideau, un très grand centre commercial, et le Centre des congrès d'Ottawa. Les chambres spacieuses, qui offrent un grand confort, profitent de larges baies vitrées par où la lumière entre à profusion. L'hôtel compte également un très bon restaurant, le Daly's (excellente atmosphère, cuisine intéressante et soignée), une discothèque branchée et un agréable centre de conditionnement physique. Enfin, on y propose régulièrement des forfaits de fin de semaine très avantageux.

Fairmont Château Laurier
$$$$-$$$$$
1 Rideau St.
☎613-241-1414 ou 866-540-4410
www.fairmont.com
L'opulence et le luxe du Fairmont Château Laurier devraient ravir les âmes sensibles qui se targuent d'apprécier les belles choses. En pénétrant dans le hall, les visiteurs seront ébahis devant un tel étalage: murs lambrissés, corniches, bas-reliefs, antiquités. Chaque coin de cette somptueuse pièce est aménagé de telle sorte que l'on veut y passer de longs moments. Le hall donne une idée assez précise du confort et de l'élégance des chambres, toutes garnies de meubles de bois, de fauteuils douillets et d'un lit confortable. Plaisantes à souhait, elles combinent l'élégance d'autrefois au confort d'aujourd'hui. Deux délicieux restaurants ainsi qu'un centre de conditionnement physique renfermant une belle piscine Art déco ajoutent au bien-être des clients.

Restaurants

Le canal Rideau

Ritz on the Canal
$$$
375 Queen Elizabeth Dr., angle Fifth Ave.
☎613-238-8998
Au Ritz on the Canal, la carte se distingue quelque peu de celle des autres restaurants de cette chaîne, car y figurent aussi des pizzas «gourmet» cuites au four à bois. Les gens apprécient particulièrement cet établissement pendant l'été, en raison de son emplacement exceptionnel et de son immense terrasse qui fait face au canal, là où il ressemble à une baie.

Café du Centre national des Arts
$$$-$$$$
53 Elgin St.
☎613-594-5127
Le Café du Centre national des Arts offre une vue imprenable sur l'activité fourmillante du canal Rideau, où abondent les bateaux en été et les patineurs en hiver. Pendant la saison estivale, les repas sont servis sur une terrasse très bien aménagée et surtout confortable. C'est sans aucun doute l'une des plus agréables terrasses de la ville. On y propose une cuisine canadienne raffinée: le chef emploie avec beaucoup d'invention des produits de qualité qui proviennent de différentes régions du Canada. Le saumon de l'Atlantique grillé est une spécialité. De plus, pour ne rien gâcher, les desserts sont réjouissants. C'est tout de même un peu cher, sauf lorsqu'on propose un menu à prix fixe, ce qui est peu fréquent.

La Haute-Ville

Carmello's Italian Restaurant
$$
300 Sparks St.
☎613-563-4349
131 Cooper St.
☎613-239-3137
Dans la rue Sparks, à courte distance du Parlement, se trouve Carmello, un bon resto à connaître dans ce quartier de la ville. On a de quoi être ravi, d'abord en raison de sa salle à manger pourvue de larges baies vitrées, au décor moderne, où dominent le bois et l'acier brossé, et grâce à son menu, simple et bon, où figurent pâtes et pizzas cuites au four à bois. Les portions sont en outre copieuses. Une deuxième succursale est située dans Cooper Street. Bon rapport qualité/prix.

D'Arcy McGee Irish Pub
$$
44 Sparks St.
☎613-230-4433
S'il est un endroit à Ottawa pour prendre un repas dans une atmosphère sans pareille, c'est bien le D'Arcy McGee. Ce pub typiquement irlandais, situé à deux pas de la colline du Parlement, est le rendez-vous par excellence du personnel politique. Chaleureux à souhait et fréquenté par une belle clientèle de tous les âges, il est devenu l'une des adresses incontournables de la ville.

Suisha Gardens
$$-$$$
208 Slater St.
☎613-236-9602
On s'évade vers l'Orient en pénétrant au Suisha Gardens, dont la salle à manger se pare d'objets évoquant le Japon. On y trouve également un comp-

toir à sushis, bien mis en valeur, où l'on peut voir à l'œuvre les cuisiniers qui préparent ces délices de poisson et de riz. D'autres spécialités nippones figurent également au menu; entre autres, le sukiyaki a de quoi ravir.

Coriander Thai Cuisine
$$$
282 Kent St., angle Cooper St.
☎613-233-2828
Sans contredit le meilleur restaurant thaïlandais de la ville, Coriander Thai Cuisine s'avère un endroit fort prisé des amateurs de saveurs asiatiques. Tout petit établissement au décor simple et au service réservé mais attentionné, il se remplit tous les soirs d'habitués venus y déguster les nombreuses merveilles culinaires de la Thaïlande. La carte présente des spécialités préparées sans compromis par un chef de grand talent. Les satays fondent dans la bouche tellement ils sont tendres, la soupe aromatisée de citronnelle se laisse savourer sans résistance, et les caris, ces épices rouges ou vertes, sont un véritable plaisir pour les sens.

Friday's
$$$-$$$$
150 Elgin St.
☎613-237-5353
En pénétrant dans la magnifique maison victorienne datant de 1875 qui abrite le Friday's, vous serez tout de suite envahi par un sentiment de bien-être. La demeure a d'ailleurs tout pour vous séduire. Elle comprend de vastes pièces décorées de meubles anciens, de grandes tables de bois et de fauteuils à haut dossier qui ont conservé leur charme d'antan. Ces pièces ont été transformées en autant de salles à manger où règne une atmosphère paisible. Si la décoration ne vous a pas conquis, son rôti de bœuf, tendre à souhait, y parviendra certainement. L'endroit en a ravi plus d'un, aussi est-il conseillé de réserver.

La Basse-Ville

Rideau Street

Wilfrid's
$$-$$$$
Fairmont Château Laurier
1 Rideau St.
☎613-241-1414
Passer quelques instants au Château vous plairait? En fait, si vous aimez ce genre de petites gâteries, mais que vous ne désirez pas dilapider votre fortune en un seul repas, rendez-vous au restaurant Wilfrid's le midi. Vous profiterez alors d'une salle à manger chaleureuse, de fauteuils confortables, d'une vue imprenable sur le canal Rideau et d'un menu délicieux. Le soir, la carte se raffine, et les prix augmentent (***$$$-$$$$***). Il peut également être fort agréable d'y passer les premiers moments de la journée, mais alors comptez au moins 10$ pour le petit déjeuner. Le dimanche, on y sert un délicieux brunch.

Santé
$$$
45 Rideau St.
☎613-241-7770
Situé au deuxième étage d'un immeuble faisant face au Centre Rideau, le restaurant Santé peut passer inaperçu. Et c'est dommage! Les spécialités californiennes, thaïlandaises et caribéennes sont un ravissement, spécialement les nouilles de Bangkok. De plus, l'endroit est une petite oasis de calme et de douceur feutrée qui s'ouvre sur de larges baies vitrées donnant sur quelques attraits courus de la ville. Sans oublier la liste alléchante des desserts et le service soigné et attentif.

Autour du marché By

Les alentours du marché By constituent le quartier le plus fréquenté par les touristes et les gens de la place. Plusieurs restaurants y ont donc été aménagés, et quelques-uns valent vraiment le détour. Si l'on a une petite faim ou envie d'un apéro, voilà l'endroit tout trouvé, surtout en été. En effet, les terrasses sympathiques se succèdent, et les gens y circulent beaucoup. Bref, c'est animé et très agréable!

BeaverTails
$
69 George St.
☎613-241-0101
Pour vous sucrer le bec, vous pouvez essayer les «queues de castor» chez BeaverTails. N'ayez crainte, il s'agit tout simplement d'une collation délicieuse à mi-chemin entre le beignet et la galette.

Memories
$
7 Clarence St.
☎613-232-1882
Memories est presque toujours bondé. Pourquoi? Parce que le tout Ottawa s'y retrouve pour déguster l'un des nombreux desserts qui ont fait sa réputation. Choix impressionnant de gâteaux de toute sorte et de tartes. À n'en plus savoir quoi choisir! Mais la tentation la plus grande se portera peut-être sur la tarte aux pommes, délicieuse, et à la portion mémorable! Des repas légers (soupes intéressantes, sandwichs, salades) sont aussi proposés. En plus, le café est bon!

Piccolo Grande
$
angle Murray St. et Parent St.
☎613-241-2909
Pour une glace sans pareille, Piccolo Grande s'impose en été. Les files en témoignent. Grand assortiment de glaces italiennes de qualité exceptionnelle. Sans compter les chocolats belges Neuhaus!

Blue Cactus Bar & Grill
$$
2 Byward Market
☎613-241-7061
Blue Cactus est un restaurant Tex-Mex qui propose tout le tra-la-la de ce type d'établissements: méga-cocktails,

nachos (essayez les très substantiels *nachos* Blue Cactus!), *fajitas*, etc. Dans une ambiance animée à l'excès où la jeunesse ottavienne se rencontre.

Haveli
$$
39 Clarence St.
☎613-241-1700
Une petite incursion du côté de la cuisine indienne peut s'avérer une agréable découverte de saveurs nouvelles et d'ambiance exotique. Quiconque serait tenté par cette expérience culinaire doit se rendre au restaurant Haveli. La salle à manger s'orne d'artisanat de l'Inde, et les serveurs sont vêtus de saris. Le menu présente une bonne sélection de spécialités, préparées à partir d'ingrédients de qualité. Le dimanche, une seule option est offerte: un buffet qui plaira même à ceux qui habituellement sont peu intéressés par cette formule, les plats se révélant savoureux, variés et tout chauds.

Cornerstone Bar and Grill
$$-$$$
92 Clarence St.
☎613-241-6835
La belle terrasse du Cornerstone attire le regard par les belles journées d'été, tant pour son aménagement que pour les gens qui y prennent place. C'est en outre pour l'ambiance détendue et festive qu'on s'y rend. Le menu ne propose rien de très innovateur, comme des grillades et des hamburgers, mais il convient tout à fait.

Shafali
$$-$$$
308 Dalhousie St.
☎613-789-9188
Aux alentours du marché By, les restaurants sont légion, mais ceux offrant un bon rapport qualité/prix sont rares. C'est pourtant le cas du Shafali, un peu à l'écart de l'animation, dont les spécialités indiennes comptent sans doute parmi les plus délectables de la capitale. Chaque plat est apprêté à partir de produits de qualité et un brin d'originalité. Le service est courtois et l'aménagement des lieux plutôt sobre mais agréable. Une bonne adresse à retenir.

The Fish Market
$$$-$$$$
54 York St.
☎613-241-3474
Au nombre des institutions d'Ottawa, le restaurant The Fish Market est installé aux abords du marché By depuis 1979, et tout le monde le connaît dans la capitale. Sa salle à manger est décorée de filets, de bouées et d'autres objets relatifs à la pêche, comme il se doit dans un établissement où les spécialités sont le poisson, les coquillages et les fruits de mer, toujours frais. Ainsi, vous aurez l'embarras du choix parmi les plats de homard, de crabe des neiges, de vivaneau et de moules à volonté, qui combleront à coup sûr votre envie de produits de la mer. Au premier étage, deux autres salles répondent à d'autres besoins. La première, **Coasters**, avec ses larges baies vitrées donnant sur l'effervescence du marché, est tout aussi plaisante; les plats proposés sont cependant moins élaborés (*fish and chips*), mais moins chers et bons. La deuxième, **Vineyards**, est l'endroit où aller si vous voulez boire un verre (belle sélection de vins vendus au verre) tout en prenant une bouchée; parfois, des spectacles y sont présentés.

Domus Café
$$$-$$$$
87 Murray St.
☎613-241-6007
Le Domus Café fait sans contredit partie des meilleurs restaurants d'Ottawa. On y prépare une cuisine raffinée et innovatrice à partir d'ingrédients toujours frais, dont la réussite réside dans la combinaison originale de saveurs. La carte change tous les jours, mais certains plats parmi les plus populaires reviennent assidûment. Le menu n'est jamais exhaustif; néanmoins, il est toujours difficile de se décider, tellement le choix est intéressant. Les desserts sont une merveille, limités à quatre ou cinq, mais d'une excellence inégalée à Ottawa. La carte des vins propose entre autres d'excellents crus californiens, parmi lesquels plusieurs sont proposés au verre. Un dernier point: essayez le brunch du dimanche; il est épatant et vaut l'attente (on n'accepte pas les réservations pour le brunch)!

Sorties

Activités culturelles

Théâtres et salles de spectacle

Centre national des Arts
53 Elgin St.
☎613-947-7000
Haut lieu de la culture à Ottawa, le Centre national des Arts comprend une salle d'opéra et deux salles de théâtre où sont présentés, tout au long de l'année, des spectacles de qualité.

Bars et boîtes de nuit

La Haute-Ville

Du côté du centre-ville d'Ottawa, il y a quelques bars et pubs le long d'Elgin Street, rue très animée le soir.

Maxwell's
340 Elgin St.
☎613-232-5771
Le Maxwell's occupe l'étage au-dessus d'un restaurant. Fréquenté par des jeunes

plutôt BCBG, il profite d'un balcon-terrasse qui s'ouvre sur l'animation de la rue en été.

D'Arcy McGee Irish Pub
44 Sparks St.
☎613-230-4433
Le pub D'Arcy McGee peut se targuer d'être le seul à Ottawa à pouvoir porter le titre de «vrai» pub irlandais, car il a été entièrement conçu en Irlande, puis reconstruit pièce par pièce dans la ville. Chaleureux à souhait, garni de boiseries et de vitraux, et décoré d'une foule de chouettes bibelots, il ne désemplit pas jour après jour. Certains soirs, des concerts y sont présentés. Belle sélection de bières pression.

Yuk Yuk's Komedy Kabaret
88 Albert St.
☎613-236-5233
Le Yuk Yuk's Komedy Kabaret se veut un cabaret de comédies qui fait partie d'une émission d'une chaîne de télévision anglaise. Plusieurs invités anglophones se succèdent sur la scène. Certains sont parfois très drôles. Mais surtout, ça change des bars conventionnels!

La Basse-Ville

Les environs du marché By abritent également quelques bars, nombre d'entre eux s'agglutinant le long de George Street et de York Street.

Vineyard's Wine Bar Bistro
54 York St.
☎613-241-4270
Le Vineyard's Wine Bar Bistro se présente comme un petit bar sympathique où l'on peut déguster du vin, de la bière et des fromages. En plus, des musiciens (de jazz surtout) s'y produisent régulièrement. Ambiance sympathique et chaleureuse.

The Laff
Château Lafayette
42 York St.
☎613-241-4747
Comptant parmi les institutions de la ville, The Laff a ouvert ses portes il y a plus de 150 ans, ce qui en fait l'un des plus vieux pubs d'Ottawa. Une clientèle variée le fréquente... et tous les Ottaviens y auraient mis les pieds au moins une fois dans leur vie!

Hard Rock Cafe
73 York St.
☎613-241-2442
Le Hard Rock Cafe d'Ottawa est fidèle à cette chaîne bien connue. Il s'orne de banquettes et de guitares électriques sur les murs.

Earl of Sussex
431 Sussex Dr.
☎613-562-5544
Ottawa se devait également de posséder un pub anglais: le Earl of Sussex s'y est donc établi. Décoration chaleureuse, bière pression et, au menu, du *fish and chips*, comme il se doit dans ce type d'établissement.

Zoe's
1 Rideau St.
Si la simple idée de passer des heures dans un local enfumé où une faune bigarrée se trémousse au son d'une musique assourdissante vous rebute, optez pour le chic bar Zoe's du Fairmont Château Laurier. Tout ici respire le calme et l'aisance; la musique est douce à souhait, et les fauteuils sont moelleux.

■ Fêtes et festivals

Février

Le **Bal de neige** *(☎613-239-5000 ou 800-465-1867)* n'a plus besoin de présentation, car sa réputation est désormais bien établie au Canada. Durant les trois premières fins de semaine de février se déroulent des festivités d'hiver de toutes sortes, pendant lesquelles il est notamment possible d'assister à divers événements sportifs.

Mai

Le **Festival des tulipes** *(☎613-567-5757, www.tulipfestival.ca)* se tient pendant une dizaine de jours en mai. La ville se pare alors de milliers de tulipes offertes par les Pays-Bas en guise de remerciement au Canada pour avoir permis à la reine Juliana d'accoucher à Ottawa durant la Seconde Guerre mondiale. Activités de toutes sortes: spectacles et animations dans différents coins de la ville, entre autres aux parcs de la Confédération et Major's Hill.

Achats

La Haute-Ville

Sparks Street, longue artère piétonne ponctuée d'arbres, de bancs et de jolies boutiques, est fort agréable pour qui aime flâner un brin. Pendant les jours de pluie, la balade s'avérant moins plaisante, on peut lui préférer le centre commercial qu'est le 240 Sparks, constitué de plusieurs belles boutiques, notamment Holt Renfrew. Vous y aurez l'embarras du choix parmi les vêtements d'homme et de femme dessinés par de grands couturiers européens, américains ou canadiens, les produits de beauté ou les accessoires, tous de belle qualité.

Snow Goose
83 Sparks St.
☎613-232-2213
La rue Sparks, entre les rues Elgin et O'Connor, est un bon

L'origine du Festival des tulipes d'Ottawa

Pendant la Seconde Guerre mondiale, la famille royale hollandaise s'était réfugiée à Ottawa. La princesse Margriet, fille de la reine Juliana, vint au monde dans ces années troubles. Le parlement d'Ottawa décida, dans un geste de bonne volonté et d'un rare exemple d'amitié transnationale, de faire de l'Hôpital civique d'Ottawa «sol hollandais», ce qui permis à la princesse de naître dans «sa patrie». En 1945, après la guerre, la reine Juliana fit parvenir 100 000 bulbes de tulipes au gouvernement canadien en reconnaissance du geste fait pour sa famille. Toutes ces fleurs firent des bourgeons, car en 1953 le Festival des tulipes d'Ottawa fut inauguré, marquant du coup le début de plus de 55 ans de célébrations autour de cet événement d'amitié réciproque.

endroit où aller si vous désirez vous procurer de l'artisanat canadien. Le premier arrêt que vous devriez alors faire est à la boutique Snow Goose, dont la sélection de créations d'artisans amérindiens et inuits, notamment de sculptures et de gravures, est appréciable. Vous pourrez également y trouver une foule de vêtements de cuir et de fourrure, entre autres des mocassins, des gants et des chapeaux.

Canada's Four Corner
93 Sparks St.
☎613-233-2322
À deux pas de là, la boutique Canada's Four Corner vend également de l'artisanat autochtone; mais, pour dénicher un produit de qualité, il faut savoir fouiller et faire le tri parmi les objets de toc et de plastique. Napperons de plastique, t-shirts aux couleurs canadiennes, sculptures inuites et mocassins de cuir y sont pêle-mêle. Tout au fond du magasin, vous trouverez des reproductions et des gravures d'artistes autochtones (Norval Morisseau, Benjamin Chee-Chee, Doris Cyrette, etc.), peut-être la plus belle découverte des lieux.

La Basse-Ville

Pour le lèche-vitrine et d'éventuelles trouvailles, il n'y a rien de tel que de se balader autour du **marché By**, où, hiver comme été, le bâtiment qui occupe le cœur du marché – autour duquel les marchands se rassemblent en été – abrite une multitude de stands d'artisans.

Centre Rideau
50 Rideau St.
☎613-236-6565
Galerie marchande par excellence dans la capitale, le Centre Rideau, avec ses quelque 200 boutiques, est incontestablement l'endroit où se rendre pour trouver de tout.

Boutique du Musée des beaux-arts du Canada
380 Sussex Dr.
La boutique du Musée des beaux-arts du Canada est l'endroit tout indiqué pour qui aime fureter, des heures durant, parmi une quantité inimaginable de reproductions d'œuvres d'art, qu'il s'agisse d'affiches, de bijoux ou d'objets de décoration.

Librairie du Soleil
33 George St.
☎613-241-6999
Pour se procurer des livres en français dans la capitale canadienne, il n'existe véritablement qu'une seule adresse: la Librairie du Soleil.

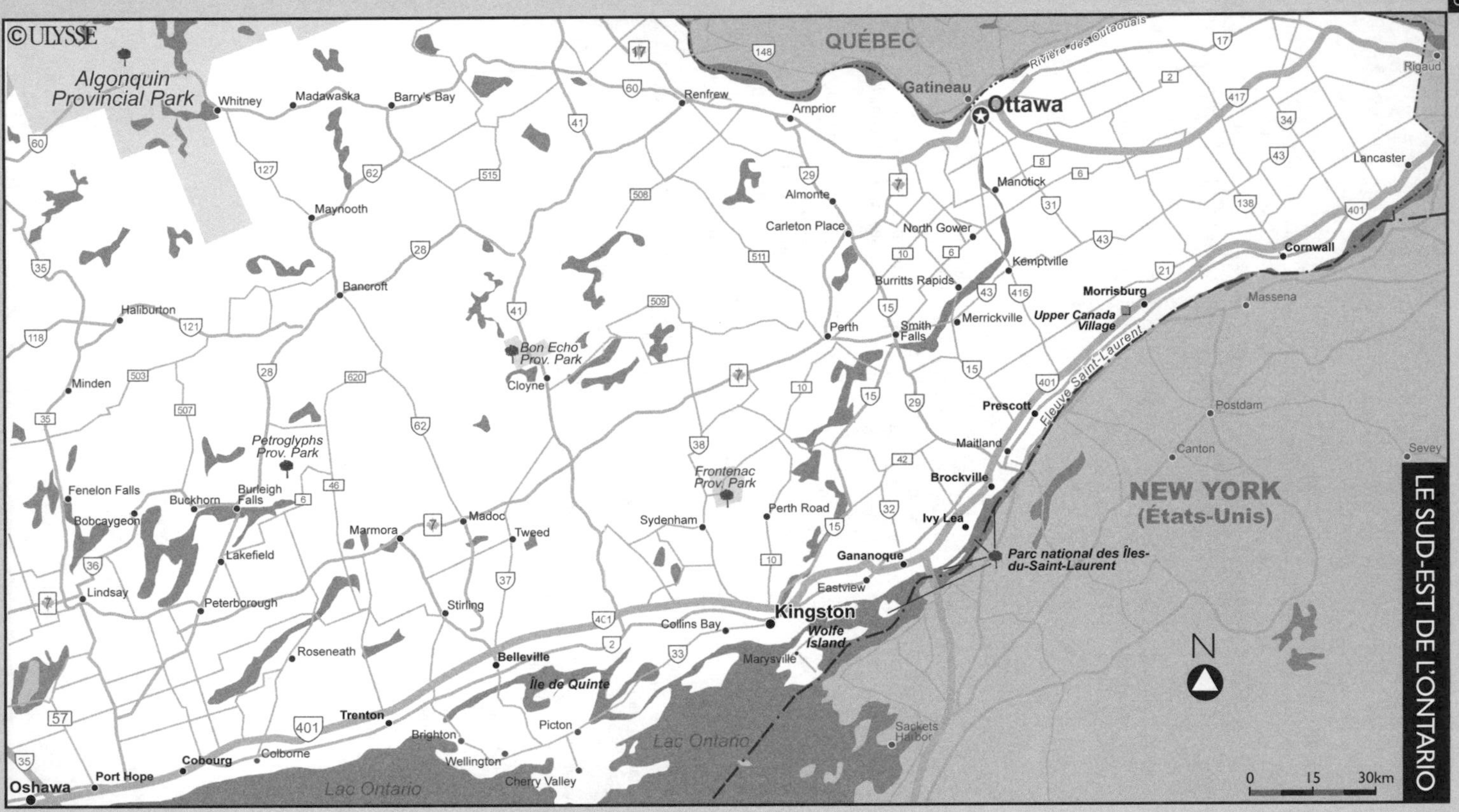
LE SUD-EST DE L'ONTARIO
©ULYSSE
Algonquin Provincial Park
QUÉBEC
NEW YORK
(États-Unis)
Lac Ontario
Fleuve Saint-Laurent
Rivière des Outaouais
Parc national des Îles-du-Saint-Laurent
Bon Echo Prov. Park
Frontenac Prov. Park
Petroglyphs Prov. Park
Upper Canada Village
Île de Quinte
Wolfe Island
Ottawa
Gatineau
Rigaud
Lancaster
Cornwall
Morrisburg
Prescott
Maitland
Brockville
Ivy Lea
Gananoque
Eastview
Kingston
Marysville
Collins Bay
Sydenham
Perth Road
Smith Falls
Merrickville
Kemptville
Manotick
North Gower
Burritts Rapids
Perth
Carleton Place
Almonte
Arnprior
Renfrew
Cloyne
Tweed
Madoc
Stirling
Belleville
Picton
Cherry Valley
Wellington
Brighton
Trenton
Marmora
Roseneath
Colborne
Cobourg
Port Hope
Oshawa
Peterborough
Lakefield
Burleigh Falls
Buckhorn
Bobcaygeon
Fenelon Falls
Lindsay
Minden
Haliburton
Bancroft
Maynooth
Barry's Bay
Madawaska
Whitney
Sevey
Massena
Postdam
Canton
Sackets Harbor
N
0 15 30km

Le sud-est de l'Ontario

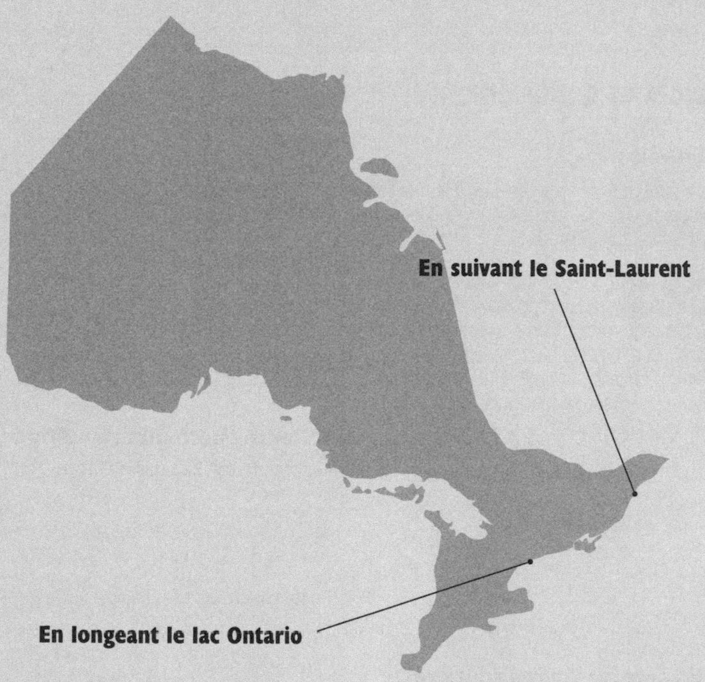

Le sud-est de l'Ontario, riche plaine entre le fleuve Saint-Laurent et le Bouclier canadien, a de tout temps été propice à l'établissement des populations. Les premiers Autochtones y sont venus pour profiter des terres fertiles et de l'eau douce en abondance; les colons français voulaient s'y installer, car ils jugeaient la région stratégique, le long de la fructueuse route des fourrures; plus tard, les loyalistes quittant les États-Unis, désormais indépendants, y trouvaient de vastes espaces favorables à la fondation de nouveaux villages.

Cette région hospitalière a depuis lors continué d'attirer les habitants, certains villages se transformant en de belles villes, comme c'est le cas de Kingston; d'autres, qui ont conservé leur cachet d'antan, sont devenus des lieux de villégiature très fréquentés par les vacanciers.

Accès et déplacements

■ En voiture

Ce chapitre couvre une partie du sud-est de l'Ontario par une route naturelle qui longe le fleuve Saint-Laurent et le lac Ontario.

De la frontière québécoise, il suffit de suivre l'autoroute 401, qui se rend jusqu'à Oshawa, aux environs de Toronto. Si vous disposez de plus de temps, nous vous conseillons cependant d'emprunter la route 2, qui longe le fleuve Saint-Laurent et sur laquelle se rencontrent, par endroits, de jolies scènes champêtres et de magnifiques points de vue. La route 2 traverse les villes de Cornwall, Morrisburg, Prescott, Brockville, Gananoque et Kingston, aussi n'aurez-vous qu'à la suivre pour compléter le circuit.

Si vous partez d'Ottawa, vous pourrez rejoindre le circuit en prenant l'autoroute 417 puis la route 138 jusqu'à Cornwall.

■ En autocar (gares routières)

Kingston
1175 John Counter Blvd.
☎613-547-4916

Cornwall
120 Tolgate Rd W.
☎613-932-9511

Belleville
165 Pinnacle St.
☎613-967-4938

Oshawa
47 Bond St. W.
☎905-723-2241

■ En train (gares ferroviaires)

La ligne de chemin de fer reliant Montréal et Windsor longe une partie de ce circuit. Aussi est-il aisé de se rendre à Cornwall, Kingston et Oshawa par ce moyen de transport.

Kingston
1800 John Counter Blvd.

Cornwall
1650 Station St.

Oshawa
915 Bloor St. W.

Renseignements utiles

■ Renseignements touristiques

Kingston Tourist Information Office
209 Ontario St.
Kingston, ON K7L 2Z1
☎613-548-4415 ou 888-855-4555
www.tourism.kingstoncanada.com

Prince Edward County Chamber of Tourism and Commerce
116 Main St.
Picton, ON K0K 2T0
☎613-476-2421 ou 800-640-4717
www.pec.on.ca

Attraits touristiques

En suivant le Saint-Laurent ★★★

p 340 p 342 p 344 p 344

Sur la route des Grands Lacs, les rives du fleuve Saint-Laurent comptent parmi les toutes premières zones de colonisation de l'Ontario; dès le XVIIe siècle, des forts français sont bâtis dans la région, notamment le fort Frontenac en 1673 (à l'emplacement de l'actuelle ville de Kingston).

Les loyalistes

En 1775, une guerre embrase les Treize colonies britanniques des États-Unis et aura des répercussions majeures sur le Canada. La Révolution américaine, à son début tout au moins, est une véritable guerre civile opposant deux factions rivales: d'un côté, les tenants de l'indépendance, de l'autre, les loyalistes, qui désirent conserver leurs liens coloniaux avec la Grande-Bretagne. Plus de 350 000 de ces loyalistes prennent part aux hostilités et s'engagent aux côtés des troupes britanniques. Au terme d'un long conflit déchirant, les forces britanniques doivent s'avouer vaincues, et des dizaines de milliers d'Américains, qui souhaitent rester fidèles à la Couronne britannique, émigrent au Canada. Environ 7 000 d'entre eux s'établissent sur un vaste territoire, encore presque inhabité, le long des rives du fleuve Saint-Laurent, autour de la baie de Quinte et dans la région de Niagara. Ces loyalistes appartiennent à différents groupes ethniques et sociaux; ils sont Blancs, Noirs ou Autochtones (Iroquois mohawks), riches commerçants ou pauvres cultivateurs.

Mais bien avant que ces forts ne soient érigés, des tribus iroquoïennes (Hurons et Iroquois) se disputaient les frontières de ce vaste territoire, délimité par la partie sud du fleuve Saint-Laurent et les rives des Grands Lacs. Ce circuit vous conduit au bord du fleuve majestueux qui, passé Kingston, devient le lac Ontario et vous permet de visiter quelques belles villes dont Kingston, des reconstitutions historiques comme l'Upper Canada Village, qui vous ramènera plus de 100 ans en arrière, ainsi que des sites naturels exceptionnels, notamment les Mille-Îles.

Cornwall (46 000 hab.)

En 1784, au lendemain de la guerre de l'Indépendance américaine, des Écossais quittent les États-Unis, pour venir s'établir le long du fleuve Saint-Laurent, et fondent Cornwall. Aujourd'hui, cette ville industrielle est la première ville ontarienne d'importance le long du fleuve Saint-Laurent, à la frontière avec le Québec, et compte une population à la fois composée d'anglophones et de francophones. Ses industries de pâtes et papiers et de coton, de même que les barrages hydroélectriques, lui procurent l'essentiel de ses revenus, mais n'ont jamais apporté à la ville de véritable prospérité. En pénétrant dans la ville, vous serez d'ailleurs à même de constater l'aspect tristounet de certains quartiers, car vous traverserez d'abord la zone industrielle, puis vous retrouverez un centre-ville quelconque dont les bâtiments n'ont pas de charme particulier. Plusieurs ne font en fait que traverser la ville, car il s'agit d'une porte d'entrée vers les États-Unis, un pont reliant Cornwall à l'État de New York.

Un peu au large de Cornwall se trouve une île, **Cornwall Island**, site de la communauté amérindienne de Saint-Régis.

Morrisburg

Morrisburg serait sans doute demeurée une petite municipalité ordinaire si elle n'avait pas dans son voisinage l'exceptionnel attrait touristique qu'est l'Upper Canada Village, lequel comprend quelques-unes des maisons de huit petits villages dont les terres furent ennoyées lors de la construction de la voie navigable du Saint-Laurent, le niveau du fleuve ayant dû être élevé. Ces maisons furent déménagées au parc Chrysler Farm Battlefield pour composer une fascinante reconstitution historique. Dans le parc, vous remarquerez en outre un petit monument commémorant la victoire des troupes canadiennes sur les soldats américains en 1812.

Upper Canada Village ★★★

Upper Canada Village *(17,95$; mi-mai à mi-oct tlj 9h30 à 17h; parc Chrysler Farm Battlefield, 11 km à l'est de Morrisburg, route 2, ☎613-543-3704, www.uppercanadavillage.com).* Cette remarquable reconstitution compte 35 bâtiments formant un village typique du Haut-Canada des années 1860-1867. En pénétrant dans le village, vous serez d'abord frappé par le réalisme de l'endroit, et vous ne cesserez d'être surpris par l'aménagement et le souci du détail des concepteurs. Scierie, magasin général, ferme, maison du médecin... rien ne manque à ce village que vous découvrez à pied ou en voiture à cheval. Les habitants, des guides costumés aptes à répondre à toutes vos questions, complètent ce tableau presque idyllique du village d'antan, et une attention est même portée aux costumes qui reflètent non seulement le métier de chacun, mais aussi son rang social. La visite peut prendre plusieurs heures, car vous pouvez observer tous ces habitants vaquer à leurs occupations (fonctionnement de la scierie, travaux de la ferme, utilisation du moulin à farine, etc.).

Prescott

Longtemps, Prescott occupa un emplacement clé sur la voie navigable du Saint-Laurent car, à cette hauteur du fleuve, des rapides empêchaient les bateaux de passer, les obligeant à y décharger leurs marchandises. Un fort fut d'ailleurs construit pour défendre ce passage obligé. Aujourd'hui, cette mignonne petite ville possède toujours un port très fréquenté, car il est le seul en eaux profondes entre Montréal et Kingston. Cependant, les visiteurs s'y arrêtent surtout en raison du fort.

En 1838-1839, le fort Wellington est construit sur l'emplacement d'une autre structure militaire érigée durant la guerre de 1812, qui opposa Canadiens et Américains. Le fort, qui avait pour but de protéger la voie navigable, fut en activité jusque dans les années 1920. Depuis lors, il a été restauré, et il est possible de visiter les installations, qui comprennent de larges murailles de pierres et un blockhaus, au **Lieu historique national Fort-Wellington** ★ *(3,90$; mi-mai à sept tlj 10h à 17h; suivez la route 2 vers l'est,* ☎*613-925-2896, www.pc.gc.ca).* Des guides animent le site.

Brockville ★ (22 000 hab.)

Il reste de la belle époque de Brockville, celle des loyalistes, de splendides témoins architecturaux. En fait, depuis sa fondation, à la fin du XVIIIe siècle, jusqu'au début du XXe siècle, Brockville, comme bien d'autres villes le long du fleuve Saint-Laurent, ont vécu dans l'opulence, de magnifiques demeures attestant ces riches années.

Plusieurs belles réalisations architecturales témoignent encore du luxe d'antan. Au centre de la ville, vous trouverez le magnifique **Court House Square**, autour duquel se dressent quelques beaux bâtiments de pierres, notamment celui qui abritait jadis la **Johnston District Courthouse** (aujourd'hui United Counties of Leeds and Grenville). Comptant parmi les plus beaux exemples du style palladien, ce palais de justice fut érigé dans les années 1841-1845.

La **Fulford House** ★★ *(5$; juin à sept mar-dim 11h à 16h, oct à mai sam-dim 11h à 16h; 287 King St. E.,* ☎*613-498-3003)* pourrait aisément être qualifiée de joyau architectural de l'Est ontarien. Ce manoir de style édouardien a été construit au début du XXe siècle pour accueillir la famille de George Fulford. Cet entrepreneur originaire de Brockville a fait fortune en commercialisant des pilules permettant soi-disant de tout guérir, mais dont les vertus thérapeutiques n'avaient jamais été prouvées. Les «Pink Pills for Pale People», comme le disait la publicité de l'époque, se sont vendues à travers le monde. Un tel succès fit de Fulford l'un des Canadiens les plus riches de son époque, comme en témoigne la splendeur de son manoir. Aujourd'hui, on peut en visiter quelques-unes des 35 pièces. On y verra notamment le salon de style Louis XVI, la bibliothèque au plafond à caissons et la salle à manger, splendide, encore garnie de son somptueux mobilier, de même que le fumoir, dont le décor s'inspire du Moyen-Orient. La visite guidée est l'occasion d'en apprendre davantage sur cette célèbre famille et son époque.

Les Mille-Îles ★★

Des îles, des îles et encore des îles... Les Mille-Îles, qui sont en réalité au nombre de 1 865, fournissent au visiteur l'occasion d'admirer des paysages d'une singulière beauté. Les Cataraquis, qui, avant l'arrivée des colonisateurs, habitaient cette région, les nommaient «le jardin du Grand Esprit».

En vous y promenant, vous en apercevrez de toutes les sortes, allant des grandes îles où ont été construites de riches demeures, comme c'est le cas de l'île Wellesley, aux îlots minuscules (il ne faut que deux arbres et 2,5 m^2 de terrain pour désigner une île).

Une croisière fort plaisante sur les eaux du fleuve Saint-Laurent vous permettra d'observer de plus près ce véritable dédale de petites îles dont certaines offrent un intérêt particulier. Outre un fascinant tableau naturel, vous pourrez voir et visiter certains de ces îlots dont l'île Gordon, qui constitue le plus petit parc national du Canada, ou l'île Heart, dans laquelle a été construit le château Boldt et qui se trouve en territoire américain.

Plusieurs **croisières** dans les Mille-Îles sont organisées et partent de la marina de Gananoque ou de Kingston (voir p 338).

Ivy Lea

Le pont d'Ivy Lea relie l'Ontario à l'État de New York au-dessus des Mille-Îles. Si vous l'empruntez, vous pouvez aussi rejoindre l'île Hill. C'est là qu'a été construite la tour d'observation **Skydeck** ★★ *(8,95$; juin à août tlj 9h au coucher du soleil; mai, sept et oct tlj 9h à 18h; Hill Island,* ☎*613-659-2335, www.1000islandsskydeck.com),* haute de 120 m, d'où vous aurez une vue exceptionnelle sur la multitude d'îles de la région.

Gananoque ★★

En entrant à Gananoque, vous serez accueilli par une longue artère commerciale bordée par une foule de restaurants de type restauration rapide et de motels. Rien de bien invitant certes, mais la ville sert essentiellement de halte aux personnes qui veulent faire une croisière aux Mille-Îles.

En se rendant en bordure du fleuve, on découvrira un autre visage de la ville, bien plus charmant cette fois. Il s'agit en fait de la portion historique de la ville, composée de plusieurs belles demeures érigées au XIXe siècle. Plusieurs d'entre elles ont d'ailleurs été converties en de confortables auberges qui font de Gananoque un endroit gentil où loger dans la région. Cette partie de la ville est d'autant plus agréable qu'elle offre de beaux points de vue sur le fleuve.

Parc national des Îles-du-Saint-Laurent ★★

Le **parc national des Îles-du-Saint-Laurent** *(2 County Rd. 5, R.R. 3, Mallorytown, ☎613-923-5261, www.pc.gc.ca)* est un regroupement de plusieurs attraits touristiques incluant des sites historiques comme l'**Upper Canada Village** (voir p 331), une réserve faunique d'oiseaux migrateurs (**Upper Canada Migratory Bird Sanctuary**, voir p 338) et le **Fort Henry** (voir p 335), ainsi que le parc des Îles-du-Saint-Laurent lui-même, véritable jardin naturel composé de 23 îles et d'innombrables îlots qui s'étendent sur quelque 80 km, de Gananoque à Lancaster. Ce chapelet d'îles est en fait la crête des montagnes qui ont jadis été submergées au moment du retrait des glaciers, alors que se formait le fleuve Saint-Laurent. Il y pousse une végétation bien singulière; en certains endroits s'y développe une flore septentrionale qui se retrouve généralement plus au nord, alors qu'en d'autres endroits de ces îles croissent des plantes dont l'habitat habituel est bien plus au sud. D'île en île, vous serez ainsi peut-être surpris de constater la présence d'une végétation diversifiée créant des tableaux aussi exceptionnels que différents.

Ces îles sont pour la plupart aménagées pour accueillir les visiteurs. Certaines, comme c'est notamment le cas si vous suivez la promenade de **Long Sault**, sont accessibles en voiture, tandis que d'autres peuvent être atteintes en bateau. Aires de pique-nique, plages et terrains de camping (Ivy Lea et Mallorytown) se retrouvent çà et là, permettant aux visiteurs, outre de contempler cet environnement naturel fascinant, de s'adonner à diverses activités de plein air. Si vous avez besoin de renseignements, le **quartier général du parc** se trouve à Mallorytown (voir plus haut).

La route 2 et la promenade des Mille-Îles longent tour à tour le fleuve, dévoilant par moments des vues magnifiques sur le Saint-Laurent et ses îles. Des sentiers de randonnée ont été tracés dans certaines îles, promettant de plaisantes balades. Les personnes qui ne disposent que de peu de temps, et qui ne veulent pas se rendre dans une des îles, peuvent emprunter le sentier Mainland Nature, qui part de Mallorytown (du quartier général) et qui les entraînera à la découverte de la nature des rives du Saint-Laurent. Enfin, ceux qui ont une âme de cycliste plutôt que de randonneur pourront profiter d'une fort belle piste cyclable qui a été aménagée le long de la promenade des Mille-Îles.

Kingston ★★ (117 000 hab.)

En 1673, René-Robert Cavelier de La Salle, envoyé par le comte de Frontenac, remonte le fleuve Saint-Laurent en quête d'un endroit clé pour construire un poste de traite. À la jonction du lac Ontario, qu'il juge stratégique, sur la route naturelle qu'empruntent les explorateurs et les coureurs des bois, il décide de bâtir un fort, le fort Frontenac. Des Français tissent dès lors de fructueux liens commerciaux avec les Autochtones et demeurent dans la région jusqu'en 1758, année où le fort est conquis par le colonel anglais Bradstreet, ce qui met fin à la colonisation française dans les environs.

Au lendemain de la conquête anglaise, le site est abandonné jusque dans les années 1783, alors que des loyalistes quittent les États-Unis pour venir s'établir à cet endroit, y fondant la ville de Kingston. Le lieu retrouve alors sa prospérité, servant de point d'arrêt sur la route des Grands Lacs. Durant la guerre de 1812, opposant les Britanniques aux troupes américaines, on décide d'ériger un nouveau fort afin d'assurer la protection de la région. De 1813 à 1816, le fort Henry est construit. Peu à peu, la ville prend de l'importance et devient même la capitale du Canada-Uni durant quelques années, de 1841 à 1844. Toutefois, en raison de la proximité des États-Unis et des craintes d'invasion américaine, elle perd son statut à l'avantage de Montréal, qui le perdra à son tour en 1849.

De ce passé glorieux, de magnifiques bâtiments d'architecture victorienne attestant les années prospères de la ville subsistent, de même que d'importants sites militaires, notamment le Royal Military College et le National Defense College ainsi que le Fort Henry. En outre, Kingston est située au bord du lac Ontario et possède un

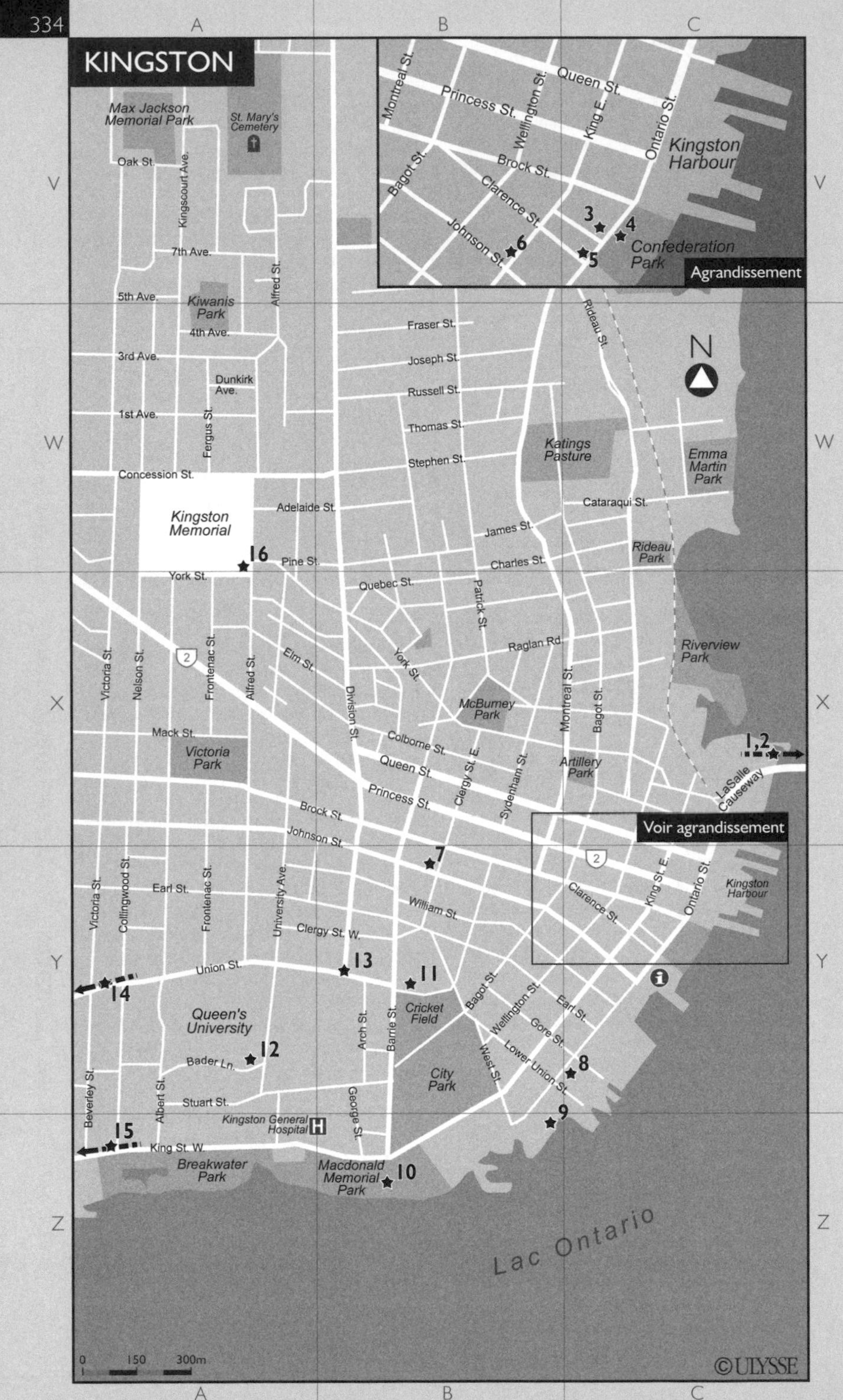

KINGSTON
A
B
C
V
W
X
Y
Z
Max Jackson Memorial Park
St. Mary's Cemetery
Oak St.
Kingscourt Ave.
7th Ave.
5th Ave.
Kiwanis Park
4th Ave.
3rd Ave.
Alfred St.
Dunkirk Ave.
1st Ave.
Fergus St.
Concession St.
Kingston Memorial
16
Adelaide St.
Pine St.
York St.
Fraser St.
Joseph St.
Russell St.
Thomas St.
Stephen St.
Rideau St.
N
Katings Pasture
Emma Martin Park
Cataraqui St.
James St.
Charles St.
Rideau Park
Quebec St.
Patrick St.
Raglan Rd.
Riverview Park
Elm St.
York St.
Victoria St.
Nelson St.
Frontenac St.
Alfred St.
Division St.
McBurney Park
Montreal St.
Bagot St.
Mack St.
Victoria Park
Colborne St.
Queen St.
Clergy St. E.
Sydenham St.
Artillery Park
1,2
LaSalle Causeway
Princess St.
Brock St.
Johnson St.
Voir agrandissement
7
Victoria St.
Collingwood St.
Earl St.
Frontenac St.
University Ave.
William St.
Clarence St.
King St. E.
Ontario St.
Kingston Harbour
Clergy St. W.
Union St.
13
11
14
Queen's University
Cricket Field
Arch St.
Barrie St.
Bagot St.
Wellington St.
Earl St.
Gore St.
Lower Union St.
West St.
12
Bader Ln.
City Park
8
Beverley St.
Albert St.
Stuart St.
George St.
9
Kingston General Hospital
15
King St. W.
Breakwater Park
Macdonald Memorial Park
10
Lac Ontario
0 150 300m
©ULYSSE
Montreal St.
Queen St.
Princess St.
Wellington St.
King E.
Ontario St.
Bagot St.
Brock St.
Kingston Harbour
Clarence St.
Johnson St.
3
4
6
5
Confederation Park
Agrandissement

centre-ville des plus attrayants où une foule enthousiaste se presse par les belles journées d'été. Nous vous proposons une balade dans les rues de cette ville, petit bijou de l'Est ontarien.

Le **Fort Henry** ★★ *(12,50$; mi-mai à début oct tlj 10h à 17h; route 2, ☎613-542-7388, www.forthenry.com)* a été construit dans les années 1832-1837, sur un promontoire surplombant le lac Ontario (et aujourd'hui le parc de la ville), en vue de protéger le Haut-Canada de toute invasion américaine. Il constituait le plus grand système défensif britannique à l'ouest de Québec. Cet imposant fort de pierres taillées était protégé par quatre batteries, postées au nord, à l'est, à l'ouest, la plus imposante faisant face au fleuve. Tout autour, un fossé d'une profondeur de 10 m assurait une meilleure défense. Mais cet important poste militaire ne fut jamais attaqué, puis, les risques d'invasion étant improbables, la garde abandonna le fort après les années 1870. Au cours des années 1930, des travaux de rénovation furent entrepris.

Dès votre entrée, des guides en costumes d'époque vous accueillent, puis vous racontent la vie au fort au XIXe siècle. Aussi, vous aurez l'occasion d'assister aux exercices de tir présentés par la garde du fort, vêtus de costumes semblables à ceux que portaient les soldats anglais en 1867. Ces moments seront sans nul doute les plus colorés et les plus marquants de votre visite. Après avoir regardé ces démonstrations, vous pourrez vous rendre dans les bâtiments où logeaient jadis les militaires; vous visiterez des salles encore garnies des meubles et des outils datant du XIXe siècle, vous permettant de bien saisir le quotidien de la garde en ces années. Enfin, vous pourrez aussi prendre le temps d'admirer la belle collection d'équipements militaires anglais datant du XIXe siècle, qui est exposée au musée du fort.

À côté, sur la pointe Frederick, vous apercevrez les bâtiments du Royal Military College. Non loin, une tour Martello, la Frederick Tower, construite en 1846, abrite le **Royal Military College of Canada Museum** *(entrée libre; fin juin à début sept tlj 10h à 17h; ☎613-541-6000, poste 6664)*, où est relatée l'histoire du collège et des premiers événements militaires de la région. Cette tour de pierres, aux murs épais (4,6 m d'épaisseur pour la section face au lac Ontario), est la plus grande des six tours Martello qui furent construites au XIXe siècle afin d'assurer la protection de Kingston.

››› *Descendez vers le centre-ville en prenant LaSalle Causeway et rendez-vous à Brock Street, où se trouvent quelques-unes des plus chouettes boutiques de la ville. Puis revenez sur vos pas et prenez Ontario Street.*

La période de prospérité de Kingston, des années 1840-1850, correspond à l'apogée du néoclassicisme au Canada. Aussi ne faut-il pas se surprendre d'y retrouver une importante concentration de bâtiments de ce type, la plupart revêtus de pierres calcaires grises extraites des carrières locales. C'est le cas du **Kingston City Hall** ★★ *(216 Ontario St.)*, l'hôtel de ville de Kingston. Ce vaste édifice fut construit entre 1842 et 1844, à une époque où la ville abritait le siège du gouvernement du Canada-Uni. À la suite de la décision de déménager la capitale de la colonie à Montréal, les édiles municipaux ont gracieusement offert, sans succès, l'hôtel de ville au gouvernement afin qu'il revienne sur sa décision.

Le Kingston City Hall, sur front de mer, n'est pas sans rappeler les prestigieux bâtiments publics de Dublin, en Irlande. À l'étage, la salle du Conseil et l'Ontario Hall figurent parmi les plus beaux décors intérieurs néoclassiques du Canada.

Juste en face s'étend le **Confederation Park**, qui donne sur les berges de la rivière Cataraqui. Vaste jardin de verdure, l'endroit est idéal pour flâner un brin. Juste à côté se dresse le bâtiment de l'office de tourisme. C'est également à l'**office de tourisme** que vous pourrez prendre le **Confederation Tour Train** *(13,50$; mi-mai à juin tlj 10h à 17h, juil à début sept tlj 10h à 19h; 209 Ontario St., ☎613-548-4453)*, un petit train proposant une visite des vieux quartiers de Kingston.

Des **croisières** (voir p 338) vers les Mille-Îles partent de la marina située à côté du parc.

★ ATTRAITS TOURISTIQUES

1. CX Fort Henry
2. CX Royal Military College of Canada Museum
3. CV Kingston City Hall
4. CV Confederation Park
5. CV Prince George Hotel
6. BV St. George's Cathedral
7. BY St. Mary's Roman Catholic Cathedral
8. CY Marine Museum of the Great Lakes
9. BZ Pump House Steam Museum
10. BZ Murney Tower Museum / Macdonald Park
11. BY Frontenac County Court House
12. AY Agnes Etherington Art Centre
13. BY Miller Museum of Geology and Mineralogy
14. AY Lieu historique national Villa-Bellevue
15. AZ Canada's Penitentiary Museum
16. AW International Hockey Hall of Fame

Vous pouvez continuer par **Ontario Street**, la principale rue du centre-ville, bordée d'une foule de petites boutiques et de restaurants aux jolies terrasses. Vous passerez ainsi devant le **Prince George Hotel**, dont la construction de la première partie remonte à 1809. Par la suite, deux autres sections ont été ajoutées, et le bâtiment tel que vous le voyez aujourd'hui fut terminé en 1867.

Plus loin, dans Johnson Street à l'angle de King Street, vous passerez devant la belle cathédrale St. George.

La **St. George's Cathedral** ★ *(angle King St. E. et Johnson St.)* est le siège de l'évêché anglican de Kingston. Ce bel édifice néoclassique, tout en longueur, a été entrepris en 1825 selon les plans de Thomas Rogers. Le portique, la tour et l'horloge ont été ajoutés en 1846, alors que le dôme a été installé en 1891. Occupant le même quadrilatère, l'**ancien bureau de poste** et l'**édifice de la douane** rappellent tous deux le XVIIe siècle anglais d'Inigo Jones, qui symbolise ainsi les liens étroits entre le Canada et l'Angleterre. Ces bâtiments ont été réalisés en 1856 selon les plans des architectes montréalais Hopkins, Lawford et Nelson.

››› *Vous pouvez continuer votre route dans Johnson Street jusqu'à Clergy Street.*

Au début du XIXe siècle, l'évêché catholique de Kingston couvrait l'ensemble du Haut-Canada (Ontario). En 1843, la construction de la **St. Mary's Roman Catholic Cathedral** ★ *(angle Johnson St. et Clergy St.)* fut entreprise afin de doter l'évêché d'un temple imposant. La tour néogothique, haute de 60 m, fut ajoutée en 1887.

››› *Revenez sur vos pas et continuez votre route vers l'ouest par Ontario Street.*

Vous arriverez à la hauteur de deux petits musées situés presque côte à côte. Le premier d'entre eux, le **Marine Museum of the Great Lakes** *(6,50$; mars à mi-mai et mi-oct à fin oct lun-ven 10h à 16h, mi-mai à mi-oct tlj 10h à 16h; angle Ontario St. et Union St., ☎613-542-2261, www.marmuseum.ca)* retrace l'histoire de la navigation sur les Grands Lacs à partir de 1678. Vous pourrez en outre y voir le brise-glace ***Alexander Henry***, qui sert aujourd'hui d'auberge (voir p 340).

Le second, le **Pump House Steam Museum** *(6,50$; mars à mi-mai et mi-oct à fin oct lun-ven 10h à 16h, mi-mai à mi-oct tlj 10h à 16h; 23 Ontario St., ☎613-542-2261, www.marmuseum.ca)*, renferme une station de pompage entièrement restaurée comprenant d'énormes pompes ainsi que des machines datant de 1849. Il expose différents

Blockhaus et tours Martello

Dans plusieurs colonies britanniques, telles Halifax (Nouvelle-Écosse) et Kingston (Ontario), des fortifications furent construites selon le système défensif anglais. Elles étaient constituées de blockhaus et de tours Martello, répartis en divers endroits sur le territoire.

Un blockhaus est une tour carrée, haute d'un étage et faite de poutres de bois équarries posées horizontalement, surmontées d'un toit en bardeaux de bois qui assurait au bâtiment une protection contre les intempéries. Lors des attaques, les soldats s'installaient à l'étage, d'où ils dominaient les assaillants. Le palier était en outre plus large que la base, de sorte que les militaires pouvaient tirer du mousquet à travers des trous judicieusement percés dans le plancher, empêchant ainsi l'ennemi d'approcher de la tour. Ces blockhaus, petits postes défensifs autonomes, pouvaient également servir de casernes et de réserves.

La tour Martello, pour sa part, était faite de maçonnerie et pouvait atteindre 10 m de haut. Au rez-de-chaussée se trouvait généralement un entrepôt, et l'étage servait de caserne. Ses épais murs devaient assurer une bonne protection aux soldats. Enfin, sa forme ronde permettait aux soldats de tirer au canon sur tous les fronts. Seize de ces tours furent construites au Canada: cinq à Halifax, une à Saint John (Nouveau-Brunswick), quatre à Québec et six à Kingston. Ce nombre s'explique par le faible coût de leur construction et par l'impression de robustesse qu'elles donnaient. Cependant, aucune des tours canadiennes ne fut jamais attaquée; on ne connaît donc pas leur efficacité.

modèles de ces pompes à vapeur qui marquèrent le XIXe siècle, car elles étaient alors une des sources d'énergie les plus importantes.

››› *Au bout d'Ontario Street, continuez par King Street.*

Les tours Martello, inventées par l'ingénieur du même nom, sont caractéristiques du système défensif britannique du début du XIXe siècle. La tour Murney, une de ces tours Martello, fut construite en 1846 pour défendre le port. Cette tour de pierres trapue abrite désormais le **Murney Tower Museum** *(3$; mi-mai à sept tlj 10h à 17h; angle King St. et Barrie St., ☎613-544-9925)*, où sont présentés divers objets militaires datant du XIXe siècle. Elle se trouve dans le **Macdonald Park**.

››› *Prenez Barrie Street jusqu'à la Frontenac County Court House.*

Entièrement faite de grès local, la **Frontenac County Court House** ★ (palais de justice), œuvre d'Edward Horsey, est un autre très bel exemple de bâtiment de style néoclassique. Elle fut, à l'origine, conçue pour accueillir le futur Parlement, mais elle n'aura jamais cette vocation. De plus, vous ne pouvez manquer l'immense fontaine érigée en 1903 qui enjolive son parterre. Le palais de justice domine un agréable parc autour duquel se dressent quelques splendides demeures de style victorien.

À l'ouest s'allongent les beaux bâtiments de pierre de la Queen's University. Le campus de l'université renferme deux musées, notamment l'Agnes Etherington Art Centre. Agnes Etherington fut une figure marquante de la vie artistique de Kingston. À la fin de sa vie, elle fit don de sa maison pour qu'elle serve de centre des arts à la communauté. C'est en 1957 que l'**Agnes Etherington Art Centre** ★ *(4$; mar-ven 10h à 16h30, sam-dim 13h à 17h; angle University Ave. et Bader Lane, ☎613-533-2190, www.aeac.ca)* ouvrit ses portes. Au fil des ans, il a fallu l'agrandir afin d'abriter et d'exposer adéquatement les œuvres d'art acquises par l'institution. Les dernières rénovations majeures remontent à la fin de 1999. Ces travaux ont notamment permis d'ajouter huit salles d'exposition et une boutique. Outre un bâtiment moderne et des salles d'exposition au goût du jour, le centre des arts possède une fort belle collection d'œuvres d'artistes canadiens, européens et ouest-africains. Il renferme également quelques chefs-d'œuvre de l'art inuit. Il mérite en n'en point douter une visite.

Le second musée, le **Miller Museum of Geology and Mineralogy** *(entrée libre; lun-ven 9h à 17h; angle Union St. et Division St., ☎613-545-6767)*, présente une collection de minéraux, de roches et de fossiles.

››› *Suivez Union Street jusqu'à Centre Street.*

Au moment de sa construction, aux alentours des années 1840, la Villa Bellevue fit parler d'elle en raison de son style dit toscan, plutôt inusité pour l'époque et qui lui valut divers surnoms, entre autres celui de «pagode». En 1848 et 1849, elle logea la famille de John A. Macdonald, qui fut le premier premier ministre canadien, de 1867 à 1873. En souvenir de son séjour en ces lieux, la demeure est aujourd'hui ouverte aux visiteurs, qui la découvriront garnie des meubles de l'époque de Macdonald. On peut y contempler entre autres l'élégante salle à manger et la chambre où était alitée la femme de Macdonald, alors malade. Autour de la villa, un joli jardin est aménagé, et il est possible de s'y promener. Aujourd'hui, le site est protégé par le **Lieu historique national Villa-Bellevue** ★ *(3,90$; juin à sept tlj 9h à 18h; avr, mai, sept et oct tlj 10h à 17h; 35 Centre St., ☎613-545-8666, www.pc.gc.ca)*.

››› *Revenez jusqu'à King Street et empruntez-la en direction ouest.*

On aborde inévitablement le **Canada's Penitentiary Museum** ★ *(dons appréciés; mai à oct lun-ven 9h à 16h, sam-dim 10h à 16h; 555 King St. W., ☎613-530-3122)* avec un brin de scepticisme: que peut-il donc y avoir dans un tel musée? L'initiative est pourtant des plus réussies et atteint son but: faire mieux comprendre le milieu carcéral. Afin de démystifier cet univers trop souvent méconnu, plusieurs thèmes sont abordés, comme le travail exécuté par les détenus, car plusieurs peuvent s'adonner à de petits boulots, ainsi que la vie en milieu carcéral; on peut notamment y voir quelques-unes des diverses «armes» qu'ont pu fabriquer les prisonniers. Le musée retrace également l'évolution des mentalités entourant les services correctionnels, et l'on apprend les différents châtiments corporels auxquels pouvaient être condamnés les prisonniers jusqu'en 1968. Peut-être la section qui retient le plus l'attention est-elle celle qui présentent l'évolution de la cellule du prisonnier, du minuscule cachot auquel il avait droit au XIXe siècle à la petite pièce d'aujourd'hui, à l'aménagement plus «ergonomique». La visite est aussi l'occasion de s'interroger sur le rôle des services correctionnels dans notre société.

Si vous êtes un fan de hockey, rendez-vous à l'**International Hockey Hall of Fame** *(5$; mi-juin à sept lun-sam 10h à 16h, dim 12h à 16h; 277 York St., angle Alfred St., ☎613-544-2355, www.ihhof)*, situé un peu à l'écart du centre-ville. Vous pourrez y voir des photographies et des équipements de hockey retraçant l'évolution qu'a connue ce sport au cours des ans.

Wolfe Island

Au sud de Kingston, en prenant le traversier *(gratuit)*, vous atteindrez Wolfe Island, une île champêtre ne comptant qu'un hameau, Marysville. La route 95 traverse l'île, et un second traversier transporte les gens aux États-Unis.

 *Activités de plein air*

■ *Canot*

Dans l'est de l'Ontario, peu de parcs réservent de longs parcours canotables. Parmi ceux-ci, le **Frontenac Provincial Park** *(☎613-376-3489)* et le **Bon Echo Provincial Park** *(☎613-336-2228)*, au nord de Kingston, renferment tous deux des cours d'eau plaisants et des lacs d'azur offrant de fort beaux panoramas.

Pour louer du matériel au Frontenac Provincial Park:

Frontenac Outfitters
Salmon Lake Rd. (à l'entrée du parc)
☎613-376-6220
www.frontenac-outfitters.com

■ *Croisières*

Les **Mille-Îles** constituent le site idéal si vous avez envie d'une agréable balade sur le Saint-Laurent. Les départs ont lieu à Gananoque ou à Kingston, et les balades demeurent l'occasion de découvrir de belles scènes naturelles.

Gananoque Boat Line
croisières de 1h (16,50$) et 2h30 (25$)
6 Water St.
Gananoque
☎613-382-2144 ou 888-717-4837
www.ganboatline.com

Kingston 1000 Islands Cruises
croisières de 1h30 (21,50$), 2h (23$) et 3h (27,75$)
1 Brock St.
Kingston
☎613-549-5544
www.1000islandscruises.on.ca

■ *Observation des oiseaux*

Durant leur périple migratoire, au printemps et en automne, certaines espèces d'oiseaux, notamment les bernaches, s'arrêtent le long du Saint-Laurent, particulièrement en un point protégé par l'**Upper Canada Migratory Bird Sanctuary** *(14 km à l'est de Morrisburg, parc national des Îles-du-Saint-Laurent, ☎613-543-3704)*. Des sentiers sillonnent le site afin de permettre aux visiteurs de suivre le fleuve et d'y observer les oiseaux dans leur habitat naturel. Il est également possible de remarquer la présence de différentes espèces tout au long de l'été.

■ *Randonnée pédestre*

Le **parc national des Îles-du-Saint-Laurent** *(2 County Rd. 5, R.R. 3, Mallorytown, ☎613-923-5261, www.pc.gc.ca)* protège plusieurs îles dans lesquelles de courts sentiers ont été tracés. Ceux qui disposent de peu de temps peuvent avoir un aperçu des beautés de ce parc en empruntant le sentier qui part du quartier général de Mallorytown, le **Mainland Nature** ★. Il s'agit d'une courte incursion dans la nature bordant le fleuve Saint-Laurent, dont le parcours facile s'effectue en une trentaine de minutes.

En longeant le lac Ontario

▲ p 341 ◍ p 343

Île de Quinte ★

L'île de Quinte vous réserve de belles scènes pastorales qu'elle révèle au détour d'une route ou le long de ses côtes. En effet, cette île composée de hameaux tranquilles, de vastes champs fertiles et de longues plages de sable, a de quoi plaire aux citadins en quête de beaux paysages naturels. Pour goûter son calme champêtre, les visiteurs y viennent nombreux en été, et pourtant l'industrie touristique continue à se faire discrète. Quelques routes la sillonnent et s'avèrent parfaites pour les personnes se déplaçant à vélo.

Belleville (49 000 hab.)

Fondée en 1784 par des loyalistes qui fuyaient les États-Unis, Belleville est agréablement située à l'embouchure de la rivière Moïra et donne sur la baie de Quinte. Elle a connu un développement constant tout au long du XIXe siècle, se transformant peu à peu en une jolie ville composée de plusieurs belles demeures. Encore aujourd'hui, la ville possède de beaux quartiers résidentiels où il fait bon flâner. Son attrait principal demeure cependant sa marina, qui s'ouvre sur la baie et qui est le site de nombreuses activités estivales, notamment le Waterfront Festival, pendant lequel la marina devient le théâtre d'une foule d'activités de plein air. Une promenade y est aménagée, et l'on peut s'y balader tout en contemplant les embarcations voguer doucement sur les flots. Belleville constitue également un bon point de départ pour une excursion à l'île de Quinte.

De ces années passées, la ville a conservé de beaux témoignages architecturaux, notamment grâce au **Lieu historique national Glanmore** *(6$; juin à août mar-dim 10h à 16h30, sept à mai mar-dim 13h à 16h30; 257 Bridge St. E., ☎613-962-2329)*, qui abrite une élégante demeure de style Second Empire, construite en 1883, dont chacune des pièces a été rénovée puis garnie de beaux meubles victoriens. Outre le mobilier, prenez le temps de contempler les murs et le plafond richement enjolivés. À l'étage, divers objets sont exposés. Au sous-sol, vous découvrirez un pan de la petite histoire locale, un magasin général et la chambre des domestiques y étant reconstitués.

Trenton

C'est ici, à Trenton, que commence la **voie navigable Trent-Severn**. En été, une foule de visiteurs se pressent à sa marina, avec des embarcations de toute sorte, pour partir en excursion sur les cours d'eau qui sillonnent le centre de la province jusqu'à la baie Georgienne.

Cobourg (18 000 hab.)

De prime abord, Cobourg, située au bord du lac Ontario et en pleine campagne, apparaît comme une petite ville bien simple. En traversant son centre-ville, on remarque cependant quelques bâtiments imposants, témoins du passé prospère de la ville, alors que son port était l'un des plus fréquentés de la région et que des moulins à farine, des scieries et des usines d'automobiles s'y étaient installés. Parmi les élégants édifices anciens, on ne saurait manquer le majestueux **hôtel de ville** ★ *(Victoria Hall, 55 King St. W.)*, de style palladien, qui a été conçu par l'architecte Kivas Tully en 1860.

Port Hope ★ (16 000 hab.)

En 1793, les premières familles loyalistes arrivent, et, avec la construction d'un moulin à céréales, le village se développe. Mais c'est surtout grâce à son port et à l'avènement du chemin de fer que Port Hope prospère. Port Hope compte plusieurs demeures de l'époque victorienne qui font de ce village un des plus coquets de la région.

De son passé, Port Hope a conservé quelques édifices, comme la **St. Mark Church** (1822), qui figure parmi les plus vieilles églises de bois encore en usage en Ontario, ainsi que de belles maisons des différents styles architecturaux en vogue au XIXe siècle en Ontario. Ces trésors de bois, de briques et de pierres sont rénovés depuis des décennies avec minutie, de sorte que la ville possède les bâtiments les plus jolis et les mieux conservés de la région.

Oshawa ★ (142 000 hab.)

Oshawa est située à une cinquantaine de kilomètres de Toronto, dont on sent déjà les tentacules. Cet endroit a prospéré grâce à son industrie automobile, la plus développée en Ontario, qui est née au début du XXe siècle, alors que Robert McLaughlin commença à y construire des voitures. Son entreprise fut rachetée par la General Motors (GM), dont il devint le directeur de la branche canadienne. Depuis lors, GM est le plus gros employeur de la ville.

La grisaille domine cette ville, ce qui est assez typique des villes industrielles nord-américaines, mais vous n'en trouverez pas moins quelques sites intéressants, la plupart liés à McLaughlin et à l'industrie automobile.

À la **Robert McLaughlin Gallery** ★ *(dons appréciés; lun-ven 10h à 17h, jeu jusqu'à 21h, sam-dim 12h à 16h; 72 Queen St., ☎905-576-3000, www.rmg.on.ca)*, vous pourrez contempler quelques belles toiles de peintres canadiens contemporains, notamment des œuvres abstraites des membres du Groupe des Onze, qui se fit connaître dans les années 1950. Ce groupe d'artistes favorisait une technique créatrice particulière, peignant rapidement en ne se fondant que sur l'inspiration du moment afin de recréer un effet général d'intensité.

Aménagé dans un bâtiment qui semble des plus quelconques, le **Canadian Automative Museum** ★ *(5$; lun-ven 9h à 17h, sam-dim 10h à 18h; 99 Simcoe St. S., ☎905-576-1222)* propose une incursion dans le monde de l'automobile, une soixantaine de voitures anciennes y étant exposées.

Trois maisonnettes historiques, les maisons Robinson, Henry et Guy, composent l'**Oshawa Community Museum** *(3$; lun-ven 8h à 16h; 1450 Simcoe St. S., parc Lakeview, ☎905-436-7624)*. De petites expositions y sont présentées, notamment une sur l'électricité.

Si vous n'avez le temps de voir qu'une seule attraction à Oshawa, rendez-vous au **Lieu historique national Parkwood** ★ *(10$; juin à août tlj 10h30 à 16h30, sept à mai tlj 13h30 à 16h; 270 Simcoe St. N, ☎905-433-4311)*, l'ancienne propriété de R.S. McLaughlin. Entourant la somptueuse résidence, le splendide et vaste jardin, harmonieusement composé d'arbres majestueux, de haies et de pelouses verdoyantes ainsi que d'une fontaine, est tout simplement magnifique. Il donne un avant-goût de la richesse du manoir, qui renferme pas moins de 55 pièces, toutes décorées avec goût et dont la visite vous ravira.

Hébergement

En suivant le Saint-Laurent

Cornwall

En entrant dans la ville, vous aurez tôt fait de trouver les rues Vincent-Massey et Brookdale, dans lesquelles ont été construits bon nombre d'hôtels et de petits motels. Ici, les auberges ont troqué le charme vieillot contre le confort moderne, mais vous pourrez facilement vous loger adéquatement. Quelques-uns des établissements présentent un tantinet plus de charme que les autres.

Comfort Inn
$$-$$$
1625 Vincent-Massey Dr.
☎613-937-0111
www.comfortinncornwall.com
Le Comfort Inn se distingue par ses allures proprettes. Sans posséder un grand charme, il renferme des chambres correctes et profite en outre d'installations sportives.

McIntosh Country Inn
$$-$$$
12495 autoroute 2 E.
☎613-543-3788 ou 888-229-2850
www.mccintoshcountryinn.com
Non loin du site historique de l'Upper Canada Village, au bord de l'autoroute, se trouve cet établissement hôtelier qui représente une option tout à fait adéquate pour qui veut loger dans cette région. Il présente une architecture typique des motels nord-américains: le stationnement est omniprésent, et les chambres sont réparties dans une longue aile comptant un seul étage. Pourtant, il s'avère agréable car des efforts ont été entrepris pour lui donner un peu de cachet, notamment une façade de stuc blanc pourvue de poutres de bois qui, l'été venu, s'égaie de fleurs. Les chambres, pour leur part, sont bien aménagées, propres et confortables.

Best Western Parkway
$$$
1515 Vincent-Massey Dr.
☎613-932-0451 ou 800-874-2595
www.bestwesterncornwall.com
Peut-être l'établissement hôtelier le plus joli, si l'on peut dire, de ce secteur de la ville, le Best Western arbore une façade un tantinet plus recherchée que ses voisins. Il renferme des chambres convenablement décorées qui offrent un confort tout à fait adéquat.

Gananoque

Gananoque Inn
$$$-$$$$
550 Stone St. S.
☎613-382-2165 ou 800-465-3101
www.gananoqueinn.com
Se dressant au bord du fleuve Saint-Laurent depuis 1896, le Gananoque Inn accueille, depuis toutes ces années, les voyageurs. Au fil des ans, il a toutefois su se mettre au goût du jour, et ce, sans perdre son cachet. Ainsi, bien que les chambres soient décorées d'antiquités, toutes sont pourvues d'une salle de bain privée; certaines profitent même d'une baignoire à remous ou d'un foyer. Il demeure que c'est sans doute son site qui séduit le plus, le fleuve s'allongeant à ses pieds. On bénéficiera particulièrement de cet avantage si on loge dans une des chambres donnant sur la façade principale. Si les 29 chambres du bâtiment principal sont occupées, il est possible de loger dans une des chambres du motel, moins plaisantes, cela va de soi, qui a été érigé juste à côté. Enfin, cet établissement profite d'une fort belle salle à manger (voir p 342).

Victoria Rose Inn
$$$$
279 King St. W.
☎613-382-3368 ou 888-246-2893
www.victoriaroseinn.com
Le Victoria Rose Inn compte sans nul doute parmi les belles auberges victoriennes de la ville. La superbe maison de briques, construite en 1872, arbore de majestueuses fenêtres, des lucarnes et une véranda qui l'habillent magnifiquement. Elle comprend 12 chambres garnies de meubles anciens et présentant une décoration romantique qui donne à l'établissement une allure d'une autre époque, et cela est très agréable. Les visiteurs peuvent profiter d'une salle de séjour et de la véranda qui s'ouvre sur le jardin, où, par les belles journées d'été, le petit déjeuner est d'ailleurs servi.

Parc national des Îles-du-Saint-Laurent

Le parc national des Îles-du-Saint Laurent (*$; 2 County Rd. 5, R.R. 3, Mallorytown, ☎613-923-5261, www.pc.gc.ca)* compte des terrains de camping sur 12 de ses îles protégées. Chacun profite d'un bel environnement naturel et de la proximité du fleuve.

Kingston

Alexander Henry
$$-$$$ bc/bp
mai à oct
55 Ontario St.
☎613-542-2261
www.marmuseum.ca
En passant devant le **Marine Museum of the Great Lakes** (voir p 336), vous aurez certainement remarqué le brise-glace qui flotte juste à côté. Il s'agit du *Alexander Henry*, qui a été rénové et qui accueille les visiteurs, car il a été transformé en une auberge pour le

moins singulière. Il ne faut pas s'y rendre en prévoyant dormir dans des chambres particulièrement confortables, mais bien parce qu'il s'agit là d'une expérience assez unique.

Abbey Manor Inn
$$$-$$$$
181 William St.
613-545-0422 ou 866-723-1872
www.paintedladyinn.on.ca

L'Abbey Manor Inn offre un accueil attentionné. La propriétaire, qui cherche par tous les moyens à rendre votre séjour parfait, vous fournira entre autres une profusion de renseignements sur la ville. Mais la courtoisie n'est pas la seule qualité de l'établissement, qui profite de chambres coquettement ornées d'antiquités, de cadres et de mille petits objets. Certaines ont même l'avantage de disposer d'un foyer ou d'une baignoire à remous. Enfin, d'autres atouts, dont une fort belle terrasse et un petit déjeuner fait maison à partir d'ingrédients de qualité, ne pourront que vous convaincre des qualités de ce gîte.

Hochelaga Inn
$$$-$$$$ @
24 Sydenham St. S.
613-549-5534 ou 877-933-9433
www.hochelagainn.com

L'Hochelaga Inn fait sans nul doute partie des belles auberges de la ville. Construite autour des années 1880, cette superbe maison de briques rouges présente une façade verte et blanche qui arbore une profusion de détails architecturaux, une jolie tourelle et un grand balcon. Elle renferme 23 chambres garnies de beaux meubles anciens, toutes décorées avec goût. L'endroit est en outre bien tenu et paisible.

The Secret Garden
$$$-$$$$ bc
73 Sydenham St.
613-531-9884 ou 877-723-1888
www.the-secret-garden.com

À quelques pas de là, une autre magnifique maison historique a été converti en gîte: The Secret Garden. En entrant, votre attention sera d'abord attiré par les magnifiques vitraux qui parent les fenêtres ainsi que par les bouquets de fleurs et les jolis objets décoratifs, placés çà et là pour embellir les lieux. L'établissement ne compte que sept chambres, toutes meublées d'antiquités et décorées selon un thème différent qui leur donne une personnalité propre.

Holiday Inn
$$$-$$$$
@
2 Princess St.
613-549-8400 ou 800-465-4329
www.hikingstonwaterfront.com

Grand édifice moderne sans charme particulier, le Holiday Inn a été construit juste au bord du lac Ontario; on ne saurait espérer un meilleur site. Les chambres, en plus d'offrir un bon confort, ont l'avantage d'avoir une belle vue sur les flots et l'activité nautique qui règne autour de la marina de Kingston.

Radisson Hotel
$$$-$$$$
@
1 Johnson St.
613-549-8100 ou 888-201-1718
www.radisson.com

Le Radisson est le second hôtel construit directement sur le bord du lac, et, pour permettre à chacun de bien profiter de ce panorama, toutes les chambres ont vue sur l'eau. Bien qu'il s'agisse sans conteste du principal atout de l'établissement, il n'en renferme pas moins des chambres spacieuses et confortables, des installations sportives et un restaurant d'où l'on profite aussi du paysage.

En longeant le lac Ontario

Île de Quinte

The Waring House
$$$-$$$$
angle route 33 et County Rd. 1
Picton
613-476-7492 ou 800-621-4956
www.waringhouse.com

À la sortie de Picton, votre attention sera attirée par une belle maison de pierres entourée d'un vaste jardin. La Waring House se dresse ainsi depuis plus de 100 ans. Elle a depuis été rénovée avec soin, pour offrir à la fois un gîte splendide et un délicieux restaurant (voir p 343). À l'intérieur, rien n'a été épargné pour en faire une auberge élégante: une table parmi les meilleures de la région, un accueil courtois et des chambres décorées avec goût et garnies de meubles anciens.

Merrill Inn
$$$$
343 Main St. E.
Picton
613-476-7451 ou 866-567-5969
www.merrillinn.com

Le Merrill Inn a emménagé dans une des belles demeures de style victorien de Picton, construite autour de 1878 pour accueillir la famille d'Edwards Merrill. Aujourd'hui, cette maison de briques rouges au décor ravissant renferme de jolies chambres décorées avec goût; toutes sont garnies d'un mobilier élégant qui ne les surcharge pas. Elle abrite un excellent restaurant et est le gage d'un délicieux séjour à l'île de Quinte.

Belleville

Clarion Inn
$$$ @
211 Pinnacle St.
613-962-4531 ou 800-383-4963
www.belleville-clarion.com

Le Clarion est aménagé dans un imposant bâtiment de

briques rouges. Arborant une allure du passé et un certain charme, il abrite des chambres de bonne taille, bien tenues, qui offrent un confort moderne. Il a l'avantage d'être situé au cœur de la ville, près de commerces et de l'animation.

Ramada Inn on the Bay
$$$ ≡ ≋ ♆ ≀≀≀ @
11 Bay Bridge Rd.
☎613-968-3411 ou 888-298-2054
www.bellevilleramada.com
Le Ramada Inn on the Bay est une bonne adresse à retenir, car il est agréablement construit au bord de la rivière Moira et abrite des chambres tout confort. Il propose en outre un bel éventail d'installations sportives, notamment une piscine pourvue d'une grande glissoire.

Cobourg

Woodlawn Inn
$$$$-$$$$$ ♆ @
420 Division St.
☎613-372-2235 ou 800-573-5003
www.woodlawninn.com
De prime abord, on pourrait déplorer le va-et-vient de la rue où se trouve le Woodlawn Inn. Mais la magnifique maison de briques rouges se dresse à l'extrémité d'un vaste jardin, ce qui parvient certainement à estomper l'activité de la rue, si ce n'est de la faire oublier complètement. Construite en 1835 et soigneusement rénovée depuis, elle renferme plus d'une dizaine de chambres, toutes décorées avec goût et impeccablement tenues. Cet établissement de classe abrite également un restaurant réputé (voir p 343).

Oshawa

Travelodge
$$$ ≋ @
940 Champlain Ave.
☎905-436-9500 ou 800-484-6045
www.oshawatravelodge.com
Ville industrielle, Oshawa n'est certes pas le site idéal pour les vacanciers. Il est tout de même possible d'y loger confortablement en se rendant au Travelodge, qui profite de chambres adéquates et d'une piscine intérieure.

Restaurants

En suivant le Saint-Laurent

Cornwall

Gemini Café
$$-$$$
241 Pitt St.
☎613-936-9440
Si vous restez en ville quelque temps, vous pourrez opter pour le Gemini Café, qui présente chaque jour un menu affichant des plats variés et généralement bons. Une attention particulière a en outre été accordée à la salle à manger, qu'on a cherché à rendre invitante et jolie.

Gananoque

Gananoque Inn
$$$-$$$$
550 Stone St. S.
☎613-382-2165
En pénétrant dans la salle à manger du Gananoque Inn, vous serez saisi par la beauté du panorama qui s'offre à vous à travers ses fenêtres: le fleuve Saint-Laurent, ponctué d'îles, qui s'allonge au loin. En fait, peu d'établissements parviennent à mettre aussi bien en valeur l'une des plus beaux paysages naturels de la région. Ce tableau compose d'ailleurs l'essentiel de la décoration de cette salle à manger percée de larges baies vitrées et garnie de meubles anciens. On y concocte en outre une délicieuse cuisine; en font foi les plats variés du menu, comme le carré d'agneau et le saumon au pesto et à la tapenade, tous de belles compositions.

Kingston

Sleepless Goat Cafe
$
91 Princess St.
☎613-545-9646
Le Sleepless Goat Cafe est un endroit tout ce qu'il y a de plus charmant pour se reposer un peu de la grouillante Ontario Street tout en savourant un délicieux café et du gâteau au fromage.

Phnom Penh
$$
355 King St. E.
☎613-545-2607
Les personnes ayant un penchant pour l'exotisme devraient opter pour le Phnom Penh, qui propose des spécialités cambodgiennes et thaïlandaises. Ces plats du Sud-Est asiatique, toujours bons et parfois plutôt épicés, sont servis dans une grande salle à manger au décor simple mais joli et à l'ambiance décontractée. Cet établissement est fréquenté en particulier par les nombreux étudiants de la ville. Bon rapport qualité/prix.

Stoney's
$$-$$$
189 Ontario St.
☎613-545-9424
Ontario Street longe le lac éponyme, et plusieurs restaurants s'y sont installés, question d'avoir une terrasse bénéficiant d'un fort beau site. Parmi ceux-ci, vous ne manquerez pas de lorgner le Stoney's, qui possède probablement la plus jolie terrasse de cette rue; le midi, elle est convoitée par des gens qui désirent s'offrir des quiches ou des salades tout en observant le va-et-vient incessant des passants.

Chez Piggy
$$-$$$$
68 Princess St.
☎613-549-7673
Pour entrer Chez Piggy, vous devrez d'abord traverser une petite cour intérieure où vous apercevrez la terrasse ainsi que le joli bâtiment de pierres datant du XIXe siècle qui abrite le resto. Aménagé dans une superbe maison de pierres rénovée avec beaucoup de goût, Chez Piggy a depuis longtemps conquis le cœur des habitants de la ville qui sont prêts à attendre en file pour prendre un délicieux repas, tant le midi *($$)*, pour goûter des plats simples tels que quiches ou salades, que le soir *($$$-$$$$)*, alors que le menu se raffine, proposant des plats variés, notamment de poulet et d'agneau.

Le Chien Noir
$$$-$$$$
69 Brock St.
☎613-549-5635
Il existe désormais un établissement à Kingston où l'on concocte une savoureuse cuisine typique des bistros français. Et quelle cuisine! Le Chien Noir compte parmi les meilleurs restaurants du centre-ville. Chacun des plats, élaborés dans les plus pures traditions culinaires de la France, est un festin pour les papilles. Copieux, ils sont fort élégamment présentés. Un tel repas ne saurait être parfait sans jouir d'un bel aménagement des lieux. Ainsi, la vaste salle à manger se trouve dans un bâtiment historique ayant fait l'objet d'une rénovation soigneuse qui est parvenue à conjuguer le cachet d'antan (remarquez le magnifique plafond ouvragé) à un design moderne. Le Chien Noir a vraiment tout pour plaire. Le samedi, on y fait la queue tard le soir.

En longeant le lac Ontario

Île de Quinte

Angeline's
$$$
433 Main St.
Bloomfield
☎613-393-3301
Il y a belle lurette que le restaurant Angeline's a acquis la réputation d'être le meilleur restaurant de l'île, et d'année en année il ne déçoit pas. Les gens s'y rendent pour savourer quelques spécialités françaises, comme l'agneau au confit d'ail. Le restaurant est en outre charmant.

The Waring House
$$$
R.R. 8
Picton
☎613-476-7492
The Waring House se présente à la fois comme une jolie auberge et un agréable restaurant, tous deux installés dans une superbe demeure du XIXe siècle. La salle à manger comporte de larges baies vitrées qui donnent sur les champs avoisinants. C'est en profitant de cette atmosphère sereine que vous savourerez votre repas. Au menu figurent en bonne place les mets préparés à partir d'ingrédients de la région, notamment le poisson. Des plats plus classiques sont également proposés, comme le bœuf Wellington.

Belleville

Paulo's Italian Trattoria
$$
38 Bridge St. E.
☎613-966-6542
La salle à manger de ce resto italien mérite à elle seule une petite mention, tant sa décoration est jolie. Mur de briques, chaises en fer forgé, tables en carreaux de céramique, mezzanine et larges baies vitrées, le tout parvient à créer une ambiance fort amicale. Mais le décor n'est pas le seul atout de l'endroit, car on y propose une bonne cuisine italienne. Le menu affiche notamment des pâtes, servies à toutes les sauces, ainsi que des pizzas cuites au four à bois. Il s'agit d'un des restaurants les plus sympathiques de Belleville.

Cobourg

The Oasis Bar & Grill
$$
31 King St. E.
☎905-372-6634
C'est la terrasse qui justifie d'abord qu'on se rende à ce restaurant. Tout en bois et comptant plusieurs tables avec parasol, elle est littéralement prise d'assaut pendant les belles journées d'été. La salle à manger n'est pas aussi emballante, mais elle est décorée de mille affiches et objets qui lui donnent un certain charme. Le menu a lui aussi de quoi plaire, car il affiche notamment des plats de moules, d'huîtres et de poisson.

Woodlawn Inn
$$$
420 Division St.
☎905-372-2235 ou 800-573-5003
Si vous désirez plutôt prendre un excellent repas, et que vous n'avez pas à vous soucier des prix, optez plutôt pour la salle à manger du **Woodlawn Inn** (voir p 342), dont la carte a conquis plus d'un palais. Le décor victorien vous séduira dès votre entrée. Puis, le menu alléchant, puisant son inspiration parmi les spécialités de plusieurs pays, et les plats délicieux sauront à leur tour vous charmer.

Oshawa

Fazio
$$-$$$
33 Simcoe St. S.
☎905-571-3042
Les personnes qui aiment les bouffes bien nourrissantes se rendront chez Fazio, où elles

pourront savourer des spécialités italiennes sans extravagance, mais tout de même bonnes dans une grande salle à manger un peu impersonnelle.

Sorties

Activités culturelles

Kingston

The Grand Theatre
218 Princess St.
☎613-530-2050
Le Grand Theatre est le siège de l'activité culturelle de la ville, car des concerts de musique classique et des pièces de théâtre y sont présentés.

Bars et boîtes de nuit

Kingston

Toucan-Kirkpatricks
76 Princess St.
☎613-544-1966
Le pub Toucan-Kirkpatricks présente parfois des spectacles. Il est fréquenté par une clientèle variée allant des étudiants aux visiteurs de passage.

Achats

Kingston

Le centre-ville de Kingston s'étend autour d'Ontario Street, notamment dans Brock Street et Princess Street. En fouinant un peu, vous dénicherez certainement quelques petits trésors.

Pour un petit cadeau ou une pièce d'artisanat, la boutique **Cornerstore** *(255 Ontario St., ☎613-546-7967)* a de quoi plaire.

Les commerçants de Brock Street pourraient se vanter d'avoir quelques-unes des plus belles vitrines qui semblent sorties d'une autre époque. Ainsi, **Cooke's Fine Food & Coffee** *(61 Brock St., ☎613-548-7721)*, qui a tout du magasin général comme il en existait au début du XIXe siècle, est tout à fait charmant. Il propose en outre des produits fins, comme les chocolats Rogers de Victoria (Colombie-Britannique), ainsi que de délicieuses confitures.

Ceux qui voudraient regarnir leur intérieur devraient faire un saut à la boutique de l'**Agnes Etherington Art Centre** *(angle University Ave. et Bader Ln., ☎613-533-2190;* *voir p 337)*. Il est également possible d'acheter (ou de louer) des œuvres d'artistes canadiens.

Le centre de l'Ontario

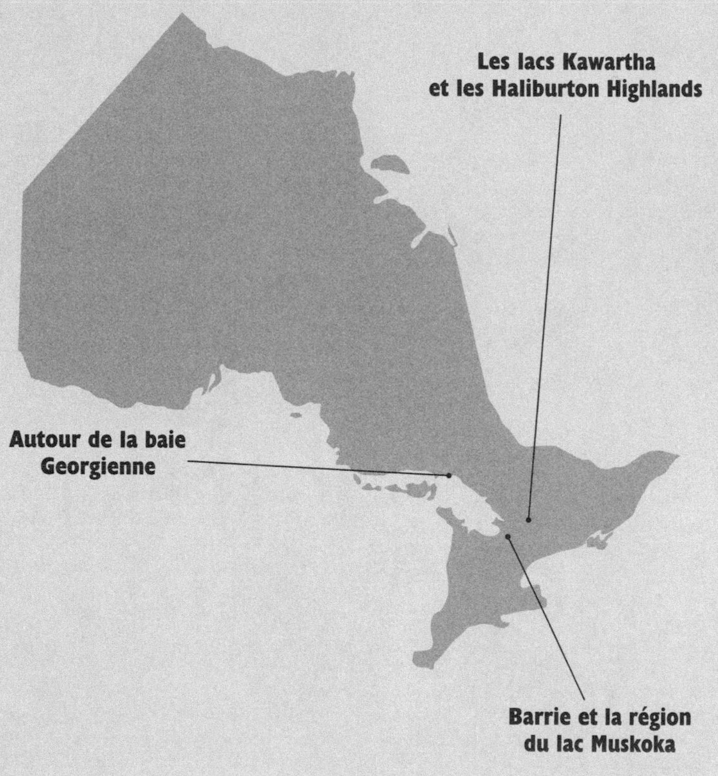

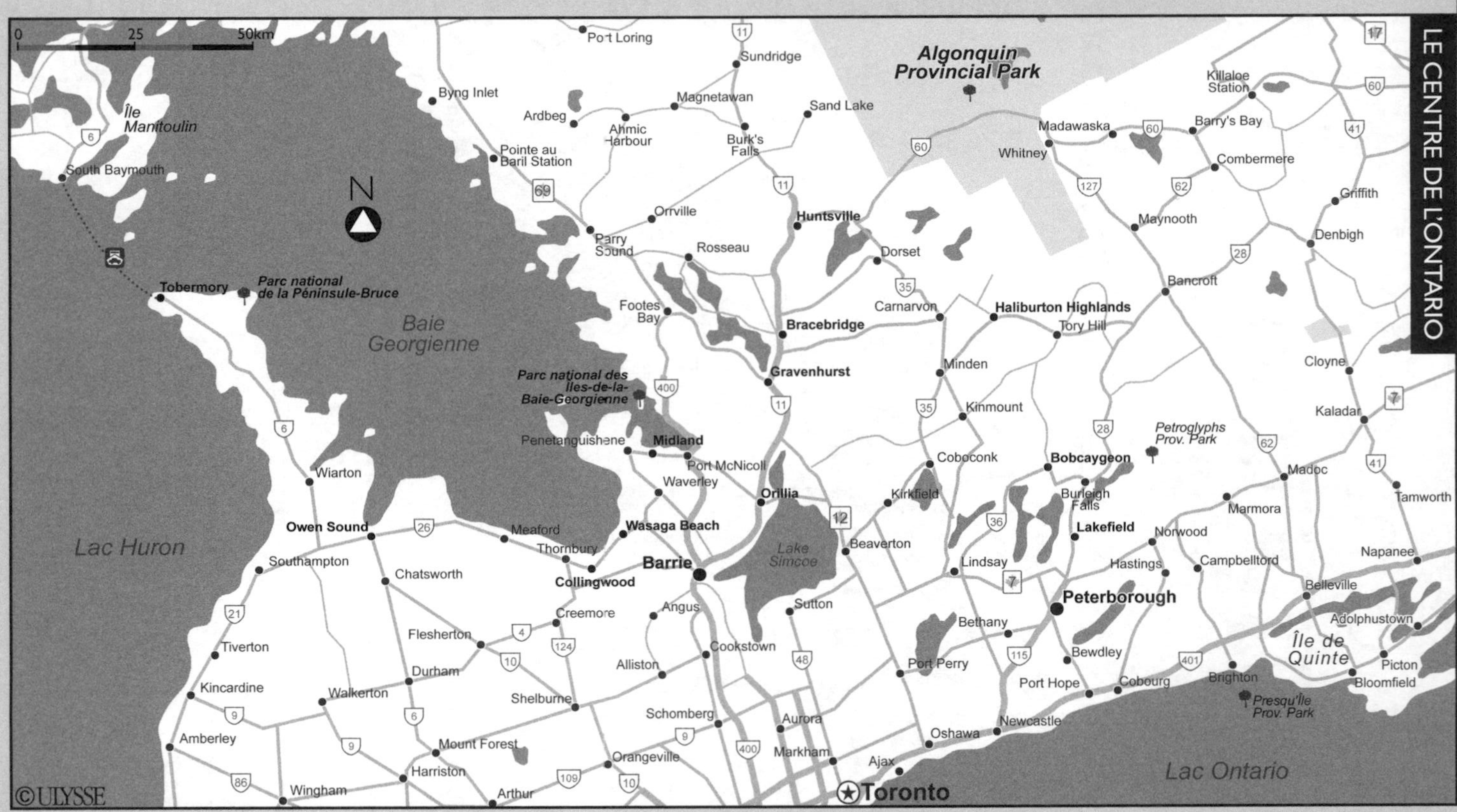
LE CENTRE DE L'ONTARIO
0
25
50km
N
Île Manitoulin
South Baymouth
Tobermory
Parc national de la Péninsule-Bruce
Baie Georgienne
Parc national des îles-de-la-Baie-Georgienne
Lac Huron
Port Loring
Sundridge
Byng Inlet
Ardbeg
Magnetawan
Ahmic Harbour
Burk's Falls
Sand Lake
Pointe au Baril Station
Orrville
Parry Sound
Rosseau
Huntsville
Dorset
Algonquin Provincial Park
Killaloe Station
Madawaska
Barry's Bay
Whitney
Combermere
Griffith
Maynooth
Denbigh
Bancroft
Footes Bay
Carnarvon
Haliburton Highlands
Tory Hill
Bracebridge
Gravenhurst
Minden
Cloyne
Kinmount
Kaladar
Petroglyphs Prov. Park
Penetanguishene
Midland
Port McNicoll
Coboconk
Bobcaygeon
Madoc
Tamworth
Wiarton
Waverley
Orillia
Kirkfield
Burleigh Falls
Marmora
Owen Sound
Meaford
Wasaga Beach
Lakefield
Norwood
Thornbury
Barrie
Lake Simcoe
Beaverton
Napanee
Southampton
Chatsworth
Collingwood
Lindsay
Hastings
Campbellford
Belleville
Peterborough
Angus
Sutton
Adolphustown
Creemore
Bethany
Île de Quinte
Tiverton
Flesherton
Cookstown
Bewdley
Picton
Durham
Alliston
Port Perry
Port Hope
Cobourg
Brighton
Bloomfield
Kincardine
Walkerton
Shelburne
Presqu'île Prov. Park
Schomberg
Aurora
Amberley
Newcastle
Oshawa
Mount Forest
Orangeville
Markham
Ajax
Lac Ontario
Harriston
Wingham
Arthur
Toronto
©ULYSSE

Au nord de Toronto s'étend une belle zone de villégiature où la présence humaine se fait encore discrète. Depuis fort longtemps déjà, cette portion du territoire ontarien attire les visiteurs désireux de s'évader de l'activité urbaine et de profiter de la beauté des paysages, en un coin de pays dénommé la «région des Lacs».

À l'ouest s'étend une région qui profite d'une baie incomparable, la baie Georgienne. Cette contrée séduit en toutes saisons, car on y trouve, en hiver, l'une des seules stations de ski alpin à des kilomètres à la ronde et, en été, de fort belles plages.

Accès et déplacements

■ En voiture

Les lacs Kawartha et les Haliburton Highlands

Le circuit débute à Peterborough, ville située à mi-chemin entre Ottawa et Toronto. Cette localité est par conséquent facilement accessible. Pour vous y rendre à partir d'Ottawa, suivez la route 7. De Toronto, prenez l'autoroute 2, jusqu'à ce que vous croisiez l'autoroute 115, qui se rend à Peterborough.

Barrie et la région du lac Muskoka

Pour s'y rendre en voiture, il suffit de suivre l'autoroute 400 à partir de Toronto jusqu'à Barrie, puis de prendre l'autoroute 11.

■ En autocar (gares routières)

Les lacs Kawartha et les Haliburton Highlands

Peterborough
220 Simcoe St.
☎705-743-8045

Barrie et la région du lac Muskoka

Orillia
150 Front St. S.
☎705-326-4101

Gravenhurst
150 Second St.
☎705-687-2301

Huntsville
77 Centre St. N., angle Main St.
☎705-789-6431

Autour de la baie Georgienne

Owen Sound
1020 Third Ave. E.
☎519-376-5375

Collingwood
22 Second St.
☎705-445-7095

Midland
207 King St.
☎705-526-2218

Renseignements utiles

■ Renseignements touristiques

Les lacs Kawartha et les Haliburton Highlands

Peterborough and the Kawarthas Tourism
1400 Crawford Dr.
Peterborough
☎705-742-2201, 705-742-2994 ou 800-461-6424
www.thekawarthas.net

Barrie et la région du lac Muskoka

Muskoka Tourim
1342 Hwy. 11 N., R.R. 2
Kilworthy
☎705-689-0660 ou 800-267-9700
www.discovermuskoka.ca

Autour de la baie Georgienne

Huronia Tourism Association
Simcoe County Museum
1151 Hwy. 26 W.
Minesing
☎705-726-8502 ou 800-487-6642
www.discoversimcoe.com

Attraits touristiques

Les lacs Kawartha et les Haliburton Highlands ★

▲ p 354 ● p 356

Peterborough (75 000 hab.)

En 1825, le gouverneur Peter Robinson arrive sur le site de l'actuelle Peterborough, au bord du lac Little et de la rivière Otonabee, accompagné de 2 000 immigrants irlandais, et fonde la ville qui porte toujours son prénom. En elle-même, Peterborough est une ville plutôt morose qui attire les visiteurs qui désirent faire une pause entre Ottawa et Toronto. Cependant, les personnes qui empruntent la voie navigable Trent-Severn la verront sous un meilleur jour, car elle bénéficie de trois écluses, dont une étonnante **écluse hydraulique** ★ *(☎705-750-4900)*, véritable ascenseur datant de 1904 qui soulève toujours les bateaux à quelque 20 m au-dessus de l'eau pour leur permettre de poursuivre leur route vers la baie Georgienne. Peterborough est également le site de la **Trent University** *(1600 West Bank Dr.)*.

L'un des chouettes musées de la ville, le **Canadian Canoe Museum** ★ *(7,50$; lun-sam 10h à 17h, dim 12h à 17h; 910 Monaghan Rd., ☎705-748-9153, www.canoemuseum.net)* possède l'une des plus belles collections de canots et de kayaks qui existent. Le canot, cette embarcation qui fut au cœur de la vie des Amérindiens ainsi que des premiers colons, a marqué l'histoire du pays. On présente dans le musée l'évolution de la fabrication des canots, des premiers, faits d'écorce, aux canots modernes. La visite du musée est également un prétexte pour en apprendre plus sur l'histoire du commerce des fourrures et, en quelque sorte, du pays.

Le **Hutchison House Museum** *(3$; oct à avr lun-ven 13h à 17h, mai à sept mar-sam 13h à 17h; 270 Brock St., ☎705-743-9710 ou 866-743-9710)* loge dans une maison qui abrita jadis le cabinet et les appartements du Dr Hutchison, premier médecin à habiter Peterborough. Les habitants lui firent construire la maison en 1837, afin de l'inciter à rester à Peterborough. Aujourd'hui restaurée, elle présente quelques souvenirs rappelant les premiers temps de la ville.

Le **Peterborough Centennial Museum** *(dons appréciés; lun-ven 9h à 17h, sam-dim 12h à 17h; 300 Hunter St. E., ☎705-743-5180)* retrace l'histoire de la ville, des débuts de la colonisation jusqu'au XXe siècle, tout en portant une attention particulière à la vie difficile des premiers immigrants.

Lakefield

Lakefield s'est développée au bord du lac Katchenawooka, le premier des lacs le long de la voie navigable Trent-Severn, en un point de jonction avec la rivière Otonabee, où se jettent de tumultueuses cascades désormais contrôlées grâce à une écluse. La ville n'a pour tout attrait qu'un mignon centre-ville composé de jolies maisonnettes de briques rouges.

Bobcaygeon ★

Passé Peterborough, la route serpente à travers la forêt, ne dévoilant, par endroits, que de charmants hameaux qui semblent plantés là pour permettre au visiteur d'oublier le brouhaha de la ville. La sérénité est certainement la caractéristique qui sied le mieux à la région. Bobcaygeon est l'un de ces paisibles hameaux qui ont de quoi séduire les visiteurs avec son adorable centre-ville et son écluse, la première construite sur le canal, en 1833. Au bord de l'écluse, un parc plaisant a été aménagé. C'est là que vous pourrez observer le va-et-vient des plaisanciers et le fonctionnement de l'écluse tout en profitant des bancs et de l'ombrage de grands arbres.

Haliburton Highlands ★

À l'est de la région des lacs Kawartha, les plaines verdoyantes du Saint-Laurent font peu à peu place à une dense forêt, puis à des collines et à des escarpements rocheux, donnant un avant-goût des paysages typiques du Bouclier canadien. Quelque 600 lacs et rivières baignent ce territoire qui accueille les amateurs d'activités de plein air, comme le canot en été et le ski en hiver. Disséminés sur ce vaste territoire, quelques charmants hameaux tranquilles, comme Minden ou Haliburton, disposent de tous les services d'hébergement et de restaurations.

Algonquin Provincial Park ★★★

En 1893, une portion du territoire ontarien, soit 7 700 km², est protégée de l'exploitation forestière par la création de l'**Algonquin Provincial Park** *(P.O. Box 219, Whitney, K0J 2M0, ☎705-633-5572, www.algonquinpark.on .ca)*, un vaste jardin sauvage qui réserve encore aux visiteurs des paysages fabuleux. Ces derniers en ont d'ailleurs séduit plus d'un, et, déjà en 1912, le parc est une source d'inspiration pour le peintre canadien Tom Thomson, qui marque à jamais ces lieux, car il y crée parmi ses plus belles toiles, puis y meurt mystérieusement en 1917. Quelque temps après, les peintres paysagistes canadiens, connus sous le nom de Groupe des Sept, suivant les traces de Thomson, y viennent à leur tour trouver les sujets de leurs œuvres.

Depuis plus de 100 ans, le parc n'a cessé de susciter de l'engouement auprès des amateurs de plein air, qui viennent y retrouver des lacs miroitants habités par quelques huards, des rivières qui serpentent au pied de falaises de roc, une forêt d'érables, de bouleaux et de conifères, des clairières couvertes de bleuetières, des mammifères variés comme l'ours noir, l'orignal, le castor, le chevreuil ou le raton laveur... Partant à pied ou en canot au sein de cette nature encore indomptée, les visiteurs s'adonnent à un périple qui ne peut qu'être enchanteur.

Une seule route (la route 60, qui s'étend sur 56 km), partant de Pembroke et se rendant jusqu'à Huntsville, traverse le sud du parc; sur cette route se trouve le bureau d'information. Il n'est possible de pénétrer plus profondément au cœur de cette nature qu'à pied, en skis ou en canot, en empruntant un sentier ou en suivant une voie canotable. Toutes ces beautés attirent certes bien des visiteurs; cependant, le nombre de personnes pouvant accéder à certains sites étant limité, il est recommandé de réserver sa place avant de s'y rendre. Les campeurs sont également les bienvenus dans le parc, huit terrains étant aménagés le long de la route 60. Il existe également quatre terrains de camping situés en retrait de la route 60, en des points reculés du parc.

Activités de plein air

■ Croisières

Naviguer sur la **voie navigable Trent-Severn**, longue de 386 km et classée lieu historique national, est sans nul doute une façon à la fois plaisante et différente de découvrir les paysages ontariens. Pour plus de renseignements et pour planifier une telle aventure, vous pouvez écrire à l'adresse suivante:

Voie navigable Trent-Severn
C.P. 567
Peterborough
ON, K9J 6Z6
☎705-750-4900 ou 888-773-8888

Si vous ne disposez pas d'un bateau et que vous désirez suivre la voie Trent-Severn pendant quelques heures, vous pouvez prendre part à des croisières partant de Lindsay ou de Fenelon Falls.

Fenelon Falls Cruise
20$
les billets sont vendus dans Oak St.
Fenelon Falls
☎705-887-9313
www.fenelonboatcruises.com

Barrie et la région du lac Muskoka ★★

p 354 p 356 p 357

S'allongeant au nord de Toronto, l'élégante région du lac Muskoka séduit les vacanciers depuis bientôt une centaine d'années; ils y viennent pour profiter de villages coquets et d'une infrastructure touristique qui a su allier le confort à la discrétion. Au départ de Toronto, ce circuit vous mène à Barrie et à Orillia avant de continuer plus au nord, à Gravenhurst, qui se dresse en bordure du lac Muskoka. Il traverse ensuite les sites bucoliques de Bracebridge et de Huntsville.

Barrie (128 000 hab.)

Après avoir quitté Toronto et sa banlieue, la route se poursuit vers le nord tout en longeant le lac Simcoe. Elle doit cependant contourner la baie de Kempenfelt, qui s'allonge vers l'ouest, tel un long bras de mer, à l'extrémité duquel est établie la ville de Barrie, la plus peuplée de la région. Bien que les abords de cette ville semblent plutôt austères à première vue, vous serez étonné par son centre-ville, avantageusement situé le long de la baie.

Les personnes qui désirent profiter des eaux de la baie de Kempenfelt, en s'adonnant à diverses activités sportives, peuvent se rendre au **Centennial Park**, où se trouve une belle plage de sable souvent envahie pendant les chaudes journées d'été.

Le **Simcoe County Museum** *(4$; lun-sam 9h à 16h30, dim 13h à 16h30; route 26, Midhurst, ☎705-728-3721)*, situé à 8 km au nord de la ville, propose un voyage à travers l'histoire de la région, des premiers habitants jusqu'au XXᵉ siècle. Parmi les aménagements majeurs de ce grand musée, la reconstitution d'une rue commerçante des années 1840 est sans conteste la plus intéressante.

Orillia ★ (30 000 hab.)

Pendant longtemps, ce sont les Ojibwés qui ont habité les terres à la jonction des lacs Simcoe et Couchiching, l'actuel site de la ville d'Orillia; mais, en 1838 et 1839, ils sont délogés par des colons européens qui veulent s'établir dans la région. La ville se développe dès lors; située au cœur de la forêt et entourée de cours d'eau, elle a pour vocations l'exploitation de la forêt et l'agriculture. Cependant, dès la fin du XIXe siècle, une autre industrie lucrative commence à fleurir: le tourisme. Depuis, les visiteurs s'y rendent nombreux pour jouir de sa plaisante situation, au bord du lac Couchiching. L'écrivain Stephen Leacock (1869-1944), qui y demeura, la fit également connaître par certains de ses écrits.

C'est en 1908 que Stephen Leacock achète un lopin de terre au bord du lac Couchiching et s'y fait bâtir une ravissante résidence, devenue le **Stephen Leacock Museum** ★ *(5$; tlj 9h à 17h; 50 Museum Dr., ☎705-329-1908)*. Leacock était professeur d'histoire et d'économie à l'université McGill (Montréal), mais il est surtout connu pour ses œuvres littéraires, qui se démarquent par leur esprit humoristique et leur ironie. Parmi celles-ci, une œuvre retient ici particulièrement l'attention, *Sunshine Sketches of a Little Town*, car ces nouvelles se déroulent à Orillia. Le musée renferme notamment divers manuscrits de l'écrivain. En déambulant dans la demeure, on découvre entre autres l'appartement où Leacock écrivit quelques-unes de ses œuvres ainsi que les autres pièces de la maison garnies de meubles d'époque.

Gravenhurst ★ (11 000 hab.)

Auparavant, Gravenhurst n'était qu'un simple village de bûcherons, mais, à la fin du XIXe siècle, la ville, à l'instar de ses voisines, a bénéficié de l'engouement qu'ont eu les visiteurs pour la région. Ces derniers y sont venus pour profiter de sa belle nature et s'y sont fait bâtir de ravissantes demeures de style victorien qui encore aujourd'hui embellissent les rues de la ville. La ville s'est épanouie au bord du lac Muskoka, et, chaque été, une foule de visiteurs viennent y goûter sa tranquillité et ses allures d'autrefois. Ceux qui voudraient profiter d'une croisière sur les eaux du lac peuvent monter à bord du **RMS *Segwun*** (voir plus loin).

Gravenhurst est également connu pour avoir été le berceau de Norman Bethune, cet éminent médecin canadien; si vous désirez en connaître plus sur les réalisations de cet homme, vous pouvez aller visiter le **Lieu historique national de la Maison-Commémorative-Bethune** *(3,95$; juin à août tlj 10h à 16h, sept et oct sam-mer 10h à 16h; 235 John St. N., ☎705-687-4261)*, où ce célèbre médecin a grandi. Elle renferme des souvenirs couvrant divers aspects de sa vie et certaines des innovations techniques qu'il a mises au point, tel le service mobile de transfusion sanguine.

Bracebridge ★ (15 000 hab.)

Bracebridge est établie au bord de la rivière Muskoka et présente un fort joli visage, avec ses élégantes demeures, ses belles boutiques et, en son centre, un magnifique parc planté d'arbres majestueux. À l'entrée de la ville, le cours de la rivière Muskoka change, car des cascades se jettent dans le lac Muskoka. Dans ses coquettes rues, la ville dispose d'une foule d'installations pour les visiteurs, hôtels confortables et *bed and breakfasts* y étant nombreux.

Huntsville ★ (18 000 hab.)

La pittoresque Hunstville s'est développée à la jonction des lacs Vernon et Fairy, dont on a fort bien tiré parti, le centre-ville s'allongeant au bord de chacun d'entre eux, où un petit pont fait le lien. D'un côté, vous pourrez profiter de chouettes boutiques, et de l'autre, de plaisantes terrasses où vous pourrez déjeuner au bord de l'eau.

La ville comprend quelques lieux d'hébergement tout à fait adéquats, mais ce sont ses alentours qui accueillent surtout les visiteurs, car de superbes complexes hôteliers ont été construits en pleine campagne.

Activités de plein air

■ *Croisières*

The Real Muskoka Experience
28,50$
durée 2h
quai municipal
Gravenhurst
☎705-687-6667
www.realmuskoka.com

À Gravenhurst, vous aurez la chance de monter à bord d'un authentique bateau à vapeur datant du XIXe siècle, le **RMS *Segwun*** qui vous entraînera à la découverte de quelques superbes panoramas de la région du lac Muskoka (réservation recommandée).

Autour de la baie Georgienne ★★

p 355 · p 357 · p 348 · p 358

Formée par la péninsule Bruce, qui s'avance dans les eaux du lac Huron, la baie Georgienne vous apparaîtra comme une formidable étendue d'eau douce qui s'étend à l'infini. Ce circuit vous entraîne dans quelques-uns des plus jolis villages de la région ainsi qu'au cœur de ce qui fut jadis la Huronie.

L'escarpement du Niagara

L'escarpement du Niagara est en fait une vaste cuvette géologique dont l'origine remonte à quelque 400 millions d'années, alors que des mers peu profondes recouvraient la région. Les fonds marins se sont au fil des ans tapissés de coraux et de restes osseux qui ont formé une couche calcaire très solide, la dolomite. Après le retrait des eaux, la dolomite a mieux résisté à l'érosion que les couches de roche situées au-dessous d'elle, et, se retrouvant peu à peu sans support, elle s'est effondrée, créant alors une vaste cuvette dont le rebord va de l'État de New York jusqu'à la baie Georgienne.

Tobermory

À l'extrémité de la péninsule Bruce se dresse le petit village de Tobermory, qui compte quelque 3 500 habitants. Toutefois, en été, il devient la plaque tournante d'une activité fébrile, alors que son port s'anime d'une foule de plaisanciers venus profiter de ses installations et, surtout, sillonner les eaux invitantes du lac Huron. Il est en outre au cœur d'un va-et-vient intense au moment des départs et des arrivées du *Chi-Cheemaun*, le traversier qui emmène les visiteurs sur l'**île Manitoulin** (voir p 416). Nombre de visiteurs s'y rendent également pour partir à la découverte du superbe parc national Fathom Five (voir ci-dessous), où se trouve l'île Flowerpot. D'autres y arrivent plutôt au terme d'une longue et fascinante randonnée à pied, car c'est ici que se termine le Bruce Trail.

Le **parc national de la Péninsule-Bruce ★★** *(P.O. Box 189, Tobermory, N0H 2R0, ☎519-596-2233, www.pc.gc.ca)* protège une vaste portion de cette bande de terre longue de 80 km qu'est la péninsule de Bruce, qui s'enfonce dans les eaux du lac Huron, délimitant en partie la baie Georgienne. Cet immense parc comporte, sur son territoire, des terres privées et des jardins naturels encore sauvages, couverts non seulement de diverses essences de la forêt boréale, mais aussi de fleurs singulières; on y dénombre une quarantaine de variétés d'orchidées. Enfin, sa faune n'en est pas moins fascinante, car le parc est entre autres habité par le cerf de Virginie, le castor, le dangereux «massasauga», un serpent venimeux, et pas moins de 170 espèces d'oiseaux. On pénètre au cœur de cette nature en suivant l'un des sentiers de randonnée qui sillonnent le parc, qu'il s'agisse du Bruce Trail ou d'un des sentiers du lac Cyprus. Des plages (au lac Cyprus et à la baie Dorcas) et des emplacements de camping sont également mis à la disposition des visiteurs.

À l'extrémité de la péninsule Bruce, vous apercevrez une série d'îles, 19 en tout, qui sont en fait les dernières pointes de l'escarpement du Niagara. Ces masses calcaires ont été sculptées au fil des ans et forment aujourd'hui des piliers rocheux bien particuliers, dont le plus connu, aussi celui qui présente les formes les plus inusitées, est l'île Flowerpot. Toute cette zone marine est protégée par le **parc marin national Fathom Five ★★** *(P.O. Box 189, Tobermory, N0H 2R0, ☎519-596-2233, www.pc.gc.ca)*.

Outre ces îlots rocheux dont seule l'île Flowerpot a été aménagée, offrant des emplacements de camping et des sentiers, cette zone cache les épaves des navires qui ont fait naufrage à la fin du XIXe siècle et au début du XXe siècle dans les eaux parfois traîtresses du lac Huron. Il est possible de les explorer en prenant part à une excursion de plongée ou en montant à bord de bateaux à fond vitré.

Owen Sound (22 000 hab.)

Owen Sound, autrefois Sydenham, fut nommée en l'honneur de l'amiral Owen, qui fit en ces lieux les premiers levés hydrographiques de la baie Georgienne, permettant ainsi d'accroître la sécurité de la navigation sur les Grands Lacs. Cette petite ville bénéficie donc de la proximité de cette superbe baie qui compose de jolis paysages. Malheureusement, sur une partie des rives bordant la ville, des industries se sont établies, conférant à certains quartiers des allures moroses. Son centre-ville a meilleure allure, présentant une succession de bâtiments de briques rouges et de commerces.

Si vous cherchez à vous balader et à profiter d'une agréable aire de verdure, rendez-vous au **Harrison Park ★**, qui comprend des étangs où nagent canards et oies sauvages, des tables de pique-nique et un restaurant.

Collingwood ★

Au début du XXe siècle, Collingwood, située aux abords de la baie Georgienne, constituait un centre important pour la construction navale. Lorsque cette industrie commença à décliner, sa situation géographique, près des belles plages de la baie et non loin de la Blue Mountain, lui permit de développer une seconde industrie prospère, le tourisme. Aujourd'hui, cette mignonne petite ville possède toutes les ressources pour séduire les vacanciers: jolies boutiques, auberge au bon confort et délicieux restaurants.

Wasaga Beach ★★

La **plage de Wasaga** *(stationnement 12$; ☎705-429-2516)* est un haut lieu du tourisme dans la région. Il s'agit en fait d'une longue et magnifique bande de sable blond qui borde sur 14 km la baie Nottawasaga, dans la baie Georgienne. Par endroits, des résidences de villégiature ont été construites. Ailleurs, c'est plutôt un développement touristique anarchique qui prend tout l'espace: boutiques de souvenirs, glissades d'eau donnant sur la plage, restaurants et autres commerces. On aime ou on n'aime pas, mais tous s'y rendent pour profiter d'un bain de soleil et des eaux miroitantes du lac.

Midland ★★ (16 000 hab.)

Aujourd'hui petite et paisible, Midland fut jadis au centre de la Huronie, à quelques kilomètres à peine des lieux où les pères jésuites venus évangéliser les Autochtones s'installèrent et où, quelques années plus tard, des massacres transformèrent à tout jamais la nation huronne qui les avait accueillis. Des reconstitutions historiques, dont une particulièrement fascinante (Sainte-Marie among the Hurons, voir ci-dessous), permettent de remonter dans le temps alors que les Hurons et les Jésuites habitaient la région.

Sans avoir l'ampleur du site de Sainte-Marie among the Hurons, le **Huronia Museum & Ouendat Village** *(8$; tlj 9h à 17h, fermé dim de jan à mars; King St. S., Little Lake Park, ☎705-526-2844)* vise à vous initier à la société huronne, et vous pourrez y voir une reconstitution assez réussie d'un village amérindien.

››› *Les autres attraits sont situés à 5 km à l'est de la ville. Malheureusement, aucun service de transport en commun n'est offert. Si vous ne possédez pas de voiture, vous devrez vous y rendre en taxi.*

Au bord de la route se dresse le **Martyrs' Shrine** *(route 12, à côté de Sainte-Marie among the Hurons, ☎705-526-3788)*, un sanctuaire catholique dédié aux premiers martyrs canadiens, notamment Jean de Brébeuf, Gabriel Lalemant et Antoine Daniel. Ils étaient venus évangéliser les Hurons et furent tués par les Iroquois. De l'autre côté de la rue se trouve Sainte-Marie among the Hurons.

Sainte-Marie among the Hurons ★★ *(11,25$; mi-mai à mi-oct tlj 10h à 17h, début mai à mi-mai et mi-oct à fin oct lun-ven 10h à 17h; route 12, à 5 km à l'est de Midland, ☎705-526-7838, www.saintemarieamongthehurons.on.ca)*. Au moment de la colonisation par les Européens, la région de la baie Georgienne était le territoire des Hurons, l'une des premières nations autochtones de l'Ontario à avoir eu des contacts avec les Européens; Étienne Brûlé s'y rend vers 1610. Les relations qu'entretiennent alors les Amérindiens avec les Français sont à ce point bonnes que des pères jésuites arrivent dès 1620 dans le but d'évangéliser ces Amérindiens et qu'ils y fondent une mission en 1639. Cet objectif a cependant de profondes conséquences sur la société huronne, qui se voit alors déchirée en deux groupes, convertis et non convertis; des dissensions éclatent, désorganisant leur structure sociale. La société est d'autant plus déstabilisée que plusieurs de ses membres meurent de maladies, comme la grippe et la variole, apportées par les Européens.

C'est donc une société grandement affaiblie qui doit affronter les guerriers iroquois entrés en guerre afin de prendre le contrôle du commerce des fourrures. En 1648, les Iroquois attaquent la mission, capturant, torturant et tuant les pères jésuites Jean de Brébeuf, Antoine Daniel et Gabriel Lalemant, et décimant les Hurons. En 1649, les derniers Hurons et Jésuites abandonnent la mission et se réfugient à Québec.

Sur le site actuel est reconstituée la mission de Sainte-Marie telle qu'elle était autour des années 1630, avec le village, les «maisons longues» ainsi que les outils utilisés par les Hurons. En le visitant, on est invité à y prendre connaissance du mode de vie des habitants de la mission, des guides habillés en costumes d'époque (pères jésuites, colons, Amérindiens) faisant revivre leur quotidien. Après avoir visité la mission, un musée permet d'en apprendre plus sur la société huronne d'alors.

Wye Marsh Wildlife Centre (voir p 353).

Parc national des Îles-de-la-Baie-Georgienne ★★

Les 30 000 îles s'égrenant dans la baie Georgienne présentent des tableaux typiques du Bouclier canadien: conifères et rochers dénudés, ceux-là même qui inspirèrent Tom Thomson et le

La voie navigable Trent-Severn

Au XIXe siècle, la voie navigable allant de Trenton à la baie Georgienne servait à une foule de personnes, aux agriculteurs et commerçants entre autres, mis à rude épreuve en raison de l'importante dénivellation des eaux. Pour faciliter les déplacements et régulariser le niveau de l'eau, on envisagea de construire une série de canaux et d'écluses. Le projet était ambitieux, et il ne fut terminé que plusieurs années plus tard car, comble de malchance, la navigation n'était plus le seul moyen de se déplacer et avait perdu de son importance. La voie navigable n'en fut pas moins achevée et attire désormais les plaisanciers. Cette voie longue de 386 km, ponctuée de 36 écluses simples, de deux échelles d'écluses, de deux ascenseurs hydrauliques et d'un ber roulant, promet un voyage fascinant aux navigateurs de tout âge. Il est également possible de découvrir quelques beautés de cette voie même si vous ne possédez pas d'embarcation, car la route la croise et d'agréables parcs sont aménagés près des écluses.

Groupe des Sept. Ces scènes naturelles en ont d'ailleurs ravi plus d'un, et très tôt ces petites îles ont fait l'envie de riches vacanciers qui se les approprièrent une à une jusqu'en 1929, alors qu'on décida de créer un parc, le **parc national des Îles-de-la-Baie-Georgienne** *(☎705-526-9804, www.pc.gc.ca)*, pour garder dans le domaine public 59 d'entre elles. Aujourd'hui, ces terres encore sauvages accueillent les visiteurs, qui ne peuvent y accéder que par bateau. Les personnes ne possédant pas d'embarcation peuvent s'y rendre au moyen de bateaux-taxis, au départ de Honey Harbour, ou d'embarcations privées partant des marinas des villes côtières comme Penetanguishene et Midland. Une seule de ces îles est aménagée, l'île Beausoleil, qui dispose de sentiers de randonnée et d'emplacements de camping. Toutefois, où que vous alliez dans ce parc, vous devrez apporter les vivres nécessaires (voir aussi «Croisières», ci-dessous).

Activités de plein air

■ Croisières

Des croisières au cœur de la baie Georgienne, autour des 30 000 îles, sont proposées au départ de Midland, de Penetanguishene et de Parry Sound, une occasion rêvée de s'emplir les yeux de magnifiques paysages.

Miss Midland
23$
durée 2h30
quai municipal
Midland
☎705-549-3388
www.midlandtours.com

Georgian Queen
22$
durée 2h30
quai municipal
Penetanguishene
☎705-549-7795
www.georgianbaycruises.com

■ Observation des oiseaux

Longtemps dénigrés, les marais jouent en fait un rôle nécessaire à la survie de tout un écosystème, et le **Wye Marsh Wildlife Centre** *(10$; tlj 9h à 17h; route 12, à côté de Sainte-Marie among the Hurons, ☎705-526-7809, www.wyemarsh.com)* s'est donné pour objectifs de protéger cet environnement essentiel à de multiples espèces animales et de sensibiliser les visiteurs à l'importance et à la fragilité de ce monde passionnant. Des sentiers sillonnent le bois et les marais, permettant aux promeneurs d'observer à leur aise une foule d'oiseaux; certains, comme la mésange, font d'ailleurs particulièrement bon ménage avec les visiteurs et n'ont aucune crainte à venir prendre les graines qui leur sont tendues.

■ Randonnée pédestre

La région qui s'étend de Collingwood à Tobermory (Bruce County) est sillonnée par une cinquantaine de sentiers de randonnée pédestre, qui s'allongent parfois sur quelques kilomètres et d'autres fois sur plus de 300 km (Bruce Trail). Certains sentiers s'enfoncent au cœur d'une forêt dense, alors que d'autres dévoilent des points de vue magnifiques sur les eaux de la baie Georgienne ou du lac Huron. Le site Internet *www.brucegreytrails.com* présente une foule de renseignements sur ces sentiers.

■ *Ski alpin*

Blue Mountain Ski Resort *(R.R. 3, Collingwood, ☎ 705-445-0231 ou 877-445-0231, www.bluemountain.ca)*. Les amateurs de ski alpin et de planche à neige pourront s'en donner à cœur joie à la station de ski Blue Mountain, qui a connu, ces dernières années, un important développement. Elle compte pas moins de 34 pistes de ski alpin et de planche à neige, certaines éclairées en soirée, sans oublier la toute dernière technologie en fait de remonte-pentes.

Hébergement

Les lacs Kawartha et les Haliburton Highlands

Peterborough

Holiday Inn
$$$
150 George St. N.
☎ 705-743-1144 ou 877-660-8550
www.holidayinn.com

Vous n'aurez aucun mal à trouver le Holiday Inn, qui a été construit juste à l'entrée de la ville mais en bordure de la rivière, ce qui lui confère une ambiance paisible. Ce grand hôtel dispose en outre de toutes les ressources pour accueillir adéquatement les visiteurs et leurs familles, offrant entre autres deux piscines qui donnent sur la rivière.

Bobcaygeon

Bobcaygeon Inn
$$-$$$
31 Main St.
☎ 705-738-5433 ou 800-900-4248
www.bobcaygeon.inn.ca

Ce n'est pas d'hier que les murs du Bobcaygeon Inn accueillent les visiteurs, car déjà, dans les années 1920, ils renfermaient un hôtel. Depuis lors, l'endroit a été rénové, et vous y trouverez des chambres au décor vieillot qui ont gardé un certain cachet d'une autre époque. Vous profiterez également du site unique de cette auberge construite juste au bord de l'eau.

Haliburton

Domain of Killien
$$$$
de Haliburton, prenez la route 118 en direction ouest jusqu'à la County Rd. 19, que vous suivrez sur 10 km jusqu'à Carrol Rd.
☎ 705-457-1100 ou 800-390-0769
www.domainofkillien.com

Si vous rêvez de séjourner dans un havre de paix en plein cœur d'une nature généreuse, au bord d'un lac, rendez-vous au Domain of Killien. Cet établissement ne compte pas plus de 12 chambres, certaines aménagées dans une grande maison, les autres dans de mignons chalets, toutes profitant d'un décor chaleureux où domine le bois. Il offre aux vacanciers une atmosphère paisible, parfaite pour se remettre de la cohue urbaine. Son domaine exceptionnel de plus de 2 000 ha se prête à merveille à la randonnée en été et au ski de fond en hiver, sentiers et pistes y étant aménagés. En outre, les clients ont la chance de profiter d'un délicieux restaurant proposant une cuisine française.

Algonquin Provincial Park

La route 60 traverse le sud du parc où, sur 56 km, sont répartis huit terrains de camping. Aménagés de façon à pouvoir accueillir les visiteurs qui veulent découvrir les beautés de la nature sans nécessairement s'enfoncer dans le parc pour plusieurs jours, ces terrains sont à la disposition de toute la famille. Certains comptent plus de 250 emplacements pourvus d'électricité; d'autres, plus petits, reçoivent des amateurs de camping sauvage. Quelle que soit votre préférence, vous serez à coup sûr emballé. Il est possible de réserver *(☎ 888-668-7275, www.ontarioparks.com)*.

Arowhon Pines
$$$$$
☎ 705-633-5661 ou 866-633-5661
☎ 416-483-4393 (en hiver)
www.arowhonpines.ca

Vous rêvez de passer une nuit en plein cœur de la forêt du parc Algonquin, loin de tout développement urbain, dans un établissement rustique et de bon confort. Descendez à l'hôtel Arowhon Pines. Vous dormirez alors dans une chambre au décor champêtre qui n'a rien à envier au luxe de certains hôtels urbains. Une expérience unique.

Barrie et la région du lac Muskoka

Orillia

Cavana House
$$-$$$
241 Mississaga St.
☎ 705-327-7759 ou 888-896-3611
www.cavanainn.com

La Cavana House bénéficie d'un emplacement de choix à Orillia, car elle se trouve à deux pas du centre-ville et de son animation, tout en se nichant sur une des belles et paisibles artères de la ville. Cette maison datant de 1889 a été rénovée avec minutie et convertie en un gîte invitant. Toutes les pièces, dont les chambres, sont garnies de meubles d'époque conférant à l'établissement un élégant cachet d'antan.

Gravenhurst

Taboo Resort, Golf and Spa
$$$$ ≡ ≋ Ψ ◎ ≀≀≀ ♿ @ Y
1209 Muskoka Beach Rd.
☎705-687-2233 ou 800-461-0236
www.tabooresort.com
Le complexe hôtelier Taboo Resort bénéficie d'un environnement particulièrement tranquille au bord du lac Muskoka, en retrait de la ville. Il dispose d'un vaste terrain sur lequel sont répartis les chalets ou des bâtiments abritant les chambres. Outre l'hébergement, vous y trouverez de quoi vous divertir, le complexe offrant une plage, des piscines, des courts de tennis et un terrain de golf. Il abrite également de bons restaurants.

Bracebridge

Inn at the Falls
$$$-$$$$ ≋ Ψ ≡ ▲ ◎
1 Dominion St.
☎705-645-2245 ou 877-645-9212
www.innatthefalls.net
Plus élégant, l'Inn at the Falls se compose de plusieurs maisons anciennes, toutes plus mignonnes les unes que les autres, qui abritent des chambres garnies d'antiquités. Elles offrent un bon confort, et certaines profitent même d'un balcon, d'un foyer ou d'une baignoire à remous. Les maisons donnent toutes sur une petite rue paisible, au bout de laquelle coule la rivière Muskoka, qui, en ce point, forme une chute.

Muskoka Riverside Inn
$$$-$$$$ ≡ Ψ ≀≀≀ ♿ ≋ @
300 Ecclestone Dr.
☎705-645-8775 ou 800-461-4474
En entrant dans la ville, vous croiserez le Muskoka Riverside Inn, un grand hôtel sans charme mais au confort moderne qui dispose d'allées de jeu de quilles et d'installations sportives.

Huntsville

Ce n'est pas dans la ville même que vous trouverez les lieux d'hébergement les plus attrayants, mais dans un vallon situé à quelques kilomètres de Huntsville. En prenant la route 60, vous croiserez la route 3, qui donne sur une immense étendue de verdure où de grands complexes hôteliers ont été construits.

Deerhurst Resort
$$$$-$$$$$
≡ ≋ Ψ ≀≀≀ ◎ ▲ @ ♿ Y
1235 Deerhurst Dr.
☎705-789-6411 ou 800-461-4393
www.deerhurst.on.ca
Le complexe hôtelier Deerhurst s'étend au bord du lac Peninsula et bénéficie d'un site naturel sans pareil où règnent le calme et l'air pur. Il comprend des bâtiments de bois hauts de trois étages abritant des chambres au confort irréprochable; certaines sont munies d'une cuisinette et d'un foyer. Ici, on ne se soucie pas seulement de loger les visiteurs, mais aussi de les divertir, une foule d'activités étant organisée.

Delta Grandview Inn
$$$$-$$$$$
≡ ≋ Ψ @ ≀≀≀ ◎ Y
939 Highway 60
☎705-789-4417 ou 877-472-6388
www.deltahotels.com
Jadis, l'élégante demeure du Grandview était une résidence privée. Aujourd'hui, c'est un superbe complexe hôtelier où tout a été conçu de façon à ce que les visiteurs y passent d'excellents moments. Les chambres, toutes coquettement décorées, et les activités variées, allant du golf à la randonnée en forêt, promettent un séjour à la fois reposant et passionnant.

Autour de la baie Georgienne

Owen Sound

Best Western Inn on the Bay
$$$ Ψ ♿ ◎ @ ≀≀≀
1800 Second Ave. E.
☎519-371-9200 ou 800-780-7234
www.bestwestern.com
Pour vous rendre au Best Western, vous devrez traverser un quartier industriel un peu morose au terme duquel vous apercevrez le bâtiment de l'hôtel qui se dresse au bord de la baie d'Owen Sound. L'établissement a été judicieusement conçu pour regarder vers les flots de la baie, de sorte que chaque chambre bénéficie d'une belle vue. Il s'agit de l'hôtel de la ville profitant de l'emplacement le plus agréable, aussi est-il souvent complet la fin de semaine.

Collingwood

Beild House Country Inn & Spa
$$$-$$$$ pc Y ▲ ≡ @ Ψ
64 Third St.
☎705-444-1522 ou 888-322-3453
www.beildhouse.com
Si vous préférez loger dans un établissement charmant plutôt que de bénéficier de la proximité d'un centre de plein air, vous serez comblé par le Beild House Inn. La maison, dont la construction remonte au début du siècle dernier, a depuis été rénovée avec art, de sorte que l'on se sent bien dans toutes les pièces. Qu'il s'agisse de la salle de séjour, fort vaste et pourvue d'un foyer, ou des chambres, décorées de papier-peint, d'antiquités et de lits profitant d'édredons douillets, cette auberge a tout pour vous séduire. Mais l'aménagement intérieur fort réussi n'est pas son seul attrait, car on y sert un petit déjeuner fait maison absolument délicieux. Un spa est aménagé au sous-sol.

Blue Mountain Inn

$$$$

R.R. 3

705-445-0231 ou 877-445-0231

www.bluemountain.ca

Le complexe hôtelier Blue Mountain Inn constitue sans conteste l'établissement le plus connu de la région. Son emplacement, au pied des pentes de la station de ski Blue Mountain, y compte certes pour beaucoup. Les chambres, de bon confort et fonctionnelles, sont aménagées dans un long bâtiment moderne. Des appartements équipés d'une cuisinette sont également disponibles. Le site est populaire en toute saison, car, outre le ski en hiver, il profite également de glissades d'eau en été, de la proximité d'un golf et de sentiers de vélo de montagne.

Wasaga Beach

Lakeview Motel

$$$

44 Mosley St.

705-429-5155

Dans Mosley Street, le Lakeview Motel constitue une option acceptable pour ce type d'établissement. Il offre l'avantage d'être situé relativement près de la plage.

Restaurants

Les lacs Kawartha et les Haliburton Highlands

Peterborough

Häaselton

$

394 George St. N.

705-741-5456

Non loin du centre Eaton, qui domine littéralement le centre-ville de Peterborough, vous trouverez le restaurant Häaselton, où vous pourrez vous reposer quelques instants en sirotant un bon cappuccino. Le midi, des plats simples et bons, comme des sandwichs et des soupes, toujours faits à partir d'ingrédients sains, s'avèrent idéaux.

38 Degrees

$$-$$$

375 Water St.

705-750-0038

Sympathique établissement à la décoration chaleureuse avec ses couleurs riches et ses murs de briques, 38 Degrees présente une carte qui opte pour une cuisine saine et naturelle. Son menu rejoint une clientèle soucieuse de bien s'alimenter et recherchant un cadre convivial.

Bobcaygeon

Waterfront Patio

$$

Bobcaygeon Inn

31 Main St.

705-738-5433

Le **Bobcaygeon Inn** (voir p 354) abrite un pub sympathique pour prendre une bouchée entre amis. C'est cependant son Waterfront Patio qui se fait le plus invitant par les belles journées ensoleillées: on peut alors s'offrir un repas simple, notamment des hamburgers, et ce, tout en étant agréablement installé au bord de l'eau.

Algonquin Provincial Park

Arowhon Pines

$$$$

705-633-5661

Le restaurant de l'hôtel **Arowhon Pines** (voir p 354) bénéficie d'un emplacement de choix au bord d'un des lacs du parc Algonquin, d'où vous pourrez contempler un paysage quasi féerique, avec seul l'écho de la forêt pour troubler votre repas. Outre le chaleureux foyer qui occupe le centre de la salle à manger, vous profiterez d'un excellent repas préparé à partir d'ingrédients toujours frais.

Barrie et la région du lac Muskoka

Barrie

Webers Downtowner

$

11 Victoria St.

705-734-9800

Webers Downtowner, une véritable institution du hamburger en ville, aura certainement de quoi combler les petites ou grosses fringales.

Orillia

La Mezzaluna Café

$-$$$

133 Mississaga St. E.

705-329-4684

Petit café à l'italienne aux murs de briques, La Mezzaluna attire une clientèle variée dont les préférences communes sont le bon café et les pâtisseries fraîches. On y sert également des sandwichs, des salades et des pâtes. Le soir, on propose des mets plus raffinés.

Ossawippi Express Dining Cars

$$$-$$$$

210 Mississaga St. E.

705-329-0001

Superbe restaurant aménagé à l'intérieur d'anciens wagons et judicieusement décoré, Ossawippi Express Dining Cars propose une cuisine raffinée qui présente une touche d'originalité dans son approche. Le chef, tout en se fiant sur des valeurs sûres de la cuisine d'inspiration française, intègre quelques éléments de cuisine internationale, notamment asiatique et latino-américaine. Le résultat apparaît à la fois savoureux, relevé et audacieux, et justifie amplement la réputation enviable que s'est forgé l'établissement depuis sa création. Cette nouvelle cuisine inventive est certes un plus pour la communauté d'Orillia, autrement mal pourvue en tables de qualité.

Bracebridge

The Old Station Restaurant
$$
88 Manitoba St.
☎705-645-9776
Restaurant dans la tradition nord-américaine servant des plats simples et de la bière pression dans un cadre convivial et sans prétention, The Old Station Restaurant se veut un endroit populaire en plein cœur de Bracebridge. Le vieux bâtiment de briques bénéficie d'une terrasse à l'avant où les convives savourent leurs steaks, hamburgers, *fish and chips* et autres plats peu raffinés mais de qualité.

Inn at the Falls
$$-$$$$
1 Dominion St.
☎705-645-2245
www.innatthefalls.net
L'élégante auberge qu'est l'**Inn at the Falls** (voir p 355) comprend un pub, le **Fox & Hounds** *(**$$**)*, où l'on peut savourer un bon repas dans un cadre chaleureux. Par les belles journées d'été, c'est le restaurant **The Patio** *(**$$-$$$**)* qui attire les visiteurs, en raison de sa terrasse et de sa vue sur les environs. Enfin, ceux qui recherchent plutôt un cadre raffiné pour déguster leur repas, le **Chanterelle** *(**$$$$**)* est tout indiqué.

Huntsville

3 Guys and a Stove
$$-$$$
141 Hwy. 60 E., à quelques minutes du centre-ville
☎705-789-1815
Un cadre agréable, un service impeccable et une cuisine raffinée et parfumée vous attendent au 3 Guys and a Stove. Aménagé dans une maison en bois, ce restaurant à la réputation enviable propose une carte originale où se démarquent la soupe au cari, patates douces et citrouille, ainsi que le ragoût de poulet. La terrasse arrière donne sur un jardin qui jouxte le lac Peninsula. Une belle adresse juste à l'extérieur du centre du charmant village de Huntsville.

Autour de la baie Georgienne

Owen Sound

Bishop's Landing
$-$$$
Inn on the Bay
1800 Second Ave. E.
☎519-371-9200
Si vous aimez regarder le soleil se lever sur les flots, allez prendre votre petit déjeuner au restaurant du **Best Western Inn on the Bay** (voir p 355).

Norma Jean's Restaurant
$$
243 Eight St. E.
☎519-376-2232
Ici, Norma Jean Baker, alias Marilyn Monroe, est à l'honneur: des affiches et des statuettes de cette actrice ornent les murs de ce resto sympathique. Parfait pour une bouchée entre amis, l'établissement est très fréquenté par des habitués venus manger un hamburger, une salade ou un plat de bœuf.

Collingwood

Café Chartreuse
$-$$
70 Hurontario St.
☎705-444-0099
Ceux qui se rendent en ville pour s'offrir un repas équilibré (le matin ou le midi) seront ravis de s'attabler au Café Chartreuse, dont les plats sont concoctés à partir d'ingrédients sains. Le décor, dépouillé, se distingue nettement, et agréablement, de celui des grandes chaînes de restauration rapide.

Azzura Trattoria
$$$-$$$$
100 Pine St.
☎705-445-7771
Plus chic, plus chère, la Azzura Trattoria profite de larges baies vitrées qui donnent sur la rue, de tables élégantes tendues de nappes blanches, ainsi que d'une ambiance un peu guindée qui n'a rien de déplaisant. Au menu: des spécialités italiennes élaborées parfois selon les règles, parfois avec une touche d'originalité qu'on découvre avec plaisir.

Midland

Freda's Restaurant
$$$
342 King St.
☎705-526-4851
Fondé par Freda en 1975, le Freda's Restaurant est dirigé depuis 1992 par son fils Glen Grittanis. Dans cet établissement renommé de Midland, de style rustique et meublé d'antiquités, le chef propose une excellente cuisine classique italienne composée de steaks tendres, de fruits de mer frais et de pâtes dont seuls les Italiens connaissent le secret. Le tout se termine en beauté par un délicieux dessert et un espresso.

Sorties

■ Bars et boîtes de nuit

Collingwood

Le soir venu, été comme hiver, l'**Admiral's Post** *(2 School Ln., ☎705-445-1833)* est l'endroit tout indiqué pour prendre une bière entre amis dans une ambiance décontractée.

■ Fêtes et festivals

Août

Présenté à Barrie au début août, le festival **Kempenfest** *(www.kempenfest.com)* regroupe quelque 200 exposants venus présenter de l'artisanat, des antiquités et des objets d'art.

Achats

■ Artisanat

Curve Lake Indian Reserve

Whetung Ojibwa Centre
Curve Lake
☎705-657-3661
L'une des belles boutiques de la région pour faire provision d'artisanat amérindien est sans nul doute celle de la communauté ojibwée de Curve Lake.

Orillia

En traversant la communauté de Rama, vous croiserez le **Rama Moccasin and Smoke** *(6413 Rama Rd., ☎705-325-5041)*, semblable à ces magasins qu'on retrouve un peu partout dans les communautés amérindiennes. Ne vous laissez pas influencer par l'aspect pour le moins folklorique du bâtiment (tipis et ours en bois dans le stationnement), car vous y trouverez de très belles pièces d'artisanat autochtone.

Toronto

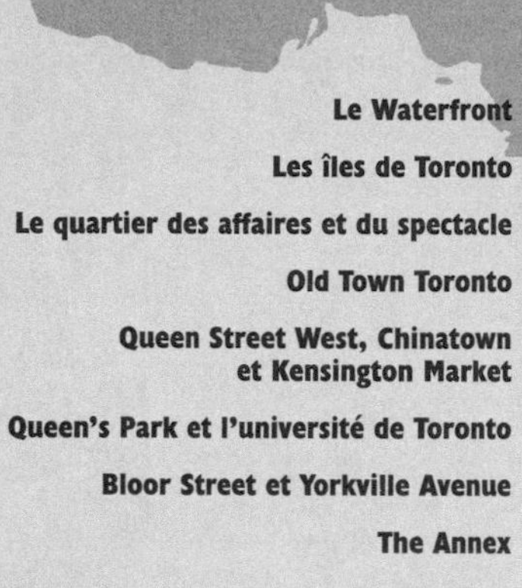
Le Waterfront
Les îles de Toronto
Le quartier des affaires et du spectacle
Old Town Toronto
Queen Street West, Chinatown et Kensington Market
Queen's Park et l'université de Toronto
Bloor Street et Yorkville Avenue
The Annex
The Beaches
Les environs de Toronto

TORONTO ET SES ENVIRONS

Multiculturelle, vivante et colorée, la ville de **Toronto** ★★★ n'a pas fini de surprendre. Capitale économique canadienne, longtemps considérée comme une ville trop sage, Toronto est aujourd'hui une métropole digne de ce nom et propose un large éventail d'activités.

Au fil des années, de nombreux projets de revitalisation urbaine ont rafraîchi le paysage urbain. Cette revitalisation de la ville a débuté par la construction du nouvel hôtel de ville, qui donna finalement aux Torontois le premier espace public avec une allure qui lui est propre.

Maintenant Toronto englobe les six municipalités originales de Toronto, North York, Scarborough, York, Etobicoke ainsi qu'East York, qui ne font à présent qu'une. Elle constitue la plus grande agglomération canadienne; ses activités financières en font l'un des pôles d'attraction les plus populaires en Amérique du Nord pour les immigrants.

Toronto abrite ainsi la plus grande communauté italienne du Canada et la deuxième communauté chinoise en importance au pays, de même que d'importantes communautés juive, portugaise, ukrainienne et grecque. Cet afflux massif d'immigrants à la suite de la Seconde Guerre mondiale a profondément modifié le visage de Toronto, aujourd'hui la plus grande ville du Canada en même temps que la plus diversifiée sur le plan culturel.

Accès et déplacements

■ Orientation

Le quadrillage des rues de Toronto facilitera vos déplacements. La rue Yonge (prononcer *young*) est la principale artère nord-sud, et elle divise les parties est et ouest de la ville. Elle s'étire en outre sur une distance de 1 896 km, soit des rives du lac Ontario à Rainy River.

Le suffixe «East» ou «E.», qui s'attache au nom de certaines rues, indique que les adresses en question se trouvent à l'est de Yonge Street; inversement, une adresse se lisant «299 Queen Street W.» se trouve à quelques rues à l'ouest de Yonge Street. Le centre-ville de Toronto est généralement identifié comme étant le quartier qui s'étend au sud de Bloor Street entre Spadina Avenue et Jarvis Street.

■ En avion

La ville de Toronto est desservie par le **Toronto Pearson International Airport** (voir p 42).

■ En voiture

La plupart des visiteurs qui arrivent de l'est ou de l'ouest en voiture entreront à Toronto par l'autoroute 401, qui traverse la portion nord de la ville. Si vous venez de l'ouest, prenez l'autoroute 427 vers le sud jusqu'à la Queen Elizabeth Way East. Poursuivez sur cette voie (qui devient par la suite la Gardiner Expressway) et sortez à la rue York, Bay ou Yonge pour aller au centre-ville. Si vous venez de l'est par la 401, empruntez la Don Valley Parkway vers le sud qui devient la Gardiner Expressway, que vous suivrez vers l'ouest jusqu'à la sortie York, Bay ou Yonge. Notez que la circulation est toujours très dense aux heures de pointe sur les grands axes routiers de Toronto.

Location de voitures

Avis
Brookfield Place
161 Bay St.
☎416-777-2847

Budget
141 Bay St.
☎416-364-7104

National
930 Yonge St., angle Davenport Rd.
☎416-925-4551
Union Station
65 Front St. W.
☎416-364-4191

Thrifty
1108 Bay St., angle Bloor St.
☎416-515-0366

■ En autocar

Les services d'autocars à destination et en provenance de Toronto sont assurés par diverses compagnies dont les principales sont **Greyhound Canada** *(☎800-661-8747, www.greyhound.ca)* et **Coach Canada** *(☎800-461-7661, www.coachcanada.com)*.

Gare routière de Toronto, le **Toronto Coach Terminal** *(610 Bay St.)* se trouve au centre-ville à proximité du quartier chinois (Chinatown).

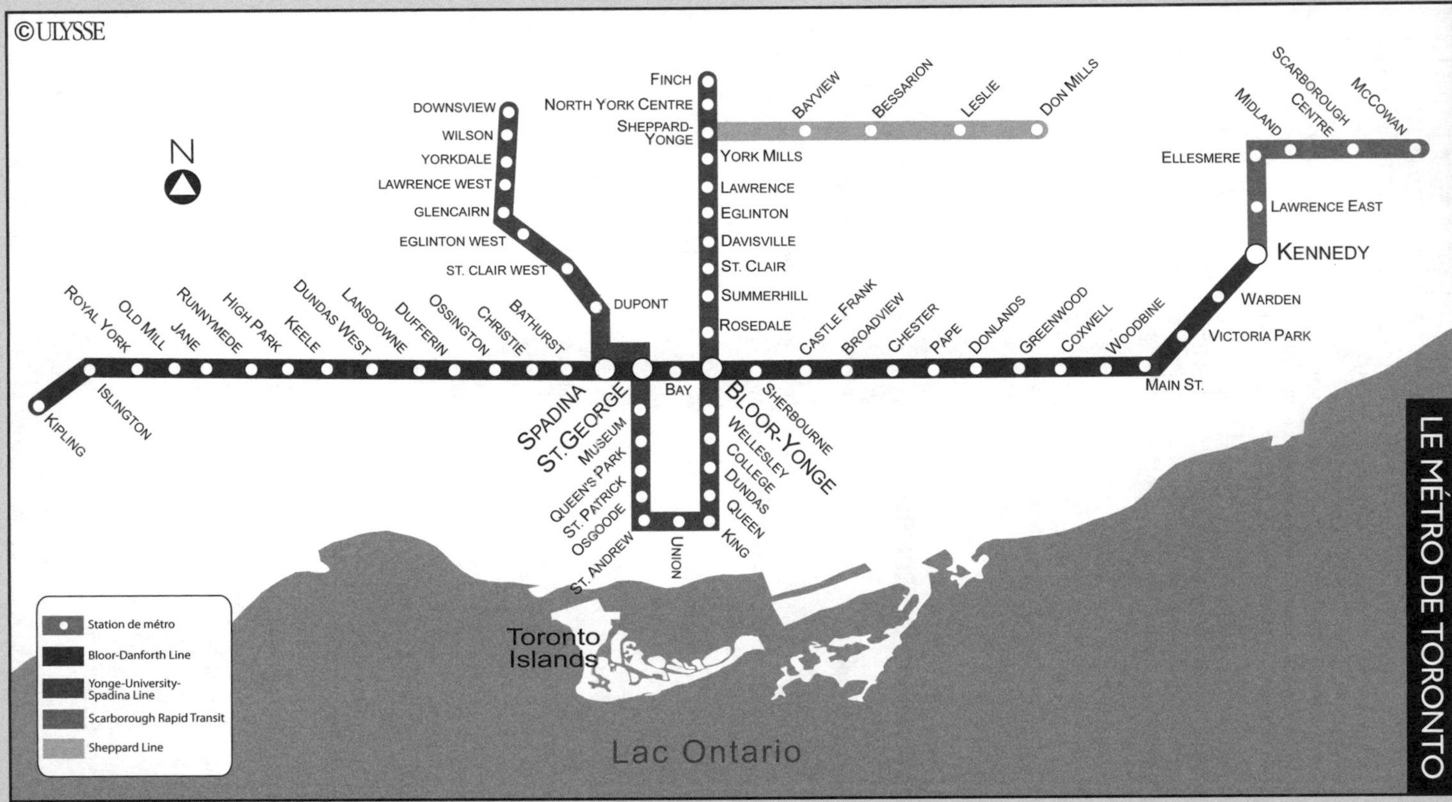
LE MÉTRO DE TORONTO
©ULYSSE
N
Finch
North York Centre
Sheppard-Yonge
York Mills
Lawrence
Eglinton
Davisville
St. Clair
Summerhill
Rosedale
Bayview
Bessarion
Leslie
Don Mills
Downsview
Wilson
Yorkdale
Lawrence West
Glencairn
Eglinton West
St. Clair West
Dupont
Midland
Scarborough Centre
McCowan
Ellesmere
Lawrence East
Kennedy
Warden
Victoria Park
Main St.
Royal York
Old Mill
Jane
Runnymede
High Park
Keele
Dundas West
Lansdowne
Dufferin
Ossington
Christie
Bathurst
Castle Frank
Broadview
Chester
Pape
Donlands
Greenwood
Coxwell
Woodbine
Kipling
Islington
Spadina
St.George
Bay
Bloor-Yonge
Sherbourne
Museum
Queen's Park
St. Patrick
Osgoode
St. Andrew
Union
Wellesley
College
Dundas
Queen
King
Toronto Islands
Lac Ontario
Station de métro
Bloor-Danforth Line
Yonge-University-Spadina Line
Scarborough Rapid Transit
Sheppard Line

■ En train

VIA Rail *(☎888-842-7245, www.viarail.ca)* est la seule compagnie qui assure la liaison par train entre les provinces canadiennes, et elle dessert plusieurs villes du nord et du sud de l'Ontario. Tous les trains à destination de Toronto arrivent à l'**Union Station** *(65 Front St. W., entre York St. et Bay St.)*.

■ En transports en commun

Les excellents transports en commun de Toronto, qu'il s'agisse du métro, des autobus ou des tramways, sont gérés par la **Toronto Transit Commission (TTC)** *(☎416-393-4636, www.ttc.ca)*.

Il existe quatre lignes de métro et le Harbourfront LRT (un tramway à voie exclusive surélevée), qui part de l'Union Station et longe le Queen's Quay jusqu'à Spadina Avenue. Quant aux trains de la banlieue est et ouest, ils sont tous accessibles de la station Union dans Bay Street et Front Street. Ces trains sont sûrs et propres. Les autobus et les tramways sillonnent pour leur part les principales artères de la ville. Vous pouvez effectuer des correspondances entre autobus, tramways et métro sans avoir à payer de nouveau, mais n'oubliez pas de vous munir d'un billet de correspondance. Procurez-vous également un exemplaire du plan du réseau de la TTC, le *Ride Guide*, qui identifie la majorité des attraits principaux et vous indique comment y aller en transport en commun.

Un titre de passage unique coûte 2,75$ pour un adulte, 1,85$ pour un aîné ou un étudiant (vous devez posséder une carte d'étudiant de la TTC) et 0,70$ pour un enfant de moins de 12 ans. Un jeu de 5 jetons pour adulte vous coûtera 11,25$, un jeu de 10 jetons pour adultes 22,50$. Si vous songez à faire plusieurs déplacements à l'intérieur d'une même journée, procurez-vous un laissez-passer d'un jour (Day Pass) au coût de 9$; vous pourrez ainsi vous déplacer autant de fois que vous le voudrez sans avoir à payer de nouveau. L'économie devient encore plus évidente le dimanche, lorsque le laissez-passer en question peut être utilisé par deux adultes ou par une famille (deux adultes et quatre enfants ou un adulte et cinq enfants). Un laissez-passer mensuel se vend 109$ pour un adulte et 91,25$ pour un étudiant ou un aîné.

Les conducteurs d'autobus et de tramway ne font pas de la monnaie; vous pouvez au besoin vous procurer vos billets aux comptoirs du métro et dans certains commerces (comme les nombreuses pharmacies de la chaîne Shopper's Drug Mart).

Pour tout renseignement concernant les tarifs, les trajets et les horaires, composez le ☎416-393-4636.

■ À pied

La ville souterraine de Toronto, appelée **PATH**, est l'une des plus vastes du Canada. Ses ramifications s'étendent sous les rues de l'Union Station (Front Street) jusqu'à l'Atrium on Bay (Dundas Street). Refuge idéal par les froides journées d'hiver, son réseau de couloirs donne accès entre autres à plusieurs magasins et restaurants.

Renseignements utiles

■ Renseignements touristiques

Toronto Tourism
207 Queen's Quay W., bureau 590
☎416-203-2600 ou 800-499-2514
www.torontotourism-fr.com

Attraits touristiques

Le Waterfront ★★

p 380 p 382 p 386 p 387

La proximité d'un plan d'eau majeur détermine souvent l'emplacement d'une ville, et Toronto ne fait pas exception à la règle. Cependant, la ville de Toronto a négligé pendant plusieurs années le quartier qui borde les rives du lac Ontario. L'autoroute surélevée Gardiner, les vieux rails de chemin de fer et les nombreux entrepôts qui le défiguraient ne présentaient d'ailleurs aucun attrait aux yeux des citadins. Fort heureusement, des sommes importantes ont été investies dans ce secteur pour le revitaliser. Le Waterfront vibre maintenant au rythme du calendrier ethnoculturel et artistique intense du Harbourfront Centre. Le Queen's Quay Terminal est devenu le centre commercial le plus original de Toronto. Le *boardwalk* qui donne sur le lac est propice aux randonnées à pied ou à vélo.

Le **Harbourfront Centre** ★★ *(entrée libre; 235 Queen's Quay W., ☎416-973-4000, www.harbourfrontcentre.com)* est le meilleur exemple des changements qui ont touché le Waterfront de Toronto. Depuis que le gouvernement fédéral a racheté 40 ha de terres situées sur les rives du lac Ontario, les vieilles usines et les entrepôts délabrés du Harbourfront ont été rénovés, si bien que les environs s'imposent aujourd'hui comme un des endroits les plus intéressants de Toronto. Le Harbourfront Centre est constitué de plusieurs bâtiments et parcs à caractère culturel. Les fins de semaine d'été, on peut assister à de nombreux petits festivals qui comprennent habituellement des spectacles, des expositions et une foire alimentaire consacrés à la communauté culturelle vedette (antillaise, latino-américaine, etc.).

À quelques pas de là, vers l'est, vous ne pourrez pas manquer le **Queen's Quay Terminal** ★★ *(207 Queen's Quay W., ☎416-203-0510, www.queens-quay.sites.toronto.com)*, un gigantesque ancien entrepôt frigorifique de style Art nouveau. Joliment modifié, il loge aujourd'hui bureaux, appartements, boutiques très originales et restaurants avec vue sur le lac, ainsi qu'un théâtre et l'office de tourisme de la Ville de Toronto.

C'est au **Fort York** ★ *(8$; fin mai à début sept, tlj 10h à 17h; reste de l'année lun-ven 10h à 16h, sam-dim 10h à 17h; 100 Garrison Rd., ☎416-392-6907, www.fortyork.ca)* que Toronto s'est affirmée comme une place forte sur les rives du lac Ontario. Érigé en 1783 par le gouverneur Simcoe pour faire face à la menace des Américains, le Fort York fut détruit par ces derniers en 1813 (les Anglais se vengèrent en brûlant la Maison-Blanche!), puis reconstruit peu de temps après. Les relations avec les États-Unis s'adoucissant rapidement, le Fort York perdit peu à peu sa raison d'être. Dans les années 1930, il fit l'objet d'une importante restauration par la municipalité de Toronto, qui avait décidé d'en faire un attrait touristique. Aujourd'hui, le Fort York est devenu le site de la plus importante collection canadienne de bâtiments datant de la guerre de 1812. Outre la visite des baraques meublées illustrant le style de vie des officiers et des soldats qui y habitaient, vous pouvez découvrir un petit musée qui présente un court métrage sur son histoire. En été, vous pourrez aussi y voir des acteurs se livrer à des manœuvres militaires en costumes d'époque.

Toronto: ville de quartiers

Toronto est une des villes d'Amérique du Nord qui a le mieux réussi le mariage des cultures, des immigrants des quatre coins du globe étant parvenus à s'y intégrer tout en maintenant l'identité et les traditions culturelles qui leur sont propres. C'est d'ailleurs précisément cette fusion harmonieuse des cultures qui fait de Toronto la plus grande et la plus diversifiée des villes canadiennes, une véritable mosaïque culturelle qui contraste nettement avec le creuset ethnique caractéristique des États-Unis. Aussi vaste et étendue qu'elle puisse paraître, Toronto demeure, somme toute, une ville de quartiers. De Rosedale à Cabbagetown, des Beaches (les plages) à la Little Italy (Petite Italie), d'un Chinatown (quartier chinois) à l'autre, chacun des quartiers de Toronto possède un caractère unique. S'il est vrai que certains secteurs se distinguent par leurs excentricités architecturales, les plus intéressants demeurent ceux que façonnent les gens mêmes qui y vivent. De fait, la diversité ethnique de Toronto est pour le moins étourdissante, puisque plus de 70 nationalités s'y côtoient et y parlent plus de 100 langues, pour le plus grand bonheur des amateurs de cuisines internationales!

Le quartier ethnique le mieux connu de Toronto est le vieux **Chinatown**. Fascinant et animé, il est délimité par University Street, Spadina Avenue, Queen Street et College Street. Le jour, les légumes frais encombrent les trottoirs autour de l'intersection de Spadina Avenue et de Dundas Street, au cœur même du quartier, tandis que, le soir venu, les brillantes lumières jaunes et rouges qui scintillent un peu partout font penser à Hong Kong. Le pittoresque **Kensington Market** voisin est par ailleurs souvent associé au quartier chinois, et ses étalages de vêtements anciens, de même que ses épiceries européennes, antillaises, moyen-orientales et asiatiques, valent incontestablement le coup d'œil.

Les Italiens forment le groupe ethnique le plus important de la ville, et leur «havre spirituel» n'est autre que la Petite Italie (**Little Italy**), située dans College Street à l'ouest de Bathurst Street, là où les *trattorias* et les boutiques confèrent une aura quelque peu méditerranéenne à la scène torontoise. Ces dernières années, la Petite Italie est devenue un quartier populaire auprès des jeunesTorontois branchés. On y trouve bon nombre de bars et de restaurants à la mode dont les terrasses sont animées jusqu'aux petites heures du matin en été.

Le quartier grec, soit le **Greektown**, est aussi connu sous le nom de «The Danforth», l'artère qui le traverse. S'étendant entre Broadview et Coxwell (près de la station de métro Chester), The Danforth est parsemée de boulangeries-pâtisseries grecques (où vous trouverez le meilleur pâté en croûte aux épinards et au fromage feta en ville), de boutiques variées et de *tavernas*. Même les plaques de rue y sont rédigées en anglais et en grec, et certains des plus petits restaurants appartenant à des habitants du quartier ferment leurs portes pour la saison estivale, leurs propriétaires choisissant de retourner en Grèce à cette époque de l'année. Outre les petits établissements traditionnels, vous y trouverez toutefois un certain nombre de restaurants grecs branchés convenant parfaitement à un dîner animé en ville. Le Greektown, qui s'impose comme un des quartiers de restaurants les plus prisés, vous réserve de tout, des tapas cubains aux sushis, quoique les mets grecs dominent incontestablement les tables du secteur. Avec ses marchés de fruits, ses comptoirs d'aliments recherchés, ses «tavernes» et ses cafés estivaux ouverts tard le soir, il offre une expérience culinaire unique en son genre.

Entre le Lake Shore Boulevard et Dundas Street West, l'avenue Roncesvalles devient la Petite Pologne (**Little Poland**), un agréable quartier parsemé d'arbres majestueux et d'imposantes maisons victoriennes. Profitez-en pour voir un film de l'Europe de l'Est ou pour déguster les traditionnelles roulades de chou farci et les pirojkis maison dans un des nombreux cafés du quartier.

Les légendaires azulejos (carreaux de céramique) et un verre de porto vous transporteront au Portugal lorsque vous visiterez le secteur délimité par Dundas Street West, Ossington Avenue, Augusta Avenue et College Street, un quartier connu sous le nom de **Portugal Village**. Les boulangeries d'ici vendent des pains parmi les meilleurs en ville, mais il ne faut pas non plus oublier les fromageries, les poissonneries et les boutiques de crochet et de dentelle qui surgissent de toute part.

La Petite Inde (**Little India**), qui s'étire le long de la rue Gerrard entre Greenwood et Coxwell, révèle tout le caractère de New Delhi (chaos en moins). Des guirlandes d'ampoules colorées ornent les façades des restaurants et embrasent la rue comme s'il y avait fête tous les soirs, mais surtout le samedi. Les «palais du sari» abondent, et leurs vitrines sont remplies de vêtements scintillants; les supermarchés empiètent sur la rue avec leurs paniers débordant de graines de moutarde, de *pappadams*, de noix de coco et de cannes à sucre, et des haut-parleurs éraillés crachent partout les plus récents succès du palmarès indien. À moins que vous ne soyez à la recherche d'un bouddha doré ou de quelque autre souvenir, la principale raison pour visiter la Petite Inde (hormis son atmosphère) tient sans aucun doute à ses restaurants. Un commerce sur deux semble d'ailleurs en être un, et chacun se spécialise dans une variété différente de cuisine indienne, la plupart offrant un buffet à volonté pour environ 15$.

Le quartier qui s'étend autour de Bathurst Street, au nord de Bloor Street, est le district commercial de la communauté antillaise (**Caribbean Community**), surtout jamaïcaine. De merveilleuses boutiques d'alimentation y proposent toutes sortes de délices des îles, y compris des bouchées salées (*savoury patty*, ou chausson feuilleté farci de viande épicée) et du *roti* (galette garnie de viande, de poisson ou de légumes).

Toronto accueille la plus dense population de gays et de lesbiennes au Canada, envers qui elle fait d'ailleurs preuve d'une grande tolérance et d'un appui senti. Le village gay (**The Village**) s'est établi dans Church Street entre les rues Carlton et Bloor. Son cœur est l'intersection de Church et de Wellesley. Des drapeaux aux couleurs de l'arc-en-ciel flottent aux mâts de ses lampadaires, et des couples de gays s'y promènent la main dans la main. Cela dit, Hanlan's Point, dans les îles de Toronto, est un autre rendez-vous fort prisé des gays au cours de la belle saison, si bien qu'en mai 1999 elle a été officiellement désignée comme plage nudiste.

Les deux quartiers les plus riches et les plus huppés de Toronto se trouvent au nord du centre-ville. **Rosedale** est délimité par Yonge Street à l'ouest, l'autoroute de la Don Valley à l'est, Bloor Street au sud et St. Clair Avenue au nord. Rosedale était à l'origine le domaine du shérif William Jarvis, et ce nom lui fut donné par son épouse Mary en raison des roses sauvages qui y poussaient en abondance à l'époque. Les roses sauvages et la maison qui dominait le ravin ne sont plus, puisqu'elles font place aujourd'hui à une série de rues en lacet bordées d'exquises demeures rendant hommage à une variété intéressante de styles architecturaux.

Au nord de St. Clair Avenue débute le chic quartier de **Forest Hill**, qui s'étend au nord jusqu'à Eglinton Avenue, à l'est jusqu'à Avenue Road et à l'ouest jusqu'à Bathurst Street. Sans doute pour lui permettre de rester fidèle à son nom, l'un des premiers règlements de cet ancien village, promulgué dans les années 1920, stipulait qu'un arbre devait être planté sur chaque parcelle de terrain. Ce havre de verdure accueille certaines des résidences les plus prestigieuses de la ville, plusieurs d'entre elles pouvant être admirées sur Old Forest Hill Road. Cette communauté est en outre le siège d'une des écoles privées canadiennes les plus réputées, l'Upper Canada College, où ont étudié des sommités telles que les écrivains Stephen Leacock et Robertson Davies.

Cabbagetown fut au XIXe siècle décrit comme le «plus grand quartier pauvre anglo-saxon», un secteur à éviter pendant de nombreuses années. Cabbagetown s'est toutefois transformé depuis quelque temps et incarne aujourd'hui un haut lieu de l'embourgeoisement torontois. Son nom lui vient des immigrants écossais qui s'y installèrent au milieu du XIXe siècle et qui cultivaient des choux directement devant leur maison. Vous y verrez de beaux grands arbres et de pittoresques maisonnettes victoriennes dont plusieurs portent des plaques commémoratives. Les rues Winchester, Carlton, Spruce et Metcalfe sont quant à elles flanquées de véritables perles architecturales.

Au nord et à l'ouest de l'intersection de Bloor Street et d'Avenue Road, une zone annexée à la ville de Toronto en 1887 s'étend jusqu'aux rues Dupont et Bathurst, et porte le nom on ne peut plus approprié de **The Annex**. Comme il s'agit là d'une banlieue tracée sur plan, il n'est guère étonnant d'y voir prédominer une certaine homogénéité architecturale, à tel point que les pignons, tourelles et corniches distinctives sont tous alignés ici à égale distance de la rue. Ce quartier sert aujourd'hui de lieu de résidence à des professeurs et étudiants d'université, à des journalistes et à des gens de tout horizon. L'Annex est un autre quartier de restaurants et de boutiques, tout indiqué pour faire des achats, manger ou simplement se promener pour s'imprégner de l'atmosphère de la ville.

Le dernier, mais non le moindre: le quartier des plages (Toronto a vraiment de tout!). Connu des résidants sous le nom de **The Beaches** ou tout simplement «The Beach», c'est un des secteurs les plus charmants de Toronto, et pour des raisons évidentes, puisque le soleil, le sable, une promenade lacustre, de classiques cottages recouverts de bardeaux et de clins de bois, et l'eau à perte de vue, ne se trouvent qu'à courte distance de tramway (dans Queen Street) du rythme effréné du centre-ville. Délimité par Kingston Road, Woodbine Road, Victoria Park Avenue et le lac Ontario, The Beach, plus qu'un simple quartier, représente un mode de vie. Son axe principal, Queen Street, est émaillé d'innombrables restaurants, cafés et boutiques, et vous y trouverez de tout, des vêtements signés pour enfants aux animaleries de luxe. Les trottoirs, la promenade et la piste cyclable qui borde la plage sont ici davantage envahis par les amateurs de patin à roues alignées, les cyclistes et les promeneurs accompagnés de leurs chiens que les rues ne le sont par les voitures. Les visiteurs apprécieront au plus haut point de pouvoir s'y gorger de soleil sur le sable chaud, de faire trempette dans les eaux rafraîchissantes du lac ou, à la tombée du jour, de faire du lèche-vitrine et de se prélasser sur une jolie terrasse.

L'**Ontario Place** ★ *(14$ accès au parc d'attractions seulement, 35$ laissez-passer d'une journée donnant un accès illimité aux différentes attractions, réductions pour les jeunes et les aînés, gratuit pour enfants de moins de 3 ans; en été tlj 10h à 18h, horaire variable le reste de l'année; service de navette gratuit depuis Union Station sam-dim; 955 Lakeshore Blvd. W., ☎416-314-9900, www.ontarioplace.com)*, réalisée par Eberhard Zeidler dans les années 1970, est formée de trois îles reliées entre elles par des ponts. On peut aussi y distinguer cinq structures suspendues plusieurs mètres au-dessus de l'eau qui regorgent d'activités pour les jeunes. Vous remarquerez certainement l'énorme sphère blanche qui se démarque des autres bâtiments et qui abrite la **Cinesphere** *(☎416-314-9900)*, un cinéma IMAX doté d'un écran géant d'une hauteur de six étages.

Le **High Park** *(☎416-392-1111)*, situé à l'ouest du Waterfront, est délimité par Bloor Street au nord, le Queensway au sud, Parkside Drive à l'est et Ellis Avenue à l'ouest, et s'impose comme le grand parc urbain de Toronto. Vous pouvez aussi bien vous y rendre en métro (stations Keele ou High Park) qu'en tramway (College ou Queen). Ce parc immense offre des courts de tennis, des terrains de jeu, des aires de pique-nique, des pistes cyclables et des sentiers pédestres; vous pouvez aussi y pratiquer le patin (en hiver) ou la pêche sur le Grenadier Pond; sa flore cache même des espèces rares, et sa faune se compose d'espèces indigènes de la région, sans parler des enclos de bisons, de lamas et de moutons; on l'a même doté d'une piscine et d'une plage sur le lac Ontario. L'événement **Dream in High Park** (productions estivales shakespeariennes) fait partie des grandes attractions des lieux au cours de la belle saison (arrivez tôt pour obtenir des places).

Les îles de Toronto ★★

p 382

Partie prenante de Toronto depuis 1950, ces 17 îles – dont 8 seulement portent un nom – présentent une collection à faire rêver de sentiers, de plages et de cottages appartenant aux 250 familles qui les habitent. Quelque 1,2 million de visiteurs fréquentent les îles chaque année. L'un des points forts de cette oasis urbaine tient à n'en point douter à la vue spectaculaire de Toronto qu'elle offre, alors que la ville scintille au loin le jour comme le soir.

Un court trajet d'une dizaine de minutes en **navette lacustre** vous mènera aux îles en partant des **Toronto Ferry Docks** *(aller-retour adultes 6$; en service toute l'année; Mainland Ferry Terminal, Queen's Quay, ☎416-392-8193)*. Trois navettes lacustres desservent trois quais: Hanlan's Point à l'ouest, Centre Island (navires plus gros et plus confortables) au centre et Ward's Island à l'est; des ponts relient les autres îles entre elles. Les bicyclettes sont autorisées à bord, mais les automobiles sont formellement interdites. Vous pouvez explorer les îles à pied, à vélo (location sur place, près de la jetée de Centre Island), en patins à roues alignées ou à bord d'un minitrain sur roues *(6$; mai à sept tlj; ☎416-392-8192)*.

Le quartier des affaires et du spectacle ★★★

p 380 p 382 p 386 p 387

C'est dans ce secteur qu'on peut admirer la plus grande concentration de gratte-ciel de la ville, de même que les corridors commerciaux de sa célèbre ville souterraine (Underground City). Ici, le soir prend des allures de fête, alors que les travailleurs, qui sont plusieurs à habiter dans les copropriétés du quartier, se rencontrent dans les bars et les *lounges* pour les cinq à sept, et que les nombreux restaurants accueillent les dîneurs avant leur sortie au théâtre ou dans l'une des boîtes de nuit du quartier.

La **CN Tower** ★★★ *(plate-forme d'observation 22$; tlj 9h à 23h; 301 Front St. W., ☎416-868-6937, www.cntower.ca)*, sans aucun doute l'édifice le plus représentatif de la ville de Toronto, domine la ville du haut de ses 553,33 m, ce qui en a longtemps fait la structure autoportante la plus élevée du monde. Construite à l'origine par le CN (Canadian National Railways) pour faciliter la transmission des ondes radio et télé au-delà des nombreux édifices du centre-ville, la tour est aujourd'hui devenue l'un des principaux attraits de la ville. Pour éviter les longues files, il est préférable de s'y rendre tôt le matin ou vers la fin de la journée, surtout au cours de la saison estivale et la fin de semaine; par temps nuageux, il vaut mieux remettre sa visite à plus tard. Le meilleur plan est d'arriver au moins 1h avant le coucher du soleil, ainsi on pourra admirer le paysage le jour, au crépuscule et la nuit...

Vous atteindrez rapidement la plate-forme d'observation par un ascenseur qui vous arrache du sol à une vitesse de 6 m par seconde, une ascension équivalente à celle d'un avion à réaction lors du décollage. Située à 335,25 m de hauteur et aménagée sur quatre niveaux, la plate-forme d'observation principale constitue le centre névralgique de la tour. Le premier niveau abrite du matériel de télécommunications, alors que le deuxième comporte une plate-forme d'observation extérieure et un plancher de verre, pour ceux qui n'ont pas peur du vide. Le troisième est doté d'un salon d'observation intérieur et de l'accès aux ascenseurs du **Space Deck**. À 447 m d'altitude, c'est le poste d'observation public le plus élevé du monde. Il faut débourser un supplément de 4,50$ pour y avoir accès. Évidemment, la vue depuis le sommet est inoubliable, avec la ville et ses gratte-ciel d'un côté, et le lac et ses îles de l'autre. Enfin, le quatrième étage s'enorgueillit d'un bar et d'un restaurant pouvant accueillir jusqu'à 400 personnes. Compte tenu de l'altitude à laquelle vous vous trouverez, vous sentirez la tour osciller sous l'effet du vent! Cette oscillation est d'ailleurs tout à fait normale et a pour effet d'accroître la résistance de la structure tout entière.

Le grand stade de Toronto, le **Rogers Centre ★★** *(visite 13,25$; 1 Blue Jay Way, ☎416-341-1707, www.rogerscentre.com)*, anciennement le SkyDome (1989-2005), fait la fierté des Torontois. En 1989, il s'agissait du premier stade au monde à posséder un toit entièrement rétractable. En cas de mauvais temps, ses quatre panneaux montés sur rails peuvent en effet se refermer en 20 min malgré leurs 11 000 tonnes. Depuis son ouverture, ce remarquable édifice abrite l'équipe locale de baseball majeur, les Blues Jays de l'American League, de même que l'équipe de football, les Argonauts de la Ligue canadienne de football (LCF).

Pour ceux qui désirent en apprendre davantage sur les différents aspects techniques du Rogers Centre, une **visite guidée** d'une heure est proposée *(l'horaire des visites varie quotidiennement, selon les événements; ☎416-341-2770)*.

››› *Empruntez York Street jusqu'à Front Street et tournez à gauche pour vous rendre jusqu'à John Street après avoir passé devant le Metro Toronto Convention Centre. Remontez John Street jusqu'à King Street.*

Le **Princess of Wales Theatre ★** *(300 King St. W., ☎416-872-1212 ou 800-461-3333, www.mirvish.com)* a été construit en 1993 par la riche famille Mirvish pour présenter des comédies musicales dignes de Broadway. Bien qu'aucune visite n'y soit autorisée, prenez la peine de jeter un coup d'œil à l'intérieur afin d'apprécier le décor minimaliste du hall d'entrée, axé sur la lune et les étoiles.

Rendez-vous ensuite au **Royal Alexandra Theatre ★★** *(260 King St. W., ☎416-872-1212 ou 800-461-3333, www.mirvish.com)*. Une collection d'articles de journaux attestant les divers exploits du regretté Ed Mirvish (mort en 2007, à l'âge de 92 ans) tapisse les murs des nombreux restaurants que le grand entrepreneur a implantés entre le Princess of Wales et le Royal Alexandra. Le Royal Alexandra a été nommé ainsi pour rendre hommage à l'épouse du roi Edward VII, et on l'appelle aujourd'hui simplement

★ ATTRAITS TOURISTIQUES

Waterfront

1. BZ Harbourfront Centre
2. BZ Queen's Quay Terminal
3. AY Fort York
4. AZ Ontario Place
5. AZ Cinesphere

Le quartier des affaires et du spectacle

6. BY CN Tower
7. BY Rogers Centre
8. BY Princess of Wales Theatre
9. BY Royal Alexandra Theatre
10. BY Roy Thomson Hall
11. BY Metro Hall
12. BY Simcoe Place
13. BY CBC Broadcasting Centre
14. BY Sun Life Tower
15. BY First Canadian Place / Toronto Stock Exchange
16. BY Standard Life
17. BY Royal Trust
18. BY Toronto-Dominion Centre
19. CY Scotiabank
20. CY National Club Building
21. BY BMO Financial Group
22. BY Canada Permanent Building
23. CY Scotia Plaza
24. CY Canadian Imperial Bank of Commerce Building
25. CY Commerce Court
26. CY Number 15
27. BY Original Toronto Stock Exchange
28. BY Royal Bank Plaza
29. BY Union Station
30. BY Fairmont Royal York
31. CY BCE Place
32. CY Hockey Hall of Fame
33. CX The Bay
34. CX Elgin and Winter Garden Theatres
35. CX Canon Theatre
36. CX Eaton Centre
37. CX Church of the Holy Trinity / Rectory / Scadding House
38. CX Old City Hall
39. BX New City Hall
40. BX Nathan Phillips Square

Old Town Toronto

41. CY Gooderham Building
42. CY Distillery District
43. CY St. Lawrence Hall
44. CY St. James Park
45. CY St. James Cathedral
46. CY Le Méridien King Edward

Queen Street West, Chinatown et le Kensington Market

47. BX CHUM-City
48. BX Art Gallery of Ontario (AGO)
49. BX The Grange
50. AX Kensington Market

Le Queen's Park et l'université de Toronto

51. BW Ontario Legislature
52. BW University of Toronto
53. BW University College
54. BV Royal Ontario Museum (ROM)
55. BV Gardiner Museum

Bloor Street et Yorkville Avenue

56. CV Yorkville Public Library
57. CV Firehall No. 10
58. BV Yorkville Park

The Annex

59. AV Bata Shoe Museum
60. AV Casa Loma
61. AV Spadina Museum

TORONTO centre-ville
A
B
C
V
W
X
Y
Z
N
ROSEDALE
60,61
Bernard Ave.
Walmer Rd.
Madison St.
Huron St.
St. George St.
Admiral Rd.
Avenue Rd.
Hazelton Ave.
Davenport Rd.
Park Rd.
Mount Pleasant Rd.
Rosedale Valley Rd.
Church St.
Albany Ave.
Howland
Lowther Ave.
Yorkville Ave.
57
56
Prince Arthur Ave.
58
Cumberland St.
SPADINA
ST. GEORGE
BAY
BLOOR-YONGE
Bloor St. West
Bloor St. E.
59
54
55
Gardiner Museum
MUSEUM
Charles St.
Hayden St.
Bathurst St.
Borden St.
Brunswick Ave.
Major St.
Robert St.
Sussex Ave.
Devonshire Pl.
Philosopher's Walk
St. Marys St.
Isabella St.
Huntley St.
Harbord St.
Hoskin Ave.
Queen's Park
St. Joseph St.
Irwin
St. Nicholas St.
Gloucester St.
52
WELLESLEY
53
Ulster St.
Willcocks St.
College
King's College Circle
Bay St.
Jarvis St.
Wellesley St. E.
51
Huron St.
St. George St.
Maitland St.
Alexander St.
Wood St.
Maple Leaf Gardens
QUEEN'S PARK
College St.
COLLEGE
Carlton St.
Spadina Ave.
Ross St.
Henry St.
Elizabeth St.
La Plante Ave.
Oxford St.
Orde St.
Granby St.
Allan Gardens
Cecil St.
McGill St.
Gerrard St. E.
Baldwin St.
Yonge St.
50
Kensington Ave.
Baldwin St.
Wales Ave.
D'Arcy St.
Dalhousie St.
Gould St.
Edward St.
Toronto Coach Terminal
Dundas St. W.
48
49
DUNDAS
Alexandra Park
ST. PATRICK
Dundas St. E.
Grange Park
Beverley St.
University Ave.
37
35
Victoria St.
Bond St.
Ryerson Ave.
Denison Ave.
Augusta Ave.
Cameron St.
Huron St.
39
36
Mutual St.
George St.
Pembroke St.
Shuter St.
Wolseley St.
Phoebe St.
Stephanie St.
Mc Caul St.
St. Patrick St.
Simcoe St.
Osgoode Hall
38
34
40
QUEEN
Queen St. W.
OSGOODE
33
Queen St. E.
47
Richmond St. W.
Richmond St. E.
Camden St.
Church St.
Brant St.
22
20
23
Adelaide St. W.
Adelaide St. E.
44
21
Peter St.
John St.
8
9
14
15
19
KING
King St. W.
ST. ANDREW
16
18
45
43
Stewart St.
11
Mercer St.
10
17
27
24
25
46
41
Wellington St. W.
Wellington St. W.
42
Niagara St.
13
12
30
28
26
31
Front St. E.
UNION
32
Front St. W.
Metro Toronto Convention Centre
29
The Esplanade
South Peter St.
Blue Jays Way
6
3
7
York St.
Air Canada Centre
Gardiner Expressway
Lake Shore Blvd. E.
Freeland St.
Cooper St.
Richardson St.
Lake Shore Blvd. W.
Gardiner Expressway
4,5
Queen's Quay W.
2
1
Queen's Quay E.
Lac Ontario
Îles de Toronto
0
300
600m
©ULYSSE

le «Royal Alex». Il s'agit d'un des théâtres les plus en vue de la ville, sans cesse fréquenté par l'élite de Toronto depuis son ouverture en 1907. Son fastueux style édouardien et son décor Beaux-Arts, rehaussé de voluptueux velours rouge, de brocarts d'or et de marbre vert, ont retrouvé leur éclat d'antan au cours des années 1960 grâce à, vous l'aurez deviné, Ed Mirvish.

De l'autre côté de la rue s'élève le **Roy Thomson Hall** ★★★ *(60 Simcoe St., ☎416-872-4255, www.roythomson.com)*, une des constructions les plus remarquables du paysage torontois. Son extérieur futuriste, qui arbore 3 700 m² de verre réfléchissant, a été conçu par le Canadien Arthur Erickson. Son hall somptueux présente une incroyable luminosité, et la grande salle de concerts jouit d'une acoustique exceptionnelle, qu'exploitent d'ailleurs à souhait le Toronto Symphony Orchestra et la Mendelssohn Choir. Appelé à devenir le New Massey Hall au moment de sa construction, il finit par prendre le nom du potentat de l'édition Lord Thomson of Fleet, dont la famille fit la plus importante contribution individuelle au financement du projet.

Une vaste cour s'étend à l'ouest du Roy Thomson Hall et est bordée, à l'ouest, par le **Metro Hall** *(en face du Princess of Wales)* et, au sud, par la **Simcoe Place** (le grand bâtiment carré sur votre gauche) ainsi que par le **CBC Broadcasting Centre** ★ *(250 Front St. W., entrée au 205 Wellington St., ☎416-205-8782)*.

Ce circuit vous entraîne maintenant au cœur même du **quartier des affaires** (Financial District) de Toronto. Cette portion du circuit s'étend entre Adelaide Street au nord et Front Street au sud, puis entre University Avenue à l'ouest et Yonge Street à l'est.

La première tour d'acier et de miroir, la **Sun Life Tower** ★★ *(150-200 King St. W.)*, se dresse en face de l'église St. Andrews, à l'angle des rues Simcoe et King. La sculpture dont se pare sa façade est l'œuvre de Sorel Etrog.

››› *Poursuivez votre route dans King Street jusqu'à York Street.*

À l'angle nord-est apparaît l'auguste tour de marbre baptisée **First Canadian Place** ★★. Bien que son allure austère et sa base massive n'aient rien pour vous charmer, l'espace commercial aménagé à l'intérieur s'avère clair et aéré. Cette construction abrite en outre la **Toronto Stock Exchange** ★★ *(130 King St. W., ☎416-947-4670)*, ce point de mire de la haute finance canadienne où des fortunes sont faites et défaites. Le centre d'accueil des visiteurs se trouve au rez-de-chaussée de la tour de la Bourse de Toronto, près de la réception. Il s'agit là d'une des haltes les plus intéressantes du quartier, puisque vous pourrez vous imprégner de l'activité du parquet à partir d'une galerie d'observation.

À mi-chemin entre les rues York et Bay, les édifices de la **Standard Life** et du **Royal Trust** dominent la face sud de King Street, tout à côté de l'impressionnant **Toronto-Dominion Centre** ★★ *(55 King St. W.)*, à l'angle sud-ouest des rues King et Bay. Réalisé par le célèbre moderniste Ludwig Mies van der Rohe, il s'impose comme le premier gratte-ciel d'envergure internationale construit à Toronto; c'était au milieu des années 1960. Ces simples tours noires pourront vous sembler peu inspirées, mais l'usage de matériaux coûteux et le respect minutieux des proportions ont promu le Toronto-Dominion Centre au rang des constructions les plus réputées de la ville.

À l'angle nord-est, la **Scotiabank** ★ *(44 King St. W.)* se profile le long de King Street et a été construite, entre 1949 et 1951, selon des plans Art déco remisés avant la guerre. En remontant Bay Street vers le nord, le prochain bâtiment que vous croiserez est le modeste **National Club Building** *(303 Bay St.)*, de style néogeorgien. Ce club fut fondé en 1874 afin de promouvoir le mouvement *Canada First*, qui s'opposait à l'idée d'une union éventuelle avec les États-Unis. Du côté ouest de Bay Street se trouve l'ancien siège de la Trust and Guarantee Co. Ltd, aujourd'hui devenu celui du **BMO Financial Group** (Bank of Montreal) *(302 Bay St.)*. Quelques pas plus au nord surgit le **Canada Permanent Building** ★★ *(320 Bay St.)*. La splendeur de son entrée voûtée et de son plafond à caissons semble avoir fait fi des temps difficiles qui s'annonçaient en 1929, lorsqu'on entreprit sa construction. Le hall s'impose comme une pure merveille à la gloire du style Art déco; ne manquez pas d'aller jeter un coup d'oeil sur les portes d'ascenseur en bronze, garnies de personnages de l'Antiquité.

Allez vers l'est dans Adelaide Street et traversez la cour arrière de la trapézoïdale et rougeoyante **Scotia Plaza** ★ *(30 King St. W.)*, avant de pénétrer à l'intérieur du bâtiment à proprement parler et de franchir son hall pour retourner dans King Street. La façade de la Scotiabank se fait visible de l'intérieur de cet ajout qui s'harmonise assez bien à l'environnement.

En quittant la Scotia Plaza, vous serez saisi par la silhouette du **Canadian Imperial Bank of Commerce Building** ★★★ *(25 King St. W.)*, perçu par beaucoup comme la plus belle banque et tour à bureaux du quartier des affaires de Toronto. L'époustouflant intérieur de ce monumental édifice roman ne pourra qu'emballer les fervents d'architecture. Pénétrez dans l'immense hall de

Ed Mirvish

Le regretté Ed Mirvish était un homme d'action. Originaire de la Virginie, aux États-Unis, sa famille déménagea à Toronto alors qu'il était âgé de neuf ans. Lorsqu'il en eut 15, son père mourut, et Ed prit la tête de l'épicerie familiale. Par la suite, les entreprises personnelles de vente au détail de Mirvish allaient cependant prendre beaucoup plus d'ampleur.

Criard, et pourtant savoureux sous la splendeur de ses néons, le porte-flambeau de ses commerces de vente à rabais, **Honest Ed's** *(581 Bloor St. W.)*, a ouvert ses portes en 1948, et depuis lors les volumes importants et les marges bénéficiaires restreintes ont servi de fondement à son entreprise. Ses clients profitent au quotidien de «prix à tout casser».

Lorsque les lois sur le zonage empêchèrent Mirvish de raser les grandes résidences décrépites de Markham Street derrière son magasin, il en fit le **Mirvish (Markham) Village**, et les bâtiments en cause abritent désormais des galeries d'art et des librairies. Ed Mirvish jouissait également d'une certaine réputation de philanthrope, puisque son intérêt grandissant pour la musique, le ballet et le théâtre l'a incité à sauver l'historique **Royal Alexandra Theatre** en 1963 de même qu'à acheter et à restaurer l'**Old Vic** de Londres, en Angleterre. Son fils David dirige maintenant le Royal Alexandra. Ensemble, ils ont aussi construit un théâtre, le **Princess of Wales Theatre**. Ed Mirvish est décédé en juillet 2007, à l'âge de 92 ans.

la banque et admirez la pierre rosée, les moulures dorées et la voûte en berceau à caissons bleus. Cet édifice fut pendant de nombreuses années la plus haute construction de tout le Commonwealth britannique. Entre Bay Street et Yonge Street, le **Commerce Court** ★ *(243 Bay St.)* englobe le bâtiment précité ainsi qu'un gratte-ciel élancé de verre et d'acier dont la construction remonte au début des années 1970.

Au 15 Wellington Street, vous verrez le plus vieux bâtiment de tout ce circuit. Après avoir abrité la Commercial Bank of Midland District puis la Merchant's Bank, il porte désormais le simple nom de **Number 15** ★★. De style néoclassique, il a été conçu en 1845 par les architectes auxquels on doit également le **St. Lawrence Hall** ★ (voir p 373). Rendez-vous jusqu'à Bay Street et découvrez, du côté est, à environ mi-chemin de la distance qui vous sépare de King Street, l'**Original Toronto Stock Exchange** ★★★ *(234 Bay St.)*, soit l'ancienne Bourse de Toronto, maintenant la Design Exchange, mais toujours le bâtiment le plus typiquement Art déco de la ville. Contemplez la frise de près de 23 m qui orne le haut du portail, caractérisée par une ironie et un humour que seule une Bourse canadienne pouvait se permettre.

Redescendez Bay Street jusqu'à Wellington pour le prochain arrêt, à la **Royal Bank Plaza** ★★★ *(200 Bay St.)*. Grâce en partie à sa façade miroitante enrichie de dorures, elle est de toute beauté.

L'**Union Station** ★★ *(65-75 Front St. W.)* domine Front Street de Bay à York. Elle occupe sans contredit le premier rang des gares canadiennes pour la taille et pour la magnificence des lieux. Conçue dans l'esprit des grands terminaux américains, elle emprunte ses colonnes et ses plafonds à caissons aux basiliques romaines de l'Antiquité. La gare, dont la construction a été entreprise en 1915 mais achevée en 1927 seulement, est l'une des œuvres maîtresses des architectes Ross et Macdonald de Montréal. Sa façade, qui donne sur Front Street, fait plus de 250 m de longueur, dissimulant ainsi complètement le port et le lac Ontario, situés à l'arrière.

Le **Fairmont Royal York** ★★ *(100 Front St. W.)* constitue une introduction de taille au centre-ville de Toronto pour qui descend du train à l'Union Station. Il envoie clairement au visiteur le message que la Ville reine est une grande métropole qui ne s'en laisse imposer par personne. Le plus vaste des hôtels du Canadien Pacifique (voir p 380) renferme plus de 1 500 chambres réparties sur 25 étages. Tout comme la gare, l'établissement a été dessiné par les architectes montréalais Ross et Macdonald, qui ont combiné, à l'habituel style château des hôtels ferroviaires, des éléments lombards et vénitiens semblables à ceux de leurs réalisations montréalaises (le Dominion Square Building, l'ancien grand magasin Eaton).

Entrez dans la **BCE Place** ★★★ par la cour située à l'est de la Canada Trust Tower. Composée de deux tours jumelles reliées par une magnifique galerie de verre de cinq étages supportée par une énorme structure de nervures métalliques blanches, elle est à voir absolument. La BCE Place s'étend de Bay Street jusqu'à Yonge Street. Il est très agréable de s'y arrêter quelques moments pour s'y reposer ou encore pour y manger.

C'est aussi par la BCE Place que vous pourrez atteindre le célèbre **Hockey Hall of Fame** ★★ *(13$; lun-sam 9h30 à 18h, dim 10h à 18h; 30 Yonge St., ☎416-360-7765, www.hhof.com)*, le paradis des amateurs de hockey sur glace. Vous y trouverez tout ce qui a marqué l'histoire de ce sport jusqu'à aujourd'hui. Le plan comporte 17 zones qui couvrent près de 6 000 m², soit la superficie de trois patinoires de la National Hockey League (NHL). Ne manquez surtout pas le WorldCom Great Hall, où vous attend la coupe Stanley originale, offerte par Lord Stanley of Preston en 1893, le plus vieux trophée dans le domaine du sport professionnel en Amérique du Nord. Plus de 300 plaques rendent hommage aux différents joueurs qui ont marqué le hockey professionnel.

››› *Remontez Yonge Street jusqu'à Queen Street West.*

Le grand magasin à rayons **The Bay** (La Baie) occupe l'angle sud-ouest de cette intersection de même que tout le côté sud de la rue Queen jusqu'à Bay Street. Par ailleurs, une extension de style Art déco adjointe à l'ensemble en 1928 donna lieu dans tout le magasin à une somptueuse rénovation que reflète bien l'entrée située à l'angle des rues Richmond et Yonge.

››› *Empruntez Yonge Street en direction nord. Sur votre gauche resplendit la façade de ce haut lieu du magasinage qu'est l'Eaton Centre, tandis que sur votre droite vous ne tarderez pas à apercevoir d'autres majestueux théâtres de Toronto, à savoir les Elgin and Winter Garden Theatres et le Canon Theatre.*

Les **Elgin and Winter Garden Theatres** ★★ *(10$; visite d'une heure; jeu 17h, sam 11h; 189 Yonge St., ☎416-314-2871)* forment ensemble le dernier complexe théâtral à deux étages encore en activité au monde. Inaugurés en 1914, ils furent d'abord des théâtres de vaudeville; l'Elgin, au rez-de-chaussée, se voulait l'opulence même, alors que le Winter Garden, à l'étage, s'imposait comme un des premiers théâtres «atmosphériques» avec ses murs à treillis et ses colonnes déguisées en troncs d'arbre sous un plafond de feuilles véritables. Après avoir servi de cinémas un certain temps, ces purs joyaux ont été restaurés par l'Ontario Heritage Centre et accueillent de nouveau des troupes de théâtre.

À une certaine époque le plus grand théâtre de vaudeville de tout l'Empire britannique, le **Canon Theatre** ★ *(263 Yonge St., ☎416-364-4100)*, anciennement connu sous le nom de «Pantages Theatre», eut nombre d'affectations différentes, tantôt comme palais d'images, tantôt comme cinéma de six salles, avant de retrouver toute sa splendeur d'antan en 1988-1989.

Même si vous n'avez nullement l'intention de magasiner, donnez-vous au moins la peine de jeter un coup d'œil à l'intérieur de l'**Eaton Centre** ★★, qui se trouve dans Yonge Street entre Queen et Dundas. En levant la tête, vous verrez le magnifique vol de bernaches en fibre de verre de Michael Snow, une œuvre intitulée *Step Flight* qui a été suspendue au-dessus de la galerie marchande.

››› *Lorsque vous aurez vu suffisamment de boutiques, quittez le centre Eaton par le Trinity Square, à l'angle nord-ouest du centre commercial.*

Ce charmant havre qu'est le Trinity Square a bien failli ne jamais exister. La **Church of the Holy Trinity** ★★ (1847), le **Rectory** (1861) et la **Scadding House** (1857) font partie des plus vieux monuments de Toronto, et les premiers plans du centre Eaton prévoyaient leur démolition. Fort heureusement, suffisamment de gens se sont opposés à ce projet pour qu'on décide de construire l'immense centre commercial autour de ces trois structures.

Descendez James Street jusqu'à l'arrière de l'**Old City Hall** ★★ *(60 Queen St. W.)*, dessiné par E.J. Lennox en 1889. Alors que vous contournez le bâtiment par Queen Street, remarquez les avant-toits sous lesquels l'architecte a gravé les lettres «E.J. Lennox Architect» afin de s'assurer que son nom passe à la postérité. Lennox avait obtenu ce contrat par voie de concours, mais les conseillers municipaux refusèrent d'accéder à sa requête d'apposer son nom sur une des pierres angulaires du bâtiment. Pour se venger d'eux, il fit sculpter des espèces de gargouilles à leur image au-dessus de l'escalier extérieur, de manière à ce qu'ils soient quotidiennement confrontés à une forme défigurée d'eux-mêmes! Lorsqu'on nota la présence de ces touches personnelles de l'architecte, il était déjà trop tard pour y remédier.

En 1965, l'administration municipale de Toronto quitte son hôtel de ville victorien pour emménager dans le **New City Hall** ★★ *(100 Queen St. W.)*, une œuvre moderniste ayant su acquérir en peu de temps une notoriété qui en fait, avec la tour du CN, le principal symbole de Toronto. Réalisé à la suite d'un concours international, l'édifice est l'œuvre du Finlandais Viljo Revell, le maître à penser du rationalisme scandinave de l'après-guerre. Ses deux tours incurvées de hauteur différente sont comme deux mains entrouvertes protégeant la structure en forme de soucoupe qui abrite la salle du conseil.

Devant l'hôtel de ville s'étend le **Nathan Phillips Square** ★★★, un vaste espace public baptisé ainsi en l'honneur du maire qui dota Toronto de plusieurs nouvelles installations au début des années 1960. On y trouve un grand bassin d'eau, franchi par trois arches, qui se transforme en une patinoire très fréquentée l'hiver venu. À proximité, on peut admirer *The Archer* du sculpteur Henry Moore et le Peace Garden (jardin de la Paix), conçu en 1984 par l'Urban Design Group. Ce mini-espace intégré au square sert d'écrin à la flamme éternelle de la Paix. L'élément dominant du jardin est une hutte à demi détruite rappelant les effets de la guerre et symbolisant le désir de paix de la population.

Old Town Toronto ★★★

p 380 p 383 p 386

C'est à l'intérieur du rectangle formé par les rues George, Berkely, Adelaide et Front que le commandant John Graves Simcoe de l'armée britannique a fondé en 1793 la ville de York, qui allait devenir Toronto. Cette partie de la ville fut pendant longtemps le centre de l'activité économique, principalement à cause de la proximité du lac Ontario. À la fin du XIXe siècle, le centre économique se déplaça lentement vers ce qui est aujourd'hui le quartier des affaires, laissant ainsi à l'abandon tout un quartier de la ville. Le quartier de St. Lawrence a été l'objet d'un réaménagement majeur au cours des 25 dernières années, financé par les gouvernements fédéral, provincial et municipal. De nos jours, le quartier du marché St. Lawrence est un secteur à la mode où l'on élit volontiers domicile. S'y trouve un heureux mélange d'architectures des XIXe et XXe siècles où se croisent les différents groupes socioéconomiques de la métropole canadienne.

Le point de départ de la visite à pied de l'Old Town Toronto se trouve derrière le Berczy Park, au pied de la fresque en trompe-l'œil peinte à l'arrière du **Gooderham Building** ★★ *(49 Wellington St.)*. Créée par l'Albertain Derek Besant en 1980 et intitulée ***Flatiron Mural***, elle est devenue une attraction très populaire à Toronto. Elle ne représente pas, contrairement à ce que beaucoup de gens croient, les fenêtres du Gooderham Building, mais plutôt la façade du Perkins Building, situé de l'autre côté de la rue, au 41-43 Front Street East. Le Gooderham Building est souvent appelé le *Flatiron Building* à cause de sa structure triangulaire rappelant la forme de son fameux cousin de New York, qu'il précède d'ailleurs de quelques années. Le Gooderham Building se dresse sur un terrain de forme triangulaire à l'intersection de Wellington Street, qui suit le quadrillage des rues imposé par les Britanniques lors de la fondation de la ville de York, et de Front Street, parallèle à la rive nord du lac Ontario.

Véritable petit bijou de l'ère industrielle, le **Distillery District** ★★★ *(55 Mills St., www.thedistillerydistrict.com)* n'a rien perdu de ses airs d'antan, si ce n'est ce qui se cache désormais derrière ses coquettes façades de briques rouges. Fréquemment utilisée comme décor pour le cinéma, l'ancienne distillerie Gooderham & Worts, enclavée par la Gardiner Expressway et les nouveaux développements immobiliers du quartier de St. Lawrence, se présente comme l'un des complexes industriels de style victorien les mieux préservés en Amérique du Nord.

En 2001, le complexe est racheté par Cityscape Holdings Inc., qui conçoit le projet ambitieux d'y établir un joyeux mélange de galeries d'art, de studios d'artistes, de salles de théâtre et de restaurants (il y a même un grand spa!). Un endroit agréable pour prendre un repas ou simplement se balader dans la zone piétonnière qui l'entoure.

Traversez la rue en diagonale en direction du **St. Lawrence Hall** ★ *(157 King St. E.)*, le centre de la vie communautaire de Toronto dans les années 1850-1900. D'un style victorien assez majestueux, il a été construit pour la présentation de concerts et de grands bals. Plusieurs célébrités y ont donné des spectacles, entre autres Jenny Lind, Andelina Patti, Tom Thumb et P.T. Barnum. Pendant plusieurs années, le St. Lawrence Hall logea aussi le National Ballet of Canada.

Vers l'ouest, presque en face du St. Lawrence Hall, vous apercevrez le très joli **St. James Park**, un jardin du XIXe siècle, avec sa petite fontaine parisienne et ses buissons de fleurs saisonnières. Asseyez-vous sur un des nombreux bancs, d'où vous verrez, à l'angle de Church Street et de King Street, la **St. James Cathedral** ★★, la première cathédrale anglicane à avoir été construite à Toronto. Érigée en 1819 avec l'aide d'un prêt du gouvernement d'une part et d'une contribution des nombreux fidèles d'autre part, elle fut détruite par l'incendie de 1849, qui avait alors ravagé une partie de la ville. La St. James Cathedral que vous voyez aujourd'hui fut reconstruite sur les ruines de la précédente selon les plans de l'architecte Frederick Cumberland, qui voulait évoquer la suprématie religieuse.

La cathédrale St. James possède d'ailleurs le plus haut clocher de tout le Canada et le deuxième en Amérique du Nord, derrière celui de l'église St. Patrick's de New York. La façade en briques jaunes en souligne les formes gothiques, ce qui lui confère un caractère plutôt sobre. À l'intérieur, le décor est beaucoup plus élaboré, le chœur de l'église en marbre où repose l'évêque Stachan se révélant tout à fait magnifique.

Revenez maintenant dans la rue King et admirez **Le Méridien King Edward** ★★ *(37 King St. E.; voir p 381)* entre Leader Lane et Victoria Street. Cet hôtel a été conçu en 1903 par E.J. Lennox, l'architecte de l'**Old City Hall** (voir p 372), du **Massey Hall** (voir p 386) et de la **Casa Loma** (voir p 377). Avec son style édouardien, ses merveilleuses colonnes de faux marbre au rez-de-chaussée et ses magnifiques salles à manger, le King Edward fut un des hôtels les plus luxueux de Toronto pendant près de 60 ans, jusqu'à ce que le déclin du quartier fasse baisser sa popularité. Aujourd'hui, avec la renaissance du quartier, il attire de nouveau une clientèle huppée grâce à son ambiance feutrée, à ses superbes chambres et à ses deux merveilleux restaurants.

Queen Street West, Chinatown et le Kensington Market ★★★

p 381 p 384 p 386

La section la plus connue de Queen Street West s'étend d'University Avenue à Bathurst Street, à l'ouest. C'est là qu'on trouve les boîtes et les restaurants branchés, de même que de nombreuses boutiques de renom. Cependant, sachez qu'entre Bathurst Street et Gladstone Avenue s'étend désormais le **West Queen West** (voir p 374) véritable bijou qui a pris la relève *anti-establishment* d'une Queen Street West qui s'est institutionnalisée quelque peu depuis les années 1980. Ce n'est pas par hasard si l'on surnomme West Queen West, depuis quelques années, le «quartier des arts et du design», soit l'Art & Design District.

En déambulant dans Queen Street West, il est impossible de manquer **CHUM-City** *(299 Queen St. W.)*, aussi connu sous le nom de MuchMusic World Headquarters, qui appartient depuis 2007 au grand réseau de télévision canadien CTV. De style néogothique, le plus grand bâtiment de Queen Street West a été construit en 1913-1915 pour le compte d'une maison d'édition (remarquez les lecteurs et scribes grotesques qui ornent la façade). Derrière cette impressionnante façade néogothique se cachent désormais les studios de MuchMusic, CityTv Toronto, Star!, Bravo, TSN et Cable Pulse. L'édifice avait d'ailleurs été rénové en 1986 pour accueillir MuchMusic, une chaîne de télévision qui présente des vidéoclips musicaux. Une autre attraction inusitée des lieux est la cabine d'enregistrement vidéo mise au service du public (*Speaker's Corner*), où vous pouvez glorifier ou critiquer n'importe quelle cause, et peut-être même passer en ondes à la télévision.

À l'ouest de Bathurst Street, **West Queen West (WQW)** ★★★ *(www.westqueenwest.ca)* est en pleine revitalisation. Ici les gens vivent à l'heure du «bohème-branché». On y découvre une panoplie de petits restos sympas qui, bien que dernier cri, n'en conservent pas moins cet air de bohème artistique. Le WQW abrite la plus grande concentration de galeries d'art à Toronto.

L'Art Museum of Toronto a été fondé en 1900, mais il n'eut un siège permanent qu'en 1913, lorsque The Grange (voir plus loin) fut cédée au musée. Un nouveau bâtiment lui fut ajouté en 1918, et la première exposition du célèbre **Groupe des Sept** eut lieu en 1920, à l'intérieur de ce qui était d'ores et déjà devenu l'Art Gallery of Toronto. Un important chapitre de l'histoire culturelle aussi bien ontarienne que canadienne s'écrivait ainsi. En 1966, le musée reçut l'appui financier de la province et fut officiellement rebaptisé l'**Art Gallery of Ontario (AGO)** ★★★ *(18$; mar-ven 10h à 21h, sam-dim 10h à 17h30; 317 Dundas St. W., ☎416-977-0414 ou 416-979-6648, www.ago.net)*. Des travaux de rénovation et des ajouts successifs au fil des années ont tour à tour contribué à réinventer l'AGO, en cachant d'anciens éléments et en en faisant apparaître de nouveaux.

En 2008, une nouvelle façade de verre et de bois a rajeuni l'image de ce musée des beaux-arts de l'Ontario. Plusieurs nouvelles galeries ont aussi été ajoutées; elles portent notamment sur l'art canadien et la photographie. L'exposition permanente est disposée dans un ordre chronologique, allant du XVe siècle à nos jours. Vous y verrez des œuvres contemporaines, des sculptures inuites et le magnifique Tanenbaum Sculpture Atrium, où est exposée l'une des façades de la «Grange». Le Henry Moore Sculpture Centre fait partie, pour sa part, des trésors les plus étonnants du musée. Son contenu, légué par l'artiste lui-même, car il aimait la ville et ce musée, constitue la plus importante collection publique des œuvres de Moore dans le monde. Les collections canadiennes historiques et contemporaines contiennent, quant à elles, des pièces de premier plan signées par des artistes aussi notoires que Cornelius Krieghoff, Michael Snow, Emily Carr, Jean Paul Riopelle, Tom Thomson et le Groupe des Sept – Frederick Varley, Lawren S. Harris, A.Y. Jackson, Arthur Lismer, J.E.H. MacDonald, Franklin Carmichael et Frank Johnston. Le musée possède également des chefs-d'œuvre de Rembrandt, Van Dyck, Reynolds, Renoir, Picasso, Rodin, Degas et Matisse, pour ne nommer que ceux-là.

Adjacente à l'Art Gallery of Ontario, subsiste sa première demeure, **The Grange** ★. Cette ancienne résidence georgienne fut construite en 1817-1818 par D'Arcy Boulton Jr., alors membre de l'élite dirigeante de Toronto, le très détesté «Family Compact». La ville de Toronto avait à peine 30 ans d'existence à cette époque, mais en 1837, l'année de la rébellion dirigée par Mackenzie, The Grange était déjà devenue le siège symbolique du pouvoir politique britannique et incarnait dès lors le régime colonial opprimant du Haut-Canada. En 1875, Goldwin Smith, un érudit d'Oxford, s'y établit. Alors qu'il était perçu comme un intellectuel libéral en son temps, la suspicion qu'il entretenait à l'égard des autres races et religions ont depuis fait la lumière sur sa bigoterie. Il n'en reçut pas moins de très éminentes personnalités dans sa demeure, y compris Winston Churchill, le prince de Galles (appelé à devenir Edward VII) et Matthew Arnold. À sa mort, en 1910, Smith légua par testament sa résidence à l'Art Museum of Toronto, qui y logea au cours des 15 années qui suivirent. Puis on y installa des bureaux rattachés au musée jusqu'en 1973, alors que la demeure retrouva toute sa splendeur des années 1830 avant d'être ouverte au public. Sa façade arrière fut enfin intégrée à la galerie de sculptures de l'AGO en 1989. Il faut aussi noter que cette résidence de gentilhomme, pourvue d'un grand escalier en spirale et d'étonnants quartiers réservés aux employés de la maison, fait partie des premières constructions en briques de Toronto.

››› *Empruntez Dundas Street vers l'ouest jusqu'au cœur du Chinatown pour manger et faire quelques achats.*

Des enseignes aux couleurs vives, des trottoirs bondés, de la musique populaire cantonaise partout dans l'air, des étalages de canards laqués, de merveilleux parfums de fruits frais et de thé de ginseng, des odeurs prenantes de durions et de poisson frais: le **Chinatown** ★★ est un festin complet pour les sens. Le Chinatown de Toronto n'est pas le plus grand en Amérique du Nord, mais il est peut-être le plus intéressant, le plus proche de la vie à Hong Kong et dans le sud de la Chine. Les épiceries asiatiques, les herboristeries, les salons de thé et les commerces d'import-export sont ici légion, sans parler des nombreux petits (et moins petits) restaurants divins. Tout fait en sorte que chacun soit assuré d'y combler ses vœux. De plus, si vous êtes dans les parages le dimanche, rappelez-vous que vous pourrez en profiter pour faire l'expérience d'un délectable *dim sum* local.

Le **Kensington Market** ★★★ *(www.kensington-market.ca)* se trouve sur et autour de Kensington Avenue, à une rue à l'ouest de Spadina entre Dundas Street et Oxford Street. Ce bazar anachronique incarne mieux que tout autre le caractère multiethnique de Toronto, puisqu'il a d'abord été un marché essentiellement est-européen avant de devenir ce qu'il est aujourd'hui, soit un savoureux mélange d'influences juives, portugaises, asiatiques et antillaises. La moitié inférieure de l'avenue Kensington est principalement flanquée de boutiques de vêtements d'une autre époque, tandis que sa moitié supérieure accueille avec fierté des épiceries multiethniques proposant à qui mieux mieux des produits frais, séchés et délectables de tous les coins du monde: un endroit de rêve pour faire des provisions en vue d'un pique-nique!

Queen's Park et l'université de Toronto ★★★

▲ p 381 ◐ p 385

Chacune des 10 provinces canadiennes possède son propre parlement. Située au centre du Queen's Park, dans l'axe de l'avenue University, l'**Ontario Legislature** ★★ *(visites guidées gratuites; horaire variable, il est recommandé de téléphoner pour connaître l'horaire en cours; ☎416-325-7500, www.ontla.on.ca)* est le siège de l'Assemblée législative de l'Ontario. Construit de 1886 à 1892, l'édifice parlementaire a été dessiné dans le style néoroman de Richardson par l'architecte Richard A. Waite de Buffalo, à qui l'on doit plusieurs bâtiments canadiens dont l'ancien siège du Grand Tronc de la rue McGill, à Montréal (édifice Gérald-Godin).

Les quelque 40 pavillons de l'**University of Toronto** ★★ *(entre Spadina Rd. à l'ouest, Queen's Park Ct. à l'est, College St. au sud et Bloor St. W. au nord)* sont disséminés sur un vaste campus de verdure à la mode anglaise. Dotée d'une charte dès 1827, l'institution ne prendra véritablement son envol qu'avec la construction du premier pavillon en 1845 (aujourd'hui démoli). De nos jours, l'université de Toronto est considérée comme l'une des plus prestigieuses en Amérique du Nord.

Le plus ancien bâtiment du campus est l'**University College** ★ *(15 King's College Circle)*, conçu en 1859 par les architectes Cumberland & Storm. Ceux-ci ont créé un pittoresque ensemble néo-roman dont les détails des sculptures de pierre méritent un examen attentif. Le magnifique portail Norman s'avère particulièrement exceptionnel.

De Hoskin Avenue, empruntez le chemin en lacet baptisé la **Philosopher's Walk** ★ (promenade du philosophe). Le Taddle Creek coulait jadis là où se promène aujourd'hui le «philosophe», au son des gammes des étudiants du conservatoire de musique flottant au-dessus des bruits de la trépidante rue Bloor. Une balade contemplative le long d'une rangée de chênes vous conduira aux Alexandra Gates, les grilles qui gardaient autrefois l'entrée de l'université à l'angle de Bloor Street et de Queen's Park Crescent.

Le **Royal Ontario Museum (ROM)** ★★★ *(22$, demi-tarif ven à compter de 16h30; lun-jeu 10h à 17h30, ven 10h à 21h30, sam-dim 10h à 17h30; 100 Queen's Park, ☎416-586-8000, www.rom.on.ca)* est le plus grand musée du Canada. Le Musée royal de l'Ontario veille sur six millions de trésors artistiques, archéologiques et naturels. À la suite d'importants travaux de rénovation et de restauration, de même qu'à l'ouverture de nouvelles galeries, il est désormais en mesure d'exposer ses richesses de manière à rendre justice à leur valeur inestimable. Le ROM compte parmi les musées d'histoire naturelle les plus importants et les plus populaires du monde.

Complété en 2008, le projet *Renaissance ROM* a permis l'agrandissement de l'espace de collection, l'amélioration des infrastructures publiques et le développement de centres d'apprentissage pour la clientèle scolaire. Mais, surtout, cette «renaissance» est concrétisée par le Michael Lee-Chin Crystal, une énorme structure de verre et d'aluminium en forme de prismes de cristal surmontant la rue Bloor et abritant six nouvelles galeries et un grand restaurant. Le *Crystal* est rapidement devenu un symbole de Toronto, et de nombreux touristes se font prendre en photo devant l'édifice qui est particulièrement impressionnant au crépuscule, alors que les grands dinosaures sont parfaitement éclairés dans leurs salles transparentes.

Situé devant le Royal Ontario Museum et récemment doté d'un nouvel étage, le **Gardiner Museum** ★★ *(12$, visites guidées mar, jeu et dim à 14h; lun-jeu 10h à 18h, ven 10h à 21h, sam-dim 10h à 17h; 111 Queen's Park, ☎416-586-8080, www.gardinermuseum.on.ca)*, fondé en 1984 par George et Helen Gardiner, renferme une riche collection de céramiques comprenant plus de 3 000 pièces anciennes et contemporaines en provenance d'Europe, d'Asie et des Amériques.

Bloor Street et Yorkville Avenue ★★

p 381 p 386

Partez de l'intersection de Bloor Street et d'University Avenue, qui devient Avenue Road au nord de Bloor Street.

Le présent circuit couvre les environs de ces dernières rues, désormais synonymes de cher, huppé et à la mode grâce à d'excellentes adresses de magasinage.

Le secteur qui s'étend au nord et à l'ouest des rues Bloor et Bedford formait jadis le village de Yorkville, constitué en municipalité en 1853 et demeuré localité distincte jusqu'en 1883, date à laquelle il fut annexé à la ville de Toronto. Il s'agissait d'une élégante ville-dortoir située à faible distance de la métropole en pleine expansion un peu plus au sud. L'empiétement de Toronto sur le territoire de Yorkville entraîna cependant la transformation de nombreuses demeures, parmi les plus coquettes de la rue Bloor et de l'avenue Yorkville, en espaces à bureaux, puis l'exode de l'élite citadine vers des quartiers plus sélects du nord de la région. Pendant la première moitié du XXe siècle, ce secteur a conservé son statut de banlieue de classe moyenne. Les premiers signes de sa mutation vers une identité plus avant-gardiste sont apparus dès l'après-guerre, lorsque ses résidences du XIXe siècle ont peu à peu été reconverties en cafés et en boutiques, et que Yorkville est devenu le point de convergence des artisans de la musique folk canadienne dans les années 1960. Yorkville était alors le cœur de la vie *hippie* de Toronto. L'embourgeoisement final du quartier a pris son envol au cours des années 1970 et 1980. Depuis ce temps, les gratte-ciel et les complexes à vocations multiples de la rue Bloor se sont efforcés de tirer le meilleur parti de la situation en faisant grimper les coûts de location, aujourd'hui devenus astronomiques.

En marchant vers l'ouest sur Yorkville Avenue, vous atteindrez cette fois la mignonne **Yorkville Public Library** *(22 Yorkville Ave.)*, construite en 1907 et remodelée en 1978. L'imposant portique de l'entrée domine encore la façade, comme aux jours où cette bibliothèque répondait aux besoins du village de Yorkville.

À la porte voisine se trouve le vieux **Firehall No. 10** ★ *(34 Yorkville Ave.)*, une caserne de pompiers d'abord érigée en 1876 puis reconstruite (à l'exception de la tour, utilisée pour faire sécher les boyaux d'incendie) en 1889-1890. Ce bâtiment en briques rouges et jaunes assurait jadis la protection des citoyens de Yorkville, et la caserne demeure en activité à ce jour. Les armoiries posées sur la tour proviennent de l'ancienne mairie, et les symboles qui y figurent représentent les métiers des premiers conseillers du village: un tonneau de bière pour le brasseur, un rabot pour le charpentier, un moule à brique pour le maçon, une enclume pour le forgeron et une tête de bœuf pour le boucher.

Un regroupement exceptionnel de galeries, de boutiques et de cafés bordent les rues Yorkville, Hazelton et Cumberland. D'autres joyaux architecturaux, trop nombreux pour que nous les énumérions ici, vous attendent sur Hazelton Avenue. Tous ont été rafraîchis avec fidélité, tant et si bien que certains bâtiments semblent neufs, mais le résultat n'en est pas moins esthétique et mérite d'être vu.

Le côté nord de Cumberland Street entre Avenue Road et Bellair Street est bordé de chics boutiques et galeries, tandis que le côté sud est devenu le **Yorkville Park** ★★. Ce parc urbain, aménagé au-dessus de la station de métro Bay, s'impose comme un exemple peu commun d'écologie urbaine, d'histoire locale et d'identité régionale. Il se divise en 13 zones, chacune représentant une facette de la géographie de la province. L'énorme rocher en marge de son centre est de granit et provient de la région de Sudbury, dans le Bouclier canadien.

The Annex ★★

▲ p 382 ◍ p 386 ☽ p 386

Au nord de Bloor Street West jusqu'à Dupont Street, entre Avenue Road et Bathurst Street, s'étend l'un des premiers secteurs annexés à la ville de Toronto (1887), et qui porte aujourd'hui à juste titre le nom de «The Annex». Comme il s'agit là d'une banlieue conçue sur plan, une certaine homogénéité architecturale y prévaut, tant et si bien que même les pignons, les tourelles et les corniches qui font sa marque s'alignent tous à égale distance de la rue. Ses résidants ont longtemps et durement combattu pour préserver le caractère architectural de l'Annex et, exception faite de quelques tours d'habitations d'une laideur innommable dans St. George Street et sur Spadina Avenue, leurs efforts ont été récompensés.

Le **Bata Shoe Museum** ★★★ *(12$; lun-sam 10h à 17h, jeu jusqu'à 18h, dim 12h à 17h; 327 Bloor St. W., ☎416-979-7799, www.batashoemuseum.ca)*, le seul musée du genre en Amérique du Nord, renferme 10 000 paires de chaussures et offre une perspective unique sur les différentes cultures de la planète. Le bâtiment a été dessiné par l'architecte Raymond Moriyama de manière à ressembler à une boîte à chaussures, et le cuivre oxydé qui orne la bordure du toit vise à créer l'impression d'un couvercle posé sur cette boîte.

Les Canadiens anglais étaient à l'époque connus pour leur retenue, leur modestie et leur discrétion. Il fallait tout de même une exception à cela: la **Casa Loma** ★★★ *(17$; tlj 9h30 à 17h; 1 Austin Terrace, ☎416-923-1171, www.casaloma.org)*, un immense château écossais de 98 pièces construit en 1914 pour l'excentrique colonel Sir Henry Mill Pellatt (1859-1939), qui s'est enrichi en investissant dans les compagnies d'électricité et de transport. Pellatt possédait entre autres les tramways de São Paulo, au Brésil! Sa demeure palatiale, dessinée par l'architecte du vieil hôtel de ville de Toronto, E.J. Lennox, comprend un vaste hall doté d'un orgue à tuyaux et pouvant accueillir plus de 500 invités, une bibliothèque de 100 000 volumes et un cellier souterrain. Au cours de la visite autoguidée, on repérera plusieurs passages secrets et pièces à la dérobée. Même en parcourant l'Europe, on voit peu de bâtiments aussi fastueux. Du sommet des tours, on y a de belles vues sur le centre de Toronto.

À l'est de la Casa Loma, au sommet de la colline Davenport, accessible par les Baldwin Steps (escalier Baldwin), se trouve le **Spadina Museum** ★ *(8$; mar-dim 12h à 17h; 285 Spadina Rd., ☎416-392-6910)*, une autre maison-musée de la haute société torontoise, moins vaste que la Casa Loma, mais plus représentative de l'ambiance de la Belle Époque au Canada. Construite en 1866 pour James Austin, premier président de la Toronto-Dominion Bank, elle comprend notamment un solarium à la végétation luxuriante et un charmant jardin victorien, en fleurs de mai à septembre. La demeure, maintes fois modifiée, présente de curieuses avancées vitrées qui permettaient à ses propriétaires de jouir de vues panoramiques sur les environs, que les Amérindiens auraient baptisés il y a longtemps

Espadinong, déformé par les Anglais en *Spadina*. Depuis le départ en 1982 du dernier membre de la famille Austin, des guides de Heritage Toronto font faire le tour du domaine aux visiteurs.

The Beaches ★★

Si la perspective de jouir du sable chaud et du soleil radieux sur fond de vagues étincelantes berçant les voiliers à l'horizon vous enchante, n'hésitez pas un instant à foncer vers les plages. Les Torontois de longue date témoignent d'un attachement presque féroce pour The Beaches. Les plages s'étendent de Woodbine Avenue, à l'ouest, à la R.C. Harris Filtration Plant, à l'est (usine de filtration d'eau), et de la rive du lac Ontario, au sud, à Queen Street East, au nord, laquelle en est une des principales artères.

En 1853, le soldat anglais Joseph Williams établit son domaine en ces lieux et le baptisa *Kew Farms*, nom qu'il devait par la suite changer en *Kew Gardens* en 1879, soit à l'époque où sa ferme devint un parc grandement convoité par les Torontois en quête d'un répit face au rythme trépidant et aux odeurs désagréables de *Hogtown*. Ces mêmes citadins ne tardèrent d'ailleurs pas à y construire des cottages, et vous noterez que beaucoup des maisons actuelles du voisinage sont bel et bien d'anciennes résidences d'été transformées en habitations permanentes.

››› *Prenez le tramway 501 dans Queen Street en direction est (comptez environ 25 min depuis le centre-ville). Arrêtez-vous à Woodbine Avenue et marchez vers le lac Ontario en longeant un important développement immobilier.*

Les plages sont abritées à l'ouest par une langue de terre qui avance dans le lac Ontario: l'**Ashbridge's Bay Park**. Vous trouverez ensuite les plages Woodbine, Kew et Balmy. Ce secteur est traversé sur toute sa longueur par une piste cyclable, le Martin Goodman Trail, de même que par une promenade en bois. Plusieurs aires de pique-nique ou de jeux pour les enfants y ont été aménagées. Les Kew Gardens représentent une halte de choix, car ils sont protégés par de hauts chênes. Les amateurs de sports nautiques pourront quant à eux se rendre au Balmy Beach Canoe Club pour y louer une embarcation.

La promenade se rend jusqu'à Silver Birch Avenue. De là, laissez le sable s'infiltrer entre vos orteils et marchez la distance de quelques pâtés de maisons jusqu'à la **R.C. Harris Filtration Plant**, aussi dénommée «The Waterworks». Cette usine de filtration des eaux, avec son architecture Art déco à très grande échelle, figure parmi les bâtiments les plus évocateurs de Toronto, à tel point que d'aucuns y voient le plus vénérable exemple d'«ingénierie faite art» de la ville.

Après votre excursion sur les plages de Toronto, allez explorer Queen Street East, tout indiquée pour vous reposer du soleil, vous restaurer ou tout simplement terminer votre journée en sirotant une bière. Vous trouverez agréable de flâner dans ses boutiques, ou encore de vous attarder à l'une de ses nombreuses terrasses. Si Queen Street est l'artère commerciale, les rues transversales ne manquent certes pas de charme, avec leurs demeures cossues et leurs rues bordées d'arbres centenaires.

Les amateurs de musique seront ravis d'apprendre que le pianiste Glenn Gould a habité le quartier jusqu'à la fin de sa vingtaine. La maison de ses parents, au 32 Southwood Drive, est identifiée par une plaque commémorative.

Les environs de Toronto ★★

▲ *p 382*

L'**Ontario Science Centre** ★★★ *(18$; juil et août tlj 10h à 18h, sept à juin tlj 10h à 17h; 770 Don Mills Rd., ☎416-696-1000 ou 888-696-1110, www.ontariosciencecentre.ca)* a attiré plus de 30 millions de personnes depuis son ouverture en 1969. Conçu par l'architecte Raymond Moriyama, il abrite neuf salles d'exposition. Ce qui est particulier au Centre des sciences de l'Ontario et ce qui le rend par la même occasion si intéressant, ce sont les diverses démonstrations et expériences auxquelles vous et vos enfants pouvez vous prêter afin de mieux comprendre comment fonctionne notre univers.

››› *La collection d'art canadien McMichael de Kleinberg s'offre à vous à environ 45 min au nord du centre-ville de Toronto.*

Paisible hameau à la limite de la grande banlieue de Toronto, **Kleinberg** attire essentiellement les visiteurs en raison de la **McMichael Canadian Art Collection** ★★ *(15$; tlj 10h à 16h; 10365 Islington Ave.; prenez l'autoroute 400, puis suivez Major Mackenzie Dr. jusqu'à Islington Ave.; ☎905-893-1121 ou 888-213-1121, www.mcmichael.com)*, soit l'une des plus belles collections d'art canadien et autochtone du Canada. Une superbe maison en rondins et en pierres, construite autour des années 1950 pour les McMichael, abrite la collection. Grands amateurs d'art, les McMichael commencèrent à acheter des toiles de grands maîtres canadiens, aujourd'hui au cœur de leur collection. Les salles d'exposition, vastes et claires, présentent aussi une fort belle rétrospective des œuvres de Tom Thomson ainsi que du Groupe des Sept. La visite, essentiellement contemplative, vous donnera l'occasion d'admirer quelques-uns des plus beaux tableaux de ces peintres qui se sont efforcés de reproduire et d'interpréter à leur façon la nature ontarienne. Une place est également faite aux œuvres d'artistes inuits et amérindiens, notamment le peintre d'origine ojibwée Norval Morrisseau, qui a su créer son propre style, dit «pictographique».

Pour une balade dépaysante à souhait dans la région, rendez-vous au **Toronto Zoo** ★★ *(20$, stationnement 8$; mai à sept tlj 9h à 19h, heures réduites le reste de l'année; suivez l'autoroute 401 jusqu'à la sortie 389, puis prenez Meadowvale Dr.; ☎416-392-5929, www.torontozoo.com)*, où vous pourrez observer quelque 5 000 animaux tout en profitant d'un magnifique parc de près de 300 ha. Vous aurez la chance d'y voir des animaux de tous les coins du globe. La visite du pavillon d'Afrique s'avérera particulièrement intéressante, car il s'agit d'une grande serre où le climat et la végétation du continent noir ont été recréés. Bien sûr, la faune canadienne est aussi à l'honneur, avec une hutte de castors notamment, et plusieurs espèces pouvant s'adapter au climat d'ici s'ébattent librement dans de vastes enclos.

Plus grand parc d'attractions au pays, **Canada's Wonderland** ★★ *(laissez-passer d'une journée 46$/3-59 ans; mai, sept et début oct sam-dim 10h à 20h; juin à début sept tlj 10h à 22h; 9580 Jane St., Vaughan; à 30 min du centre-ville, sortie Rutherford de l'autoroute 400; ☎905-832-7000, www.canadaswonderland.com)* est un endroit mémorable si vous disposez d'une journée libre et que vous désirez faire plaisir à vos enfants. Parmi les manèges à vous mettre sans dessus dessous, retenons le Behemoth, les montagnes russes les plus rapides au Canada (125 km/h). Vous trouverez également ici un parc aquatique, le Splash Works, qui compte 16 manèges et toboggans, sans oublier les spectacles du **Kingswood Theatre**. Pour vous y rendre en transport en commun, du métro Yorkdale ou York Mills, prenez l'autobus GO Express spécialement marqué.

Activités de plein air

■ *Golf*

On dénombre à Toronto cinq golfs municipaux (trois parcours réduits et deux réguliers), qui accueillent tous les clients selon le principe du premier arrivé, premier servi. Le **Don Valley Golf Course** *(4200 Yonge St., ☎416-392-2465)* se présente comme un parcours régulier assez exigeant (normale 71), avec plusieurs obstacles.

Pour un parcours encore plus difficile, faites un saut à Oakville (à l'ouest de Toronto), où se trouve le **Glen Abbey Golf Club** *(1333 Dorval Dr., ☎905-844-1811 ou 800-288-0388)*. Ce parcours spectaculaire a été la première création de Jack Nicklaus. Les tarifs sont élevés, mais quel plaisir de jouer là où les professionnels mesurent leur talent. C'est ici que se tient souvent l'Omnium canadien.

■ *Patin à glace*

Plusieurs sites enchanteurs se prêtent à la pratique du patin à glace à l'intérieur des limites de la ville. En hiver, lorsqu'il fait assez froid, la baie de Toronto, en face du Waterfront, est parfois transformée en une gigantesque patinoire. On peut toujours compter sur les patinoires artificielles extérieures qui se trouvent en face de l'hôtel de ville, sur le **Nathan Phillips Square** et au **York Quay du Harbourfront**.

■ *Vélo*

Le **Martin Goodman Trail**, un sentier de jogging doublé d'une piste cyclable de 22 km, longe la rive du lac Ontario depuis l'embouchure de la rivière Humber, à l'ouest du centre-ville, jusqu'au Balmy Beach Club des Beaches, en passant par l'Ontario Place et le Waterfront. Le plan du sentier de même que les projets de développement le concernant sont disponibles au *www.biketoronto.ca*.

Toronto Islands Bicycle Rental
Centre Island
☎416-203-0009
Location de bicyclettes.

Hébergement

Le Waterfront

Radisson Hotel Admiral Toronto – Harbourfront
$$$$$
249 Queen's Quay W.
416-203-3333 ou 888-201-1718
416-203-3100
www.radisson.com

Si vous aimez la mer, vous adorerez le Radisson Hotel Admiral Toronto – Harbourfront. Les chambres elles-mêmes donnent l'impression que l'on se trouve à bord d'un paquebot de croisière. La vue de la baie que vous offre la piscine du cinquième étage est tout à fait magnifique.

Westin Harbour Castle
$$$$$ @
1 Harbour Sq.
416-869-1600 ou 888-625-5144
416-869-0573
www.starwoodhotels.com

Situé sur les rives du lac Ontario, le Westin Harbour Castle ne se trouve qu'à quelques pas du Harbourfront Centre et de la navette lacustre qui mène aux îles de Toronto. Les 977 chambres de l'hôtel sont dotées d'une sobre décoration contemporaine. Bien sûr, les chambres qui donnent sur le lac ont des vues extraordinaires. À quelques minutes de marche de l'Air Canada Centre, cet hôtel héberge de nombreuses équipes sportives en visite à Toronto.

Le quartier des affaires et du spectacle

Bond Place Hotel
$$$ @
65 Dundas St. E.
416-362-6061 ou 800-268-9390
416-360-6406
www.bondplace.ca

Le Bond Place Hotel est parfaitement situé si vous voulez vivre au rythme de la ville et vous mêler à la foule bigarrée qui fourmille au nouveau Dundas Square, à l'angle des rues Dundas et Yonge. Les chambres, bien que confortables, n'ont aucun charme particulier. Le Bond Place offre toutefois un des meilleurs rapports qualité/prix parmi les hôtels d'affaires torontois.

The Strathcona Hotel
$$$-$$$$ @
60 York St.
416-363-3321 ou 800-268-8304
416-363-4679
www.thestrathconahotel.com

De taille plus modeste que ses comparses du centre-ville, tout en demeurant d'une grande élégance, le Strathcona est un hôtel plaisant de 194 chambres situé à deux pas du Fairmont Royal York Hotel et de la gare Union, et à quelques minutes de marche du Waterfront. Ses chambres agréables offrent un confort standard. Réduction accordée aux détenteurs de billets VIA Rail.

Toronto Marriott Downtown Eaton Centre
$$$$-$$$$$
@
525 Bay St.
416-597-9200 ou 800-905-0667
416-597-9211
www.marriott.com

Si vous aimez tout avoir sous un même toit, le Toronto Marriott Downtown Eaton Centre a tout pour vous plaire. Relié à l'Eaton Centre, la Mecque du magasinage, cet hôtel Marriott met à votre disposition de très grandes chambres tout équipées (il y a même une planche et un fer à repasser). Les 459 chambres de l'établissement sont modernes, mais sans charme particulier.

Fairmont Royal York
$$$$$ @
100 Front St. W.
416-368-2511, 800-257-7544 ou 888-610-7575 (français)
416-368-9040
www.royalyorkhotel.com

Le **Fairmont Royal York** (voir p 371) fait honneur à sa réputation: dès les premiers pas dans le luxueux hall (à voir), le séjour s'annonce inoubliable et le confort exceptionnel. Les chambres, au charme vieillot, sont agréables et pourvues de toutes les commodités. Contrairement à d'autres hôtels, le Fairmont Royal York est particulièrement animé, car il est au cœur de la vie torontoise. Que ce soit pour prendre un café dans son restaurant permettant d'observer le va-et-vient dans le hall, ou encore pour siroter une bière dans son réputé Library Bar, il fait bon participer à l'activité ambiante. Situé juste en face de la gare Union, il s'avère un des hôtels les plus fréquentés de Toronto.

Renaissance Toronto Downtown Hotel
$$$$$
1 Blue Jays Way
416-341-7100 ou 800-237-1512
416-341-5091
www.renaissancetorontodowntown.com

Maillon de la chaîne Marriott, ce Renaissance est d'abord et avant tout le seul grand hôtel du monde qui soit situé dans un stade. Les chambres donnent sur le centre-ville ou sur le terrain du Rogers Centre où l'on voit gratuitement des matchs de baseball ou de football. Toutes les chambres sont vastes et leurs tons fort chaleureux. Les salles de bain revêtues de marbre ajoutent à la distinction des lieux.

Old Town Toronto

Hostelling International – Toronto Downtown
$-$$ @
76 Church St.
416-971-4440 ou 877-848-8737
416-971-4088
www.hihostels.ca

Hostelling International, le réseau officiel des auberges de jeunesse, propose 154 lits dans des chambres privées (pour les couples et les familles) ou dans de petits dortoirs, et ce, à prix très abordable. Vous y trouverez aussi un salon avec télévision, une laverie, une cuisine, une table de billard et un jeu de fléchettes, de même qu'une petite terrasse agréable où se tiennent de très joyeux barbecues.

Novotel Toronto Centre
$$$$ ≡ ◎ @
45 The Esplanade
☎416-367-8900 ou 800-668-6835
416-360-8285
www.novotel.com

L'hôtel de la chaîne française Novotel bénéficie d'un emplacement des plus agréables, à quelques minutes à peine du Harbourfront, du St. Lawrence Market et de la gare Union. Il n'y a rien à redire sur le confort de cet hôtel, sauf peut-être pour les chambres donnant sur The Esplanade, car en été leur tranquillité est troublée en raison des terrasses qui l'avoisinent.

Le Méridien King Edward
$$$$$ ≡ @
37 King St. E.
☎416-863-9700 ou 888-625-5144
416-863-4102
www.starwoodhotels.com

Construit en 1903, ce qui en fait le plus vieil hôtel de Toronto, le King Edward, aujourd'hui Le Méridien King Edward, renferme des chambres élégantes ayant leur caractère propre mais n'offrant malheureusement pas une vue des plus jolies. Cet inconvénient est cependant largement compensé par le magnifique hall et les deux grandes salles de bal. Le *King Eddie* est le palace le plus respecté à Toronto.

Queen Street West

Beaconsfield Bed and Breakfast
$$-$$$ bc/bp ≡ ❄
38 Beaconsfield Ave.
☎416-535-3338
www.uniquehomes.ca

Le Beaconsfield Bed and Breakfast, aménagé dans une superbe construction victorienne datant de 1882 et située dans un petit quartier tranquille tout près de Queen Street West, est l'endroit tout indiqué si vous cherchez une auberge pour faire changement des grands hôtels. Il renferme trois chambres mignonnes (dont deux ont une terrasse), toutes décorées avec beaucoup d'imagination et de goût. Parmi les bons moments à y passer, mentionnons les sympathiques petits déjeuners musicaux.

Queen's Park et l'université de Toronto

Les Amis
$$ bc/bp ≡ @
31 Granby St.
☎416-591-0635
416-591-8546
www.bbtoronto.com

Arrivés de Paris il y a plusieurs années, Michelle et Paul-Antoine Buer ont ouvert Les Amis, petit *bed and breakfast* sans prétention où vous vous sentirez comme chez vous. Décorées simplement mais avec soin, les trois chambres de la maison possèdent chacune un confortable lit avec matelas allemand, couette et oreillers en duvet. Situé dans une petite rue peu passante et résidentielle, le gîte des Buer ne s'en trouve pas moins à quelques minutes de l'animation du centre de Toronto. Au petit déjeuner végétarien, la fraîcheur est au rendez-vous.

The House on McGill
$$ bc/bp @ ≡
110 McGill St.
☎416-351-1503 ou 877-580-5015
www.mcgillbb.ca

Le Canadien Dave Perks et l'Australien Adam Tanner-Hill vous accueillent dans leur sympathique gîte qu'ils ont nommé The House on McGill, une belle résidence victorienne érigée en 1894. Dans une petite rue résidentielle à quelques pas de Church Street et du quartier gay de Toronto, l'établissement propose six chambres colorées, décorées avec goût, dans un cadre qui a gardé le meilleur de l'époque victorienne tout en offrant un confort moderne. Les clients apprécient le calme et l'intimité de l'endroit, son aménagement soigné, son petit jardin et sa localisation centrale.

Jarvis House
$$-$$$$ ≡ ◎ @
344 Jarvis St.
☎416-975-3838
416-496-1357
www.jarvishouse.com

La Jarvis House compte 11 chambres impeccables (certaines avec baignoire à remous). Dans cette maison victorienne rénovée, le service est chaleureux et professionnel, et les chambres sont silencieuses. Les prix sont très variés, selon le confort des chambres. Buanderie.

Bloor Street et Yorkville Avenue

InterContinental Toronto Yorkville
$$$$-$$$$$ ≡ @
220 Bloor St. W.
☎416-960-5200 ou 888-897-0089
416-960-8269
www.toronto.intercontinental.com

À deux pas de la station de métro Museum, du Royal Ontario Museum (ROM) et de Yorkville, l'InterContinental Toronto Yorkville vous séduira: ses 204 chambres sont vastes et décorées avec goût et son service est exemplaire. Le resto-terrasse SkyLounge donne sur la rue Bloor. Bornes d'enregistrement aéroportuaire sur place.

Four Seasons Hotel Toronto
$$$$$ ≡ ◎ @
21 Avenue Rd.
☎416-964-0411 ou 800-268-6282
416-964-8699
www.fourseasons.com

Si vous êtes à la recherche d'un hôtel de grande réputation, le

Four Seasons Hotel Toronto, l'un des établissements les mieux cotés en Amérique du Nord, est sans nul doute un incontournable. L'établissement est d'ailleurs fidèle à sa réputation, le service étant impeccable et les chambres présentant un fort décor traditionnel recherché. En outre, il abrite une somptueuse salle de bal garnie de tapis persans et de lustres en cristal. Enfin, même le restaurant de l'hôtel, le **Truffles** (voir p 386), avec à l'entrée les sculptures d'Uffizi représentant deux sangliers sauvages, saura vous combler, car il s'agit vraisemblablement d'une des meilleures tables du tout Toronto. À noter que la chaîne hôtelière internationale Four Seasons est basée à Toronto.

The Annex

Global Guest House
$$ bc/bp ≡
9 Spadina Rd.
☎/🖷 416-923-4004
www.globalguesthousetoronto.com

La Global Guest House s'impose comme une option fort prisée, peu coûteuse et respectueuse de l'environnement, sans compter qu'elle est merveilleusement bien située, juste à côté de la station de métro Spadina, au nord de la rue Bloor. Ses neuf chambres irréprochables présentent un décor simple, hétéroclite et coloré, qui plaira aux jeunes d'âge comme aux jeunes de cœur. Café et thé gratuits, buanderie et accès aux cuisines. À noter toutefois qu'il y a beaucoup d'activités, et parfois du bruit, dans ce quartier, et que la réception n'est pas ouverte jour et nuit comme dans un hôtel conventionnel.

Près de l'aéroport

Quality Hotel & Suites Airport East
$$$ ≡ @
2180 Islington Ave.
☎416-240-9090 ou 800-267-3837
🖷416-240-9944
www.choicehotels.ca

Hôtel de catégorie moyenne-élevée, ce Quality Hotel & Suites propose de jolies chambres et de petits appartements rénovés. Bien que situé un peu loin de l'aéroport, il offre un des meilleurs rapports qualité/prix de la région. L'hôtel est situé près du carrefour des autoroutes qui mènent à l'aéroport, à Niagara Falls et au centre-ville. Un autocar gratuit fait la navette entre l'hôtel et l'aéroport jour et nuit.

Sheraton Gateway Hotel in Toronto International Airport
$$$$ ≡ @
Toronto Pearson International Airport, Terminal 3
☎905-672-7000 ou 888-625-5144
🖷905-672-7100
www.sheraton.com

L'hôtel Sheraton Gateway, relié directement à l'aérogare nº 3 (par un tapis roulant sur une passerelle couverte et climatisée!), est sans aucun doute le mieux situé pour les voyageurs en transit. Il compte 474 chambres joliment décorées et parfaitement insonorisées, certaines avec vue panoramique sur l'aéroport. Bornes d'enregistrement aéroportuaire et écrans des départs et arrivées dans le hall.

Restaurants

Le Waterfront

Il Fornello
$$
Queen's Quay Terminal
207 Queen's Quay W.
☎416-861-1028

La pizzeria Il Fornello se trouve dans le Queen's Quay Terminal. Sa terrasse attirante donne sur le lac Ontario, alors que sa grande salle lumineuse favorise les repas agréables et joyeux. Les pizzas fines sont la spécialité de la maison, mais les pâtes ou les salades sont aussi un bon choix.

Pearl Harbourfront
$$
Queen's Quay Terminal
207 Queen's Quay W.
☎416-203-1233

Le Pearl Harbourfront, également situé dans le Queen's Quay Terminal, est un restaurant chinois plutôt classe. Ses nombreuses lucarnes contribuent à éclairer et à aérer la salle qui offre une belle vue sur le lac Ontario, et son personnel est avenant. Les spécialités sichuanaises et cantonaises, incluant les *dim sum*, sont élaborées à partir de produits frais du marché. Excellent rapport qualité/prix.

Les îles de Toronto

The Rectory Cafe
$-$$
102 Lakeshore Ave.
Ward's Island

Pour un repas simple mais de qualité, dans l'atmosphère chaleureuse d'une demeure insulaire, le Rectory Cafe est tout indiqué. Centre de diffusion d'art local, il propose un menu de type bistro qui se raffine en soirée. Sa grande terrasse est parfaite pour déguster sandwichs et salades tout en admirant un coucher de soleil sur le lac et la ville. À 5 min à pied du quai du traversier pour Ward's Island.

Le quartier des affaires et du spectacle

Acqua
$$-$$$
BCE Place
10 Front St. W.
☎416-368-7171

Chez Acqua, comme le laisse sous-entendre son nom,

tout le décor intérieur tourne autour du thème de l'eau. Tout en contemplant le beau décor quelque peu inusité de ce restaurant très à la mode, vous dégusterez de succulents plats issus des traditions culinaires méditerranéennes. Les pâtes ne coûtent pas très cher. On peut aussi se gâter en s'offrant un filet mignon grillé ou un filet de flétan aux pacanes.

Szechuan, Szechuan
$$-$$$
100 King St. W.
First Canadian Place, niveau mezzanine
☎416-861-0124
Fuyez le tohu-bohu du centre-ville en vous réfugiant dans la chaleureuse atmosphère de ce restaurant chinois qu'est le Szechuan, Szechuan. Des plats comme les crevettes à l'ail et légumes, l'émincé de bœuf aux épices et le poulet sauce piquante aux arachides se révèlent tous cuits à point. Vous pouvez y faire des essais culinaires ou vous réfugier parmi les arômes réconfortants du poulet du Général Tao. Le personnel s'avère attentionné.

Wayne Gretzky's
$$-$$$
99 Blue Jays Way
☎416-979-7825
Le Wayne Gretzky's appartient au célèbre hockeyeur du même nom (qui est originaire de Brantford, à 150 km au sud de Toronto). Situé tout près de la tour du CN, cet immense bar sportif (aux multiples écrans transmettant des matchs de toutes sortes) peut accueillir des centaines de personnes et constitue un véritable hommage au héros, car il est rempli de souvenirs de sa carrière, de chandails de hockey, de trophées et de patins. La terrasse Oasis, aménagée sur le toit, se pare en outre d'une cascade rocailleuse et de faux palmiers, et sert des grillades telles que hamburgers et côtes levées préparées sur un barbecue. Un bon choix de pâtes complète le menu de pub de cet établissement. En hiver, c'est le meilleur endroit en ville pour voir un match des Maple Leafs de Toronto en compagnie de leurs fans.

360 Restaurant
$$$-$$$$
CN Tower
301 Front St. W.
☎416-362-5411
Il faut habituellement se méfier des restaurants panoramiques. Le 360 pourrait se contenter de proposer un décor altier à 360 degrés, mais son menu est «à la hauteur», et aucune cave à vin reconnue par Wine Spectator n'est aussi élevée dans le firmament des établissements torontois.

Barberian's
$$$-$$$$
7 Elm St.
☎416-597-0225
Cette grilladerie mythique de Toronto propose un succulent steak servi dans la meilleure tradition nord-américaine. Situé dans une rue charmante, près de l'Eaton Centre.

Monsoon
$$$-$$$$
100 Simcoe St.
☎416-979-7172
Le décor unique et singulier du restaurant Monsoon tend à faire oublier le caractère subtil et délicieux de sa cuisine. Il est vrai que le cadre léché et bichrome, tout à fait particulier, ne peut que retenir l'attention des convives. Pourtant, les fins palais apprécieront l'invention et l'audace du chef qui transforme viandes, poissons et légumes bien nord-américains en de véritables splendeurs aux parfums d'Asie.

Senses
$$$$
SoHo Metropolitan Hotel
318 Wellington St. W.
☎416-935-0400
Le restaurant Senses saura comment transporter de joie vos papilles. En goûtant ses plats inspirés des cuisines de l'Asie et de l'Amérique centrale, vous en resterez bouche bée, tellement délicieux sont l'omble chevalier rôti et les poitrines de pigeon fumées au thé qu'il concocte. Au dessert, offrez-vous une pointe de tarte à la crème aux bananes, pour vous retrouver au septième ciel. Tenez-vous-le pour dit: ici les pâtisseries sont absolument délicieuses et les petits déjeuners fort courus.

Old Town Toronto

C'est What?
$$
67 Front St. E.
☎416-867-9499
C'est What? propose un merveilleux mélange de cuisines dont les plats simples sont savoureux. On peut y aller jusque tard dans la nuit, ou encore avant ou après un spectacle. Le menu affiche des salades alléchantes ainsi que des sandwichs innovateurs, et offre même «la meilleure poutine au sud de la rivière des Outaouais». L'ambiance ressemble beaucoup à celle d'un pub avec ses chaises confortables, ses jeux de société et sa musique d'ambiance. Grand choix de bières pression.

Café du Marché
$$
jusqu'à 15h
45 Colborne St.
☎416-368-0371
Le Café du Marché ne sert que le petit déjeuner et le déjeuner, mais présente un excellent rapport qualité/prix dans la très agréable rue Colborne. Vous y trouverez aussi bien un comptoir de mets à emporter qu'une salle à manger où l'on sert des salades, des sandwichs, des quiches, des omelettes et divers plats de résistance couronnés d'un délicieux assortiment de desserts. De plus, on y parle le français!

Ivory Thailand
$$
81 Church St.
☎416-368-1368
Le chef de l'Ivory Thailand, Wandee Young, est l'un de ceux qui ont lancé la popularité de la cuisine thaïlandaise à Toronto dans les années 1980. Dans la salle lumineuse, aux tons rouges et dorés, on sert des classiques tels que la salade de mangue verte, les satays arrosés d'une sauce piquante aux arachides et, bien sûr, le *pad thai*, dont vous raffolerez.

Golden Thai
$$-$$$
105 Church St.
☎416-868-6668
Le Golden Thai est un restaurant prisé le soir venu car son décor est sublime, parfait en toute circonstance: fontaines et lumière tamisée pour l'intimité, riches couleurs, boiseries, sculptures et plantes. Et la gentillesse du personnel s'ajoute à la douceur du décor. Les plats, tous les classiques de la Thaïlande, sont à la hauteur du décor et du service.

Le Papillon on Front
$$-$$$
69 Front St. E.
☎416-367-0303
Le Papillon propose une alléchante variété de grillades, du canard et des pâtes, mais les crêpes bretonnes demeurent la spécialité de la maison. La grande salle à manger révèle magnifiquement le caractère historique de la rue Front. On s'y sent bien, comme dans une brasserie française.

Hiro Sushi
$$$
171 King St. E.
☎416-304-0550
Reconnu comme un des plus adroits chefs spécialisés dans les sushis à Toronto, Hiro Yoshida fait des heureux dans son populaire restaurant Hiro Sushi. Bien qu'il s'appuie sur les préparations les plus classiques du pays du Soleil levant, où il va d'ailleurs se ressourcer quelquefois, le chef se laisse aller à quelques originalités pour le plus grand plaisir des convives. Intime, l'établissement possède un cadre dépouillé et minimaliste qui laisse toute la place aux créations d'Hiro.

Biaggio Ristorante
$$$$
St. Lawrence Hall
155 King St. E.
☎416-366-4040
À l'intérieur du St. Lawrence Hall, vous pourrez savourer une cuisine italienne digne des plus fins palais au Biaggio, car cet élégant restaurant sert peut-être les meilleures pâtes fraîches en ville. Après avoir longuement hésité à choisir l'un des plats, tout aussi tentants les uns que les autres, offrez-vous une bouteille parmi l'excellente sélection de la carte des vins. Heureusement, le serveur pourra vous venir en aide.

Queen Street West, Chinatown et le Kensington Market

Dufflet Pastries
$
787 Queen St. W.
☎416-504-2870
Dufflet Pastries est une minuscule pâtisserie qui peut se vanter de produire des gâteaux, des tartes et d'autres douceurs parmi les plus divins qui soient à Toronto. Ses créations se retrouvent d'ailleurs sur les chariots de desserts de bon nombre de restaurants de la ville, quoique rien ne remplace l'approvisionnement à la source. Vous pourrez aussi bien y acheter un gâteau entier pour une occasion spéciale que vous y attabler pour siroter un cappuccino ou un café au lait, tout en succombant à quelque irrésistible délice.

Swatow
$-$$
309 Spadina Ave.
☎416-977-0601
Le Swatow, un petit restaurant sans prétention, propose un menu varié capable de satisfaire tous les appétits. Malgré toute sa simplicité, rien ne peut se comparer à l'authenticité de la délicieuse cuisine cantonaise, servie rapidement, tout comme en Chine. Un remarquable rapport qualité/prix.

Queen Mother Cafe
$$
208 Queen St. W.
☎416-598-4719
Un classique du secteur, le Queen Mother Cafe appartient aux mêmes propriétaires que le populaire resto-bar Rivoli, un peu plus loin dans la même rue. Contrairement à ce que son nom pourrait laisser croire, il ne s'agit nullement d'un salon de thé à la britannique, mais plutôt d'un restaurant à service complet spécialisé dans les mets du Laos et de la Thaïlande, d'ailleurs fort variés. Tables et banquettes intimes y emplissent trois salles prolongées d'une petite terrasse à l'arrière. Le *pad thai* est un grand favori des habitués de la maison, et ce, depuis une époque de loin antérieure à celle où tous les établissements du coin se sont mis à en servir. Quant au riz gluant sauce aux arachides, c'est un pur délice. Le menu affiche quotidiennement de nombreux plats du jour, et les desserts sont tout simplement divins.

San
$$
676 Queen St. W.
☎416-214-9429
Petit restaurant coréen qui tient plutôt du café avec sa décoration contemporaine sans prétention, le San s'em-

plit rapidement d'habitués qui savourent ses spécialités et ses succulents plats coréens traditionnels comprenant poissons grillés, ragoûts et bœuf *bulgogi*. L'établissement possède le charme et l'âme bohème du «West Queen West»... et ne désemplit pas!

Taro Grill
$$
492 Queen St. W.
☎416-504-1320
Le Taro Grill fait partie de ces restos où l'on se rend pour bien manger, et pour discuter dans un petit décor brunâtre propice aux rencontres romantiques ou intellectuelles. Si vous êtes seul, un petit bar donne une bonne vue sur la rue. Ici le spectacle est incessant, car vous pourrez également observer le chef à l'œuvre dans la cuisine à aire ouverte.

Terroni
$$
720 Queen St. W
☎416-504-0320
Cette grande trattoria présente un décor de caractère et possède des terrasses arrière d'ambiance. Salades, pâtes, pizzas (la spécialité de la maison) et sandwichs y sont toujours frais, et préparés à partir d'ingrédients de qualité.

Peter Pan Bistro
$$-$$$
373 Queen St. W.
☎416-593-0917
Le restaurant Peter Pan offre un très beau décor qui rappelle les années 1930 avec ses tapisseries à relief, ses grands tableaux et ses banquettes très originales. Plus encore, on y propose une cuisine imaginative et délicieuse: pâtes, pizzas et poissons prennent ici des allures inédites. Le service y est à la fois décontracté et attentionné. La musique jazz ambiante est recherchée. Excellent rapport qualité/prix. Le Peter Pan Bistro est l'un des grands classiques de la rue Queen West.

Swan Restaurant
$$-$$$
892 Queen St. W.
☎416-532-0452
La petite salle du Swan est garnie de banquettes rétro, et le cool jazz y est de rigueur. Ses brunchs en surpassent par ailleurs beaucoup d'autres et se composent notamment de mollusques et de crustacés frais (le chef y ouvre les huîtres sous vos yeux). Quant au menu régulier, il fait défiler un assortiment exquis de délices originaux, entre autres du pain portugais, de la purée de patates douces et du chapon. Une petite adresse très agréable.

The Paddock
$$$
178 Bathurst St.
☎416-504-9997
À ses débuts, The Paddock était connu comme un bar de type *saloon* – de ceux contre lesquels votre arrière-grand-mère vous aurait mis en garde. Aujourd'hui entièrement remodelé, il s'impose plutôt comme un chic et chaleureux restaurant où les jeunes trentenaires du quartier se rendent volontiers pour s'offrir un bon repas. Les portions sont menues, mais admirablement présentées, et vous réservent des délices tels qu'un *crumpet* (petite crêpe épaisse) garni de patates douces et de gorgonzola, le tout accompagné de mini-légumes verts, ou un bifteck fumé au *mesquite* (prosopis) assorti d'une gaufrette de pommes de terre et de poivrons grillés. Vous verrez, le chef aime expérimenter. L'endroit se transforme par ailleurs en bar à cocktails le soir venu.

Queen's Park et l'université de Toronto

Kensington Kitchen
$$
124 Harbord St.
☎416-961-3404
Vous pourrez déguster ici des plats méditerranéens tels que le couscous marocain et l'agneau d'Istanbul, de même que des entrées maison telles que l'hoummos, le taboulé et le baba ganouj. La chaleureuse et confortable salle à manger est garnie de tapisseries, et une intéressante collection de modèles réduits d'avions d'une autre époque agrémente le plafond. Il s'agit d'une bonne adresse à retenir pour les belles journées d'été, car vous pourrez savourer ces spécialités sur la terrasse aménagée sur le toit. Un resto favori des étudiants de l'université de Toronto.

Bistro 990
$$$$
990 Bay St.
☎416-921-9990
Le Bistro 990 fait sûrement partie des meilleures adresses à Toronto. Une délicieuse cuisine provençale française vous attend ici dans un superbe décor méditerranéen. Escargots et champignons sauce à l'ail et au vin blanc, carré d'agneau farci d'ail et de camembert, et loup de mer garni de légumes braisés ne sont que quelques-uns des délices parmi lesquels vous devrez choisir. Les bavettes et autres classiques de cuisine bistro sont aussi servis... souvent à des vedettes internationales en visite au Festival international du film de Toronto.

Bloor Street et Yorkville Avenue

c5
$$$
Royal Ontario Museum (ROM)
100 Queen's Park Crescent
☎416-586-7928

Au cinquième étage du Michael Lee-Chin Crystal du **Royal Ontario Museum** (voir p 376), le restaurant-*lounge* c5 propose un menu créatif qui met à l'honneur les produits de l'Ontario dans un lieu chic avec cuisine à aire ouverte dont les grandes baies vitrées donnent sur le centre-ville. Petits plats au bar servis après 17h. Brunch le dimanche. Pas besoin de payer l'entrée au ROM pour apprécier le c5.

Jacques Bistro du Parc
$$$$
126-A Cumberland St.
☎416-961-1893

Il faut vraiment se donner la peine de trouver le restaurant Jacques Bistro du Parc, aussi appelé «Jacques l'Omelette». Ce tout petit établissement au charme indubitable est situé à l'étage d'une belle maison de Yorkville. Français jusqu'au bout des doigts, le propriétaire est des plus sympathiques. Il propose une cuisine simple mais de qualité, comme ce lapin frais de l'Ontario et ce carré d'agneau à la dijonnaise. Le saumon frais de l'Atlantique et la salade d'épinards font partie des bonnes surprises que réserve le menu.

Truffles
$$$$
Four Seasons Hotel
21 Avenue Rd.
☎416-964-0411

Le Truffles n'est certes pas à la portée de toutes les bourses, mais, si votre budget vous le permet, vous serez tout simplement ravi car il est réputé, et non à tort, comme l'un des meilleurs restaurants au Canada. Les spaghettinis en sauce aux truffes (vous serez agréablement surpris) sont sa marque de commerce...

The Annex

Future Bakery and Cafe
$
483 Bloor St. W.
☎416-922-5875

À la fois café, boulangerie et cafétéria servant des repas chauds est-européens, le Future Bakery and Cafe constitue un endroit apprécié par une clientèle plutôt jeune et branchée. Les concepteurs de l'établissement ont su exploiter le grand espace en y aménageant différents comptoirs de service dans chaque coin. Ainsi le client peut-il simplement y acheter son pain ou prendre un café sans avoir à prendre la file derrière les clients qui commandent un plat chaud. Par ailleurs, ce cadre simple est agréable et dégagé avec son plafond haut, son mobilier en bois et ses peintures murales. Agréable terrasse.

Le Paradis
$$$
166 Bedford Rd.
☎416-921-0995

Le Paradis, un petit bistro, propose une cuisine française authentique à des prix tout à fait abordables. On se spécialise ici dans les plats en cocotte (agneau, canard et lapin) et dans les poissons. Le décor est simple et le service discret, mais sa délicieuse cuisine, comme en témoigne sa clientèle dévouée, en fait un restaurant à ne pas manquer. Mieux vaut réserver.

Sorties

■ Activités culturelles

Vous pouvez vous procurer des billets pour les spectacles à l'affiche dans les salles de Toronto auprès de **Ticketmaster** *(☎416-870-8000)*.

Canon Theatre
244 Victoria St.
☎416-872-1212
Théâtre de vaudeville.

Enwave Theatre
231 Queen's Quay W.
☎416-973-4000
Installé dans un ancien entrepôt frigorifique, l'Enwave Theatre est devenu un lieu prisé par la communauté artistique qui y présente des pièces de théâtre de renom.

Hummingbird Centre
1 Front St. E.
☎416-872-2262
S'y produisent la Canadian Opera Company et le National Ballet of Canada, sans compter les pièces à succès de Broadway et les spectacles des grands noms de la musique.

Massey Hall
178 Victoria St.
☎416-872-4255
L'excellente acoustique de cette magnifique salle traditionnelle rehausse la qualité des spectacles les plus variés, qui vont des concerts rock aux représentations théâtrales.

Princess of Wales Theatre
300 King St. W.
☎416-872-1212
Construit tout spécialement pour accueillir des comédies musicales, le Princess of Wales continue aujourd'hui de présenter du théâtre musical, entre autres.

Royal Alexandra Theatre
260 King St. W.
☎416-872-1212
Inauguré en 1907, ce vénérable théâtre de style Beaux-Arts est une merveille pour les yeux. On y présente du théâtre musical de Broadway et d'autres spectacles flamboyants.

Roy Thomson Hall
60 Simcoe St.
☎416-872-4255
Le Toronto Symphony Orchestra et le Toronto Men-

delssohn Choir ont tous deux élu domicile dans cette salle à l'acoustique exceptionnelle.

Théâtre français de Toronto
Berkeley Street Theatre
26 Berkeley St.
☎416-534-6604
Fondé en 1967 sous le nom de «Théâtre du P'tit Bonheur», le Théâtre français de Toronto est devenu l'un des plus importants théâtres de langue française hors Québec avec 230 productions à son actif.

■ Bars et boîtes de nuit

This is London
364 Richmond St. W.
☎416-351-1100
Chic bar-discothèque réservé aux jeunes professionnels à l'aise, This is London présente un décor inspiré et stylisé avec ses planchers en bois et ses canapés en cuir. Le DJ fait jouer un bon choix de musique allant des derniers succès au disco, en passant par le soul et le rhythm-and-blues.

Reservoir Lounge
52 Wellington E.
☎416-955-0887
La popularité de ce bar de jazz qui ressemble à un piano-bar des années 1950 attire une clientèle tant locale qu'internationale. On y propose chaque soir un cinq à sept fort couru, comme le sont d'ailleurs ses spectacles de swing, de blues et de jazz.

Reverb/Big Bop/Holy Joe's
651 Queen St. W.
☎416-504-6699
Reverb/Big Bop/Holy Joe's propose sur trois étages de la musique sur scène en tout genre, la plupart des soirs de la semaine.

The Chelsea Room
923 Dundas St. W.
☎416-364-0553
Situé dans un quartier résidentiel dont les trottoirs ne sont pas envahis par la foule les fins de semaine, le Chelsea Room rompt avec le chic, le branché et l'underground traditionnel. Sobre bar à la déco épurée, mais qui a de la gueule, sombre à souhait, il fait partie de ces bars de Dundas Street West qui affirment leur différence, tout comme sa clientèle éclectique, d'ailleurs, composée de jeunes professionnels, d'artistes et d'étudiants qui viennent simplement discuter, ou encore danser sur les rythmes *soul*, *funk*, ou *house* du DJ. On y a même présenté du hip-hop francophone!

Brunswick House
481 Bloor St. W.
☎416-964-2242
Le rendez-vous étudiant le plus populaire de Toronto n'est autre que le Brunswick House. Écrans de télévision géants, jeu de palets, tables de billard et 10 bières pression bon marché. Dans une salle pimpante qui date pourtant de 1876.

Tallulah's Cabaret
12 Alexander St.
☎416-975-8555
Le Tallulah's Cabaret ouvre ses portes à une clientèle gay après les spectacles parfois controversés du Buddies in Bad Times Theatre, où il est situé.

Sailor
465 Church St.
Woody's
467 Church St.
☎416-972-0887
Woody's, établi au cœur du Village gay depuis 1989, est populaire pour ses cinq à sept et se transforme en boîte de nuit le soir venu. Le bar Sailor, adjacent et plus récent, complète ce grand complexe du *Boystown*.

■ Fêtes et festivals

Juin

International Fireworks Festival, The Symphony of Fire
mi-juin à fin juil
Ontario Place, près du lac
☎416-870-8000 (billets) et 416-314-9900 (information)
Festival pyrotechnique international. L'explosion des feux d'artifice est particulièrement impressionnante depuis les nombreux bateaux qui jettent l'ancre dans le lac Ontario.

Toronto Downtown Jazz
fin juin
☎416-928-2033
www.tojazz.com
Festival de jazz au centre-ville. Concerts à la fois gratuits à l'extérieur et payants dans plusieurs bars et salles de spectacle.

Juillet

Caribana Toronto
mi-juil à début août
☎416-833-6164
www.caribanatoronto.com
Un festival de style trinidadien voué à la musique et à la culture des Caraïbes. Il se termine par un défilé spectaculaire de 12h, ce qui en fait le plus important en Amérique du Nord!

Septembre

Toronto International Film Festival (TIFF)
début sept
☎416-968-3456
Ce festival est rapidement devenu un événement reconnu par l'ensemble du monde artistique. Le TIFF est aujourd'hui considéré comme le meilleur festival de films en Amérique du Nord, et il fait une chaude lutte au Festival international du film de Venise qui se déroule juste après.

Achats

■ Antiquités

Toronto Antiques on King
276 King St. W.
☎416-345-9941
Les amateurs d'antiquités et d'objets d'occasion seront ravis de ce concept, qui regroupe une vingtaine de commerçants permanents.

Centres commerciaux

Queen's Quay Terminal
207 Queen's Quay W.
☎416-203-3269
Magnifique centre commercial établi sur les rives du lac Ontario, le Queen's Quay Terminal regroupe plus de 50 boutiques (la plupart proposant des produits canadiens) et des restaurants. Son grand bâtiment Art déco, qui fut l'un des hangars du port, offre des vues magnifiques sur le lac.

Eaton Centre
220 Yonge St., angle Queen St. W.
☎416-598-8700
L'Eaton Centre est officiellement la plus grande attraction touristique de Toronto. Il regroupe plus de 300 magasins et est un incontournable pour tout «coureur de magasins». Parmi les boutiques les plus intéressantes, mentionnons Harry Rosen, Mexx, Banana Republic et Gap pour les vêtements, Bowrings pour la maison, Disney Store pour les enfants et un Liquor Control Board of Ontario (LCBO) pour les vins et spiritueux. En outre, son architecture intérieure est saisissante.

Holt Renfrew Centre
50 Bloor St. W.
☎416-923-2255
Le Holt Renfrew Centre compte plus de 25 belles boutiques incluant HMV, Eddie Bauer, Emporio Armani, Mephisto et Femme de Carrière, qui proposent aussi bien de la haute couture que des vêtements sport, des chaussures et de la lingerie.

Hazelton Lanes
55-57 Avenue Rd.
☎416-968-8602
Le centre commercial Hazelton Lanes possède plus de 70 boutiques de haute gamme spécialisées dans les vêtements et les bijoux. Des noms comme Monaco Boys and Girls, Jacadi et Browns y sont représentés.

Livres

Open Air Books and Maps
25 Toronto St.
☎416-363-0719
Tant les voyageurs et aventuriers que les amants de la nature seront surpris de voir la grande variété de guides de voyage, d'ouvrages de référence et de cartes géographiques que recèle ce magasin plutôt exceptionnel.

World's Biggest Bookstore
20 Edward St.
☎416-977-7009
Institution torontoise, le World's Biggest Bookstore n'est probablement pas la plus grande librairie au monde, mais sa collection de livres est très impressionnante tout en étant facile à explorer.

Magasin d'aubaines

Honest Ed's
581 Bloor St. W.
☎416-537-1574
Réputé depuis 1948 pour ses aubaines de toute sorte, Honest Ed's est un incontournable en ville pour quiconque aime économiser. On y trouve un large éventail d'articles en tout genre, allant des produits d'alimentation aux vêtements en passant par les meubles et les cosmétiques. En fait, ce magasin à rayons n'est pas si «économique», mais le génie de l'endroit est d'être merveilleusement sympathique et divertissant.

Vêtements

Dans **Queen Street West**, les boutiques de mode s'adressant à un public relativement jeune ont pignon sur rue. Parmi les chaînes de magasins de vêtements fort populaires, mentionnons **La Cache**, connue pour ses vêtements féminins en laine ou en coton, ses foulards et ses chapeaux, **Gap** pour ses jeans et **Roots** pour ses vestes de cuir et ses chandails de laine.

Par contre, **West Queen West**, qui débute officiellement à l'ouest de Bathurst et s'étend jusqu'à Gladstone, est un véritable petit paradis pour quiconque recherche l'exclusivité et l'originalité: les boutiques de designers côtoient ici les magasins de vêtements de seconde main.

Le **Kensington Market** est réputé pour le nombre de magasins de vêtements de seconde main qui y ont élu domicile. Cependant, il ne s'agit pas ici de fringues d'occasion bon marché, mais plutôt de vêtements de style *hip* ou rétro qui se vendent à bon prix.

La portion de la **Bloor Street** entre Avenue Road et Yonge Street est une succession de boutiques de prêts-à-porter, certains signés par les plus grands couturiers internationaux. En vous promenant, votre œil sera inévitablement attiré par leurs attrayantes vitrines.

Le sud-ouest de l'Ontario

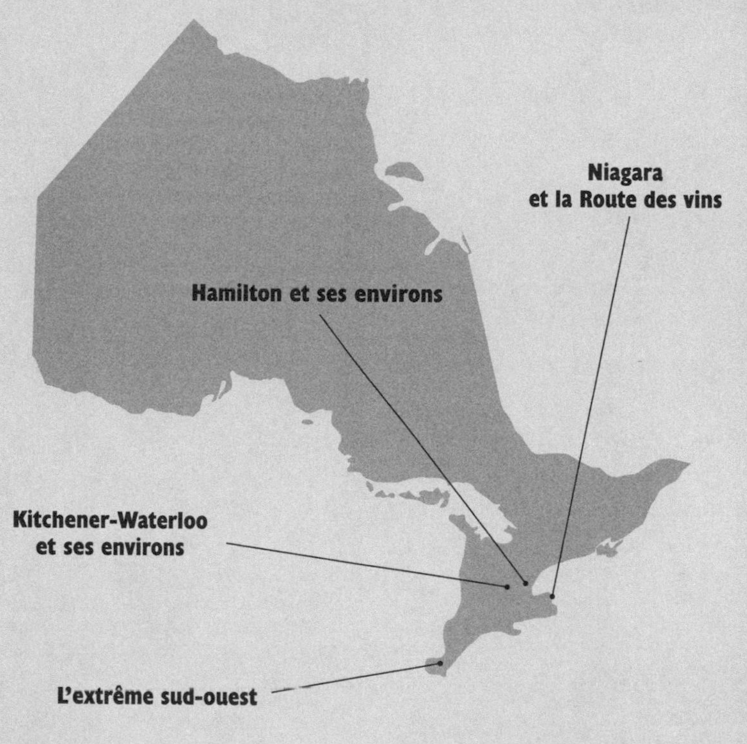

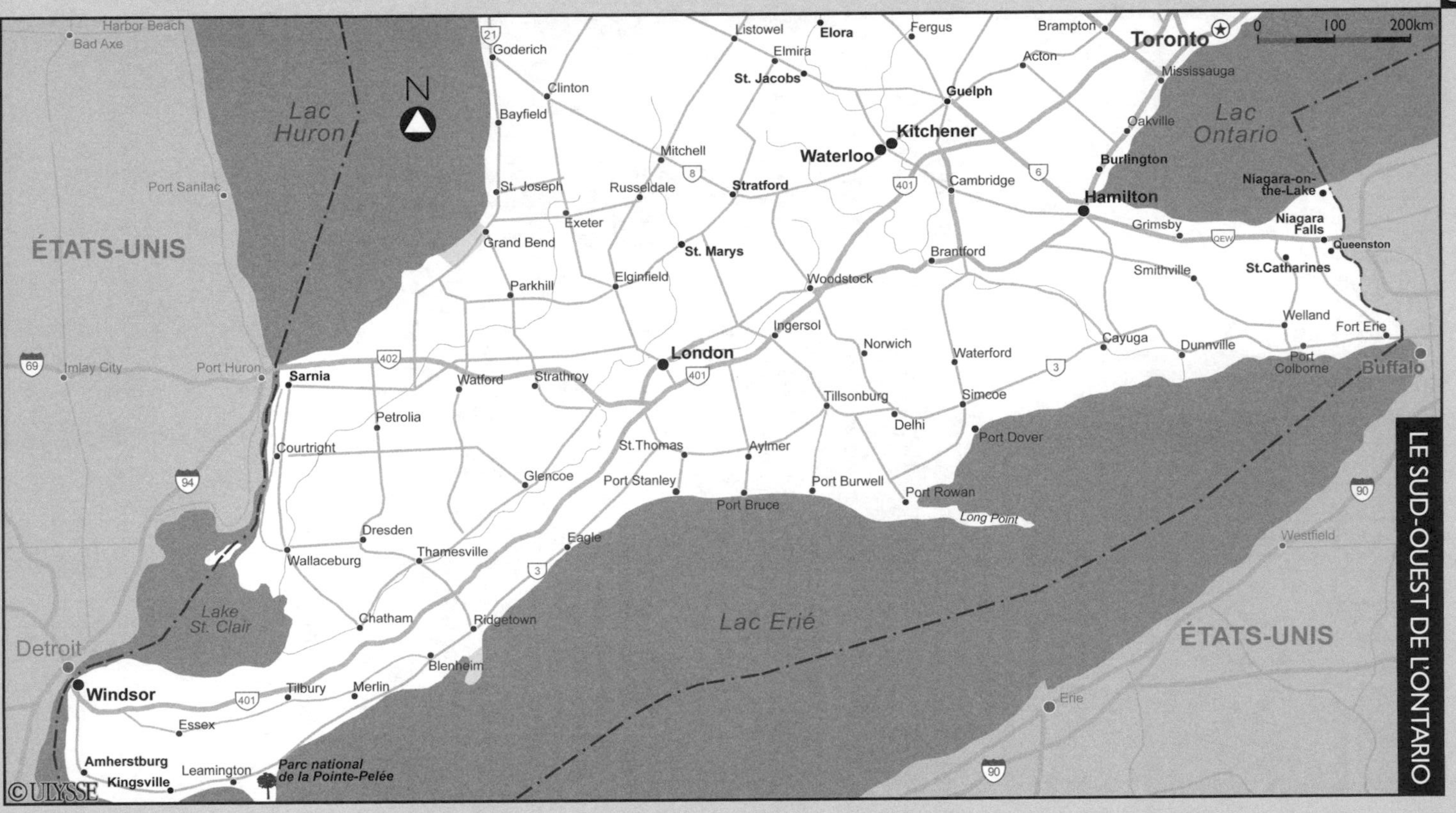
LE SUD-OUEST DE L'ONTARIO
0
100
200km
Harbor Beach
Bad Axe
Lac Huron
N
Goderich
Clinton
Bayfield
Listowel
Elora
Elmira
St. Jacobs
Fergus
Brampton
Toronto
Acton
Mississauga
Guelph
Kitchener
Waterloo
Oakville
Lac Ontario
Burlington
Mitchell
Port Sanilac
St. Joseph
Russeldale
Stratford
Cambridge
Hamilton
Niagara-on-the-Lake
Exeter
Grimsby
Niagara Falls
Queenston
ÉTATS-UNIS
Grand Bend
St. Marys
Brantford
Smithville
St.Catharines
Parkhill
Elginfield
Woodstock
Welland
Fort Erie
Ingersol
Norwich
Cayuga
Dunnville
London
Waterford
Port Colborne
Buffalo
Imlay City
Port Huron
Sarnia
Watford
Strathroy
Tillsonburg
Simcoe
Petrolia
Delhi
Port Dover
Courtright
St.Thomas
Aylmer
Glencoe
Port Stanley
Port Burwell
Port Rowan
Port Bruce
Long Point
Westfield
Dresden
Eagle
Thamesville
Wallaceburg
Lake St. Clair
Chatham
Ridgetown
Lac Erié
ÉTATS-UNIS
Detroit
Blenheim
Windsor
Tilbury
Merlin
Erie
Essex
Amherstburg
Leamington
Parc national de la Pointe-Pelée
Kingsville
©ULYSSE

Bordé par les lacs Érié et Huron, le sud-ouest de l'Ontario profite d'une situation sans pareille pour qui aime le spectacle de grandes nappes d'eau douce. Ces flots aux eaux bleutées, qui comblent aujourd'hui le vacancier en quête de belles plages, ont permis jadis aux Amérindiens de s'installer dans la région et d'y prospérer.

Quelques attraits touristiques passionnants, notamment dans la région de London, retracent l'histoire des Premières Nations qui ont peuplé ces terres. Mais cette région fertile a également éveillé les convoitises des colons; ils y ont fondé des villages qui, avec le temps, sont devenus de belles villes, comme London ou St. Marys. Certaines ont su se démarquer par des initiatives culturelles passionnantes; c'est le cas de Stratford et de son célèbre festival qui présente entre autres diverses pièces du répertoire de Shakespeare et qui attire, tous les étés, une foule d'amateurs.

Ce croissant cache d'autres sites attrayants, mais il faut se rendre sur la rive sud du lac Ontario pour véritablement découvrir les trésors de cette région ontarienne. Peu à peu, les sites industriels cèdent la place à de vastes champs zébrés, ces vignobles qui ont acquis une bonne réputation auprès des œnologues. Puis surgit le joyau naturel de cette région, voire de toute la province, les chutes du Niagara, qui conquièrent les visiteurs du monde entier depuis plus de 100 ans. Enfin, ce chapitre vous dévoile une tout autre région, celle de Kitchener-Waterloo, connue pour ses fermes aux terres fertiles qui forment un magnifique décor bucolique.

Accès et déplacements

■ En voiture

Kitchener-Waterloo et ses environs

De Toronto: prenez l'autoroute 401 en direction de Kitchener-Waterloo.

Hamilton et ses environs

De Toronto: empruntez la Queen Elizabeth Way (QEW).

Niagara et la Route des vins

De Toronto: il suffit de prendre la Queen Elizabeth Way (QEW), qui se rend à Hamilton et à St. Catharines.

L'extrême sud-ouest

De Toronto: empruntez l'autoroute 401 en direction ouest vers Chatham, puis prenez la route 40, qui mène à la route 3, le point de départ du circuit.

■ En autocar (gares routières)

Kitchener-Waterloo et ses environs

Kitchener
15 Charles St. W.

Waterloo
200 University Ave. W.
☎519-888-4434

London
101 York St.
☎519-434-3245

Hamilton et ses environs

Hamilton
36 Hunter St. E
☎905-521-3088

Niagara et la Route des vins

Il existe une liaison en autocar entre Niagara-on the Lake et St. Catharines ainsi que Niagara Falls tous les jours durant l'été. Le reste de l'année, si vous ne possédez pas de voiture, vous ne pourrez vous rendre à Niagara-on-the-Lake qu'en taxi.

St. Catharines
70 Carlisle St.
☎905-682-9206

Niagara Falls
4555 Erie Ave.
☎905-357-2133

L'extrême sud-ouest

Windsor
300 Chaltham St. W.
☎519-254-7575

En train (gares ferroviaires)

Kitchener-Waterloo et ses environs

Kitchener
126 Weber St. W., angle Victorian Weber

Stratford
101 Shakespeare St.

London
205 York St.

Niagara et la Route des vins

St. Catharines
5 Great Western St.

Niagara Falls
4267 Bridge St.

L'extrême sud-ouest

Windsor
298 Walker Rd., angle Riverside Dr.

Sarnia
125 Green St.

Renseignements utiles

Renseignements touristiques

Southern Ontario Tourism
www.soto.on.ca

Kitchener-Waterloo et ses environs

Waterloo Visitor & Heritage Information Services
10 Father Brauer Dr.
Waterloo, ON N2J 4A8
☎519-885-2297
www.explorewaterlooregion.com

Kitchener Welcome Centre
200 King St. W.
Kitchener, ON N2G 4G7
☎519-745-3536 ou 800-265-6959
www.explorewaterlooregion.com

Hamilton et ses environs

Tourism Hamilton
34 James St. S.
Hamilton, ON L8P 2X8
☎905-546-2666 ou 800-263-8590
www.hamiltonundiscovered.com

Niagara et la Route des vins

Tourism Niagara
3550 Schmon Pkwy., 2nd floor
P.O. Box 1042
Thorold, ON L2V 4T7
☎905-984-3626 ou 800-263-2988
www.tourismniagara.com

Tourisme Franco-Niagara
www.bonjourniagara.com

Attraits touristiques

Kitchener-Waterloo et ses environs ★★

p 405 p 408 p 412 p 412

Située à l'intérieur des terres, loin des axes habituels de peuplement, la région de Kitchener-Waterloo ne sera colonisée qu'à la fin du XVIIIe siècle. Ce sont d'abord des colons de Pennsylvanie qui sont attirés par ces terres fertiles, encore sans peuplement et qu'ils peuvent obtenir à bas prix. Ces nouveaux arrivants, des mennonites pour la plupart, sont à l'origine de deux villes d'importance dans la région, Kitchener et Waterloo.

Cette région est désormais réputée être le grenier de l'Ontario, aussi est-elle couverte de champs dorés à perte de vue et de belles fermes. Les mennonites, qui l'habitent toujours, ont, pour plusieurs, su conserver leurs traditions et confèrent, encore aujourd'hui, un caractère unique à ce coin de l'Ontario que vous parcourrez avec ravissement.

Waterloo ★ (97 000 hab.)

Waterloo possède un agréable centre-ville qui s'étend autour d'Erb Street East, et mérite qu'on s'y arrête, ne serait-ce que pour visiter la **Canadian Clay and Glass Gallery** ★ *(5$; mar-sam 11h à 16h, dim 13h à 17h; 25 Caroline St. N., ☎519-746-1882)*, un musée regroupant diverses collections de céramiques et d'objets de verre, dont celle offerte par la compagnie de silice Indusmin. On peut notamment y voir des œuvres d'artistes canadiens comme Denise Bélanger-Taylor, Irene Frolic, Joe Fafard et Sadashi Inuzuka. Le musée loge dans un édifice réalisé par les architectes vancouvérois John et Patricia Patkau, concepteurs de la Grande Bibliothèque du Québec à Montréal (2004).

››› *Poursuivez votre route par King Street, qui, passé les limites de Waterloo, devient King Street West à Kitchener.*

Kitchener ★ (205 000 hab.)

Tout juste à côté de la ville de Waterloo s'étend Kitchener, dont l'histoire est étroitement liée à sa voisine, car elle est issue du même peuplement, soit ces mennonites de Pennsylvanie venus s'installer dans la région pour profiter des terres fertiles encore peu peuplées.

››› *Longez King Street en direction sud et tournez à gauche dans Wellington Street, que vous suivrez jusqu'à la traverse de chemin de fer et au sentier piétonnier de Woodside.*

Lieu historique national Woodside ★ *(3,90$; mi-mai à Noël tlj 13h à 17h; 528 Wellington St. N., ☎519-571-5684, www.pc.gc.ca).* William Lyon Mackenzie King, premier ministre du Canada de 1921 à 1930 et de 1935 à 1948, passa une partie de son enfance ici, de l'âge de 5 ans à l'âge de 11 ans. Sa maison, maintenant restaurée et remeublée telle qu'elle était quand il y habitait, est ouverte au public. Après la visite, vous pourrez profiter du magnifique parc boisé qui entoure la demeure.

››› *Revenez sur vos pas dans Wellington Street pour rejoindre Lancaster Street. Tournez à gauche dans cette rue pour rejoindre Queen Street, que vous suivrez jusque de l'autre côté d'Ellen Street.*

La galerie des beaux-arts de la ville, dénommée la **Kitchener-Waterloo Art Gallery** *(dons appréciés; lun-sam 10h à 17h, jeu jusqu'à 21h, dim 13h à 17h; 101 Queen St. N., ☎519-579-5860)*, possède une collection d'œuvres d'art somme toute bien modeste. Les œuvres, des toiles d'art contemporain pour la plupart, sont réparties dans sept salles. De façon régulière, la galerie accueille également des expositions temporaires.

››› *Continuez dans Queen Street jusqu'à Courtland Avenue.*

Vous pourrez vous faire une idée de la simplicité de la maison mennonite au XIXe siècle en visitant le **Joseph Schneider Haus Museum** *(2,25$; sept à juin mer-sam 10h à 17h, dim 13h à 17h; juil et août lun-sam 10h à 17h, dim 13h à 17h; 466 Queen St. S., ☎519-742-7752)*, un musée qui loge dans l'ancienne demeure d'un mennonite allemand. Des guides animent les lieux et expliquent le mode de vie rustique et austère des membres de la communauté mennonite.

››› *Prenez Courtland Avenue à gauche et suivez-la jusqu'à Cedar Street, où vous tournerez à gauche pour rejoindre King Street.*

Dans King Street, à l'angle de Cedar Street, se trouve le Market Square, qui abrite notamment le **Farmer's Market** (voir p 412).

St. Jacobs ★

Le village de St. Jacobs, ou Jacobstettel comme il se nommait naguère, tire ses charmes de sa rue principale, bordée de boutiques d'artisans dont les vitrines forment à elles seules un tableau captivant qu'on pourrait contempler durant des heures sans se lasser. Ce hameau mennonite, qui a su conserver des allures d'une autre époque, est envahi tout au long de l'année par une foule de flâneurs attirés par les jolies boutiques et par l'atmosphère paisible qui émane de ses rues.

Les personnes curieuses d'en savoir plus sur les mennonites devraient aller au **Visitor's Centre** *(4$; avr à Noël lun-sam 11h à 17h, dim 13h30 à 17h; reste de l'année sam 11h à 16h30, dim 14h à 16h30; 1408 King St. N., ☎519-664-3518, www.stjacobs.com)*, où elles pourront voir un film d'une trentaine de minutes sur cette communauté religieuse.

Deux fois par semaine, les fermiers de la région se rendent au **St. Jacobs Farmers Market** ★ *(juin à août mar 8h à 15h, jeu et sam 7h à 15h30; reste de l'année jeu et sam 7h à 15h30; ☎519-747-1830)* pour y vendre leurs produits ainsi que de l'artisanat. Il s'agit alors d'une occasion rêvée de se procurer de délicieuses denrées locales et d'assister à un spectacle pittoresque.

Elora ★

Fondée en 1832, Elora s'est développée au bord de la rivière Grand, en un point propice à la construction d'un moulin. Ce magnifique bâtiment de pierres a depuis lors été reconverti en une charmante auberge (voir p 405), autour de laquelle gravite une bonne partie de la vie touristique de la ville, car des commerçants proposent mille et une petites choses dans les maisonnettes de pierres la côtoyant.

Guelph ★ (115 000 hab.)

Le romancier écossais John Galt, connu pour ses ouvrages sur Lord Byron, fit divers voyages dans le Haut-Canada pour le compte de la Canada Company. Il y demeure d'ailleurs de 1826 à 1829 et fonde Guelph (1827) au bord de la rivière Speed. Afin que cette ville soit agréable, il prévoit un aménagement bien particulier pour l'époque, en créant de vastes parcs et de larges artères. Aujourd'hui, cette ville dynamique est connue pour son université, l'**University of Guelph**, dont les magnifiques bâtiments sont situés au sud de la rivière Speed.

Sur le campus de l'université, le **MacDonald Stewart Art Centre** ★ *(dons appréciés; mar-dim 12h à 17h; 358 Gordon St., ☎519-837-0010)* dispose d'une fort belle collection d'objets d'art canadien et inuit, exposée dans des salles vastes, bien aménagées et présentant des explications claires sur les œuvres.

Le centre-ville de Guelph, aux rues sinueuses, comprend plusieurs édifices commerciaux et publics d'intérêt, entre autres le **Guelph City Hall** ★ *(59 Carden St.)*, qui domine une petite place publique. Cet élégant hôtel de ville au vocabulaire néo-Renaissance, atténué par l'architecte William Thomas, a été construit en 1857.

Stratford ★★ (30 000 hab.)

C'est un commerçant, Tom Patterson, grand amateur de Shakespeare, qui eut l'idée de mettre sur pied en 1951 un festival présentant l'œuvre de Shakespeare, aujourd'hui devenu le **Stratford Festival** (voir p 411). Jusqu'alors un simple hameau, Stratford est devenue une séduisante petite ville qui attire, chaque année, une foule de visiteurs venus assister à l'une des pièces de théâtre et profiter d'une ville coquette à souhait. Outre un centre-ville attrayant, la ville bénéficie d'un parc splendide, le **Queen's Park** ★★, aménagé au bord de la rivière Avon, dans laquelle nagent canards, bernaches et cygnes. Dans le parc se dresse le **Festival Theatre**, où sont présentées quelques-unes des œuvres dramatiques durant le festival.

St. Marys ★

St. Marys a gardé du XIXe siècle de nombreux bâtiments de pierres qui lui ont valu le surnom de *Stonetown* (la ville de pierre). Construits avec la pierre extraite des carrières environnantes, ces édifices ont longtemps fait la fierté de la ville. L'un des plus remarquables est l'hôtel de ville (Town Hall), érigé en 1890, à une époque où la dimension du bâtiment était censée refléter l'importance de la ville. C'est pourquoi il peut apparaître gigantesque pour une ville qui comptait alors à peine 3 500 habitants.

Tout aussi imposant, l'Opera House, qui date de 1879, fut construit pour abriter des boutiques au rez-de-chaussée et un théâtre à l'étage. Cependant, tout au long du XXe siècle, il servit plus souvent de moulin. Aujourd'hui rénové, il renferme des boutiques et des appartements privés. Prenez le temps de vous balader dans les rues de St. Marys, notamment dans Queen Street, où se trouve le petit centre-ville, qui n'est pas sans charme.

London ★★ (352 000 hab.)

Le colonel John Graves Simcoe, premier lieutenant-gouverneur du Haut-Canada, a joué un rôle marquant pour le développement de la jeune colonie britannique. C'est lui qui opte pour diviser le territoire de la région de London en *townships* (cantons: divisions territoriales d'environ 100 milles carrés). Son plan prévoit en outre la fondation d'une ville, London (1793), qui doit devenir le siège de la capitale du Haut-Canada, mais qui ne le sera jamais. Il attire également les colons dans la région, des agriculteurs venus des États-Unis, en leur offrant des terres fertiles à bon prix.

Contrairement à la plupart des villes, qui connaissent une évolution lente et progressive, avant de voir apparaître des édifices publics prestigieux, London est née de façon soudaine, grâce à la construction d'un édifice gouvernemental imposant, le **Middlesex County Building** ★ *(399 Ridout St. N.)*, sur un emplacement vierge, mais pressenti depuis longtemps pour l'établissement d'une grande cité. Cet édifice pittoresque, entrepris dès 1828, est à l'origine de la ville, qui a grandi tout autour après son érection. Du XIXe siècle, London a gardé de superbes témoignages architecturaux, et nous vous y proposons une promenade qui vous fera voir les plus beaux d'entre eux.

La balade commence au **Victoria Park**, ce grand et délicieux jardin qui se trouve en plein centre de la ville. Au lendemain de la rébellion de 1837, c'est en ces lieux que les troupes britanniques envoyées dans la ville s'installent. Leur départ en 1868 va permettre à London de l'acquérir et de l'aménager en un magnifique parc.

À l'angle des rues Richmond et Fullarton se dresse le **Grand Theatre** *(471 Richmond St., ☎519-672-8800 ou 800-265-1593, www.grandtheatre.com)*, érigé en 1901 sur l'emplacement du Masonic Temple et du Grand Opera House, dont la structure d'origine brûla en 1900. Depuis 1982, ce bâtiment a fait l'objet d'importants travaux de restauration. On s'y rend pour assister à une pièce de théâtre (voir p 411).

Au bord de la rivière Thames se trouve une élégante demeure blanche, l'**Eldon House** ★ *(6$; juin à sept mar-dim 12h à 17h, jan à avr sam-dim 12h à 17h, oct à déc mer-dim 12h à 17h; 481 Ridout St. N., ☎519-661-0333)*, la plus ancienne résidence privée de la ville, maintenant ouverte aux

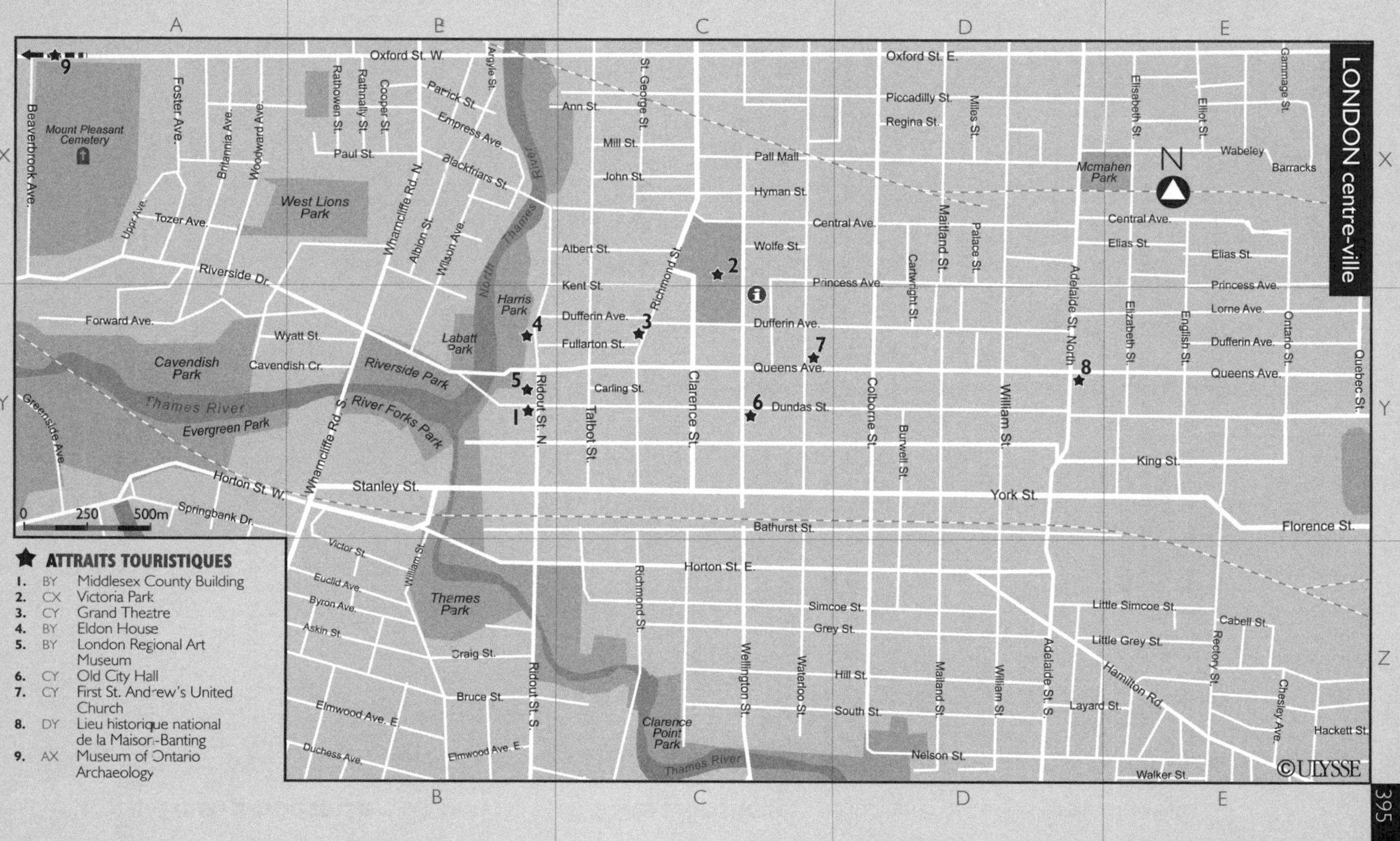

ATTRAITS TOURISTIQUES

1. BY Middlesex County Building
2. CX Victoria Park
3. CY Grand Theatre
4. BY Eldon House
5. BY London Regional Art Museum
6. CY Old City Hall
7. CY First St. Andrew's United Church
8. DY Lieu historique national de la Maison-Banting
9. AX Museum of Ontario Archaeology

visiteurs, qui la verront telle qu'elle était au XIXe siècle, avec son mobilier et dans son décor. La famille Harris se la fit bâtir en 1834. Dans Ridout Street, on remarque plusieurs autres belles maisons datant des toutes premières années de la ville.

Si vous continuez par Ridout vers le sud, vous verrez un grand bâtiment aux formes plutôt inusitées, le **London Regional Art Museum** *(dons appréciés; mar-mer et ven-dim 12h à 17h, jeu 12h à 21h; 421 Ridout St. N., ☎519-661-0333)*. Conçu par l'architecte Raymond Moriyama, le musée cruciforme arbore de larges baies vitrées offrant aux salles d'exposition un bon éclairage. Il renferme une collection d'œuvres d'art principalement composée de toiles de peintres canadiens. On y retrouve notamment des œuvres d'artistes qui ont su immortaliser la région. Les salles de l'étage présentent une exposition sur l'histoire de la ville.

La Middlesex County Courthouse constitue une solide construction de briques recouvertes de stuc texturé pour imiter la pierre de taille. Il s'agit d'un excellent exemple des premiers balbutiements de l'architecture historicisante au Canada, à l'instar de la basilique Notre-Dame de Montréal, réalisée à la même époque.

À l'angle de Wellington Street se dresse l'**Old City Hall**, de style néoclassique, qui fut construit en 1918. Il fut agrandi par T.C. McBride en 1927.

Située au centre d'un agréable parc de verdure, la **First St. Andrew's United Church** ★ *(350 Queens Ave.)* a d'abord été construite pour desservir une des nombreuses communautés presbytériennes de London. L'édifice de briques, érigé entre 1868 et 1871, reprend l'habituel vocabulaire néogothique des églises protestantes, caractérisé par des ouvertures en ogive et un clocher à flèche. La nef arbore une sobre charpente apparente en bois. Non loin se trouve l'ancienne «Manse» néo-Renaissance, sorte de presbytère où vivait le pasteur de la communauté, appelé *Reverend Doctor*.

En poursuivant par Waterloo Street, prenez le temps d'admirer les splendides demeures victoriennes datant du XIXe siècle et du début du XXe siècle.

Ceux qui en ont le temps, au lieu de tourner dans Waterloo Street, peuvent poursuivre leur route dans Dundas Street jusqu'à Adelaide Street. C'est là que se trouve le **Lieu historique national de la Maison-Banting** *(4$; mar-sam 12h à 16h; 442 Adelaide N., ☎519-673-1752)*, qui présente la vie et les réalisations d'un illustre médecin, Frederick Grant Banting (1891-1941), qui remporta le prix Nobel de médecine en 1923 avec le médecin écossais John Macleod, tous deux ayant découvert l'insuline.

Le **Museum of Ontario Archaeology** *(4$; mai à août tlj 10h à 16h30, sept à déc mer-dim 10h à 16h30, jan à avr sam-dim 13h à 16h; 1600 Attawandaron Rd., ☎519-473-1360, www.uwo.ca/museum)*, rattaché à l'University of Western Ontario, constitue depuis des années une institution en ce qui a trait aux découvertes archéologiques dans la province, notamment dans la région du sud-ouest. Le musée renferme une mine de renseignements sur le mode de vie des Premières Nations qui peuplent la province depuis 11 000 ans. Il a été aménagé à côté du Lawson Prehistoric Iroquoian Village, un important lieu de recherche sur la culture amérindienne. À cet endroit se dressait un village de la nation Neutre, il y a quelque 500 ans. Au fil des ans, les fouilles ont permis de mettre au jour de nombreux vestiges. On y a même reconstitué le village avec notamment la palissade, une maison longue ainsi que des sites d'excavation. En été, on peut le visiter et faire quelques découvertes sur le mode de vie autochtone. Pour vous y rendre, prenez Oxford Street en direction ouest jusqu'à Wonderland Road et tournez à droite pour rejoindre Attawandaron Road.

Activités de plein air

■ Randonnée pédestre

De la rivière Avon en passant par la fort jolie ville de Stratford jusqu'au cœur de la région mennonite, l'**Avon Trail**, long de plus de 100 km, vous fera parcourir une belle région champêtre. Pour des renseignements supplémentaires, vous pouvez écrire à:

Avon Trail
P.O. Box 21148
Stratford, ON N5A 7V4
www.avontrail.ca

Une belle initiative a été entreprise afin de tirer profit de la Grand River: l'aménagement des sentiers de randonnée que sont les **Grand River Trails**, qui s'allongent sur ses berges. Il s'agit d'une occasion de prendre l'air et de profiter du décor plaisant de la rivière. Pour aménager ce réseau de pistes, on a notamment reconverti d'anciennes voies de chemin de fer. Le réseau s'allonge aujourd'hui sur environ 80 km; aisément accessible, il permet aux randonneurs de contempler de beaux panoramas dans cette région champêtre.

The Grand River Conservation
400 Clyde Rd.
P.O. Box 729
Cambridge, ON N1R 5W6
☎519-621-2761 ou 866-900-4722
www.grandriver.ca

Hamilton et ses environs

▲ p 406 ◍ p 410

À l'ouest du lac Ontario, deux villes importantes se sont développées: Toronto et Hamilton. Toute cette zone où se succèdent la banlieue torontoise et les abords industriels de Hamilton n'a rien de particulièrement attirant, mais on doit la traverser pour se rendre à Niagara Falls. Elle n'en recèle pas moins quelques attraits dignes de mention.

Burlington (164 000 hab.)

À l'extrémité ouest du lac Ontario se trouvent au nord Burlington et au sud Hamilton, deux villes côte à côte formant pratiquement une seule agglomération et reliées entre elles par Beach Boulevard. Burlington, la moins peuplée des deux, est une ville résidentielle paisible qui a peu à offrir aux visiteurs, si ce n'est son petit **Joseph Brant Museum** *(4$; juil et août mar-ven 10h à 16h, dim 13h à 16h; sept à juin mar-ven 13h à 16h; 1240 North Shore Blvd. E., ☎905-634-3556)*, dernière demeure du capitaine mohawk Joseph Brant, laquelle renferme quelques souvenirs et objets.

Hamilton ★ (504 000 hab.)

Jusqu'à l'arrivée des premiers colons, qui ne peuplèrent la région que vers la fin du XVIIIe siècle, le site d'Hamilton fut au cœur des rivalités autochtones, les Iroquois ayant pratiquement décimé la nation Neutre qui s'était établie en premier sur ces terres. Mais les Autochtones ne résistent pas face à la colonisation des Blancs, et, en janvier 1815, George Hamilton élabore les plans de la ville. Celle-ci prospère au XXe siècle grâce à diverses industries, notamment dans les domaines de l'acier, de l'électroménager et de l'automobile. Toutes ces industries ont d'ailleurs fortement marqué les paysages aux abords de la ville, vastes, sombres et austères.

Hamilton est tout de même agréablement installée au bord du lac Ontario, le long duquel de fort beaux parcs ont été aménagés, entre autres les parcs **Bayfront** et **Dundurn**, où vous pourrez vous balader à pied ou à vélo, profiter de bancs et de tables de pique-nique, et observer l'animation de la marina. Cette partie de la ville ainsi que le quartier résidentiel situé à flanc de colline, où ont été construites de superbes demeures victoriennes, offrent sans doute les plus jolis attraits. Le centre-ville et ses abords, le long de King Street, n'ont pour leur part rien pour attirer les promeneurs, si ce n'est le plaisant **Hess Village** ★, composé d'élégantes demeures, de boutiques et de restaurants.

Le centre-ville n'en possède pas moins des lieux intéressants comme l'**Art Gallery of Hamilton** ★ *(12$; mar-mer 12h à 19h, jeu-ven 12h à 21h, sam-dim 12 à 17h; 123 King St. W., ☎905-527-6610, www.artgalleryofhamilton.com)*. Ouverte depuis 1914, elle renferme des œuvres variées, notamment des peintures et des gravures. C'est cependant sa collection d'objets d'art contemporain qui est la plus riche; vous la découvrirez avec ravissement, mais déplorerez peut-être l'insuffisance des explications relatives aux œuvres exposées, qui ne sont pas à la portée de chacun.

La **Whitehern Historic House** *(6$; mi-juin à août mar-dim 11h à 16h, sept à mi-juin mar-dim 13h à 16h; 41 Jackson St. W., ☎905-546-2018)*, de style georgien d'inspiration classique, fut érigée vers la fin des années 1840. En 1852, le D[r] McQueston l'acheta, et cette splendide demeure resta entre les mains de sa famille jusqu'en 1968. Désormais ouverte aux visiteurs, la maison a été restaurée et remeublée comme à l'origine, dans un décor qui reflète les goûts d'une famille prospère en ces années.

La **McMaster University** a été fondée à Toronto au milieu du XIXe siècle avant d'être transférée à Hamilton en 1928. L'année suivante, on entreprenait la construction de son **University Hall** ★, un beau pavillon dans le style des bâtiments des campus d'Oxford et de Cambridge, en Angleterre. On remarquera plus particulièrement sur sa façade les multiples gargouilles et mascarons symbolisant les différentes disciplines enseignées à l'université.

Un peu à l'écart du centre-ville se cachent les plus intéressants attraits de la ville.

Considéré comme le joyau d'Hamilton, le **Dundurn Castle** ★★ *(10$; juil à début sept tlj 10h à 16h, début sept à juin mar-dim 12h à 16h; 610 York Blvd., ☎905-546-2872)* peut justement être qualifié de «château» en raison de ses dimensions imposantes et de son architecture, une adroite combinaison du palladianisme anglais et de l'architecture de la Renaissance italienne dans le genre des villas toscanes. Il fut bâti en 1835 pour Sir Allan MacNab, premier ministre du Canada-Uni de 1854 à 1856. Restauré, meublé et décoré tel que vous auriez pu le voir en 1855, ce château de 35 pièces somptueuses vous fera connaître tout un pan de la bourgeoisie du XIXe siècle. Les pièces les plus fascinantes sont peut-être celles situées au sous-sol, autrefois habitées par les domestiques, car elles permettent de se faire une idée de leur difficile vie au château.

Sur le terrain du château, vous remarquerez un autre bâtiment, plus petit, qui abrite l'**Hamilton Military Museum** *(3$; juil à début sept mar-dim 11h à 17h, début sept à juin mar-dim 13h à 17h; 610 York Blvd.)*. Une collection de différents costumes qu'ont portés les soldats canadiens au fil des ans y est présentée.

Les **Royal Botanical Gardens** ★★ *(10$; tlj 10h à la tombée du jour; 680 Plains Rd. W., à l'intersection de la route 6 et de l'autoroute 403, ☎905-527-1158, www.rbg.ca)* offrent l'occasion d'une balade unique, à deux pas du centre-ville de Hamilton, dans des parterres où s'épanouissent une multitude de fleurs et à travers des habitats naturels merveilleusement conservés. Ainsi, une bonne partie de ce parc, qui s'étend sur quelque 1 000 ha, est composée d'un jardin dénommé le «paradis des foulques», qui comprend des sentiers sillonnant des marais et des ravins boisés. Outre cette aire naturelle, vous pourrez vous balader dans différents jardins, entre autres la roseraie et la rocaille, qui se parent de milliers de fleurs le printemps venu, et le jardin de lilas, le plus grand du monde. Ce parc pourra vous séduire en toute saison, car, bien qu'en hiver les jardins extérieurs perdent de leurs attraits, des serres présentent diverses expositions florales.

Niagara et la Route des vins ★★★

p 406 p 410 p 411 p 412

Ce circuit aborde la péninsule du Niagara, cette région située à l'ouest de la rivière Niagara qui forme la frontière avec les États-Unis et dont le contrôle était autrefois impératif afin d'assurer la navigation sur les lacs Ontario et Érié. Deux forts y avaient d'ailleurs été érigés, dont un à Niagara-on-the-Lake, et ils semblent encore garder chaque extrémité de la rivière. Aujourd'hui, la péninsule du Niagara est surtout connue pour ses vignes et ses vergers, pour l'attrait historique remarquable de Niagara-on-the-Lake, ainsi que pour un site naturel extraordinaire, les chutes du Niagara, qui n'ont cessé d'ébahir les jeunes et les moins jeunes, les amoureux et les intrépides depuis des siècles.

St. Catharines (132 000 hab.)

C'est avec la construction du canal de Welland, dans les années 1820, que St. Catharines a connu son essor.

La construction du canal de Welland apparaît essentielle au lendemain de la guerre de 1812, alors que les autorités décident de désenclaver le Haut-Canada. Outre des impératifs stratégiques, sa construction répond à des considérations économiques, car il aurait l'avantage de permettre aux navires de rejoindre les lacs Ontario et Érié, une liaison qui, jusque-là, est impossible en raison d'un obstacle naturel de taille, soit l'escarpement du Niagara, infranchissable, dont la dénivellation est de 99,5 m. Les travaux du canal sont amorcés en 1824, et les bateaux peuvent l'emprunter dès 1829. Au fil des ans, il appert toutefois que ce premier canal s'avère insuffisant pour la navigation; la construction de nouveaux canaux est alors envisagée. Au total, quatre canaux seront creusés, dont l'actuel canal, qui date de 1932.

Long de 42 km et comportant huit écluses, il permet aux bateaux de se rendre de St. Catharines à Port Colborne, soit du lac Ontario au lac Érié. Tout au long du canal, des sites d'observation ont été aménagés. Parmi les sites les plus captivants pour observer le canal figure le **St. Catharines Museum at Lock 3** ★★ *(4,25$; tlj 9h à 17h; Welland Canals Centre, R.R. 6, 1932 Welland Canals Pkwy., ☎905-984-8880 ou 800-305-5134, www.stcatharineslock3museum.ca)*, qui comprend une vaste terrasse d'observation permettant aux visiteurs de se poster devant l'écluse et d'y regarder le passage des bateaux. Pour en savoir plus sur l'histoire de la construction du canal, il faut aller au musée. On y présente un documentaire d'une dizaine de minutes sur l'histoire du canal. Le musée renferme en outre différents objets relatifs à la construction et à l'histoire du canal, qui sont aussi un prétexte pour en apprendre plus sur l'histoire locale.

Niagara-on-the-Lake ★★

L'histoire de Niagara-on-the-Lake remonte à la fin du XVIIIe siècle, alors que la ville se nomme Newark et qu'elle est, de 1791 à 1796, la capitale du Haut-Canada. Il ne demeure cependant rien de cette époque car, au cours de la guerre de 1812, qui opposa les colonies britanniques aux États-Unis, elle est incendiée. Au lendemain de cette invasion, la ville est reconstruite, et d'élégantes demeures de style anglais y sont alors érigées, lesquelles ont été merveilleusement bien conservées et confèrent encore aujourd'hui tout le charme à cette ville située à l'embouchure de la rivière Niagara. Ces résidences, dont certaines

LA RÉGION DES CHUTES DU NIAGARA

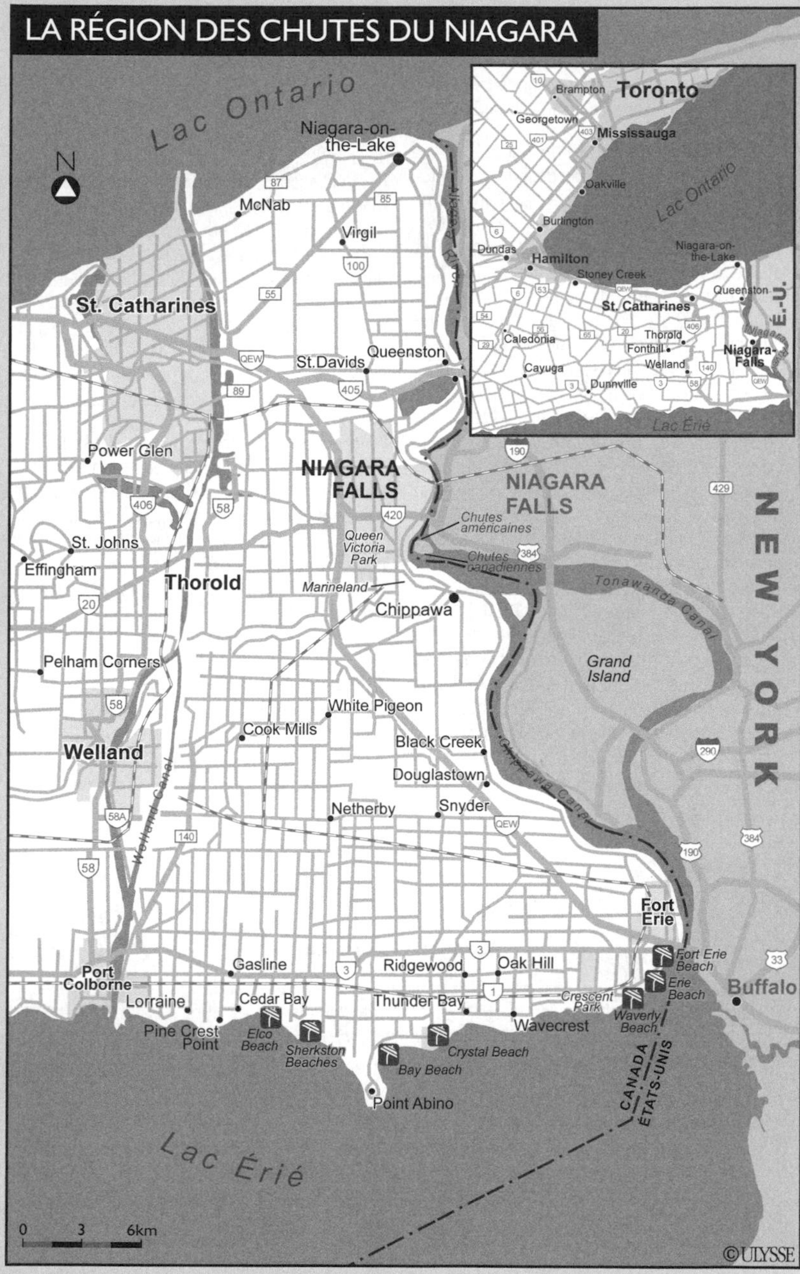

ont été reconverties en auberges élégantes, accueillent, chaque année, des vacanciers venus profiter de l'atmosphère très *British* de la ville ou assister à l'une des représentations théâtrales durant le réputé **Shaw Festival** (voir p 412).

Au lendemain de la guerre de l'Indépendance américaine, les Britanniques cèdent aux États-Unis le fort Niagara, qui s'élève du côté est de la rivière Niagara; aussi, pour assurer la protection des colonies demeurées britanniques, les autorités envisagent-elles la construction d'un autre fort. De 1797 à 1799, le fort George est construit du côté ouest de la rivière. Quelques années s'écoulent à peine avant que les deux pays n'entrent de nouveau en guerre. En 1812, la guerre éclate, et la région de Niagara-on-the-Lake, limitrophe des États-Unis, est au cœur des hostilités. En 1813, les troupes américaines envahissent Newark et occupent le fort. Elles l'abandonnent par la suite, brûlent la ville et se retirent en territoire américain, au fort Niagara. Au lendemain du conflit, les Britanniques vont délaisser le fort George et vont construire un second fort plus près de l'embouchure de la rivière. Laissée à l'abandon dès 1820, la place forte du fort George est reconstruite, plus d'un siècle plus tard, dans le but de former un attrait touristique. Le fort est ouvert au public depuis les années 1950. Aujourd'hui, il est protégé par le **Lieu historique national du Fort-George** *(11,70$; mai à oct tlj 10h à 17h, avr et nov sam-dim 10h à 17h; Niagara Parkway S., ☎905-468-4257, www.pc.gc.ca)*. Dans l'enceinte, vous pourrez découvrir entre autres les quartiers des officiers, la salle des gardes et les casernes.

Queenston

Joli hameau qui s'est développé le long de la rivière Niagara, Queenston comprend quelques maisonnettes et des jardins verdoyants. Il est surtout connu pour être le lieu où habita Laura Secord. Cette héroïne canadienne devint célèbre durant la guerre de 1812, alors que, mise au courant d'une attaque imminente des Américains, elle courut quelque 25 km pour en avertir l'armée britannique, qui parvint alors à repousser les troupes ennemies. Aujourd'hui, on associe surtout son nom à une marque de chocolat.

En poursuivant votre route vers le sud, vous arriverez au pied de Queenston Heights. Si vous vous sentez en forme, vous pourrez gravir les marches menant au monument d'Isaac Brock, un général britannique qui mourut en ces lieux durant la guerre de 1812, alors qu'il menait ses troupes à la victoire. Vous y aurez une vue splendide sur la région.

Niagara Falls (82 000 hab.)

Les chutes du Niagara, un spectacle naturel saisissant, attirent une foule de visiteurs depuis, dit-on, que le frère de Napoléon y serait venu avec sa jeune épouse. Juste à côté, la ville de

Les vins de glace

Plusieurs bons vins, voire de grands crus, sont élaborés sur la péninsule du Niagara. Les plus réputés d'entre eux demeurent incontestablement les vins de glace (*icewines*) qui ont contribué, en grande partie, à la renommée internationale de la péninsule en tant que région vinicole.

C'est en quelque sorte le gel qui permet l'élaboration de ce vin. L'automne venu, le raisin est laissé sur le cep jusqu'à la première gelée, pour qu'il soit attaqué par le *Botrytis cinerea*, un champignon microscopique qui se développe sur la peau du raisin. Pour se nourrir, ce champignon absorbe une bonne partie d'acidité, de l'eau et un peu du sucre du raisin, permettant une concentration du sucre dans la pulpe. Ce phénomène est appelé «pourriture noble» et permet l'élaboration d'un vin liquoreux. Les raisins gelés sont cueillis et immédiatement pressurés, de sorte que la glace remonte à la surface et qu'au fond de la cuve se dépose un jus concentré.

Plusieurs vignobles élaborent un vin de glace, mais c'est Inniskillin qui fit le premier vin de glace de la région. Aujourd'hui, outre Inniskillin, les vignobles Henry of Pelham, Château des Charmes, Konzelmann et Stoney Ridge, entre autres, en produisent également. Les vins de glace sont généralement proposés à la fin d'un repas.

Niagara Falls est entièrement vouée au tourisme, et son centre-ville se compose d'une succession de commerces sans charme: motels quelconques, musées sans intérêt, comptoirs de restauration rapide, le tout rehaussé d'une ribambelle d'enseignes colorées. Ces commerces ont poussé anarchiquement, et jamais on ne s'est préoccupé d'un quelconque esthétisme. À n'en point douter, les chutes du Niagara sont un véritable trésor de la nature, mais la ville mérite qu'on la boude.

Le vrai plaisir à Niagara Falls, c'est de pouvoir se retrouver presque en tête à tête avec les chutes. Comment? En les admirant au lever du soleil, avant l'arrivée des touristes, ou en venant au mois de janvier ou février, alors que les chutes, temporairement oubliées, rugissent en liberté et créent des sculptures de glace étonnantes...

Les **chutes du Niagara ★★★** furent formées il y a quelque 12 000 ans, au moment où le recul des glaciers dégageait l'escarpement du Niagara en détournant les eaux du lac Érié vers le lac Ontario. Cette formation naturelle offre un tableau d'une rare beauté de deux chutes côte à côte: la chute américaine, haute de 64 m et large de 305 m, et la chute canadienne, qui a la particularité d'avoir la forme d'un fer à cheval. Cette dernière est haute de 54 m et large de 675 m. L'escarpement rocheux des chutes étant constitué de pierres tendres, les chutes rongeaient la paroi rocheuse d'environ 1 m chaque année avant qu'on ne détourne une partie de cette eau pour alimenter les centrales hydroélectriques situées non loin. Aujourd'hui, la paroi recule d'environ 0,3 m par an.

Qui peut rester impassible face à ces flots en furie se précipitant en ce gouffre dans un vrombissement de tonnerre? Cette nature qui semble indomptable en a inspiré plus d'un. Ainsi, au début du siècle dernier, quelques intrépides voulurent montrer leur bravoure en sautant dans les chutes à bord d'un simple tonneau ou en marchant au-dessus de celles-ci sur un fil tendu de part et d'autre; plusieurs en moururent. Une loi votée en 1912 interdit depuis lors ce genre d'exploits afin de protéger le site des spéculateurs.

Durant l'été, un nombre impressionnant de visiteurs viennent chaque jour contempler les chutes. Plusieurs d'entre eux arrivent en voiture et causent fréquemment à l'entrée de la ville une circulation dense, chacun cherchant à se garer. Aux abords du parc, un vaste stationnement, le **Fallsview Parking**, payant bien sûr, est aménagé. Pour économiser un ou deux dollars, vous pouvez vous rendre dans la ville même (et braver la circulation), car il existe des parcs de stationnement privés affichant des prix plus bas.

Il est également possible de garer sa voiture au **Rapid View Parking**. Il en coûte alors 10$, mais toutes les personnes à bord du véhicule ont droit à un laissez-passer permettant d'utiliser les People Mover Buses toute la journée.

People Mover Buses est un service de transport qui sillonne toute la zone des chutes et qui permet au visiteur de se rendre aisément d'un attrait touristique à l'autre. Le laissez-passer pour la journée coûte 7,50$ par adulte et 4,50$ par enfant.

Les personnes ne désirant pas rester longtemps peuvent se stationner au **Greenhouse Parking**, qui propose un tarif un peu moins élevé.

Ceux qui voudraient visiter plusieurs attraits touristiques de la ville dans la même journée peuvent se procurer la **Niagara Falls & Great Gorge Adventure Pass** *(38$ adultes; 24$ enfants)*. Ce laissez-passer permet en outre d'utiliser les People Mover Buses.

Dès 1885, la nature environnant les chutes fut aussi protégée du développement commercial trop rapide, grâce à la création du **Queen Victoria Park ★★**, un délicieux jardin de verdure qui longe la rivière. Des sentiers de randonnée pédestre et des pistes de ski de fond y sont tracés.

Sur les terres qui bordent la rivière Niagara, quelques kilomètres après les chutes, plusieurs sites touristiques ont été aménagés. Le premier arrêt que l'on pourrait faire est la **Floral Clock**, une horloge faite de fleurs multicolores. Quelques minutes suffisent pour y jeter un coup d'œil.

Pour profiter de vastes aires de verdure et admirer des plates-bandes aux fleurs multicolores, on peut se rendre aux **Niagara Parks Botanical Gardens** *(entrée libre)*, un jardin botanique qui s'étend sur 40 ha. Ce parc se compose de plusieurs aménagements, entre autres le jardin de roses, la rocaille et l'arboretum, qu'il est plaisant d'arpenter tout au long de la saison estivale. Il s'agit, sans nul doute, d'une des aires de détente les plus agréables de la région.

Au centre du jardin botanique, on remarque un dôme de verre qui abrite le **Niagara Parks Butterfly Conservatory ★** *(11$; juil et août tlj 9h à 21h, le reste de l'année tlj 9h au coucher du soleil)*, une gigantesque volière (1 022 m²) où s'ébattent pas moins de 2 000 papillons. À l'intérieur, plantes et cours d'eau parviennent à recréer un environnement semblable à celui d'une forêt tropicale, idéal pour ces lépidoptères. Il est également possible d'observer les chrysalides. Dans les bassins d'eau évoluent des tortues et des poissons.

Parmi les **points d'observation** ★★★ qui font face aux chutes, le meilleur est situé devant les bureaux de la Niagara Parks Commission et du centre de renseignements touristiques. Vous pourrez regarder les chutes sous à peu près tous les angles.

Le ***Maid of the Mist*** ★★ *(14,50$; mai à oct départs aux 30 min; 5920 River Rd., ☎905-358-0311)* est un bateau qui vous emmène au pied des chutes et qui vous semblera alors bien petit. Pourvu d'imperméable, qui vous évitera de sortir trempé de cette expédition, vous pourrez d'abord observer la chute américaine puis la chute canadienne, en plein cœur du fer à cheval. La seule excursion essentielle, c'est un moment des plus impressionnants!

En grimpant au sommet de la **Skylon Tower** *(11$; été 8h à 24h, hiver 11h à 21h; 5200 Robinson St., ☎905-356-2651 ou 800-322-4609, www.skylon.com)*, vous aurez à vos pieds le **spectacle des chutes** ★★; un tableau unique et mémorable s'offrira alors à vous. Vous pourrez également contempler ce fabuleux panorama depuis la **Minolta Tower** *(6,95$; tlj dès 8h30; 6732 Fallsview Blvd., ☎905-356-1501 ou 800-461-2492)*.

Le téléphérique espagnol, soit le **Niagara Spanish Aero Car** *(11$; fin juin à mi-oct lun-ven 9h à 18h, sam-dim 9h à 20h; fin mars à fin juin et mi-oct à fin nov 10h à 18h; Niagara Parkway, ☎905-356-2241)*, vous emmène contempler les chutes à 76,2 m de hauteur.

Le *Maid of the Mist* (voir plus haut) affronte les chutes depuis le XIXe siècle et demeure l'attraction la plus populaire. La *Journey Behind the Falls* (voir ci-dessous) date de la même époque et demeure à ce jour la deuxième attraction la plus populaire. Ce «voyage derrière les chutes» permet de vraiment sentir leur puissance. Il faut se rendre au **Table Rock Complex**, juste en amont des chutes, afin d'entreprendre cette ***Journey Behind the Falls*** ★ *(12$; juin à sept lun-ven 9h à 20h30, sam-dim 9h à 21h30; oct à mai lun-ven 9h à 17h30, sam-dim 9h à 21h30; ☎905-354-1551)*. On prend d'abord un ascenseur qui descend sous terre et mène à l'un des trois tunnels creusés dans le roc, lesquels entraînent les visiteurs derrière les chutes d'où l'on peut contempler de près les trombes d'eau. La vue la plus spectaculaire s'offre toutefois depuis le belvédère situé au pied des chutes. Et quel furieux grondement!

Des travaux de rénovation récents de près de 40 millions de dollars effectués au Table Rock Complex ont permis la construction d'un restaurant qui donne directement sur les chutes et de plusieurs commerces de souvenirs.

Également situé dans le Table Rock Complex, le **Niagara's Fury** *(15$; juin et août 9h à 21h, sept à mai 9h à 19h)* propose un voyage unique à la découverte de la formation des chutes il y a 12 000 ans, dans une salle spécialement conçue pour faire vivre une expérience «4D».

Que diriez-vous d'une balade dans les airs audessus des chutes? De telles excursions sont organisées par l'entreprise **Niagara Helicopters** *(125$; avr à oct tlj 9h à 17h, nov à mars tlj 10h à 16h par beau temps; 3731 Victoria Ave., ☎905-357-5672)*.

Vous pourrez aussi opter pour une excursion dans la gorge en participant à la **White Water Walk** *(8,50$; 4330 River Rd.)*, avec son ascenseur vous permettant d'aller jusqu'aux rapides.

La **Niagara Parks Floral Show House** ★ *(entrée libre; 7145 Niagara Pkwy., ☎905-371-0254)* présente de beaux aménagements floraux qui se transforment chaque saison, car on y monte pas moins de huit expositions différentes chaque année. Cette grande serre est également le refuge de quelque 70 oiseaux tropicaux qui s'ébattent en toute liberté et que l'on découvre avec ravissement. La visite en vaut la peine, d'autant plus qu'on y rencontre rarement beaucoup de visiteurs. Le site s'avère ainsi un lieu de détente où l'on se sent loin de l'animation urbaine.

Niagara compte également d'innombrables musées, certains d'un intérêt plutôt douteux. Plusieurs d'entre eux ont poussé dans le quartier de Clifton Hill, le centre-ville de Niagara Falls.

Le **cinéma IMAX** *(14$; juil et août 9h à 21h, nov à avr 10h à 16h; mai, juin, sept et oct 9h à 20h; 6170 Fallsview Blvd., ☎905-358-3611)* projette sur écran géant un film sur les chutes.

Le second attrait le plus populaire en ville, après les chutes, bien entendu, est désormais le **Casino Niagara** *(lun 12h à 1h, mar-ven 12h à 2h, sam-dim 10h à 2h; 5705 Falls Ave., www.casinoniagara.com)*. De l'extérieur, l'architecture n'a rien de sensationnel; en fait, on remarque surtout le stationnement. L'intérieur toutefois, une succession de salles de jeux bruyantes et clinquantes à souhait, présente une belle décoration.

Les personnes souhaitant oublier quelques instants les chutes et assister à des spectacles d'otaries, de dauphins et de baleines pourront aller à **Marineland** *(40$; fin mai à fin juin et sept à fin oct tlj 10h à 17h, juil et août tlj 9h à 18h; 7657 Portage Rd., ☎905-356-9565)*. En outre, un petit zoo et des manèges sauront amuser les enfants.

Activités de plein air

Vélo

La péninsule du Niagara compte une foule de petites routes de campagne paisibles et coquettes, parfaites pour une balade à vélo, qu'il s'agisse de traverser les champs de la région de St. Jacobs ou de se balader le long de la Route des vins. Dans la majorité des villes, vous n'aurez aucun mal à trouver une boutique de vélos pouvant réparer votre véhicule au besoin.

Le Niagara River Recreational Trail, aménagé pour les cyclistes et les promeneurs, longe la rivière Niagara, de Niagara-on-the-Lake à Fort Erie. Fort plaisante et paisible à souhait, cette balade d'une cinquantaine de kilomètres est accessible à tous.

L'extrême sud-ouest ★

p 408 p 411 p 411

Ce circuit sillonne la pointe de terre bordée par les lacs Érié et St. Clair, ayant pour voisin les États-Unis, une proximité qui a laissé des traces profondes dans l'histoire, puisque cette région a souvent été au cœur des conflits opposant Britanniques et Américains. C'est également par ici que les Noirs entraient au Canada dans l'espoir de se libérer du joug de l'esclavage. L'influence de cet imposant voisin est aujourd'hui encore grande, et certaines villes dont Windsor semblent vivre dans son ombre.

Kingsville

Chaque année, Kingsville reçoit une foule de visiteuses, les bernaches, qui s'y arrêtent durant leur migration. Dès 1904, Jack Miner chercha à attirer ces gracieux volatiles sur ses terres. Son entreprise porta des fruits, et ce lieu, l'un des premiers au Canada conçus pour protéger les oiseaux, devint une réserve ornithologique nationale en 1917. Aujourd'hui, le **Jack Miner Bird Sanctuary** ★ *(entrée libre; lun-sam 8h à 17h; au nord de Kingsville, à l'ouest de Division Rd., 322 route 3 W., ☎519-733-4034 ou 877-289-8328, www.jackminer.com)* est encore accessible à tous, et vous pouvez vous y rendre pour observer ces oies sauvages.

Amherstburg ★ (22 000 hab.)

L'histoire d'Amherstburg remonte au début de la colonisation de cette partie de l'Ontario, alors qu'à la fin du XVIIIe siècle les Britanniques avaient à cœur de protéger ces terres peu peuplées de la menace américaine toute proche, seule la rivière Detroit séparant les deux pays. Ce passé militaire a laissé au village, qui s'est développé le long de la rivière, un site touristique que l'on découvre avec beaucoup d'intérêt: le **Lieu historique national du Fort-Malden** ★ *(3,90$; juil et août tlj 10h à 17h; mai, juin, sept et oct tlj 13h à 17h; 100 Laird Ave., ☎519-736-5416, www.pc.gc.ca).* En 1796, sur la rive est de la rivière Detroit, les autorités britanniques décident de construire le fort Amherstburg, pour protéger la région d'une potentielle invasion américaine. Lors de la guerre de 1812, qui oppose les deux pays, le fort sert d'ailleurs aux troupes britanniques, mais les soldats, en nombre insuffisant pour le défendre, ne peuvent empêcher qu'il soit en partie détruit. Au lendemain de la guerre, un autre fort est érigé pour le remplacer, le fort Malden. Il sera au centre d'affrontements lors de la rébellion de 1837 et devra être à nouveau reconstruit de 1838 à 1840. Il est aujourd'hui possible de visiter le site du fort, qui s'étend sur quelques hectares. Parmi les bâtiments qu'on y retrouve figure la caserne, restaurée et meublée comme elle l'était en 1819. En outre, un centre d'interprétation permet d'en apprendre plus sur l'histoire de la région.

L'histoire des Noirs au Canada remonte entre autres au début du XIXe siècle, alors que d'anciens esclaves américains ainsi que des Noirs libres mais opprimés décident d'emprunter l'*Underground Railroad*, une route clandestine menant au Canada et passant par Amherstburg. L'esclavage est aboli au Canada en 1833 (aux États-Unis, en 1865), aussi ces terres apparaissent-elles pleines d'espoir pour ces fugitifs. C'est pour souligner cette page d'histoire que le **North American Black Historical Museum** ★ *(5,50$; juil et août mar-ven 12h à 17h, sam-dim 13h à 17h; le reste de l'année mar et jeu 12h à 13h30; 277 King St., ☎519-736-5433, www.blackhistoricalmuseum.org)* a ouvert ses portes. Le musée renferme notamment différents objets et documents relatant ces faits. Le site comprend également la Taylor Log Cabin, une cabane en rondins dont le premier occupant fut un ancien esclave et vétéran de la guerre civile américaine. Cette maisonnette de bois rond renferme en autres des meubles et des outils dont se servaient les premiers colons.

Windsor ★ (216 000 hab.)

Certains affirment que le plus bel attrait de Windsor est le profil de la ville américaine de Detroit se dessinant à l'horizon. Il ne s'agit sans doute là que de mauvaises langues, mais il est vrai que Detroit, qui se dresse de l'autre côté de la rivière du même nom, a quelque chose de féerique vue d'ici.

Dès la fin du XVIIe siècle, les Français choisissent d'ériger un petit poste de traite au bord de la rivière Detroit. En raison des bonnes relations qu'ils ont avec les Amérindiens vivant dans la région, le fort français prospère; mais, lorsqu'en 1763 la France perd ses colonies d'Amérique à l'avantage des Britanniques, le poste est abandonné, faisant craindre aux Amérindiens l'expansion britannique, des craintes qui se réaliseront des années plus tard.

En 1834, des Anglais s'installent à leur tour sur la rive est de la rivière, fondant un village qu'ils nomment d'abord Sandwich et qui deviendra Windsor. La ville connaît une première prospérité avec la construction du canal Welland, qui permet aux bateaux de remonter le lac Érié, puis avec la venue du chemin de fer. Ce n'est cependant qu'au début du XXe siècle, grâce notamment à l'industrie automobile, qu'elle connaît un véritable essor, sa population passant de 21 000 habitants, en 1908, à 105 000, en 1928. Aujourd'hui, cette ville industrielle offre un centre-ville quelque peu désolant. Il demeure cependant des coins agréables, entre autres au bord de la rivière où des parcs ont été aménagés, notamment les magnifiques **Coventry Gardens** ★ *(Riverside Dr., angle Pillette Rd.)*, ornés de superbes fleurs et de la fontaine de la Paix.

Ceux qui préfèrent tenter leur chance choisiront de se rendre au **Casino de Windsor** (voir p 411).

Si vous ne restez que peu de temps à Windsor et que vous ne pouvez visiter qu'un seul attrait, il faut que ce soit l'**Art Gallery of Windsor** ★★ *(3$; mer 11h à 20h, jeu-ven 11h à 21h, sam-dim 11h à 17h; 401 Riverside Dr. W., ☎519-977-0013, www.artgalleryofwindsor.com)*, qui loge dans un bâtiment au centre-ville, près de l'eau. Le musée possède une collection étonnamment riche de véritables chefs-d'œuvre de grands maîtres canadiens, en plus de 3 000 gravures, sculptures et photographies. L'exposition d'œuvres d'artistes canadiens du XIXe siècle est particulièrement intéressante. Vous profiterez d'explications claires et détaillées révélant différentes facettes de la vie artistique canadienne. Le musée possède également une superbe collection d'art autochtone.

Une splendide demeure de style Tudor, le **Willistead Manor** *(5$; visite guidée juil et août et déc dim 13h à 16h; sept, nov, jan et juin 1er et 3e dim du mois 13h à 16h; 1899 Niagara St., ☎519-253-2365)*, bâtie pour Edward Walker, fils du distillateur Hiram Walker, fait partie des plus beaux témoignages architecturaux de la ville datant du début du siècle dernier. Vous y découvrirez des pièces somptueuses, élégamment décorées d'un mobilier remontant aux années 1900.

Pour passer une journée en plein air sans quitter la ville, on peut aller à l'**Ojibway Nature Centre** *(entrée libre; tlj 10h à 17h, sauf déc à avr, fermé le mer; 5200 Matchette Rd., ☎519-966-5852, www.ojibway.ca)*. On y trouve des sentiers d'interprétation qui sillonnent la forêt et la prairie, où s'étendent de vastes champs d'herbes hautes.

Sarnia (71 000 hab.)

Sarnia est une ville de taille moyenne dont l'industrie pétrochimique prospère lui confère des allures futuristes. Heureusement, de fort beaux parcs situés en bordure du lac Huron et de la rivière St. Clair parviennent à faire oublier ces usines utiles certes, mais combien détonnantes dans le paysage.

Parc national de la Pointe-Pelée ★★

À l'extrême sud-ouest de l'Ontario, une pointe de terre s'avance dans le lac Érié, la pointe Pelée. Cette pointe bordée de marais est le refuge d'une faune variée, notamment d'oiseaux de toutes sortes qui viennent la hanter en tout temps et particulièrement au printemps et en automne, alors que différentes espèces s'y arrêtent lors de leur périple migratoire. Ce site est maintenant protégé par un parc national, le **parc national de la Pointe Pelée** *(par la route 33; 407 Monarch Ln., R.R. 1, Leamington, ☎519-322-2365 ou 888-773-8888, www.pc.gc.ca)*, qui offre d'agréables sentiers de randonnée. Les longues passerelles de bois qui s'enfoncent dans les marais et qui permettent l'observation de multiples espèces dans leur environnement naturel ajoutent à l'attrait de ce parc fascinant, où l'on a observé près de 350 espèces d'oiseaux. En septembre, des monarques, ces papillons orangés, envahissent souvent le parc lors de leur migration vers le Mexique (il arrive qu'ils ne s'y arrêtent pas). On y trouve également quelques plages.

Activités de plein air

■ *Observation des oiseaux*

Les oiseaux qui effectuent un périple migratoire s'arrêtent en grand nombre le long du lac Érié, pour reprendre les forces nécessaires à la traversée de cette gigantesque nappe d'eau. Aussi les rives du lac comptent-elles de nombreux sites extraordinaires pour observer plusieurs espèces.

Le **Jack Miner Bird Sanctuary** (voir p 403) a été créé en 1904 dans le but de protéger certaines espèces d'oiseaux, notamment les canards et les bernaches qui s'arrêtent en grand nombre dans la région.

Hébergement

Kitchener-Waterloo et ses environs

La ville comprend plusieurs hôtels tout confort, mais, si vous préférez les coquettes auberges, les villages des alentours ont plus à offrir.

Waterloo

Waterloo Hotel
$$$-$$$$
2 King St. N.
☎519-885-2626 ou 877-885-1890

De l'extérieur, le bâtiment du Waterloo Hotel vous semblera peut-être peu invitant, mais à peine serez-vous entré dans le hall que vous aurez une tout autre idée de l'établissement. Cette première pièce dans laquelle vous pénétrez est garnie de quelques belles antiquités et d'un majestueux escalier de bois sculpté. À l'étage, chaque chambre arbore un décor différent composé d'un beau mobilier, de fauteuils à haut dossier, d'une cheminée et d'un lit douillet. Toutes profitent d'une salle de bain moderne impeccable. Il s'agit sans conteste de l'établissement le plus charmant en ville.

Kitchener

Walper Terrace Hotel
$$$
1 King St. W.
☎519-745-4321 ou 800-265-8749
www.walper.com

Le Walper Terrace Hotel se distingue par ses allures anciennes; il est aménagé dans un beau bâtiment datant de 1893, au charme quelque peu désuet. Il n'a peut-être pas le luxe des hôtels modernes, mais les chambres au décor vieillot offrent tout de même un bon confort.

Delta Kitchener
$$$-$$$$
105 King St. E.
☎519-744-4141 ou 800-890-3222
www.deltahotels.com

À côté du Market Square se dresse l'édifice moderne abritant le complexe hôtelier Delta Kitchener, sans conteste l'un des plus élégants de la ville. Outre des chambres spacieuses, il renferme une piscine intérieure que vous apercevrez en entrant dans le hall, de larges baies vitrées la dévoilant.

St. Jacobs

Benjamin's Inn
$$$
1430 King St. N.
☎519-664-3731

Aujourd'hui rénové, un joli bâtiment situé au centre de la ville depuis plus de 100 ans abrite le Benjamin's Inn. Cette auberge propose des chambres meublées d'antiquités et dotées d'un cachet feutré, si agréable quand on est en vacances.

Jakobstettel Inn
$$$$
16 Isabella St.
☎519-664-2208 ou 800-431-3035
www.jakobstettel.com

De grands arbres ornent le jardin du Jakobstettel Inn, une ravissante auberge aménagée dans une splendide demeure victorienne datant du XIXe siècle. Elle renferme une douzaine de chambres toutes fort coquettes et garnies de meubles anciens. Au jardin, on profite d'une belle piscine et d'un court de tennis.

Elora

Elora Mill Country Inn
$$$$
77 Mill St. W.
☎519-846-9118 ou 800-713-5672
www.eloramill.com

Un ancien moulin de pierres se dressant au bord des chutes fut à l'origine du développement de la ville et est aujourd'hui reconverti en une splendide auberge: l'Elora Mill Country Inn. Elle est encore en quelque sorte au cœur de la ville, car son excellente réputation attire depuis longtemps les visiteurs qui viennent profiter de ses chambres, décorées avec goût, et de son délicieux restaurant (voir p 409).

Stratford

Durant les plus beaux mois de l'année, alors que le festival de théâtre bat son plein, les établissements hôteliers de la ville sont souvent complets. Heureusement, Stratford dispose d'une foule de *bed and breakfasts* tous plus attrayants les uns que les autres.

Deacon House
$$$ bc/bp
101 Brunswick St.
☎519-273-2052

La Deacon House est la promesse d'un séjour réussi. Elle comprend un grand salon très chaleureux, garni de meubles anciens et où l'on peut profiter de quelques instants de repos, ainsi que des chambres très mignonnes et confortables. À l'extérieur, le jardin planté de grands arbres et la terrasse sont tout aussi invitants.

The Old Rectory Bed and Breakfast
$$$$
218 Ontario St
☎519-271-7498
www.oldrectorystratford.com

Le nombre de gîtes à Stratford est impressionnant, et il y a en a pour tous les goûts. Ceux qui recherchent un établissement élégant et impeccablement tenu seront comblés en arrêtant leur choix sur l'Old Rectory. Cette belle grande maison datant de 1902 a été rénovée avec goût et minutie. Comme décoration, on y retrouve une habile combinaison de meubles d'époque, de design et de

confort moderne: une invitation au repos. Le gîte compte sept chambres au décor soigné et avec salles de bain privées. Le petit déjeuner, préparé avec art, est une autre bonne raison de choisir l'Old Rectory, un ancien presbytère, plutôt que tout autre établissement.

Stone Maiden Inn
$$$-$$$$$
123 Church St.
☎519-271-7129
www.stonemaideninn.com

Parmi les plus beaux établissements de Church Street, le Stone Maiden Inn a tout pour plaire aux voyageurs les plus exigeants, qui ne trouveront rien à redire. Déjà, la maison, une demeure de briques jaunes, est ravissante. Puis, à l'intérieur, chaque pièce est décorée avec goût. Ainsi les hôtes profitent-ils d'une salle à manger splendide ainsi que de chambres coquettement meublées et pourvues d'une salle de bain privée, certaines chambres ayant même un foyer. L'établissement est bien sûr impeccablement tenu, et l'accueil se révèle des plus courtois.

St. Marys

Westover Inn
$$$$ @
300 Thomas St.
☎519-284-2977 ou 800-268-8243
www.westoverinn.com

L'emplacement du Westover Inn, un véritable havre de tranquillité, vous laissera pantois, l'auberge étant située en pleine campagne et entourée d'arbres majestueux. Si l'environnement ne parvient pas à vous séduire complètement, les chambres, avec leurs grandes fenêtres par lesquelles entre la lumière à profusion et leurs beaux meubles anciens, vous fascineront certainement. L'ajout d'une touche de modernité parvient à rendre l'endroit des plus agréables.

London

Best Western Lamplighter
$$$
591 Wellington Rd.
☎519-681-7151 ou 800-780-7234
www.lamplighterinn.ca

Le Best Western Lamplighter se distingue des autres établissements de Wellington Road par sa piscine intérieure pourvue d'une longue glissoire qui émerveillera les enfants. Pour faire de cet aménagement un lieu unique, plusieurs chambres ont un petit balcon le surplombant.

Delta London Armouries
$$$-$$$$
@
325 Dundas St.
☎519-679-6111 ou 888-890-3222
www.deltahotels.com

La ville dispose d'un autre hôtel de qualité supérieure, le Delta London Armouries, qui comprend deux sections: une aménagée dans une ancienne caserne et une autre dans une haute tour de verre. L'ensemble, quelque peu surprenant au premier abord, est fort harmonieux; il abrite des chambres impeccables. Les piscines, notamment celle destinée aux enfants, en font une bonne adresse pour les familles.

Idlewyld Inn
$$$-$$$$ @
36 Grand Ave.
☎519-433-2891 ou 877-435-3466
www.idlewyldinn.com

Un autre établissement plaira aux amateurs de demeures anciennes, l'Idlewyld Inn, qui a été aménagé dans une splendide demeure construite au XIXe siècle. Depuis ce temps, la maison a bien sûr fait l'objet d'une rénovation, mais elle a gardé tout son charme d'autrefois, et vous pourrez y dormir dans une des 27 chambres, chacune présentant un décor bien particulier.

Hamilton et ses environs

Hamilton

Admiral Inn
$$$ @
149 Dundurn St. N.
☎905-529-2311 ou 866-236-4662
www.admiralinn.com

L'Admiral Inn propose des chambres modernes et confortables, assez typiques de ce genre d'établissements installés le long des routes principales à l'entrée des villes. Il présente cependant l'avantage de comporter une façade bien particulière, pourvue de larges baies vitrées permettant à la lumière d'entrer à profusion.

Sheraton Hamilton Hotel
$$$-$$$$$
@
116 King St. W.
☎905-529-5515 ou 800-514-7101
www.sheraton.com/hamilton

Non loin du musée d'art, en plein cœur du centre-ville, se dresse le Sheraton. Cette belle construction moderne, qui brille littéralement au centre-ville, renferme des chambres tout confort. Le Sheraton a en outre l'avantage d'offrir une piscine avec terrasse sur le toit et un accès intérieur au Jackson Square.

Niagara et la Route des vins

Niagara-on-the-Lake

Si vous disposez d'un bon budget, vous serez choyé à Niagara-on-the-Lake, qui bénéficie d'une foule d'auberges de qualité supérieure. La recherche sera cependant plus ardue pour les personnes voyageant avec un petit budget.

Ashgrove B&B
$$-$$$
487 Mississaga St.
☎905-468-1361

L'Ashgrove B&B bénéficie d'un site plaisant aux limites de la ville, là où commence la campagne, de sorte qu'il profite à la fois d'une bonne tranquillité et de la proximité du centre-ville. La demeure, entretenue avec soin, compte trois chambres, chacune arborant une décoration de style champêtre. Elle comprend également une salle à manger, garnie d'antiquités, où est servi le petit déjeuner, toujours copieux et fait maison. L'établissement dispose en outre d'un gentil jardin.

The Oban Inn & Spa
$$$$-$$$$$
160 Front St.
☎905-468-2165 ou 866-359-6226
www.obaninn.ca

On ne saurait qu'être conquis par le charme anglais, à la fois chaleureux et élégant, de l'Oban Inn & Spa. Son atmosphère amicale compte sans doute aussi dans l'appréciation positive qu'en font les visiteurs. Le bâtiment principal comporte des chambres aux matelas confortables et quelques-unes d'entre elles possèdent un balcon. Certaines s'ouvrent sur le jardin luxuriant, au centre duquel se trouve la piscine.

Moffat Inn
$$$$-$$$$$
60 Picton St.
☎905-468-4116

Non loin du centre-ville, le Moffat Inn, installé dans un bâtiment blanc orné de volets verts, propose une vingtaine de chambres bien tenues, certaines sont pourvues d'un foyer.

Pillar and Post Inn
$$$$$
48 John St. W.
☎905-468-2123 ou 888-669-5566

En entrant au Pillar and Post Inn, vous serez tout simplement séduit par le hall, une vaste pièce invitante garnie de plantes vertes, d'antiquités et de grands puits de lumière. Vous aurez envie d'y rester des heures. Il ne s'agit que d'un avant-goût de ce qu'offrent les chambres: de beaux meubles de bois, des fauteuils où il fait bon se reposer et même un foyer (dans certaines). Tout a été prévu pour que vous ne manquiez de rien: un beau centre de conditionnement physique et une piscine sont mis à votre disposition.

Prince of Wales
$$$$$
6 Picton St.
☎905-468-3246 ou 888-669-5566

Cet établissement parvient aujourd'hui à répondre aux besoins des voyageurs les plus exigeants. Outre une situation exceptionnelle, au cœur même de la ville, il propose des chambres élégantes, ornées de belles tentures et de meubles anciens, d'où émane une ambiance de résidence cossue de la fin du XIXe siècle. Les salles de bain sont pour leur part tout à fait modernes. La piscine mérite un coup d'œil, ne serait-ce que quelques instants, question de contempler la pièce magnifiquement aménagée où elle se trouve.

Niagara Falls

Haut lieu du tourisme dans la région, Niagara Falls compte pas moins d'une centaine d'établissements hôteliers, la plupart membres de grandes chaînes hôtelières nord-américaines, ainsi qu'une foule de *bed and breakfasts*. Les hôtels de la ville sont pris d'assaut durant les vacances d'été, mais sont déserts en basse saison, aussi les prix alors proposés sont-ils particulièrement avantageux.

Auberge de jeunesse
$
4549 Cataract Ave.
☎905-357-0770 ou 888-749-0058

L'endroit le moins cher en ville est sans conteste l'auberge de jeunesse, qui en vaut vraiment la peine si vous ne disposez que d'un petit budget.

Si vous longez la rivière avant d'entrer dans la ville, vous croiserez une succession d'hôtels offrant un confort moderne et une belle vue sur les rapides. Le **Days Inn North of the Falls** *($$$; 4029 River Rd.,* ☎*905-356-6666 ou 800-263-2543, www.niagaradaysinn.com)* et le **Best Western Fireside** *($$$; 4067 River Rd.,* ☎*905-374-2027 ou 800-661-7032, www.niagarabestwestern.com)*, situés l'un à côté de l'autre, disposent de chambres similaires; cependant, le Fireside offre un avantage: chacune de ses chambres renferme un foyer à combustible artificiel.

D'autres hôtels sont situés à quelques pas de l'animation, sans en être directement au centre, offrant ainsi l'avantage d'être dans une rue relativement plus tranquille que Clifton Hill. Le **Travelodge Bonaventure** *($$$; 7737 Lundy's Ln.,* ☎*905-374-7171 ou 800-667-3407 et demander Bonaventure 9780, www.niagaratravelodge.com)* et le **Quality Hotel** *($$$-$$$$; 5807 Ferry St.,* ☎*905-353-1010 ou 800-215-5691, www.qualityhotelniagarafalls.com)* renferment tous deux des chambres propres et même agréables.

Old Stone Inn
$$$$-$$$$$
5425 Robinson St.
☎905-357-1234 ou 800-263-6208
www.oldstoneinn.on.ca

L'Old Stone Inn est peut-être un des rares hôtels ayant un peu de cachet à Niagara Falls, car il est aménagé en partie dans un ancien moulin datant de 1904 qui renferme le hall ainsi que le restaurant (voir p 410). Une annexe y a été ajoutée afin d'abriter des chambres offrant un confort respectable.

The Oakes Hotel Overlooking The Falls
$$$$-$$$$$
6546 Buchanan Ave.
☎905-356-4514 ou 877-843-6253
Les plus beaux hôtels ont été construits au sommet de la colline qui domine les chutes, de sorte que les personnes y résidant peuvent profiter d'une belle vue. En outre situés en retrait du centre-ville, ils bénéficient d'un secteur paisible. L'Oakes Hotel Overlooking The Falls compte 239 chambres procurant un bon confort; de plus, quelques-unes offrent une vue sur les chutes (il faut alors payer un supplément).

Sheraton Fallsview Hotel & Conference Centre
$$$$$ @
6755 Fallsview Blvd.
☎905-374-1077 ou 800-618-9059
www.fallsview.com
Tout au bout de Fallsview Boulevard se dresse le très bel édifice du Sheraton Fallsview Hotel, qui profite sans nul doute du meilleur emplacement, aucune construction ne lui faisant obstruction; plusieurs chambres au confort impeccable offrent ainsi une vue magnifique.

L'extrême sud-ouest

Windsor

Vous trouverez à Windsor nombre d'hôtels de catégorie intermédiaire proposant des chambres à bon prix, surtout en dehors de la haute saison touristique. Ces établissements sont pour la plupart situés sur Huron Church Drive, une rue passante et sans attrait.

Branteaney's Bed and Breakfast
$$$-$$$$
1649 Chappus St.
☎519-966-2334 ou 866-966-1405
Établissement exceptionnel tant par ses qualités architecturales que par son emplacement en pleine forêt, dans un domaine de 0,8 ha, à quelques minutes en voiture du centre-ville, le Branteaney's Bed and Breakfast propose trois élégantes chambres et deux formidables suites. Paix et tranquillité émanent de ce remarquable établissement, reconnu depuis son ouverture en 1994 comme l'un des meilleurs *bed and breakfasts* de Windsor. Plus qu'un simple séjour dans un gîte touristique, le Branteaney's offre pratiquement une retraite dans un lieu qui invite à la réflexion et au silence.

Hilton
$$$-$$$$ @
277 Riverside Dr. W.
☎519-973-5555 ou 800-445-8667
www.hilton.com
Installé dans un bel édifice de 22 étages de briques rouges et de verre, le Hilton bénéficie d'une situation particulièrement plaisante: à deux pas du casino et du centre-ville, il fait face à la rivière. Il propose des chambres tout confort et de belles installations sportives.

Holiday Inn
$$$-$$$$ @
1855 Huron Church Dr.
☎519-966-1200 ou 800-465-4329
www.holiday-inn-windsor.com
Plus près du centre-ville, à deux pas du pont reliant le Canada aux États-Unis, le Holiday Inn renferme des chambres tout confort et propose une foule d'installations, comme un restaurant et une piscine intérieure.

Restaurants

Kitchener-Waterloo et ses environs

Waterloo

Janet Lynns
$$$-$$$$
92 King St. S.
☎519-725-3440
Le chef du bistro Janet Lynns fait certainement l'une des cuisines les plus raffinées en ville, le menu affichant chaque jour des spécialités qui sauront vous mettre en appétit, comme cet agneau grillé ou ces filets de porc au beaujolais. Vous passerez la soirée dans une élégante salle à manger, aux murs ornés de toiles colorées, qui se prête à merveille à ces repas mémorables.

Kitchener

Golf's Steak House and Seafood
$$-$$$
598 Lancaster W.
☎519-579-4050
Avez-vous déjà mangé un vrai bon steak juteux et tendre à souhait, comme on n'en fait qu'en Amérique? Le Golf's Steak House and Seafood vous donnera l'occasion d'en savourer un excellent. Vous dégusterez votre steak (essayez le New York Sirloin) dans une des vastes salles à manger au joli décor. Le repas comprend en outre le buffet de salades (à volonté) et la soupe du jour.

À la sortie de Kitchener se trouvent trois restaurants installés dans un même bâtiment attenant à l'hôtel Radisson; ils proposent un menu simple mais bon. Vous aurez alors l'embarras du choix parmi les plats italiens du **Del Dente** (*$$; 2980 King St. E.,* ☎*519-893-2911*), les steaks et grillades du

Charcoal *($$-$$$; 2980 King St. E., ☎519-893-6570)* ou le buffet de pâtes (*Pasta Bar*) du **Martini's** *($$; 2980 King St. E., ☎519-893-6570)*.

St. Jacobs

Stone Crock
$$
1396 King St. N.
☎519-664-2286

Aller manger au Stone Crock tient d'abord à une curiosité de visiteur: prendre un repas dans un restaurant mennonite. Une fois la porte franchie, on découvre la salle à manger, tout à fait invitante, qui arbore une décoration champêtre. Le menu propose une formule buffet, qui peut ne pas emballer certaines personnes. Cependant, on constate rapidement que les plats sont savoureux, copieux et préparés à partir d'ingrédients sains. Bref, outre l'expérience touristique, il s'agit sans conteste d'une des tables offrant le meilleur rapport qualité/prix dans la région.

Benjamin's Inn
$$-$$$
1430 King St. N.
☎519-664-3731

L'ambiance chaleureuse du restaurant du Benjamin's Inn a quelque chose d'envoûtant, et, une fois assis dans la salle, vous aurez envie d'y rester des heures. Peut-être est-ce en raison du cachet rustique de l'endroit ou est-ce la belle cheminée, ou encore le repas, une délicieuse succession de plats... Toujours est-il que vous y passerez d'excellents moments.

Elora

Desert Rose Café
$
130 Metcalfe St.
☎519-846-0433

Le resto sans prétention qu'est le Desert Rose Café est parfait pour prendre une bouchée le midi, soit une quiche ou une salade, ou pour se gâter en après-midi, les desserts étant également délicieux, notamment la *butter tart* et le gâteau aux carottes.

Elora Mill Country Inn
$$$-$$$$
77 Mill St. W.
☎519-846-9118

On peut prendre un délicieux repas au restaurant de l'**Elora Mill Country Inn** (voir p 405). La salle à manger, chaleureusement décorée de boiseries et d'un beau mobilier rustique, se pare de grandes fenêtres qui donnent sur la rivière et les chutes, de sorte que l'on peut contempler ce tableau tout en savourant son repas. Le midi, on a droit à un délicieux menu à prix raisonnable; on peut alors pleinement profiter du site, sans trop dépenser. Le soir, l'atmosphère se raffine, ainsi que le menu. L'endroit devient alors un lieu de prédilection pour qui aime savourer une cuisine innovatrice qui s'inspire des spécialités de différents pays.

Guelph

The Bookshelf
$$$
37 Quebec St.
☎519-821-3311

The Bookshelf est tout à la fois un cinéma de répertoire, une librairie, un restaurant, un cybercafé et une boîte de nuit à la mode. La salle à manger du rez-de-chaussée propose une bonne sélection de mets ethniques. À l'étage, la Green Room and Terrace dispose de tables de billard et d'un café Internet.

Stratford

Fellini's
$$
107 Ontario St.
☎519-271-3333

Fellini's, ce chouette resto italien sans prétention garni de tables recouvertes de nappes à carreaux, offre une bonne occasion de goûter quelques délicieuses spécialités de la cuisine italienne, le menu affichant des plats de pâtes variés.

Down the Street
$$-$$$
30 Ontario St.
☎519-273-5886

Le resto Down the Street, avec ses bancs de bois, ses tables en fer forgé et ses dessins d'artistes qui ornent les murs, s'apparente plus au café sympa où l'on va pour bavarder qu'au restaurant. Le menu est varié: moules, steaks, plats de poisson, et ce, pour tous les goûts.

The Church
$$$-$$$$
70 Brunswick St., angle Waterloo St.
☎519-273-3424

The Church profite d'un local de choix: une église plus que centenaire, réaménagée avec soin afin de créer une ambiance raffinée. En ce lieu unique à Stratford, on concocte des mets de qualité, inspirés des traditions culinaires de France et d'ailleurs. Le menu est varié, et, pour permettre de bien mettre en valeur chacun des plats, un vin sélectionné les accompagne (si vous le désirez).

London

Jewel of India
$$
390 Richmond St.
☎519-434-9268

D'aspect modeste, le Jewel of India porte bien son nom, car il s'agit vraiment d'un petit bijou pour qui aime la cuisine indienne. Currys, tandouris, pain nan, tout est au rendez-vous pour que vous y fassiez un véritable petit festin sans vous ruiner.

Chancey Smith's
$$$
Covent Garden Market
130 King St.
☎519-672-0384
Le Chancey Smith's se veut un restaurant classique spécialisé dans les steaks et les fruits de mer. À l'atmosphère décontractée le midi, avec entre autres une grande terrasse à l'entrée du marché, l'établissement se formalise quelque peu en soirée.

Blue Ginger
$$$-$$$$
644 Richmond St.
☎519-434-5777
Blue Ginger se distingue très nettement des autres restaurants de la ville, d'abord par sa décoration dépouillée et très design, où dominent le noir, le blanc et l'acier brossé, puis par le menu fort original qui affiche des plats issus de différentes cuisines asiatiques. Vous découvrirez avec enchantement ces parfums orientaux. Un tel établissement a bien sûr acquis ses lettres de noblesse auprès d'une clientèle distinguée qui apprécie l'élégance de l'établissement. En été, les convives peuvent aussi bénéficier d'une belle terrasse donnant sur la rue.

Hamilton et ses environs

Hamilton

The Black Forest Inn
$$-$$$
255 King St. E.
☎905-528-3538
Certains affirment qu'il s'agit du meilleur restaurant proposant des spécialités allemandes et suisses à des kilomètres à la ronde. Une chose est certaine: les plats sont préparés dans le respect des traditions (schnitzel, saucisses maison et goulash), ils sont délicieux, et les portions se révèlent copieuses. Une bonne adresse à connaître quand on a un bon appétit!

Shakespeare Restaurant
$$$
181 Main St. E.
☎905-528-0689
Les personnes préférant un bon steak tendre à souhait seront comblées au Shakespeare.

Niagara et la Route des vins

St. Catharines

Carlo's Cantina
$-$$
204 St. Paul St.
☎905-687-4002
St. Catharines compte quelques restaurants «exotiques» dont fait partie le Carlo's Cantina. S'attabler dans ce restaurant mexicain est une bonne occasion de sortir un peu des sentiers battus tout en appréciant un bon repas.

Niagara-on-the-Lake

Shaw Café and Wine Bar
$$-$$$
92 Queen St.
☎905-468-4772
Par les belles journées d'été, la rue Queen s'anime d'une foule tranquille qui, parfois, se laisse tenter par une des invitantes terrasses qui s'étendent de part et d'autre. Parmi celles-ci, sans doute la plus plaisante est-elle celle de ce café. Cette terrasse, garnie de tables en fer forgé et de parasols, est généralement prise d'assaut, et l'on a alors peine à s'y trouver une place. Qu'à cela ne tienne, on peut alors opter pour la belle salle à manger pourvue de larges baies vitrées.

Terroir La Cachette
$$$-$$$$
1339 Lakeshore Rd.
☎905-468-1222
Autrefois situé à Elora, le restaurant La Cachette se trouve désormais chez un vignoble de la belle région de Niagara-on-the-Lake, la Strewn Winery. Le décor a certes changé, mais le menu est demeuré le même: il propose toujours des mets aux arômes de la Provence. Les spécialités s'inspirent des traditions françaises, mais sont concoctées avec des produits de la province, un délicieux mariage. Enfin, chaque plat s'accompagne des vins élaborés sur place.

Niagara Falls

Victoria Park Restaurant
$-$$
Niagara Pkwy.
☎905-356-2217 ou 905-371-0254
Le Victoria Park Restaurant est plaisamment situé dans le parc bordant les chutes et fait face à la chute américaine. On s'y rend avant tout pour le site, mais le menu est correct, avec ses plats simples comme les sandwichs.

Second Bowl
$$
6811 Lundy's Ln.
☎905-358-2525
Bien manger à Niagara Falls peut s'avérer une entreprise hasardeuse. Ceux qui ne veulent plus voir de frites, et qui rêvent d'un plat concocté avec des légumes, des nouilles ou du riz, seront très heureux de découvrir le Second Bowl. On y propose une cuisine vietnamienne tout à fait honnête et à bon prix.

Old Stone Inn
$$-$$$
5425 Robinson St.
☎905-357-1234
Pour un repas un tantinet plus raffiné, vous pouvez essayer le restaurant de l'**Old Stone Inn** (voir p 407), à l'intérieur d'une belle salle à manger aménagée dans un bâtiment datant du début du XXe siècle. Le menu affiche une belle variété de mets de divers pays.

Skylon Tower
$$$$
5200 Robinson St.
☎905-356-2651
Les personnes qui désirent avant tout admirer les chutes pourront aller manger au restaurant de la tour Skylon, qui dévoile une vue splendide. Deux options sont offertes: une formule buffet (**$$$**) plus accessible pour les familles, ou le restaurant tournant, plus cher et plus chic. Certes, on paie un peu pour la vue, mais quelle vue!

L'extrême sud-ouest

Windsor

Basil Court Thai Restaurant
$$
327 Ouellette Ave.
☎519-252-5609
Sans compromis, le Basil Court Thai Restaurant fait de la cuisine thaïlandaise, riche, parfumée et relevée, qui comblera de bonheur les amateurs de currys, satays et autres délices les plus raffinées d'Asie. Ici, tout est dans l'assiette, et peu d'énergie a été investie dans la décoration.

Plunkette Bistro
$$-$$$
28 Chatham St. E.
☎519-252-3111
Au centre-ville, un resto retient l'attention, le Plunkette Bistro, surtout pour son agréable terrasse estivale. On s'y rend également pour son ambiance décontractée et pour le menu, sans extravagance, qui présente des plats simples et bons, notamment des salades, des plats de saumon et des hamburgers.

The City Beer Market
$$-$$$
119 Chatham St. W.
☎519-253-3511
The City Beer Market est sans contredit l'un des établissements en ville où il faut se rendre pour passer une agréable soirée entre amis. Sa salle à manger, aux murs de briques rouges, aux banquettes confortables et aux belles boiseries, a des airs de pub raffiné et est idéale pour les longues conversations. Le menu s'inspire des spécialités de divers pays, et l'on y fait de belles découvertes. Une section du restaurant fait office de bar.

Sorties

Activités culturelles

London

L'**orchestre symphonique** de la ville présente à l'**Aeolian Hall** *(795 Dundas St. E., réservations ☎519-672-7950, www.aeolianhall.ca)* des concerts tout au long de l'année.

London dispose également de superbes salles de théâtre, notamment le **Grand Theatre** *(471 Richmond St., ☎519-672-8800, www.grandtheatre.com)*, où des pièces sont présentées tout au long de l'année.

Bars et boîtes de nuit

Stratford

Down the Street
30 Ontario St.
Down the Street est à la fois un petit resto sympathique et un pub où vous pourrez prendre une bière (bonne sélection de bières pression) tout en profitant d'un local sans prétention qui se prête à merveille au bavardage.

Hamilton

Gown and Gavel
24 Hess St.
☎905-523-8881
Aménagé dans une belle maison victorienne, le Gown and Gavel, grâce à son décor chaleureux, est en quelque sorte l'une des institutions de la ville. Une faune estudiantine le fréquente assidûment.

Niagagara-on-the-Lake

Shaw Cafe & Wine Bar
92 Queen St.
☎905-468-4772
La terrasse du Shaw Cafe est, en ville, l'un des endroits pour prendre un verre (belle sélection de vins au verre) et pour contempler le spectacle de la rue.

Casinos

Niagara Falls

Casino Niagara
tlj 24 heures sur 24
5705 Falls Ave.
☎888-946-3255
www.casinoniagara.com
Un seul endroit en ville attire autant de gens aux heures les plus reculées de la nuit: le Casino Niagara. Pas moins de 2 700 machines à sous et 144 tables de jeux font le bonheur des joueurs.

Windsor

Casino de Windsor
377 Riverside Dr. E.
☎519-258-7878
www.casinowindsor.com
Windsor est fière de posséder son propre casino, dont le bâtiment se dresse au bord de la rivière Detroit et fait face aux États-Unis, d'où viennent la majeure partie de ses visiteurs.

Fêtes et festivals

Avril

Le **Stratford Festival** *(☎800-567-1600, www.stratfordfestival.ca)* a lieu tous les ans à Stratford, de avril à novembre, et il présente diverses pièces tirées du répertoire de Shakespeare ainsi que d'autres œuvres d'auteurs classiques. Afin d'ac-

cueillir un public nombreux, la ville compte trois scènes: le **Festival Theatre** *(55 Queen St.)*, l'**Avon Theatre** *(99 Downie)* et le **Tom Patterson Theatre** *(Lakeside Dr.)*.

De renommée internationale, le **Shaw Festival** *(☎905-468-2171 ou 800-511-7429, www.shawfest.com)* a lieu tous les ans depuis 1962 à Niagara-on-the-Lake. Du mois d'avril au mois d'octobre, vous aurez ainsi l'occasion d'assister à de nombreuses pièces de théâtre tirées de l'œuvre de George Bernard Shaw, à l'un des trois théâtres de la ville: le **Festival Theatre**, le **Court House Theatre** et le **Royal George Theatre**.

Octobre

À Waterloo, l'**Oktoberfest** *(☎ 519-570-4267, www.oktoberfest.ca)* est un événement majeur; il rappelle les origines allemandes d'une bonne partie de la population. Ce festival, le plus gros du genre en dehors de l'Allemagne, est alors l'occasion d'aménager des comptoirs et d'y servir saucisse, choucroute et bière dans une ambiance de fête. De nombreuses activités sont aussi organisées.

Achats

Kitchener

Le Market Square de Kitchener abrite le **Farmer's Market** *(300 King St. E., ☎519-741-2287)*, qui accueille les agriculteurs et les artisans de la région tous les jours de la semaine.

St. Jacobs

Le village compte une foule de **boutiques d'artisanat**, et nous préférons vous laisser le plaisir de fouiner parmi ce dédale de petits magasins, aussi tentants les uns que les autres, plutôt que d'essayer d'influencer votre visite.

St. Jacobs possède aussi son **Farmer's Market** *(sept à mai jeu et sam 7h à 15h30; juin à août mar 8h à 15h, jeu et sam 7h à 15h30; route 17, sortie ouest de la ville, ☎519-747-1830)*, où sont proposés artisanat, produits alimentaires et bétail. Il s'agit d'une occasion unique d'assister à un spectacle différent.

Stratford

Gallery Indigena
69 Ontario St.
☎519-271-7881
Vous pouvez vous procurer de superbes pièces d'art autochtone, sculptures ou gravures, à la Gallery Indigena de Stratford.

Theatre Store
96 Downie St.
☎519-271-0055
Si vous désirez vous procurer un quelconque souvenir du festival, il ne faut pas manquer de faire un saut au Theatre Store.

London

Innuit Gallery
201 Queen Ave.
☎519-672-7770
Sans conteste l'une des plus belles galeries d'art autochtone de la région, Innuit propose des sculptures et des lithogravures d'artistes provenant de tous les coins du Canada qui vous feront au moins rêver si vous n'avez pas les moyens d'en acheter.

Novacks Travel Bookstore
211 King St.
☎519-434-2282
Le Novacks Travel Bookstore est l'endroit par excellence pour se procurer des articles de plein air et des guides de voyage.

Niagara-on-the-Lake

Le centre de Niagara-on-the-Lake est composé d'une foule de boutiques toutes plus tentantes les unes que les autres, et votre visite de la ville ne sera pas complète si vous n'entrez pas dans quelques-unes d'entre elles.

Le nord de l'Ontario

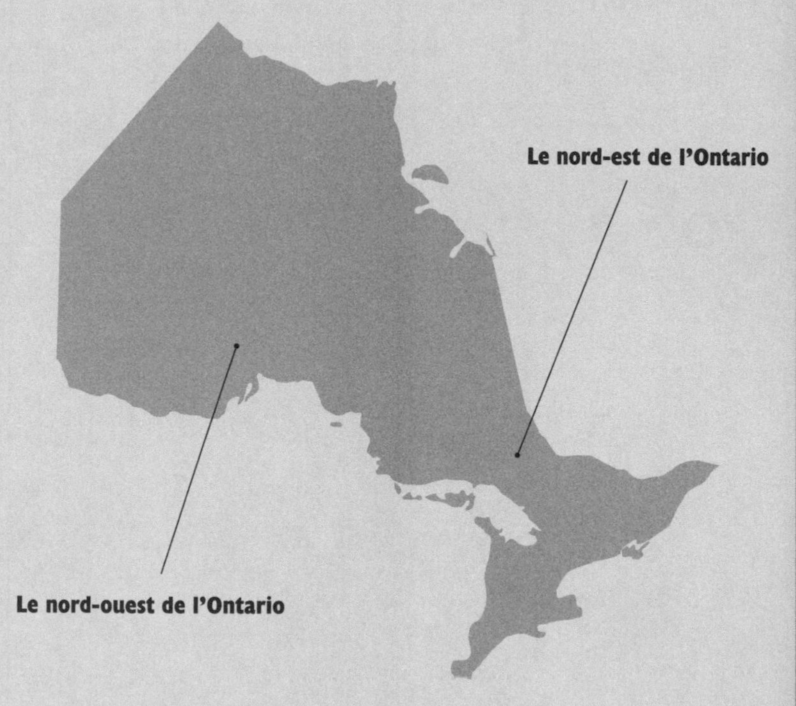

LE NORD DE L'ONTARIO

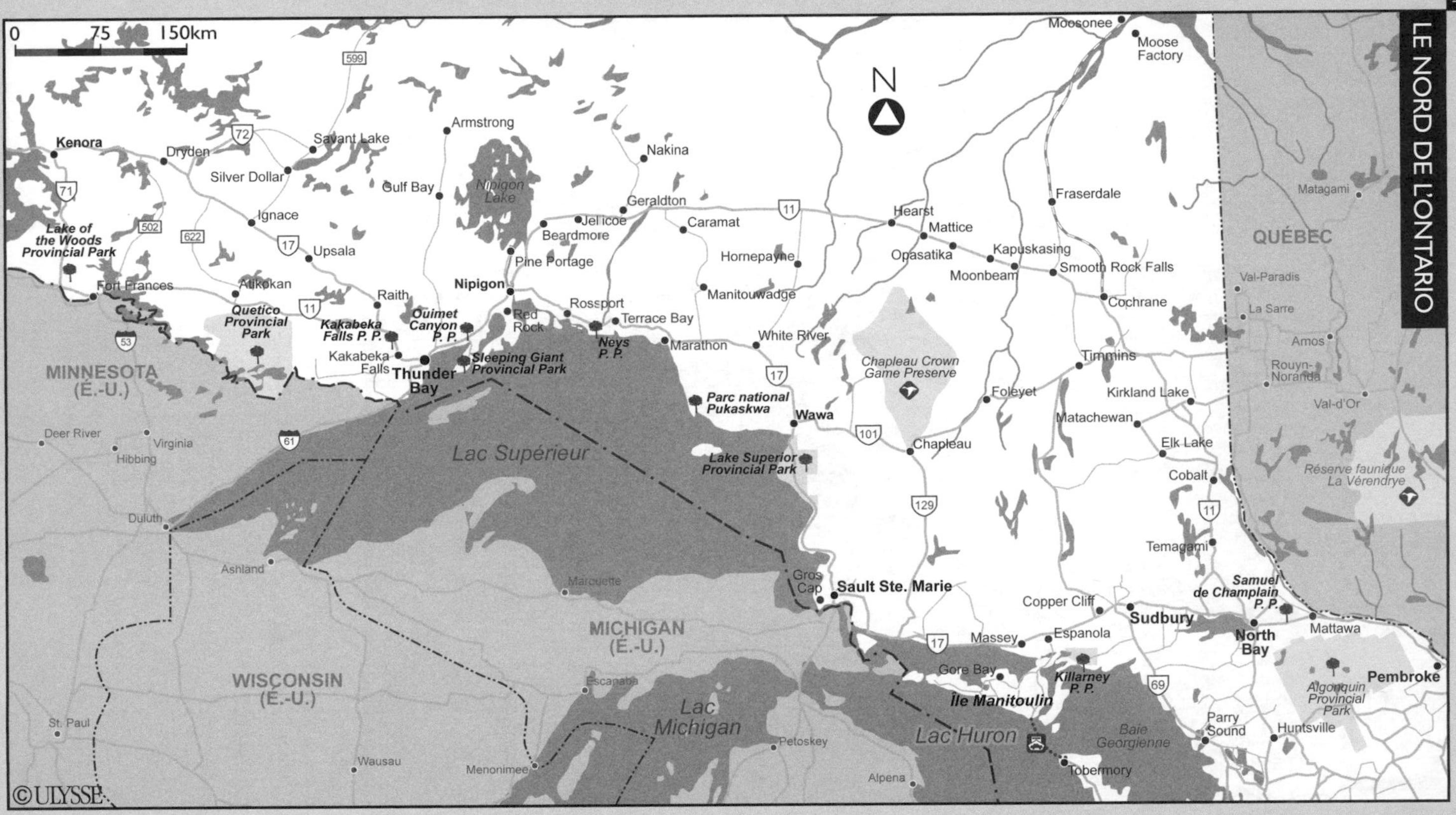

Au nord du 45e parallèle s'étend un territoire démesuré, encore indompté, où triomphent la forêt, les lacs et les rivières. C'est à la faveur de l'exploration des cours d'eau que les premiers Européens ont pu pénétrer plus profondément dans ces terres sauvages et y découvrir de véritables mers intérieures, soit les lacs Huron et Supérieur.

Ils y rencontrèrent également des peuplades autochtones qui tiraient leur subsistance de la chasse et de la pêche, et ils s'intéressèrent rapidement à un produit très prisé sur le Vieux Continent: la fourrure. Dès le XVIIe siècle, les Européens décident d'y établir des postes de traite, afin de commercer avec les nations amérindiennes du Nord, passées maîtres dans l'art de la chasse. Cependant, ce n'est qu'au XIXe siècle que de petites villes surgissent de ces postes éparpillés aux quatre coins du territoire.

Dans le présent chapitre, le Nord ontarien englobe plus de la moitié des terres de la province, une immense zone quasi inhabitée. Partout la forêt domine le paysage, et il n'est pas rare que des centaines de kilomètres séparent deux villages. Pour apprécier cette contrée sauvage, il faut aimer la solitude des grands espaces, la nature et les longues distances.

Accès et déplacements

Le territoire couvert par ce chapitre est vaste, aussi faut-il parfois rouler des dizaines de kilomètres avant d'atteindre un village. La voiture constitue le moyen de transport idéal, bien que l'autocar desserve la plupart des villes et villages. Il est également possible de prendre le train pour North Bay et Sudbury, de même que pour certaines villes plus au nord.

■ En voiture

La route 17 traverse tout ce territoire; elle débute près d'Ottawa et se rend jusqu'à la frontière manitobaine en passant par North Bay, Sudbury, Sault Ste. Marie, Wawa, Thunder Bay et Kenora.

Si vous arrivez de Toronto, vous devrez prendre l'autoroute 400 jusqu'à Barrie et poursuivre sur la route 11 pour rejoindre North Bay.

■ En autocar (gares routières)

Vous pourrez facilement vous rendre d'une ville à l'autre en voyageant par autocar, mais la route pourra alors vous sembler plus longue car les arrêts sont fréquents.

Mattawa
311 McConnell St.
☎705-744-5060

North Bay
100 Station Rd.
☎705-495-4200

Sudbury
854 Notre Dame Ave.
☎705-524-9900

Sault Ste. Marie
73 Brock St.
☎705-949-4711

Île Manitoulin
Hwy. 540
Little Current
☎705-368-2540

Thunder Bay
815 Fort William Rd.
☎807-345-2194

Kenora
1350 Hwy. 17
☎807-468-7172

■ En train (gares ferroviaires)

Un train de VIA Rail, le *Canadien*, relie Toronto à Vancouver, en traversant le Nord ontarien. À bord, entre Sudbury Junction et Winnipeg (au Manitoba), il est possible d'utiliser le service «Arrêts spéciaux» et de descendre à l'endroit qui vous convient.

Sudbury
233 Elgin St.
☎888-842-7245

Sudbury Junction
2750 Lasalle Blvd. E., environ 10 km au nord-est du centre-ville de Sudbury
☎888-842-7245

North Bay
100 Station Rd.
☎705-495-4200

■ En traversier

Si vous arrivez par le sud de la province, vous pourrez vous rendre dans l'île Manitoulin en prenant le traversier **Chi-Cheemaun** *(voiture 34,70$, adultes 15,95$, enfants 7,95$; ☎800-265-3163, Tobermory Terminal: 8 Eliza St., ☎519-596-2510, South Baymouth Terminal: 41 Water St., ☎705-859-3161, www.ontarioferries.com)*, qui relie Tobermory (à l'extrémité nord de la péninsule Bruce) à South Baymouth. La traversée, qui a lieu du printemps à l'automne, dure deux heures. Il est possible de réserver; vous devrez alors vous présenter une heure avant l'embarquement.

Horaire d'été

Tobermory–South Baymouth: départs à 7h, 11h20, 15h40 et 20h.

South Baymouth–Tobermory: départs à 9h10, 13h30, 17h50 et 22h.

Horaire du printemps et de l'automne

Tobermory–South Baymouth: départs à 8h50, 13h30 et 18h10 (ven seulement).

South Baymouth–Tobermory: départs à 11h10, 15h50 et 20h15 (ven seulement).

Les visiteurs en provenance du nord de la province par la route 17 pourront se rendre dans l'île par la route 6, qui relie Espanola et Little Current.

Renseignements utiles

■ Renseignements touristiques

Ontario's Near North Travel Association
1375 Seymour St.
North Bay, ON P1B 8H5
☎705-474-6634 ou 800-387-0516
www.ontariosnearnorth.on.ca

Rainbow Country Travel Association
2726 Whippoorwill Ave.
Sudbury
☎705-522-0104 ou 800-465-6655
www.rainbowcountry.com

Algoma Kinniwabi Travel Association
485 Queen St. E., Suite 204
Sault Ste. Marie
☎705-254-4293 ou 800-263-2546
www.algomacountry.com

North of Superior Tourism
R.R. 1
Nipigon
☎807-887-3333 ou 800-265-3951
www.nosta.on.ca

Attraits touristiques

Le nord-est de l'Ontario ★★

p 424 p 426 p 427 p 428

En 1615, deux explorateurs français, Samuel de Champlain et Étienne Brûlé, accompagnés de Hurons, remontent la rivière des Outaouais jusqu'à la rivière Mattawa, traversent le lac Nipissing et se rendent en Huronie, au bord de la baie Georgienne (lac Huron). Pendant une vingtaine d'années, les relations entre les Hurons et les Français sont bonnes, et les incursions sur cette partie du territoire sont relativement fréquentes. Les Français acquièrent alors une bonne connaissance de toute cette zone allant jusqu'au lac Supérieur. Toutefois, la colonisation de cette région est fort lente, et il n'y aura pas de réelle implantation, tant française qu'anglaise, avant plusieurs décennies.

Cette route naturelle, située dans le Moyen-Nord ontarien, a néanmoins joué un rôle majeur très tôt dans l'histoire de la province, car c'est en la suivant que les coureurs des bois établirent des relations commerciales très fructueuses avec les Autochtones. Ce circuit vous entraîne sur la route des premiers explorateurs, dont les principales villes sont North Bay, Sudbury et Sault Ste. Marie.

Samuel de Champlain Provincial Park ★★

Le **Samuel de Champlain Provincial Park** *(route 17 entre Mattawa et North Bay, ☎705-744-2276, www.ontarioparks.com)* est situé le long des berges de la rivière Mattawa, qu'empruntaient jadis les colons qui faisaient la traite des fourrures alors qu'ils se rendaient plus profondément dans les terres ontariennes en direction des Grands Lacs. En souvenir de ces explorateurs, le **Centre du patrimoine des voyageurs** présente quelques objets relatifs à leur mode de vie, et vous pourrez notamment y voir une intéressante réplique du type de canot d'écorce avec lequel ils se déplaçaient.

La rivière Mattawa est véritablement le centre névralgique du parc, car c'est autour de ce cours d'eau que s'organisent la plupart des activités sportives. Les personnes qui désirent se promener en forêt y trouveront des sentiers de randonnée menant à la rivière et la longeant sur une bonne distance, et celles qui savent un tant soit peu canoter s'en donneront à cœur joie en descendant ses flots. Les moins audacieux suivront la rivière sur une courte distance, alors que les plus audacieux entreprendront une excursion s'étendant sur quelques jours; des emplacements de camping sauvage sont d'ailleurs aménagés le long du parcours. Le parc compte également trois terrains de camping.

Pembroke (14 000 hab.)

Pour plusieurs, Pembroke est une destination de choix, non pas qu'elle cache quelque attrait historique, mais bien pour son emplacement, au bord de tumultueux rapides. Plusieurs entreprises organisent des excursions de rafting sur ces flots en mouvement (voir p 419). On peut d'ailleurs bien tirer parti des abords de la rivière, un parc où se déroulent une foule d'activités estivales y ayant été aménagé.

North Bay (54 000 hab.)

En arrivant à North Bay, vous serez accueilli par de longs boulevards bordés de motels et de vastes centres commerciaux qui n'ont rien de charmant. Cependant, ils ne sont pas représentatifs de cette ville du Nord qui cache quelques belles demeures ainsi qu'un centre-ville pittoresque (Main Street entre Cassell's et Fisher), malheureusement trop souvent délaissé à l'avantage des grands centres commerciaux. La beauté de cette ville tient à sa simplicité, à ses maisons proprettes au jardin toujours bien entretenu et surtout au magnifique lac Nipissing qui la borde. Une agréable **promenade ★**, ponctuée de bancs, longe les rives du lac, et en été, à la tombée du jour, elle s'anime d'une foule tranquille qui vient goûter les derniers rayons de soleil qui disparaissent doucement dans les eaux miroitantes du lac.

Des croisières (ou soupers-croisières) sont organisées à bord du ***Chief Commanda II*** *(à partir de 20$; ☎705-494-8167, www.chiefcommanda.com)*, qui part du quai de North Bay et va jusqu'à la rivière des Français. Les habitants de la ville peuvent également profiter d'un second beau lac, le lac Trout, qui s'étend à l'est de la ville. Il n'y a pas si longtemps les notables de North Bay faisaient construire leur chalet autour de ce lac.

À côté du bureau de renseignements touristiques, vous remarquerez une modeste maison en rondins, qui logea jadis la famille Dionne. Transportée de Callander, située à quelques kilomètres de North Bay, jusqu'ici sur son nouvel emplacement, cette maison abrite aujourd'hui le **Dionne Quints Museum** *(3,50$; mi-mai à fin juin et sept à mi-oct tlj 10h à 16h, juil et août tlj 9h à 19h; 1375 Seymour St., ☎705-472-8480)*. Le musée présente des photos des quintuplées (Cécile, Émilie, Yvonne, Annette et Marie) nées le 28 mai 1934. Fait rarissime dans l'histoire de l'humanité, la naissance des cinq fillettes attirera des millions de visiteurs dans la région. Encore aujourd'hui, leur histoire fascine et intrigue; le musée raconte leur jeunesse et expose divers objets leur ayant appartenu.

Sudbury ★ (158 000 hab.)

Au début de la colonisation, quelques postes de traite ont été établis dans la région, mais ce n'est qu'avec l'arrivée du chemin de fer en 1883 que Sudbury connaît vraiment son envol. Durant les travaux, d'importants gisements métallifères sont découverts, notamment de nickel (les plus riches au monde), d'uranium et de cuivre, à l'origine du développement important que connaît alors la ville. Ces métaux proviennent du bassin de Sudbury, qui fut probablement créé par l'impact d'un météorite. Les activités minières se poursuivent encore aujourd'hui, alimentant une bonne part de l'économie locale.

Partout dans la ville, vous sentirez bien la présence de cette importante calotte minéralogique, les verdoyantes forêts de feuillus et de conifères faisant place à des paysages désolés quasi lunaires. Depuis quelques années, de nombreuses mesures ont été entreprises pour redonner à la ville un peu de verdure, mais son industrie minière semble avoir laissé des traces indélébiles. Par conséquent, la ville n'a pas beaucoup de cachet. Heureusement, d'intéressantes initiatives ont été mises sur pied pour faire oublier toute cette grisaille, et des attractions comme Science Nord méritent certainement une visite.

Science Nord ★★ *(19$; fin juin à début sept tlj 9h à 18h, sept tlj 10h à 16h; 100 ch. du lac Ramsey, ☎705-523-4629 ou 800-461-4898, www.sciencenorth.ca)* est aménagé dans un bâtiment dont la forme est pour le moins inusitée: un gigantesque flocon de neige. Il illustre bien ce qu'il renferme, car ce remarquable centre multidisciplinaire vise à faire connaître au public les mystères de la nature et de la science. Vous pourrez y découvrir toute une gamme de petites expositions thématiques, de documentaires et de jeux interactifs et éducatifs, qui sont autant de moyens utilisés pour vulgariser de l'information scientifique souvent fort complexe. Le premier étage propose des expositions destinées aux tout-petits. Les deuxième et troisième étages ont pour thème la nature. On y présente différents ateliers sur la géologie et divers animaux (le porc-épic, le castor, la buse, etc.). Le dernier étage, avec ses laboratoires à la portée de tous, constitue une occasion unique d'expérimenter divers phénomènes naturels ou scientifiques. Le centre renferme également un **cinéma IMAX** *(9$)*, où sont projetés des films d'un réalisme saisissant.

Science Nord profite également d'un bel environnement au bord du lac Ramsey, et vous pourrez bénéficier de ses rives car un agréable parc a été aménagé. En outre, des quais de bois traversent toute une zone de marécages et permettent de faire une promenade au cœur des herbes hautes où habitent une foule de petits animaux et d'oiseaux. Enfin, vous pourrez prendre part à une croisière sur le lac à bord du ***Cortina*** *(12,25$; mi-mai à fin juin et sept tlj 13h30; juil et août tlj 13h30, 15h, 16h30, 18h et 19h30)*.

Killarney Provincial Park ★★

Si vous empruntez la route 637 en direction de la petite ville de Killarney, vous passerez en bordure du très beau **Killarney Provincial Park** *(☎705-287-2900, www.ontarioparks.com)*, qui s'avance dans la baie Georgienne. Ce vaste jardin naturel, traversé par plusieurs rivières et lacs aux eaux claires, se présente comme un véritable paradis pour l'amateur de canotage. En le parcourant, vous aurez la chance d'admirer des paysages quasi féeriques, typiques du Bouclier canadien, où s'entrecroisent les lacs et les rivières, les falaises des montagnes La Cloche et les forêts de bouleaux et de pins.

Le parc a tout pour plaire, aussi bien aux personnes qui désirent descendre en canot ces flots parfois tumultueux qu'à celles qui préfèrent les balades à travers bois, des sentiers de randonnée et de ski y étant tracés. Un terrain de camping proposant des emplacements avec électricité de même que des aires de camping sauvage y sont aménagés. Vous pourrez louer l'équipement nécessaire aux excursions en canot au petit village de Killarney.

L'île Manitoulin ★

Il y a fort longtemps que l'île Manitoulin est habitée par des communautés autochtones, des fouilles archéologiques ayant permis d'attester leur établissement sur cette terre il y a plus de 10 000 ans. Cette présence humaine connaît cependant un intermède car, dans les années 1700, pour des raisons encore obscures, les Amérindiens de l'île décident de la délaisser pour aller s'établir plus au sud. Il s'écoule une centaine d'années avant qu'ils ne reviennent dans l'île (autour des années 1820), car ils ont été repoussés par les nouveaux colons qui peuplent de plus en plus le sud de l'Ontario. Pendant des années, seule une poignée d'Autochtones s'installe dans cette île démesurée, la plus grande en eau douce au monde avec 1 600 km² de littoral. Mais, peu à peu, elle est convoitée par les colons anglais, et, au cours du XIXe siècle, les Amérindiens doivent s'entendre avec les nouvelles autorités pour le partage des terres.

Sur l'île, la présence amérindienne se fait bien sentir, les communautés outaouaises, potawatomies et ojibwées s'y étant dispersées, et l'on dénombre plusieurs villages et lacs tirant leur nom des langues amérindiennes. Ces noms tels que Sheguiandah, Manitowaning ou Mindemoya proviennent des légendes qui hantent encore les lieux. D'ailleurs, l'île elle-même doit son nom à une légende autochtone selon laquelle cette terre était celle du Grand Esprit: *Gitchi Manitou*.

Terre paisible renfermant une centaine de lacs, de mignons villages et de pittoresques hameaux, l'île a de quoi plaire aux personnes à la recherche de paysages champêtres et d'une nature sereine, mais n'est cependant d'aucun intérêt pour les âmes urbaines n'appréciant que les villes fébriles. L'île, avec ses longues plages de sable blanc, ses côtes bordées par des eaux où abondent les poissons et ses sentiers de randonnée, offre bien des ressources naturelles pour divertir l'amateur d'activités de plein air.

Sault Ste. Marie ★★ (75 000 hab.)

Déjà les Ojibwés prénommaient le site de l'actuelle Sault Ste. Marie, *Bawating*, en référence à son emplacement au bord de la rivière St. Mary's, qui relie en tumultueuses cascades les lacs Huron et Supérieur. C'est d'ailleurs en raison de ces chutes (sault) que le père jésuite Jacques Marquette nomma la mission qu'il venait d'y fonder «Sainte-Marie-du-Sault». Son emplacement clé pour le commerce des fourrures, à la jonction des deux grands lacs, en fait un important poste de ravitaillement, mais, jusqu'en 1840, le poste est surtout utilisé comme dépôt pour les marchandises. C'est l'exploitation de la mine Bruce, vers les années 1850, qui entraîna l'essor de la ville.

Aujourd'hui, la ville vit au rythme de ses importantes industries de bois et de sidérurgie ainsi que de la navigation, car ses écluses sont empruntées par nombre de navires chaque jour. Vous pourrez observer le passage des immenses navires dans ces écluses, car une plaisante promenade piétonne a été aménagée le long de la rivière St. Mary's. Ce parc attire également nombre d'oiseaux, notamment des bernaches.

Afin de permettre aux bateaux de relier les lacs Huron et Supérieur, et de contourner les rapides qui les séparent, la construction d'un canal fut entreprise en 1895. À une certaine époque, il comportait la plus longue écluse au monde et la première à fonctionner à l'éléctricité. En 1987, une défaillance du bajoyer (côté d'une chambre d'écluse) obligea les autorités à le fermer. Le canal a été équipé d'une écluse moderne et rouvert en 1998 à la navigation de plaisance. On en a profité pour réaménager les abords du canal et les transformer en un parc attrayant, le **Lieu historique national du Canal-de-Sault Ste. Marie** *(5,90$; ☎705-941-6262, www.pc.gc.ca)*. Un sentier de plus de 2 km y est entretenu.

Sault Ste. Marie ou *The Soo*, comme elle est communément appelée, a de quoi ravir. Belle ville paisible aux longues artères joliment arborées et bordées de somptueuses demeures aux allures d'antan, elle a un charme singulier et fait sans doute partie des plus agréables villes du Nord. Outre la beauté de son centre-ville et de ses quartiers résidentiels, que vous découvrirez au gré de vos promenades, elle possède quelques attraits touristiques intéressants et, surtout, elle est le point de départ de la magnifique excursion vers le canyon Agawa.

Le **Sault Ste. Marie Museum** *(5$; juin à sept lun-sam 9h30 à 17h, oct à mai mar-sam 9h30 à 17h; 690 Queen St. E., ☎705-759-7278)* permet de faire un bond de plus de 10 000 ans en arrière, car il présente une rétrospective historique des Premières Nations ayant habité la région jusqu'au XXe siècle. Vous pourrez entre autres voir une reconstitution d'un wigwam ainsi qu'une exposition de différents objets évoquant le mode de vie des pionniers au début de la colonisation. Les objets n'ont pas une grande valeur, mais la visite du musée offre un certain intérêt.

Le **Lieu historique national Ermatinger-Clergue** ★ *(5$; mi-avr à nov lun-ven 9h à 17h; 831 Queen St. E., ☎705-759-5443, www.pc.gc.ca)* abrite une maison qui fut bâtie en 1824 pour un riche commerçant de fourrures, Charles Oakes Ermatinger, et offerte à son épouse d'origine ojibwée. Fort jolie, cette maison de pierres, construite avant que la ville ne se développe, est la plus ancienne du nord-est de l'Ontario. La visite de cette habitation garnie de meubles anciens permet de remonter dans le temps, car elle est commentée par des guides en costumes d'époque. Juste à côté se dresse un ancien blockhaus, déménagé de son lieu d'origine pour permettre à une entreprise de prendre de l'expansion.

L'**Art Gallery of Algoma** *(2$; lun-sam 9h à 17h; 10 East St., ☎705-949-9067, www.artgalleryofalgoma.on.ca)* comprend deux salles d'exposition présentant des œuvres d'artistes du Canada et d'ailleurs. Elle renferme quelques toiles seulement, mais certaines sont fort belles. On y présente aussi des expositions temporaires.

En hommage à Roberta Bondar, première astronaute canadienne, native de Sault Ste. Marie, le **Roberta Bondar Park** a été aménagé au bord de la rivière St. Mary's, à deux pas du centre-ville. Une gigantesque tente de 1 347 m² s'y dresse en permanence, où une foule d'événements se déroulent en toute saison, entre autres le Winter Carnival.

À l'extrémité de Bay Street, vous ne pourrez manquer le grand hangar qui abrite le **Canadian Bushplane Heritage Centre** *(10,50$; mi-mai à mi-oct tlj 9h à 18h, mi-oct à mi-mai tlj 10h à 16h; 50 Pim St., ☎705-945-6242, www.bushplane.com)*. Plusieurs avions de brousse y sont exposés, notamment un *Beaver*, ce solide avion qui a permis l'exploration des régions canadiennes éloignées. Les avions de brousse ne sont pas les seuls modèles en vedette; vous pourrez également voir les appareils servant à combattre les feux de forêt. Vous pourrez approcher de près des appareils, monter dans certains et mieux comprendre le travail des pilotes.

À l'est de la ville, le **Bellevue Park** s'allonge au bord de la rivière St. Mary's. Il est fréquenté par les habitants qui viennent s'y promener et observer les quelques bêtes du **zoo** (entre autres des bisons et des cerfs de Virginie). L'endroit attire également une foule de bernaches du Canada qui cacardent à qui mieux mieux, lui enlevant quelque peu de sa tranquillité.

Pour faire une excursion mémorable au cœur de la nature sauvage du nord de l'Ontario, il faut monter à bord du train de l'Algoma Central Railway/CN et partir à la découverte de l'**Agawa Canyon Park** ★ ★ ★ *(été 65$, automne 85$; mi-juin à mi-oct tlj 8h; la gare se trouve au centre commercial Station; 129 Bay St., ☎705-946-7300 ou 800-242-9287, www.agawacanyontourtrain.com)*. Confortablement assis dans un charmant petit train d'époque, vous sillonnerez la forêt en passant à flanc de colline et en longeant des rivières, et contemplerez ce décor naturel d'une saisissante beauté qui se transforme au gré des saisons, passant du vert intense en été à la palette d'orangé et de rouge en automne.

Activités de plein air

■ *Descente de rivière*

Dans la région de **Pembroke**, les rivières des Outaouais et Petawawa se transforment en de tumultueuses cascades que les personnes avides d'expériences excitantes pourront descendre en raft. Au moment des crues printanières, les eaux sont à leur plus haut niveau, et la descente promet alors d'être particulièrement mouvementée. Plusieurs entreprises organisent de telles excursions, notamment:

River Run Resort
Beachburg
☎613-646-2501 ou 800-267-8504
www.riverrunners.com

Wilderness Tour
Beachburg
☎613-646-2291 ou 888-723-8669
www.wildernesstours.com

Owl Rafting
Forester Falls
☎613-646-2263 ou 800-461-2307
www.owl-mkc.ca

Le nord-ouest de l'Ontario ★★

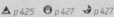

 p 425  p 427 p 427

Ultime frontière du territoire ontarien, le Nord-Ouest englobe un territoire immense s'étendant des rives du lac Supérieur, le plus grand lac d'eau douce au monde, aux limites du Manitoba à l'ouest, jusqu'à l'Extrême-Nord. Toute cette région réserve de belles surprises aux amateurs de plein air et de grands espaces, notamment à ceux qui désirent descendre les rivières en canot ou partir en randonnée à pied ou en skis.

Wawa

Tous les ans, la région de Wawa attire une incroyable quantité de bernaches du Canada qui viennent y nicher et, au moment de leur périple migratoire, il est fréquent que le ciel de Wawa se couvre de ces grands volatiles. Ces oies sauvages sont présentes dans la région depuis fort longtemps, et la ville en tire d'ailleurs son nom, car Wawa signifie «bernache» en langue ojibwée. En hommage à ces gracieux oiseaux, vous pouvez voir une statue d'acier haute de 9 m représentant une bernache. Elle commémore également l'ouverture de l'autoroute transcanadienne en 1960.

Lake Superior Provincial Park ★★

Le **Lake Superior Provincial Park** *(route 17, ☎705-856-2284, www.ontarioparks.com)* s'étend sur quelque 80 km aux abords du lac Supérieur; en suivant la route 17, vous le traverserez. Vaste étendue de verdure, il comprend de magnifiques plages et des falaises escarpées typiques des abords de ce lac. Des sentiers de randonnée aménagés le long du lac révèlent des panoramas grandioses, alors que d'autres s'enfoncent plus profondément au cœur de la forêt qui couvre cette partie de son territoire. Le parc renferme également des pétroglyphes, témoins de la présence ojibwée dans la région du lac Supérieur depuis plus de 9 000 ans. Le meilleur endroit où les contempler est Agawa Rock. Plusieurs autres sentiers de randonnée sillonnent le parc, dévoilant parfois quelques secrets des Ojibwés qui habitent ces terres depuis les temps anciens. En outre, l'amateur de pêche ne sera pas en reste, car il est possible de plonger sa ligne dans les limites du parc, truites et brochets abondant dans les rivières et les lacs.

Les personnes qui désirent passer quelques jours dans le parc pourront s'installer sur les terrains de camping Agawa Bay ou Interior *(réservations: ☎888-668-7275, www.ontarioparks.com)*.

Parc national Pukaskwa ★★

Aucune route ne traverse le **parc national Pukaskwa** *(suivez la route 17 jusqu'à la route 627, quelques kilomètres avant Marathon; Heron Bay, ☎807-229-0801, poste 242, www.pc.gc.ca)*, encore relativement vierge, à l'exception peut-être de l'aménagement de sentiers de randonnée. Créé en 1983, il a pour mission de préserver l'un des plus beaux paysages de la province: les rives du lac Supérieur. Il s'étend sur 1 878 km² et, outre une portion des rives du lac, comprend de vastes étendues sauvages typiques du Bouclier canadien, composées de rivières, de falaises et d'une végétation boréale. Dans ce paradis du randonneur, les sentiers comportent tous les niveaux de difficulté et dévoilent tantôt une plage, tantôt un décor naturel. D'autres pistes s'adressent aux marcheurs plus expérimentés. C'est notamment le cas du Coastal Hiking Trail, qui longe le lac sur près de 60 km, dévoilant des vues magnifiques. Il est également possible de découvrir le parc en descendant l'une des multiples rivières en canot ou en kayak. Mais le parc est vaste, aussi faut-il bien planifier ce type d'excursion avant de partir à l'aventure. Pour en connaître plus sur les particularités de la végétation du parc, il faut se rendre au **Centre d'accueil de l'anse Hattie**. De là partent également des voies canotables. Camping semi-aménagé ou sauvage.

Neys Provincial Park ★

Un chemin mène au **Neys Provincial Park** *(suivez la route 17 et, quelques kilomètres passé Marathon, vous apercevrez des indications menant au parc; Terrace Bay, ☎807-229-1624, www.ontarioparks.com)*, un petit territoire qui semble à première vue bien quelconque; cependant, il abrite l'une des plus belles plages du Nord ontarien. En outre, il est connu parce qu'un troupeau de caribous y vit.

Nipigon

Cette ville située à l'embouchure de la rivière Nipigon fut le premier endroit colonisé par les Français sur la rive nord du lac Supérieur, un poste de traite y ayant été établi en 1678. Nipigon a l'avantage de se trouver non loin d'un site naturel fascinant, **Red Rock** ★, constitué de hautes falaises rouges (200 m), dont la couleur confirme la présence d'hématite dans la roche.

Ouimet Canyon ★★

Ce canyon profond de 107 m et large d'environ 150 m a de quoi faire frémir, d'autant plus que vous pourrez l'admirer de près grâce aux deux belvédères de bois aménagés au bord du gouffre. Tout au fond du canyon et le long des parois abruptes, le froid perdure, et il n'y pousse qu'une flore arctique chétive.

Thunder Bay ★★ (109 000 hab.)

Il y a plus de 10 000 ans que la région de Thunder Bay est habitée, des Amérindiens s'y étant déjà installés. D'ailleurs, au moment de l'arrivée des premiers Européens, les tribus ojibwées occupent encore ce territoire. Au fil des ans, ces communautés n'ont jamais délaissé ces terres, et elles composent toujours une part importante de la population.

Le site apparaît stratégique aux colonisateurs, et en 1679 le fort français de Caministiquoyan est fondé afin de faciliter le travail des commerçants dans cette région. Mais le développement du nord de l'Ontario évolue lentement, et il faut attendre 1803, année d'implantation de la compagnie du fort William, pour qu'une communauté d'origine européenne s'installe de façon permanente dans cette partie du territoire. Le fort devient rapidement le centre du commerce des fourrures, et c'est ici que les trappeurs viennent échanger leurs prises avec les «voyageurs» venus de Montréal pour se les approprier. Ce commerce a bien sûr des retombées favorables sur l'essor de la région, car des colons s'y établissent de plus en plus nombreux.

Située à une centaine de kilomètres du Manitoba, Thunder Bay est une agglomération unique et la dernière ville d'importance dans l'ouest du territoire ontarien. Elle allie les avantages d'une ville moderne, dynamique et multiculturelle aux étendues naturelles qui se trouvent à proximité, encore indomptées par l'être humain et que vous pourrez conquérir à pied, en canot ou en skis. La ville s'est développée au bord du superbe lac Supérieur et en tire d'ailleurs une part de sa prospérité, son port étant l'un des plus actifs au Canada, car il s'agit du dernier havre pouvant accueillir les cargos qui remontent la Voie maritime du Saint-Laurent.

Au **port**, vous pourrez observer les gigantesques navires, de même que les élévateurs de grains qui servent à l'entreposage et qui sont dispersés sur plusieurs kilomètres.

Le **bord de l'eau** est le théâtre de nombreuses activités, sans compter qu'il s'agit d'un endroit où il est fort agréable de se promener, car il offre une vue incomparable sur le *Sleeping Giant* et les autres îles qui émaillent la baie.

Le **Fort William Historical Park** ★★ *(13$; mi-mai à mi-oct tlj 10h à 17h, mi-oct à mi-mai lun-ven visite guidée à 11h et 14h; 1350 King Rd., ☎807-473-2344, www.fwhp.ca)* se présente comme une reconstitution passionnante de l'ancien fort William, tel qu'il existait au début du XIXe siècle, et vous ne pourrez qu'être enchanté par cette réplique du plus grand poste de traite de fourrures au monde. Il renferme une quarantaine de bâtiments; des guides en costumes d'époque évoquent la vie des habitants d'alors (trappeurs, commerçants et Ojibwés) et vous entraîneront dans un fascinant voyage à travers le temps, quelque 200 ans en arrière.

Le **Thunder Bay Historical Museum** *(3$; mi-juin à début sept tlj 11h à 17h, sept à mi-juin mar-dim 13h à 17h; 425 Donald St. E., ☎807-623-0801, www.thunderbaymuseum.com)* présente toute une variété d'objets relatifs à l'histoire locale, des outils utilisés par les premiers habitants, des instruments militaires ou médicaux, ainsi qu'une collection d'artéfacts amérindiens. Il s'agit d'une belle occasion pour mieux saisir ce qu'était la réalité quotidienne des premières communautés autochtones et des premiers colons.

La **Thunder Bay Art Gallery** *(3$; mar-jeu 12h à 20h, ven-dim 12h à 17h; campus du Confederation College, 1080 Keewatin St., ☎807-577-6427, www.tbag.ca)* a ouvert ses portes en 1976, et depuis des expositions, souvent de belle qualité, s'y succèdent. On peut aussi y contempler quelques belles œuvres d'art autochtone.

Une **statue de Terry Fox** a été élevée à la sortie est de la ville pour souligner le courage de ce jeune héros canadien qui, atteint du cancer et ayant dû être amputé d'une jambe, entreprit son «marathon de l'espoir», une traversée du Canada à la course, afin d'amasser des fonds pour la recherche visant à vaincre cette maladie. Parti de Terre-Neuve, il parcourut une partie du Canada, mais dut abandonner ici, la maladie l'empêchant de continuer.

À la sortie nord-est de la ville s'étend le joli **Centennial Park ★**, qui borde le lac Boulevard et où il est possible de se balader le long de l'eau ou dans la forêt, des sentiers y étant aménagés. La journée promet également d'être plaisante pour toute la famille, car s'y trouvent des aires de pique-nique et la reconstitution d'un camp de bûcherons de 1910. Le lac Boulevard vous réserve une belle plage où l'on peut louer des canots et des pédalos. Un petit train propose des balades dans la la forêt.

Le **Chippewa Park** *(au sud de la route 61B)* est aménagé sur le bord du lac Supérieur et attire des familles entières venues y pique-niquer ou s'amuser dans un des manèges de son petit parc d'attractions.

La tour du **Mount McKay ★** *(☎807-622-3093)*, haute de 183 m, se dresse à côté de la ville, au cœur de la communauté ojibwée de Fort William. Au sommet, vous découvrirez une superbe vue de la ville et ses environs. Vous pourrez également y acheter des pièces d'artisanat autochtone.

L'Ontario possède de riches **gisements d'améthyste**, qui est d'ailleurs la pierre officielle de la province. Ces gisements présents dans la région de Thunder Bay ont été formés il y a quelques millions d'années par l'intrusion, dans le granit, d'un liquide bouillant riche en silice. En refroidissant, ce liquide a formé les cristaux de cette pierre semi-précieuse, une variété de quartz. Des visites du **Thunder Bay Amethyst Mine Panorama** *(3$; mi-mai à juin et sept à mi-oct tlj 10h à 17h, juil et août tlj 10h à 18h; East Loon Rd., 58 km à l'est de Thunder Bay, ☎807-622-6908, www.amethystmine.com)* sont organisées, et il est même possible de louer les outils nécessaires à l'extraction de quelques morceaux d'améthyste.

Sleeping Giant Provincial Park ★

Situé à deux pas de Thunder Bay, le **Sleeping Giant Provincial Park** *(prenez la route 17 puis la route 587, ☎807-977-2526, www.ontarioparks.com)* protège une péninsule rocheuse s'avançant dans le lac Supérieur, une péninsule qui aurait été créée par nul autre que *Nanabijou*... le «Grand Esprit» des Ojibwés. Une légende ojibwée raconte en effet que *Nanabijou*, désirant récompenser les Ojibwés de leur loyauté, leur aurait indiqué l'emplacement d'une riche mine d'argent. Il exigea cependant d'eux que l'existence de cette mine ne soit pas révélée à l'«Homme Blanc», à défaut de quoi il serait lui-même transformé en pierre et les laisserait périr. Malheureusement, un bavard ébruita le secret. Les hommes de la tribu moururent alors noyés, engloutis par les flots du lac Supérieur; quant à *Nanabijou*, il s'endormit et se transforma en une péninsule de pierre. Voilà qui explique la présence de cette presqu'île et son nom (le géant endormi).

Chacun est libre de croire à la légende, mais il demeure que la mine d'argent existe réellement. Le parc constitue un lieu privilégié, à une quarantaine de kilomètres de Thunder Bay, pour apprécier la saisissante nature de cette région. Des sentiers vous révéleront des paysages enchanteurs, et vous pourrez découvrir de superbes points de vue sur le lac. Le parc dispose également de plages des plus agréables, parfois prises d'assaut par les gens de la ville pendant les chaudes journées d'été. Enfin, il est possible d'y camper. Même en hiver, quand le parc se recouvre d'une bonne couche de neige, vous pouvez profiter de ce magnifique territoire, car une cinquantaine de kilomètres de pistes de ski de fond sont entretenues.

Kakabeka Falls Provincial Park

Le **Kakabeka Falls Provincial Park** *(de Thunder Bay, suivez la route 17, ☎807-473-9231, www.ontarioparks.com)* a été créé afin de préserver l'impressionnante chute Kakabeka, qui se jette dans la rivière Kaministiquia en un saut de 39 m. Dès 1688, les coureurs des bois qui voyageaient de l'est vers l'ouest empruntaient un chemin qui les menait à ces chutes, un obstacle naturel qui leur attirait bien des ennuis. En effet, ils se voyaient alors obligés de faire un portage ardu, matériel et canots devant être transportés pour remonter l'escarpement rocheux de cette chute. Aujourd'hui, les visiteurs s'y rendent pour contempler cette vrombissante chute d'eau toujours impressionnante, bien que les flots soient désormais contrôlés par des installations hydrauliques. Outre le spectacle saisissant de la chute, le parc dispose de sentiers de randonnée, de pistes de ski de fond en hiver, d'aires de pique-nique et d'emplacements de camping.

Quetico Provincial Park ★★

Le **Quetico Provincial Park** *(de Shabaqua Corners, suivez la route 11; ☎807-597-2735, www.ontarioparks.com)* s'allonge à la frontière de l'État américain du Minnesota. Sur l'ensemble des lacs et rivières de ce vaste territoire de quelque 4 700 km², les visiteurs n'ont pas le droit de se déplacer en embarcation motorisée (une permission spéciale est accordée seulement aux Autochtones de la région), ce qui explique que le parc soit en quelque sorte devenu le royaume du canoteur. En effet, pas moins de 1 500 km de voies canotables, d'un calme parfait, sont mis à la disposition des pagayeurs. Pour les personnes préférant la marche, des sentiers de randonnée sont également aménagés.

Lake of the Woods Provincial Park ★

Le **Lake of the Woods Provincial Park** *(au sud de Kenora, à Bergland, suivez la route 71 puis la route 600; ☎807-475-1495, www.ontarioparks.com)* protège une vaste étendue d'eau pure de 105 000 km de rives qui attire une faune ailée inusitée. En effet, avec un peu de chance, il vous sera possible d'observer de surprenantes colonies de pélicans blancs qui viennent y nicher, ou un magnifique pygargue à tête blanche. Actuellement, il n'y a pas d'aménagement prévu pour accueillir les visiteurs.

Kenora (15 000 hab.)

Kenora est située à l'extrémité ouest de l'Ontario et à quelques kilomètres de la frontière avec le Manitoba. Au XIXe siècle, cette portion du territoire fut d'ailleurs l'objet de disputes entre ces deux provinces, toutes deux voulant se l'approprier. C'est l'Ontario qui eut gain de cause, et ces terres lui furent officiellement concédées en 1892. Mais Kenora est véritablement née en 1905 de la fusion de trois petites localités: Keewatin, Norman et Rat Portage. Son nom provient d'ailleurs de l'utilisation des deux premières lettres du nom de chacune d'entre elles (Ke-No-Ra).

La région de Kenora dispose de ressources naturelles; le bois et les industries de pâtes et papiers sont quelques-unes des composantes majeures de l'économie locale. Les forêts et les lacs ont également permis le développement d'une autre industrie prospère, le tourisme, car il s'agit d'un vrai paradis pour la chasse et la pêche, de même que pour les belles balades en pleine nature sur les rives du lac.

Activités de plein air

Chasse et pêche

Saumon, truite, perchaude, maskinongé, corégone... Voilà une courte liste des quelques espèces de poissons que vous pourrez pêcher dans un des lacs ou rivières du nord de l'Ontario. Quelques-uns de ces lacs sont particulièrement réputés, notamment les lacs Nipissing et Trout, à **North Bay**, ainsi que les multiples lacs protégés par le **Missinaibi Provincial Park** *(au nord de Chapleau, www.ontarioparks.com)*, qui préserve la rivière du même nom.

L'île Manitoulin est également particulièrement fréquentée par les pêcheurs, car il est possible d'y faire de belles prises dans les eaux la bordant, notamment des saumons.

Les amateurs de chasse pourront également se donner rendez-vous dans quelques-uns des parcs de ce vaste territoire où cette activité est permise. L'ours noir, le cerf de Virginie et l'orignal font partie des trophées que le chasseur peut espérer rapporter, selon la région où il se rend.

Bien sûr, pour s'adonner à la chasse ou à la pêche, il est nécessaire de détenir un permis. Pour en faire la demande ou pour avoir des renseignements concernant la réglementation, vous pouvez écrire au:

Ministère des Richesses naturelles
300 Water St.
P.O. Box 7000
Peterborough, ON K9J 8M5
☎705-755-1869 ou 800-667-1940
www.mnr.gov.on.ca

Motoneige

La motoneige est une activité hivernale en plein essor. Le territoire ontarien compte d'ailleurs plus de 40 000 km de pistes, dont une bonne partie sillonne le nord. Ces sentiers qui se joignent permettent d'aller de ville en ville, de traverser de vastes étendues sauvages et d'accéder aux hameaux reculés. Pour préparer une telle excursion, les sites Internet *www.ofsc.on.ca* et *www.snowmobileinontario.com* sont des mines de renseignements.

Hébergement

Le nord-est de l'Ontario

North Bay

Il s'agit de la plus grande ville de la région, et vous n'aurez aucune difficulté à vous loger, les motels et les hôtels y étant nombreux.

Travelodge
$$ ≡ ♿ @
718 Lakeshore Dr.
☎705-472-7171 ou 800-578-7878
www.travelodge.com

Le long de Lakeshore Drive se succèdent une foule de motels et d'hôtels, parfaits pour les personnes munies d'une voiture et désireuses d'y loger quelques jours. Parmi ceux-ci, mentionnons le Travelodge, dont les chambres ont chacune un certain cachet et sont bien tenues. Il se trouve en outre près des plages du lac Nipissing.

Clarion Resort Pinewood
$$$ ≡ @ ≋
201 Pinewood Park Dr.
☎705-472-0810 ou 800-461-9592
www.clarionresortpinewoodpark.com

Profitant d'un bel environnement champêtre tout en étant près de la ville, le Clarion est une bonne option pour qui cherche à bien se loger sans trop s'éloigner. Il propose des chambres d'une bonne taille, au décor moderne, et offrant un bon confort. Outre un hébergement de qualité, il retient tout particulièrement l'attention pour ses installations, notamment un terrain de golf de 18 trous et un spa, qui font de cet établissement une adresse unique à North Bay.

Sunset Inn on the Park
$$$ ≋
641 Lakeshore Dr.
☎705-472-8370 ou 800-463-8370
www.sunsetinn.on.ca

Un peu en retrait de Lakeshore Drive, vous apercevrez le Sunset Inn on the Park, qui propose des chambres et de petits chalets chaleureux profitant d'une décoration coquette et d'un foyer. Aussi, il se trouve à deux pas du lac Nipissing et de la plage Sunset.

Sudbury

Sudbury ne compte ni auberge de jeunesse ni gîte touristique. Elle dispose cependant de plusieurs hôtels confortables, membres de chaînes hôtelières de réputation internationale.

Fairbank Provincial Park
$
suivez la route 144 sur 55 km
☎705-866-0530 ou 888-668-7275

Si vous désirez camper, vous pourrez aller monter votre tente sur le terrain de camping du parc provincial Fairbank, non loin de la ville.

Best Western Downtown Sudbury
$$$ ≡ @
151 Larch St.
☎705-673-7801 ou 800-387-0697
www.bestwestern.com

Le centre-ville de Sudbury n'a peut-être rien de particulièrement invitant, mais, pour ceux qui doivent y loger, le Best Western est une option honnête. Il propose des chambres au confort adéquat et a l'avantage de disposer d'un centre de conditionnement physique.

Travelodge
$$$ ≡ @
1401 Paris St.
☎705-522-1100 ou 800-578-7878
www.travelodge.com

Il peut être agréable de loger autour du centre Science Nord, d'autant plus que nombre d'hôtels ont été érigés et qu'ils rivalisent tous entre eux pour offrir le plus de services divers aux visiteurs et des chambres modernes et agréables. Parmi ceux-ci, le Travelodge dispose de forfaits incluant la chambre et des billets pour Science Nord. La clientèle aura l'avantage de bénéficier d'une piscine intérieure.

Travelway Inn
$$$ ≡ ❄ @
1200 Paris St.
☎705-522-1122 ou 800-461-4883
www.travelwayinnsudbury.com

Remis au goût du jour, le Travelway Inn propose des chambres agréables. Une attention particulière a été portée au confort, et chaque chambre profite d'un grand téléviseur et d'un réfrigérateur. Il plaira surtout en raison de la proximité du centre Science Nord, la distance pour s'y rendre pouvant se parcourir à pied.

L'île Manitoulin

Sur l'île, vous ne trouverez pas de grands complexes hôteliers ou d'hôtels de chaînes nord-américaines; ils font plutôt place aux simples motels, *bed and breakfasts* et terrains de camping.

Hawberry Motel
$$ ≡
36 Meredith St.
Little Current
☎705-368-3388 ou 800-769-7963

Le Hawberry Motel, avec ses longs bâtiments de briques surmontés d'un toit écarlate, est pour le moins voyant aux portes de Little Current. Quoi qu'on pense de son apparence extérieure, il renferme de grandes chambres, avec table de travail, sèche-cheveux, grands espaces de rangement et vaste salle de bain, bref, tout ce qui peut être utile pour un séjour loin de la maison. Le charme manque un peu, mais les chambres sont tout à fait adéquates.

Queen's Inn
$$-$$$
19 Water St.
Gore Bay
☎705-282-0665

La marina de Gore Bay profite d'une douce animation, particulièrement à la tombée du jour, alors que les bateaux arrivent au quai. Si ce va-et-vient vous plaît et que vous aimez contempler les flots, vous vous devez de séjourner au Queen's Inn. Cet gîte touristique est aménagé dans une splendide maison qui fait face à la baie depuis 1880. Depuis lors, la maison a été rénovée, mais elle a su conserver son cachet d'antan. L'établissement dispose de cinq chambres, tenues avec soin et joliment décorées. L'endroit est on ne peut plus charmant.

Sault Ste. Marie

Algonquin Hotel
$
864 Queen St. E.
☎705-253-2311

La ville dispose de quelques établissements proposant des chambres à bon prix. Ainsi, les chambres de l'Algonquin Hotel font certainement partie des moins chères en ville. Il en vaut d'autant plus la peine que les chambres, bien que modestes, sont bien tenues et que l'hôtel est facilement accessible et étant situé non loin de la gare routière.

Bay Front Quality Inn
$$-$$$
@
180 Bay St.
☎705-945-9264 ou 800-228-5151

Le Bay Front Quality Inn présente le double avantage d'être situé à deux pas du centre-ville et d'avoir une belle vue sur la rivière St. Mary's. Bien que les chambres offrent un décor un peu fade, elles sont parfaitement convenables.

Great Northern Resort
$$-$$$
229 Great Northern Rd.
☎705-942-2500 ou 800-563-7262
www.hotelgreatnorthern.com

Le Great Northern Resort cherche avant tout à plaire aux familles; pour ce faire, il dispose d'une belle piscine et d'une gigantesque glissoire (haute de cinq étages), ainsi que de quelques allées de jeu de quilles. Il va sans dire que cet établissement dispose de chambres bien tenues.

Holiday Inn
$$-$$$
@
208 St. Mary's River Dr.
☎705-949-0611 ou 877-660-8550
www.ichotelsgroup.com

Le Holiday Inn de Sault Ste. Marie compte parmi les établissements plaisants de la ville. L'aménagement intérieur est certes des plus agréables, mais c'est avant tout son site, au bord de la rivière St. Mary's, qui constitue son atout premier. En pénétrant dans le hall, vous apercevrez la piscine, ainsi que le piano-bar et le restaurant donnant sur la rivière. Plusieurs chambres ont une vue sur les flots.

Le nord-ouest de l'Ontario

Thunder Bay

Dernière agglomération dans le nord de la province, Thunder Bay est une fort belle ville qui dispose d'une foule d'établissements hôteliers pouvant accueillir les voyageurs.

Best Western Nor'Wester Resort Hotel
$$-$$$ @
2080 Hwy. 61
☎807-473-9123 ou 888-473-2378
www.bestwestern.com

Le Nor'Wester est une autre bonne adresse en ville pour ceux qui cherchent à bien se loger, dans des chambres agréables offrant un bon confort. Il dispose d'une foule d'installations, entre autres une piscine intérieure. Il bénéficie d'un emplacement panoramique au sud de la ville, près de l'ancien Fort William et des pentes de ski.

Valhalla Inn
$$-$$$ @
1 Valhalla Inn Rd.
☎807-577-1121 ou 800-964-1121
www.valhallainn.com

L'une des bonnes adresses où loger à Thunder Bay est le Valhalla Inn. L'établissement a en effet de quoi plaire aux voyageurs, car il renferme des chambres tout confort, vastes et joliment décorées. Outre son bel aménagement, il dispose d'un agréable centre sportif et d'un court de tennis.

Victoria Inn
$$$ @
555 W. Arthur St.
☎807-577-8481 ou 877-842-4667
www.vicinn.com

Dans Arthur Street, vous trouverez une bonne sélection d'hôtels et de motels modernes avec des chambres tout confort parfaites pour un séjour de quelques jours. Parmi les plus intéressants, mentionnons le Victoria Inn, dont les chambres relativement neuves sont bien tenues et dont la piscine intérieure s'agrémente d'un toboggan aquatique.

White Fox Inn
$$$-$$$$
1345 Mountain Rd.
☎807-577-3699 ou 800-603-3699
www.whitefoxinn.com

Le White Fox Inn fait partie des *bed and breakfasts* dont on se souvient longtemps. Les chambres, toutes décorées selon un thème différent et avec goût, invitent au repos.

Kenora

Kendall House
$$ bc
127 Fifth Ave. S.
☎807-468-4645 ou 888-303-4833
Cet adorable *bed and breakfast* victorien a pignon sur rue dans un quartier résidentiel paisible, à quelques rues seulement de Main Street. Il s'agit d'une maison Queen Anne de 1885, décorée d'antiquités bien choisies et empreinte d'une atmosphère paisible. L'endroit ne convient ni aux enfants ni aux animaux de compagnie.

Restaurants

Le nord-est de l'Ontario

North Bay

El Greco
$$
344 Algonquin Ave.
☎705-474-6322
Présentant un décor sans façon et servant une clientèle de tous les âges, El Greco ne propose pas un menu des plus originaux, les spaghettis et lasagnes composant l'essentiel des plats affichés, mais ne décevant pas. Il a surtout acquis sa popularité grâce à son atmosphère détendue et sympathique.

Kabuki House
$$$
369 Main St. W.
☎705-495-0999
La Kabuki House, aménagée dans un petit local coquettement décoré, propose des spécialités japonaises qui remplacent délicieusement les traditionnels hamburgers et frites. Dans une atmosphère élégante et détendue, vous y mangerez des plats savoureux tels que le *sukiyaki*.

Churchill's Prime Rib House
$$$-$$$$
631 Lakeshore Dr.
☎705-476-7777
Pour une soirée un peu plus habillée, il faut se rendre au Churchill, qui se veut un des établissements chics en ville. Les lieux sont élégamment aménagés. Le restaurant présente un menu étoffé où figure en bonne place le bœuf; les *prime ribs* du Churchill sont sans doute les meilleures en ville.

Sudbury

Café Matou Noir
$
86 Durham St.
☎705-673-6718
Sympathique petit établissement, le Café Matou Noir tire son originalité et son intérêt grâce à son emplacement, au fond de la librairie **Black Cat Too!**, étonnamment bien pourvue en journaux canadiens-anglais et canadiens-français, ainsi qu'en magazines également dans les deux langues. Au menu: soupes, sandwichs, salades, pâtisseries et bons cafés.

Sapporo Ichibang
$$$
79 Cedar St.
☎705-673-2233
Si l'Orient vous enchante, rendez-vous au restaurant japonais Sapporo Ichibang. Dans ce petit établissement à l'ambiance feutrée, on savoure quelques spécialités de la cuisine nippone, entre autres des sushis ou des plats teriyaki. L'endroit est charmant et la cuisine délicieuse.

L'île Manitoulin

Old English Pantry
$
13 Water St.
Little Current
☎705-368-3341
Il est de ces endroits détendus et chaleureux où il fait bon s'arrêter prendre un thé et un sandwich qu'on savoure en toute tranquillité. L'Old English Pantry est de ceux-là. Une bonne adresse pour le petit déjeuner.

Anchor Bar & Grill
$$
1 Water St. E.
Little Current
☎705-368-2023
L'Anchor Bar & Grill propose une cuisine sans extravagance, mais où les plats de poisson frais occupent une place de choix au menu. Certes, on y mange bien, mais la décoration gagnerait à être plus charmante. Il a toutefois l'avantage de disposer d'une agréable terrasse.

Sault Ste. Marie

Bridges Restaurant Lounge
$-$$$
Holiday Inn
208 St. Mary's River Dr.
☎705-945-6999
Une seule raison justifie d'aller prendre un repas au Bridges Restaurant Lounge, le restaurant du Holiday Inn: sa belle terrasse qui donne sur la rivière St. Mary's. Le menu affiche une variété de plats: hot-dogs et salades à l'heure du midi; des mets plus raffinés sont aussi proposés le soir. Le brunch du dimanche est particulièrement agréable.

North 82
$$-$$$
82 Great Northern Rd.
☎705-759-8282
Envie d'un steak juteux et tendre à souhait? Alors il faut se rendre au restaurant North 82. Il profite d'une grande salle à manger, au décor plutôt moderne et d'une ambiance

amicale, parfaite pour un repas en famille ou entre amis.

Thymely Manner
$$$-$$$$
531 Albert St.
☎705-759-3262
Le Thymely Manner compte sans contredit parmi les plus coquets restos en ville. Aménagé dans une fort jolie maison de briques rouges, décorée avec goût, il offre une ambiance chaleureuse. Son menu a également de quoi ravir: il affiche une sélection de plats issus des traditions culinaires italiennes et françaises. Le service est plein d'attention.

Le nord-ouest de l'Ontario

Thunder Bay

Hoito Restaurant
$$
314 Bay St.
☎807-345-6323
Le Hoito Restaurant se présente comme un de ces restaurants dont le menu, à la fois délicieux et original, a permis de le faire connaître dans toute la ville. Mais qu'a donc de particulier ce menu? Il affiche des plats d'une cuisine combinant avec brio les traditions culinaires canadiennes et finlandaises. Au petit déjeuner, les crêpes sont véritablement succulentes.

Armando Fine Italian Cuisine
$$$
28 Cumberland St. N.
☎807-344-5833
Il est de ces restaurants dont l'atmosphère romantique concourt à vous faire passer une belle soirée. Ainsi en est il de l'Armando Fine Italian Cuisine, où la nourriture est tout simplement exquise et dont le charmant propriétaire veille à ce que les convives connaissent l'Italie sous son meilleur jour. À ne pas manquer!

White Fox Inn
$$$-$$$$
1345 Mountain Rd., par la route 61
☎807-577-3699
La table du White Fox Inn mérite que vous fassiez ce petit détour, car vous y prendrez un excellent repas tout en profitant d'une atmosphère raffinée. Même la cave à vins aura de quoi combler les amateurs les plus exigeants.

Sorties

Activités culturelles

North Bay

Le **Capitol Centre** *(150 Main St., ☎705-474-1944 ou 888-474-4747, www.capitolcentre.ca)* de North Bay présente fréquemment des spectacles qui sauront vous divertir.

Sudbury

Au **Sudbury Theatre Centre** *(170 Shaughnessy St., ☎705-674-8381, poste 21)*, vous pouvez tout au long de l'année assister à des pièces de théâtre et autres comédies musicales.

Sault Ste. Marie

On peut obtenir des renseignements sur les diverses activités culturelles de la ville en téléphonant à l'**Arts Council of Sault Ste. Marie** *(☎705-945-9756, www.ssmarts.org)*. On peut se procurer des billets pour les différents événements au **Station Mall** *(293 Bay St., ☎705-945-7299)*.

Thunder Bay

Des spectacles de qualité sont présentés au **Thunder Bay Community Auditorium** *(1 Paul Shaffer Dr., ☎807-684-4444 ou 800-463-8817, www.tbca.com)*.

Bars et boîtes de nuit

Sudbury

Pat & Mario's
1463 Lasalle Blvd.
☎705-560-2500
Le restaurant Pat & Mario's est reconnu pour ses mets italiens, mais son bar attire également bien du monde en soirée et est un bon endroit où s'amuser en ville.

Sault Ste. Marie

On the Rocks Patio Bar & Grill
Holiday Inn
208 St. Mary Dr.
La terrasse au bord du lac est l'endroit tout indiqué pour prendre un verre en fin d'après-midi.

Thunder Bay

Port Arthur Brasserie and Brew Pub
901 Red River Rd.
☎807-767-4415
Le plaisant Port Arthur Brasserie and Brew Pub propose une intéressante sélection de bières importées. En été, il est le centre d'une activité intense, sa terrasse étant très fréquentée.

Fêtes et festivals

L'île Manitoulin

Le **Pow Wow** de la communauté amérindienne Wikwemikong attire chaque année, durant la première fin de semaine du mois d'août, les familles

autochtones venues participer à nombre de cérémonies et de danses.

Achats

North Bay

The North West Company Trading Post
440 Wyld St.
☎705-472-6940

Si vous désirez acheter des pièces d'artisanat autochtone, rendez-vous à la boutique North Western, qui en propose de fort belles.

L'île Manitoulin

Ten Mile Point Trading Post
Hwy. 6, entre Little Current et South Baymouth
☎705-368-2377

Le Ten Mile Point Trading Post a en montre des pièces d'artisanat autochtone qui comptent parmi les plus belles que l'on puisse espérer trouver. Mocassins, bijoux, sculptures et gravures ne sont qu'un court éventail de ce que vous pourrez vous y procurer. Si vous aimez ce genre d'établissement, faites-y un saut.

Sault Ste. Marie

Le train pour l'Agawa Canyon Park part du stationnement du centre commercial **Station Mall** *(293 Bay St., ☎705-946-7239)*, où vous trouverez des boutiques variées, certaines proposant des articles intéressants.

Références

Index

Les numéros de page en **gras** renvoient aux cartes.

C

D

E

F

G

H

I

J

K

L

M

N

O

P

S

T

U

V

W

Y

Z

Tableau des distances

Distances en kilomètres

Exemple: la distance entre Montréal et Toronto est de 546 km.

	Trois-Rivières	Toronto (Ont.)	Thunder Bay (Ont.)	Sherbrooke	Rouyn-Noranda	Rimouski	Québec	Ottawa (Ont.)	Niagara Falls (Ont.)	Montréal	London (Ont.)	Kingston (Ont.)	Gaspé	Chicoutimi	Baie-Comeau
Chicoutimi															316
Gaspé														649	337
Kingston (Ont.)													1223	752	959
London (Ont.)												451	1656	1187	1395
Montréal											738	299	930	464	676
Niagara Falls (Ont.)										670	227	408	1590	1126	1334
Ottawa (Ont.)									543	207	600	203	1124	662	869
Québec								451	925	253	985	548	700	211	422
Rimouski							3 0	731	1211	536	1264	828	392	248	154
Rouyn-Noranda						1164	877	536	858	638	912	721	1559	831	1304
Sherbrooke					782	516	240	347	827	147	886	450	915	451	662
Thunder Bay (Ont.)				1790	1002	2157	1831	1516	1525	1638	1414	1623	2552	2085	2294
Toronto (Ont.)			1421	693	606	1070	802	399	141	**546**	198	263	1476	1000	1224
Trois-Rivières		689	688	158	747	415	130	331	814	142	973	437	808	338	545
Windsor (Ont.)	1050	386	1310	1064	1089	1440	1162	773	413	912	191	926	1831	1364	1573

Légende des cartes

- Attraits
- Hébergement
- Restaurants
- Mer, lac, rivière
- Forêt ou parc
- Place
- Capitale de pays
- Capitale provinciale ou territoriale
- Frontière internationale
- Frontière provinciale ou territoriale
- Chemin de fer
- Tunnel

- Aéroport international
- Casino
- Cimetière
- Église
- Escalier
- Funiculaire
- Gare ferroviaire
- Gare routière
- Hôpital

- Information touristique
- Librairie Ulysse
- Marché
- Bloor-Yonge Métro (Toronto)
- Montagne
- Musée
- Parc
- Piste cyclable
- Plage

- Point de vue
- Point d'intérêt / Bâtiment
- Porte (Ville de Québec)
- Réserve faunique ou ornithologique
- Stationnement
- Station de métro (Montréal)
- Traversier (ferry)
- Traversier (navette)

Symboles utilisés dans ce guide

- @ Accès Internet
- Accessibilité aux personnes à mobilité réduite
- Air conditionné
- Animaux domestiques admis
- Baignoire à remous
- Centre de conditionnement physique
- Cuisinette
- ½p Demi-pension (nuitée, dîner et petit déjeuner)
- Foyer
- Label Ulysse pour les qualités particulières d'un établissement
- pc Pension complète
- Petit déjeuner inclus dans le prix de la chambre
- Piscine
- Réfrigérateur
- Restaurant
- bc Salle de bain commune
- bc/bp Salle de bain privée ou commune
- Sauna
- Spa
- Télécopieur
- Téléphone
- tlj Tous les jours

Classification des attraits touristiques

★★★	À ne pas manquer
★★	Vaut le détour
★	Intéressant

Classification de l'hébergement

L'échelle utilisée donne des indications de prix pour une chambre standard pour deux personnes, avant taxe, en vigueur durant la haute saison.

$	moins de 60$
$$	de 60$ à 100$
$$$	de 101$ à 150$
$$$$	de 151 à 225$
$$$$$	plus de 225$

Classification des restaurants

L'échelle utilisée dans ce guide donne des indications de prix pour un repas complet pour une personne, avant les boissons, les taxes et le pourboire.

$	moins de 15$
$$	de 15$ à 25$
$$$	de 26$ à 50$
$$$$	plus de 50$

Tous les prix mentionnés dans ce guide sont en dollars canadiens.

Les sections pratiques aux bordures grises répertorient toutes les adresses utiles.
Repérez ces pictogrammes pour mieux vous orienter:

- Hébergement
- Sorties
- Restaurants
-  Achats